表Ⅲ　タンパク質合成阻害薬の種類と略語

分類	薬品名	英名（略語）
1. テトラサイクリン系薬		
	テトラサイクリン	tetracycline（TC）
	ドキシサイクリン	doxycycline（DOXY）
	ミノサイクリン	minocycline（MINO）
2. マクロライド系薬		
エリスロマイシン型（14員環）：		
	エリスロマイシン	erythromycin（EM）
	オレアンドマイシン	oleandomycin（OL）
アジスロマイシン系薬		
	アジスロマイシン	azithromycin（AZM）
ロイコマイシン型（16員環）：		
	アセチルスピラマイシン	acetylspiramycin（SPM）
	ジョサマイシン	josamycin（JM）
	ミデカマイシン	midecamycin（MDM）
	ロキタマイシン	rokitamycin（RKM）
	ロキシスロマイシン	roxithromycin（RXM）
	クラリスロマイシン	clarithromycin（CAM）
リンコマイシン型：		
	リンコマイシン	lincomycin（LCM）
	クリンダマイシン	clindamycin（CLDM）
ケトライド型		
	テリスロマイシン	telithromycin（TEL）
3. クロラムフェニコール系薬		
	クロラムフェニコール	chloramphenicol（CP）
4. アミノグリコシド系薬		
ストレプトマイシン型：		
	ストレプトマイシン	[illegible]
カナマイシン型：		
	カナマイシン	[illegible]amycin（KM）
	ゲンタマイシン	gentamicin（GM）
	ジベカシン	dibekacin（DKB）
	トブラマイシン	tobramycin（TOB）
	シソマイシン	sisomicin（SISO）
	ネチルマイシン	netilmicin（NTL）
	ミクロノマイシン	micronomicin（MCR）
アミカシン型：		
	アミカシン	amikacin（AMK）
	アルベカシン	arbekacin（ABK）
アストロマイシン型：		
	アストロマイシン	astromicin（ASTM）
スペクチノマイシン型：		
	スペクチノマイシン	spectinomycin（SPCM）
5. オキサゾリジノン系薬		
	リネゾリド	linezolid（LZD）
6. その他		
	ムピロシン	mupirocin（MUP）

表Ⅳ　核酸合成阻害薬の種類と略語

分類	薬品名	英名（略語）
1. ピリドンカルボン酸系薬		
ナフチリジン型：		
	ナリジクス酸	nalidixic acid（NA）
	エノキサシン	enoxacin（ENX）
キノロン型：		
	ノルフロキサシン	norfloxacin（NFLX）
	レボフロキサシン	levofloxacin（LVFX）
	シプロフロキサシン	ciprofloxacin（CPFX）
	トスフロキサシン	tosufloxacin（TFLX）
	ロメフロキサシン	lomefloxacin（LFLX）
	フレロキサシン	fleroxacin（FLRX）
	ガチフロキサシン	gatifloxacin（GFLX）
	スパルフロキサシン	sparfloxacin（SPFX）
	パズフロキサシン	pazufloxacin（PZFX）
	プルリフロキサシン	prulifloxacin（PUFX）
シンノリン型：		
	シノキサシン	cinoxacin（CINX）
2. リファンピシン		rifampicin（RFP）

表Ⅴ　補酵素合成阻害薬と抗結核薬の種類と略語

分類	薬品名	英名（略語）
1. スルホンアミド系薬		
	スルファメトキサゾール－トリメトプリム	sulfamethoxazole-trimethoprim（ST）
2. 抗結核薬		
一次抗結核薬（A）		
	リファンピシン	rifampicin（RFP）
	リファブチン	rifabutin（RBT）
	イソニアジド	isoniazid（INH）
	ピラジナミド	pyrazinamide（PZA）
一次抗結核薬（B）		
	ストレプトマイシン	streptomycin（SM）
	エタンブトール	ethambutol（EB）

第5版

口腔微生物学・免疫学

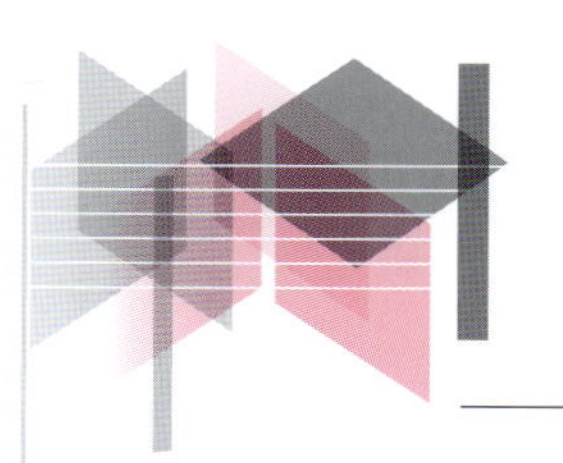

Oral Microbiology and Immunology

編集

川端重忠

小松澤　均

大原直也

寺尾　豊

執筆者（執筆順）

大阪大学大学院教授
川端重忠

徳島大学大学院教授
片岡宏介

広島大学大学院教授
小松澤　均

明海大学名誉教授
大森喜弘

慶應義塾大学医学部教授
藤猪英樹

九州歯科大学教授
有吉　渉

徳島大学大学院教授
住友倫子

医薬基盤・健康・栄養研究所プロジェクトリーダー
山口雅也

大阪歯科大学教授
沖永敏則

鹿児島大学大学院教授
中田匡宣

東京科学大学大学院教授
鈴木敏彦

九州歯科大学客員教授
九州大学名誉教授
山下喜久

長崎大学大学院教授
内藤真理子

日本歯科大学生命歯学部教授
髙橋幸裕

九州大学大学院特別研究員
柴田幸江

岡山大学学術研究院教授
大原直也

北海道大学大学院教授
長谷部　晃

広島大学大学院准教授
松尾美樹

朝日大学歯学部教授
引頭　毅

前岩手医科大学歯学部教授
佐々木　実

愛知学院大学歯学部教授
長谷川義明

福岡歯科大学教授
田中芳彦

新潟大学大学院教授
寺尾　豊

松本歯科大学教授
吉田明弘

昭和大学歯学部教授
桑田啓貴

新潟大学大学院准教授
土門久哲

北海道医療大学歯学部教授
永野恵司

医歯薬出版株式会社

This book is originally published in Japanese
under the title of :

KOKUBISEIBUTSUGAKU MEN'EKIGAKU
(Oral Microbiology and Immunology)

Editors :
KAWABATA, Shigetada et al.
KAWABATA, Shigetada
Professor, Osaka University

ISHIYAKU PUBLISHERS, INC.
7-10, Honkomagome 1 chome, Bunkyo-ku,
Tokyo 113-8612, Japan

第５版の序

『口腔微生物学・免疫学　第５版』を上梓できる運びとなった．第４版の刊行から早や５年が過ぎ，進歩の著しい分野について最新の知見を取り入れ，内容をアップデートする必要が生じてきた．また，SARS-CoV-2（新型コロナウイルス）による感染症が世界中を席巻し，その終息は見通せない状況である．これまで感染症の知識をさほど必要としなかった人々にも，ウイルス，ワクチン，治療薬，消毒などの知見が周知された．歯科医療従事者はもとより，歯科大学・歯学部学生も，これまで以上に正確かつ最新の情報を取り入れていかなくてはならないであろう．

第５版では，各執筆者にこれまで以上にわかりやすい図表の作成や追加・修正をお願いした．微生物各論では，基礎的知識の習得に留まらず，臨床とのつながりを考慮して，臨床所見，検査，予防や治療などの情報を充実させた．SARS-CoV-2 による感染症など新興感染症に関する記述も追加した．さらに，学習意欲のある学生に向けて，内容的には高度でも，将来必要となるであろう項目はあえて記載した．座右に置いて学習されることを切に願うものである．

今回の改訂では，執筆者の交代や図表の入れ替えなどが大幅にあったため，編者一同はかなりの時間を費やして校正を重ねた．しかしながら，未だ力及ばずの部分も随所に見受けられるように思う．学習者あるいは教育者の立場からお気づきの点があれば，是非ともお知らせ願いたい．

最後に，種々の制約下でご協力を頂いた全国の先生方に心より感謝の意を表したい．また，適切な助言や助力を頂いた医歯薬出版株式会社編集部に感謝を申し上げる．

2021 年 11 月

編者代表　川端重忠

第 4 版の序

『口腔微生物学・免疫学』は2000年に初版を発行して以来，主に歯学部学生を対象とする教科書として，これまで2回の改訂を経て充実化を図ってきた．過不足のない記述とわかりやすい図表を附随することで，将来の歯科医師として必要かつ十分な微生物学・免疫学の体系的知識と論理的思考を身につけられるように目指してきた．しかしながら，第3版刊行後5年が過ぎ，（口腔）微生物学・免疫学の教育を担当される先生方の世代交代があり，また増刷時の小さな変更では補いきれない項目もかなり累積してきた．さらに，新興・再興感染症の流行により，社会から歯科医療人に要請される感染症の知識も増加傾向にある．そこで，内容・構成・執筆者を入れ替え，より良質な教科書へと発展させるべく大規模な改訂を試みた．

第4版では浜田茂幸先生のご指導を仰ぎながら，編者として小松澤均，大原直也，寺尾豊の3教授を新たに迎え，編集陣の増強と若返りを図った．諸氏には企画段階から参画してもらい，編集委員会として全体に亘る構成の再点検を行った．たとえば，第3版の5章建てを4章建てとし，各章に責任編者を当て，バランスのとれた内容を盛り込むことと執筆者間に統一性をもたせることを目論んだ．

主な改良点として，歯科医師国家試験やCBTの学習に向けて，略語，索引，用語説明などを充実させた．進歩の速い免疫学の章は大幅に改変するとともに，微生物学各論の項も統一のとれた記述を図った．また，各論をより深く理解するために，総論には基礎の基礎となる項目を配置した．これら以外の項目についても図表，写真，本文の見直しを徹底し，内容的にもup-to-dateなものに仕上がるよう注意を払った．さらに，内容的にはやや高度でも学生の興味を引くような項目や科学的あるいは臨床的に重要と思われる項目については，執筆者にその記載をお願いした．

スマートフォンやタブレットを使い慣れたIT世代の学生諸君が，少しでも楽しくかつ集中して学習できることを願って，必要と思われる事項のQRコード（二次元バーコード）を巻末に添付した．賛否両論はあろうと思うが，教育者の使い方次第で有用なツールになることを期待する．

新たな試みを設けたことや編者・執筆者の交代などもあり，内容は随所に大きな変化を得たが，その代償としてリスクも負っている．度重なる校正を経て改良を加えてきたが，不備な点が未だ多く残されていることと思う．本書をさらに良いものとするためにも，読者の忌憚ないご意見を賜りたい．

最後に，所々の制約にもかかわらずご協力を賜った執筆者の先生方，ならびに制作に関する適切な助言や補助を頂いた医歯薬出版株式会社編集部に衷心より感謝を申し上げる．

2015年11月

編者代表　川端重忠

第３版の序

＜口腔微生物学・免疫学＞の第３版を刊行できる運びになった．

第３版では，免疫学の章を大幅に充実させ，また，医真菌学の項を一新した．この他，全章にわたって本文を精査し，内容の最新化を図り，微生物名の改変への対応，わかりやすい図表への改訂あるいは追加・差し替えなどを行い，コストの許す限りのカラー化を試みた．また，判型をA4（変形）に拡大し，より読みやすく，かつ物理的なコンパクトさを維持するように努めた．前版に比してかなり充実したものに仕上がったと確信している．

第３版では編者として新たに川端重忠，西原達次，菅井基行，中川一路の４教授に加わっていただき，企画から実務に至る要所要所で支えていただいた．

また，著者の先生方には多忙な中を快くお引け受けいただき，かつ編者からのさまざまなリクエストにお応えいただいたことは，ありがたく，厚くお礼を申し上げます．あわせて，編集実務の労をとられた医歯薬出版株式会社編集部に深謝します．

メキシコに端を発した“新型インフルエンザ”を例に挙げるまでもなく，古くからなじみの病原微生物も時とともに巧みに変身し，それに応じて感染症の様相も絶えざる変化を続けている．逆に，これまではほとんど顧みられることのなかった微生物でも，医療の高度化や環境の変化で新たに病原微生物と認知されるものが必ず出現してくることであろう．微生物学・感染症学の教科書の改訂が必要な所以である．

次回の改訂からは，若い編者が中心になって本書をいっそう進化させてくれることを祈念し，役目を終えたいと思う．

2010年２月

編者を代表して，

浜田茂幸

バンコク郊外・RCC-ERIにて

第２版の序

＜口腔細菌学・免疫学＞の初版が刊行されてから早くも５年が経過した．この間多くの方々から頂いたご指摘などを参考にしつつ，初版を全面的に見直し，ここに改訂第２版の刊行に至った．

本書の基本方針は，初版の序文に具体的に示した通りで，いささかの変更点もない．微生物学と免疫学の基本を押さえつつ，進歩が激しいこの分野の成果をできる限り平易な表現で取り入れるように努めた．また，菌種名（学名）の変更などにも目を配った．さらに，初版でやや手薄と感じた領域や章については，それらを質・量ともに補強しつつ，全体としてのページ数の増加がないように気を配った．

本書が歯科医学を学ぶ学生諸君の教科書として，また口腔細菌学に興味をもつ大学院生や非専門家の参考書として大いに役立つことを祈念し，期待する．

本書が今後もさらなる進化をとげるために，読者諸氏のご支援とご鞭撻をお願いしたい．

2005 年 6 月

浜田茂幸

東京・九段にて

初版の序

口腔内には多数かつ広範多彩な微生物が生息している．歯科医学が対象とする病気の多くは，その発生場所や原因はともかくとして，いずれも微生物フローラに彩られた口腔という環境で生じる．

口腔の疾患のうち，今も昔も齲蝕と歯周病が罹患者の多さの点で1，2を占める点では変わりがない．

齲蝕を口腔内の微生物と関連づけて科学的なメスを加えたのはW. D. Millerである．1890年頃のことであった．早くに開花した口腔細菌学ではあるが，20世紀に入って，結果として長い雌伏の期間を余儀なくされた．しかし，1960～70年代に入ると齲蝕の病因に関する研究は実りの時期を迎え，その後も着実な進歩をとげ，今日に至っている．

一方，歯周病の病因については，1970～1980年代になって，嫌気性細菌学の技術の進歩とともに，独自の境地を開き，短年月の間にわれわれの共有する知識は飛躍的に増加し，深化した．

換言すれば，歯科医学を学ぶ学生諸君が習得すべき「知」の量は，細菌学領域に限ってみても最近30年間に圧倒的に増大し，これを臨床の場で生かすべく，消化吸収することが求められている．そのためには断片的な知識を羅列するだけではなく，これらを相互に有機的に関連づけて考える必要がある．本書はこのような目的に役立つことを目指して執筆・編集したものである．

執筆に際してはできる限り最新の知見をも視野に入れ，必要な事項は簡潔ながらも過不足なく取り入れたつもりである．その点では，大学院生諸氏にとっても，口腔感染症の病因とその予防についての復習や，研究面での参考書として利用できるはずである．また，臨床系の研究者や医師が最新の研究の動向や知見を概観するための効率的な情報源ともなるように想定して編纂されている．

最初の2章では，「微生物学」および「免疫学」の全般にわたるアウトラインが記されており，これら2つの領域にわたる学問の幅と基礎的知見を学ぶ．次いで，医学的に重要とされる病原微生物の性状と，惹起される疾患の概略を知る．そのうえで，これらの感染症疾患の予防と治療についての今日の状況を理解する．

このような広い意味の病原微生物学を習得したうえで，歯科医学に最も密接に関連する「口腔微生物学および免疫学」のエッセンスを学ぶ．まず口腔フローラとデンタルプラークについて最新の知見を理解する．次いで，齲蝕と歯周病の病像・病因・対策を多くの図表の助けを借りて学ぶ．

最後に，齲蝕や歯周病以外の口腔内の代表的な感染性疾患を知る．この部分は口腔外科学，歯科保存学，歯科補綴学など，臨床各科で学ぶことがらの基本となる事項が説明されている．

以上の各章は，多くの専門家がそれぞれ自分の得意とする分野を中心に執筆し，編者である私が全体的な統一を図りつつ，教科書としての形に整えたものである．事前に相当に考えつくしたつもりの目次も，編集を終えてみると，なお工夫の余地は少なくない．これについては近い将来の改訂に待ちたい．

最後に分担執筆に快く応じていただいた先生方と，制作の労をとられた医歯薬出版株式会社編集部に深謝いたします．

2000年3月

浜田茂幸
大阪・千里にて

口腔微生物学・免疫学 第5版

CONTENTS

第1章 微生物学総論

第2章 免疫学

第3章 病原微生物各論

CONTENTS

微生物学総論

Ⅰ　微生物学の歴史と発展
Ⅱ　微生物の基礎
Ⅲ　微生物の分類と性状
Ⅳ　微生物の遺伝学
Ⅴ　微生物遺伝子の変化
Ⅵ　微生物遺伝子の応用
Ⅶ　感染制御

微生物学の歴史と発展

1 疫病の認識

紀元前3180年頃のエジプト第1王朝時代に，大きな伝染病があったとする記述が残っている．それ以降，エジプトのパピルス古文書に流行病の記載（1500 B.C. 頃），中国では天然痘と思われる病気の記載（1112 B.C.）やローマを襲った疫病の内容（790～640 B.C.）の記述などが古代文明の発祥地域で散見される．

Hippocrates（459～377 B.C.）は，病気を四体液（血液，粘液，黄胆汁，黒胆汁）の変調によるものと考え，疫病の発生は汚れた空気によるものとするミアズマ miasma 説を唱えた．Aristoteles（384～322 B.C.）や Galenos（129～199）らの時代になると，疫病の伝染性を明らかに想定していた．時代をはるかに下ると，イタリアの Girolamo Fracastoro（1483～1553）が“De Contagione”を出版（1546）し，伝染生物説 contagium vivum theory を提唱した．彼は伝染の仕方には，接触，空気，第三者を介するものがあることを示唆した．

2 微生物の観察から自然発生説の否定へ

オランダの Antonie van Leeuwenhoek（1632～1723）は，手製の単眼顕微鏡を作製し，自分の身のまわりのさまざまなものを観察した（**図 1-1-1**）．この中には，ヒトのデンタルプラーク dental plaque（以下，プラーク）に存在する微生物の観察も含まれる（**図 1-1-2**）．それらの膨大な観察結果は，友人の科学者の紹介により，1673年以降，創立間もない英国の王立協会へ200以上の書簡として送付された．Leeuwenhoek は原虫，酵母，藻類，植物，精子と多彩な対象を観察し，その寄稿は英訳され，当時の人々を大いに驚かせた．しかし，顕微鏡製作技術を他人に明かさなかったので，その後の直接的な発展をもたらさなかった．

18～19世紀にかけて，微小生物の発生に関する論争が多くの知識人の間で繰り返された．アイルランドの John T. Needham（1713～1781）は，ヒツジの肉汁を加熱後，ガラス容器を密封しても時間とともに微生物が発生すると主張し，自然発生説 theory of spontaneous generation を支持した．これに対しイタリアの Lazzaro Spallanzani（1729～1799）は，肉汁を十分に加熱すると微生物が自然発生することはないが，空気を送り込むと微生物が生育してくることを証明した．この主張は Needham の自然発生説を否定するものであった．

古代から続いた論争にピリオドを打ったのは，フランスの Louis Pasteur（1822～1895，**図 1-1-3**）であった．Pasteur は『自然発生説の検討』という著書の中で，微生物といえども先行する微生物の存在なくしては生じ得ないことを巧みな実験で証明してみせた（1861）．肉汁を加熱滅菌し，空気に触れさせても，その空気中に微生物が存在

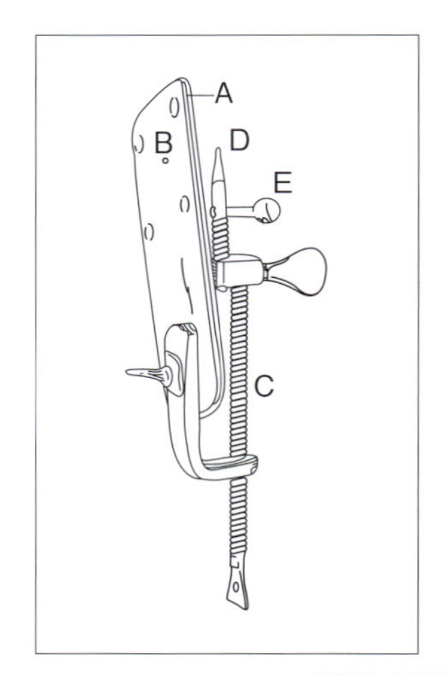

図 1-1-1　Leeuwenhoek 手製の顕微鏡
2枚の金属板（A）の間にレンズ（B）を挟み，ネジ（C）で観察対象物（D）（金属棒先端に載せる）を上下移動させ，金属ブロック（E）を押すことによりピントを合わせる．

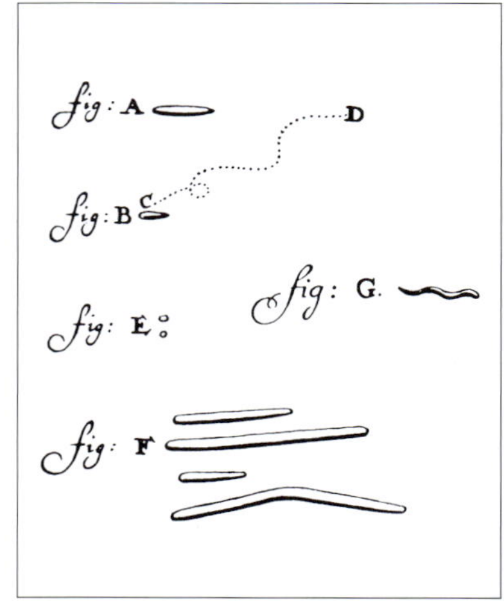

図 1-1-2　Leeuwenhoek の描いたヒト口腔のさまざまな形態の細菌
B の C-D 間の点線は菌の移動能を示している（1683年9月17日付英国王立協会宛書信より）．

図 1-1-3　Louis Pasteur（1822～1895）
（学校法人北里研究所）

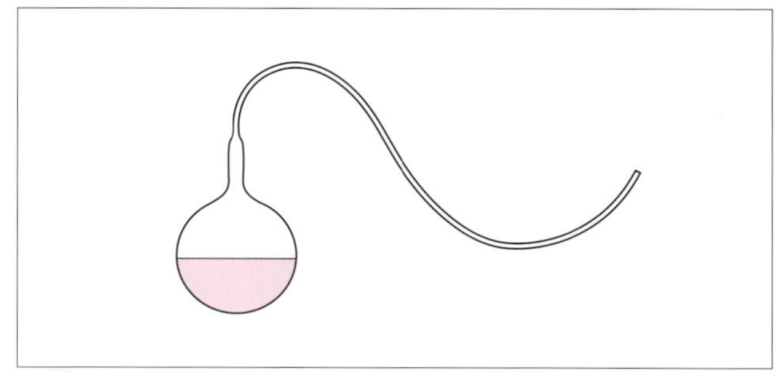

図 1-1-4　自然発生説に関する実験に Pasteur が用いた白鳥の首型フラスコ
空気は“首”を介してフラスコ内に入るが，空気中の微生物は“首”の屈曲部分で侵入を阻止される．

しなければ，自然発生は起こらないことを，有名な“白鳥の首”をもったフラスコ swan-neck flask を用いた手法で明らかにした（**図 1-1-4**）．空気は“首”を経て，肉汁と交通していても，空気中に混在する“生物 germ”は“首”の屈曲した部分を通過できないからである．

Pasteur の実験をさらに発展させる発見，すなわち微生物には熱に感受性のある相 phase と，異常に耐久性を示す相があることを，イギリスの John Tyndall（1820～1893）が発見した．彼は，肉と野菜を煮沸して得たブイヨンはほぼ完全に滅菌できるが，干し草を 5 時間以上煮沸しても滅菌できないことを経験した．この原因を追及した結果，干し草には細菌の芽胞が多数付着し，これが加熱に対して著しく抵抗することをつきとめた．ある種の細菌が耐久性の芽胞（☞ p.14 参照）を形成する生活環を有することは，今日ではよく知られている．芽胞への認識を欠いたことが，自然発生説に決着をつけようと志した多くの科学者に混乱と誤解を招いたのであった．

③ 微生物と病気

Pasteur の学説に大きな示唆を受けたイギリスの外科医 Joseph Lister（1827～1912）は，手術後に敗血症が多発するのは手術によって生じた創傷に微生物が侵入するためであると考えた．これを防ぐため，器具やリネン類の消毒・滅菌に努め，手術室や手指を石炭酸で消毒したところ，手術に伴う敗血症を大幅に減少させることに成功した．注目すべき点は，病原細菌の特定を行わずに，化膿などの症状が微生物によって引き起こされると証明したことである．Lister の方法は，当初は懐疑的にみられたものの，他の医者によってその効果が確認されるにつれ徐々に普及していった．

ハンガリーの産科医 Ignaz P. Semmelweis（1818～1865）は，出産に伴う産褥（じょく）熱と敗血症で多くの産婦が死んでいく惨状を目の前にして，医師や看護師に対し手指の洗浄と塩素剤による消毒を求め，大きな予防効果をあげた．しかし，彼の業績は生前には十分に評価されなかった．

図 1-1-5　Robert Koch（1843～1910）
（学校法人北里研究所）

表 1-1-1　Koch の条件

特定の菌が特定の病気の原因であるとするための条件
1. その菌がいつも特定の病気の病変部から証明されねばならない．
2. その菌はその病気に限って検出されねばならない．
3. 病巣から得たその菌の純培養を，継代したうえで，再び実験動物に感染させたとき，元と同じ病変が生じねばならない．

同時代に，ドイツでは病原細菌学が徐々に芽生えつつあった．病理・解剖学者 Jacob Henle（1809～1885）は微生物が病気の原因となることを予見した（1840）．Robert Koch（1843～1910，**図 1-1-5**）は炭疽菌を発見（1876）し，同菌の病因論的意義を明らかにした．この際，Henle が記したいくつかの条件が大きな指針となった．

① 特定の病気には特定の微生物が存在する．
② 病気の宿主から，その微生物が純培養として分離される．
③ この微生物を適切な宿主（実験動物）に接種すると，元と同じような病変が生じる．
④ この病変部から同じ微生物が回収される．

このような Henle の見事な理論的考察は（①～③），Koch により初めて実験的に証明された（①～④）．上述の条件はさらに洗練され，今日では Koch の条件 Koch's postulate（**表 1-1-1**）として知られ，病原体決定の手続きを示す規範となった．

④ 純培養の重要性

初期の研究では目的とする微生物を単一なクローン（純培養 pure culture）として得ることが困難であった．多種の微生物を含む混合集団から純培養を得るために，これら

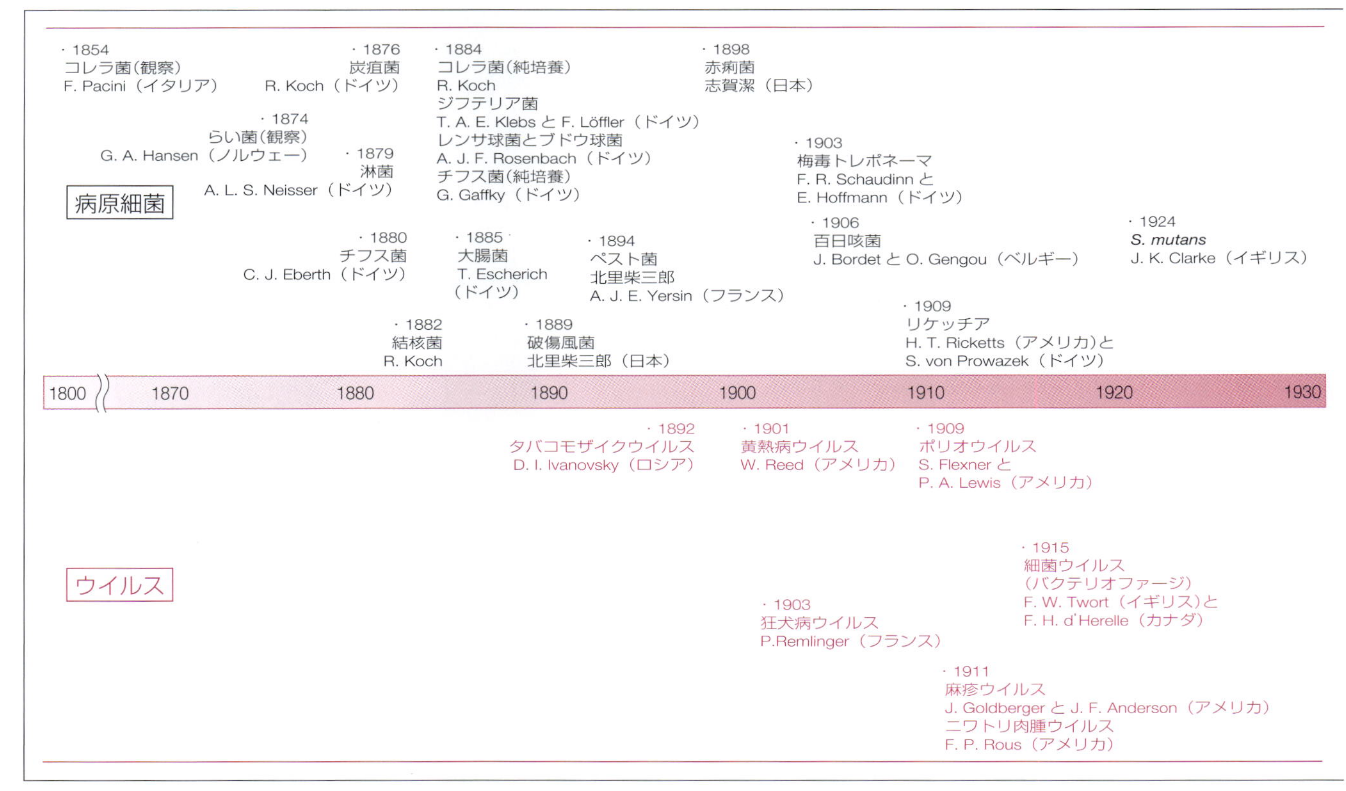

図 1-1-6　主な病原細菌とウイルスの発見

を単一の微生物になるまで段階希釈した．しかし，この方法では幸運に恵まれない限り，目的とするものを純培養で得るのは困難であった．

Koch は試行錯誤の末，ブイヨン，糖，塩，寒天（固形剤）を混ぜ，加熱・溶解したものをシャーレに分注し，固めた培地を開発した．この方法は，現在も細菌などの培養に，広く用いられている．

Koch は，寒天平板上に被験材料を画線させながら材料中の微生物を希釈し，単一菌の純培養となる集落を形成させる技術を確立した．得られた純培養は株 strain として保存される．継代培養することにより，多くの研究者が同一クローンの微生物を用いることができる．純培養技術の確立と普及は，病原細菌学の黄金時代をもたらした．

❺ 病原細菌発見の黄金期

病原細菌の探索は，Koch による炭疽菌の発見（1876）を契機として，20 世紀初頭までに主要な病原細菌が発見された（**図 1-1-6**）．なかでも医学史上重要なものは結核菌の発見（1882）である．さらに Koch はエジプトやインドのコルカタにまで赴いてコレラ菌を発見した（1884）．しかし，彼の関心は結核から離れることはなく，結核菌培養上清からツベルクリン tuberculin を創製（1890）し，結核の治療薬とすべく邁進した．残念ながらツベルクリンは治療効果を有していなかったが，その創製から 130 年以上を経た今日でも診断上の有用性を失っていないことからも，彼の残した遺産の大きさがわかる．

一方，当時しばしば死の原因となった化膿性疾患を引き起こす病原細菌の同定が大きな関心事であった．これに関しては，Pasteur，Koch をはじめ，Alexander Ogston（1844～1929）らの先駆的研究を経て，Anton J.F. Rosenbach（1842～1923）が最初にレンサ球菌とブドウ球菌の純培養に成功した（1884）．同年には Georg Gaffky（1850～1918）がチフス菌を発見した．

それから 20 世紀の初頭までのいわゆる病原細菌発見の黄金時代は，Koch 一門による貢献がきわめて大きかった（**図 1-1-6**）．この中には，う蝕の病因に関する膨大な研究を行った Willoughby D. Miller（1853～1907）（☞ p.212 参照），破傷風菌やペスト菌を発見した北里柴三郎（1853～1931，**図 1-1-8** 参照），赤痢菌を発見した志賀潔（1870～1957）らがいる．日本人研究者の活躍は，藤野恒三郎（1907～1992）による腸炎ビブリオの発見（1950）に至るまで大きな流れを形成している．

❻ ウイルスの発見

Edward B. Jenner（1749～1823）の種痘と Pasteur の狂犬病ワクチンの開発をウイルス研究の第 1 段階とすれば，その次に位置するのがロシアの Dmitry I. Ivanovsky（1864～1920）によるタバコモザイクウイルスの発見

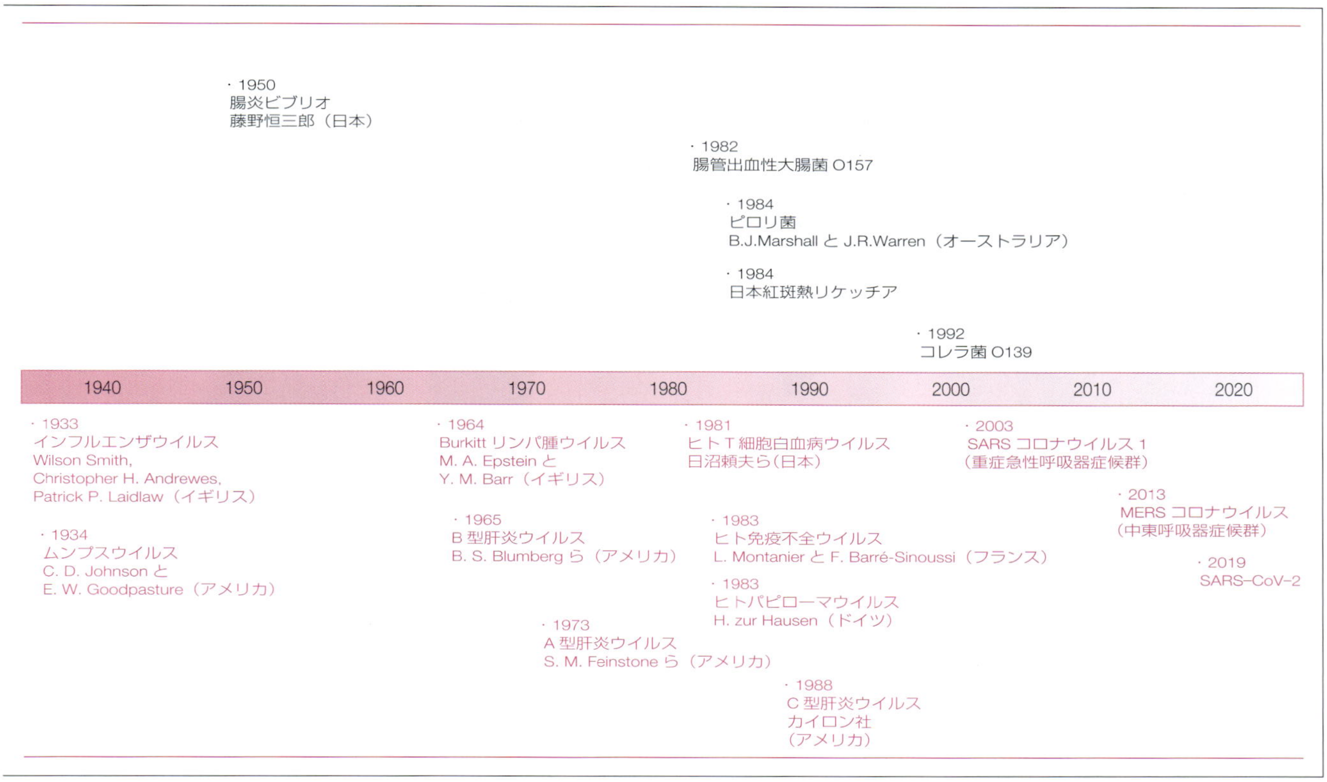

・1950
腸炎ビブリオ
藤野恒三郎（日本）

・1982
腸管出血性大腸菌 O157

・1984
ピロリ菌
B.J.Marshall と J.R.Warren（オーストラリア）

・1984
日本紅斑熱リケッチア

・1992
コレラ菌 O139

1940 1950 1960 1970 1980 1990 2000 2010 2020

・1933
インフルエンザウイルス
Wilson Smith,
Christopher H. Andrewes,
Patrick P. Laidlaw（イギリス）

・1934
ムンプスウイルス
C. D. Johnson と
E. W. Goodpasture（アメリカ）

・1964
Burkitt リンパ腫ウイルス
M. A. Epstein と
Y. M. Barr（イギリス）

・1965
B 型肝炎ウイルス
B. S. Blumberg ら（アメリカ）

・1973
A 型肝炎ウイルス
S. M. Feinstone ら（アメリカ）

・1981
ヒト T 細胞白血病ウイルス
日沼頼夫ら（日本）

・1983
ヒト免疫不全ウイルス
L. Montanier と F. Barré-Sinoussi（フランス）

・1983
ヒトパピローマウイルス
H. zur Hausen（ドイツ）

・1988
C 型肝炎ウイルス
カイロン社
（アメリカ）

・2003
SARS コロナウイルス 1
（重症急性呼吸器症候群）

・2013
MERS コロナウイルス
（中東呼吸器症候群）

・2019
SARS-CoV-2

[a] 発見年は史料の解釈により若干の違いを認めるものがある.

(1892) である（図 1-1-6）. ウイルスは, 細菌濾過器を通過するほど微小なことから, 濾過性病原体 filtrable virus と呼称された. 次いで, Friedrich A. J. Löffler（1852～1915）とPaul Frosch（1860～1928）がウシの口蹄疫の病原体を発見した（1898）. これらが契機となり, 図 1-1-6 に示すように狂犬病, ポリオ, 黄熱, 麻疹などの病原体ウイルスが続々と発見された. Francis P. Rous（1870～1970）はニワトリの移植可能な肉腫のウイルスを発見し（1911）, Fredrick W. Twort（1877～1960）と Félix H. d'Hérelle（1873～1949）が細菌を宿主とするウイルスとしてバクテリオファージを発見した（1915）. さらに, Wendell M. Stanley（1901～1971）はタバコモザイクウイルスの結晶化に成功し（1935）, ウイルスは生物か無生物かという論争を巻き起こした.

ウイルスは大多数の細菌とは異なり,（無生物）培地には生育しない. そのためウイルスの研究は繁雑な手順を要したが, マウス脳内接種による技術が確立し（1930）, さらに John F. Enders（1897～1985）らによるポリオウイルスの組織培養増殖法も開発・実用化され, ウイルスの研究は飛躍的な進展を遂げた. 1960 年代に入ると B 型肝炎, マールブルグ熱, ラッサ熱の病原ウイルスが, 1970 年代には A 型肝炎, 1980 年代には成人 T 細胞白血病, AIDS, C 型肝炎などの起因ウイルスが発見され, これらの病気の診断や予防ワクチンの開発などに大きく寄与をしている.

⑦ 化学療法薬の発見

19 世紀の後半から, ドイツでは有機化学の研究が飛躍的に進んだ. Paul Ehrlich（1854～1915, 図 1-1-7）は有機合成色素の殺菌作用に興味を抱き, 生体に害がなく微生物には殺菌作用を示す物質の開発と探索を行った. 秦佐八郎（1873～1938, 図 1-1-7）の協力のもとに, サルバルサンと命名された抗梅毒性のヒ素化合物を発見した（1910）. しかしながら, このように大きな成果が得られたにも関わらず, サルバルサンに続く種々の感染症に対する特効薬の開発は失敗した.

長い空白期間を経て, Gerhard Domagk（1895～1964）は, プロントジルが A 群レンサ球菌による実験感染症を抑制することを見出した（1935）. まもなく, その抗菌作用が, スルファニルアミドによることが明らかになり, 多数の誘導体が合成され, サルファ薬 sulfa drugs の全盛時代を迎えた. サルファ薬は, 広範囲の細菌感染症に効果を示したので, またたく間に世界中で用いられるようになった. しかし, 比較的短期間にサルファ薬耐性菌が出現し始め, 当初の威力を失っていった.

溶菌酵素リゾチーム lysozyme の発見者（1922）としても有名なロンドンの細菌学者 Alexander Fleming（1881～1955）は, 青カビの一種 *Penicillium notatum* が混入・生育したブドウ球菌の平板培養の一部が溶菌していること

図 1-1-7　Paul Ehrlich（1854 ～ 1915）と秦佐八郎（1873 ～ 1938）
（学校法人北里研究所）

図 1-1-8　北里柴三郎（1853 ～ 1931）
（学校法人北里研究所）

に気づいた．このカビの培養濾液はいくつかのグラム陽性菌の発育を強く阻止し，ヒトにも無害だと報告した（1929）．しかし，彼自身はペニシリン penicillin と命名したこの抗菌物質の純化には成功せず，いったんは頓挫した．ところが，第二次世界大戦の戦時プロジェクトとして米国の経済的支援下で，Howard W. Florey（1898～1968）と Ernst B. Chain（1906～1979）らの化学者が，ペニシリンの純化に成功し（1940），ペニシリンを工業的レベルで生産する方法も樹立した．こうして，ペニシリンは感染症治療において劇的な効果を発揮し，「魔法の弾丸」とよばれた．

土壌細菌学者 Selman A. Waksman（1888～1973）は，土壌中の放線菌よりストレプトマイシン streptomycin 産生菌を発見した（1944）．ストレプトマイシンは直ちに結核の治療薬として認められ，多くの人命を救った．その後，土壌微生物は抗生物質産生微生物の宝庫とみなされ，クロラムフェニコール，テトラサイクリン，カナマイシンなどが続々と発見され，実用化されていった．

抗生物質 antibiotics の探索と改良の努力は現在も続けられているが，感染症の原因療法の成功という“光”の部分に対して，当然“影”の部分も指摘されねばならない．ペニシリンはしばしば患者に激しいアレルギー症状を生じることがあり（☞ p.125 参照），ときには死を招いた．また，クロラムフェニコールは骨髄の造血機能障害，ストレプトマイシンやカナマイシンは聴覚障害を引き起こすことがときにある．

⑧ 免疫学のはじまり

Jenner は天然痘 smallpox の予防を図るため，8 歳の少年に牛痘 cowpox（天然痘ウイルスの類縁）を接種し，天然痘から免れることを発見した（1796）．ときを経て Pasteur は，弱毒化したニワトリコレラ菌の接種によって，ニワトリがコレラから免れることを発見した．さらに，Pasteur は炭疽菌や狂犬病ウイルスによる感染症の予防が可能であることを示した．

Élie Metchnikoff（1845～1916）は単細胞生物だけではなく，高等生物にも食細胞が存在し，生体の重要な防御機能を担っていることを見出した（1884）．これが細胞性免疫の研究の起源となった．北里柴三郎（**図 1-1-8**）と Emil von Behring（1853～1931）は無毒化した破傷風菌毒素をウサギに注射すると，そのウサギは致死量以上の毒素による致死を回避できることを発表した（1890）．すなわち免疫を獲得することを示し，それが血清中に生じた毒素を中和する物質（抗体）によることを見出した．これらの発見を契機として，血清学から免疫化学へと体系化されていくことになる．

（川端重忠）

II 微生物の基礎

自然界には肉眼的にみることのできない微小な生物が広く生息している．これらを総称して微生物 microorganism という．微生物にはいろいろな意味で多彩な種類が知られているが，それらのうちのごく少数の微生物種がヒトや動物に病気を引き起こし，特に病原微生物 pathogenic microorganism と呼称される．病原微生物と宿主との関わりを探る学問を病原微生物学といい，微生物としては，細菌，ウイルス，真菌，原虫が扱われる．

微生物の微細構造が判明したのは電子顕微鏡の実用化以降であった．肉眼的に識別できる解像力は 0.1 mm といわれ，光学顕微鏡は 0.2 μm，また電子顕微鏡は 0.2 nm とされる．一般的に細菌の大きさは 0.1〜10 μm，ウイルスは 0.02〜0.3 μm，また真菌や原虫では 4〜40 μm 程度である．いくつかの代表的な微生物の相対的な大きさを**図 1-2-1**に示す．

計算によれば，細菌の重量は 10^{-12} g，すなわち 1 pg（ピコグラム）前後とされる．地球上の生物の中で最大のものはクジラであるが，これを 10^{9} g，すなわち 1,000 t と比較するとその差の大きさに驚かされる．またヒト 1 人あたりには 10^{14} の細菌が生息し，地球上の人類は 1 日あたり糞便として 10^{22}〜10^{23} の細菌を体外に排出している計算になる．

1 生物界における微生物の位置づけ

生物は，Carl von Linné（1707〜1778）の提唱により，植物界と動物界に分けられた（1735）．また，Ernst H. Haeckel は，これ以外に両界の中間的性質を示すものを原生生物界 protists として新たに設定すべきであると唱えた（1866）．それ以来，多くの学者が学問の進歩とその成果を取り入れてそれぞれの提案をしてきた．近年では原核生物（細菌），真菌，動物，原虫，植物に分けることが一般的に行われる．

電子顕微鏡の観察により，種々の細胞の基本的な構造上の差異が明らかになった．その結果，細菌は核膜に包まれた核を保有せず，有糸分裂をしないことなどから，原核生物 prokaryote（"primitive nucleus"，すなわち"原始的な核"を意味する）として，他の真核生物 eukaryote（"true nucleus"）とは分別されるようになった（**表 1-2-1**）．

分子生物学の進歩によって，細菌を含めた生物の系統分類が可能となった．リボソーム RNA（細菌の場合 16S rRNA，真核生物では 18S rRNA）の塩基配列に基づいた分子系統樹によると（**図 1-2-2**），原核生物は大きく 2 つに分類され，"普通" の細菌は真正細菌 eubacteria，メタン細菌のような原始地球上の環境と似ている場所で生息する細菌は古細菌 archaebacteria と呼称される．分子系統樹によれば，古細菌は真正細菌よりも真核生物に近い位置にある．たとえば，古細菌の遺伝子 DNA にはイントロン intron といわれる非翻訳配列が存在し，また DNA 依存性 RNA ポリメラーゼの構造は複雑で，真核生物との類似性が強く認められる．以上のような所見や，さまざまな状況証拠から，古細菌は真核生物の祖先と推定されている．

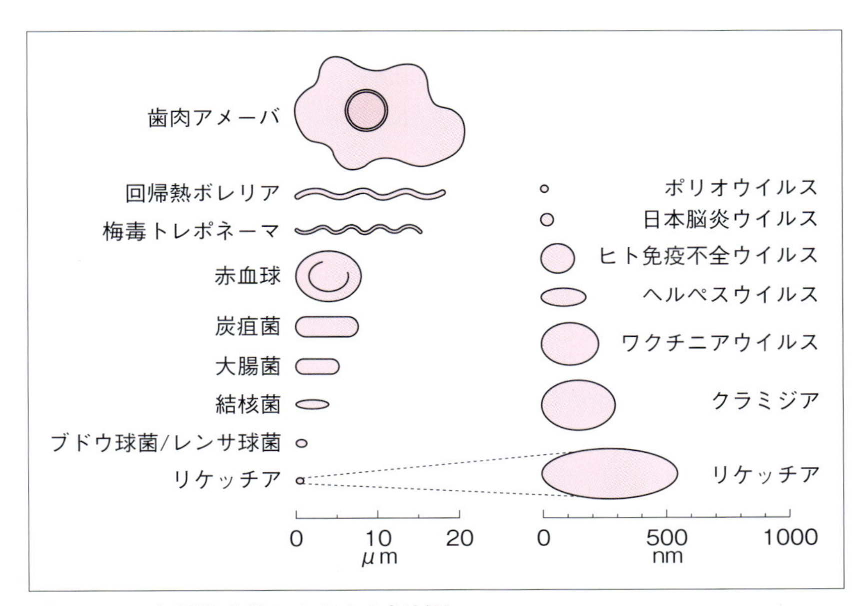

図 1-2-1　各種微生物の大きさの相対比

表 1-2-1　原核生物と真核生物の特徴

性状	原核生物	真核生物
主な生物	真正細菌 古細菌	藻類，真菌， 原虫，動物，植物
大きさ	0.5～4 μm	＞5 μm
染色体	1本[a]，環状	複数
二分裂増殖	＋	－
イントロン	－[b]	＋
核膜	－	＋
細胞膜ステロール	－	＋
ミトコンドリア	－	＋
酸化的リン酸化	細胞膜	ミトコンドリア
リボソーム	70S	80S
ゴルジ体	－	＋
細胞壁基本成分	ペプチドグリカン	キチン，マンナン， セルロース
DNA の GC% 含量	20～70%	～40%

[a] *Vibrio* 属と *Leptospira* 属は2本の環状染色体を有する．
[b] 一部の古細菌にはイントロンが存在する．

真核細胞は核膜に囲まれた核をもち，有糸分裂を行う．この他に，ミトコンドリア，葉緑体，ゴルジ体，リソソームなどのように膜で囲まれた細胞内小器官 organelle を有する．真核生物は，原核生物が別の原核生物の細胞質内に入り込み，そこで生活するようになった結果，それらが母細胞の細胞内小器官へと退化し，複雑な細胞構造を確立し，真核細胞へ進化したとする細胞共生進化説が有力である．

❷ 微生物の性状

1）細菌（真正細菌，古細菌）

細菌は直径1 μm 前後の大きさで，桿(かん)菌は長軸1～5 μm，短軸0.5～1 μm である．その染色体 DNA は全長が1～2 mm あり，1本の環状分子で，細菌細胞質内で折りたたまれている．DNA は電子顕微鏡下で核様体 nucleoid として観察される．細菌の遺伝子数は約2,000～4,000で，それぞれの遺伝子は生存のため必要な機能を果たしている．

細菌は遺伝情報を有する核酸物質を交換することがある．プラスミド plasmid は微小で特殊な遺伝因子で，少なくともある菌種や菌株で増幅される．ときには他の菌種に移ることも可能であり，薬剤耐性遺伝子はプラスミドを運び屋（ベクター）として，急速に多くの菌種に拡散していった．細胞壁を欠いたものに *Mycoplasma* 属がある．一方，*Rickettsia* 属と *Chlamydia* 属はいずれも宿主に寄生した状態でのみ生育し，その大きさも0.2～0.5 μm と小さいが，細菌細胞壁に特有の成分であるムラミン酸を有する．最近の研究によると，*Rickettsia* 属の染色体 DNA と真核生物のミトコンドリア DNA の類似性が示唆されている．

2）ウイルス

ウイルス virus は DNA か RNA のいずれかのみをゲノムとしてもち，宿主（動物，植物，昆虫，細菌など）細胞内で増殖する感染性の微小粒子である．ウイルスは原核生物と異なり二分裂では増殖せず，エネルギー生産は宿主に依存する．ウイルスの核酸を被う（糖）タンパク質性の被覆物であるカプシド capsid や脂質二重層からなるエンベロープ envelope と宿主細胞表面の相互作用が，ウイルスと宿主の関係を厳密に規定している〔ウイルスの細胞指向性（トロピズム tropism）〕．ウイルスが宿主の代謝機能を利用して自己の複製を行っているため，細菌に選択的に作用する抗細菌薬（いわゆる抗菌薬）のような効果的な薬剤の開発が遅れている．主な原核生物やウイルスには特徴的性状が認められる（**表 1-2-2**）．

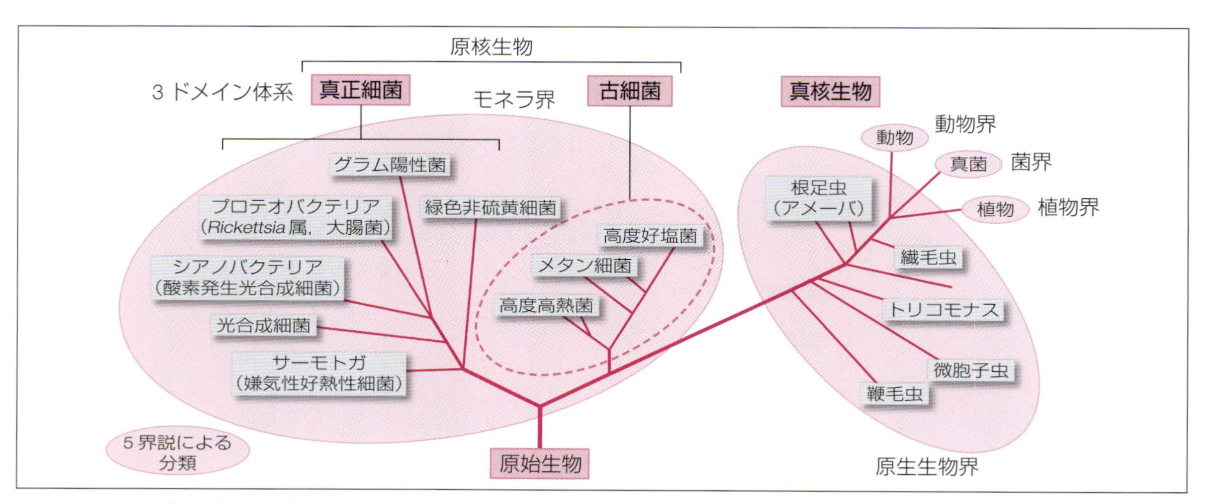

図 1-2-2　生物の分子系統樹
古典的な5界説では生物を植物，動物，菌類，原生生物，および細菌を含むモネラに分類した．その後 16S rRNA の塩基配列に基づいた生物の分子系統解析により，真正細菌，古細菌，真核生物に分類する3ドメイン説が提唱されている（C.R. Woese ら，1990）．原核生物には真正細菌と古細菌が含まれる．
（東京大学生命科学教科書編集委員会編：理系総合のための生命科学，第5版．羊土社，2020．を改変）

表 1-2-2　主な原核生物とウイルスの性状の比較

	細菌	マイコプラズマ	リケッチア	クラミジア	ウイルス
DNA と RNA	＋	＋	＋	＋	－[a]
リボソーム	＋	＋	＋	＋	－
細胞壁の存在	＋	－	＋	＋[b]	－
二分裂による増殖	＋	＋	＋	＋	－
人工培地での生育	＋[c]	＋	－	－	－
抗菌薬に対する感受性	＋	＋	＋	＋	－

[a] ウイルスは DNA か RNA のいずれかを有する.
[b] クラミジアはペプチドグリカンを含まない脆弱な細胞壁をもつ.
[c] らい菌や梅毒スピロヘータのように現在でも人工培地に生育させることができない菌種がある.

3）真菌

真菌は細胞壁を有する非光合成の真核生物で，細菌に比べて巨大な微生物である．カビ，酵母，キノコなど幅広い種が含まれ，およそ 10 万菌種が知られている．約 400 種の真菌はヒトや動物に感染し，日和見感染などを引き起こす（病原真菌 pathogenic fungus）．真菌は細菌とは細胞構造が大きく異なるので，抗細菌薬がほとんど奏効しない．真菌には，アゾール系，ポリエン系などの抗真菌薬が奏効する．

5S rRNA の塩基配列に基づいた分類では，藻類よりも原虫に近縁であると示唆されている．真菌は放線菌 *Actinomyces* や線状菌 filamentous bacteria とは関係がない．

4）原虫

原虫は単細胞性の真核生物で，動物的性質を示す生物をいう．原虫には 65,000 を超える種が存在する．原虫は各種の細胞内小器官をもち，また活発な運動を司る運動器官（鞭毛）が発達している．原虫は細菌やウイルスと同様に，ヒトや動物の体内で増殖し，寄生個体数を増やす．ヒトの病原体として，マラリア原虫や赤痢アメーバなどが知られている．日本では原虫による感染症は多くないが，サハラ以南のアフリカやその他の熱帯・亜熱帯地域ではきわめて重要な微生物である．

③ プリオン：感染性タンパク質

Stanley B. Prusiner（1942～）は DNA と RNA のいずれも有しない感染性のタンパク質が，ヒトの Creutzfeldt-Jakob 病やクールー kuru，あるいはヒツジやヤギのスクレイピー scrapie，ウシでみられる海綿状脳症 bovine spongiform encephalopathy（BSE，いわゆる狂牛病）などの病原因子であると報告した（1982）．感染性タンパク質 proteinaceous infectious particle はプリオン prion（PrP）と呼称され，現在ではプリオン遺伝子の解析も詳細に行われている．プリオンは微生物としての特性を有していないが，感染因子として医学的に重要視される．

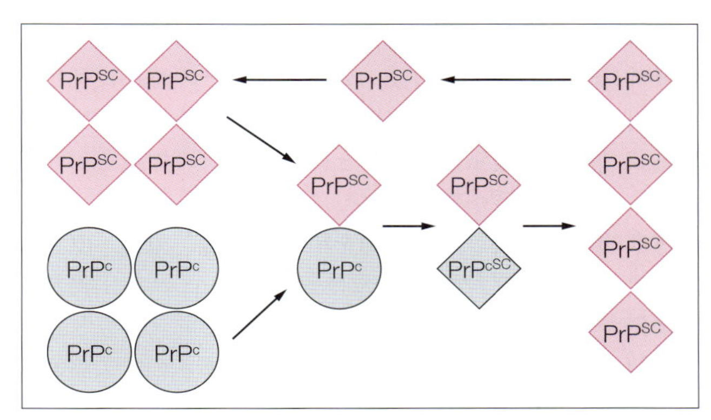

図 1-2-3　正常型プリオンから異常型プリオンへの変化
PrP^{c}：正常型プリオン，PrP^{sc}：異常型プリオン，PrP^{csc}：正常型から異常型への移行型.

プリオンによって惹起される前述の疾患はプリオン病 prion disease とよばれ，感染症と遺伝子病の双方の特性をもっている．正常型プリオン（PrP^{c}）は分子量 30,000～35,000 であり，プロテアーゼ（タンパク質分解酵素）で分解され，N 末端側が除かれた分子量 27,000～30,000 の異常型プリオン（PrP^{sc}）が Prusiner の発見したものに相当する．PrP^{c} から PrP^{sc} への変換は立体構造の変化に起因する（**図 1-2-3**）．PrP^{sc} の産生と感染のメカニズムにはいまだ不明な点が残されている．プリオンは紫外線，加熱，プロテアーゼに強い抵抗性を示す．オートクレーブを用いて滅菌する場合，134℃で 1 時間以上加圧・加温しなければいけない．

（川端重忠）

微生物の分類と性状

A 細　菌

❶ 細菌の分類

生物の分類は，18世紀スウェーデンの植物学者 Carolus Linnaeus（1707～1778）によって確立され，それまでに知られていた動植物を種々な特徴によって階層的に分類し体系的にまとめた．その後，分類体系はその時代に利用できる科学的情報に基づいて変遷し，形態学的特徴，生化学的性状，そして遺伝情報をもとに常に最新の知識を反映した新しい分類体系が提唱されてきている．

古典的な5界説では，生物を植物，動物，菌類，原生生物，そして細菌を含むモネラに分類した．これは生物を細胞構造から細胞核をもたない原核生物（モネラ界）と独立した核をもつ真核生物に分け，真核生物はさらに栄養摂取の方法により植物，動物，菌類とそれ以外の原生生物に分類した（**図1-2-2**参照）．その後，古細菌の発見により，その16S リボソーム RNA（rRNA）の塩基配列の分子系統解析から細菌（真正細菌）Bacteria，古細菌（アーキア）Archaea，そして真核生物 Eucarya の3つのドメイン（3ドメイン説）に分類することが現在提唱されている．3ドメイン説ではヒトの病原細菌や常在細菌は真正細菌に分類される．古細菌は温泉や深海などの極限環境に生息する細菌で，原始地球の環境に生息していた生物と考えられている．古細菌は原核細胞に属するが遺伝子の構造や細胞の構成成分から真正細菌よりも真核生物に近い性質をもっている．

1）分類 classification

細菌の伝統的な分類指標としては，形態学的特徴，生化学的性状，そして免疫学的性状が用いられてきた．形態的特徴には大きさ，形（桿菌，球菌，らせん菌），配列（連鎖状，ブドウの房状），細胞構造（線毛，鞭毛，莢膜，芽胞など），染色性（グラム染色性など），コロニー性状などがある．生化学的性状には糖分解能など代謝様式の違いを指標とし，免疫学的性状は細胞構成成分の抗原性の違い（血清型）を指標とする．現在，細菌の分類には伝統的な分類指標に加え，16S rRNA の塩基配列比較，染色体 DNA の G+C 含有率，DNA-DNA 相同性試験などの分子遺伝学的手法や細胞膜，細胞壁の構成成分など菌体成分を解析する化学分析手法など複数の分類指標を用いた多相分類学の考えを取り入れた方法で行われている．

現在の分類学では DNA-DNA 相同性が70%以上であり，かつΔTm 値が5℃以下であり，さらに既存菌種と鑑別できる性状がある菌株の集まりを種と定義している（河村好章．医学細菌の分類・命名の情報，感染症学雑誌，75，1003～1006，2001）．ΔTm 値とは二本鎖 DNA の50%が解離して一本鎖になる温度のことをいう．

2）命名 nomenclature

細菌を含め生物には国際命名規約に従って学名 scientific name が付与されている．学名はラテン語の二名法で表記され，「属名」+「種形容語」で種名を表す．属名の頭文字は大文字で始め，種形容語は小文字で表記し，イタリック体あるいはアンダーラインで示す．たとえば大腸菌の属名は *Escherichia* であり，種形容語は *coli* であり，種名は *Escherichia coli* と表記する．

分類は「種」species の集合体である「属」genus から上位の「科」family，「目」order，「綱」class，「門」phylum へと階層的に分類される（**表1-3-1**）．種の下位の階層として亜種 subspecies が設けられる場合もある．細菌の分類命名は国際細菌分類命名規約に従って分類される．同一菌種に属する個々の細菌を菌株 strain という．種が新たに提案された場合，その代表株1株が基準株 type strain として指定される．学名は万国共通であるが，それぞれの国には一般名があり，日本では和名がある．和名は菌種を示し，疾患名の原因菌を表した赤痢菌，結核菌や性状を表した緑膿菌，黄色ブドウ球菌などがある．

同定 identification とは分離された菌株の性状を調べ，既知の命名された菌種のどれに一致するか学名を決定することをいう．感染症が疑われる患者の臨床検体から起因菌を分離し，菌種の同定を行う細菌検査は，感染症の診断，治療には不可欠である．

❷ 細菌の形態

1）細菌の染色と観察方法

細菌の大きさは球形をした球菌では直径約1 μm（1 μm = 10^{-3} mm）であり，肉眼では観察できない．細菌の形や

表1-3-1　大腸菌を例とした細菌の分類階級

分類階級	大腸菌の学名
門：phylum	*Proteobacteria*
綱：class	*Gamma Proteobacteria*
目：order	*Enterobacteriales*
科：family	*Enterobacteriaceae*
属：genus	*Escherichia*
種：spicies	*Escherichia coli*

配列を観察するには細菌を染色し，一般的には光学顕微鏡を用い，約1,000倍（接眼レンズ10倍×対物油浸レンズ100倍）に拡大して行う．さらに微細な細菌の表層構造や内部構造の観察には数千倍から数万倍に拡大できる電子顕微鏡を用いる．

細菌の染色の基本的手順は，スライドグラスへの検体の塗抹→乾燥→固定→染色→水洗→乾燥→検鏡であるが，菌種や細菌構造物の違いにより染色法は異なる．細菌の細胞壁や細胞膜はマイナスに荷電しているので，染色剤としてプラスに帯電しているクリスタルバイオレット，サフラニン，メチレンブルーなどの塩基性色素が用いられる．

細菌の染色法で最も広く用いられているものは細菌を2群に染め分けるグラム染色 Gram's stain である．この染色法は，19世紀のオランダの内科医 Hans C. Gram（1853～1938）によって考案された方法である．スライドグラス上に加熱固定された塗抹標本をクリスタルバイオレットで染色後，ルゴール液（ヨード・ヨウ化カリウム溶液）を添加し，クリスタルバイオレットとヨードの複合体を形成させ，その後エタノールで脱色する．グラム陽性菌は，クリスタルバイオレットとヨードの複合体がエタノールで脱色されないため青紫色に染まったままであるが，グラム陰性菌はエタノールで脱色されて無色になる．このままでは観察できないので赤色の色素であるサフラニンを用いて対比染色する．この染色性の違いは，細菌の細胞壁の構造の違いに起因していると考えられている．グラム陰性菌は薄いペプチドグリカン層の外側にリポ多糖 lipopolysaccharide（LPS）を含む脂質成分の多い外膜が存在する．エタノール処理で外膜は溶解され，またペプチドグリカン層が薄いためヨードとクリスタルバイオレットの色素複合体が洗い出される．一方，グラム陽性菌は厚いペプチドグリカン層を有するため，この色素複合体が溶出されず，残存し染色性が保持される．

2）細菌細胞の形状

細菌の形態は菌種によって異なり，大別すると球状をした球菌（単数形 coccus，複数形 cocci），棒状をした桿菌（単数形 bacillus，複数形 bacilli），らせん形をしたらせん菌（単数形 spirillum，複数形 spirilla）の形態をとる（**図1-3-1**）．桿菌の長径が非常に短く球菌に近い形態を示すものは球桿菌とよぶ．また両端が細くなった紡錘状を示すものもある（紡錘菌）．コレラ菌などらせん回転が半回転程度の菌はビブリオ vibrio とよばれる．らせんの先端が彎曲（フック）している形態をもつレプトスピラなどがある．

細菌は二分裂で増殖するが，分裂後の集団形成によって特徴的な配列形態を示すものもあり，光学顕微鏡による菌の観察や鑑別において重要となる．球菌が2個ずつ対をなして配列している双球菌（淋菌，髄膜炎菌），連鎖状に配列したレンサ球菌，ブドウの房状の配列をするブドウ球菌などがある．

球菌	桿菌	らせん菌
単球菌	単桿菌	スピロヘータ
双球菌	レンサ桿菌	レプトスピラ
四連球菌	紡錘菌	
レンサ球菌		
ブドウ球菌		

図1-3-1　細菌の形態と配列

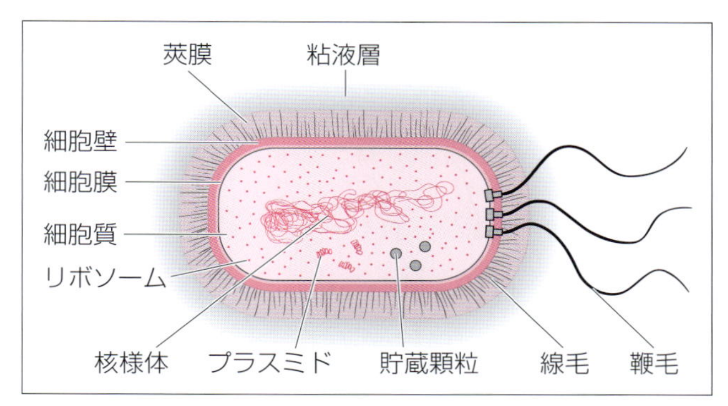

図1-3-2　細菌の構造
基本構造としては細胞壁，細胞膜，細胞質，核様体からなる．ある種の細菌では付属器官として鞭毛，線毛，莢膜などの構造物を有するものもある．

3）細菌を構成する構造体と組成

細菌は単細胞の原核生物であり，真菌，原虫などの真核生物と細胞構造が異なる．細菌は基本構造として最外層の細胞壁，その内側に細胞膜，内部には細胞質，核様体が存在する（**図1-3-2**）．真核生物に認められる核膜で囲まれた核はなく，ミトコンドリアなどの細胞内小器官も存在しない．これらの基本構造以外に菌種によっては細胞壁の外側に存在する莢膜，線毛，鞭毛などの付属器官をもつものもある．また細菌の生活環の変形として芽胞とよばれる熱や乾燥などの物理化学的処理に抵抗性を示す耐久型の細胞形態を形成するものもある．

（1）基本構造

a）細胞壁

ほとんどすべての細菌は細胞膜の外側に細胞壁 cell wall をもつ．細胞壁の機能は，細菌の形態維持であり，細胞内の高い浸透圧から菌体を維持するための構造物である．細胞壁はグラム陽性菌とグラム陰性菌とではその構造が大きく異なるが，共通した組成はペプチドグリカン peptidoglycan とよばれる糖鎖にペプチドが結合した高分子で架橋構造を形成する．糖鎖は，*N*-アセチルグルコサミンと *N*-アセチルムラミン酸が交互にβ-1,4 グルコシド結合し，*N*-アセチルムラミン酸に4つのアミノ酸からなるペプチドが結

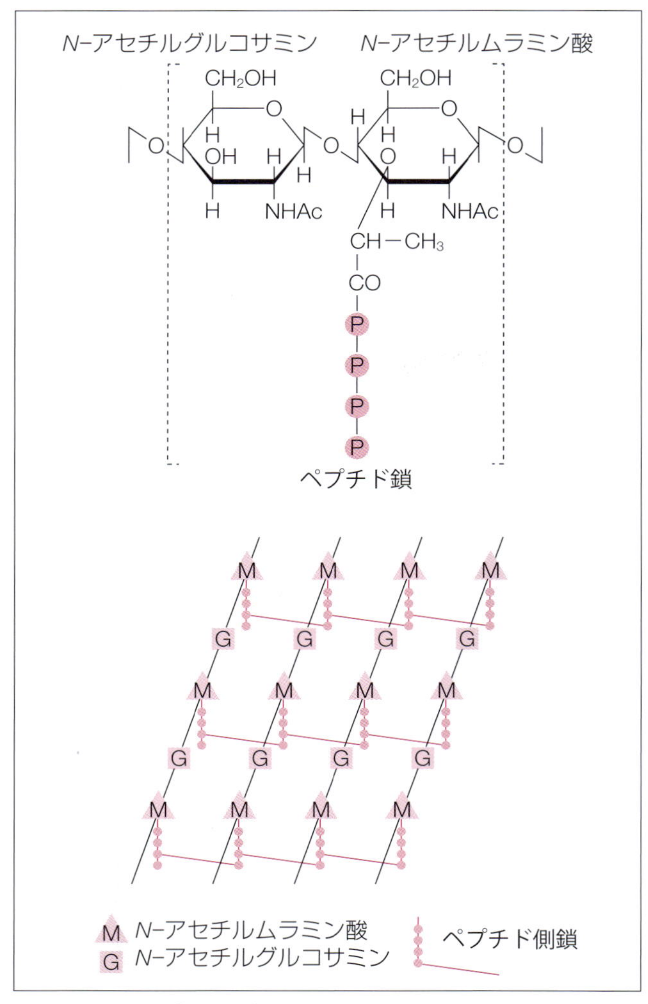

図 1-3-3　ペプチドグリカンの構造
グリカン部分である *N*-アセチルグルコサミンと *N*-アセチルムラミン酸がβ-1,4 グルコシド結合し，直鎖構造をとり，*N*-アセチルムラミン酸部に形成されたペプチド鎖によりグリカン鎖が架橋され剛性を有する網目構造を形成している．*N*-アセチルムラミン酸に結合している4つのアミノ酸は，L-アラニン（Ala），D-グルタミン酸（Glu），L-ジアミノピメリン酸 diaminopimelic acid（DAP），D-アラニン（Ala）の順に並んでいる．多くのグラム陽性菌では3番目の DAP の代わりに L-リジンが使われている．

合している（**図 1-3-3**）．この2つの糖とペプチドを1つの単位として，繰り返し結合して長いペプチドグリカン鎖を構成している．グリカン鎖はペプチド鎖により架橋され，網目構造を形成して剛性の高い構造物をつくりだしている．グラム陽性菌のペプチドグリカン層は厚いがグラム陰性菌では1～2層程度のペプチドグリカン層しかない．

グラム陽性菌の細胞壁の構造は比較的単純な構造をとり，何層ものペプチドグリカンとリンを含む高分子多糖のタイコ酸 teichoic acid，リポタイコ酸 lipoteichoic acid やタンパク質を含んでいる（**図 1-3-4A**）．タイコ酸はペプチドグリカンと，リポタイコ酸は細胞膜と結合し，ペプチドグリカン層から外へ突き出ている．どちらのタイコ酸も負に荷電しているので菌体全体として負に荷電している．タイコ酸，リポタイコ酸の機能としては細胞壁の合成やまた上皮細胞への付着に関与していると考えられている．細胞壁に存在するタンパク質としては化膿レンサ球菌のMタンパクやブドウ球菌のプロテインAなどがある．

グラム陰性菌の細胞壁は，グラム陽性菌の細胞壁より複雑な構造をしている（**図 1-3-4B**）．薄いペプチドグリカン層の外側に外膜 outer membrane とよばれるリン脂質と LPS からなる脂質二重層の膜構造を有する．外膜は外側の LPS と内側のリン脂質からなり，非対称な脂質二重層を構成している．LPS は内毒素（エンドトキシン endotoxin）の本体であり，脂質と多糖からなる（☞ p.20 参照）．脂質部分はリピドAであり，外膜の膜構造の中に埋入しており，多くの内毒素の活性中心をなしている．多糖部分はリピドAに結合しているコア多糖と最外部のO抗原多糖（O側鎖多糖）からなる．O抗原多糖は細菌の最外層に存在するので親水性などの細菌の表面性状と密接に関連している．O抗原多糖は同一菌種でも糖の組成が異なっているため，特異抗原として同一菌種内の抗原型（血清型）の決定に利用される．外膜には物質の取り込みにかかわるタンパク質も存在している．筒状の小孔を形成するポーリン porin とよばれるタンパク質は低分子（分子量 900 Da 以下）の糖，アミノ酸，イオンなどを単純拡散によって通過

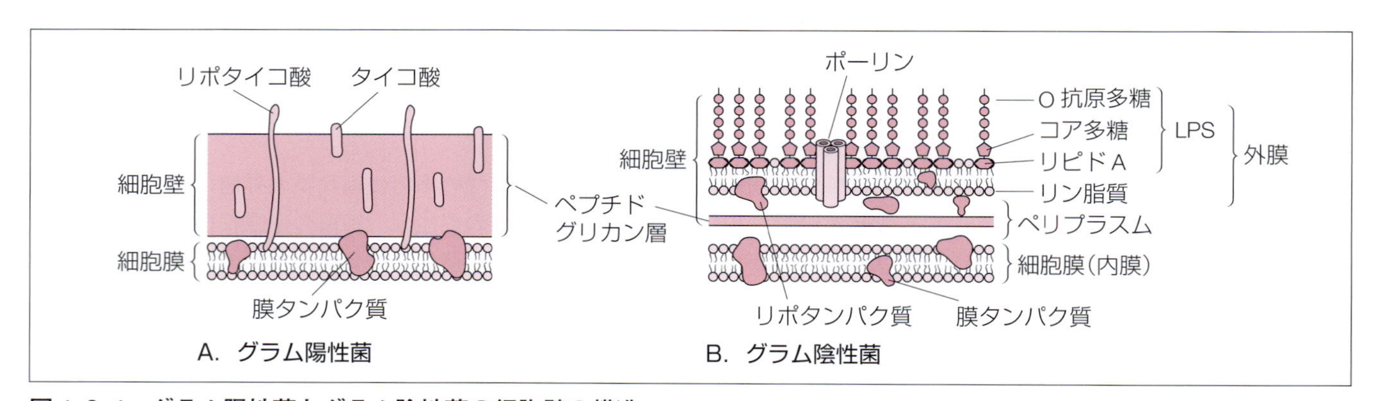

図 1-3-4　グラム陽性菌とグラム陰性菌の細胞壁の構造
A：グラム陽性菌の細胞壁は幾層ものペプチドグリカン層からなる単純な構造で，タイコ酸やリポタイコ酸を含む．
B：グラム陰性菌の細胞壁は複雑な構造をとり，薄いペプチドグリカン層の外側に外膜とよばれる膜構造を有している．外膜には内毒素の本体である LPS が含まれている．LPS は糖鎖部分（O抗原多糖，コア多糖）と脂質部分（リピドA）からなる．

させる．グラム陰性菌の外膜に対して細胞膜は内膜 inner membrane ともよばれる．外膜と内膜との間隙はペリプラスム periplasm とよばれ，種々な酵素や輸送タンパク質が存在し，代謝が活発な場所である．

b）細胞膜

細胞膜 cytoplasmic membrane は細胞質を包む膜で，他の生物と同様にリン脂質二重層からなり，疎水性の脂肪酸部分が内側に，親水性のリン酸部分は外側に並んだ構造をしている．細胞膜は疎水障壁となり糖，アミノ酸，イオンなどの親水性物質は通過できない（O_2，CO_2，H_2O は通過できる）．そのため物質の輸送にかかわる膜輸送タンパク質が存在し，栄養分の取り込み，老廃物の排泄，細胞内イオン濃度の調節を行っている．また菌体内で生成された外毒素 exotoxin などのタンパク質を菌体外へ分泌する分泌系も存在する．細菌の細胞膜には真核生物のミトコンドリア内膜に存在する呼吸鎖を構成するタンパク質や ATP 合成酵素が存在し，エネルギー合成の場となっている．

c）細胞質

細菌の細胞質 cytoplasm には真核生物で認められる小胞体，ゴルジ体，ミトコンドリアなどの生体膜で構成された細胞内小器官は存在しない．染色体 DNA（核様体）も核膜によって包まれておらず，直接細胞質に接して存在している．タンパク質合成の場であるリボソーム ribosome や代謝産物を含んだ貯蔵顆粒が存在する．またプラスミドとよばれる染色体 DNA とは独立して複製する遺伝物質も存在する．

細菌のリボソームは真核生物のリボソームとその構成サブユニットが異なり，30S，50S のサブユニットが会合して 70S の沈降係数をもつリボソームを形成する．一方，真核生物のリボソームは 40S，60S のサブユニットが会合し，80S リボソームを形成する．このリボソームの構成サブユニットの違いが抗菌薬の選択毒性を示す．

d）核様体

真核生物の核とは異なり，染色体 DNA は核膜で包まれておらず，核様体とよばれる．一般に細菌の染色体 DNA は環状の二本鎖 DNA からなり，細胞質に超らせん構造を形成して折りたたまれて存在する．染色体の大きさは細菌種によって異なるが，病原性大腸菌のゲノムサイズは約 550 万塩基対あり，直鎖状にすると約 1.8 mm もの長さになる．菌体の長さの約 1,000 倍近い DNA が折りたたまれて存在していることになる．

(2) 付属器官

a）鞭毛

鞭毛（単数形 flagellum，複数形 flagella）は細菌の運動器官である．鞭毛の数や付着部位は菌種によって異なり，単鞭毛，双鞭毛，叢鞭毛（束鞭毛），周鞭毛などに分類される（表 1-3-2）．鞭毛はフラジェリン flagellin とよばれるタンパク質分子がらせん状に積み重なり，数 μm の長い線維状の鞭毛線維をつくりだしている．鞭毛線維は根元のフックを介して細胞膜に埋め込まれた基部の分子モーターに接続し，プロペラのように回転させて菌体を移動させる（図 1-3-5）．分子モーターの起動力は，細胞膜内外に形成されるプロトン（H^+）あるいはナトリウムイオンの電気化学的ポテンシャル差から生まれる駆動力を利用している．

鞭毛タンパク質は強い抗原性を示し，H 抗原（鞭毛抗原）とよぶ．内毒素の O 抗原と H 抗原との組み合わせで細菌種の血清型の分類に用いられ，腸管出血性大腸菌 O157:H7 などがその例である（図 1-3-6）．

b）線毛

線毛（単数形 pilus，fimbria，複数形 pili，fimbriae）は鞭毛より短く細い直線状の線維状構造部である．線毛はピリン pilin またはフィンブリリン fimbrillin とよばれるタンパク質分子が重合して線維状構造を形成している．

表 1-3-2　鞭毛の種類と主な菌種

鞭毛の種類	模式図	主な菌種
単鞭毛		コレラ菌，緑膿菌
双鞭毛		*Campylobacter* 属
叢鞭毛		ピロリ菌
周鞭毛		大腸菌，サルモネラ菌

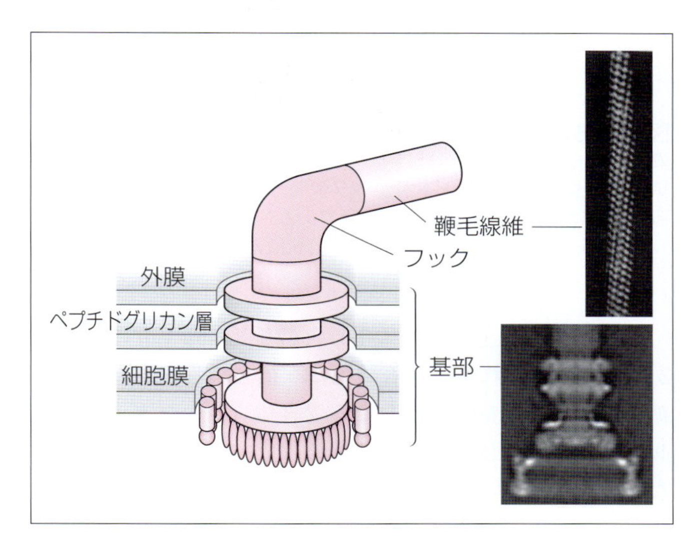

図 1-3-5　鞭毛の構造

鞭毛線維と基部の電子顕微鏡像とその模式図．鞭毛は，基部，フック，鞭毛線維の 3 つの部分からなる．鞭毛線維はフックを介して細胞壁を貫通し細胞膜に埋め込まれている基部と結合している．基部にはイオンの流入を駆動力に変換するタンパク質が存在する．

（電顕像は，飯野徹雄：細菌鞭毛の構造と形成．日細菌誌，34：477〜487，1979．および Berg HC：The rotary motor of bacterial flagella. *Annu Rev Biochem.*, 72：19〜54，2003.）

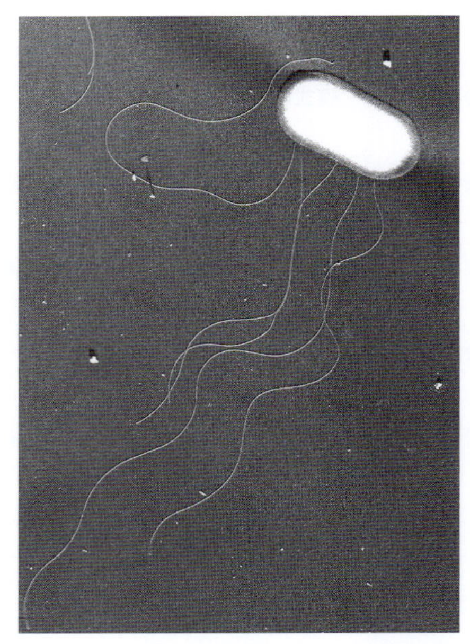

図 1-3-6　腸管出血性大腸菌 O157：H7 の周鞭毛
鞭毛の数や付着部位は菌種によって異なる．菌体の端に1本のみの単鞭毛，長軸の両端に1本ずつの双鞭毛，束状の叢鞭毛（束鞭毛），菌体周囲に存在する周鞭毛など多彩である．
（島田敏雄：日本細菌学会細菌学教育用映像素材集，第四版）

線毛は付着線毛（菌体線毛）と性線毛 sex pili に大きく2種類に分けられる．付着線毛は，宿主細胞の表面にある糖タンパク質や糖脂質からなる受容体（レセプター）を特異的に認識して付着し，細菌感染の成立に重要な役割を果たしている（**図 1-3-7**）．性線毛（接合線毛）は，伝達性プラスミド（F プラスミド，R プラスミド）をもつ菌に形成され，細菌の接合に関与する．性線毛を介して他の菌と接合し，自身のプラスミドを相手側の菌へ移行させ，薬剤耐性遺伝子や病原性遺伝子を伝達する．

c）莢膜と粘液層

細胞壁の外側を覆う多糖体やポリペプチドからなるゲル状の厚い膜状構造物で外周との境界が明瞭なものを莢膜 capsule，不規則な形状を示し，境界が不明瞭で拡散した層は粘液層 slime layer という．莢膜，粘液層は食細胞の食作用に抵抗性を示し，また補体，抗体の攻撃からも菌体を守るバリアとしての働きをもち，細菌の病原因子の1つである（**図 1-3-8**）．大腸菌の K 抗原（莢膜）は 80 種類以上報告されている．

また細胞壁の外側に形成される菌体外多糖体を含む物質のことをグリコカリックス glycocalyx といい，これを介して細菌が凝集しバイオフィルムの形成の基質となる．

（3）生活環の変形

芽胞

ある種の細菌は，栄養分の不足や乾燥など発育環境が悪化したときに芽胞 spore とよばれる耐久型の細胞を菌体内に形成する．芽胞は熱や消毒薬などの物理化学的処置に対して抵抗性を示し，100℃の加熱にも耐えうる．そのため高圧蒸気滅菌（121℃，15～20 分間）や乾熱滅菌（160～180℃，30～60 分間）によって死滅させる滅菌が必要となる．

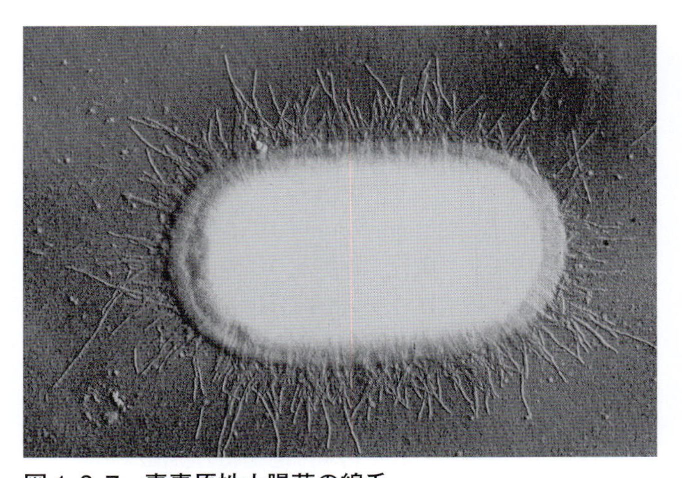

図 1-3-7　毒素原性大腸菌の線毛
（島田敏雄：日本細菌学会細菌学教育用映像素材集，第四版）

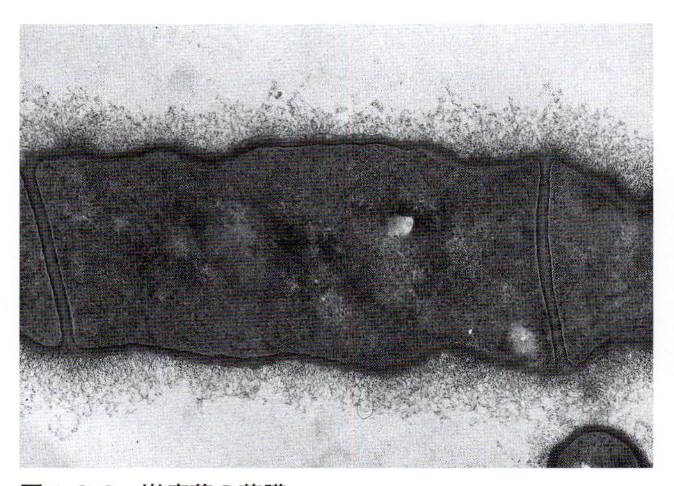

図 1-3-8　炭疽菌の莢膜
（天児和暢：日本細菌学会細菌学教育用映像素材集，第四版）

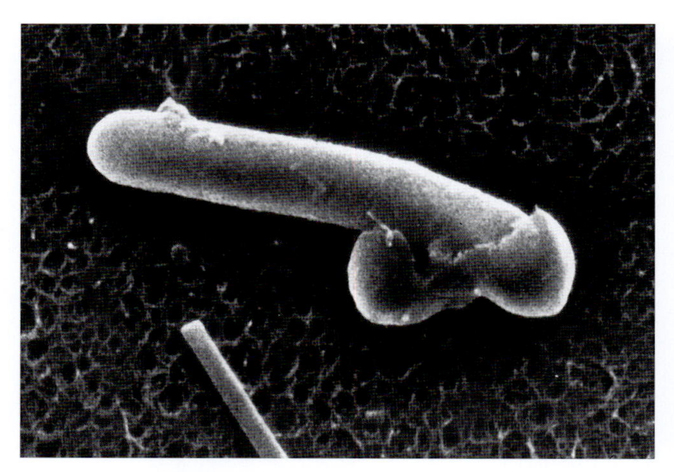

図 1-3-9　枯草菌の芽胞の発芽
芽胞殻を破って栄養型の菌が発芽し，成長している．
（天児和暢：日本細菌学会細菌学教育用映像素材集，第四版）

芽胞は母細胞の自己融解によって菌体外に放出され，環境がよくなると発芽 germination し（**図 1-3-9**），再び分裂，増殖する栄養型 vegetative form へ戻り，環境変化に伴い栄養型→芽胞→栄養型という1つの生活環を形成している．芽胞形成菌は，好気性の *Bacillus* 属（炭疽菌，枯草菌，セレウス菌）や嫌気性の *Clostridium* 属（破傷風菌，ボツリヌス菌，ウェルシュ菌，ディフィシル菌）などがある．

3 細菌の培養

培養 cultivation とは細菌を試験管内で人工的に増殖させる操作である．細菌を増殖させるためには菌体成分を構成している化学成分やエネルギー源などの栄養素を含んだ培地 culture medium が必要である．培地には液体培地と液体培地に寒天を加えて固形化した固形培地がある．液体培地は細菌の大量培養や増殖を調べる場合に用いられ，固形培地は臨床検体から細菌を分離培養し，性状を調べる場合に用いられる．また細菌の増殖は，温度，酸素，pH（水素イオン濃度），塩濃度などに大きく影響を受けるのでそれぞれの細菌種に適切な培養条件を設定する必要がある．

1）栄養

細菌は自然界の無機物質だけで増殖できる独立栄養細菌と無機物質の他に有機物質を必要とする従属栄養細菌に分類される．病原細菌や常在細菌のほとんどのものは従属栄養細菌に属するので無機物質以外に炭素源としての糖や発育因子（一部の細菌）を必要とする．

（1）炭素源

細菌を構成する元素としては炭素（C）が最も多く，菌体を構成しているタンパク質，核酸，脂質，糖質の骨格をなしている．炭素源として利用される糖はグルコースやフルクトースの単糖類，スクロースやラクトースの二糖類であるが，グルコースが炭素源として最も一般的に用いられている．

（2）窒素源

窒素（N）はタンパク質（アミノ酸）の構成元素として重要であり，アンモニウム塩，亜硝酸塩，硝酸塩を窒素源としている．またアミノ酸，ペプチド，タンパク質も窒素源として利用できる．

（3）無機塩類

無機塩類としては，リン（P）はリン酸として ATP，核酸，リン脂質の構成元素として必須であり，硫黄（S）はメチオニン，システインなどアミノ酸の構成成分として必要である．その他，Mg^{2+}，Na^{+}，K^{+}，Ca^{2+}，Fe^{2+} などが必要である．

（4）発育因子

細菌の増殖に必須であるが，自らが合成できない物質を発育因子という．菌種によってさまざまであり，ビタミン類，プリン，ピリミジン，ヘミンなどがある．

2）酸素

細菌は酸素に対する感受性や酸素要求性により大きく3群に分類できる．

（1）好気性菌

好気性菌 aerobe は増殖に酸素を必要とする細菌であり，好気呼吸によりエネルギーを獲得する．結核菌，百日咳菌，*Legionella* 属などがある．大気中の酸素濃度21％より低濃度（15％）の酸素存在下で増殖するのは微好気性菌といわれ，*Campylobacter* 属や *Helicobacter* 属などがある．

（2）通性嫌気性菌

通性嫌気性菌 facultative anaerobe は，酸素の有無にかかわらず増殖可能な細菌である．酸素の存在する環境では呼吸によりエネルギーを獲得し，酸素の存在しない嫌気的な環境では発酵によりエネルギーを獲得する大腸菌のような細菌や，酸素の有無にかかわらず発酵のみでエネルギーを獲得するレンサ球菌などがある．

（3）偏性嫌気性菌

偏性嫌気性菌 anaerobe は，酸素のない環境でのみ増殖できる細菌で，酸素が増殖に障害的に働き，酸素存在下では死滅するか増殖することのできない細菌である．嫌気性菌はエネルギー産生に酸素を利用しないため，発酵のみで ATP 産生を行う破傷風菌やボツリヌス菌と，発酵と嫌気呼吸（硝酸塩などを終末電子受容体とするもの）を行う *Bacteroides* 属などがある．

嫌気性菌が酸素感受性である理由の1つはスーパーオキシド，過酸化水素，ヒドロキシラジカルなどの活性酸素の毒性を消去する酵素（スーパーオキシドジスムターゼ，カタラーゼなど）が欠如していることが考えられている．活性酸素は反応性に富むラジカルとして DNA や細胞膜の損傷を招き，細胞傷害的に働く．

3）温度

細菌の増殖できる温度域は細菌種によって異なり，細菌が増殖を維持できる温度域の中で増殖に最適な温度を至適温度という．至適温度が10～20℃の低温細菌，37℃付近を至適温度とする中温細菌，そして45℃以上でのみ増殖する高温細菌がある．ヒトの病原細菌のほとんどのものは中温細菌に属する．

好熱菌は55℃でも生存可能な細菌であり，間欠泉などの高温環境で生存するために耐熱性酵素を保有している．PCR 法で用いられる *Taq* DNA ポリメラーゼはイエローストーン国立公園の間欠泉から分離された高度好熱菌 *Thermus aquaticus* 由来の DNA ポリメラーゼである．

4）pH（水素イオン濃度）

細菌の生育する外環境の pH にかかわりなく細菌細胞内の pH は多くのものは中性付近（pH 7.0）に維持されている．病原細菌の増殖に最も適した至適 pH は pH 7.2～7.6

であるが，コレラ菌はアルカリ側でよく増殖し，一部の真菌は酸性側で増殖する．

細菌は細胞内のpHや塩濃度の恒常性維持のために細胞膜に存在するプロトンポンプ（H^+-ATPase）やK^+/H^+やNa^+/H^+アンチポーター（対向輸送体）によって調節している．

5）浸透圧（塩濃度）

細菌の外環境の浸透圧（塩濃度）も増殖に影響を与える．高い浸透圧の環境では細胞質内の水分が失われ，細胞質が縮小し，細胞壁から分離する原形質分離が生じる．低浸透圧では逆に水分が細胞質に流入し，細胞が膨張する．そのため細菌の培養には培地と細胞内の浸透圧を等張にするためNaClを0.9%程度になるように加える．一般に多くの細菌はかなりの広範囲の塩濃度の変化に対応できるように細胞膜にイオン輸送体などをもっている．腸炎ビブリオのように増殖に高い塩濃度を要求する細菌は好塩菌に分類される．大腸菌のように培地に塩を添加すると増殖が抑制されるものは嫌塩菌（塩感受性菌）とよばれる．また塩による増殖抑制が少なく，10〜20%の塩濃度に耐える細菌は耐塩菌とよばれる．黄色ブドウ球菌は耐塩性を有し，10%程度のNaClの存在下でも増殖できる．

4 細菌の増殖様式

1）増殖様式と倍加時間

細菌は二分裂によって増殖し，母細胞と同一の形質をもつ2つの娘細胞が形成される．桿菌では核様体が複製され，垂直隔壁が形成された後，横裂して2個の細菌となる．細菌が増殖するとき，1つの細菌が2個の細菌になるまでを世代といい，この二分裂に必要な時間を世代時間generation timeあるいは倍加時間doubling timeという．世代時間は菌種や増殖環境によって異なる．最適な条件下では腸炎ビブリオの世代時間は8〜13分，大腸菌では20〜30分，結核菌では長く約20時間である．

2）増殖曲線

細菌を一定量の適切な液体培地に接種し培養したとき，時間経過とともに生菌数が一定のパターンで変化する．横軸に培養時間を普通目盛りで，縦軸に生菌数を対数目盛でとったものが増殖曲線growth curveであり，4つの時期に分けられる（図1-3-10）．

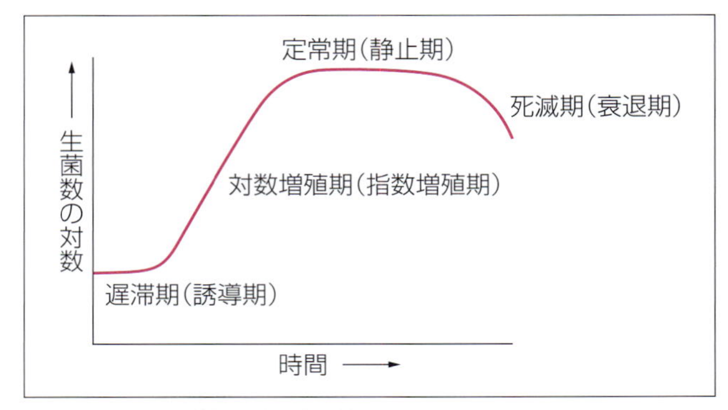

図1-3-10　細菌の増殖曲線
細菌を一定量の液体培地で培養したときの時間経過に伴う生菌数の推移を表している．

（1）遅滞期（誘導期）

遅滞期lag phase（誘導期）は，細菌を新たな培地に接種してもすぐに増殖が認められない時期である．この時期に細菌は新たな環境に適応し，増殖に必要な代謝を行っている．

（2）対数増殖期（指数増殖期）

対数増殖期logarithmic phase（指数増殖期exponential phase）は，細菌が二分裂によって活発に増殖している時期で，一定の倍加時間で2倍ずつ菌数が増加している時期である．増殖曲線では菌数を対数目盛にとってあるので直線で表される．この時期は，細菌の代謝が最も活発に行われており，代謝産物の影響も少ないので遺伝子検査や生化学検査に適した時期である．

（3）定常期（静止期）

定常期stationary phase（静止期）は，必要な栄養素の欠乏や有害な代謝産物の蓄積により，増殖速度が遅くなり，生菌数が一定になる時期である．新たに分裂した細菌と死滅した細菌との間に平衡関係が保たれる時期である．

（4）死滅期（衰退期）

死滅期death phase（衰退期）は，定常期の後，死滅する細菌数がさらに増加し，生菌数が減少していく時期である．

3）コロニー形成

細菌を寒天平板培地などの固形培地に接種し，培養すると細菌は二分裂で増殖しながら塊を形成していく．1つの細菌が分裂し，肉眼で観察できるほどの大きさに達した塊をコロニーcolony（集落）という．コロニーを形成している細菌は遺伝的に同一な細胞集団である．コロニーの大きさ，形，色調などの性状は菌種によって異なることから，菌種の推定の一指標となる．

5 細菌の代謝

1）細菌の代謝

細菌は他の生物と同様に菌体外から栄養素を取り入れて，エネルギー合成や菌体成分の合成を行う．このような細胞内で行われる化学反応を代謝metabolismという．代謝には高分子物質から低分子物質に分解し，化学結合に蓄えられたエネルギーを取り出す異化作用と，エネルギーを消費して低分子物質から高分子物質を合成する同化作用がある．異化作用の結果，取り出されたエネルギーはアデノシン三リン酸（ATP）や還元型ニコチンアミドアデニン

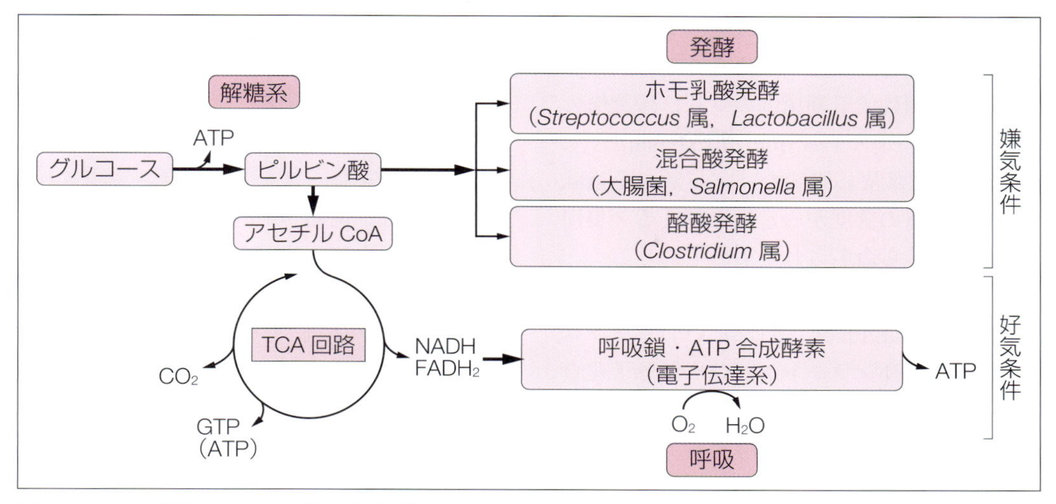

図 1-3-11　細菌のエネルギー産生系

ジヌクレオチドリン酸（NADPH）や膜の電気化学的ポテンシャルに変換されて利用される．栄養素を素材として，タンパク質，核酸，多糖，脂質などの菌体成分を合成する同化作用の諸反応は菌種間での違いは少なく，他の生物との共通点も多い．

2）エネルギー産生

細菌を含めて生物の主なエネルギー分子はATPである．ATPのリン酸基間の結合は高エネルギー結合であり，リン酸基が解離することでエネルギー（約 31 kJ/mol）を生み出す．有機化合物が分解される異化作用では，化学結合に蓄えられたエネルギーが放出され ATP が合成される過程で電子の移動が伴っている．この電子の伝達は物質の酸化還元反応であり，分子などから電子が失われるあるいは移動することを酸化といい，電子を獲得することを還元という．

病原細菌は従属栄養細菌であるのでエネルギー源や炭素源を他の生物で産生された有機物質から得なければならない．細菌のエネルギー産生にかかわる代謝は発酵 fermentation と呼吸 respiration に分けられる（**図 1-3-11**）．

（1）発酵

発酵は酸素の非存在下（嫌気条件）でグルコースなどの糖質の分解による ATP 生成系で，種々な酵素が各段階で働き，細菌種によりその発酵経路は異なる．細菌種によって分解し，利用できる糖質は異なるが単糖であるグルコースを分解し，エネルギーを産生する経路は解糖系（エムデン・マイヤーホフ・パルナス経路 Embden-Meyerhof-Parnas pathway：EMP 経路）といわれ，すべての生物に存在する基本的なエネルギー産生経路である．解糖系は呼吸，発酵ともに共通する部分である．解糖系ではグルコース 1 分子から 2 分子のピルビン酸を生成する過程で 2 分子の ATP を消費し，基質に高エネルギーで結合しているリン酸基を ADP に転移して 4 分子の ATP を産生し，差し引き 2 分子の ATP が産生される．基質レベルのリン酸化とよばれる．嫌気条件で行われる発酵ではピルビン酸はさらに還元されて最終産物として乳酸，ギ酸，酢酸，あるいはアルコールなどが産生される．*Streptococcus* 属や *Lactobacillus* 属などは最終代謝産物として乳酸を産生するホモ乳酸発酵を行う．大腸菌などの腸内細菌は，乳酸以外にギ酸，酢酸，コハク酸やエタノールを産生する混合酸発酵を行う．また嫌気性菌である *Clostridium* 属は，酪酸を最終代謝産物とする酪酸発酵を行う．発酵様式は細菌種によって異なることから菌種の同定の指標となる．

（2）呼吸

呼吸では解糖系で産生されたピルビン酸が酸素の存在下（好気呼吸）でアセチル CoA を経てクエン酸回路（TCA 回路）に入り，二酸化炭素と水素にまで分解される．この過程で生じた還元型補酵素 NADH は呼吸鎖（電子伝達系）で酸化され，引き抜かれた電子が細胞膜の電子伝達体を逐次還元していき，最終的に O_2 が還元されて H_2O となる．この電子伝達の過程で細胞外へプロトン（水素イオン H^+）が放出されるために細胞膜の内外でプロトンの濃度勾配が形成される．この濃度勾配をプロトン駆動力といい，プロトンが流入する際に細胞膜に存在する ATP 合成酵素によってエネルギーが生じ，ADP とリン酸から ATP が合成される．この呼吸鎖を利用する ATP 合成を酸化的リン酸化反応という．酸化的リン酸化反応により得られる ATP はグルコース 1 分子あたり約 28 分子であり，解糖系，クエン酸回路で合成される ATP と合わせると約 32 分子の ATP が産生されることになる．またプロトン駆動力は鞭毛運動や細胞膜を介したイオン，物質の輸送にも利用されている．呼吸鎖は真核生物ではミトコンドリア内膜に原核生物では細胞膜に存在する．最終電子受容体に酸素を用いるものを好気呼吸，酸素ではなく硝酸塩などの無機物質を用いるものを嫌気呼吸という．

3）細菌相互間の生育調整

単細胞生物である細菌も細菌同士がコミュニケーション

をとり，変化する生育環境に対応できる仕組みをもっている．細菌が菌体密度を感知し，細菌の病原性などにかかわる遺伝子発現や表現型を制御する細菌間の情報伝達機構のことをクオラムセンシングシステム quorum sensing system という．quorum とは議決に必要な「定足数」を意味する用語であり，同種細菌の密度が一定数を超えると集団として行動を起こす現象から命名されたものである．

クオラムセンシングにおける細菌間の情報伝達物質をオートインデューサー autoinducer（AI）といい，グラム陰性菌ではアシル化ホモセリンラクトンという低分子化合物や，グラム陽性菌ではペプチド構造の AI などがある．細菌は固有の AI を産生し，菌体外に分泌する．菌体密度の上昇に伴い AI の濃度も上昇し，ある閾値を超えると細胞内，あるいは細胞外の受容体に結合し，特定の遺伝子の転写を制御する．クオラムセンシングシステムで制御されている細胞機能には外毒素やプロテアーゼ（タンパク質分解酵素）の産生，およびバイオフィルム形成などの細菌の病原性にかかわるものがある．

6 病原因子

微生物が宿主に定着し，増殖することによって感染が成立する．感染の結果，宿主が障害を受け，病的状態に陥った場合を発症という．病原性 pathogenicity とは，宿主に感染症を発症させる微生物の性質，能力のことをいう．微生物が感染したときにどれくらい感染症を引き起こしやすいか，また発症したときにどれくらい重症化しやすいか，病原性の程度を表すものがビルレンス virulence（毒力）である．したがって，感染の結果，発症するか否かは微生物のビルレンスと宿主側の感染防御力との力関係に依存しており，この関係を宿主－寄生体相互関係という．細菌を含めて，ヒトに感染症を引き起こす微生物は，宿主への付着，定着を強固なものにし，宿主の感染防御力から回避し，宿主内で増殖できる仕組みを進化の過程で獲得してきた．このような微生物が宿主に対して感染症を発症させるように病的状態を引き起こす微生物の遺伝子産物や代謝産物を病原因子という．

1）定着因子

細菌が病原性を発揮するためにはまず宿主細胞や組織へ付着し，増殖しなければならない．細菌が皮膚や粘膜などの上皮に付着し，増殖した状態を定着 colonization という．この付着，定着にかかわる構造物を定着因子という．付着線毛（菌体線毛）は，宿主細胞のマンノースなどの糖鎖からなる線毛受容体と特異的に結合する．菌種により線毛の構成成分が異なるために線毛受容体も異なり，細菌が定着できる細胞や組織が異なる．歯周病原細菌である *Porphyromonas gingivalis* の付着線毛（FimA）は，歯肉上皮細胞，歯肉線維芽細胞，歯面のペリクルなどへの結合能を有する．線毛をもたない化膿レンサ球菌や黄色ブドウ球菌は，リポタイコ酸やフィブロネクチン結合タンパク質が定着因子として機能する．ミュータンスレンサ球菌群の線毛様タンパク質抗原（PA*c*）はペリクルへの初期付着に関与し，またスクロースを基質として産生される粘着性不溶性グルカンは，歯面へ強固に付着し，バイオフィルムを形成してう蝕の主要な病因となる．

線毛全体あるいはその先端には，実際の付着の機能を担う付着因子アドヘジン adhesin とよばれる領域が存在し，その特異的受容体と結合する．グラム陽性菌では，細胞壁表層のタンパク質などがアドヘジンとして機能する．

2）食細胞抵抗性因子

細菌が宿主生体内に侵入すると，好中球などの食細胞が食作用により排除する．この食細胞の食作用に抵抗性をもつ構造物が食細胞抵抗性因子である．莢膜や粘液層は，細胞壁の外側を覆うので補体や抗体の攻撃からも菌体を防御することができる．莢膜をもつ病原細菌は，化膿レンサ球菌，肺炎球菌，黄色ブドウ球菌，インフルエンザ菌などがある．緑膿菌は，ムコ多糖体を産生し，バイオフィルムを形成することにより食細胞や抗体による排除に抵抗性を示し，難治性感染の原因となる．また化膿レンサ球菌の M タンパク，グラム陰性菌の LPS も食作用に抵抗性を示す．

3）侵入性因子

細菌の中には上皮細胞の細胞内に侵入し増殖するものや，マクロファージなどの食細胞に貪食されても殺菌機構を回避し，増殖できるものもある．これらの細菌は，人工培地でも宿主細胞内でも増殖できることから通性細胞内寄生性細菌とよばれる．赤痢菌は，腸管粘膜上皮細胞にエンドサイトーシスを誘導し，細胞内に取り込まれた後，エンドソームから細胞質へ脱出し，細胞質内で増殖した後，隣接した上皮細胞へ侵入する．結核菌，チフス菌は，マクロファージに貪食された後，食胞（ファゴソーム phagosome）とリソソームとの融合を阻害することにより殺菌機構を回避し，食胞内で生存することができる．

4）毒素産生性

細菌の毒素は，外毒素と内毒素に大別される（**表 1-3-3**）．外毒素は，菌体内で合成されるタンパク質性毒素であり，菌体外に分泌され，特定の標的細胞に結合し作用する．易熱性のものが多く，抗原性が強いので抗毒素抗体が産生されやすい．毒性や生物学的活性は，産生される菌種によって大きく異なる．内毒素は，グラム陰性菌の外膜成分である LPS がその本体である．菌体構成成分であるため，細菌が死滅したときに遊離して作用する．グラム陰性菌に共通した成分であるため，菌種により生物学的活性に大きな違いは認められない．

表 1-3-3　外毒素と内毒素の特徴

	外毒素	内毒素
菌種	特定のグラム陽性菌，グラム陰性菌	グラム陰性菌全般
所在 産生	菌体内で産生され，菌体外に分泌される または自己融解によって菌体外に放出される	グラム陰性菌の外膜 死菌体より遊離し作用する
成分	タンパク質，ペプチド	LPS
毒性	強力，致死作用をもつものもある	中程度～弱い
抗原性	強いために抗毒素抗体が産生される	弱いため抗体は産生されにくい
トキソイド化	ホルマリン処理によりトキソイド化できる	トキソイド化はできない
安定性	易熱性（熱処理で失活）*	耐熱性
標的細胞 作用	特定の臓器，細胞に作用する 菌種により種々な作用を示す	広範囲の細胞に作用する 菌種による作用に違いは少ない

*黄色ブドウ球菌のエンテロトキシン（腸管毒），セレウス菌のセレウリド（嘔吐毒）は耐熱性毒素

表 1-3-4　主な外毒素の種類と産生菌

標的組織・細胞	毒素	産生菌	主な作用，臨床症状
シナプス	ボツリヌス毒素	ボツリヌス菌	弛緩性麻痺
	テタノスパスミン	破傷風菌	痙攣性麻痺
腸管上皮細胞	コレラ毒素	コレラ菌	米のとぎ汁様水様性下痢
	易熱性毒素	毒素原性大腸菌	水様性下痢
赤血球，食細胞	ストレプトリジンO ストレプトリジンS	化膿レンサ球菌	溶血，細胞膜傷害
白血球	ロイコシジン	黄色ブドウ球菌	細胞膜傷害，細胞死
	ロイコトキシン	*Aggregatibacter actinomycetemcomitans*	細胞膜傷害，細胞死
上気道粘膜組織 心臓，末梢神経	ジフテリア毒素	ジフテリア菌	粘膜壊死（偽膜形成） 心筋炎，神経炎
腎臓・血管内皮細胞 大腸・上皮細胞	志賀毒素（ベロ毒素）	腸管出血性大腸菌	溶血性尿毒症症候群
	志賀毒素	赤痢菌	出血性腸炎
T 細胞	毒素性ショック症候群毒素 -1（TSST-1）	黄色ブドウ球菌	発熱，発疹，ショック
	エンテロトキシン		毒素型食中毒（嘔吐，下痢，腹痛），ショック
	発赤毒（発熱毒素：Spe）	化膿レンサ球菌	猩紅熱 発熱，発疹，ショック

(1) 外毒素

外毒素はグラム陰性菌，グラム陽性菌ともに増殖する過程で産生された後，菌体から分泌され，また菌の自己融解によって菌体外へ放出される．多くの外毒素は，毒素活性を担う A サブユニット（A：active）領域と標的細胞の細胞膜上の受容体に結合する B サブユニット（B：binding）領域から構成されている．B サブユニットが標的細胞の受容体に結合した後，細胞内に取り込まれて A サブユニットが毒性を発揮する．このような A-B 成分毒素としては，ジフテリア毒素，破傷風菌のテタノスパスミン tetanospasmin，ボツリヌス毒素，コレラ毒素，赤痢菌の志賀毒素などがある．

外毒素は，毒素の種類により，神経系に作用するもの（神経毒），腸管に作用するもの（腸管毒），細胞膜に作用するもの（細胞毒）やタンパク質合成系に作用するものなど多様である（**表 1-3-4**）．神経毒としては，シナプスにおけるアセチルコリンの放出を阻害し，弛緩性麻痺を招くボツリヌス毒素や，抑制性の神経伝達を阻害することによって強直性痙攣や持続的筋緊張を招く破傷風毒素（テタノスパスミン）などがある．腸管毒としては，腸管上皮細胞の細胞内情報伝達経路を修飾し，イオンチャネルを開口させ水様性下痢を招くコレラ毒素や，毒素原性大腸菌の易熱性毒素などがある．細胞毒は，細胞膜を傷害することによって細胞死などを起こすもので，化膿レンサ球菌のストレプトリジン O，黄色ブドウ球菌のロイコシジン，歯周病原細菌 *Aggregatibacter actinomycetemcomitans* のロイコトキシンなどがある．タンパク質合成系に作用し，タンパク質合成を抑制し細胞死を招くものとして，ジフテリア毒

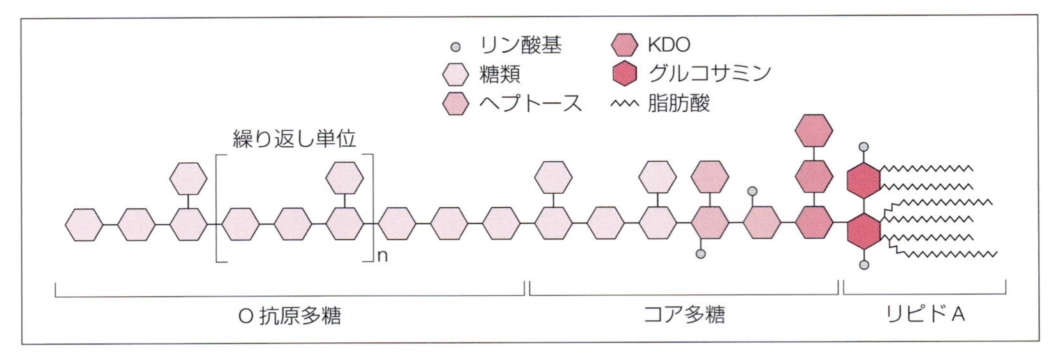

図 1-3-12　LPS の構造
LPS は，脂質部分であるリピド A と親水性の多糖部分から構成されている．リピド A の脂肪酸組成の違いが内毒素活性に影響する．コア多糖は，菌種間で比較的類似した構造をもっており，リピド A に接する部分では 7 炭糖（ヘプトース）や 8 炭糖（ケトデオキシオクトン酸：KDO）などから構成されている．O 抗原多糖は，6 炭糖や 5 炭糖からなる基本構造が繰り返し（n = 30〜40）により多糖鎖が形成されている．糖鎖が長くなると親水性が増し表面が平滑なスムーズ（S 型）コロニーを形成し，短くなると疎水性のコア多糖の影響を受けて表面が粗造なラフ（R 型）コロニーを形成する．

素，腸管出血性大腸菌や赤痢菌の志賀毒素（ベロ毒素）がある．また免疫系に作用し，大量のサイトカインを放出させるスーパー抗原と命名された外毒素も存在する（☞ p.143 **図 3-1-5** 参照）．スーパー抗原は，抗原提示細胞の主要組織適合遺伝子複合体 major histocompatibility complex（MHC）クラスⅡに結合し，T 細胞受容体 T cell receptor（TCR）を抗原非特異的に架橋することで T 細胞を非特異的に活性化させ，インターロイキン interleukin（IL）-1，-2，インターフェロン interferon（IFN）-γ，tumor necrosis factor（TNF）などのサイトカインを多量に放出させる．その結果，発熱，発疹，嘔吐，ショックなどの全身症状を呈する．スーパー抗原は，黄色ブドウ球菌の毒素性ショック症候群毒素 -1 toxic shock syndrome toxin-1（TSST-1）やエンテロトキシン，また化膿レンサ球菌の発赤毒あるいは発熱毒素（Spe）などがある．

（2）内毒素

内毒素は，グラム陰性菌の菌体成分が毒性を示すことから命名された．その本体は，グラム陰性菌細胞壁の外膜表層部に存在する LPS である．化学構造は，疎水性の脂質部分であるリピド A が外膜中に埋め込まれ，親水性の多糖部分が菌体外へ表出している（**図 1-3-4** 参照）．内毒素の活性中心の大部分は，リピド A が担っており，リン酸化されたグルコサミン二糖に脂肪酸が結合した構造を有している（**図 1-3-12**）．内毒素活性は，この脂肪酸の組成により大きく影響を受け，菌種により非常に低い内毒素活性を示すものもある．胃潰瘍の原因菌である *Helicobacter pylori* や歯周病原細菌である *P. gingivalis* の内毒素活性は低い．多糖部分はリピド A に結合しているコア多糖と最外部の O 抗原多糖からなる．コア多糖は，菌種間で比較的類似した構造をもっている部分である．O 抗原多糖は，数種類の糖からなる繰り返し構造により多糖鎖が形成されている．同一菌種でも糖の組成が異なっているため特異抗原として同一菌種内の血清型の決定に利用される．

表 1-3-5　LPS の生物活性

細胞に対する作用
単球，マクロファージの活性化 炎症性サイトカインの産生増強 血管内皮細胞の活性化，障害 B 細胞の活性化，IgM 抗体産生促進 補体の活性化（第二経路）
生体に対する作用
エンドトキシンショック 発熱作用 血管内血液凝固（DIC） Shwartzman 反応*

* Shwartzman 反応は，ウサギなどの実験動物の皮内に少量の LPS を投与し，24 時間後に LPS を静脈内に投与すると皮内の注射箇所に出血性壊死がみられるもので Gregory Schwartzman（1896〜1965）によって発見された現象．初回の LPS の局所投与により皮内の血管内皮細胞の接着分子が発現誘導され，2 度目の LPS の静脈注射により好中球など白血球が活性化し，血管内皮細胞に接着し，細胞傷害性因子により血管が傷害されるため出血性壊死が生じる．

LPS はパターン認識受容体の 1 つである TLR4（Toll-like receptor 4）によって認識されるが，細胞内シグナル伝達経路の活性化には TLR4 に会合する補助因子も必要である．LPS は，まず血清中，組織中の LPS 結合タンパク質 LPS-binding protein と会合した後，細胞膜上の CD14 あるいは可溶性 CD14 に結合し，細胞膜上の MD-2 とよばれる細胞外補助分子に受け渡される．MD-2 は TLR4 と複合体を形成し，大腸菌型 LPS の場合，リピド A の脂肪酸側鎖の 5 本が MD-2 に，1 本が TLR4 に結合することで TLR4/MD-2 は二量体を形成し，会合した TLR4 の細胞質ドメインを介して細胞内情報伝達経路が活性化する．

LPS の生体に対する毒性は，免疫担当細胞から産生された炎症性サイトカインなどのメディエーターによる過剰な炎症反応がその本態である（**表 1-3-5**）．グラム陰性菌の感染の結果，大量の LPS が遊離すると，発熱，血管内皮細胞の障害による臓器障害，血圧低下，エンドトキシンショックなどの重篤な症状を呈する．発熱作用は，LPS によって単球 / マクロファージから産生された IL-1，TNF-α などの炎症性サイトカインがプロスタグランジン E_2 の産生を誘導し，視床下部の体温調節中枢に作用して

表 1-3-6　病原細菌の産生酵素

酵素名	主な作用
コアグラーゼ	プロトロンビンと結合し，フィブリノーゲンをフィブリンに変換し，血漿凝固に働く
スタフィロキナーゼ ストレプトキナーゼ	プラスミンの活性化．フィブリンを分解し，病巣拡大に働く
コラゲナーゼ	結合組織のコラーゲンを分解し，組織破壊，病巣拡大に働く
ヒアルロニダーゼ	結合組織の細胞外マトリックスであるヒアルロン酸を分解し，組織破壊，病巣拡大に働く
免疫グロブリン分解酵素	IgA，IgG を分解し宿主免疫系からの回避に働く
DNA 分解酵素（DNase）	細胞外 DNA を分解し，好中球殺菌機構 NETs＊からの回避に働く

＊NETs は，p.142 を参照

体温を上昇させる．LPS は，単球，血管内皮細胞から組織因子の産生を誘導し，微小血管における血液凝固を促進させ，播種性血管内凝固症候群 disseminated intravascular coagulation（DIC）による多臓器不全を招く．LPS や産生された炎症性サイトカインは，一酸化窒素（NO）の産生を誘導し，末梢血管の拡張，さらに血管内皮細胞を障害し，末梢循環不全による敗血症ショック（エンドトキシンショック）を招く．LPS は，T 細胞の補助なしに抗原非特異的に B 細胞を活性化させ，抗体産生を誘導し，また補体の第二経路（副経路）を活性化させる．歯周病原細菌由来の LPSはRANKL（receptor activator of NF-κB ligand）の発現誘導を介して骨吸収など歯周病の病態形成に関与している．

5）酵素産生性

生体内に侵入した細菌によって産生されるさまざまな酵素は，宿主組織を破壊し，また生体防御機構を障害することにより病巣拡大，病態形成に関与する（**表 1-3-6**）．

B　ウイルス

❶ ウイルスの分類と性状

ウイルスは細菌や真菌とは異なり，細胞壁，細胞膜，細胞質といった細胞構造をもたない微生物である．基本構造は遺伝情報として DNA か RNA のいずれか一方と，それを包むタンパク質の殻（カプシド）からなる感染性を有する微細な粒子である．ウイルスによってはカプシドの外側にエンベロープとよばれる脂質二重層からなる外被をもつものもある．ウイルスはエネルギー合成系やタンパク質合成系をもたず自己増殖することができない．そのため感染した宿主の細胞の合成系に依存してしか増殖することができない．このような微生物を偏性細胞内寄生性微生物という．ウイルスの一般的な性状としては以下の特徴があげられる．

① 宿主細胞でのみ増殖可能な偏性細胞内寄生性微生物であり，人工培地では増殖できない．
② 核酸として DNA か RNA のいずれか一方しかもたない．
③ 基本構造は核酸とカプシドからなり，ウイルスによってはエンベロープをもつものもある．
④ リボソームや細胞内小器官はもたない．
⑤ 二分裂では増殖せず，宿主細胞内で多数のウイルス粒子を複製する．
⑥ 抗菌薬に対する感受性はない．

ウイルスは，一般に細菌より小さく（20〜300 nm），観察には電子顕微鏡が必要で，光学顕微鏡では観察できないとされてきた．しかし近年，光学顕微鏡で観察できるほどの巨大ウイルスが発見されている．ミミウイルスは，アメーバを宿主とするウイルスで，カプシドは約 400 nm でその周囲に線維状構造物があり，それを含めると 750 nm の大きさになる．ゲノムサイズも巨大でマイコプラズマのゲノムサイズの 2 倍もある．さらに 2013 年には 1 μm を超えるパンドラウイルスが発見されている．巨大ウイルスの発見は，その大きさだけでなく遺伝子組成や増殖様式から生命の進化や生物の概念を見直す新たな知見となりつつある．

ウイルスは，宿主となる生物の違いにより，動物ウイルス，植物ウイルス，細菌ウイルスなどに大別される．ウイルスの分類と命名は細菌と同様に国際ウイルス分類委員会によって行われている．ウイルスの分類基準は，①核酸の種類（DNA か RNA）とその構造（一本鎖，二本鎖），②宿主細胞での増殖様式，③カプシドの構造（らせん対称か正二十面体），④エンベロープの有無，などに基づき分類される．これらの基本的特徴を有する分類群は，ウイルス科 family あるいは亜科 subfamily として分類され，各ウイルス科は固有の形態，核酸の構造，複製様式をもつ．同じウイルス科のウイルスは，さらに宿主特異性やウイルス核酸の相同性などの違いから，属 genus，さらに種 species に分類される．麻疹ウイルス，風疹ウイルス，インフルエンザウイルスなどはウイルス種を示すが，細菌の学名のようにラテン語による二名法による記載は一般には行われていない．ウイルス名が記載される場合，正式名ではなく一般名（慣用名）で表記されていることが多い．たとえ

表 1-3-7　DNA ウイルスの分類

ウイルス科 *viridae*	代表的ウイルス種	ウイルス粒子（ビリオン）の性状			
		大きさ (nm)	エンベロープ	カプシド構造	核酸の性状
パルボウイルス *Parvoviridae*	ヒトパルボウイルス B19	20	−	正二十面体	一本鎖
パピローマウイルス *Papillomaviridae*	ヒトパピローマウイルス	50	−	正二十面体	環状二本鎖
アデノウイルス *Adenoviridae*	ヒトアデノウイルス	70〜90	−	正二十面体	二本鎖
ヘパドナウイルス *Hepadnaviridae*	B 型肝炎ウイルス	42	＋	正二十面体	環状二本鎖
ヘルペスウイルス *Herpesviridae*	EB ウイルス サイトメガロウイルス 単純ヘルペスウイルス 水痘・帯状疱疹ウイルス	120〜200	＋	正二十面体	二本鎖
ポックスウイルス *Poxviridae*	痘瘡ウイルス	300〜450 × 170〜260	＋	複雑	二本鎖

ば水痘・帯状疱疹ウイルス varicella-zoster virus（VZV）は一般名であるが，正式名は *Human alphaherpesvirus 3* である．ヒトに病原性を示す代表的ウイルスを**表 1-3-7，8** に示す．

❷ 宿主特異性

ウイルスは特定の宿主細胞に感染し，その細胞内で増殖する．ウイルスがどの生物種に感染するかを示すものを宿主域 host range といい，ある特定の細胞や組織，臓器に親和性を示し感染する性質のことを細胞指向性（トロピズム）という．このウイルスの宿主域や細胞指向性を決めているものは，ウイルスの宿主細胞への付着・侵入過程での親和性や侵入後の増殖に必要な宿主因子の存在などによって規定されている．たとえばポリオウイルスがサルやヒトなど霊長類の細胞のみに感染するのは，ポリオウイルスに対する受容体が霊長類のみに発現しているからである．またヒト免疫不全ウイルスがヘルパー T 細胞に感染するのも T 細胞がその受容体をもつからである．宿主細胞のウイルス受容体の有無は，ウイルスの宿主域や臓器特異性を決定する重要な要因の 1 つである．

❸ ウイルスの基本構造

ウイルスの基本構造は，ウイルス核酸（DNA か RNA）とそれを包むタンパク質の殻であるカプシドからなる．ウイルス核酸とカプシドを合わせてヌクレオカプシド nucleocapsid とよぶ．さらにウイルスの中にはカプシドの外側にエンベロープとよばれる脂質二重層からなる膜構造をもつものもある（**図 1-3-13**）．エンベロープにはウイルスが宿主細胞に吸着するときに使われるスパイク spike という糖タンパク質の突起をもつものもある．感染性を有するウイルス粒子のことをビリオン virion とよぶ．エンベロープをもつウイルスは，ヌクレオカプシドとエンベロープを含めたものがビリオンである．

1）ウイルス核酸

ウイルスは核酸として DNA か RNA のいずれか一方しかもたない．この特徴からウイルスは DNA ウイルスと RNA ウイルスに大別できる．ウイルス核酸の性状は，一本鎖か二本鎖であり，多くは直鎖状であるが環状になったものもある．DNA ウイルスの多くのものは二本鎖 DNA であるが，RNA ウイルスでは一本鎖 RNA をもつものが多い．一本鎖 RNA の場合，mRNA と同じ塩基配列をもつ場合をプラス鎖（＋鎖），mRNA と相補的な塩基配列をもつ場合をマイナス鎖（−鎖）といい，宿主細胞内での転写やウイルス核酸の複製様式が異なる．

ウイルス核酸は通常，1 つの分子から構成されているが，インフルエンザウイルスのように一本鎖 RNA が 8 つに分かれ分節になったものもある．ウイルスの遺伝情報は通常 1 つのビリオンに 1 コピーだけ含まれるが，ヒト免疫不全ウイルスなどのレトロウイルス科では 2 コピー存在する．

2）カプシド

ウイルス核酸はカプシドとよばれるタンパク質の殻によって覆われ保護されている．ウイルス核酸とカプシドを合わせてヌクレオカプシドという．ウイルスによってはヌクレオカプシドのことをコア core とよぶ場合がある．カプシドを構成するタンパク質はカプソメア capsomere とよばれ，規則的に配列し，正二十面体の立方対称や中心軸の周囲にらせん状に配列するらせん対称のカプシド形態を形成する（**図 1-3-14**）．DNA ウイルスでは正二十面体の

表 1-3-8　RNA ウイルスの分類

ウイルス科 *viridae*	代表的ウイルス種	ウイルス粒子（ビリオン）の性状			
		大きさ (nm)	エンベロープ	カプシド構造	核酸の性状
ピコルナウイルス *Picornaviridae*	ポリオウイルス A 型肝炎ウイルス コクサッキーウイルス	30	−	正二十面体	一本鎖 （＋鎖）
カリシウイルス *Caliciviridae*	ノロウイルス	30	−	正二十面体	一本鎖 （＋鎖）
トガウイルス *Togaviridae*	風疹ウイルス	60〜70	＋	正二十面体	一本鎖 （＋鎖）
フラビウイルス *Flaviviridae*	黄熱ウイルス デングウイルス C 型肝炎ウイルス 日本脳炎ウイルス	40〜60	＋	正二十面体	一本鎖 （＋鎖）
コロナウイルス *Coronaviridae*	SARS-CoV-2 SARS コロナウイルス 1	120〜160	＋	らせん対称	一本鎖 （＋鎖）
レトロウイルス *Retroviridae*	ヒト免疫不全ウイルス ヒト T 細胞白血病ウイルス	100〜110	＋	球状	一本鎖（2 倍体） （＋鎖）
レオウイルス *Reoviridae*	ロタウイルス	80〜100	−	正二十面体	二本鎖 （＋鎖）
オルトミクソウイルス *Orthomyxoviridae*	インフルエンザウイルス	80〜120	＋	らせん対称	一本鎖 （−鎖）
パラミクソウイルス *Paramyxoviridae*	麻疹ウイルス ムンプスウイルス パラインフルエンザウイルス	150〜250	＋	らせん対称	一本鎖 （−鎖）
ラブドウイルス *Rhabdoviridae*	狂犬病ウイルス	80 × 180	＋	らせん対称	一本鎖 （−鎖）
フィロウイルス *Filoviridae*	エボラウイルス マールブルクウイルス	80×1,000〜10,000	＋	らせん対称 （フィラメント状）	一本鎖 （−鎖）
ブニヤウイルス *Bunyaviridae*	腎症候性出血熱ウイルス	90〜100	＋	らせん対称	一本鎖 （−鎖）
アレナウイルス *Arenaviridae*	ラッサウイルス	50〜300	＋	らせん対称	一本鎖 （−鎖）

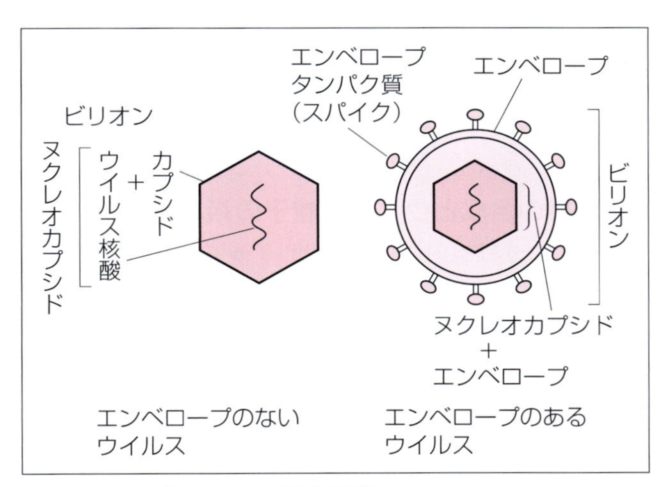

図 1-3-13　ウイルスの基本構造

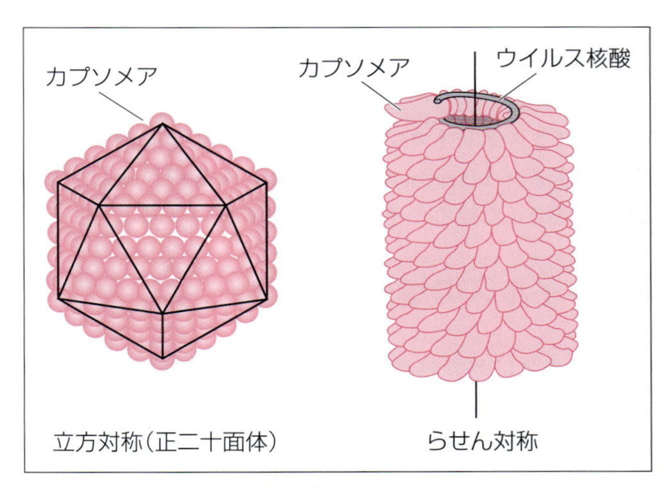

図 1-3-14　カプシドの構造
カプシドを構成するタンパク質（カプソメア）が規則正しく配列し，正二十面体の立方対称や中心軸の周囲にらせん状に配列するらせん対称のカプシド形態を形成する．

ものが多いが，痘瘡ウイルスのように対称構造をとらず複雑な形態をもつものもある．RNAウイルスは，正二十面体の立方対称とらせん対称のカプシド形態をもつものがある．らせん対称のウイルスはエンベロープによってカプシドが覆われ，電子顕微鏡で観察したウイルス粒子としての形態は球形，紐状，砲弾状など多彩な形態を示す．

3）エンベロープ

エンベロープは，カプシドの外側に存在する脂質二重層からなる膜構造物である．エンベロープは宿主細胞の膜由来であり，ヌクレオカプシドが宿主細胞から出芽するとき，細胞膜や小胞体膜，核膜などをかぶって細胞外に出ていく際に形成される．エンベロープにウイルス由来の糖タンパク質が埋め込まれ，突起状になったスパイクをもつウイルスもある．

エンベロープやスパイクはウイルス粒子の最外層に存在するので，ウイルスが宿主細胞に吸着し感染する際に重要な働きをする．エンベロープは脂質二重層から形成されているため，アルコール，エーテルなどの有機溶媒や界面活性剤などで破壊され，ウイルスの感染性が失われる．したがってエンベロープをもたないウイルスのほうが消毒薬に対する抵抗性が強いといえる．たとえばポリオウイルスなど経口感染するウイルスはエンベロープをもたない．そのため十二指腸から分泌される胆汁に含まれる胆汁酸の界面活性作用に抵抗性を示し，その結果，ウイルス粒子は感染性を保持したまま腸管まで到達し，感染できる．

4）ウイルス粒子内の酵素やタンパク質

ウイルスの中にはカプシド内に核酸合成酵素をもつものもある．ヒト免疫不全ウイルスなどのレトロウイルスは逆転写酵素をカプシド内にもち，宿主細胞内で逆転写酵素によりウイルスRNAからDNAが合成される．またウイルスによってはエンベロープとカプシドの間やカプシド内にタンパク質をもつものもある．ヘルペスウイルスではエンベロープとヌクレオカプシドの間に複数のタンパク質からなるテグメント tegment とよばれる構造が存在し，宿主細胞に感染した後のウイルスの増殖に関与する．

4 ウイルスの増殖様式

ウイルスは自分自身で増殖することができない偏性細胞内寄生性微生物であり，生きた細胞に侵入し，宿主のエネルギーやタンパク質合成系を利用して増殖する．ウイルスの増殖過程は，宿主細胞への吸着→侵入→脱殻→素材の合成→ウイルス粒子の組み立て→細胞外への放出の順に段階的に進行する（図1-3-15）．

1）吸着

ウイルスの感染は，ウイルス粒子の宿主細胞への吸着 adsorption で始まる．このウイルスの吸着は宿主細胞の表面に存在するウイルス受容体とウイルス粒子表面のタンパク質（カプシドやエンベロープ表面の糖タンパク質）との特異的な結合によって起こる．このウイルス受容体は宿主細胞の細胞表面の接着分子や種々な受容体や糖鎖などである．ウイルスの種類によって結合できる受容体は決まっており，受容体をもたない細胞にはウイルスは吸着できない．たとえばヒト免疫不全ウイルスはT細胞のCD4をウイルス受容体とし，CD4をもたない細胞には感染しない．このように細胞表面の受容体の存在がウイルスの感染する細胞（組織，臓器）の特異性，すなわち細胞指向性を決める重要な因子となっている．またウイルス粒子表面のタンパク質抗原に対する抗体は，宿主細胞へのウイルスの吸着を阻害し，ウイルスの感染を防ぐことができる．

2）侵入

細胞に吸着したウイルスは次いで細胞内へ侵入 penetration する．侵入機構はウイルスによって異なっており，エンベロープをもたないウイルスは，宿主細胞のエンドサイトーシスによって細胞内に取り込まれたり，宿主細胞への吸着後，カプシドタンパク質の構造が変化し，細胞膜に孔を形成してウイルス核酸が細胞質へ放出（脱殻）されるものもある．エンベロープをもつウイルスは，脂質二重層であるエンベロープと細胞膜が融合し，ヌクレオカプシドが細胞内へ侵入するウイルスと，エンドサイトーシスによって取り込まれた後，細胞質へ侵入するウイルスとがある．

3）脱殻

細胞内に侵入したウイルス（ヌクレオカプシド）から内部のウイルス核酸が放出されることを脱殻 uncoating という．ウイルスによっては侵入と脱殻が同時に起こるものもある．脱殻により感染性をもつウイルス粒子はいったん細胞内には存在しなくなる．この感染性ウイルス粒子が消失する時期を暗黒期（エクリプス eclipse period）という（図1-3-16）．

4）素材の合成とウイルス粒子の組み立て

脱殻により細胞内に遊離したウイルス核酸（DNAあるいはRNA）は，その遺伝情報に従い核酸の複製やウイルスのタンパク質の合成が行われる．ウイルスの遺伝子の発現は，同時に進行するのではなく，順を追って段階的に発現し，ウイルスの核酸合成酵素などは感染後の初期に発現し，カプシドのタンパク質をコードしている遺伝子は後期に発現する．一般にDNAウイルスではDNAからmRNAへの転写やDNAの複製は宿主細胞の核内で行われ，RNAウイルスでは細胞質で行われる．ただしインフルエンザウイルスのように核内で転写，複製が行われるものもある．複製されたウイルス核酸と翻訳されたカプシドのタンパク質を素材としてヌクレオカプシドが組み立てられる．

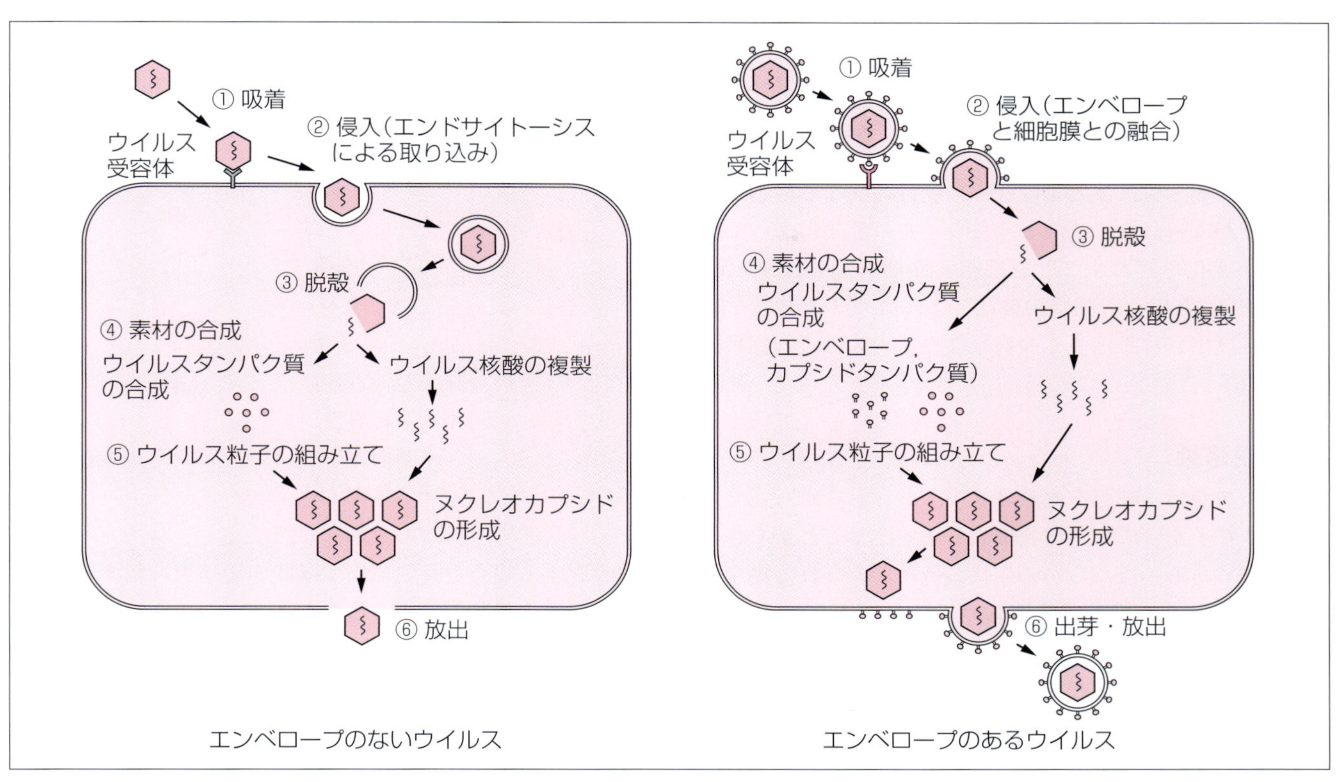

図 1-3-15　ウイルスの増殖過程
① 吸着：ウイルスが宿主細胞へ侵入するために，細胞表面のウイルス受容体とウイルス粒子表面のタンパク質が特異的に結合する．② 侵入：エンベロープのないウイルスはエンドサイトーシスによってウイルス粒子が細胞質に取り込まれる．エンベロープのあるウイルスは，エンベロープと細胞膜との融合によりヌクレオカプシドが細胞質へ侵入するウイルスと，エンドサイトーシスによって取り込まれた後に細胞質に侵入するウイルスがある．③ 脱殻：カプシドからウイルス核酸が細胞内へ露出する．④ 素材の合成：ウイルス核酸の遺伝情報から mRNA が転写され，ウイルスタンパク質が合成（翻訳）される．またウイルス核酸も複製される．⑤ ウイルス粒子の組み立て：カプシドタンパク質によってウイルス核酸が包み込まれてウイルス粒子（ヌクレオカプシド）が形成される．⑥ 放出：エンベロープのないウイルスは細胞膜を破って細胞外へ放出される．エンベロープのあるウイルスは，エンベロープタンパク質が細胞膜，小胞体膜に集積し，ヌクレオカプシドが膜をかぶって細胞から出芽し，放出される．

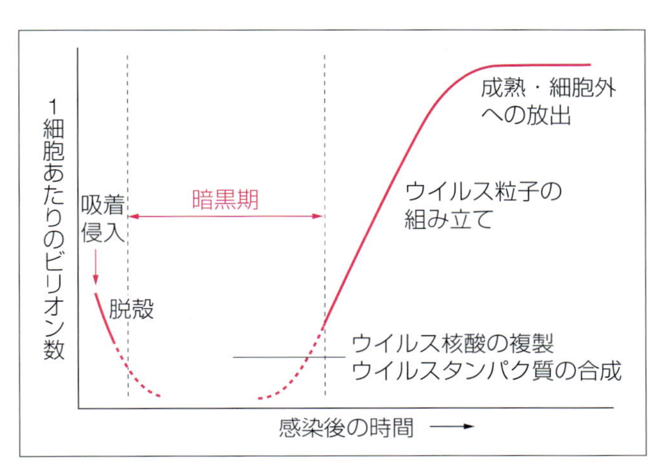

図 1-3-16　ウイルスの増殖曲線
ウイルスが宿主細胞に感染した後，ある一定期間ウイルス粒子が細胞質から観察できない時期がある．この期間を暗黒期という．脱殻後，ウイルス核酸の複製やウイルスタンパク質の合成が行われている時期である．その後，素材の合成が終わり，再び細胞質にウイルス粒子が観察されてくる．

5）放出

ウイルス粒子（ヌクレオカプシド）が組み立てられた後，エンベロープをもたないウイルスは細胞が破壊されて細胞外に放出される．エンベロープをもつウイルスでは，素材の合成過程でスパイクなどエンベロープを構成する糖タンパク質が産生され，エンベロープが獲得される細胞膜や小胞体膜に集積し，ヌクレオカプシドがエンベロープをかぶって細胞から出芽 budding し，放出される．ウイルスが宿主細胞から放出される過程で，細胞が破壊され死滅する場合と，破壊されず宿主細胞から開口分泌によって放出されるウイルスがある．

5 感染細胞の動態

ウイルスが感染した細胞がその後どのように変化していくかは，ウイルスの種類によって異なるが，大別すると感染細胞が破壊されたりアポトーシスにより死滅する溶解感染（急性感染），感染細胞が死滅せずウイルス粒子を長期にわたって産生し続ける持続感染（慢性感染），ウイルス核酸が感染細胞に存在する潜伏感染，そしてウイルスの遺伝情報により感染細胞が無限に分裂を続ける不死化やがん化する発がん感染がある．

1）溶解感染

ウイルスに感染した細胞が形態変化を示しながら破壊されて死滅する感染様式である．急性感染ともいう．感染細胞の形態変化としては球形変化，細胞の癒合による多核化，空胞形成，封入体とよばれる染色性の異なる構造物の形成などがみられる．このようなウイルス感染によって細胞形態が変化を起こすことを細胞変性効果 cytopathic effect（CPE）という．細胞の破壊によってウイルス粒子は細胞外へ放出される．多くの病原性ウイルスはこの感染様式をとる．

2）持続感染

ウイルスが宿主細胞を死滅させず，共存しながら完全なウイルス粒子を合成し，宿主細胞も増殖することができる感染様式である．なんらかの症状の持続がみられる場合を慢性感染という．持続感染するウイルスとしてはB型肝炎ウイルスがある．B型肝炎ウイルスは肝細胞で増殖し，出芽するがこの過程で肝細胞は破壊されない．ウイルスに感染した肝細胞が傷害されるのは，宿主の免疫機構によりウイルス感染細胞が破壊されるためである．したがってB型肝炎ウイルスの母子感染や乳児期感染では免疫能が未熟なためウイルス感染細胞を排除できず，無症候キャリアとなりウイルスは長期間にわたって存在することになる．C型肝炎ウイルスは，免疫能が確立した成人が感染しても持続感染へ移行することが多い．

3）潜伏感染

急性感染あるいは不顕性感染の後，ウイルスの核酸だけが細胞内に存在し，感染性のあるウイルス粒子を産生しない状態をいう．潜伏感染の代表例としては，単純ヘルペスウイルスや水痘・帯状疱疹ウイルスがある．初感染の後，三叉神経節，知覚神経節にウイルス核酸として潜伏感染する．潜伏感染後，宿主がストレスや免疫抑制に陥ったとき，再活性化しそれに伴い症状が再発することを回帰発症という．ヒト免疫不全ウイルスなどレトロウイルスでみられるウイルスゲノムの宿主細胞内の染色体DNAへの組み込みも潜伏感染の一形態である．

4）発がん感染

ウイルスの中には宿主細胞の増殖能を促進させ，細胞を不死化させ，腫瘍化，がん化させる性質をもったものがある．このような性質をもつウイルスをがんウイルスあるいは腫瘍ウイルスという（**表 1-3-9**）．正常細胞でみられる細胞増殖は，増殖を促進させる因子と増殖を抑制する因子がバランスを保ちながら細胞周期の適切な時期に作用し，細胞の増殖を制御している．細胞の不死化やがん化は，これらの増殖を調節している各因子の過剰発現あるいは発現抑制，機能抑制により起こる．ウイルスによる不死化やがん化もウイルスの遺伝情報に細胞増殖を促進させる遺伝子が存在する場合や，逆に宿主細胞の増殖を抑制する因子を不活化する遺伝子による場合がある．

表 1-3-9　がんウイルスの種類

核酸の種類	ウイルス名	悪性腫瘍の種類
DNA	ヒトパピローマウイルス（HPV）	子宮頸がん，口腔扁平上皮がん
	EB ウイルス（EBV）	Burkitt リンパ腫，上咽頭がん
	ヘルペスウイルス8型（HHV-8）	Kaposi 肉腫
	B 型肝炎ウイルス（HBV）	肝細胞がん
RNA	C 型肝炎ウイルス（HCV）	肝細胞がん
	ヒトT細胞白血病ウイルス1型（HTLV-I）	成人T細胞白血病

❻ ウイルス干渉

ある種のウイルスが宿主細胞に感染したとき，その後に同種，あるいは異種のウイルスが感染しても増殖できない現象をウイルス干渉 virus interference という．インターフェロン（IFN）はこのウイルスの増殖を阻害する液性因子として同定されたものである．現在IFNはⅠ型，Ⅱ型，Ⅲ型まで存在するが，このウイルス干渉を担う因子はⅠ型IFNと考えられている．IFN-α，IFN-βはⅠ型IFNに属し，ウイルスに感染した細胞より産生され，周辺の非感染細胞に作用し抗ウイルス作用（ウイルスの複製阻害）を示す．そのため獲得免疫が誘導される以前の自然免疫の防御因子として働く．またNK細胞の活性化や腫瘍細胞の増殖抑制作用ももつ．

IFN-γはⅡ型IFNに属し，ウイルス感染細胞からは産生されないが，NK細胞，Th1細胞，細胞傷害性T細胞より産生され，獲得免疫における主要な情報伝達因子である．IFN-γはマクロファージの活性化を誘導し，MHCの発現誘導，殺菌能の増強など免疫応答の制御に働き，細胞性免疫において重要な機能的役割をもっている．また抗ウイルス作用も有する．

IFN-λは，Ⅲ型IFNに属し，IL-28，IL-29ともよばれ，抗ウイルス作用の他にNK細胞の活性化，MHCの発現誘導作用をもつ．IFNによる抗ウイルス作用は，IFNが宿主細胞に作用し，IFN誘導性遺伝子が発現し，ウイルスの複製を抑制する種々な酵素やタンパク質が誘導されるためである．

IFNによって誘導される抗ウイルス作用をもつタンパク質としては以下のものが知られている．二本鎖RNA依存性タンパク質リン酸化酵素 dsRNA-dependent kinase（PKR）は，ウイルス核酸（二本鎖RNA）によって活性化し，タンパク質の翻訳を抑制することでカプシドなどウイルスタンパク質の合成を抑制する．2′,5′-オリゴアデニル酸合成酵素 2′,5′-oligoadenylate synthetase（OAS）もウイルスの二本鎖 RNA によって活性化し，ATP から 2′,5′-結合オリゴアデニル酸（2-5A）を合成し，合成された 2-5A が RNA 分解酵素である RNase L の活性化を誘導し，ウイルス RNA を分解する．Mx タンパク（MxA，MxB）は，IFN により産生誘導された後，細胞質でヌクレオカプシドやウイルスの構成成分に結合し，ウイルスの複製を阻害する．

7 ウイルスの培養

ウイルスは生きた細胞内でのみ増殖する偏性細胞内寄生性微生物である．そのためウイルスの培養にはウイルスの宿主となる動物に直接ウイルスを接種する動物接種法や，発育鶏卵を用いた鶏卵培養法，そして培養細胞を用いる細胞培養法がある．

1）動物接種法

細胞培養法が確立する以前は，ウイルスの培養には実験動物や孵化鶏卵に接種し，増殖させる方法がとられていたが，現在ではウイルスの分離，培養には細胞培養法が主に用いられている．しかし，ウイルスの病原性や発病病理の解析，抗ウイルス薬の効果の検定などにおいては，実験動物が用いられている．またウイルス種によっては培養細胞での分離培養法が確立されていないものもある．実験動物としては，マウス，モルモット，ウサギ，フェレット，サルなどが用いられている．

2）鶏卵培養法

ウイルスが孵化鶏卵内で増殖することが見出されてから多くのウイルスの分離培養が孵化鶏卵を用いて行われた．その後，細胞培養法が確立されてからは培養細胞を用いたウイルスの分離培養が主流となっている．しかし現在でもインフルエンザウイルスの分離，培養には本方法が用いられており，ワクチン製造も発育鶏卵を用いて行われている．インフルエンザのワクチン製造では，発育鶏卵の尿膜腔内へインフルエンザウイルスを接種し，増殖したウイルス粒子からワクチンが精製されている．

3）細胞培養法

細胞培養法とは，培養容器内 *in vitro* でウイルスの宿主となる細胞にウイルスを接種し，増殖させる方法である．培養細胞としては，生体から採取した組織由来の細胞を培養する初代培養細胞や培養容器内で継代維持されている株化細胞などが用いられる．株化細胞としてはヒト子宮頸がん由来の HeLa 細胞，アフリカミドリザルの腎臓由来のベロ細胞 Vero cell などがある．これらの細胞を培養液の入った培養容器で培養すると，容器の底面に付着して増殖し，単層状態になる．そこへウイルスを接種すると細胞内でウイルスが増殖し，それに伴い細胞の形態が球状や細胞の癒合による多核化，空胞形成などの細胞変性効果 cytopathic effect（CPE）が認められる．CPE の発現はウイルスの感染性を示す 1 つの指標である．

（大森喜弘）

C 真　菌

真菌はいわゆる，カビ，酵母，キノコなどの総称である．真菌の大部分は自然環境内に腐生菌として広く生息し，有機物や無機物を栄養源として旺盛に繁殖する．一部の真菌はヒトに寄生・定着し，ときに組織内に侵入することにより真菌症を引き起こす．細胞の基本構造や代謝などは原核生物である細菌とは異なり，ヒトと同じ真核生物に分類される．このため，抗菌薬と比較して，安全かつ有効な治療薬の開発が難しく，感染すると難治性となりやすい．

1 真菌の形態と発育

真菌は栄養型 vegetative form，または休止型 dormant form として存在する．栄養型は栄養を摂取して増殖している細胞である．休止型は分裂を休止し，代謝活動もほとんど認められない細胞であり，真菌では胞子 spore がこれに該当する．真菌の栄養型は，すべて無性的な有糸細胞分裂により増殖するが，発育様式は形態学的に 3 つに分類される．

1）糸状菌

生活環のすべての時期にわたって，菌糸 hypha を形成して発育する真菌は，糸状菌 filamentous fungus または菌糸状真菌 mycelial fungus と総称される．

菌糸は，幅 2〜10 μm の管状構造体である（**図 1-3-17A**）．大多数の真菌では，菌糸を構成する細胞単位が隔壁 septum で区切られる．隔壁が形成される菌糸を有隔菌糸 septate hypha という（**図 1-3-18**）．隔壁は細胞壁から求心的に形成されるが，その中心部は閉鎖されずに残り，中心小孔 central pore をつくる．有隔菌糸では，細胞内物質や栄養分は中心小孔を介して，細胞間を流通する．一方，隔壁をほとんど，またはまったく形成しない菌糸を無隔菌糸 aseptate hypha という．無隔菌糸では，細胞質内物質が菌糸内を自由に移動し，核は菌糸全体に分散する．

真菌の休止型である胞子は，適当な温度と水分条件下において膨化し，発芽 germination する．発芽は発芽管 germ tube の形成から始まる．生じた発芽管は分岐しながら伸長を続けて菌糸となり，好適な条件下では数センチの長さまで伸長する．菌糸の伸長発育は，代謝活性の高い菌糸先端部で起こり，先端発育 apical growth とよばれる．

2）酵母

生活環の大部分もしくはすべての時期を単細胞の状態で発育する真菌は，酵母 yeast または酵母状真菌 yeast-like

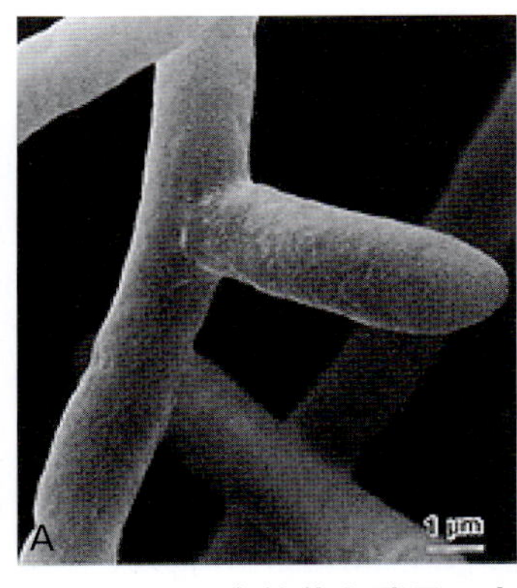

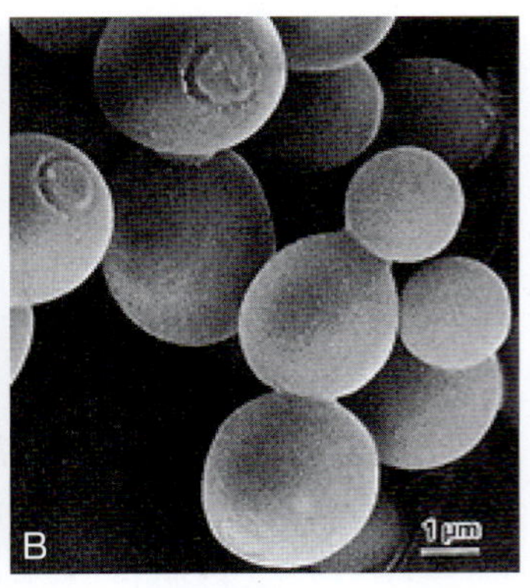

図 1-3-17　糸状菌と酵母の走査型電子顕微鏡像
A：糸状菌 *Trichophyton mentagrophytes* の菌糸．写真の中央に菌糸の分岐部がみられる．
B：酵母 *Candida albicans* の細胞．左上の2つの細胞にはクレーター状の出芽痕が認められる．
（山口英世：病原真菌と真菌症．改訂4版．南山堂，2007，p.8）

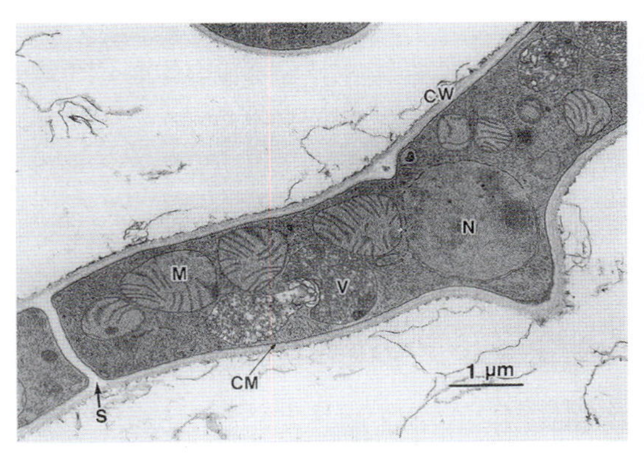

図 1-3-18　糸状菌の透過型電子顕微鏡像
有隔菌糸では菌糸を構成する細胞単位が隔壁（S）により仕切られている．
CW：細胞壁，CM：細胞膜，M：ミトコンドリア，N：核，V：液胞．
（山口英世：病原真菌と真菌症．改訂4版．南山堂，2007，p.20）

fungus という．

酵母は，直径が3〜5 μm の球形または長球形であり，出芽 budding とよばれる特有の細胞分裂により増殖する（**図 1-3-17B**）．母細胞の細胞質分裂により芽細胞が生じる．続いて，母細胞の核が分裂し芽細胞に移行することにより，娘細胞が形成される．娘細胞が成熟し，母細胞との間に隔壁が形成され，母細胞から切り離されると出芽が完了する．娘細胞が分離した後，母細胞側の細胞壁局所には，クレーター状の出芽痕が残る．

3）二形性真菌

環境条件の変化に伴い菌糸形から酵母形へ，または酵母形から菌糸形へ栄養型の発育形態を変換させる性質を二形性 dimorphism といい，二形性を示す真菌は二形性真菌 dimorphic fungus と総称される．

二形性真菌の酵母では，培養条件に依存して，出芽した娘細胞の分離が著しく遅れる，もしくは起こらないことがある．この場合，娘細胞は母細胞につながった状態で伸長発育し，その先端では新しい世代の娘細胞がつくられる．この過程が繰り返されて形成される特徴的な菌糸状の構造体を仮性菌糸 pseudohypha という（**図 1-3-19**）．二形性転換を誘発する因子として温度や栄養条件などが報告されているが，これは菌種により大きく異なる．

二形性真菌に分類される菌種は真菌全体の中ではごく一部であるが，深在性真菌症の原因となる多数の病原真菌が含まれる．二形性を示す病原真菌は，感染組織内では酵母形を，通常の培地上では菌糸形を呈するものが多い．歯科医学領域で重要な病原真菌である *Candida albicans* は，感染組織内で酵母，菌糸，仮性菌糸のすべての形態をとりうる．

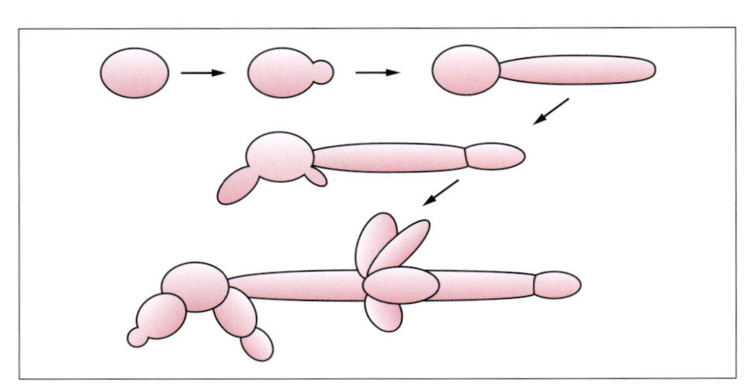

図 1-3-19　*C. albicans* でみられる仮性菌糸の形成
二形性真菌である *C. albicans* は通常，酵母形として発育するが，特定の条件下では仮性菌糸を伸ばして発育する．娘細胞が母細胞につながった状態で伸長発育する過程が繰り返されて，仮性菌糸が形成される．

❷ 真菌の微細構造

真菌の細胞内には，二重膜構造を有する核膜に包まれた核，ミトコンドリアや小胞体などの細胞内小器官が存在するため，原核生物である細菌とは基本的に異なる（**図 1-3-20，表 1-3-10**）．また，キチン，β-グルカンを主成分とする厚い細胞壁をもつことや，細胞膜の脂質成分であるステロールがエルゴステロールであるという点では動植物とも異なる．

1）細胞壁

真菌の細胞壁は細胞の表面を覆う剛性の構造体である．多糖よりなる強固な微細線維の骨格構造とこれを埋める柔軟なマトリックス構造から構成される．糸状菌の細胞壁を構築する主要な多糖体はキチンおよびβ-グルカンであり，酵母ではマンナンが加わる．キチンはβ（1→4）結合で連結された *N*-アセチルグルコサミンの重合体であり，

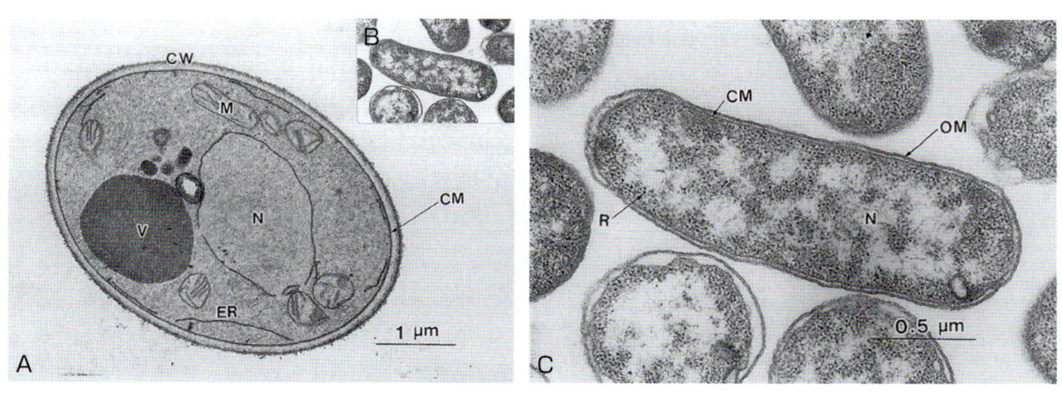

図 1-3-20 真菌と細菌の細胞構造と大きさを比較した透過型電子顕微鏡像
A：真菌（酵母）*Candida albicans*．B，C：細菌（グラム陰性菌）*Klebsiella pneumoniae*．
AとBは同倍率像，CはBの強拡大像を示す．
CW：細胞壁，CM：細胞膜，M：ミトコンドリア，N：核，V：液胞，ER：小胞体，OM：外膜，R：リボソーム．
（山口英世：病原真菌と真菌症．改訂4版．南山堂，2007，p.21）

表 1-3-10 真菌細胞の特徴

	真菌	細菌
細胞	真核細胞	原核生物
核	核膜に包まれている	核膜をもたない
細胞壁	β-グルカン，キチンなど	ペプチドグリカン
細胞膜	エルゴステロールを含む	ステロールをもたない
栄養型	菌糸（酵母のみ単細胞）	単細胞（放線菌のみ菌糸）
増殖様式	無性生殖，有性生殖（一部）	無性生殖のみ
繁殖方法	無性胞子	栄養型細胞

β-グルカンはβ（1→3）結合とβ（1→6）結合でつながったグルコースの重合体である．これら不溶性の多糖体が互いに織り合って線維状の網目構造を形成することにより，細胞壁に強度がもたらされる．可溶性多糖であるマンナンはタンパク質と複合体を形成し，マトリックスとして，キチンやβ-グルカンからなる線維骨格の隙間を充填する．また，*Cryptococcus neoformans* など一部の酵母では，細胞壁の外側が厚い多糖体莢膜で包まれている（**図 1-3-21**）．β-グルカン，マンナン，および莢膜多糖体は真菌細胞に特有の成分であり，感染した患者の血液中に遊離するため，深在性真菌症の血清診断に有用である．

2）細胞膜

真菌の細胞膜は細胞壁の内側に存在し，細胞質を包んでいる．脂質とタンパク質を主成分とする点は他の生物群と同様であるが，真菌の細胞膜ではリン脂質とグリセリドの他に，エルゴステロールからなるステロールを含む点が大きな特色である．エルゴステロールは脊椎動物では合成されないことから，抗真菌薬の作用標的分子としても注目される．細胞膜は，細胞内部の浸透圧の調節や物質の輸送・拡散に機能する．また，細胞壁多糖体の合成酵素および分解酵素が局在するため，細胞壁の新生にも重要な役割を果たす．

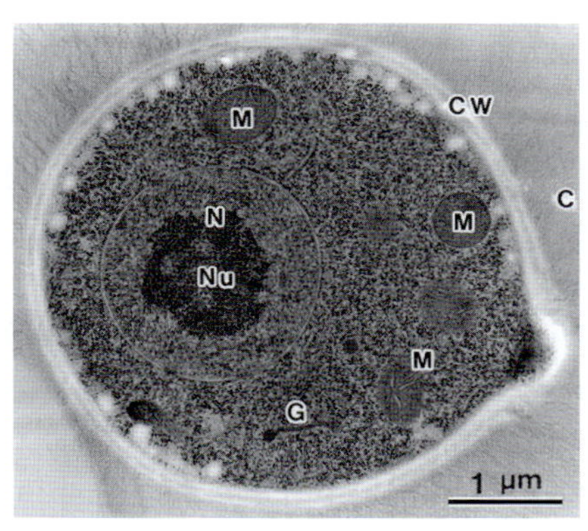

図 1-3-21 *Cryptococcus neoformans* の透過型電子顕微鏡像
細胞壁の外側が厚い莢膜多糖体で包まれている．
C：莢膜，CW：細胞壁，G：ゴルジ装置，M：ミトコンドリア，N：核，Nu：核小体．
（千葉大学真菌医学研究センター）

3）核および細胞内小器官

真菌の細胞内部には，明瞭な核膜に取り囲まれた核が存在する．核内には，核小体，およびDNAと塩基性タンパク質（ヒストン）の複合体からなる複数の染色体が存在し，微小管の関与のもとに有糸分裂を行う．真菌の核膜は，有糸分裂の全期間を通じて消失しないのが特徴である．細胞質内には，ミトコンドリア，小胞体，ゴルジ体，80Sリボソーム，液胞などの細胞内小器官が存在する．好気的環境を好む皮膚糸状菌では，ミトコンドリアがよく発達している．

❸ 真菌の生殖様式

1）無性生殖と有性生殖

真菌の栄養型は，無性的な有糸細胞分裂により発育する．休止型である胞子もまた，無性的に形成されることから，無性胞子 asexual spore とよばれる．このように，真菌は基本的に無性生殖 asexual reproduction により発育増殖する．一方，真菌には性の区別があり，雄株と雌株の交配に伴い核融合が起こり，減数分裂により有性胞子 sexual spore を形成することができる．これを有性生殖 sexual reproduction という．有性生殖能をもつ真菌を完全菌 perfect fungus，有性生殖が確認されていない真菌を不完全菌 imperfect fungus という．

完全菌は栄養や環境条件が発育に適しているときは無性生殖の形式を，発育条件が不適となり，配偶子の交配が可能な場合は有性生殖の形式をとる．このため，完全菌の生活環は，有性生殖を行う有性世代 sexual state と無性生殖を行う無性世代 asexual state に大別される．一般的に，感染病巣から検出される真菌は無性世代である．

2）胞子の形成

（1）無性胞子

無性胞子は形態的に多彩であり，これは真菌の飛散や増殖に重要であるだけでなく，菌種同定を行ううえで有用な形態学的指標となる．真菌の無性胞子は，胞子嚢の中に形成される胞子嚢胞子 sporangiospore と栄養型の外部に形成される分生子 conidium に分類される．

接合菌でみられる胞子嚢胞子は，菌糸の先端が袋状に膨らんで胞子嚢となり，内部に多数の胞子を形成する内生胞子 endosporium である．一方，分生子は菌糸から伸びた分生子柄の先に形成される外生胞子 exosporium であり，成熟すると菌糸から離れる．子嚢菌や担子菌は無性胞子を分生子として形成する．

（2）有性胞子

真菌の多くは有性生殖能をもち，菌株，菌糸，あるいは細胞のレベルで雌雄があり交配が起こる．有性胞子は形成過程の違いに基づき，接合胞子 zygospore，子嚢胞子 ascospore，担子胞子 basidiospore に分類される．

接合胞子では，互いに異なる性の菌糸から伸びた配偶子の接合部分に配偶子嚢が形成され，その中に胞子がつくられる．子嚢胞子の場合は，雌雄の配偶子嚢が形成されると受精により子嚢とよばれる袋状の細胞がつくられ，その中で有糸分裂により4つの胞子が生じる．担子胞子は，子嚢胞子と同じ過程で生じた4つの新生核が，母細胞から突起状に形成された担子器へ移行し，胞子がつくられる．

④ 真菌の分類と命名

真菌は有性生殖の方式により，接合菌（亜）門 *Zygomycota*，子嚢菌門 *Ascomycota*，担子菌門 *Basidiomycota* と大きく3つの門に分類される．それより下位は，18S rRNA の塩基配列の相同性により分類される．

接合菌（亜）門の有性胞子は接合胞子，無性胞子は胞子嚢胞子であり，菌糸は無隔菌糸である．病原真菌である *Mucor* 属が含まれる．子嚢菌門は有性胞子として，子嚢胞子を形成する．有隔菌糸を形成し，*Candida* 属，*Aspergillus* 属，*Trichophyton* 属などの重要な病原真菌がここに分類される．担子菌門の有性胞子は担子胞子であり，有隔菌糸を形成する．*C. neoformans* が所属する．

真菌は胞子を形成して生殖するが，有性的に胞子をつくる有性世代と無性的に胞子をつくる無性世代があり，それぞれ異なる命名がなされていた．命名規約では，有性世代の菌名が優先されるが，医真菌学で病原真菌を取り扱う場合には，臨床的に感染組織で認められる胞子である無性世代の菌名が主として用いられる．たとえば，クリプトコックス症の起因微生物である *C. neoformans* は無性世代の学名であるが，担子胞子を形成する有性生殖相が発見され，*Filobasidiella neoformans* という有性世代の学名もつけられた．しかし，2011年に命名規約改定が行われ，1つの真菌種に対して1つの学名を与える統一命名法が適用された．

⑤ 真菌症の診断と治療

1）真菌症の診断法

表在性真菌症や深部皮膚真菌症では，感染局所の臨床症状を直接認めることができ，直接鏡検や培養検査のための検体の採取も比較的容易に行うことができる．しかし，深部臓器が侵される深在性真菌症では診断が困難であることが多いため，臨床所見や CT 検査などの画像所見に基づき診断することも重要である．

（1）直接鏡検法と病理組織学検査

病巣から採取した検体の直接鏡検，および生検組織片の病理組織学検査により，病巣に定着もしくは侵入した真菌要素 fungal element を検出・確認することができる．皮膚糸状菌症では，採取した鱗屑（りんせつ），毛髪や爪に水酸化カリウムを添加することにより角質を溶解させ，直接鏡検により真菌要素を検出する．特に，糸状菌は菌種ごとに特徴的な発育形態を示すことから，直接鏡検は診断上で有効である．染色には，真菌細胞壁を青く染めるコットンブルー染色が用いられる．クリプトコックス髄膜炎が疑われる症例では，脳脊髄液の遠心後の残渣を墨汁法で染色し，莢膜をもつ酵母が確認されれば診断が確定する（**図1-3-22**）．真菌の病理組織学検査では通常の HE 染色に加えて，真菌を効率的に染色することが可能な PAS 染色，グロコットメテナミン銀染色（Grocott 染色），ファンギフローラ Y 染色などが使用される．

（2）培養検査法

真菌症の診断は培養検査が基本であり，臨床検体から真菌を分離培養した後，分離した真菌の純培養を用いて菌種の同定を行う．真菌の培養には，一般的にサブロー・グルコース寒天培地が使用される．この培地の pH は低く，高濃度のグルコースが含有されているため，細菌の増殖を抑制することで真菌を効率よく分離培養できる．寒天培地上

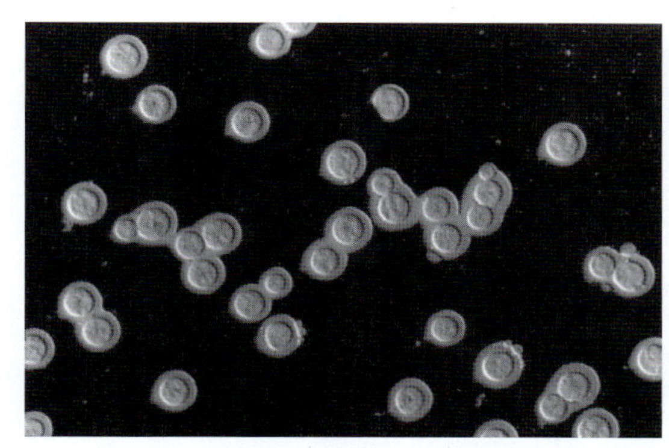

図 1-3-22　墨汁法により染色された *C. neoformans* の特徴的な厚い莢膜
（千葉大学真菌医学研究センター）

に発育したコロニーの肉眼的所見を観察した後，顕微鏡による形態学的特徴を観察する．糸状菌では，菌糸の幅，隔壁の有無，分生子の形態と大きさの観察が重要である．一部の酵母では，仮性菌糸と厚膜分生子の有無，および莢膜の有無が鑑別に有用であるが，一般的に酵母は形態学的特徴に乏しいため，臨床における菌種の鑑別や同定には，選択培地と炭水化物を分解する性質を利用してコロニーを発色させるクロモアガーカンジダ培地が使用される（**図 1-3-23**）．

(3) 血清診断法

血清診断法は，患者の体液から真菌に特異的な成分やこれに対する抗体を検出する方法であり，早期治療を必要とする重篤な深在性真菌症の診断に有用である．細胞壁骨格の主要な構成成分であるβ-グルカンは，糸状菌菌糸の先端発育や酵母の出芽に伴い細胞外に遊離されるため，侵襲性または播種性真菌症のマーカーとして有用である．種々の真菌症，特にカンジダ症，アスペルギルス症やニューモシスチス肺炎で陽性となるが，ムコール症やクリプトコックス症では陰性となる．また，アスペルギルス症では細胞壁成分であるガラクトマンナン抗原が，クリプトコックス症では莢膜多糖体であるグルクロノキシロマンナン抗原が診断基準の１つとして採用されている．肺アスペルギローマや地域流行性真菌症の一部の診断では，抗真菌抗体を検出する方法が用いられる．

2）真菌症の治療法

真菌症の治療には抗真菌薬を用いた化学療法が適用されるが，真菌はヒトと同じ真核生物であるため，抗菌薬と比較して，真菌のみに選択毒性を示す有効な抗真菌薬は少ない（**表 1-3-11**）．抗真菌薬療法が奏効しない一部の深在性真菌症では，病巣の外科的切除などが併用されることもある．また，表在性真菌症では，真菌細胞が角質層の深部まで侵入している場合が多く，治療は困難を極める．

(1) ポリエン系抗真菌薬

アムホテリシンＢに代表されるポリエン系抗真菌薬は細胞膜のステロールと結合し，膜構造を破壊する．細胞膜にステロールを含まない一般的な細菌には作用しない．動物細胞のステロールと比べて真菌のエルゴステロールに対する親和性が高いが，選択毒性はあまり高くない．近年は，コレステロールを含む脂質二重膜中にアムホテリシンＢを封入したリポソーム製剤が導入され，細胞毒性や腎障害が低減されている．アムホテリシンＢシロップは，口腔カンジダ症に対する局所療法として使用されている．

(2) フルシトシン

真菌細胞内でシトシンデアミナーゼにより脱アミノ化され，5-フルオロウラシルに変換されることで核酸合成を阻害する．シトシンデアミナーゼを含まない動物細胞には作用しないため，副作用は少ない．酵母状真菌には高い抗真菌活性を示すが，糸状菌には無効である．耐性菌を生じやすいことが欠点である．

(3) アゾール系抗真菌薬

イミダゾール系とトリアゾール系があり，いずれも真菌の酵素であるシトクロム P450 に作用することにより，細胞膜のエルゴステロール生合成を阻害する．深在性真菌症の治療において，イミダゾール系抗真菌薬であるミコナゾールは，腸管からほとんど吸収されないため，静脈内投与を行う．トリアゾール系抗真菌薬のフルコナゾールは水溶性のため，経口または静脈内投与，イトラコナゾールは脂溶性が高いため，経口で使用される．一般的に副作用は少ないが，肝細胞内のシトクロム P450 酵素により代謝されるため，併用薬剤には注意を要する．口腔カンジダ症の治療には，ミコナゾールのゲル剤やイトラコナゾールのシロップ剤が使用される．*Candida glabrata* はアゾール系抗真菌薬に低感受性である．

(4) キャンディン系抗真菌薬

ミカファンギン，カスポファンギンに代表される新しいタイプの抗真菌薬であり，真菌細胞壁のβ-1,3-グルカン合成を阻害する．ヒトにはこの生合成経路がないため，高い選択毒性が期待される．カンジダ症とアスペルギルス症には奏効するが，ムコール症やクリプトコックス症では感受性が低い．

⑥ 病原真菌と感染症

病原真菌の大部分は自然界に広く生息し，分生子の吸入による経気道感染や創傷部位を介した経皮感染などの外因性感染により，偶発的にヒトや動物に感染する．一方，ある種の真菌は，消化管内や皮膚表層に共生的に常在し，宿主の免疫機能の低下などが要因となり，内在性感染により真菌症を引き起こす．真菌症は感染病巣が局在する部位に基づき，表在性真菌症，深部皮膚真菌症，深在性真菌症の３つに分類される．

1）表在性真菌症

感染が皮膚または粘膜に限局され，皮下組織や粘膜下組

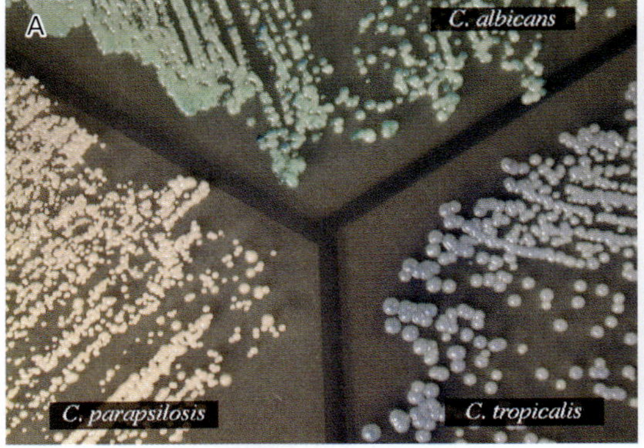

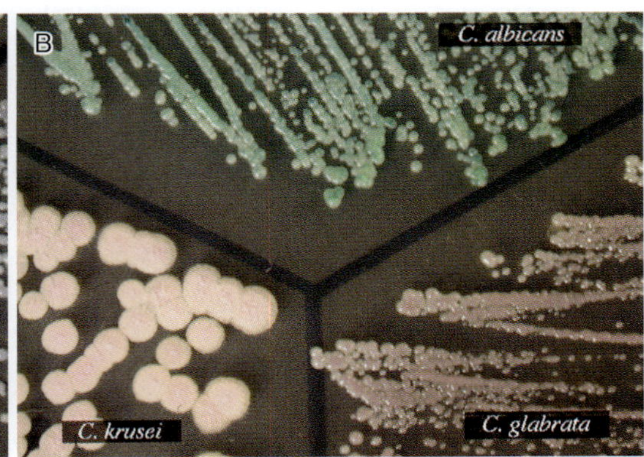

図 1-3-23　クロモアガーカンジダ培地に発育した *Candida* 属菌種のコロニー
A：*C. albicans*（明るい緑色），*C. parapsilosis*（淡黄色～ピンク色），*C. tropicalis*（青色）．
B：*C. albicans*（明るい緑色），*C. krusei*（ピンク色），*C. glabrata*（ピンク色）．
（帝京大学医真菌研究センター 安部茂博士）

表 1-3-11　国内で深在性真菌症の治療に使用可能な薬剤（2021年11月現在）

クラス系	一般名	製剤	剤型	備考
ポリエン系	アムホテリシンB（AMPH-B）	デオキシコール酸との混合物	注射剤	広い抗菌スペクトルをもつ．殺菌作用強く，アスペルギルス症に有効である．静注で，発熱，腎毒性を示す．
	アムホテリシンB（L-AMB）	リポソーム製剤	注射剤	リポソーム化することで上記毒性を緩和できる．
フロロピリジン系	フルシトシン（5-FC）		経口剤	1979年より適用．クリプトコックス症，カンジダ症に使用されることがある．
イミダゾール系	ミコナゾール（MCZ）		注射剤	1986年より深在性真菌症に適用された．
トリアゾール系	フルコナゾール（FLCZ）		経口剤 注射剤	水溶性で毒性が弱く，カンジダ症，クリプトコックス症に広く使用されている．アスペルギルス症に対する効果は弱い．
	ホスフルコナゾール（F・FLCZ）		注射剤	FLCZのプロドラッグ．早期大量静注投与が可能である．
	イトラコナゾール（ITCZ）		経口剤	アスペルギルス症にも有効である．
	イトラコナゾール*（ITCZ-IV/ITCZ-OS）	β-シクロデキストリン包接化合物	経口剤 注射剤	ITCZを可溶化し，静注が可能となった．口腔・食道カンジダ症に特に有効である．
	ボリコナゾール*（VRCZ）		経口剤 注射剤	アスペルギルス症にも有効である．
トリアゾール系	ポサコナゾール*（PSCZ）	β-シクロデキストリン包接化合物	経口剤 注射剤	2020年に承認された新規トリアゾール系薬．ケカビ目を含む糸状菌にも有効である．
キャンディン系	ミカファンギン（MCFG）		注射剤	アスペルギルス症にも有効．毒性少ない．担子菌系真菌の感染症に無効である．
	カスポファンギン（JAN）		注射剤	アスペルギルス症にも有効．毒性少ない．担子菌系真菌の感染症に無効である．

*：すべてβ-シクロデキストリン包接化合物

織に波及することがない真菌症であり，歯科医学領域で重要な口腔咽頭カンジダ症 oropharyngeal candidiasis が含まれる．

(1) 皮膚および粘膜カンジダ症

Candida 属はヒトの口腔，腸管，皮膚や膣などの常在微生物 commensal microorganism である．好中球減少や細胞性免疫の不全など感染防御能の低下した宿主に，皮膚カンジダ症，口腔咽頭カンジダ症や膣カンジダ症 vaginal candidiasis などの日和見感染症を引き起こす．また，抗菌薬の使用による菌交代症の原因微生物でもある．表在性カンジダ症は，感染組織の違いにより，皮膚感染型と粘膜感染型に分類される．

皮膚感染型では，カンジダ性摩擦疹，乳児寄生菌性紅斑やカンジダ性指間びらん症が，爪のカンジダ症では，カンジダ性爪囲炎や爪炎が代表的な疾患である．粘膜感染型は皮膚感染型より高頻度にみられる病型であり，口腔咽頭カンジダ症，食道カンジダ症 esophageal candidiasis や膣カンジダ症が含まれる．膣カンジダ症は妊娠可能な年齢層の女性における主要な膣感染症の1つであり，妊娠，糖尿病，経口避妊薬の使用や抗菌薬の投与がリスク因子となる．

口腔咽頭カンジダ症は口腔内に常在する *Candida* 属による内因性感染症として発症する．主な病型は，白苔を特徴とする偽膜性カンジダ症（**図 1-3-24**）と紅斑を形成する萎縮性（紅斑性）カンジダ症（**図 1-3-25**）である．全カンジダ症例では偽膜性カンジダ症が最も高頻度にみられ

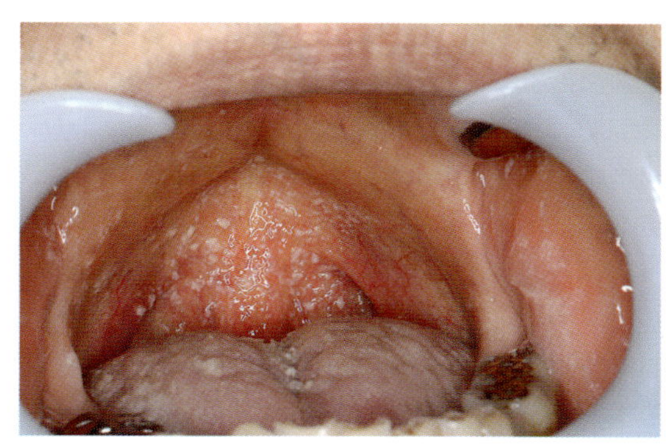

図 1-3-24　偽膜性カンジダ症
口蓋，頬粘膜，舌粘膜，および咽頭粘膜に白苔がみられる．
（大阪大学歯学部附属病院 口腔外科学第二教室）

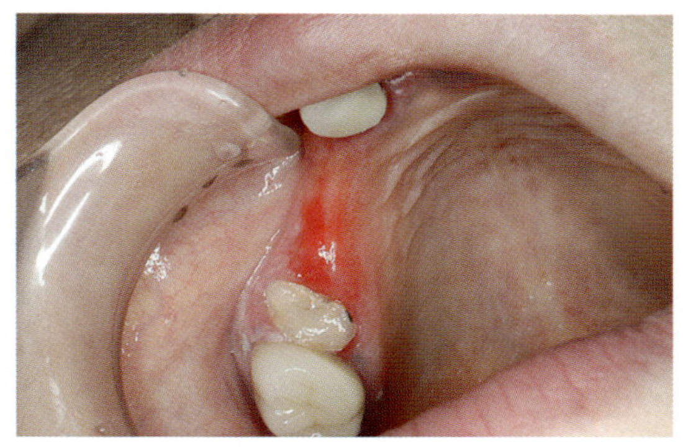

図 1-3-25　萎縮性カンジダ症
（大阪大学歯学部附属病院 口腔外科学第二教室）

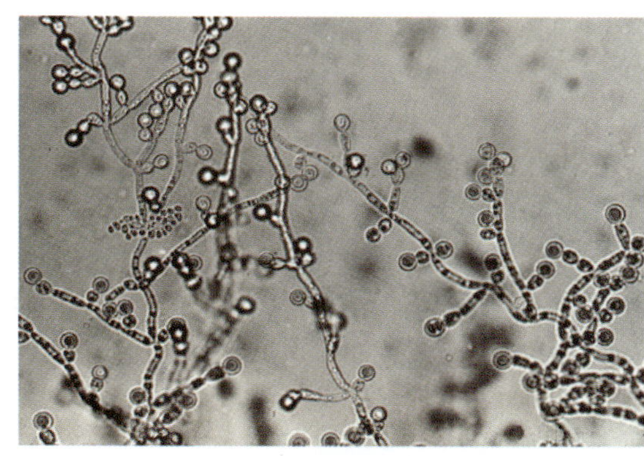

図 1-3-26　多数の厚膜分生子を形成する *C. albicans*
C. albicans を 0.3% Tween 添加コーンミール寒天培地上で 25℃，4 日間培養すると，仮性菌糸の先端に厚膜分生子とよばれる厚い細胞壁を有する大型の細胞を形成する．
（千葉大学真菌医学研究センター）

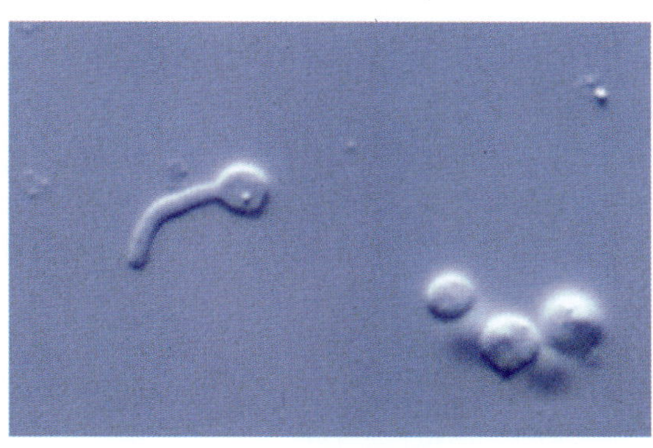

図 1-3-27　*C. albicans* の発芽管
血清中で 37℃，数時間培養することにより二形性転換が誘導され，発芽管が形成される．
（千葉大学真菌医学研究センター）

る病型であり，大量のカンジダ菌糸からなる軟らかい白色のミルクかす様の付着物（白苔）が舌，歯肉や頬などの口腔粘膜に形成される．白苔は容易に剝がれ，その下に発赤や腫脹が認められる．病変が広範囲に及ぶと，舌の疼痛，味覚障害や嚥下困難などが生じる．AIDS 患者，がん患者や糖尿病患者などの他，抗菌薬やステロイドを内服している患者，高齢者や新生児などが発症しやすい．中でも，AIDS 患者では重症の口腔咽頭カンジダ症と食道カンジダ症が頻発する．口腔咽頭カンジダ症は AIDS 発症の指標疾患でもある．一方，萎縮性カンジダ症は，口腔粘膜，特に舌の有痛性発赤，舌乳頭の消失，摂食障害などを特徴とする．義歯装着，口腔乾燥や栄養障害などが基礎的要因としてあげられる．特に，義歯を装着した高齢者に好発し，義歯床に接した粘膜の発赤や腫脹を特徴する慢性の口腔カンジダ症を義歯性口内炎とよぶ．急性萎縮性カンジダ症と異なり，患者自身が強い疼痛を訴えることが少ない．病変部からは，*C. albicans* の酵母形と菌糸形が混在して認められ，*C. albicans* とともに *C. glabrata* が検出されることも多い．菌糸形の発育形態を示さない *C. glabrata* は *C. albicans* との相互作用を介して粘膜組織に定着し，互いに病原性を高めていると推察されている．現在，重篤な基礎疾患のない外来患者で認められる口腔咽頭カンジダ症の大部分が萎縮性カンジダ症であり，偽膜性カンジダ症と比べて増加傾向にある．

カンジダ症の診断は臨床症状に加えて，病巣から採取した検体の培養検査を行う．*C. albicans* はコーンミール寒天培地上で 25℃，数日間培養すると，仮性菌糸の先端に厚膜分生子とよばれる厚い細胞壁を有する大型の細胞を形成する（**図 1-3-26**）．また，酵母細胞を 10％血清中で 37℃，数時間培養することにより二形性転換が誘発され，発芽管 germ tube を形成する（**図 1-3-27**）．厚膜分生子（厚膜胞子）と発芽管の形成は，他の *Candida* 属と鑑別するうえで重要である．臨床検査室では，クロモアガーカンジダ培地を用いた *Candida* 属の鑑別も行われる．治療には，ミトコナゾールゲルやアムホテリシン B シロップが局所療法として用いられる．高齢者は脳梗塞や心筋梗塞の再発を予防する目的で抗凝固薬を服用している場合があるため，アゾール系抗真菌薬の使用には注意を要する．

(2) 皮膚糸状菌症（白癬）

皮膚糸状菌 dermatophytes は皮膚糸状菌症 dermatophytosis の原因微生物であり，*Trichophyton* 属，*Microsporum* 属，*Epidermophyton* 属が含まれる．これらの属は，

無性世代の胞子の形態から分類される．特に，*Trichophyton rubrum*，*Trichophyton mentagrophytes*，*Trichophyton tonsurans* や *Microsporum canis* が重要である．表在性真菌症の80%以上を皮膚糸状菌症が占める．

皮膚糸状菌は，ケラチンに特異的親和性を示し，ケラチナーゼによりケラチンを分解することで皮膚およびその付属器官である爪や毛などに限局して感染し，白癬を発症する．皮膚糸状菌症は侵される部位により，頭部白癬 tinea capitis，体部白癬 tinea corporis，股部白癬 tinea cruris，手白癬 tinea manus，足白癬 tinea pedis，爪白癬 tinea unguium とよばれる．まれに，アレルギー疾患や細菌感染症の合併を伴い重症化することで，ケルルス禿瘡（とくそう）のような深在性白癬を起こすこともある．

診断には直接鏡検法が最も重要である．病巣部位の鱗屑，毛，爪を水酸化カリウムで処理することにより，ケラチンを溶解し，顕微鏡観察により菌糸形の発育形態を証明する．

2）深部皮膚真菌症

土壌中の真菌が創傷部位から侵入し，主に四肢の皮膚と皮下組織に慢性の膿瘍もしくは肉芽腫が形成される真菌症をいう．病変は筋膜から骨へ及ぶこともあり，遠隔臓器に転移病巣を形成することもある病型である．

(1) スポロトリコーシス

温度依存性の二形性真菌である *Sporothrix schenckii* による疾患であり，南北アメリカ，アジアやオセアニアなどの温暖多湿の地域にみられ，日本では関東，近畿，九州で比較的多く発生している．外傷を受けた皮膚から侵入し，皮下組織または深部皮下組織に慢性潰瘍性の病変を形成する．好発部位は顔面と四肢である．感染から数週間～数か月後に，局所の膿疱または潰瘍を伴う無痛性の肉芽腫病変を生じる（限局型スポロトリコーシス）．真菌がリンパ管を経由して周辺の皮膚表面に拡大し，結節状病変を形成することもある（リンパ管型スポロトリコーシス）．AIDS 患者などの免疫機能が低下した患者では，真菌が全身に播種し，深部臓器に拡大することもある．

(2) 黒色真菌感染症

不完全菌類の中で，細胞壁にメラニン色素を含むため寒天培地上で黒色，または暗緑色のコロニーを形成する真菌を黒色真菌 dematiaceous fungus と総称する．黒色真菌感染症は，臨床症状や病態，感染病巣内における真菌要素の有無により，黒色真菌症と黒色菌糸症に分類される．黒色真菌は病原因子であるメラニンが，食細胞による食作用に抵抗性を示し，中枢神経への親和性をもつと推測されている．黒色真菌感染症は，スポロトリコーシスと比べて日本国内ではまれな疾患であるが，新興真菌症の１つとして注意が必要である．

3）深在性真菌症

特定の深部臓器または全身に播種して，さまざまな臓器や組織に感染病巣を形成する真菌症をいう．*Aspergillus fumigatus*，*C. neoformans* や接合菌類などの外因性の真菌に加えて，常在真菌である *Candida* 属も重要である．これらの真菌は日和見真菌 opportunistic fungus であり，感染に対する抵抗性が低下した易感染宿主に日和見真菌症 opportunistic fungal infection を引き起こす．先進国では，多剤併用による抗 HIV 療法が奏効し，AIDS 患者における口腔咽頭カンジダ症やニューモシスチス肺炎は減少傾向を示している．しかし，耐性ウイルスの出現が懸念されており，これに伴う日和見真菌症の増加も危惧されている．また，地域流行性（輸入）真菌症は，海外の流行地で感染し，国内にもち込まれる深在性真菌症であり，報告例が増加している．

(1) 深在性カンジダ症

深在性真菌症の中でも最も患者数が多く，カンジダ血症，播種性カンジダ症，肺カンジダ症，カンジダ髄膜炎，カンジダ骨髄炎，肝・脾カンジダ症，カンジダ心内膜炎，およびカンジダ眼内炎などが多様なカンジダ症が含まれる．代表的な原因微生物種は *C. albicans* であるが，non-*albicans Candida* と総称される *C. albicans* 以外の *Candida* 属による症例も増加している．

C. albicans をはじめとする *Candida* 属は，ヒトの消化管，上気道，膣などの粘膜や皮膚に定着する常在微生物であるが，しばしば内因性感染症を引き起こす．腸管内に常在する *C. albicans* や *C. glabrata* は，抗がん剤や放射線治療に伴う消化管粘膜の損傷により，消化管から血行性またはリンパ行性に全身伝播して，さまざまな臓器に感染病巣を形成することがある．このように，腸管内に定着する真菌が血中に移行する現象を真菌トランスロケーション fungal translocation という．カンジダ眼内炎は *Candida* 属の血行性播種の徴候としてみられ，カンジダ血症の診断にも役立つ．また，患者や医療従事者の皮膚に定着した *Candida* 属がカテーテルの装着部位を介して伝播・感染する外因性感染にも注意を払わなければならない．カンジダ血症の臨床症状として，広域抗菌薬不応性の発熱や皮疹がみられることがある．診断は血液培養で確定するが，β-グルカンを指標とする血清診断も有用である．*Candida* 属は一般的に抗真菌薬に感受性であるが，副作用が比較的少ないアゾール系やキャンディン系がよく使用される．しかし，特定の真菌種には低感受性の薬剤もあるため注意を要する．

(2) アスペルギルス症

不完全菌に属する糸状菌である *A. fumigatus*，*Aspergillus flavus*，*Aspergillus niger* などの *Aspergillus* 属の真菌を原因とする感染症をアスペルギルス症と総称する．中でも，*A. fumigatus* の検出率が最も高い．栄養型菌糸の形態学的特徴は，菌糸から垂直に伸びた分生柄の先端が膨大

A

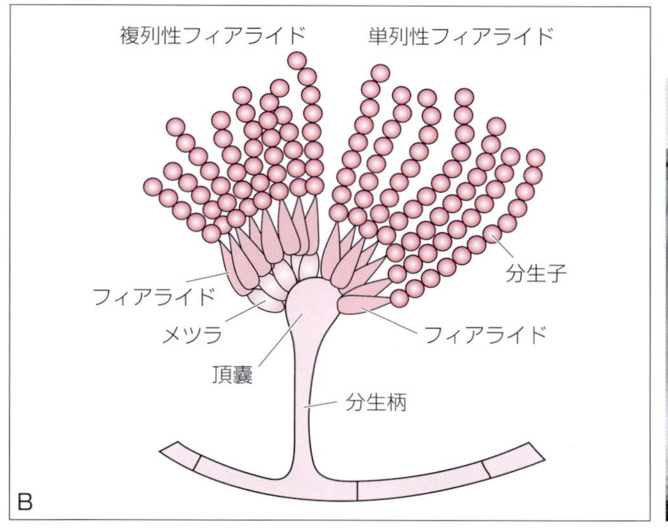

図 1-3-28　*Aspergillus* 属の形態

A：*A. fumigatus* の巨大コロニー．B：*Aspergillus* 属の分生子頭．C：*A. fumigatus* のフラスコ型頂嚢と単列性フィアライド．
菌糸には隔壁があり，菌糸側壁から分生子柄が空気中に向かって伸び，分生子頭を丸く膨大して頂嚢になる．頂嚢の表面にはフィアライドが並び，その先端に分生子が形成される．
（A と C は千葉大学真菌医学研究センター）

した頂嚢 vesicle となり，その辺縁には単列性または複列性にフィアライド phialide が形成されることである．フィアライドの先端からは，分生子が次々と産生されて連鎖をつくる（**図 1-3-28**）．

アスペルギルス症は，環境中に発育している *Aspergillus* 属の分生子を吸入し，感染または感作されることにより発症する．*Aspergillus* 属が多量につくる分生子は，疎水性で小さな球型（2～4 μm）であることから，吸入された場合は肺胞まで到達し，肺に病巣を形成する．

アスペルギルス症の病型は大きく 3 つに分類される．肺アスペルギローマ aspergilloma は，肺結核で形成された空洞内で *Aspergillus* 属が増殖し，直径 1～5 cm の菌球 fungus ball を形成する．臨床症状としては，微熱，咳嗽，および喀痰が一般的である．長期にわたって無症状で経過する例が多いが，根治できない場合は侵襲性への移行，もしくは喀血により死亡することもある．侵襲性肺アスペルギルス症 invasive pulmonary aspergillosis は，最も重篤なアスペルギルス症であり，白血病の末期や骨髄・臓器移植による免疫不全患者に認められ，肺から血行性に全身諸臓器に播種し，播種性アスペルギルス症に進展することもある．近年増加している病型として，*A. fumigatus* をアレルゲンとするアレルギー性気管支肺アスペルギルス症 allergic bronchopulmonary aspergillosis（ABPA）がある．多くの場合，気管支喘息に続発し，気管内に発育した *A. fumigatus* 抗原に対するさまざまな免疫反応を生じる病態である．喀痰中または気管支鏡検査にて，アスペルギルス菌糸や好酸球塊が認められる．治療には，ミカファンギン，アムホテリシン B，またはイトラコナゾールが使用されるが，肺アスペルギローマの場合は，根治療法として肺の病巣を外科的に切除することもある．

(3) クリプトコックス症

起因微生物である *C. neoformans* は自然界に広く分布し，特にハトやニワトリなどの鳥類の糞とそれに汚染された土壌から高頻度に分離される．担子菌酵母であり，細胞の周囲はグルクロノキシロマンナンを成分とする厚い莢膜で覆われているため，マクロファージなどの食細胞に対して抵抗性を示す．初感染では，主に経気道的に感染し，肺クリプトコックス症を引き起こす．健常者ではほとんどが不顕性感染に終わるが，易感染宿主の場合は全身性クリプトコックス症に移行することがある．中枢神経系に強い親和性を示すため，クリプトコックス性髄膜炎を起こすことが多い．なお，難治性のクリプトコックス症の原因となる *Cryptococcus gattii* はオーストラリアや熱帯・亜熱帯地域に限られていたが，近年カナダのバンクーバー島で高病原性株のアウトブレイクがあり，新興感染症として注目されている．日本国内においても，高病原性株と同一遺伝子を示す *C. gattii* による感染症例が認められ，感染動向が注視されている．診断は，膿汁，喀痰，分泌物や髄液などから採取した検体の墨汁標本像において，厚い莢膜をもつ酵母細胞が認められれば確定する．また，莢膜グルクロノキシロマンナン抗原に対する血清診断法は，感度・特異性ともに良好である．髄膜炎の治療には，アムホテリシン B とフルシトシンを併用する．

(4) ムコール症

接合菌（亜）門に属するケカビ目 *Mucorales* により起こる接合菌症の 1 つである．ヒトに病原性を示す *Mucor* 属，*Rizopus* 属，*Cunninghamella* 属および *Absidia* 属が重要である．これらの病原真菌の発育はきわめて速いため，病態は急激に悪化する特徴がある．一般的に，糖尿病や白血病などの易感染患者に併発する日和見真菌症である．副鼻腔感染や肺感染が初感染となり，急速に全身に伝播する．最も多い病型は鼻脳型ムコール症であり，鼻粘膜もしくは副鼻腔から感染が始まり，急激に脳に波及して死に至る．アシドーシスを伴う糖尿病患者が高リスクとなり，本病型の70％を占める．感染初期段階では，片側性頭痛，顔面浮腫，黒色の鼻腔分泌物や眼球突出を認める．一般的に，診断・治療ともにきわめて困難である．病巣が限局している場合は外科的切除が有効である．単独で効果がある抗真菌薬はアムホテリシンBに限られる．

(5) ニューモシスチス肺炎

起因微生物である *Pneumocystis jirovecii* は，以前は原虫と考えられていたが，分子遺伝学的研究により真菌であることが判明した．ヒト－ヒト感染がみられ，AIDS患者などの免疫不全患者に好発し，呼吸障害，発熱および乾性咳嗽を呈する．培養法が確立されていないため，PCR法による診断が行われることが多い．多くの抗真菌薬には感受性を示さないため，治療には抗原虫薬のペンタジミンやST合剤が使用される．

次世代シーケンサーを用いた網羅的DNAシーケンス解析により，気道や腸管内に定着するフローラ（微生物叢）と疾患の関連が明らかになりつつある．気道のマイコバイオーム研究において，気管支喘息患者や慢性閉塞性肺疾患 chronic obstructive pulmonary disease（COPD）患者では，定着する真菌の種類と量が増加すること，COPD患者の真菌叢は気管支拡張薬や吸入ステロイドの投与により変化すること，移植肺では大量の *Candida* 属や *Aspergillus* 属を認めることが明らかになってきた．また，糞便中には多種多様な真菌が存在することが証明されてきたが，その多くは食物由来の真菌遺伝子の混入であり，腸管に定着する真菌ははるかに少ないと考えられている．しかし，広域スペクトルの抗菌薬を投与したマウスの消化管では *Candida* 属が増殖することにより，血清中のプロスタグランジン E_2（PGE_2）の上昇や肺内のM2マクロファージの活性化が起こり，アレルギー性の気道炎症が悪化することが示された．抗真菌薬，PGE_2 産生阻害薬やM2マクロファージ活性化阻害薬がアレルギー疾患に対する新たな治療法として注目されている．

（住友倫子，川端重忠）

D 原虫

ヒトの体内に寄生する内部寄生虫は，原虫 protozoa と蠕虫（ぜんちゅう）類 helminths に分類される．原虫は，単細胞の真核生物であり，原生動物ともよばれる．多くのものは運動性をもち，従属栄養性である．原虫による代表的な感染症としては，マラリア，トキソプラズマ症，アメーバ症などがあげられる．蠕虫類は，多細胞の動物に属し，条虫（サナダムシなど），吸虫（住血吸虫など），線虫（アニサキスなど）などが属する．原虫は数～150 μmの大きさで肉眼では観察することのできない微生物に属するが，蠕虫類は肉眼で見ることのできる大きさであり，寄生虫学の中で取り扱われる．

わが国における寄生虫感染は，半世紀ほど前には多種多様な寄生虫が蔓延しており，多くの国民はなんらかの寄生虫に感染していたといわれている．その後，国をあげて寄生虫の撲滅対策が講じられ，また生活水準，保健衛生の向上などにより寄生虫は激減し，現在では医療現場で寄生虫感染者をみることは少なくなった．しかし，発展途上国では現在でも数億人が寄生虫に感染し，毎年数百万人が寄生虫感染により死亡している．今後，海外渡航者数，外国人入国者数の増加により輸入寄生虫症は増えていくものと考えられる．

1 原虫の分類

ヒトに寄生する原虫は約50種，臨床的に重要なものは30種ほどある．原虫はその運動方法などによって古典的に4群に大別される（**表1-3-12**）．赤痢アメーバなど偽足で運動する根足虫類，トリコモナスなど1本から数本の鞭毛で運動する鞭毛虫類，マラリア原虫など運動器官をもたず細胞内に侵入し胞子を形成する胞子虫類，そして体表に多数の繊毛を有する繊毛虫類に分けられる．近年，原虫の分類にも分子系統解析による再検討が行われており，原虫の分類体系は大きく変わりつつあるが，本稿は従来の分類体系に従った．

真核生物の分類は，分子系統解析による新たな分類体系が2005年の国際原生動物学会で提案された．この分類体系では真核生物は，界に相当するスーパーグループという上位分類群に再編され，人体寄生虫は，遺伝子進化の観点から4つスーパーグループ（アメーボゾア，アルベオラータ，エクスカバータ，ストラメノパイル）に分類されている．

2 原虫の構造

原虫は，核膜に囲まれた核をもつ真核生物に属し，細胞壁をもたず基本構造は動物細胞に類似している．細胞質内には核，ミトコンドリア，小胞体，ゴルジ体，リボソームが存在する．通常，核は1個であるが，ある種の鞭毛虫では2個の核をもつものもある．

原虫の細胞表層には寄生した部位での移動や付着，栄養摂取などに必要な種々の構造を発達させている（**図1-3-29**）．構造物は原虫の種類によって異なるが，偽足，鞭毛，波動膜，繊毛などの運動器官や吸盤（**図1-3-30**），細胞口など宿主への付着や侵入にかかわる構造物をもつものもある．

3 原虫の増殖

単細胞の原虫は，無性生殖によって分裂，増殖するものが多いが，マラリア原虫のように人体内で無性生殖を行い，蚊の体内で有性生殖を行うものもある．有性生殖を行う宿主が終末宿主で，無性生殖を行い，原虫の成長・発育に必要な宿主が中間宿主となる．無性生殖には二分裂，多数分裂，内出芽二分裂などの分裂様式がある．

表 1-3-12　主な原虫と原虫感染症

分類	原虫名	伝搬様式	感染部位	疾患名
根足虫類	赤痢アメーバ *Entamoeba histolytica*	経口（糞口） 性行為	大腸	アメーバ赤痢
鞭毛虫類	ジアルジア（ランブル鞭毛虫） *Giardia intestinalis*	経口（糞口） 性行為	小腸	ジアルジア症
	腟トリコモナス *Trichomonas vaginalis*	性行為	腟，尿道	トリコモナス症
	トリパノソーマ *Trypanosoma* spp.	昆虫 （ツェツェバエ，サシガメ）	血液，脳脊髄液	アフリカ睡眠病 シャーガス病
	リーシュマニア *Leishmania* spp.	昆虫 （サシチョウバエ）	肝臓，脾臓，皮膚，粘膜	リーシュマニア症
胞子虫類	マラリア原虫 *Plasmodium* spp.	昆虫 （ハマダラカ）	赤血球，肝臓	マラリア （熱帯熱マラリア，三日熱マラリア）
	トキソプラズマ *Toxoplasma gondii*	経口 経胎盤	小腸，脳，脈絡網膜	トキソプラズマ症
繊毛虫類	大腸バランチジウム *Balantidium coli*	経口	大腸	バランチジウム症

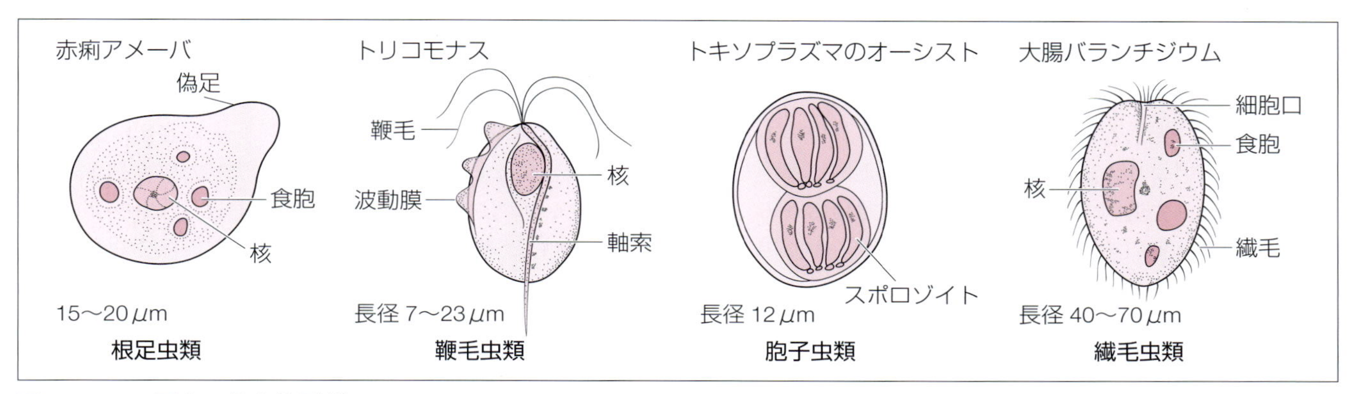

図 1-3-29　原虫の代表的形態
偽足で運動する根足虫類，鞭毛で運動する鞭毛虫類，運動器官をもたず細胞内に侵入し胞子を形成する胞子虫類，体表に多数の繊毛を有する繊毛虫類に分類される．
（吉田幸雄，有薗直樹：医動物学．南山堂，2013 を改変）．

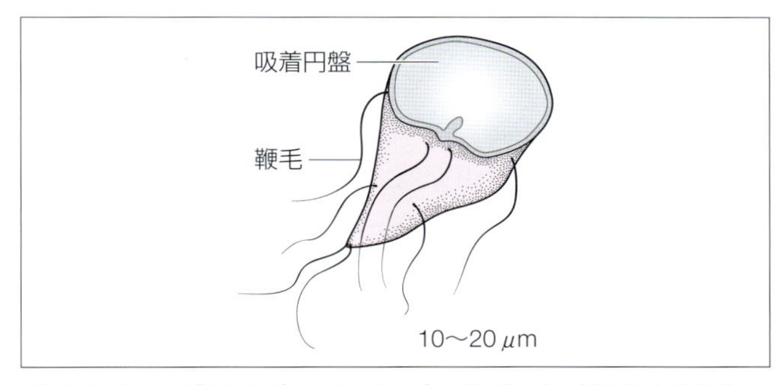

図 1-3-30　ジアルジア（ランブル鞭毛虫）（腹面立体図）
栄養型は 4 対 8 本の鞭毛を有し，腹面前半部に大きな吸着円盤があり小腸粘膜に吸着する．
（上村　清ほか：寄生虫学テキスト．第 4 版．光文堂，東京，2019 を改変）

二分裂は，1 個体が同じ大きさの 2 個体に分裂する生殖法であり，赤痢アメーバ，腟トリコモナス，トリパノソーマにみられる．多数分裂（シソゴニー schisogony）は，一個体が多数の娘個体に分裂する生殖法であり，マラリア原虫の人体内での増殖様式である．内出芽二分裂は，母虫体の内部に 2 つの娘虫体が形成されて，それらが母虫体を破壊して遊離してくるもので，トキソプラズマでみられる．有性生殖は，雌雄の配偶子が受精して行うものでマラリア原虫の蚊体内での生殖様式である．

原虫が活発に運動，増殖している時期の虫体を栄養型といい，発育環境が悪くなると原虫の虫体が被膜で覆われ，休眠状態に入ったシスト cyst（囊子）を形成する．また雌雄の生殖体が合体して融合体となり，それが被膜で覆われたオーシスト oocyst（卵囊子）を形成するものもある．シストやオーシストは原虫の感染型であり，被囊の形成は浸透圧の変化や乾燥に耐えることができる耐久型の形態である．原虫の伝搬様式としては，シストやオーシストが飲食物，手指を介して経口的に人体に侵入してくるものや蚊などの吸血昆虫により媒介されるものなどがある．

4 口腔から検出される原虫

口腔からは歯肉アメーバ *Entamoeba gingivalis* と口腔

トリコモナス *Trichomonas tenax* が検出される．いずれも明確な病原性は証明されていないが，口腔衛生状態の悪化や歯周病の進行とともに検出率が高くなる．

口腔から検出される原虫については「第4章Ⅳ．口腔内の主な微生物」の項目（☞ p.234）を参照．

⑤ 原虫と原虫感染症

ヒトに寄生する原虫には，重篤な症状を引き起こすものから病原性を示さず不顕性感染する原虫もある．感染経路は，経口感染，性行為感染，吸血昆虫による経皮感染で，寄生部位は消化管，組織内，血液，泌尿生殖器，呼吸器などである．感染後，宿主の細胞内に寄生するものと細胞外に寄生するものがあり，原虫の種類によって異なる．消化管に寄生したものでは下痢や粘血便，血液，組織内感染では発熱，膿瘍形成などの症状を示す．主な原虫と原虫感染症を**表1-3-12**にあげる．

1）赤痢アメーバ

赤痢アメーバ *Entamoeba histolytica* には毎年，約5,000万人が感染し，死亡者は4〜10万人と推定されている．患者は中南米，アフリカ，南アジアなどの途上国に集中しているが，最近，先進国でも患者数の増加が認められる．赤痢アメーバは，糞口感染によって主に伝播するが，口・肛門接触を伴う性行為などにより男性同性愛者に感染集積が認められることから本症は性感染症としても規定されるようになった．赤痢アメーバの生活環には，栄養型とシストの2つの形態が存在する．糞便中のシストや汚染された飲食物中のシストが経口摂取されると腸管で栄養型となり，偽足を出して活発に運動し，大腸粘膜に侵入し，二分裂で増殖する．その後，周囲組織を破壊し，粘膜組織に潰瘍を形成し，腹痛を伴ったイチゴゼリー状の粘血便を排泄し，アメーバ赤痢の病型を示す．赤痢症状の場合は，細菌性赤痢，潰瘍性大腸炎，大腸がんなどとの鑑別診断が必要となる．栄養型の一部は，腸管外へ血行性に移動し，肝臓などで膿瘍を形成する（腸管外アメーバ症）．栄養型は便が有形化してくるとシストを形成し，体外へ排泄される．治療には，メトロニダゾール，チニダゾールが用いられる．

2）ジアルジア（ランブル鞭毛虫）

ジアルジア（ランブル鞭毛虫）*Giardia intestinalis* は全世界に広く分布し，2〜3億人が感染していると推定されている．ジアルジア症の原因原虫である．栄養型，シストの2形態の生活環を有する．感染は，糞便から排泄された成熟シストに汚染された飲食物の経口摂取による（糞口感染）．また口・肛門接触を伴う性行為でも感染する．栄養型は，十二指腸，小腸上部に寄生し，二分裂で増殖する．4対8本の鞭毛を有し，腹面には大きな吸着円盤があり粘膜に吸着する（**図1-3-30**）．赤痢アメーバとは異なり組織侵入性はないとされている．下痢，腹痛などが主症状として認められる．治療には，メトロニダゾール，チニダゾールが用いられる．

3）膣トリコモナス

膣トリコモナス *Trichomonas vaginalis* は世界中に分布し，年間の新規感染者は1億4千万人と推定されている．

栄養型のみでシストは形成しない．トリコモナス症は性感染症であり，栄養型の接触感染により伝播する．感染部位は膣が主であるが，尿道にも寄生する．鞭毛と波動膜を使って活発に運動し，二分裂で増殖する．治療には，メトロニダゾール，チニダゾールが用いられる．

4）*Trypanosoma* 属

ヒトの血液・組織内に寄生する鞭毛虫類には，*Trypanosoma* 属と *Leishmania* 属の2属がある．ヒトに病原性を示す *Trypanosoma* 属には，アフリカ睡眠病の原因であるガンビアトリパノソーマ *Trypanosoma brucei gambiense*，ローデシアトリパノソーマ *Trypanosoma brucei rhodesiense* と中南米でみられるアメリカトリパノソーマ症（シャーガス病）の病原体であるクルーズトリパノソーマ *Trypanosoma cruzi* の3種がある．アフリカ睡眠病は，ツェツェバエによる刺咬により伝播する．シャーガス病はサシガメによる刺咬により伝播する．感染性をもつ虫体が刺咬時に注入され，血液，組織液中で二分裂で増殖する．その後，虫体が中枢神経系に侵入すると髄膜脳炎が進行し，性格変化，興奮，錯乱などの精神症状，さらに末期の患者は昏睡に陥り，全身衰弱で死亡する．治療薬としては，感染初期で中枢神経系が侵されていない場合，ガンビアトリパノソーマ感染ではペンタミジン，ローデシアトリパノソーマ感染ではスラミンが用いられる．虫体が中枢神経系に侵入した場合，エフロルニチン，メラルソプロール，ニフルチモックスが用いられる．

5）*Leishmania* 属

アフリカ，インド，中近東，中南米など広く全世界の熱帯，一部温帯地帯に分布する．感染者は1,200万〜1,700万人と推定されている．保有動物はイヌ，家畜，野生動物であり，サシチョウバエという吸血昆虫によって媒介される．病態は原虫種や感染部位の違いにより内臓リーシュマニア症（*Leishmania donovani*，*Leishmania infantum*），皮膚リーシュマニア症（*Leishmania major* など），皮膚粘膜リーシュマニア症（*Leishmania braziliensis*）の3型に大別される．

人体に侵入したリーシュマニアはマクロファージ内に寄生し二分裂で増殖し，感染細胞を破壊して次々にマクロファージへ感染する．感染マクロファージは血流で全身を巡りマクロファージ系細胞へ寄生する．内臓リーシュマニア症では肝臓，脾臓，骨髄において細網内皮系細胞に寄生し，増殖するため，主症状は発熱，肝脾腫，貧血，白血球の減少などを呈する．治療せず放置すると死に至る．また患者の皮膚が黒くなる場合があることからカラ・アザール kala azar（黒い熱病）ともいわれる．治療には，アムホテリシンB，ペンタミジンが用いられる．

6）*Plasmodium* 属（マラリア原虫）

マラリアは熱帯，亜熱帯の約100か国に流行し，現在でも年間約2億人以上が感染し，50万人以上の死亡が推定されている．結核，AIDSとともに世界三大感染症の1つである．感染者の9割がアフリカ大陸で認められ，年間約30万人の5歳未満児が死亡している．わが国においても年間100例ほどの輸入感染例がある．マラリアは四類感染症であり，届出が必要である．

Plasmodium 属でヒトに寄生し病原性を示すものは，熱帯熱マラリア原虫 *Plasmodium falciparum*，三日熱マラリア原虫 *Plasmodium vivax*，四日熱マラリア原虫 *Plasmodium malariae*，卵形マラリア原虫 *Plasmodium ovale* の4種である．死亡例の大多数は熱帯熱マラリアによるものである．マラリアはハマダラカによって媒介され，人体内では肝細胞，赤血球内で多数分裂（シゾゴニー）による無性生殖を行い，蚊体内では雌雄の生殖体による有性生殖を行う複雑な生活環を有する．したがって有性生殖を行う蚊が終末宿主であり，無性生殖を行い，マラリア原虫の成長・発育に必要なヒトが中間宿主となる．

マラリア原虫は，ハマダラカの唾液腺中にスポロゾイトという感染型虫体として潜んでおり，蚊の吸血とともにヒトの体内に侵入する．スポロゾイトは，血流により数分以内に肝臓に達し，肝細胞に侵入し，そこで分裂し多数の娘虫体（メロゾイト）を形成する．その後，メロゾイトは血中に放出され，すみやかに赤血球に侵入する．赤血球内で無性分裂を行い新たなメロゾイトが形成された後，赤血球を破壊して他の赤血球に侵入する．この赤血球に感染し，増殖，破壊のサイクルが繰り返されることによって周期性の発熱，貧血が起こる．一部のメロゾイトは雌雄の生殖母体となり，蚊の吸血により蚊の体内に取り込まれ，中腸で受精（有性生殖）し，融合体となり，オーシストに分化する．オーシスト内で形成された多数のスポロゾイトは，唾液腺に移行し，感染型虫体として次のヒトへの感染へと続く．

マラリアの三大徴候は発熱，脾腫，貧血であり，赤血球への感染と破壊が原因である．感染後，10～15日の潜伏期を経て，頭痛，食欲不振などの前駆症状を呈した後，急激に発熱し，39～41℃に達する．発熱は，マラリア原虫（メロゾイト）が感染赤血球を破壊し，血中に遊離したときに上昇し，赤血球内で発育しているときは低下する．発熱周期は，マラリア原虫の種類によって異なり，48時間（熱帯熱マラリア原虫，三日熱マラリア原虫，卵形マラリア原虫），または72時間（四日熱マラリア原虫）とほぼ一定の周期性がみられる．熱帯熱マラリアの場合，初期の治療が遅れると重篤な合併症を伴ったマラリアに進展し，死に至る場合がある．マラリアを疑う場合は，血液塗抹標本を作製し，顕微鏡検査により赤血球内のマラリア原虫を検出することで診断する．感染の機会があり発熱などの症状を呈している場合は，速やかに抗マラリア薬による治療を開始する．わが国で承認されているマラリア治療薬としては，キニーネ塩酸塩，メフロキン，アトバコン・プログアニル合剤，アルテメテル・ルメファントリン合剤，プリマキンがある．

2015年ノーベル生理学・医学賞は「寄生虫感染症に対する新規治療物質に関する発見」で大村智および米国 William C. Campbell，および「マラリアの新規治療法に関する発見」で中国の屠呦呦（トユウユウ）に贈られた．大村・Campbellは土壌から分離した放線菌が産生する抗寄生虫作用を有するエバーメクチンを発見し，その後，抗寄生虫活性を増強し，副作用の少ないイベルメクチンを開発した．イベルメクチンは線虫によるオンコセルカ症（河川盲目症），リンパ系フィラリア症（象皮症）の治療に有効であり，これまでアフリカを中心に数億人に無償提供されている．屠は，ヨモギ属のクソニンジンの抽出成分にマラリアに効果的で副作用も少ないアルテミシニンという物質を発見した．世界保健機構（WHO）は，マラリア原虫の薬剤耐性出現を阻止し，治療効果の向上を目的にアルテミシニン誘導体（アルテメテル）と異なる作用機序の抗マラリア薬の併用療法を推奨している．

7）トキソプラズマ

トキソプラズマ *Toxoplasma gondii* は全世界に広く分布し，数十億人が感染していると推定される．ネコ科の動物が終末宿主でヒトを含む多くの哺乳類，鳥類が中間宿主となる．感染経路は，ネコの糞便に排泄されるオーシストの経口摂取やブタなどの食肉に含まれるシストの経口摂取，および経胎盤感染がある．

先天性トキソプラズマ症は，妊婦が初感染の場合，母体は無症状であっても虫体が胎盤を経由し，胎児に垂直感染し障害をもたらすものである．妊娠初期の感染では胎児の流産，死産となるが，中期，後期に感染した場合は，新生児に脈絡網膜炎，水頭症，脳内石灰化，精神運動機能障害などの中枢神経系の障害が現れる．したがってトキソプラズマに対する抗体価が陰性の妊婦は，感染源である生肉や加熱不十分の食肉の摂取を避けるとともに，終末宿主であるネコとの接触やオーシストに汚染されている可能性のある土壌との接触を避ける必要がある．健常者が感染した場合は，大部分は不顕性感染として無症状で経過する．まれに急性症状として発熱，リンパ節腫脹を起こすことがある．しかしAIDS患者，臓器移植における免疫抑制薬や抗がん剤の投与による免疫不全の状態では，シスト内に潜んでいた虫体が増殖し，日和見感染として多臓器感染を起こす．頭痛，発熱，意識障害などの中枢神経症状の他，心筋炎，肺炎などもみられることがある．トキソプラズマ脳炎は，AIDS発症の基準となる指標疾患の1つである．急性症状がみられる人には，ピリメタミン，スルファジアジンの併用が有効であるが，潜伏感染しているシストには効果がない．

（大森喜弘）

微生物の遺伝学

病原微生物の遺伝学的性質は感染症の発症に深く関与する．特に，微生物の病原因子などの産生量は転写や翻訳の段階で厳密に調節されている．微生物の病原性を理解するためには，その遺伝学的性質を知る必要がある．また，転写や翻訳にかかわる因子を作用点とする化学療法薬もあり，感染症の予防と治療という側面においても遺伝学的性質の理解は必要である．本章では，細菌における染色体と遺伝子の特徴，および転写と翻訳の機構を紹介する．

1 細菌の染色体の構造と複製

1）細菌の染色体の構造

細菌の染色体 chromosome は約1～2 mm の長さであり，DNA を構成する1単位はヌクレオチドである．ヌクレオチドは五炭糖であるデオキシリボース，リン酸基，塩基からなり，塩基はプリン塩基（アデニン；A，グアニン；G）とピリミジン塩基（シトシン；C，チミン；T）に分けられる（**図1-4-1**）．ヌクレオチド間はデオキシリボース3′位の水酸基と5′位のリン酸基の間でリン酸エステル結合によりつながり，ヌクレオチド鎖が形成される．2本のヌクレオチド鎖はプリン塩基とピリミジン塩基間の水素結合により対合し，逆平行（5′末端から3′末端への方向性）の配置で二重らせん構造をとる（**図1-4-2**）．10塩基対 base pair（bp）でらせんは1回転し，大きい溝（主溝）と小さい溝（副溝）が形成される．DNA 分子の二本鎖は高熱や変性条件下で分離するが，元の条件に戻れば再生できる安定な分子である．

細菌の染色体は，通常，環状構造をとる1倍体である．したがって，2倍体である真核生物の線状染色体とは異なる．また，細菌染色体の大きさは，約3,200 Mbp（1 Mbp ＝ 10^6 bp）のヒト染色体と比較して，非常に小さく，菌種により大きく異なる（0.58～約10 Mbp）．長さが約1～2 mm の DNA が細胞質内に収納されるため，スーパーコイル構造という折りたたみ構造をとっている．ただし，染色体の複製や遺伝子発現などの際，スーパーコイル構造の部分的な解消と再形成が繰り返されている．真核生物とは異なり，細菌は有性生殖による遺伝子の進化や多様性獲得の機構をもたず，後述の遺伝子水平伝播や遺伝子の欠失・重複などの変異が進化に重要になる．

2）細菌の染色体の複製

染色体が複製される際，二本鎖 DNA の両鎖が鋳型 template となり，必ず5′→3′の方向性で相補的に（A と T，C と G の塩基対で）ヌクレオチドが付与されていく．2本の一本鎖鋳型をもとに二本鎖が形成されるため，二本鎖は2倍になる．これを半保存的複製という．このように，ある1つの起点から複製される DNA 全体をレプリコン replicon とよぶ．

複製は染色体上の *oriC*（origin of chromosome）とよばれる複製開始点から進行する．複製過程の染色体はギリシア文字θの形にみえることから，θ型複製とよばれる（**図1-4-3A**）．まず，複製開始点で DnaB というヘリケース helicase と DNA ジャイレース DNA gyrase（Ⅱ型トポイソメラーゼ）を含む因子群の協調作用により，らせん構造

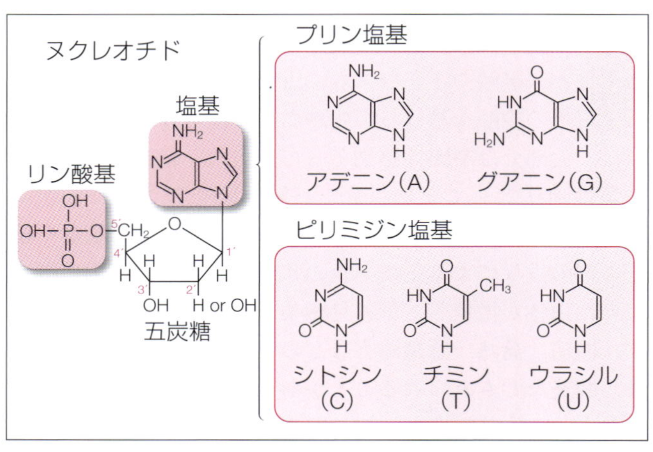

図1-4-1　ヌクレオチドと塩基の種類
ヌクレオチドの連結は，5′位のリン酸基と3′位の水酸基の間に形成されるリン酸エステル結合が担う．RNA の五炭糖は，2′位が水酸基のリボースである．また，RNA ではチミンの代わりにウラシルが用いられる．

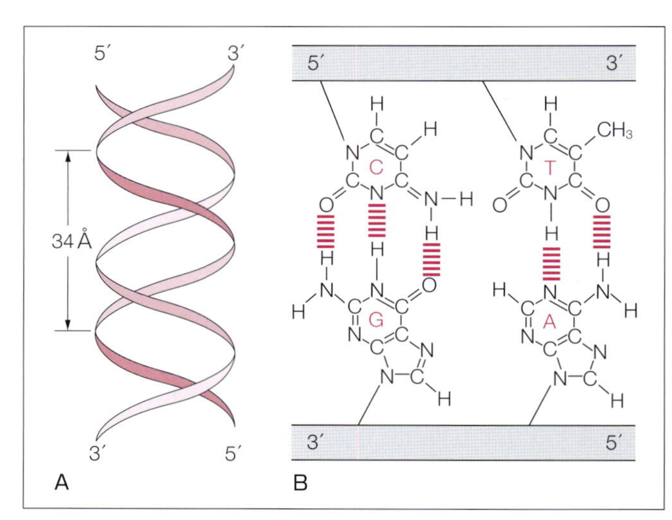

図1-4-2　DNA の二重らせん構造
A：二本鎖の極性は逆平行になる．
B：A-T 間と C-G 間にはそれぞれ2つと3つの水素結合が形成される．

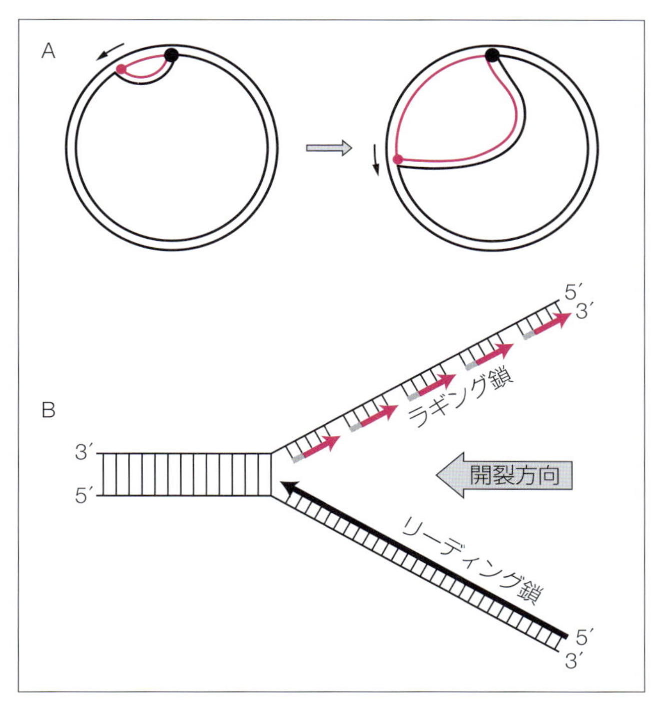

図 1-4-3　θ型複製と複製フォーク
A：一方向に複製される場合を示す．赤線は新しく合成されたDNAを表す．矢印は複製進行方向を示す．
●：複製開始点，●：複製フォーク．
B：赤矢印に接する灰色線はRNAプライマーを表す．矢印（黒矢印：リーディング鎖，赤矢印：岡崎フラグメント）の方向は伸長方向（5′→3′）を示す．

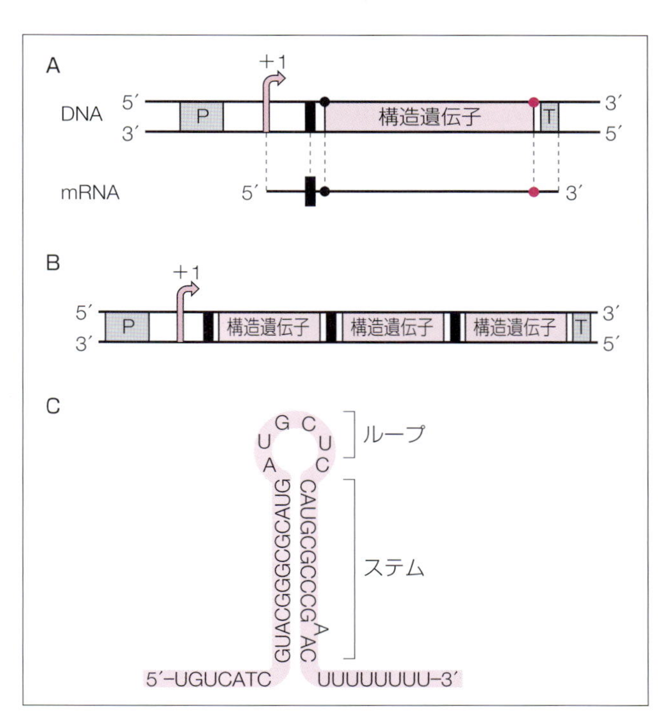

図 1-4-4　細菌遺伝子の構造
A：黒四角（▮）と +1 はそれぞれSD配列と転写開始部位を示す．mRNAは下の一本鎖DNAを鋳型に合成される．P：プロモーター，T：ターミネーター，●：開始コドン，●：終止コドン．
B：3遺伝子からなるオペロン構造を示す．各構造遺伝子の5′には，SD配列が存在する．
C：転写終結部位における塩基配列の例を示す．

の解消と部分的な一本鎖への分離が起こる．複製には一本鎖に相補的な短いRNA断片の結合が必要であり，この断片をRNAプライマー RNA primerという．RNAプライマーの3′側末端からDNAポリメラーゼⅢ DNA polymerase Ⅲがデオキシリボヌクレオシド三リン酸（dATP，dGTP，dCTP，dTTP）を基質としてヌクレオチドを継続して付与していく．

複製が進行するY字型の部位は複製フォークとよばれる（**図 1-4-3B**）．複製フォークで機能する因子を総称してレプリソームという．DNAの合成は一方向（5′→3′）にのみ起こることから，それぞれの鎖でDNA合成方法は異なる．二本鎖から一本鎖への開裂方向に連続的なDNAの合成が起こる娘鎖をリーディング鎖 leading strandという．一方，不連続に伸長反応が起こる娘鎖をラギング鎖 lagging strandという．ラギング鎖では，約2,000塩基の短いDNA鎖が不連続に合成される．岡崎恒子（1933〜）と岡崎令治（1930〜1975）が1968年に報告したことから岡崎フラグメント Okazaki fragmentと名づけられた．DNAポリメラーゼⅠはプライマー除去後の間隙を埋め，DNAリガーゼにより断片間は連結される．最終的に，複製は染色体上で*oriC*の対極に存在する*terC*（terminus of chromosome）で終了する．複製された染色体は細胞分裂時に2つの娘細胞に分配される．

❷ 細菌遺伝子の構成

細菌遺伝子の多くはタンパク質をコードする．遺伝子の遺伝情報はまずmRNA（messenger RNA）に写し取られる．この過程を転写 transcriptionという．mRNAはリボソームに結合し，リボソーム上でmRNAのコドンに対応するアミノ酸が選択され，アミノ酸の連結によるタンパク質の合成が起こる．この過程を翻訳 translationという．真核生物とは異なり，細菌では，転写された直後にmRNAの5′側がリボソームに結合し，翻訳が転写と共役して起こる．これを共役転写翻訳とよぶ．

アミノ酸配列を規定する遺伝子領域 coding sequenceは構造遺伝子 structural geneとよばれる（**図 1-4-4A**）．構造遺伝子の上流と下流にそれぞれ転写の促進と停止を担うプロモーター promoter（転写開始シグナル）とターミネーター terminator（転写終結シグナル）が存在する．構造遺伝子では，3つの塩基（コドン codon）が1つのアミノ酸を規定するため，翻訳開始コドン（多くの場合ATG．mRNAではAUG）で始まり，翻訳終止コドンで終わる（TAA，TAGおよびTGA．mRNAではUAA，UAG，UGA．生物種によりコドンの使用頻度は異なる）（**表 1-4-1**）．通常，構造遺伝子の上流10 bp以内にアデニンとグアニンに富む後述のリボソーム結合部位 ribo-

表 1-4-1　アミノ酸コドン表

第1塩基（5′末端）		第2塩基 T	第2塩基 C	第2塩基 A	第2塩基 G	第3塩基（3′末端）
	T	TTT F	TCT S	TAT Y	TGT C	T
	T	TTC F	TCC S	TAC Y	TGC C	C
	T	TTA L	TCA S	TAA ＊	TGA ＊	A
	T	TTG L	TCG S	TAG ＊	TGG W	G
	C	CTT L	CCT P	CAT H	CGT R	T
	C	CTC L	CCC P	CAC H	CGC R	C
	C	CTA L	CCA P	CAA Q	CGA R	A
	C	CTG L	CCG P	CAG Q	CGG R	G
	A	ATT I	ACT T	AAT N	AGT S	T
	A	ATC I	ACC T	AAC N	AGC S	C
	A	ATA I	ACA T	AAA K	AGA R	A
	A	ATG M	ACG T	AAG K	AGG R	G
	G	GTT V	GCT A	GAT D	GGT G	T
	G	GTC V	GCC A	GAC D	GGC G	C
	G	GTA V	GCA A	GAA E	GGA G	A
	G	GTG V	GCG A	GAG E	GGG G	G

赤字のコドン：大腸菌で使用頻度の高いコドン，灰色字のコドン：大腸菌で使用頻度の低いコドン，＊：終止コドン．

some-binding site（RBS）が存在する．プロモーターと翻訳開始コドンの間には，mRNA の合成が始まる転写開始点や転写調節因子の結合部位であるオペレーター operator とよばれる配列が認められる場合がある．真核生物の遺伝子とは異なり，細菌の遺伝子にはイントロンは存在しない．また細菌では，共通の機能を担う複数の遺伝子が遺伝子間距離をとらずに配置され，共通のプロモーターとオペレーターにより転写制御される場合がある（図 1-4-4B）．この遺伝子群の単位をオペロン operon とよぶ．

③ 転　写

1）転写の開始

転写は，プロモーターと翻訳開始コドンの間の転写開始点から始まる．通常，塩基配列上で＋1と表示される（図 1-4-4A）．転写開始点から約 10 塩基上流（−10 領域）と約 35 塩基上流（−35 領域）に RNA ポリメラーゼが結合する共通配列がある．大腸菌の典型的な−10 領域の配列は TATAAT であり，−35 領域の配列は TTGACA である．しかし，これらの配列や転写開始点からの距離は同じ菌種内でさえ一定ではない．

RNA ポリメラーゼ RNA polymerase は 4 種類のサブユニット（α，β，β'，σ）から構成される．コア酵素は 2 つの α，β，β' からなり，リボヌクレオチドの重合を担う．そして，コア酵素に σ（シグマ）因子が加わり，完全酵素 holoenzyme となる．σ 因子を介して RNA ポリメラーゼは−35 領域にまず弱く結合した後，−10 領域に移動する．二本鎖 DNA は一時的に一本鎖に分かれ，片方の一本鎖 DNA を鋳型として，転写開始点から mRNA が $5' \rightarrow 3'$ の方向性で RNA ポリメラーゼにより合成される．

1つの菌種には，主要な σ 因子とは異なる複数の代替 σ 因子 alternative σ factor が存在する．代替 σ 因子は上述の認識配列とは異なる配列を認識する．細菌は自身が直面する環境に応じて，複数の σ 因子を使い分け，環境への対応や生存に適する遺伝子群を選択的に転写する．

2）転写の終結

mRNA の合成が開始されると σ 因子は RNA ポリメラーゼから離れ，コア酵素が伸長反応を継続する．転写終結部位に到達すると RNA ポリメラーゼは DNA から解離し，mRNA の合成は停止する．多くの転写終結部位における塩基配列と二次構造は特徴的である（図 1-4-4C）．その塩基配列は逆向きの繰り返し配列（回文 palindrome）である．すなわち，この部位の mRNA では，近接する 2 つの異なる部位が相補的な配列を介して二本鎖部分（ステム）を形成するとともに，二本鎖を形成しない間の部位がループになる．転写された mRNA はこの安定なステムループ構造（ヘアピンループ構造）をとることにより，鋳型 DNA から離れる．それに伴い，RNA ポリメラーゼは DNA から解離し，転写は終了する．上記のような特異的な配列をとらない場合，転写の終結には ρ 因子 rho factor などの転写終結因子が必要となる．

3）細菌の mRNA

通常，mRNA の翻訳開始部位の上流 10 塩基以内にアデニンとグアニンに富む Shine-Dalgarno 配列（SD 配列）あるいはリボソーム結合部位 ribosome-binding site（RBS）が存在する．SD 配列は 16S rRNA（ribosomal RNA）（30S サブユニットの一部）の 3′ 末端配列と相補的であり，塩基対の形成によりリボソームと mRNA の位置決めがされる．そして，開始コドンから翻訳が開始される．

1つの mRNA 上に単一のタンパク質をコードする場合，モノシストロン性の転写 monocistronic transcription という．それに対して，複数のタンパク質をコードする場合，ポリシストロン性の転写 polycistronic transcription という．すなわち，前述のオペロンからの転写はポリシストロン性である．複数のサブユニットからなる酵素複合体や特定の生物学的経路で機能する因子群をコードする遺伝子群はオペロンを形成する場合が多い．その利点として，遺伝子群の転写量を一定にすることにより，各遺伝子産物の相対的な合成量を正確に規定できることがあげられる．

4）転写の制御

（1）正と負の制御と転写ネットワーク

細菌は自身が直面する周囲の環境に適応するため，遺伝子の転写調節を行う．転写調節は主に転写開始時に行われる．通常，RNA ポリメラーゼがプロモーター部位に結合する効率を変化させることにより，転写効率が変化する．

温度や酸素濃度のような環境因子はDNAの形態変化をもたらし，プロモーターの相対的な位置や転写効率の変化が起こる．また，細菌は転写調節タンパク質を産生し，転写効率を制御する．転写調節タンパク質は主に2種類に分類される．転写開始を促進するアクチベーター activator と転写を抑制するリプレッサー repressor である．アクチベーターやリプレッサーはプロモーターに近隣する部位に結合し，RNAポリメラーゼのプロモーターへの結合や転写効率を変化させる．細菌は複数種のアクチベーターやリプレッサーを産生するが，それぞれの転写調節タンパク質が認識する塩基配列は異なり，特定の遺伝子群の転写を調節する．

ある転写調節タンパク質がアクチベーターやリプレッサーとして自身の遺伝子のプロモーター部位に結合し，転写を制御することがある．このようなタンパク質は自己調節タンパク質とよばれる．また，転写調節タンパク質が異なる転写調節因子の遺伝子を転写調節することもある．さらに，1つの遺伝子の転写が複数の転写調節タンパク質により重複制御されていることもあり，全体として複雑な転写ネットワークが形成されている．1つの転写調節タンパク質が多数の遺伝子群の発現を一括して調節する場合，調節される遺伝子群をレギュロン regulon とよぶ．

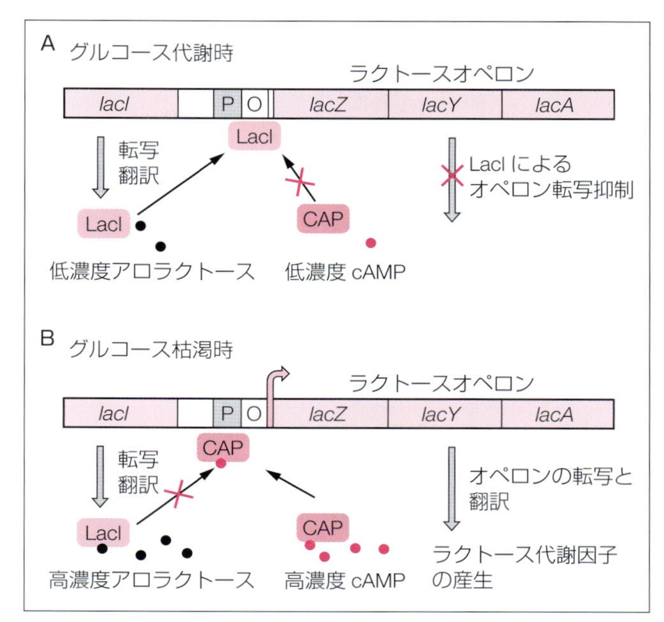

図 1-4-5　ラクトースオペロンの転写調節

A：グルコースのみを代謝する際，LacIはラクトースオペロンのオペレーター領域に結合し，転写を抑制する．

B：グルコースが枯渇し，ラクトースが存在する場合，LacIによる抑制は解除され，cAMPと結合したCAPがラクトースオペロンの転写を促進する．P：プロモーター，O：オペレーター．

(2) 転写調節因子と代謝産物による転写調節

転写調節因子と代謝産物が協調して転写調節を行う例として，大腸菌での糖代謝があげられる．大腸菌は，エネルギー獲得のため，グルコース代謝にかかわる遺伝子群を恒常的に転写している．一方，エネルギー源として利用できる他の糖として，β-ガラクトシドの一種であるラクトースがあげられる．ラクトースの輸送・分解代謝を担う遺伝子群は *lacZ*，*lacY*，および *lacA* であり，ラクトースオペロンを形成している（**図 1-4-5**）．大腸菌をグルコースとラクトースの存在下で培養した場合，大腸菌はグルコースを優先的に代謝し，ラクトースオペロンの転写を止めている．この現象はカタボライト抑制 catabolite repression とよばれる．その後，大腸菌はグルコースの枯渇に伴いラクトースの代謝を始める．ラクトースオペロンの転写はリプレッサーであるLacIとアクチベーターであるCAP（catabolite activator protein）に制御されている．

恒常的に産生されるLacIはラクトースオペロンのオペレーターに結合し，転写を抑制する．しかし，グルコースが枯渇すると，ラクトース異性体であるアロラクトースがLacIに結合し，LacIの構造変化が起こる．その結果，LacIオペレーターへの結合能は失われ，ラクトースオペロンの転写抑制は解除される．このように，リプレッサーが低分子物質と複合体を形成してオペレーター結合能を失う場合，低分子物質を誘導物質（インデューサー inducer）とよぶ．また逆に，リプレッサーが低分子物質と複合体を形成することによりオペレーター結合能を得る場合，リプレッサーと低分子物質をそれぞれアポリプレッサー，コリプレッサー corepressor とよぶことがある．

一方，CAPは，グルコースの枯渇時に増加するcAMPと複合体を形成したときにのみ，プロモーターの上流に結合してラクトースオペロンの転写を促進する．したがって，ラクトースオペロンの転写はLacIによる抑制とCAPによる促進のバランスにより制御される．cAMPとCAPを介する制御はガラクトース，マルトース，アラビノース，グリセロールなどの代謝関連オペロンの転写調節にも関与する．

(3) 細胞外環境変化の感知と転写調節

細菌が環境変化に対応して遺伝子発現を変化させることは細菌の生存にとって重要である．外来性の病原細菌は，ヒトの体内に侵入し定着する際や体内で伝播する際，温度，湿度，酸素分圧，浸透圧，栄養素や有害物質の有無などの環境変化を感知し，ヒト体内の環境に適応する．細菌が細胞外の環境を感知し，遺伝子発現を変化させる代表的な仕組みとして，二成分制御系 two-component regulatory system がある．二成分とは外界の環境変化を感知するセンサー膜タンパク質と細胞質内の転写調節タンパク質である（**図 1-4-6**）．2つの成分の間でリン酸基のやり取りによるシグナル伝達が行われ，環境変化に対応するため遺伝子の発現を調節する．通常，細菌は複数の二成分制御系を発現し，菌種によりその数は異なる．環境細菌では種類が多いことから，対応すべき環境の複雑さが二成分制御系のレパートリーに反映されていると考えられる．

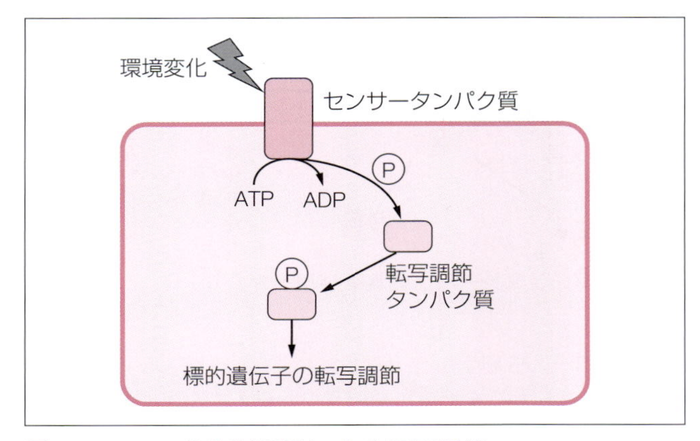

図 1-4-6　二成分制御系による転写調節
細胞膜のセンサータンパク質が環境変化を感知し，リン酸化する．続いて，細胞質内の転写調節タンパク質をリン酸化する．活性化された転写調節タンパク質は標的遺伝子の転写調節を行う．
P：リン酸基．

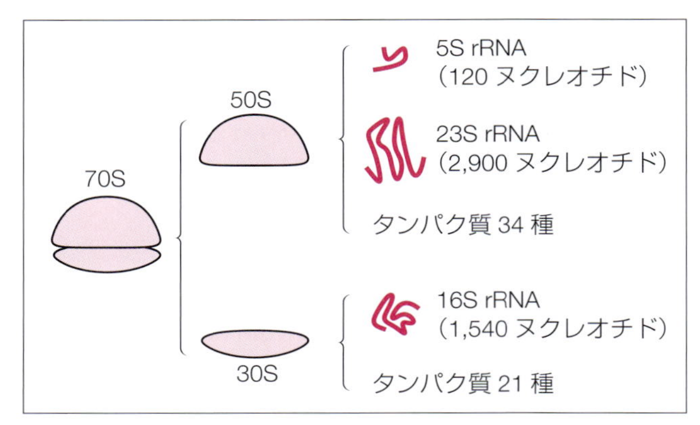

図 1-4-7　細菌のリボソーム
細菌のリボソームは複数種の RNA とタンパク質から構成される．

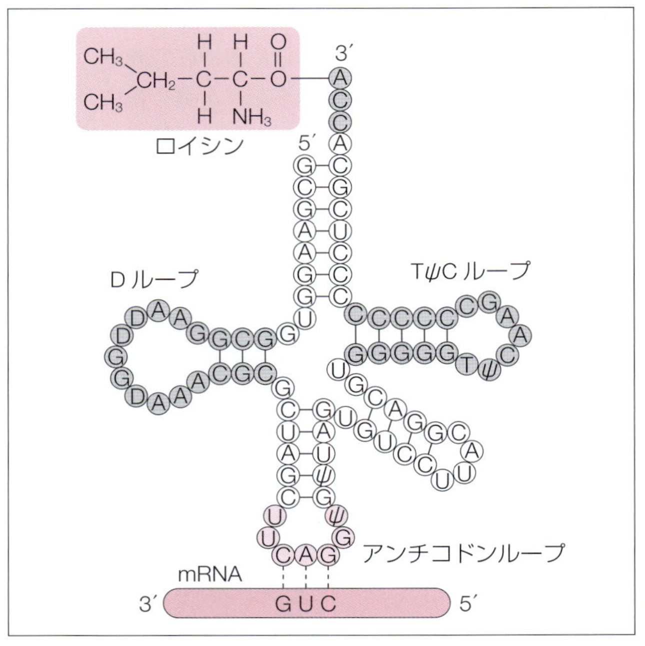

図 1-4-8　tRNA の略図
例として，ロイシル tRNA の構造を示す．アンチコドンループで mRNA 上のコドン CUG と塩基対を形成する．

❹ 翻　訳

転写により DNA から遺伝情報を受け取った mRNA をもとに，リボソーム上でタンパク質が合成される．mRNA のコドンに対応するアミノ酸は tRNA（transfer RNA）により運ばれる．

1）リボソームと tRNA

細菌のリボソームは 30S と 50S のサブユニットから構成される 70S の複合体である（**図 1-4-7**）．各サブユニットは複数種のタンパク質と rRNA から構成され，翻訳のたびに会合と解離を繰り返す．大小のサブユニットは元来，遠心力により沈降する速度で分けられてきた．単位の S は，超遠心機の発明者である Theodor Svedverg（1884～1971）にちなみ名づけられている．

成熟型の tRNA は 73～93 ヌクレオチドからなる一本鎖 RNA であり，3 つのループを含むクローバー葉状の二次構造をとる（**図 1-4-8**）．tRNA はアミノ酸の種類に対応して 21 種類以上ある．tRNA の 3′ 末端配列は CCA であり，この部位にアミノ酸が連結される．リボソームとの結合は TΨC ループを介すると考えられている．Ψ（psi）はシュードウリジン pseudouridine の略号であり，ウリジンのウラシル塩基のリボース結合部位が変化した異性化ウリジンを表す．アンチコドンループはコドンに相補的な塩基配列を有する．第 3 のループはジヒドロウリジン dihydrouridine が存在するため，D ループと名づけられている．

2）翻訳の開始

ホルミルメチオニンと結合した tRNA（fMet-tRNA）は mRNA と 30S サブユニットの複合体に結合する（**図 1-4-9A**）．この会合は翻訳開始因子 translation initiation factor とよばれる 3 種のタンパク質に触媒される．mRNA の翻訳開始コドンである AUG はメチオニンに対応し，アミノ末端のメチオニンは必ずホルミル化 formylation されるが，翻訳中あるいは終了後にホルミル基は除去される．続いて，30S 開始複合体に 50S サブユニットが会合し，70S 翻訳開始複合体が形成される．70S 翻訳開始複合体には，mRNA の 5′ 側に P 部位（ペプチジル tRNA 結合部位），3′ 側に A 部位（アミノアシル tRNA 結合部位）が形成される．すなわち，A 部位には 1 つのアミノ酸を運ぶ tRNA が結合し（fMet-tRNA を除く），ペプチド鎖を運ぶ tRNA は P 部位に結合する．P 部位のさらに 5′ 側にはペプチジル基が除かれた tRNA が一時的に位置する E 部位（exit site）がある．

3）ペプチドの伸長

翻訳開始複合体の形成時に fMet-tRNA は P 部位に配置される．そして，mRNA 上の次のコドンに対応するアミノ酸を運ぶ tRNA が A 部位に配置される（**図 1-4-9B**）．

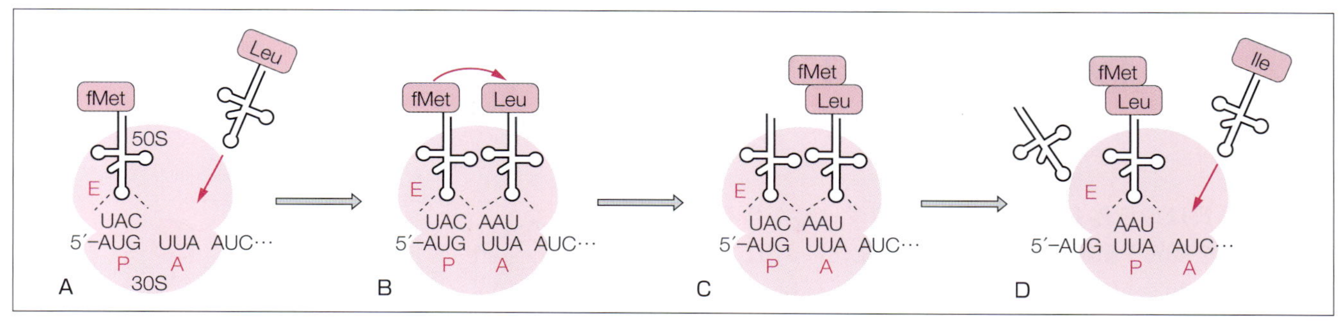

図 1-4-9 翻訳の進行
A：リボソーム，mRNA，および P 部位に結合した fMet-tRNA は翻訳開始複合体を形成する．
B：A 部位に新たなアミノアシル tRNA が結合すると，ペプチド転移反応によりペプチド結合が形成される．
C：続いて，リボソームの相対的位置が mRNA の 3′ 側へ 1 コドン分スライドする．
D：そして，次のコドンに対応するアミノアシル tRNA が結合する．以降，同様の反応が終止コドンまで続く．

続いて，ペプチド転移が 50S サブユニット構成成分であるペプチド転移酵素の触媒により起こる．つまり，P 部位の fMet は A 部位のアミノ酸にペプチド結合で連結される（**図 1-4-9C**）．メチオニンが除かれた tRNA は P 部位から E 部位に移り，リボソームから解離する．それとともに，ペプチドを乗せた A 部位の tRNA は P 部位へ転座 translocation する．この移動に際して，リボソームの相対的位置は mRNA の 3′ 側へ 1 コドン分スライドする（**図 1-4-9D**）．同様のサイクルが続き，ポリペプチドの伸長反応が起こる．大腸菌では，1 秒間に 18 個のアミノ酸が付与される．

一連の反応には複数種の因子が関与する．アミノアシル tRNA の A 部位への配置には，伸長因子 elongation factor（EF-Tu，EF-Ts）が必要となる．同様に，ペプチジル tRNA の転座には伸長因子である EF-G が必要である．GTP の加水分解により生じるエネルギーが一連の反応に用いられる（☞ p.17 **図 1-3-11** 参照）．

mRNA の翻訳効率と安定性（分解されやすさ）はときにさまざまな機構で調節される．mRNA に相補的な調節 RNA が塩基対の形成により翻訳効率や安定性を変化させる場合がある．調節 RNA として，mRNA の鋳型となる一本鎖 DNA の相補鎖が鋳型となって合成されるアンチセンス RNA や異なる染色体領域から転写・合成される非翻訳 RNA non-coding RNA などがあげられる．mRNA が補酵素や代謝産物と結合し，構造変化を伴って翻訳効率が変化する場合もある．結合による構造変化を担う mRNA 領域をリボスイッチという．生命が誕生する前後に存在したと想像されている「RNA だけで自己複製をしていた生命の世界」の遺物である可能性が考えられている．

（中田匡宣，川端重忠）

微生物遺伝子の変化

細菌の形質は染色体DNAにより子孫に受け継がれる．しかし，突然変異や組換えによるDNAの変化により，形質が変化する場合がある．バクテリオファージ bacteriophage，プラスミド，およびトランスポゾン transposon といった細菌間で伝達可能な動く核酸は，新たな形質を細菌に付与し，同じ菌種内においてさえ形質の多様性を生み出す．薬剤耐性，細胞内侵入性，毒素産生性といった病原細菌に特徴的な形質の多くは動くDNAにコードされている．このようなDNAを細菌間で交換する様式として，形質転換，接合伝達，および形質導入が知られている．

1 遺伝子の伝達に関与する可動性因子

1）バクテリオファージ（ファージ）

細菌に感染するウイルスをバクテリオファージあるいはファージという．bacteria（細菌）とギリシア語の phagein（食べる）を語源としている．大きさは約20～100 nmであり，形態は多様である．基本構造はカプシド capsid とよばれる頭部とそれに続く尾部 tail であるが，さらに，線維状構造が続く場合もある（**図1-5-1A**）．カプシドにはDNAもしくはRNAが収納され，ファージゲノム phage genome とよばれる．二本鎖DNAだけでなく，一本鎖DNA，一本鎖RNA，もしくは二本鎖RNAが線状や環状で存在する．尾部は動物や植物に感染するウイルスに認められない構造であり，収縮性や長さに多様性がある．尾部は細菌への特異的な吸着に重要であるとともに，細菌細胞内への核酸注入装置として働く．すべてのファージはDNAの複製に必要な数個の遺伝子を有しているが，その他は宿主のものを利用する．

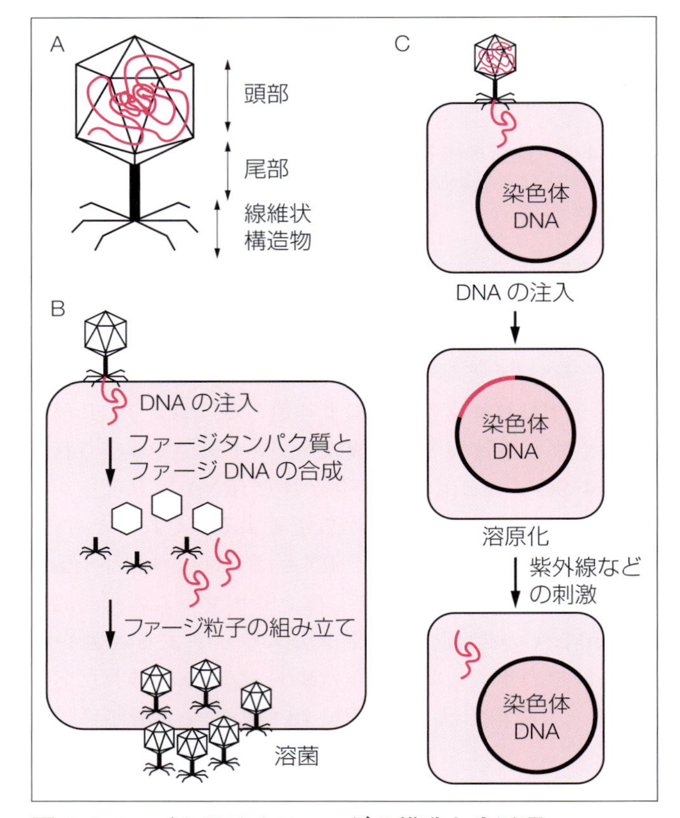

図1-5-1　バクテリオファージの構造と生活環
A：頭部には核酸が収納されている．
B：溶菌サイクルを示す．標的細菌への特異的な結合の後，ファージゲノムを細胞質内に注入する．その後，ファージ構成成分がつくられ，ファージ粒子が組み立てられる．
C：溶原サイクルを示す．ファージゲノムは宿主の染色体に挿入され，宿主染色体とともに複製される．しかし，紫外線などの刺激により，溶菌サイクルに入ることがある．

（1）ファージの溶菌サイクル

ファージは標的細菌の受容体に結合し，吸着する（**図1-5-1B**）．その後，頭部に収められたファージゲノムは細胞内に注入され，ファージ由来DNAをもとにファージ遺伝子の転写が始まる．感染初期では，DNA合成酵素やリガーゼがつくられ，ファージゲノムを複製する．感染中期では，ファージ構成タンパク質が合成され，複製されたファージゲノムの頭部への収納と尾部の付与により，ファージ粒子は組み立てられる．感染後期では，溶菌酵素などがつくられ，細胞膜と細胞壁の破壊とともに，完成したファージ粒子が細胞外に放出される．このようなファージ増殖過程を溶菌サイクルという．溶菌サイクルのみにより増殖するファージをビルレントファージ virulent phage という．

（2）ファージの溶原サイクル

ファージゲノムが細胞内に注入された後，溶菌サイクルに入らず，宿主と共存する場合がある．ファージ由来DNAは宿主の染色体に挿入され（**図1-5-1C**），染色体の複製とともにファージ由来DNAも娘細胞に引き継がれていく．ファージのリプレッサータンパク質が溶菌サイクルに必要な因子の発現を抑制するため，溶菌サイクルに入らない．この過程を溶原サイクルという．しかし，紫外線などに起因するDNA損傷を契機として，溶菌サイクルに入ることがある．宿主の染色体に挿入されたファージゲノムをプロファージ prophage とよび，プロファージをもつ菌を溶原菌 lysogen という．また，溶原化を起こすファージをテンペレートファージ temperate phage という．

プロファージには，病原性に関連する遺伝子が頻繁に認められる．多くの病原細菌でファージの溶原化が病原性に

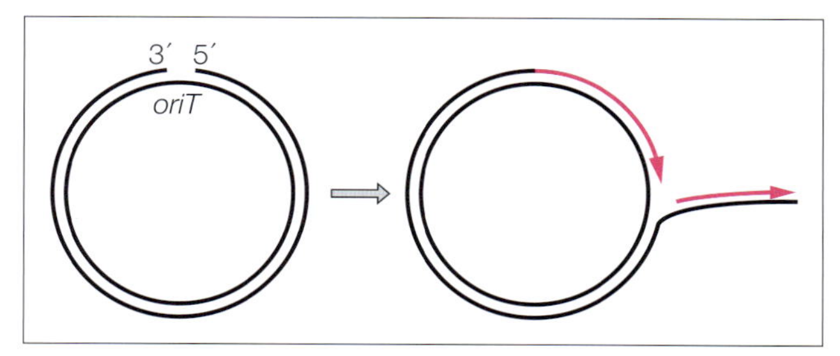

図 1-5-2 ローリングサークル型複製
赤線は新生 DNA を示す.

寄与することが示されている.

2）プラスミド

プラスミドは染色体外に存在し，自己複製するレプリコンである．さまざまな細菌で認められ，1種の細菌が複数のプラスミドを有することもある．多くは環状二本鎖 DNA であり，大きさは 2 kbp〜1 Mbp 程度である．1細胞あたりのプラスミド数（コピー数）は，大型プラスミドでは1〜数コピー，小型プラスミドでは数百コピーにおよぶ．プラスミドは宿主細胞の分裂に際し，安定して娘細胞に受け継がれる．

(1) プラスミドにコードされる遺伝子

プラスミド DNA には，自己複製に必要な遺伝子の他，多様な遺伝子がコードされている．生存に必須の遺伝子がプラスミドに存在することはまれであり，病原因子や薬剤耐性遺伝子などの環境変化に対応するための遺伝子群が頻繁に認められる．したがって，プラスミドの獲得により，細菌は新たな形質を獲得する．そのため，プラスミドは細菌に与える形質により名づけられることがある．

後述の R プラスミドは抗菌薬に対する耐性 resistance から，ColE1 プラスミドはバクテリオシンであるコリシン colicin の産生を担うことから名づけられている．分子生物学の実験で作製するプラスミドの名前には，plasmid の “p” の後に個人名のイニシャルや由来を表す略語などを大文字でつけることが多い．

(2) プラスミドの複製

通常，プラスミドには複製開始タンパク質がコードされ，複製開始点となる *ori* 配列が存在する．その他の複製過程には，染色体 DNA の複製機構が利用される．プラスミドには宿主域 host range があり，近縁菌種でのみ複製可能であることが多いが，宿主域が広範なプラスミドも存在する．

プラスミドの複製様式にはθ型とローリングサークル型の2つがある．θ型複製では，染色体 DNA の複製（☞ p.41 **図 1-4-3** 参照）と同様に行われる．ローリングサークル型複製では，まず複製開始部位で DNA の片鎖にニック（切れ目）が入る．ニックが入っていない環状一本鎖 DNA を鋳型として，ニックの 3′ から1回りする形で DNA 合成が開始される（**図 1-5-2**）．解離した一本鎖 DNA を鋳型としても，DNA は合成される場合がある．

(3) プラスミドの不和合性

2つのプラスミドが同じ細菌に共存できないとき，プラスミド間に不和合性 imcompatibility があるという．つまり，2つの不和合なプラスミドをもつ細菌は，分裂を繰り返すと，どちらか片方のプラスミドだけを有する．これは，2つのプラスミドで，複製開始を調節する仕組みが類似する場合に起こる．たとえば，同じ *ori* 配列を有する2つの異なるプラスミドは共存できない．不和合性はプラスミドの分類に利用されている．

(4) F プラスミドと R プラスミド

F プラスミドは大腸菌で最初に発見された 94.5 kbp の大型プラスミドである．F プラスミドには約 60 個の遺伝子があり，後述の性線毛の産生と接合伝達にかかわる遺伝子が過半数を占める．また，F プラスミドは宿主の染色体 DNA に組み込まれやすく，F プラスミドをもたない株へ宿主細胞の染色体を接合伝達で移行させることができる．

R プラスミドは抗菌性物質に対する耐性遺伝子をもつプラスミドの総称である．耐性遺伝子の多くは後述のトランスポゾン上に配置される．複数の耐性遺伝子をもつ場合もあり，多剤耐性プラスミドとよばれる．

3）トランスポゾン

1951 年に Barbara McClintock（1902〜1992）が報告したトウモロコシの可動性遺伝因子 mobile genetic element は 1960 年代に細菌でも発見され，トランスポゾン transposon と名づけられた．つまり，トランスポゾンは DNA 上のある部位から他の部位に転位 transposition する DNA 単位である．単純に DNA 上で位置を変えるもの（非複製型転位，cut and paste 型転位）や，新しいコピーを新たに別の場所へつくるもの（複製型転位，copy and paste 型転位）がある．トランスポゾンには標的配列の特異性があるものとないものがある．転位後には，トランスポゾンの両側に数塩基の短いリピートが形成される．これは標的配列の重複である．

トランスポゾンは転位に必要な機能のみを有するか否かで大きく2種類に分類される．第一に，転位に必要な機能だけをもつものは挿入配列 insertion sequence（IS）とよばれる（**図 1-5-3A**）．両末端に 10〜50 bp の短い逆向き繰り返し配列 inverted repeat（IR）を有する．その内側に IR を認識し，転位を媒介するトランスポゼースの遺伝子が存在する．塩基配列の違いにより，命名と分類が行われている．

第二のものは Tn とよばれ，トランスポゼースの遺伝子だけでなく多様な遺伝子が存在する．両端に IS もしくは IS に由来する配列を有し，それらの間に病原因子や薬剤耐性因子などの遺伝子が配置されている．Tn*3* にはアンピシリン耐性遺伝子，Tn*5* にはカナマイシン耐性遺伝子，Tn*10* にはテトラサイクリン耐性遺伝子がコードされてい

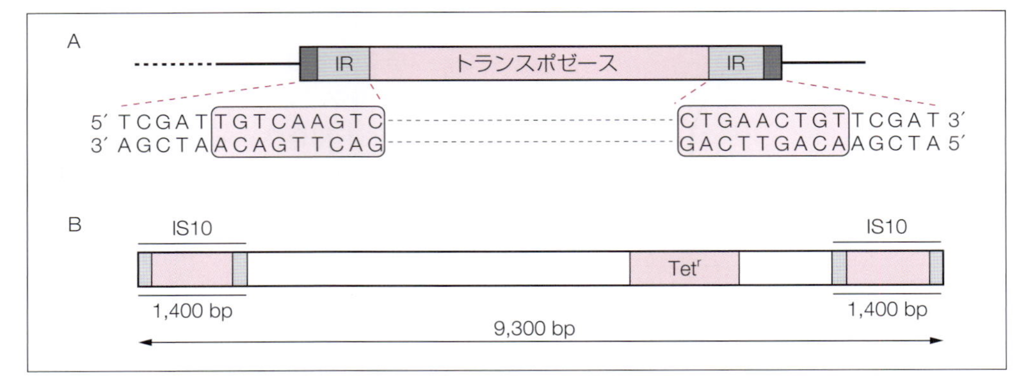

図 1-5-3　挿入配列（IS）と Tn の構造
A：IS は逆繰り返し配列（IR）の間にトランスポゼース遺伝子を有する．黒四角（▮）の部位は IS 転位後に重複する IS 標的配列部位を示す．
B：Tn*10* は両端に IS10 をもつ．IS10 間にはテトラサイクリン耐性遺伝子（Tetʳ）が認められる．

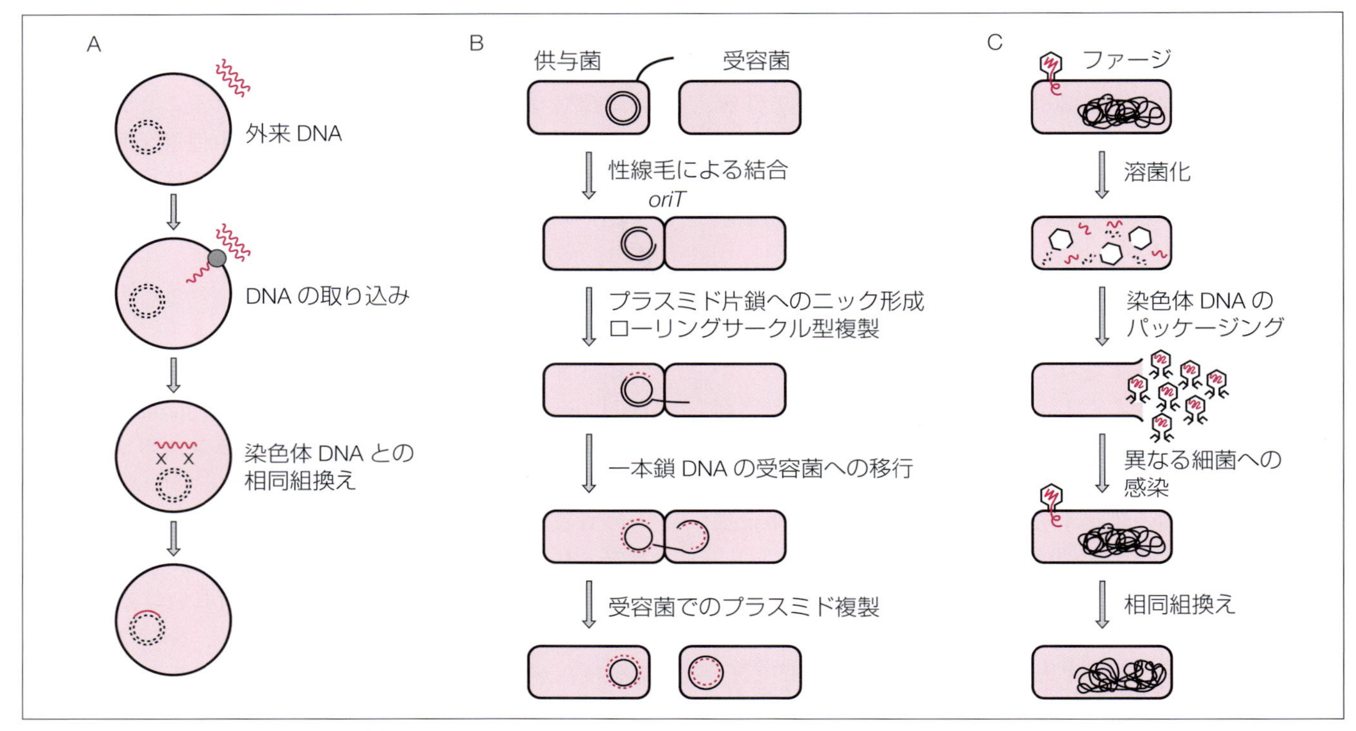

図 1-5-4　細菌間の遺伝子伝達様式
A：形質転換．B：接合伝達．C：形質導入．

る（**図 1-5-3B**）．Tn はさらに構造と転位様式により分類されている．

トランスポゾンは染色体 DNA だけでなく，プラスミドにも認められる．したがって，染色体中だけでなく，染色体 DNA からプラスミド，プラスミドから染色体 DNA，およびプラスミドからプラスミドへ転位が起こることから，菌体間の遺伝子の伝播にもかかわる．また，トランスポゾンの単純な挿入により遺伝子の不活化や活性化が起こり，表現型が変わる場合がある．後述のように，トランスポゾンは欠失や逆位などの組換え反応も起こすため，染色体 DNA の再構成や構造変化に関与し，細菌の進化に寄与すると考えられている．

❷ 遺伝子の伝達様式

細菌間で DNA の交換や伝達を行う方法として，形質転換 transformation，接合伝達 conjugation，および形質導入 transduction の 3 種が知られている（**図 1-5-4**）．

1）形質転換

一部の細菌種は外界から DNA を細胞質内に取り込む．この能力をコンピテンス能 natural competence という．DNA の取り込みにより，遺伝子型や表現型が変化することを形質転換という．肺炎球菌 *Streptococcus pneumoniae*，枯草菌 *Bacillus subtilis*，インフルエンザ菌 *Haemoph-*

肺炎球菌の特徴	マウスへの病原性	マウスから分離された生菌
莢膜(－) 生菌	なし	なし
莢膜(＋) 生菌	あり(死亡)	莢膜(＋)
莢膜(＋) 死菌	なし	なし
生菌と死菌の混合 莢膜(－) 生菌 莢膜(＋) 死菌	あり(死亡)	莢膜(＋)

図 1-5-5　Griffith が行った実験の概略
莢膜産生株の死菌と非産生株の生菌を混和し，マウスに投与するとマウスは死亡した．そして，死亡マウスから莢膜産生生菌が分離された．それぞれ単独の投与によりマウスは死亡せず，マウスから菌は分離されなかったことから，莢膜産生株の死菌を含む溶液中に形質を伝える物質があると考えられた．
莢膜（＋）：莢膜産生株，莢膜（－）：莢膜非産生株．

ilus influenzae，淋菌 *Neisseria gonorrhoeae* などの細菌種は高いコンピテンス能を有する．

遺伝子工学で頻繁に用いられる大腸菌にはコンピテンス能はない．しかし，高濃度 Ca イオンの存在下で菌体を処理し，一過性の熱刺激（42～43℃）により DNA を取り込ませる方法や電気穿孔法 electroporation などの人工的に形質転換を行う方法が開発され，頻用されている．

形質転換の現象は肺炎球菌を用いたマウス感染実験で発見された．1928 年に Frederick Griffith（1879～1941）は，莢膜を産生する全菌体（病原性がある）を熱処理により死菌にし，莢膜を産生しない全菌体（病原性がない）と混和したものをマウスに感染させたところ，感染マウスは死亡した．この死亡マウスから莢膜を産生する菌が分離されたことから，死菌中のなにかが莢膜を産生しない菌に取り込まれ，莢膜発現という形質が変化することを発見した（**図 1-5-5**）．この後，1944 年に Oswald Avery（1877～1955）らにより，形質を運ぶ本体は DNA であることが証明された．

多くのコンピテンス能が高い細菌種は，菌数がある閾値を超えると DNA を細胞内に取り込む．肺炎球菌は，コンピテンス刺激ペプチド competence stimulating peptide（CSP）とよばれるペプチドを分泌する．CSP の濃度が一定以上に達すると，二成分制御系で感知され，DNA の取り込みに関与する遺伝子群の転写と翻訳が亢進し，コンピテンス能は上昇する．この DNA の取り込みを担う構造物は複数のタンパク質からなり，分子機構の解析が近年においても行われている．

2）接合によるプラスミドと染色体の伝達

菌体同士が接合し，プラスミドや染色体を移行させることを接合伝達 conjugative transfer という．前述のように，F プラスミドや大型の R プラスミドには接合伝達に関与する遺伝子群（*tra* 遺伝子）があり，性線毛などがコードされている．これらのプラスミドを有する菌（供与菌）ともたない菌（受容菌）が隣り合うと，供与菌から出る線毛の働きにより，両者の接触が起こる．この接合により，接触部での小孔の形成とプラスミドの複製が起こる．複製はプラスミド片鎖の *oriT*（origin of transfer）に切れ目が入ることで始まり，ローリングサークル型の様式で起こる．そして，5′ 側を先頭に一本鎖 DNA が小孔を通り，受容菌に入っていく．最終的に供与菌のプラスミドのコピーが受容菌で複製される．接合伝達は同じ菌種間だけでなく，異なる菌種間でも起こる．

F プラスミドは宿主の染色体 DNA に組み込まれやすく，組み込まれた菌は high frequency of recombination（Hfr）とよばれる．Hfr は F プラスミドをもたない F$^-$ 株へ染色体を接合伝達で移行させることができる．伝達時，F プラスミド部分の他に染色体 DNA 領域の一部が受容菌に移行し，高頻度に F$^-$ 株の染色体の相同領域と後述の組換え recombination を起こす．したがって，Hfr と名づけられている．

Hfr の菌体内では，染色体に組み込まれた F プラスミドが頻繁にプラスミドとして切り出される．その際に，組み込まれた部位に近隣する染色体領域の一部も取り込まれることが多い．そのようなプラスミドは F′ プラスミドとよばれる．F′ プラスミドの接合伝達により，染色体の一部が受容菌に移行する．

3）形質導入

バクテリオファージにより遺伝子が伝達される現象を形質導入という．あらゆる遺伝子が導入されうる普遍形質導入 generalized transduction と，特定の遺伝子のみが導入される特殊形質導入 specialized transduction がある．

(1) 普遍形質導入

ファージの溶菌サイクルに際して，宿主細菌の染色体 DNA も断片化される．そして，約 10 万回に 1 回という低頻度で，カプシド内に宿主の染色体 DNA のみが収納される．このファージが次の標的細菌細胞に感染すると，先の細菌由来 DNA が注入される．細胞質に入った DNA は相同組換えなどにより感染細胞の染色体 DNA に組み込まれ，新しい遺伝子が導入される．このように，ファージが単に DNA のベクターとして働き，感染細胞に新たな形質を付与する場合がある．

(2) 特殊形質導入

溶原性ファージ DNA が染色体から切り出される際，

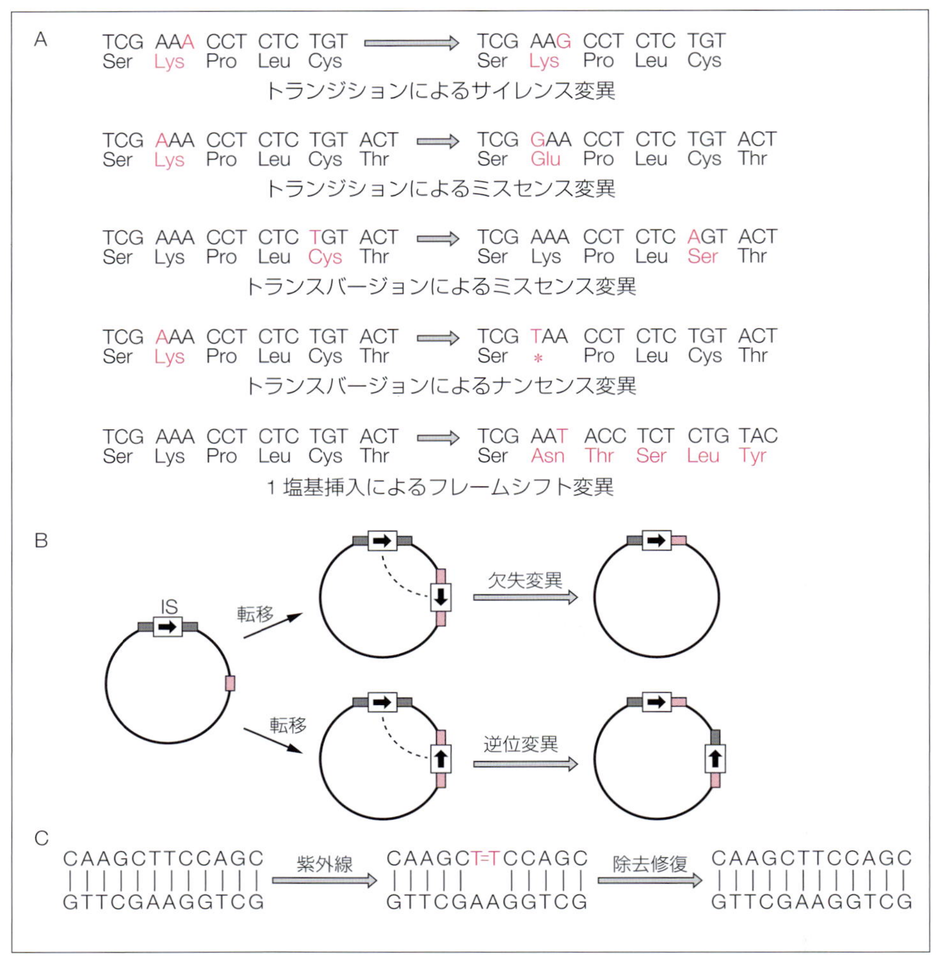

図 1-5-6　DNA の変異と修復

A：構造遺伝子への1塩基置換もしくは挿入による変異を示す．コードするアミノ酸を3文字表記法で表している．*：終止コドン．
B：染色体で IS 転位後に起こる欠失変異や逆位変異を示す．点線間で組換えが起こる．白四角と矢印は IS とその方向性を表す．灰色および赤色の四角は IS 標的部位を示す．
C：紫外線照射により生じるピリミジンダイマー（T＝T）は除去修復される．

ファージ DNA 挿入部位に近接する宿主の遺伝子が誤って一緒に切り出される場合がある．細菌由来の遺伝子を含む DNA を収納したファージが新たに細菌細胞に感染することにより，導入が行われる．しかし，誤った切り出しは約100万回に1回の頻度でしか起こらず，特殊形質導入の頻度は非常に低い．

3 遺伝子の変化と再構築

1）突然変異

DNA の突然変異 mutation は DNA 複製過程でのエラーなどにより，自然に起こる．このような変異を自然突然変異 spontaneous mutation という．一方，紫外線や化学物質などの変異効率を高めるものを変異原 mutagen という．遺伝子に変異が起こった場合，細胞の生存に不利な影響を及ぼすこともあれば，抗菌薬への耐性獲得など，細菌にとって有利に働く場合もある．また，生存にまったく影響を与えない中立な変異が最も頻繁に起こる．生物が進化する過程において変異は必要であり，生存に有利な変異をもつ細菌が生存していく．

（1）少数の塩基対の変化を伴う変異

1つの塩基対の変化は点変異 point mutation とよばれる（**図 1-5-6A**）．点変異が元に戻る場合，復帰変異 back mutation という．塩基の置換には，プリン間（A と G）もしくはピリミジン間（C と T）で起こるトランジション transition（転移）とプリン－ピリミジン間で起こるトランスバージョン transversion（転換）がある．トランジションの頻度はトランスバージョンのそれよりも高い．

構造遺伝子中のアミノ酸を規定するコドンに1つの点変異が起こり，異なるアミノ酸をコードする塩基配列に変わる場合をミスセンス変異 missense mutation あるいは非同義置換 non-synonymous substitution という．アミノ酸配列が変化しない場合，サイレント変異 silent mutation あるいは同義置換 synonymous substitution という．また，停止コドンが出現する場合をナンセンス変異 nonsense mutation という．

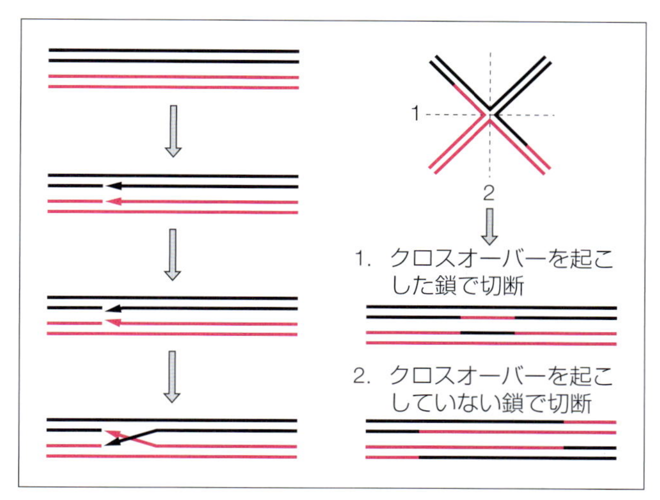

図 1-5-7 相同組換え
相同な2つのDNAに切れ目が入る（左列2段目）．片方の鎖がもう片方の鎖と相互に連結し，ヘテロ二重鎖が形成される（左列3～4段目）．回転させると右段上の図のようになる．点線で示す2種類の切断が起こった後，連結される．

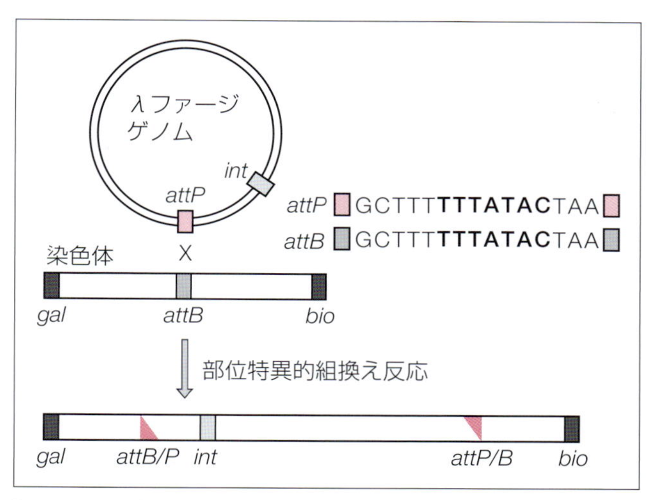

図 1-5-8 部位特異的組換え
λファージの*attP*配列と大腸菌染色体の*attB*配列の間で起こる部位特異的組換え反応を例で示す．組換えは*int*遺伝子がコードするインテグラーゼにより触媒される．認識配列は15塩基中の太字で表記された7塩基である．

変異は置換だけでなく，挿入 insertion や欠失 deletion によっても起こる．構造遺伝子中のアミノ酸を規定する部位に1～2塩基対の挿入や欠失が起こると，翻訳される読み枠がずれ，下流のアミノ酸配列が変わる．これをフレームシフト変異 frameshift mutation という．

構造遺伝子以外の転写調節領域などに変異が起こる場合においても構造遺伝子の転写量や翻訳量が変化し，表現型は変化する．

(2) DNAの大きな変化を伴う変異

トランスポゾンの挿入や，後述の組換え recombination により主に引き起こされる（**図1-5-6B**）．塩基配列の相同性がある領域間で組換えが起こることにより，欠失変異や逆位変異などの変異パターンが生じる．

(3) 変異の修復

a) DNAの損傷

DNAは加水分解，アミノ基の脱落，酸化，変異原への曝露などにより損傷を受ける．たとえば，シトシンに脱アミノ化が起こった場合，ウラシルに変化する．また，酸化されたグアニンはシトシンだけでなく，アデニンとも対合できるようになる．

変異原として，紫外線，γ線，塩基類似体，アルキル剤，アクリジンなどの化学物質などがある．紫外線により，DNA一本鎖上にピリミジンダイマーが形成され（**図1-5-6C**），DNAポリメラーゼによる複製は停止する．γ線などの放射線はDNA二本鎖の切断を引き起こし，修復は難しくなる．塩基類似体は複製時のDNA伸長反応の際に誤って取り込まれる．アルキル化により，G-C塩基対が複製後にA-T塩基対に変異することもある．アクリジンやエチジウムはDNA鎖の塩基対間に挿入されやすく，フレームシフト変異を起こす．

b) DNAの修復

損傷したDNAを修復する機構は主に2つある．損傷した塩基やDNA鎖を除き，正常な相補鎖を鋳型としてDNA鎖の修復を直接行う除去修復 excision repair と組換えにより大きな損傷を修復する組換え修復 recombination repair である．

2) 組換え

組換え recombination とは，類似するDNA間でのDNA切断とつなぎ換えにより，DNAの部分的な交換が起こる現象をいう．組換えには2種類の様式がある．

その1つは相同組換え homologous recombination とよばれ，同一あるいは類似の塩基配列（相同配列）をもつ2つのDNAで組換えが起こる（**図1-5-7**）．まず，両DNAにニックが入り，一本鎖が交差してヘテロ二重鎖になる．このように片方の鎖がもう片方の鎖につながることをクロスオーバーという．ヘテロ二重鎖はDNAエンドヌクレアーゼによる切断とDNAリガーゼによる連結を受け，組換え反応は完了する．

もう1つの機構は非相同組換え non-homologous recombination である．2つのDNAが同じ配列である必要はなく，特定の配列を認識する酵素により組換えが起こる．代表的なものとして，トランスポゾンの転位があげられる．それに対して，DNA上の特定の2か所の配列が認識され，組換えが起こることを部位特異的組換え site-specific recombination とよぶ（**図1-5-8**）．組換えが起こる配列は非常に短く，通常，相同組換えが起こる長さではない．ファージが染色体DNAに挿入される溶原化は，この組換え反応により起こる．組換え反応はファージゲノムがコードするインテグラーゼ integrase により触媒される．

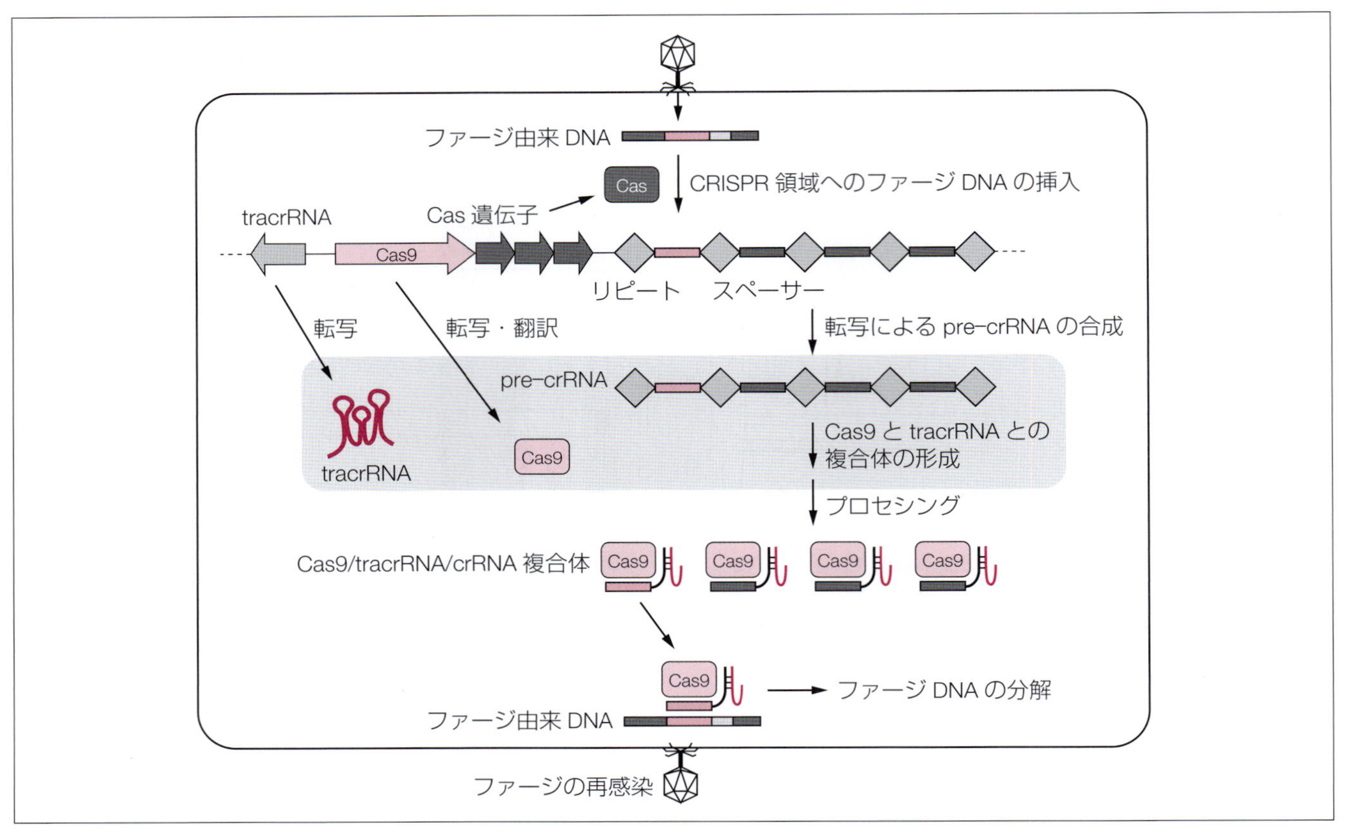

図 1-5-9　CRISPR/Cas システム

化膿レンサ球菌で明らかになった CRISPR/Cas（CRISPR-associated）システムの概略を示す．まず，細胞内に侵入したファージ由来 DNA を Cas タンパク質群の働きにより，染色体の CRISPR 領域にスペーサー DNA として取り込む．染色体上の CRISPR 領域にはリピート配列とスペーサー配列が直列に並び，それぞれ RNA に転写され，pre-crRNA となる．次に，Cas9 タンパク質とガイド RNA となる tracrRNA（trans-activating RNA）が pre-crRNA と複合体を形成し，RNase III と共同で pre-crRNA のプロセシングを行う．成熟型の crRNA・tracrRNA・Cas9 複合体は再度侵入するファージ由来 DNA を認識し分解する．合成される pre-crRNA のプロセシングと標的核酸を切断するまでの機構には菌種間で多様性があり，CRISPR/Cas システムは 2 種のクラスと 6 種のタイプに分類されている．

④ ゲノム編集：ファージに対する細菌の獲得免疫機構とその応用

1987 年に大腸菌で 29 bp の反復配列（リピート配列）が不連続に続く染色体領域が石野良純（1957～）らにより報告されていた．その後，他の真正細菌や古細菌で類似構造の領域が発見され，clustered regularly interspaced short palindromic repeats（CRISPR）と名づけられた（**図 1-5-9**）．不連続なリピート塩基配列（20～40 bp）はパリンドローム配列をとり，リピート間はスペーサー（20～58 bp）とよばれた．DNA 解読技術の発展とデータベースの充実化に伴い，スペーサー部 DNA の多くはファージ由来であることが明らかになり，ファージ感染に対する機能を有することが推測された．そして，2007 年に Philippe Horvath（1970～）のグループにより報告された *Streptococcus thermophilus* を用いた研究で，ファージに感染した後に生存した細菌では，そのファージに由来する新たなスペーサー DNA が CRISPR 領域に組み込まれていた．再度そのファージに感染した際には，そのスペーサー由来の RNA がファージ DNA と塩基対を形成し，ファージ DNA の分解が CRISPR 領域にコードされるヌクレアーゼにより行われることが明らかになった．初めて感染するファージに由来する DNA が CRISPR 領域へ組み込まれ，免疫記憶となる．したがって，CRISPR 領域は外来 DNA に対する細菌の獲得免疫を担うと考えられている．化膿レンサ球菌 *Streptococcus pyogenes* の CRISPR/Cas9 システムの分子機構は Emmanuelle Charpentier（1968～）らが解析し，Jennifer Doudna（1964～）らのグループとともに，真核生物のゲノム編集に応用した．さらに，変異型 Cas9 や異なる CRISPR システムのヌクレアーゼ改変体を用いて，遺伝子の転写調節，生細胞での DNA イメージング，特定の DNA 領域の精製，RNA ウイルスの分類，ヒト DNA の遺伝子タイピング，RNA 編集などの多様な用途に応用が広がり続けている．CRISPR/Cas9 システムをもとにしたゲノム編集技術の確立が評価され，E. Charpentier と J. Doudna（1964～）に 2020 年のノーベル化学賞が授与された．

（中田匡宣）

VI 微生物遺伝子の応用

DNA はすべての生物が遺伝情報として用いる安定な分子である．また，DNA からの遺伝情報の発現には普遍性があるので，異なる種の DNA をつなぎ合わせたキメラ DNA の作製や，ある生物の DNA を他の生物に移行させ DNA 情報を発現させることが可能である．このように，ある生物の遺伝情報を他の生物に移入することを遺伝子組換え技術 recombinant gene technology という．この技術により，遺伝子改変生物の作製が可能になった．遺伝子組換え技術は当初，細菌やファージの遺伝子解析により発展した．近年においても，微生物で機能が明らかになった現象や遺伝子などが解析ツールに応用されている．遺伝子組換え実験において基礎となる原理と手法のいくつかを紹介する．

1 遺伝子工学の原理

1）遺伝子クローニング

（1）制限酵素

制限酵素 restriction enzyme は特定の DNA 塩基配列を認識し，切断するエンドヌクレアーゼである（**表 1-6-1**）．細菌が外来 DNA の侵入を制限するために産生することから制限酵素とよばれる．また細菌は，自己の染色体 DNA を守るため，制限酵素が認識する部位をメチル化により修飾する修飾酵素 modification enzyme を併せもつ．頻用される制限酵素の一部を**表 1-6-1** に示す．制限酵素の名は産生する微生物の名，株名，発見された順などで名づけられている．認識配列は 4〜8 bp であり，回文をなしている．制限酵素による DNA の切り口は，切断面に短い一本鎖が形成される付着末端 cohesive end（粘着末端 sticky end）もしくは平滑になる平滑末端 blunt end である．クローニングに用いる際，切断する DNA の配列，制限酵素の認識配列，切断パターン，メチル化感受性などを考慮に入れ，

表 1-6-1　制限酵素と認識配列

制限酵素名	微生物名と株名	塩基配列
*Bam*H I	*Bacillus amyloliquefaciens* H	G▼GATCC CCTAG▲G
*Eco*R I	*Escherichia coli* RY13	G▼AATTC CTTAA▲G
*Eco*R V	*Escherichia coli* RY13	GAT▼ATC CTA▲TAG
Hind III	*Haemophilus influenzae* Rd	A▼AGCTT TTCGA▲A
Pst I	*Providencia stuartii* 164	CTGCA▼G G▲ACGTC

認識塩基配列（上段）は 5′→3′ の方向性で表記している．赤矢尻は切断部位を示す．

目的に応じた選択をする．

（2）クローニングベクター

特定の DNA 分子を人工的に増やす手法として後述の PCR 法があるが，生物で目的の DNA をつくらせる方法もある．生物として最も用いられるのは大腸菌である．コンピテンス能力を人工的に高めた菌体が遺伝子組換え実験に用いられる．大腸菌で増殖する DNA としてプラスミドを用いる．天然のプラスミドをもとに制限酵素や DNA 連結酵素（DNA リガーゼ）を用いて遺伝子操作に適するものが開発されてきた．このようなプラスミドをクローニングベクターという（**図 1-6-1**）．ファージやウイルスの DNA をもとにしたベクターもある．また，大腸菌だけでなく，真核細胞への導入に用いるベクターも開発されてきた．

クローニングベクターに必要な性質として以下のことがあげられる．まず，複製効率がよい複製起点 replication origin（*ori* と略す）をもつことである．宿主細菌内でのコピー数が担保され，十分量のプラスミドを精製しやすい．第二に，プラスミドをもつ菌を選択するために必要な抗菌薬耐性遺伝子がコードされていることである．第三に，制限酵素で処理した DNA 断片を組み込むために必要なクローニング部位の存在である．この短い部位には複数の制限酵素の認識配列が集中しており，マルチクローニング部位 multiple cloning site（MCS）とよばれる．

制限酵素処理した DNA 断片とクローニングベクターを連結させる際に用いるのが DNA リガーゼである（**図 1-6-2**）．相補的な末端をもつ DNA 同士のホスホジエステル結合の切れ目に作用し，5′ 側のリン酸基と 3′ 側の水酸

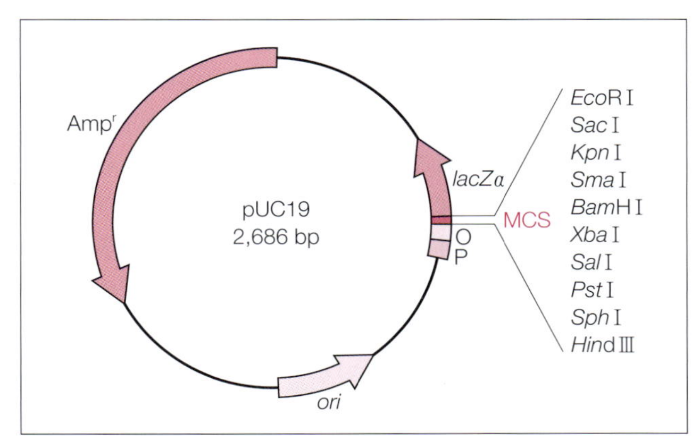

図 1-6-1　代表的なクローニングベクター（pUC19）

β-ガラクトシダーゼのアミノ基末端領域をコードする *lacZα* 遺伝子の 5′ 側末端近傍には，マルチクローニング部位（MCS）がある．MCS に認識配列がある主な制限酵素を示す．

Amp^r：アンピシリン耐性遺伝子，O：*lacZα* 遺伝子のオペレーター，P：*lacZα* 遺伝子のプロモーター，*ori*：replication origin.

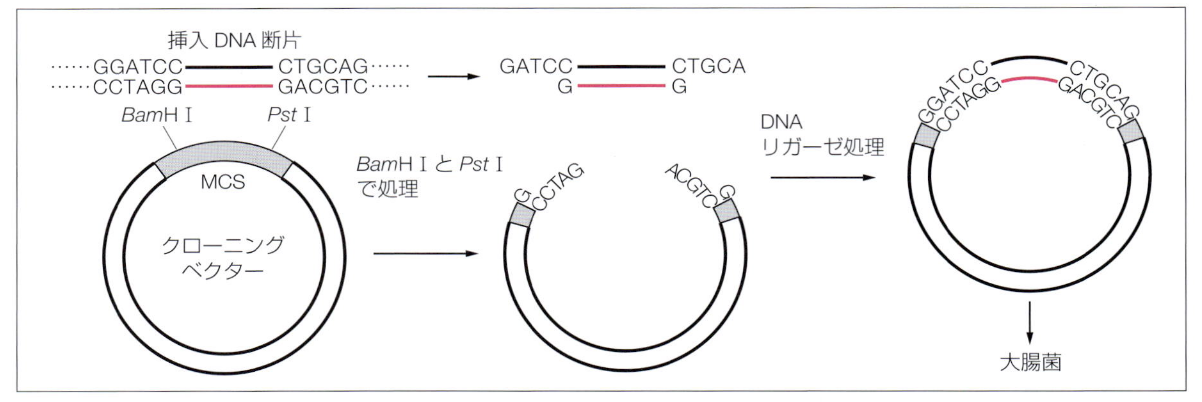

図 1-6-2　制限酵素を用いるクローニング
挿入する DNA 断片とクローニングベクターをそれぞれ制限酵素で処理し，DNA リガーゼの作用により連結する．そして通常，大腸菌に導入する．例として，*Bam*H Iと *Pst* Iを用いる場合を示す．一般的に，挿入 DNA 断片には，あらかじめ PCR などにより制限酵素の認識配列を付与する．2 種の制限酵素を用いることにより，挿入 DNA 断片の方向性を規定できる．

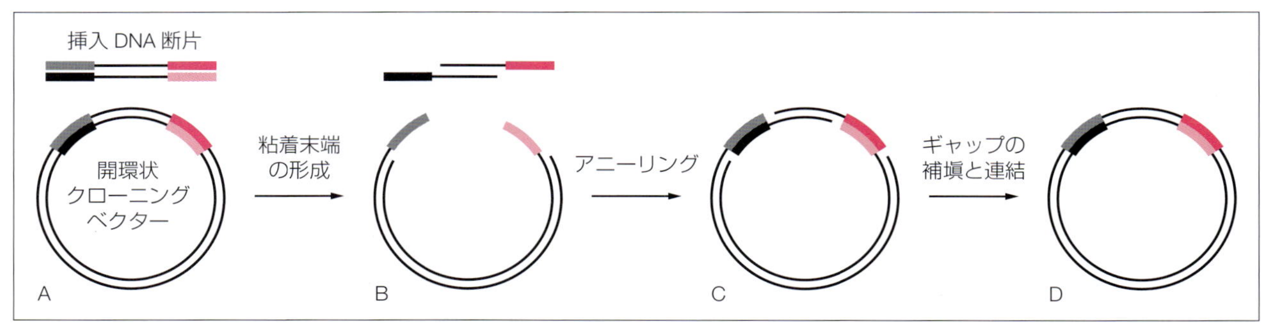

図 1-6-3　頻用されているシームレスクローニング法の概略
例として，プラスミドに目的の DNA 断片を挿入する場合を示す．
A：挿入する DNA 断片の両端には，PCR や DNA 人工合成により，開環状プラスミドの両端と相同な部位を付与する．必要となる相同部位の長さは方法により異なる．
B：エキソヌクレアーゼ活性を有する DNA ポリメラーゼあるいはエキソヌクレアーゼの作用により粘着末端を形成する．
C：ベクターと挿入する DNA 断片は接合する．
D：DNA ポリメラーゼと DNA リガーゼの作用によりギャップが埋められ，つなげられる．大腸菌の修復システムによりギャップを埋めるシステムもある．

基の間にホスホジエステル結合を生じさせる．通常，クローニングされた DNA 断片を含むプラスミドを大腸菌のコンピテント細胞に導入し，増菌させる．そして，菌体からプラスミドを精製し，以降の解析に用いる．

近年，制限酵素を用いずに行う多様なクローニング方法が開発され，普及している．これはシームレスクローニング法と総称される．多くの方法では，複数種の DNA 断片の末端に相同領域を付与し，末端一本鎖の形成と結合により連結するというものである（**図 1-6-3**）．この方法により，制限酵素を用いずに複数種の DNA 断片を一挙に連結させることが可能になっている．一方，ファージの部位特異的組換え反応を利用するものも用いられている．クローニングベクターと挿入したい DNA 断片の双方に組換え配列を付与し，組換え反応を媒介する酵素の存在下で両者を反応させ，ベクターに DNA 断片を挿入する方法である．

後述の PCR 法により目的断片を増幅させる場合，用いる DNA ポリメラーゼの種類によっては DNA ポリメラーゼのターミナルデオキシリボヌクレオチジルトランスフェラーゼ活性により一本鎖の 3′ 末端にアデニンが付与される．T ベクターとよばれる開環した末端に T（チミン）を 1 塩基付加したベクターと PCR 産物を DNA リガーゼで連結させるという方法もある．これを TA クローニングという．

(3) 逆転写反応

DNA と比較すると RNA は非常に不安定な分子であるため，一本鎖の RNA に相補的な DNA（complementary DNA，cDNA）をまず合成し，それをもとに二本鎖 DNA を合成する場合がある．この際の目的は mRNA 量の解析（転写量の解析），配列解析，クローニングなどである．RNA を鋳型として DNA を合成する酵素は逆転写酵素 reverse transcriptase（RNA 依存性 DNA 合成酵素 RNA-dependent DNA polymerase）とよばれる．伸長反応は 5′→3′ の方向で起こり，プライマーを必要とする．

真核生物の遺伝子はエクソンとイントロンからなる構造をとるので，染色体 DNA からクローニングを行うのは難しい．翻訳領域のみをコードする DNA をクローニングする場合，抽出した mRNA から逆転写酵素で cDNA を合成する．真核生物の mRNA の 3′ にはポリ A 尾部 poly A tail があることを利用して，チミン塩基のみからなるオリゴヌクレオチド（オリゴ dT プライマーとよばれる）を用いて逆転写反応を行う．

2）PCR 法

1983 年に Kary Mullis（1944～2019）により考案された．ポリメラーゼ連鎖反応 polymerase chain reaction（PCR）とは鋳型 DNA の特定領域を人工的に増幅させる反応である（**図 1-6-4**）．患者検体中の微生物の有無を検査する方法として感染症の診断や疫学研究に役立っている．反応には，増幅させたい DNA 領域を含む鋳型 DNA，4 種類のデオキシリボヌクレオシド 3 リン酸（dATP，dCTP，dGTP，dTTP：dNTP），1 対のオリゴヌクレオチドプライマー，および耐熱性 DNA ポリメラーゼが必要になる．DNA ポリメラーゼが DNA 合成の際，鋳型 DNA とプライマーを必要とし，5′→3′ の方向性でのみ DNA を合成することを利用している．94～98℃という高温での熱変性が行われることから，当初は高度好熱菌 *Thermus aquaticus* の *Taq* ポリメラーゼが採用された．

温度制御機能をもつ装置のサーマルサイクラー thermal cycler を用いて，チューブ内で 3 段階の反応を繰り返すことにより DNA を増幅させる．第一段階は，高温（94～98℃）での鋳型二本鎖 DNA の変性 denaturing である．第二段階は 1 対のプライマーの鋳型一本鎖 DNA へのアニーリング annealing である．プライマーの GC 含量などから温度設定がされ，通常 50～60℃で行われる．第三段階は 68～72℃での DNA 伸長反応 extention である．この 3 段階を繰り返すことにより，目的の DNA 断片が指数関数的に増幅される．PCR に際しては，プライマーの設計と目的に合った DNA ポリメラーゼの選択が肝要になる．さまざまな種類の DNA ポリメラーゼが市販されており，DNA 増幅能力，DNA 伸長能力，3′→5′ エキソヌクレアーゼ活性やターミナルデオキシリボヌクレオチジルトランスフェラーゼ活性の有無などを指標に選択する必要がある．

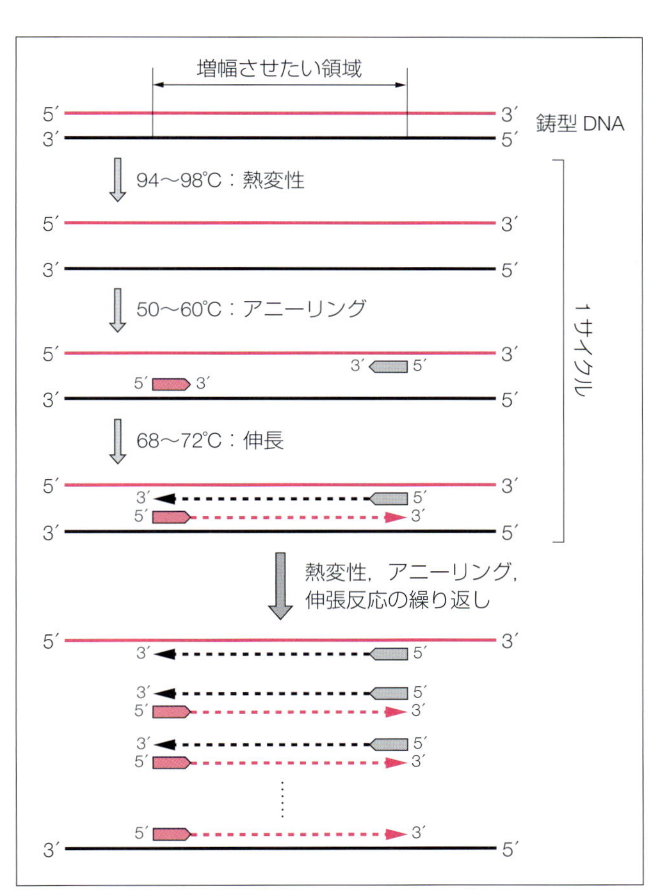

図 1-6-4　PCR の原理
鋳型 DNA，一対のプライマー（，），耐熱性 DNA ポリメラーゼ，dNTP を混和し，温度変化を伴う反応により目的の DNA 断片を得る．プライマーは，増幅する DNA 領域の塩基配列をもとに合成する．熱変性，プライマーのアニーリング，伸長反応のサイクルを繰り返すことにより，標的の DNA 断片が増幅される．伸長する一本鎖 DNA を点線で示す．

3）リアルタイム PCR 法

PCR により増幅される DNA を蛍光色素の利用によりサイクルごとにリアルタイムで検出する方法である．指数関数的に DNA が増幅する過程において蛍光強度を測定することにより，解析対象となる DNA の比較定量もしくは絶対定量が可能になる．したがって，逆転写反応を併用して，遺伝子転写量の解析に頻用される．臨床現場においても，検体中の微生物の検出に用いられる．コロナウイルスなどの RNA ウイルスを検出する際，逆転写反応による RNA から DNA への置換と本法が併用される（☞ p.199 参照）．

4）DNA 塩基配列の決定

塩基配列決定法として一般的に用いられるのは Sanger 法である（**図 1-6-5**）．解読対象の DNA を鋳型とし，1 種

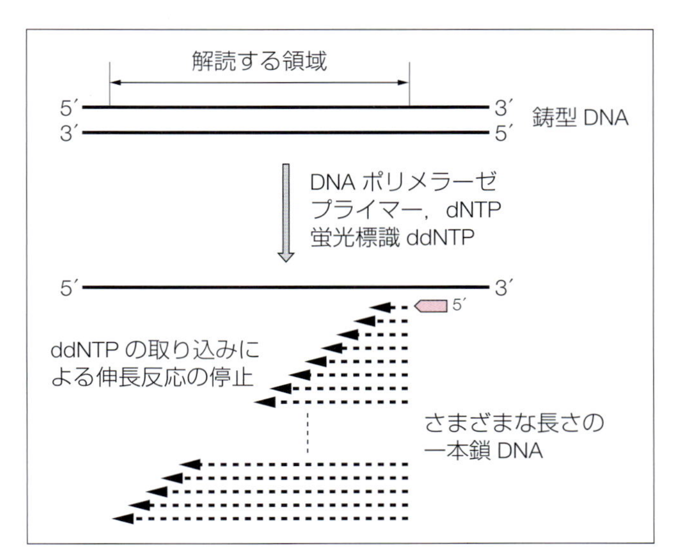

図 1-6-5　Sanger 法（ジデオキシ法）
蛍光標識 ddNTP の取り込みにより，さまざまな長さの一本鎖 DNA が合成される．鎖長による分離とともに，蛍光標識 ddNTP の 4 種の蛍光を読みとり，塩基配列を決定する．赤矢印（）はプライマーを示す．

のオリゴヌクレオチドプライマー，4種類のデオキシリボヌクレオシド3リン酸（dATP，dCTP，dGTP，dTTP：dNTP），異なる蛍光色素で標識された4種のジデオキシリボヌクレオシド3リン酸（ddATP，ddCTP，ddGTP，ddTTP：ddNTP），およびDNAポリメラーゼを混和し，反応させる．熱変性した鋳型DNAの一本鎖にプライマーが接合し，伸長反応が起こるが，ジデオキシリボヌクレオシド3リン酸が取り込まれると，3′-OH基がないため，伸長反応が止まる．結果として，1塩基ずつ長さが異なるDNAがつくられる．変性条件下でゲル電気泳動により大きさで分け，蛍光の種類を読み解くことにより，塩基配列を決定する．もしくは，ゲル電気泳動と蛍光リーダーを自動的に行うDNAオートシークエンサーが用いられる．

近年，次世代シークエンサーnext generation sequencer（NGS）とよばれる機器を用いて行う塩基配列解読がマイクロバイオーム解析，ゲノム配列の解析，転写産物を網羅的に調べる解析などにおいて主流である．まず，対象のDNAを断片化した後，末端に塩基配列が既知のアダプターオリゴヌクレオチドを付与し，担体表面へ固定化する．担体には，アダプターオリゴヌクレオチドに相補的な配列をもつオリゴヌクレオチドがあらかじめ結合されており，鋳型DNAと結合する．この状態からPCR反応を起こし，全DNA断片を並列でさまざまな検出法で解読する．Sanger法と比較して，短時間に大量に解読できるという利点がある．検出方法や解読処理能力はそれぞれのシークエンサーにより異なる．また，増幅反応を行わず1分子のDNAから長いリード長を得られる検出方法と装置も開発されている．NGSを用いるDNA塩基配列解読は臨床検査においても病原体の同定に有効である．

5）ハイブリダイゼーション

一本鎖DNAまたはRNAが相補的な塩基対を形成することをハイブリダイゼーションhybridization（核酸雑種分子形成）という．一本鎖にした核酸に特定配列が存在するかを，その特定配列に相補的な一本鎖核酸（プローブ核酸）をアイソトープや蛍光色素などで標識し，反応後の放射線や蛍光などを指標に調べることができる．DNAを標的とするものを考案者のEdwin Southern（1938～）の名をとってサザンハイブリダイゼーションSouthern hybridizationという．RNAが標的の場合，ノーザンハイブリダイゼーションnorthern hybridizationという．核酸の負の電荷を利用して，溶液に浸けたアガロースゲルに電圧をかけ，核酸の大きさにより分離させることができる．通常，この電気泳動法と各ハイブリダイゼーション法を組み合わせて行う．

ある微生物の全遺伝子や網羅的に調べたい対象遺伝子群のDNA断片をガラスなどの基盤上に固定化し，ハイブリダイゼーション反応を行う方法はDNAマイクロアレイDNA microarrayとよばれる．検体に含まれる核酸を蛍光色素などにより標識し，各遺伝子DNAの検出や遺伝子発現量を半定量的に測定できる．

❷ ゲノム微生物学とメタゲノム解析

1995年にインフルエンザ菌の全ゲノム配列が報告されたのを皮切りに，病原微生物を含む多くの微生物についても報告され，ゲノム配列に基づく微生物の解析が可能になった．たとえば，人工的に培養が難しい細菌の生態や生物学的特徴を解析することは困難であったが，ゲノム情報をもとにする推測は可能である．これまでに，ゲノム情報から新しい病原遺伝子の発見や生物に普遍的な特性や進化過程について重要な知見が得られてきた．体内の常在フローラや環境中に存在する微生物集団を対象とするメタゲノム解析（☞ p.276参照）もまた精力的に行われている．これまで，ヒトの口腔を含む各解剖学的部位におけるフローラが解析され，疾患や免疫機構との関連が注目されている．今後もメタゲノム解析からヒトの健康や社会に役立つ知見がさらに得られると予想される．

（中田匡宣）

VII 感染制御

A 感染と発病

地球上には数十億種類の微生物が生息しているといわれている．その中でヒトに感染する微生物はきわめてわずかである．感染 infection にはまず微生物が宿主（ヒト，動物，植物）に付着 attachment することが大前提となる．しかし，付着しただけでは感染とはいわない．微生物が付着状態を継続することを定着 adherence という．定着した微生物がそこで増殖している集団状態をコロナイゼーション colonization といい，しばしば定着と同義で用いられる．感染とは微生物が宿主に付着・定着し，増殖することをいう．したがって感染には必ずしも臨床症状が伴うわけではない．一方，微生物の一過性の付着は汚染 contamination という．感染の結果，宿主に臨床的な症状が発生した状態を感染症 infectious disease という．微生物が宿主に対して感染症を引き起こす性質を病原性 pathogenicity といい，そのような性質をもつ微生物を病原微生物 pathogenic microorganisms，pathogens という．微生物の病原性は多様な病原因子 virulence（pathogenic）factors によってもたらされ，病原性の程度をビルレンスという．

微生物感染により病原体を保有しているヒト，動物を保菌者 carrier という．また微生物感染があっても臨床症状が出ない（発症しない）場合を不顕性感染 inapparent infection という．不顕性感染により保菌者となった場合を健康保菌者という．この場合，感染を自覚できず生活や行動を変えないために，感染源となりやすい．また感染症による症状が治癒後も保菌している場合は病後保菌者という．

病原微生物が宿主から他の宿主に移り，連鎖的に感染症が拡散するとき，これを伝染病 communicable disease とよぶ．伝染病の流行の度合をその拡散の範囲や公衆衛生上の重要性から３つに区分している．エンデミック endemic は，ある地域，集団あるいは病院に限定した流行で，通常の期間（たとえば通年）に比べて患者数の増減がみられず，公衆衛生上の問題は限定的である．エピデミック epidemic は，ある地域，集団あるいは病院に発生する感染症の頻度が通常を上回る場合をいい，急激に患者（感染症発生数）の増加がみられる場合をアウトブレイク outbreak という．またパンデミック pandemic は，エピデミックが世界的に広がった場合をいう．感染拡大が公衆衛生上の問題となる．

❶ 感染の経路と様式

1）感染経路

通常，生体内のあらゆる部位に多数の微生物群が定着，生存している．これらを常在フローラ normal flora という．常在微生物はフローラを形成して，外部からの病原微生物の侵入，定着を阻害することで宿主を保護する役割を果たすと同時に，ときとして感染症の原因となる二面性を有する．

微生物が宿主に感染症を起こす場合，常在微生物が原因となる内因性感染症と，外部から微生物が感染する外因性感染症がある．

外因性感染症は微生物が感染源からさまざまな経路で宿主に伝播 transmission することによって起こる．感染源は環境やヒト，動植物，昆虫，アメーバなどさまざまで，リザーバー reservoir とよばれる．マラリアやツツガムシ病など，リザーバーから宿主への微生物の伝播を蚊やダニなどの節足動物が媒介する感染症が知られており，これら媒介するものをベクター vector とよぶ．

咳やくしゃみなどで生じる飛沫によって伝播するものを飛沫感染，飛沫の水分が蒸発し，病原体を含む飛沫核となったものが空気中を浮遊し，伝播する場合を飛沫核感染（空気感染）という．また，直接あるいは間接に感染源と粘膜や皮膚が接触することによって伝播する場合を接触感染という．微生物によって汚染された水や食品を経口摂取することで感染する場合を経口感染という．感染源と感染経路の特定は伝播による感染症の拡大を抑えるために重要であり，病原微生物の種類により特徴がある．

母子間の微生物の伝播は感染経路が時間軸とともに変化することから，通常のヒト－ヒト間の感染様式と区別される．母子間では胎児の時期には胎盤を介しての感染，出産時には産道での感染，産後は授乳時の母乳や育児に伴う摂食行動を介した感染があげられる．これらの母子感染を総じて垂直感染といい，通常のヒト－ヒト感染を水平感染とよんで対比することがある．

2）感染様式

感染から発症までには症状が検知されない潜伏期 latent period がある．潜伏期が短く，発症・進行の経過が急であるものを急性感染症，発症後の症状の発現が徐々で経過の緩慢なものを慢性感染症という（図 1-7-1）．感染症の経過の様式はさまざまで，特にウイルス感染症では急性に発症した後，症状が収まり，その後に遅発性発症するもの

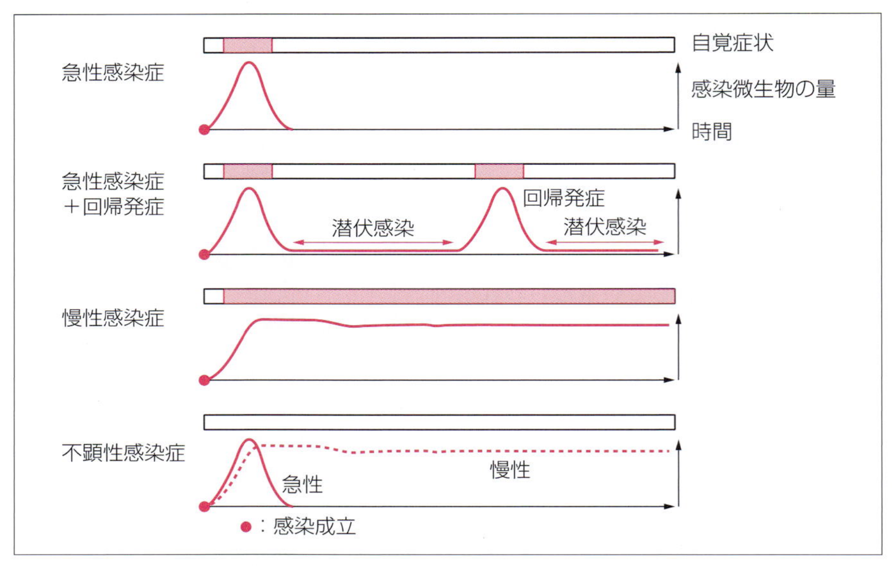

図 1-7-1　さまざまな感染，発症の様式

や，急性感染症を起こし，潜伏期を経て，再度，急性感染症を起こすものなど，多様な感染・発症様式を示すものがある．

② 日和見感染症と院内感染症

1）日和見感染症

高齢者や有病者で生体防御能力が低下した宿主を易感染性宿主（immuno）compromised host とよぶ．通常，健常な宿主には病原性を示さない（感染症を引き起こさない）微生物が宿主の生体防御能力の低下に伴い，病原性を示し，感染症を起こすことがある．このような感染症を日和見感染症 opportunistic infectious disease とよぶ．日和見感染症の原因になる微生物の多くは常在フローラである．

2）院内感染症と市中感染症

病院や保健医療施設内で各種微生物によって引き起こされる感染症を院内感染症 nosocomial infectious disease とよぶ．院内感染症を起こす微生物は，宿主が入院患者として長期にわたりさまざまな抗菌化学療法を受けていたり，施設内でさまざまな消毒薬に曝露されるため，薬剤耐性や消毒薬耐性を獲得しているものが多い．宿主はしばしば易感染性であるため，このような性質を獲得している微生物が日和見感染症を起こすと治療に難渋することになり，死の転帰をとる場合もある．

院内感染症には患者自身が保有していた微生物による内因性感染症と，患者から患者への直接伝播や医療スタッフの手指や医療器具を介した間接伝播による外因性感染症がある．外因性感染症の場合は同じ微生物が病室，病棟あるいは病院全体に拡散しアウトブレイクを起こすことにつながるため，注意が必要である．

院内感染症に対して，市中でみられる感染症を市中感染症 community acquired infectious disease という．

③ 薬剤耐性問題

薬剤耐性は英語では antimicrobial resistance（AMR）という．世界初の抗生物質ペニシリンの発見者である Alexander Fleming は，ノーベル賞の受賞スピーチ（1945）の中でこの AMR の問題をすでに指摘している．これまでに新しい化学療法薬（抗微生物薬）が開発，臨床応用されると，すぐに耐性菌が出現，蔓延することを繰り返してきているが，1980 年代以降，ヒトに対する抗微生物薬の不適切な使用を背景として，薬剤耐性菌（特に多剤耐性菌）が世界的に増加している．この状況下で新たな抗菌薬の開発は減少している．さらに抗微生物薬の畜水産分野での不適正使用も薬剤耐性菌の発生，環境汚染という深刻な問題を生じている．抗生物質が発明されたことで人類は大きな恩恵を受けてきたが，これらの AMR の問題が進行すると，将来的に感染症を治療する際に有効な抗菌薬が存在しないという事態になることが憂慮されている．これらの問題からヒトの健康を守るためには動物，環境にも配慮した世界規模の取り組みが必要と考えられている．この取り組みはワンヘルス One health アプローチと名づけられ，世界保健機構（WHO）が推進している．わが国では，下記の対策が実施されている〔薬剤耐性（AMR）対策アクションプラン：2016～20 年および 2023 年～27 年〕．

① 薬剤耐性に関する知識や理解を深め，専門職などへの教育・研修を推進
② 薬剤耐性および抗微生物薬の使用量を継続的に監視し，薬剤耐性の変化や拡大の予兆を的確に把握（医学的に重要な耐性菌は感染症予防法にて五類感染症に指定）
③ 適切な感染予防

表 1-7-1　感染防御における障壁

部位	主な障壁		
	物理的	化学的	生物学的
皮膚	角化上皮	皮脂腺，RNA 分解酵素，DNA 分解酵素，抗微生物物質	常在フローラ
消化管	粘膜，粘液	消化酵素，胃酸，胆汁酸，抗微生物物質，免疫グロブリン	常在フローラ
気道	粘膜，粘液，鼻毛，線毛	抗微生物物質，免疫グロブリン	常在フローラ
泌尿生殖器	粘膜，分泌物，尿	酸，抗微生物物質	常在フローラ

④ 医療，畜水産などの分野における抗微生物薬の適正使用の推進
⑤ 薬剤耐性の研究や，薬剤耐性微生物に対する予防・診断・治療手段を確保するための研究開発を推進
⑥ 国際的視野で多分野と協働

B　感染の免疫

宿主は微生物が侵入する危険性に常にさらされている．これに対して，宿主は微生物の侵入を阻止し，また侵入した微生物を排除する仕組みを備えている．生まれながらに備わっている防御機構を自然（あるいは非特異的）防御機構 natural（nonspecific）defense mechanism といい，後天的に獲得した感染に対する防御機構を獲得（あるいは特異的）防御機構 acquired（specific）defense mechanism という．

自然防御機構は病原微生物が生体へ侵入することを防ぐために迅速に働き，ほとんどの感染はこの防御機構により阻止される．自然防御機構には生体と外界を隔てる役割を担う障壁と，その障壁を越えて侵入する病原微生物に働く自然免疫 innate immunity がある．自然防御機構によって感染を防ぐことができなかったときには，獲得防御機構である獲得免疫 acquired immunity が作動する．獲得免疫は個々の病原微生物などの異物を区別して働き，その発動には時間がかかる．しかし，同じ病原微生物が再度侵入したときには迅速に応答する．いわゆる免疫記憶（免疫学的記憶）が存在する．この多様性と免疫記憶が獲得免疫の特徴である．

ここでは自然防御機構の障壁（**表 1-7-1**）について重点的に述べ，自然免疫と獲得免疫については第 2 章に譲る．なお，障壁を含めて広義の自然免疫という場合がある．

❶ 物理的障壁

皮膚は表皮，真皮，皮下脂肪組織の 3 層からなり，微生物の侵入に抵抗する機械的障壁として機能する．表皮の最外層は角化細胞が積み重なり，微生物を通さず，常に剝離している．剝離時には付着している微生物も同時に剝離され，結果的に取り除かれる．表皮内には微生物をとらえる樹状細胞（Langerhans 細胞）が多く存在し，微生物が表皮内に侵入してくることに備えている．切り傷，擦り傷，熱傷などにより皮膚の障壁が破壊されると，微生物が真皮やその下の組織へ侵入する．表皮とは異なり真皮やその下の組織には血管が存在するため，全身への感染のリスクが格段に高まる．

消化管，呼吸器，泌尿生殖器などの体内管腔の表面を覆う粘膜も連続した上皮細胞からなり，異物の侵入に対して機械的な障壁として働く．上皮の中に存在する杯細胞から多量に分泌される粘液は感染防御に寄与している．気道では吸入された微生物は粘液によって捕捉される．捕捉された微生物は線毛細胞の連続した動きにより粘液とともに口腔へと運び出される．消化管では，大量に分泌される粘液は上皮細胞や皮下組織を消化酵素による傷害から守るとともに，湿潤した上皮粘膜表面は微生物の侵入を阻止している．

視覚器では涙液がたえず眼を潤し，微細な粒子を涙管へと流し込む．刺激物が眼に入ると涙液の量が増加し，異物を流し出そうとする．さらに涙液には免疫グロブリンの IgA，細菌細胞壁を破壊する酵素であるリゾチーム lysozyme や抗菌ペプチドのリポカリン lipocalin が存在し，鉄を吸着することで微生物を排除することに役立っている．

唾液にも IgA やリゾチームは含まれており，微生物の定着・増殖を抑えることができる．また唾液が多く分泌されていることは口腔内を物理的に洗浄することに寄与している．

尿路では尿を多量に排泄することにより，微生物が外界から膀胱や腎臓に上がってくるのを阻止している．

❷ 化学的障壁

皮膚や粘膜の物理的障壁上にはさまざまな化学物質が分泌されている．これらの多くは生理学的機能を担っているが，補助的な作用として感染に対する障壁の役割を果たしている．

皮脂は皮脂腺から分泌され，髪の乾燥を防ぎ，皮膚を覆う保護膜の役割を果たす．皮脂腺に含まれる不飽和脂肪酸は直接的に細菌や真菌の増殖を抑制し，有機酸は皮膚の状態を弱酸性に保つことで細菌の増殖を抑制する．発汗は体温の調節や老廃物の排泄に重要であるが，体表面の細菌などの異物を洗い流す役割も果たしている．汗にもリゾチームが含まれている．皮膚にはα-ディフェンシン defensin，β-ディフェンシン，カテリシジン cathelicidin といった抗

菌ペプチドやRNA分解酵素，DNA分解酵素も存在し，微生物の増殖抑制に働いている．

消化管では食物を消化する各種の消化酵素が産生されるが，これらは分泌された免疫グロブリンとともに微生物の増殖を抑制することに働く．またα-ディフェンシンやクリプチジンといった殺菌性の分子も存在する．胃液は胃酸によって強酸性になっており，酸に弱い多くの細菌は胃液によって殺菌される．しかし，大量のウレアーゼを分泌し，尿素からアンモニアを産生することで強酸から回避する *Helicobacter pylori* のように，胃の中でも生存・増殖する細菌も存在する．小腸では胆汁酸も微生物に対して増殖を抑制することに働いている．また抗菌ペプチドも含まれており，殺菌的に働いている．

泌尿生殖器においては常在細菌が産生する乳酸とともに，分泌物は酸性の環境をつくることに働き，病原微生物の侵入・増殖を抑制する．膣には物理的な清浄機構がない．しかし，膣上皮には乳酸桿菌（デーデルライン桿菌 Döderlein's bacillus）が集落を形成しており，グリコーゲンを消費して乳酸を産生する．これにより膣内のpHは下がり，乳酸桿菌，一部のレンサ球菌，*Corynebacterium* 属など限られた細菌以外の増殖を抑制している．

これらに加え分泌液中に存在し，細菌に対する感染防御に働く分子にトランスフェリン transferrin がある．細菌が増殖するには鉄は必須であるが，トランスフェリンは鉄結合能があり，リポカリンとともに鉄を吸着することで細菌が鉄を利用できなくなり，その増殖が阻害される．

③ 常在フローラによる防御(生物学的障壁)

下気道や膀胱腔などを除き，ヒトの体で外部との接触のある部位，主には皮膚，口腔，消化管，上気道，泌尿器，生殖器にはさまざまな常在フローラ（微生物叢，細菌叢）が存在する．部位によって異なるが，総数ではヒトが 10^{13} の細胞で構成されているのに対して 10^{14} 存在すると見積もられている．これまでに1,000種類以上の常在細菌が確認されているが，ヒト1人では700種類以上の細菌種が存在する．その種類や数は体の部位によって大きく異なる．常在フローラの構成については第4章に譲ることとし，ここではその役割を述べるにとどめる．なお，体内部の臓器や組織は無菌的である．

常在フローラが存在しない無菌動物では，常在フローラが存在する通常の動物と比較し，寿命が長くなる傾向にある．しかし，無菌動物では免疫系の臓器の発達は未熟で，免疫グロブリン量が低下する．すなわち常在フローラの存在は宿主にとってストレスになるが，常在フローラは免疫系を適度に刺激して，その成熟を促進させている．外来からの微生物の侵入や増殖を阻止する働きとして，抗菌作用を示す抗菌ペプチドや脂肪酸を産生すること，産生した代謝産物により外来微生物の増殖困難な環境が形成されること（乳酸による低pHの形成など），常在フローラとして多数の微生物が先住しているために新たに侵入してくる微生物が定着する場所がほとんどないことなども知られている．ところで，無菌動物では腸管が長くなる傾向にある．腸管が長いことは栄養摂取の効率が悪いことを示しており，常在微生物が栄養摂取にも貢献していることがわかる．常在フローラはビタミンBやビタミンKなどの栄養素も産生している（**表1-7-2**）．

表1-7-2　常在フローラの有益な役割

栄養素の産生
抗菌物質の産生
宿主免疫系の刺激と成熟化
微生物が生存可能な場所の占拠
外来微生物が定着・増殖しにくい環境の形成

常在微生物は，免疫不全状態のヒトには病気を惹起しうるが，通常，健康人に対しては病原性を発揮することはない．しかし，本来無菌的な場所に常在フローラが感染した場合には重篤化する場合がある．これを異所性感染症という．また常在フローラの構成が単純化した場合にも感染のリスクが増加する．

C　感染微生物の検出と感染症の診断

感染症の診断には原因微生物の検出，同定が最も重要であり確実である．正確な診断は有効な抗菌薬の選択や治療方法の選択のために必要である．実際には，患者の症状や病歴，診察所見，生体反応の検査から感染症の存在を疑うプロセス，感染症の局在診断を行うプロセス，原因微生物の特定を行うプロセスがある．感染症の原因微生物を同定することは，有効な抗菌薬の選択や治療方法の選択のために必要である．原因微生物の同定前には疫学情報や患者の症状に基づき経験的な治療 empiric therapy がしばしば行われる．しかし，微生物の検出，同定後には絞り込んだ病原微生物に対する治療を行う．

① 生体反応の検査

感染症の有無の診断に必要な検査としては，炎症の存在を裏づける検査，感染症の局在を示す検査，感染症と非感染性疾患の鑑別に必要な検査の3つに分けられる．炎症の存在を裏づける検査としては体温，末梢血白血球数と分画，CRP，赤血球沈降速度（赤沈）など，感染症の局在を示す検査としては画像検査（X線検査，CT，MRIなど），喀痰の肉眼所見や鏡検による白血球検出がある．

1）炎症の存在を裏づける検査

末梢白血球数は微生物感染症の中で特に細菌感染症の場合，一般的には増加するがその他の感染症の場合は正常値の場合も多い．全身性あるいは急性の細菌感染症の場合は好中球の増加（＞8,000/μL）がみられ，核の左方移動を伴い桿状核球や後骨髄球が増加する．真菌感染症では好中球の増加は軽度で，*Mycoplasma* 属，*Chlamydia* 属，*Rickettsia* 属，ウイルス，原虫感染症では好中球数は微増か変化しないことが多い．また重症感染症，敗血症では白血球数は低下する場合がある．

CRP はC-反応性タンパク C-reactive protein のことで肺炎球菌の保有するC-多糖と結合する性質をもつ．CRP は炎症により上昇する急性期反応物質 acute phase reactant の1つで，発症初期から上昇するため感染症診断における有用性が高い．

他にも血清アミロイドA，α1-酸性糖タンパク，α1-アンチトリプシン，ハプトグロビン，セルロプラスミン，補体C3，フィブリノゲンなどがある．感染症に特異的ではないが病態をよく反映し重症度は治療効果の評価に用いられる．赤沈は血漿フィブリノゲンの増加により促進する．

赤沈の促進は妊娠・高齢などの生理的要因でもみられるため，特異的な反応ではない．

2）感染症の局在を示す検査

感染症の局在を検査する方法としては画像検査（X線検査，CT，MRI，超音波検査，シンチグラムなど），内視鏡検査，体液（血液），分泌物，膿，排泄物などの微生物検査，試験穿刺や生体材料の病理検査などがあげられる．

3）感染症と非感染性疾患の鑑別に必要な検査

症状，炎症所見，画像検査などから感染症と非感染性疾患の鑑別ができないときはさらに他の疾患との鑑別のための種々の検査が必要となる．腫瘍との鑑別では細胞診，組織病理診断，腫瘍マーカーなどの検査が必要となる．膠原病との鑑別では各種自己抗体の検出が，アレルギー性疾患との鑑別ではIgE，RAST（放射性アレルゲン吸着試験），リンパ球幼若化試験などが行われる．

❷ 微生物の検出方法

原因微生物の特定は顕微鏡による直接観察，培養と同定，抗原・抗体の検出，核酸の検出がある．

1）顕微鏡による直接観察

最も一般的で有用な染色はグラム染色である（☞ p.11 参照）．スライドグラス上の臨床検体をクリスタルバイオレットで染色した後，ルゴール液で媒染すると細菌細胞壁は紫色に染まる．その後，アルコールやアセトンの溶剤で処理すると，グラム陰性菌は脱色される．サフラニンで対比染色すると，グラム陰性菌は赤色に染まり，細菌は紫色に染まるグラム陽性か赤色に染まるグラム陰性に分類される．他に抗酸菌をカルボール・フクシンで染めるZiehl-Neelsen 染色，*Cryptococcus neoformans* を染める墨汁染色などがある．

2）培養と同定

検体の中から病原細菌を分離するためには非選択的に細菌の増殖を促進する増殖培地，あるいは検体中に存在する特定の細菌を増殖させる選択培地を用いる．増殖培地には5%ヒツジ血液寒天培地がしばしば用いられる．選択培地には，主に腸内細菌目細菌の増殖を促進し，グラム陽性菌などの増殖を抑制するマッコンキー寒天培地 MacConkey agar，淋菌を選択的に培養するサイヤー・マーチン寒天培地 Thayer-Martin agar など多種のものが用いられる．

細菌の同定には，細菌の代謝経路を測定し，異なる炭水化物の酸化や発酵，アミノ酸の分解などを，マイクロチューブやプラスチックプレートを用いて多検体の色調変化を観察して，マニュアルで検出する同定キットが用いられている．また近年では細菌の同定を自動で行う装置も多くの検査室で導入されている．最近，細菌コロニーから取った検体を直接，質量分析装置にかけ，得られた質量値をデータベースで検索することで同定する手法が導入されている．

3）抗原・抗体の検出

感染症の診断において免疫学的手法として抗原抗体反応の特異性を利用して微生物抗原を検出，あるいは特異的抗体を検出し，微生物の同定に用いている（☞ p.108 参照）．既知の抗血清を用いて菌体抗原と反応させて抗原を検出する方法には，凝集法として菌体凝集反応，共凝集反応や逆受け身ラテックス凝集反応が用いられる．また標識抗体法として蛍光抗体法，酵素抗体法が用いられる．

一方，微生物抗原に対する患者血清中の抗体を検出することは，患者がその微生物に感染した（している）証拠となる．抗体を検出する方法としては補体結合反応，標識抗体法として蛍光抗体法，酵素抗体法，ウエスタンブロット法が用いられる．

4）核酸の検出

核酸の検出はハイブリダイゼーション法，核酸の増幅の2つに分類される（☞ p.55 参照）．

ハイブリダイゼーション法は，プローブ probe とよばれる蛍光物質，放射性同位元素など検出可能な分子で標識された一本鎖DNA断片を用いる．検出したいDNAと相補する配列を標識し，ニトロセルロースやナイロンの膜に固定化した検体DNAと反応させ，標識分子で検出する．

核酸の増幅はポリメラーゼ連鎖反応（PCR）によって微生物の標的とするDNAを増幅し，検出する手法で，迅速で，感度，特異性が高い．最近では，等温でDNAを増幅するLAMP法（loop mediated isothermal amplification：ループ介在等温増幅法）も行われている．

D 感染症の治療

❶ 化学療法と化学療法薬（抗菌薬）

化学療法 chemotherapy とは，化学物質の作用によって宿主に感染した病原微生物や生体内に発生したがん細胞を直接殺滅あるいは増殖を阻止し，宿主のもつ防御機構と協力して治癒させる治療法のことである．この治療に用いる化学物質を化学療法薬 chemotherapeutics という．化学療法薬には化学的に合成して作出された化学物質，微生物によって産生される天然化学物質から見出された抗生物質 antibiotics，さらにその抗生物質を化学的に修飾して改良した半合成抗生物質などがある．本項では，化学療法薬の中で主に細菌に作用する薬剤（抗菌薬）について述べる．

1）選択毒性

抗菌薬は，宿主であるヒトや動物に大きな障害を及ぼさずに病原微生物に選択的に毒性を示すことが重要である．このような抗菌薬の具備すべき性質を選択毒性という．抗菌薬を評価する際には，選択毒性が高い／低い，という．

2）静菌作用と殺菌作用

抗菌薬の抗菌作用を論じる場合，細菌を殺滅するように働く場合を殺菌作用 bactericidal action，殺滅させることはないが増殖を阻害する場合を静菌作用 bacteriostatic action という．抗菌薬の種類によって殺菌作用を示すものや静菌作用を示すものがある．

しかし，殺菌作用を示す抗菌薬でもある濃度以下では静菌的に作用したり，また静菌作用を示す抗菌薬でも作用時間や濃度によって殺菌作用を発揮する場合もある．

3）抗菌力の評価法

病原細菌がどのような抗菌薬に感受性を示すのか，また感受性を示す薬剤濃度を知ることは，化学療法を行う場合に最も必要な情報である．これらを調べる方法を薬剤感受性試験という．薬剤感受性試験には希釈法と拡散法がある．希釈法には寒天平板希釈法や液体希釈法，拡散法には感受性ディスク法などがある．感受性試験による抗菌力の評価は，それを行う施設によって試験方法が異なっては困る．そこで日本化学療法学会では標準法を制定し，接種菌量，培養時間，培地の成分や pH など細かく規定している．

（1）寒天平板希釈法および液体希釈法

2倍希釈系列の薬剤を含む寒天平板培地あるいは液体培地に被検菌を接種し，培養後，完全に発育が阻止された最小発育阻止濃度 minimum inhibitory concentration（MIC）を求める．液体希釈法を**図 1-7-2** に示す．なお，MIC は原則として濃度（μg/mL）で表す．また，薬剤の殺菌力を調べるためには前述の液体培地で培養した細菌の発育が認められなかった試験管から，それぞれの菌液を，薬剤を含まない培地に接種し，培養する．その後，細菌の発育が認められない最大希釈濃度を最小殺菌濃度 minimum bactericidal concentration（MBC）とする．

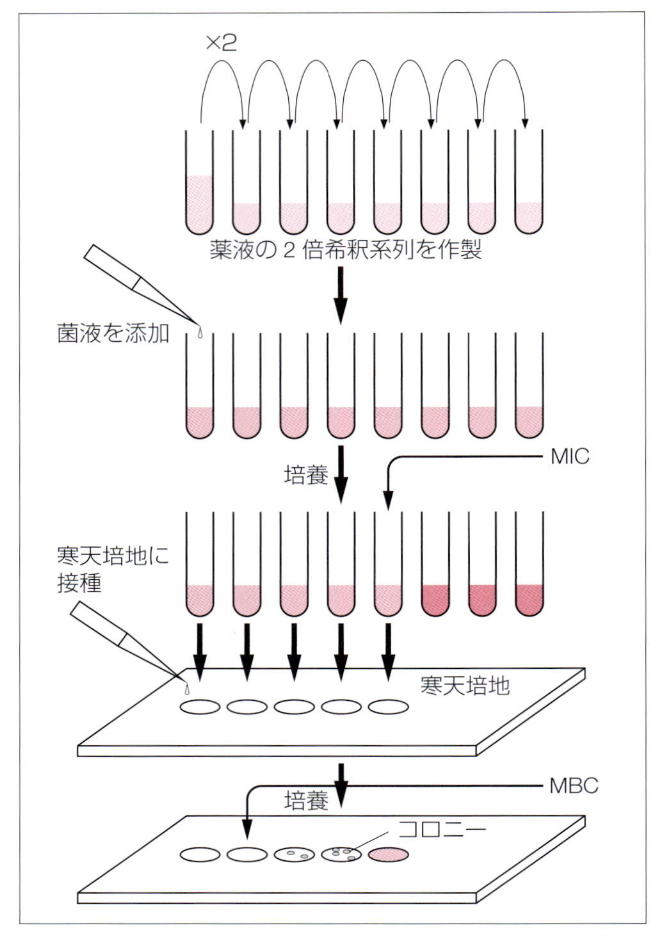

図 1-7-2　液体希釈法を用いた MIC と MBC の測定法

（2）感受性ディスク法

被検菌を一様に寒天平板に塗り広げ，一定量の薬剤を含む感受性ディスク（濾紙）をその上に載せる（**図 1-7-3A**）．培養後，ディスクに含まれる薬剤は寒天内に拡散するが，薬剤濃度はディスクから遠くなるほど低くなり，濃度勾配が形成される．被検菌が薬剤に感受性があれば発育阻止円が形成される．阻止円の形成の有無，あるいは阻止円の直径を測定し，感受性を評価する．

（3）E-テスト

短冊状の濾紙に抗菌薬が含まれ，濃度勾配が形成されている．感受性ディスク法と同様に用いると，被検菌が薬剤に感受性があれば変形した発育阻止円が形成される（**図 1-7-3B**）．形成された阻止円と濾紙が交わる濃度を読み取ることで，MIC を求めることができる．

4）抗菌スペクトル

抗菌薬がどのような種類の微生物に対し抗菌力を示すのか，すなわち薬剤が抗菌力を発揮する微生物の範囲を抗菌

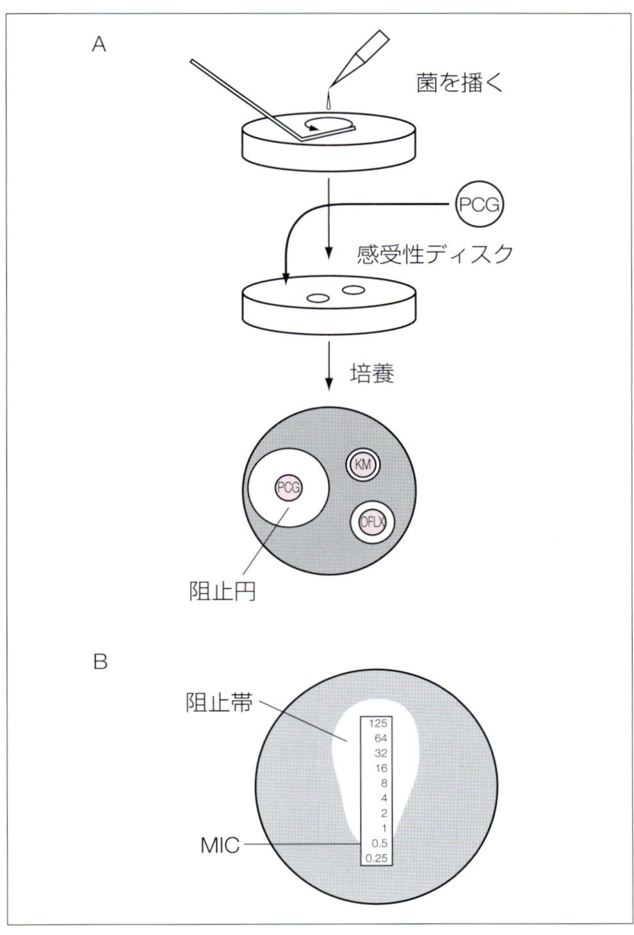

図 1-7-3 感受性ディスク法（A）と E-テスト（B）
PCG：ペニシリン G，KM：カナマイシン，OFLX：オフロキサシン

スペクトルとよぶ．広範囲の微生物に対する抗菌スペクトルは広域抗菌スペクトル broad spectrum とよび，限られた範囲の微生物に対する抗菌スペクトルは狭域抗菌スペクトル narrow spectrum という．

❷ 抗菌薬の種類と作用機序

1）細胞壁合成阻害薬

細菌細胞は動物細胞とは異なり，細胞膜の外側に細胞壁を有する．細胞壁生合成の阻害薬は優れた選択毒性を示すものが多い．現在臨床の場で用いられている主な細胞壁合成阻害薬の種類，一般名および略語を**表 I**（巻頭）に示す．

（1）β-ラクタム系薬

β-ラクタム系薬は，その構造式中にβ-ラクタム環（4員環の環状アミド）を有し，この部分が抗菌作用に関与する．β-ラクタム系薬は化学構造から 9 種類に分類されている（**図 1-7-4**）．

a）ペニシリン系薬

ペニシリン（ペナム）系薬は，β-ラクタム環に隣接して 5 員環を有し，6-アミノペニシラン酸 6-aminopenicillanic acid（6-APA）を母核とする．この類の薬剤は天然型か合成型か，また抗菌域によって 4 つの系に分類される．

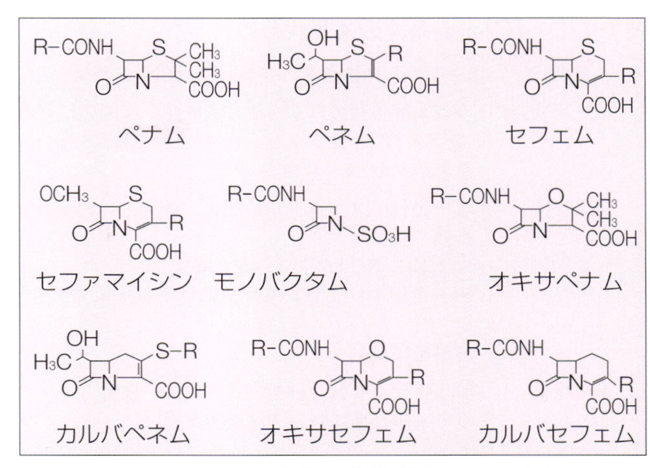

図 1-7-4 β-ラクタム系薬の化学構造による分類

天然ペニシリン系薬剤ではベンジルペニシリン benzylpenicillin が有名で，ペニシリン G（PCG）として知られている．最初に発見された抗生物質で，*Penicillium notatum* の培養液から分離された．この系の薬剤は，大部分のグラム陽性菌と一部のグラム陰性菌に対し強い抗菌力をもっていたが，β-ラクタマーゼ β-lactamase で分解されやすく，血中濃度の持続が短くすぐ排泄されてしまう．耐酸性が低く，経口投与で吸収されにくい，グラム陰性桿菌の外膜透過性が低いなどの欠点を有していた．耐性菌の出現とともに現在では適用が限られている．

狭域半合成ペニシリン系薬剤は 6-APA をもとにして，その 6 位側鎖を化学的に修飾したものである．β-ラクタマーゼで分解されないが，グラム陽性菌にのみ有効である．

広域半合成ペニシリン系の薬剤も 6-APA をもとにして，その 6 位側鎖にアミノ基を導入し化学的に修飾したものである．グラム陽性菌，グラム陰性菌に有効であるが，β-ラクタマーゼによる分解を受けやすい．

抗緑膿菌ペニシリン系の薬剤も 6-APA をもとにして，その 6 位側鎖を化学的に修飾したものである．抗菌域はグラム陽性菌はもとより広範囲のグラム陰性菌に及ぶ．特に種々の抗菌薬に耐性の緑膿菌に有効で，緑膿菌の産生するβ-ラクタマーゼに安定である．しかし，一般のβ-ラクタマーゼでは分解される．

b）セフェム系薬

セフェム（セファロスポリン）系薬は，β-ラクタム環に隣接して 6 員環をもつ．この類の薬剤は，*Cephalosporium acremonium* の生産する cephalosporin C の母核，7-aminocephalosporanic acid（7-ACA，セフェム骨格）から誘導される．セフェム系薬とはセフェム骨格をもつセファロスポリン系，セフェム骨格の 7α位にメトキシ基を

表 1-7-3　セフェム系薬の 4 世代分類

世代	抗菌スペクトルや抗菌力の特徴	セファロスポリン系	セファマイシン系
第一世代	・グラム陽性菌のみならず，大腸菌，赤痢菌に有効 ・クラス C β-ラクタマーゼ産生菌（*Klebsiella, Proteus, Pseudomonas*）に無効	セファゾリン（CEZ） セファレキシン（CEX） セファクロル（CCL）	
第二世代	・第一世代のスペクトルに加え，*Proteus, Haemophilus* に有効 ・クラス C β-ラクタマーゼに安定 ・第一世代よりグラム陰性菌に対する抗菌スペクトルが広い ・緑膿菌に無効	セフォチアム（CTM） セフロキシム（CXM） セフジトレンピボキシル（CDTR-PI） セフジニル（CFDN）	セフメタゾール（CMZ）
第三世代	・第二世代が有効な細菌にさらに強い抗菌力 ・グラム陽性菌に対して抗菌力が弱い	セフォタキシム（CTX） セフォペラゾン（CPZ） セフタジジム（CAZ） セフカペンピボキシル（CFPN-PI）	ラタモキセフ（LMOX）
第四世代	・グラム陰性菌には第三世代と同等の抗菌力 ・緑膿菌に有効 ・ブドウ球菌に第二世代と同等の抗菌力	セフピロム（CPR） セフェピム（CFPM） セフォゾプラン（CZOP）	フロモキセフ（FMOX）

もつセファマイシン系，セフェム骨格の1位のSがOに置換されたオキサセフェム系の総称である．

セフェム系薬は，抗菌能力に応じて4つの世代に分類されている（**表 1-7-3**）．

第一世代セフェム系の薬剤はグラム陽性菌，一部のグラム陰性菌に優れた抗菌力を発揮するが，*Enterobacter* 属，*Citrobacter* 属，*Serratia* 属ならびに緑膿菌をはじめとする糖非発酵グラム陰性桿菌に抗菌活性がない．また，β-ラクタマーゼによって分解されやすい．

第二世代セフェム系の薬剤は，抗菌力は第一世代と同等あるいはグラム陰性菌に対する抗菌力が増大している．また，β-ラクタマーゼに安定である．このため，第一世代より抗菌スペクトルは広い．しかし，緑膿菌には無効で，*Enterobacter* 属，*Citrobacter* 属，*Serratia* 属にも抗菌力は弱い．

第三世代セフェム系の薬剤は，前2世代と比較してグラム陰性菌に対して優れた抗菌力を示し，日和見感染原因菌である緑膿菌や *Enterobacter* 属，*Citrobacter* 属，*Serratia* 属に対しても強い抗菌力を示す．しかし，いくつかのグラム陽性菌（特に黄色ブドウ球菌）に対しては，前2世代より劣る傾向がある．

第四世代セフェム系の薬剤は，グラム陽性菌および緑膿菌を含むグラム陰性菌の両方に抗菌力を有し，β-ラクタマーゼに安定である．

c）その他のβ-ラクタム系薬

●オキサペナム系薬

ペナム骨格の1位のSがOに置換されたもので，抗菌力は弱いがクラスAβ-ラクタマーゼ活性を強く阻害する．ペニシリン系薬とともに合剤として用い，β-ラクタマーゼ産生の耐性菌による感染の治療に用いる．クラブラン酸 clavulanic acid は，ペニシリン系薬のアモキシシリンと併用した合剤（CVA）/AMPC が実用化されている．

●モノバクタム系薬

β-ラクタム環単独の3-アミノモノバクタム酸を骨格としたもので，グラム陽性菌に対する抗菌力は弱いが，グラム陰性菌に対しては第三世代セフェム系薬剤に匹敵する抗菌力を示す．アズトレオナム aztreonam やカルモナム carumonam がある．

●ペネム系薬

ペナム骨格の2位に二重結合を有し，β-ラクタマーゼに対して比較的安定で，グラム陽性菌や大腸菌，インフルエンザ菌などのグラム陰性菌に強い抗菌力を示すが，緑膿菌には無効である．ファロペネム faropenem がある．

●カルバペネム系薬

ペネム骨格の1位のSがCに置換されたもので，抗菌域は広く，抗菌力も強い．イミペネム imipenem，パニペネム panipenem，ビアペネム biapenem，ドリペネム doripenem，メロペネム meropenem がある．イミペネムは優れた抗菌力，抗菌域をもつが，腎臓のデヒドロペプチダーゼ-1 dehydropeptidase（DHP）-1 によって加水分解され，腎毒性を発揮する．このため，DHP-1 の特異的阻害薬（シラスタチン cirastatin）を配合してイミペネム/シラスタチンとして用いられている．

カルバペネム系薬は一般に多くのβ-ラクタマーゼ（クラスA，C，D）に安定で，すべてのグラム陽性菌，グラム陰性菌に対して強い抗菌力を有する．特に緑膿菌に対して強い抗菌力を示す．しかし，クラスBβ-ラクタマーゼ（メタロβ-ラクタマーゼ）には分解される．

d）β-ラクタム系薬の作用機序

β-ラクタム系薬は，ペプチドグリカン合成の最終反応に働くトランスペプチダーゼ活性および D-アラニンカルボキシペプチダーゼ活性を阻害する（**図 1-7-5**）．この阻害はβ-ラクタム環と上記酵素の基質となる架橋前のペプチドグリカンのペプチド鎖末端部分（-D-Ala-D-Ala）の

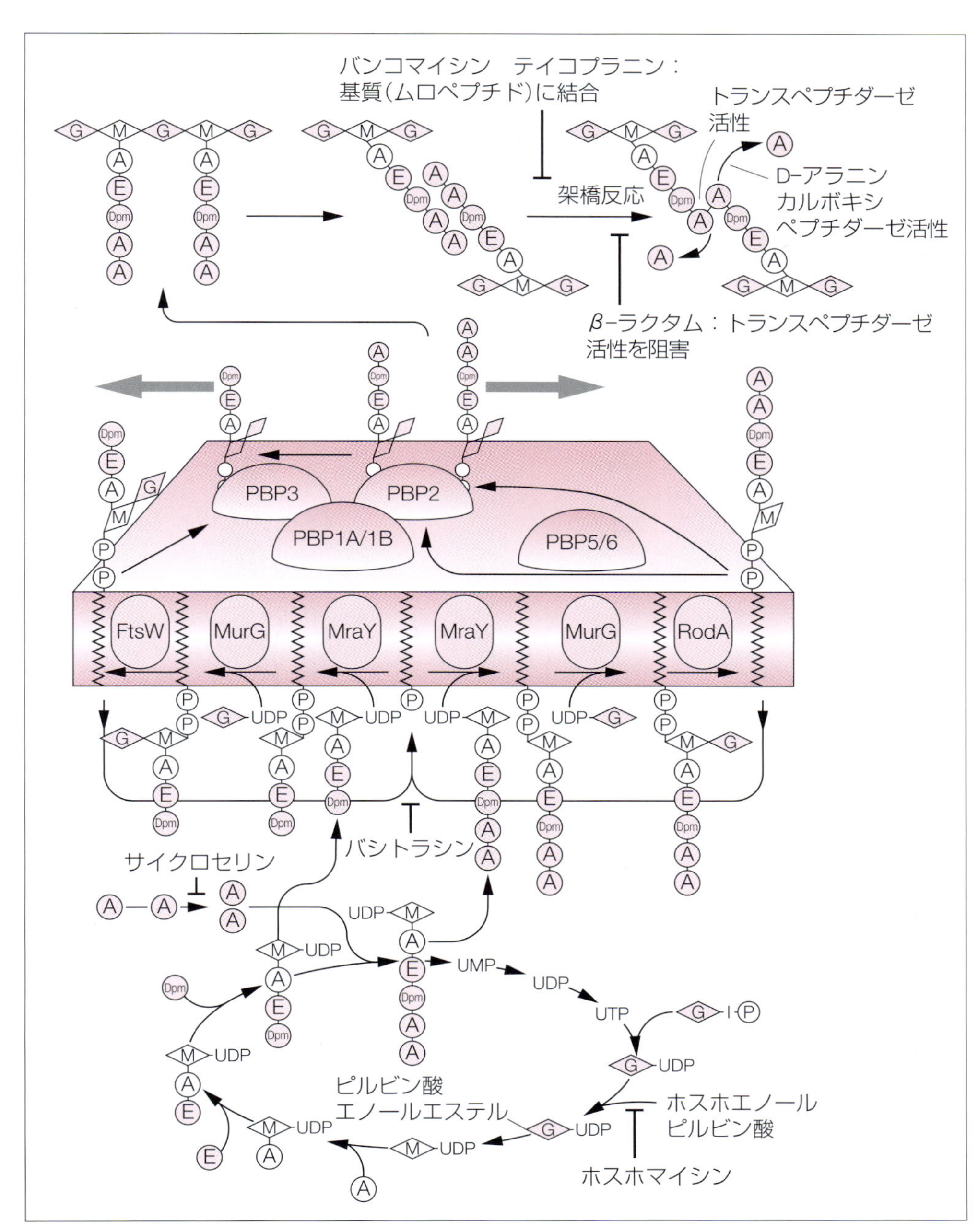

図 1-7-5　大腸菌の細胞壁ペプチドグリカン生合成系と細胞壁合成阻害薬の作用点

大腸菌は複数のペニシリン結合タンパク質 PBP をもつ．PBP1 A/1 B，PBP2 は主に菌体の伸長のためのペプチドグリカン合成に，PBP3 は主に菌体隔壁のためのペプチドグリカン合成に働く．

Ⓐ：L-アラニン，Ⓐ：D-アラニン，Ⓔ：D-グルタミン酸，Dpm：ジアミノピメリン酸，G：*N*-アセチルグルコサミン，M：*N*-アセチルムラミン酸，Ⓟ：リン酸，⋀⋀⋀：脂質

立体構造が類似しているので，これらの酵素がβ-ラクタム系薬と共有結合するためである．

このようにβ-ラクタム系薬と親和性をもつ酵素タンパク質をペニシリン結合タンパク質 penicillin-binding protein（PBP）とよぶ．大腸菌は 7 種類の PBP を保有しており，菌種により保有する PBP の数は異なる．大腸菌を用いた研究から，β-ラクタム系薬の種類によって各種 PBP との結合親和性，薬剤処理菌の形態変化が異なることが明らかにされた．これを利用して各種 PBP の機能が明らかにされてきている．β-ラクタム系薬による PBP の酵素反応阻害によりペプチドグリカンの架橋形成が阻害される．

(2) グリコペプチド系薬

放線菌が産生するペプチドにアミノ糖が付加した糖ペプチド抗菌薬で，バンコマイシン vancomycin（VCM），テイコプラニン teicoplanin（TEIC）がある．ペプチドグリカン前駆体 D-Ala-D-Ala 末端に結合して，前駆体の細胞壁ペプチドグリカンへの取り込みを阻害する（図 1-7-5）．ほとんどのグラム陽性菌に優れた抗菌力を示すが，外膜を透過できないためにグラム陰性菌に対しては抗菌力を示さない．種々の MRSA 感染症（☞ p.146 参照）に用いられる．また，腸管から吸収されないため，これを利用して MRSA 腸炎，*Clostridium difficile* による偽膜性大腸炎の治療や骨髄移植時の消化管内殺菌に用いられる．

(3) その他の細胞壁合成阻害薬

β-ラクタム系薬以外の主な細胞壁合成阻害薬としては以下のものがある（図 1-7-6）．

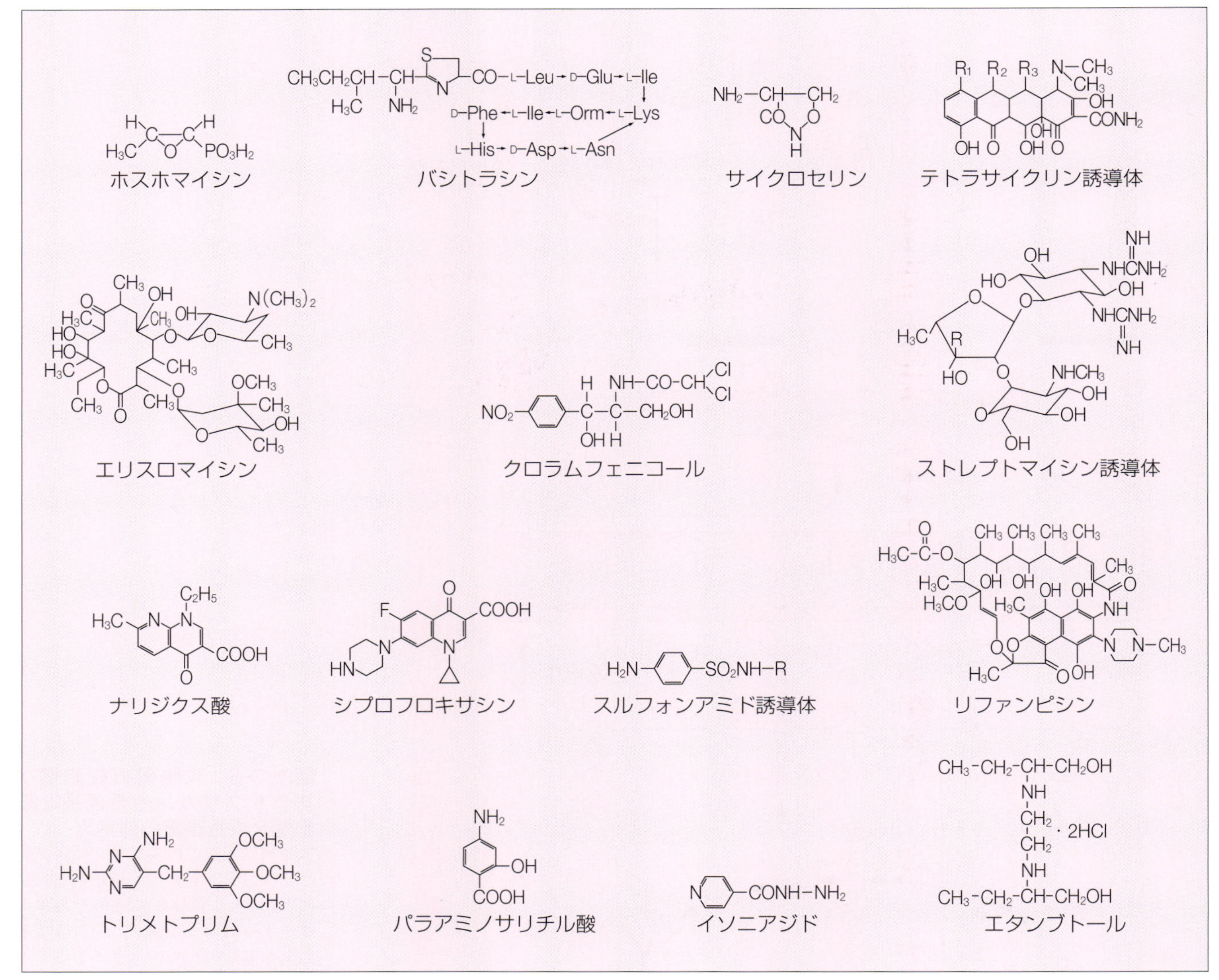

図 1-7-6　各種抗菌薬の化学構造

a）ホスホマイシン fosfomycin

グラム陽性菌およびグラム陰性菌に対して広い抗菌力を示すが，耐性菌が出現しやすい欠点がある．副作用が少なく，他剤との併用で広く用いられている．作用機序はペプチドグリカン合成の初期段階，すなわち細胞質内でのムラミン酸合成にかかわる UDP-*N*-アセチルグルコサミン・ピルビン酸転移酵素の活性を阻害する．

b）バシトラシン bacitracin

複雑な環状ペプチド構造をもつ．ペプチドグリカン合成の細胞膜でのリン脂質サイクルに作用する．

c）サイクロセリン cycloserine

D-アラニンと立体構造が類似しているため，D-アラニンの拮抗物質として働く．

2）細胞膜傷害薬

細胞膜傷害薬は微生物の細胞膜に傷害を与え，細胞内容物を漏出させる作用をもつ．しかし，この系の薬剤は宿主細胞の細胞膜にも働くため，選択毒性は低い．

ポリミキシン系薬

ポリミキシン系薬は環状ペプチド構造をもち，グラム陰性桿菌のリポ多糖（LPS）や酸性リン脂質に結合し，ホスホリパーゼを活性化して細胞膜の破綻を引き起こす．

3）タンパク質合成阻害薬

この系の薬剤は細菌細胞内に入り，70S リボソームに作用してタンパク質合成を阻害し，抗菌力を発揮する（図 1-7-7）．宿主細胞の 80S リボソームに作用しない薬剤が抗菌薬として用いられている（巻頭の**表Ⅲ**参照）．

（1）テトラサイクリン系薬

この系の薬剤は，*Streptomyces aureofaciens* の培養液から分離されたクロロテトラサイクリン chlortetracycline をもとに化学修飾されている．いずれも母核として4個の6員環が隣接して連なったテトラサイクリン骨格を有する（図 1-7-6）．テトラサイクリン tetracycline，ドキシサイクリン doxytetracycline，ミノサイクリン minocycline が臨床で使用されている．

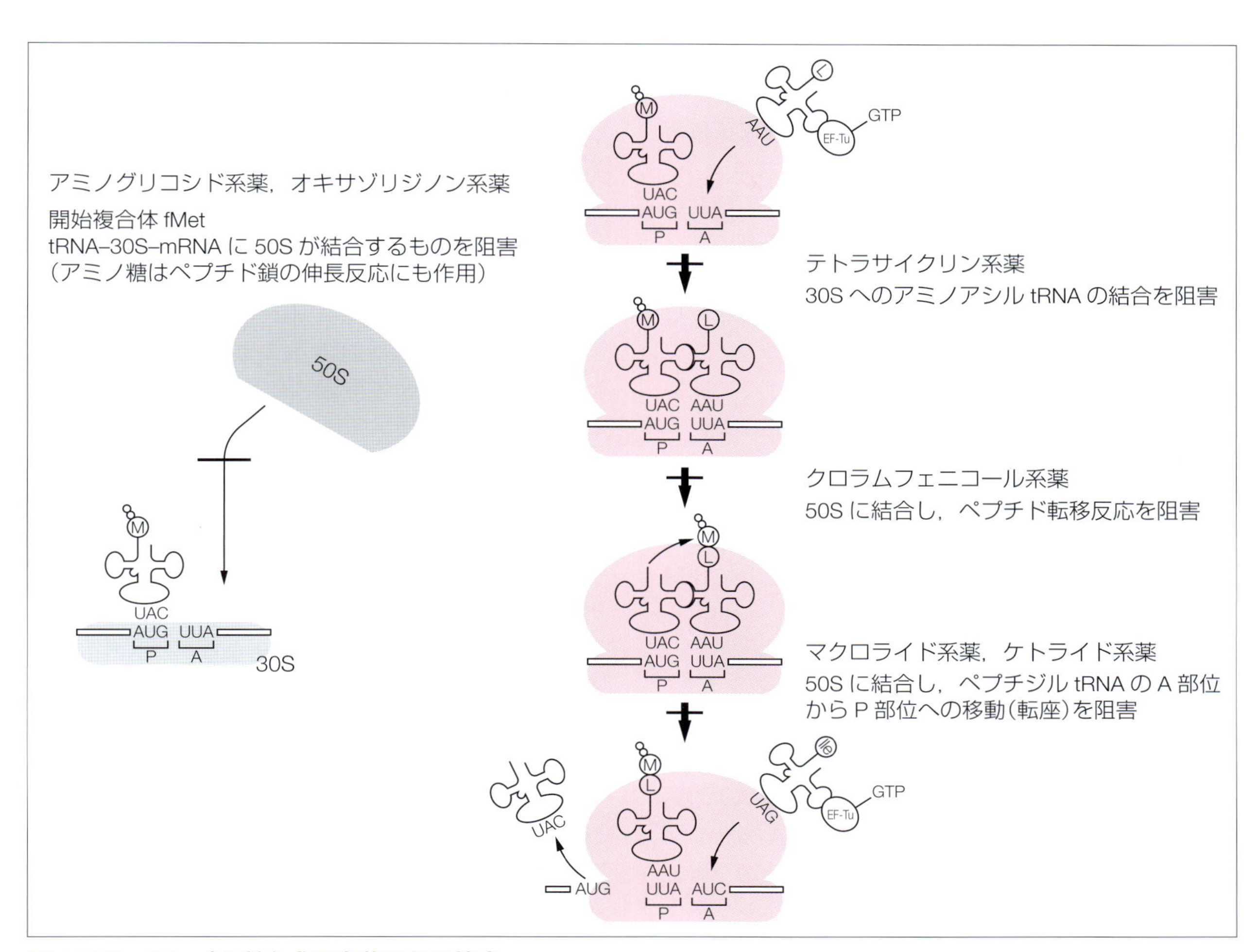

図 1-7-7　タンパク質合成阻害薬の作用機序

この系の薬剤は 70S リボソームの 30S サブユニットに結合し，アミノアシル tRNA がリボソームの A 部位に結合するのを阻害してタンパク質合成を抑制する．作用は静菌的である．広い範囲のグラム陽性菌，グラム陰性菌に有効で，*Rickettsia* 属，*Chlamydia* 属，*Mycoplasma* 属，放線菌，*Treponema* 属，原虫にも抗菌力を示す．また副作用として胃腸障害を起こし，妊娠中に使用すると，新生児の骨・歯に沈着して灰褐色に着色する．

(2) マクロライド系薬

この系の薬剤は，大きなラクトン環を核にもち，マクロライドとよばれる．環状ラクトン環に 1 つ以上のデオキシ糖がグリコシド結合しており，マクロライド系の 14，15，16 員環とケトライド系の 14 員環の総称である．最初に実用化されたのはエリスロマイシン erythromycin（**図 1-7-6**）であるが，胃酸による分解を受けやすいことから，近年改良され，高い血中濃度・組織移行性，長い半減期をもつ半合成マクロライド（ニューマクロライド）が臨床で多用されている．ロキシスロマイシン roxithromycin，クラリスロマイシン clarithromycin，アジスロマイシン azithromycin およびテリスロマイシン telithromycin がある．

マクロライドは，70S リボソームの 50S サブユニットに結合し，リボソーム上の A 部位から P 部位へのペプチジル tRNA の転移反応を阻害してタンパク質合成を抑制する．ほとんどのグラム陽性菌に抗菌力を示し，ペニシリンアレルギー患者に対する代替薬である．臓器移行性が高く，マイコプラズマ肺炎の治療に用いられる．また，細胞内移行性が高いので細胞内寄生性の *Rickettsia* 属，*Chlamydia* 属および *Legionella* 属に優れた抗菌力を発揮し，これらの細胞内寄生性細菌や，*Mycoplasma* 属の第一選択薬となっている．

(3) リンコマイシン系薬

マクロライド系薬とは構造が異なるが，同様に 70S リボソームの 50S サブユニットに結合する．リンコマイシン lincomycin とクリンダマイシン clindamycin がある．ブドウ球菌などのグラム陽性菌および *Bacteroides* 属などのグラム陰性嫌気性桿菌に強い抗菌力をもつ．

(4) クロラムフェニコール系薬（図 1-7-6）

クロラムフェニコールは 70S リボソームの 50S サブユニットに結合し，A 部位でのペプチド鎖の合成にあずかるペプチド転移反応を阻害してタンパク質合成を抑制する．グラム陽性菌およびグラム陰性菌，*Rickettsia* 属，*Chlamydia* 属，*Mycoplasma* 属などに静菌的に働く．副作用として，再生不良性貧血，白血球，血小板減少など造血器障害が強く，使用範囲が制限されている．

(5) オキサゾリジノン系薬

完全合成抗菌薬であり，代表的な抗菌薬としてリネゾリド linezolid がある．リネゾリドは新規の完全合成抗菌薬である．開始複合体（fMet tRNA，30S サブユニット，mRNA，50S サブユニット）の形成を阻害するが，伸長反応は阻害しない．このため，伸長反応を阻害する他のタンパク質合成阻害薬と交差耐性を示さない．グラム陽性菌にバンコマイシンと同程度の抗菌活性を示し，静菌的に作用する．また，バンコマイシン耐性腸球菌やバンコマイシン耐性 MRSA にも抗菌活性を示す．腸管吸収もよく，臓器移行性も高い．特に肺への移行性がよく，腎毒性が低い．

(6) ムピロシン

ムピロシンは，イソロイシン t-RNA 合成酵素を阻害し，RNA 合成，ひいてはタンパク質合成を止める．外用薬として用いられ，鼻腔内 MRSA の除菌クリームとして使用されている．静菌的に作用する．

(7) アミノグリコシド系薬

この系の薬剤は，いずれも基本構造にアミノ糖をもち，化学構造から5つの型（ストレプトマイシン，カナマイシン，アミカシン，ネオマイシン，アストロマイシン型）に分類される．この系の薬剤は，主に 70S リボソームの 30S サブユニットに結合し，開始複合体 fMet tRNA-30S サブユニット-mRNA に 50S サブユニットが結合するのを阻害し，タンパク質合成開始を阻害する．また，ストレプトマイシン，カナマイシン，ゲンタマイシン，ネオマイシン型ではペプチド鎖の伸長過程にも働き，コドンの読み誤りを起こす．アミノグリコシド系薬は一般に広い抗菌スペクトルと強い殺菌作用をもつ．

ストレプトマイシン型としては，Selman A. Waksman（1888〜1973）によって *Streptomyces griseus* から分離されたストレプトマイシン streptomycin（SM）がある（**図 1-7-6**）．これは，最初に発見されたアミノグリコシドである．結核菌，ブドウ球菌，グラム陰性桿菌（大腸菌など）に殺菌的に働く．現在では結核の治療薬としてのみ用いられている．

カナマイシン型には，梅沢浜夫（1914〜1986）によって発見されたカナマイシン kanamycin（KM）がある．現在では，結核の治療薬としてのみ用いられている．ゲンタマイシン gentamicin（GM）は緑膿菌をはじめとするグラム陰性菌およびグラム陽性菌に強い抗菌力を示すが，副作用が強い．トブラマイシン tobramycin（TOB）やジベカシン dibekacin（DKB）は類似の抗菌作用を示すが，副作用が軽減されている．

アミカシン型の薬剤も緑膿菌をはじめとするグラム陰性菌およびグラム陽性菌に強い抗菌力を示す．アミカシン amikacin（AMK）がゲンタマイシンと交差耐性を示さないため，ゲンタマイシン耐性菌や非結核性抗酸菌に用いられている．アルベカシン arbekacin（ABK）は特に MRSA に対して強い抗菌力を示すことから，MRSA 肺炎や敗血症に用いられる．また，緑膿菌にも抗菌力を示すことから MRSA，緑膿菌の混合感染にも用いられる．

アミノグリコシド系薬は殺菌性も強いが，第8脳神経障害による平衡機能障害（めまい）や聴覚障害（耳鳴り・難聴），腎毒性などの副作用も強いため，併用あるいは第二選択薬として用いられている．

4) 核酸合成阻害薬

本薬剤は，細菌細胞内へ入り，DNA 合成あるいは RNA 合成に関与する酵素に作用して，合成を阻害する（巻頭の**表Ⅳ**参照）．

(1) キノロン系薬

キノロン系薬 quinolones は，いずれもピリドンカルボン酸核を骨格とし，その基本構造からナフチリジン型，シンノリン型およびキノロン型の3つの型に分類される．この系の薬剤は細菌のⅡ型トポイソメラーゼ topoisomerase（DNA ジャイレース DNA gyrase ならびにトポイソメラーゼⅣ）活性を選択的に阻害し，抗菌力を発揮する．DNA スーパーコイルを調節するトポイソメラーゼの中で，DNA の二本鎖を切断するものをⅡ型トポイソメラーゼという．DNA ジャイレースは，DNA の二本鎖を切断して DNA に負のスーパーコイルを導入する．この酵素は DNA の複製，修復，転写，組換えに関与している．トポイソメラーゼⅣは，DNA の二重らせんに生じたねじれすぎ（ひずみ）を取り除く．これらの酵素はヒトや動物の細胞にも存在するが，細菌のそれはこれらの高等動物のものとは異なるため，選択毒性が高い薬剤の開発が可能となった．一部を除いて，経口で投与される．

ナフチリジン型やシンノリン型の薬剤は一部のグラム陰性菌に抗菌力を示したが，グラム陽性菌，緑膿菌や嫌気性菌に対して無効であった．しかし，1980 年にナフチリジン骨格の側鎖にフッ素基 F が導入され，飛躍的に抗菌スペクトルが拡大し，抗菌力も増大したノルフロキサシンが導入された．これ以降のキノロン系薬はナフチリジン骨格の側鎖にフッ素をもち（フルオロキノロン），ニューキノロンとよばれている．シプロフロキサシン（**図 1-7-6**），レボフロキサシンは代表的なニューキノロンである．さらに肺移行性を高め，呼吸器感染症に適用できるニューキノロンが開発された．すなわち，ガチフロキサシン gatifloxacin，スパルフロキサシン sparfloxacin，トスフロキサシン tosfloxacin である．これらはレスピラトリーキノロンとよばれている．ニューキノロンはブドウ球菌などのグラム陽性菌，クラミジアやマイコプラズマ，緑膿菌，嫌気性菌にも抗菌力を発揮する．

(2) リファンピシン（図 1-7-6）

p.69「6）抗結核薬」の項を参照．

5) 補酵素合成阻害薬

補酵素は微量で細菌の生育に必須の酵素反応を調節して

いる．この系の薬剤は補酵素の合成を阻害して抗菌力を発揮する（巻頭の**表Ⅴ**参照）．

(1) スルフォンアミド系薬（図 1-7-6）

この系の薬剤はスルファニルアミド sulfanilamide の誘導体で，多くの薬剤が開発されたが現在使用されているのはスルファメトキサゾールのみである．この薬剤は構造的にパラアミノ安息香酸に似ており，葉酸合成系の中のパラアミノ安息香酸とプテリジンから二水素プテロイン酸を合成する2水素プテロイン酸合成酵素を拮抗阻害する．葉酸合成が阻害されると，プリン，ピリミジンなどのヌクレオチド，メチオニン，セリン，グリシンなどのアミノ酸の合成が阻害され増殖阻害が起こる．

(2) トリメトプリム（図 1-7-6）

トリメトプリム trimethoprim はジアミノピリジン誘導体で，抗菌スペクトルはスルフォンアミド系薬より広く，抗菌力も強い．トリメトプリムは二水素葉酸を四水素葉酸に変換するジヒドロ葉酸還元酵素活性を阻害する．この酵素は，宿主細胞にもあるため選択毒性は低い．現在，スルファメトキサゾールとトリメトプリムを5：1の割合で配合したST合剤が臨床で用いられている．これは，スルファメトキサゾールとトリメトプリムが葉酸合成の2つの段階で阻害効果を示すため，相乗的抗菌効果が得られるからである．緑膿菌や嫌気性菌には抗菌力がないが，グラム陽性菌，グラム陰性菌に幅広い抗菌スペクトルをもつ．慢性の呼吸器疾患，肺炎，慢性尿路感染症，腸管感染症に使用される．また，ST合剤は *Pneumocystis jirovecii* にも有効で，カリニ肺炎の治療に用いられる．

6）抗結核薬

結核に対する治療薬の開発は，1944年のストレプトマイシン streptomycin（SM ☞ p.6 参照）に始まる．国が定める「結核医療の基準」（2018年4月改正）では，14種類の抗結核薬が記載されている．これらは，結核菌に対して最も強力な抗菌作用を示し，①菌の撲滅に必須な一次抗結核薬（A）first-line drugs（A）であるリファンピシン rifampicin（RFP），リファブチン rifabutin（RBT），イソニアジド isoniazid（INH），ピラジナミド pyrazinamide（PZA），②一次抗結核薬（A）との併用で効果が期待される一次抗結核薬（B）であるストレプトマイシンとエタンブトール ethambutol（EB），③一次抗結核薬に比べ抗菌力は劣るが，多剤併用で効果が期待される二次抗結核薬であるレボフロキサシン levofloxacin（LVFX），カナマイシン kanamycin（KM ☞ p.6 参照），エチオナミド ethionamide（TH），エンビオマイシン enviomycin（EVM），パラアミノサリチル酸 para-amino salicylic acid（PAS），サイクロセリン cycloserin（CS），そして④新薬であるデラマニド delamanid（DLM）とベダキリン bedaquiline（BDQ）の4種類に大別される．デラマニドとベダキリンは多剤耐性結核 multidrug-resistant tuberculosis（MDR-TB）のみに使用される（イソニアジドとリファンピシンの両剤に耐性である耐性菌による結核を多剤耐性結核という）．抗結核薬は抗酸菌に特有の細胞壁糖脂質の合成を阻害するなど特徴的な薬剤が多く，結核菌以外には用いられないものがほとんどである．薬剤耐性菌の出現を防止するため，複数の薬剤を併用する．

(1) リファンピシン（図 1-7-6）

リファンピシンは，細菌のRNAポリメラーゼのβサブユニットに結合してRNA合成を特異的に阻害することにより殺菌的に働く．耐性変異率が高いため，他の薬剤との併用が望ましい．一般の細菌感染症には用いられず，結核の治療薬として用いられている．

(2) リファブチン

リファブチンはRNAポリメラーゼに作用し，RNA合成を阻害すると考えられている．

(3) イソニアジド（図 1-7-6）

イソニアジドは結核菌に取り込まれた後，カタラーゼ/ペルオキシダーゼの活性によってニコチンアデニンジヌクレオチド（NAD）と共有結合することで活性型となる．結核菌細胞壁の構成脂質であるミコール酸の生合成を阻害するとともにジヒドロ葉酸還元酵素を阻害する．

(4) ピラジナミド

ピラジナミドは投与後に生体内で脱アミノ化されることでピラジン酸に変換され，パンポテン酸に拮抗することでCoAの合成を阻害する．

(5) エタンブトール（図 1-7-6）

エタンブトールは，アラビノース転移酵素の活性を阻害することで，結核菌細胞壁の構成成分であるアラビノガラクタンの生合成を阻害する．

③ 薬剤耐性機序

抗菌薬によって増殖を阻止される菌株は，その薬剤に対して感受性 sensitive であるという．それに対し，同種の菌株が増殖阻害を受ける濃度の薬剤存在下でも増殖する菌株を，その薬剤に対して耐性 resistant であるという．菌株が薬剤の開発以前から耐性の場合，自然耐性 intrinsic resistance といい，薬剤によって感受性株から耐性株が変異により選択された場合，これを獲得耐性 acquired resistance という．ある薬剤に耐性化した菌が，他の薬剤に対しても耐性を示すことがある．これを交差耐性 cross resistance という．

多くの耐性メカニズムは同系統の薬剤の耐性にとどまるが，グラム陰性菌でのポーリンタンパク質の透過性低下や排出ポンプの機能亢進による耐性の場合には，系統を超えた多様な薬剤での交差耐性が認められる．**図 1-7-8** に示すように，新しい抗菌薬が開発され，臨床に応用されるようになると，すぐに耐性菌が出現している．抗菌薬の歴史は耐性菌との戦いの歴史である．

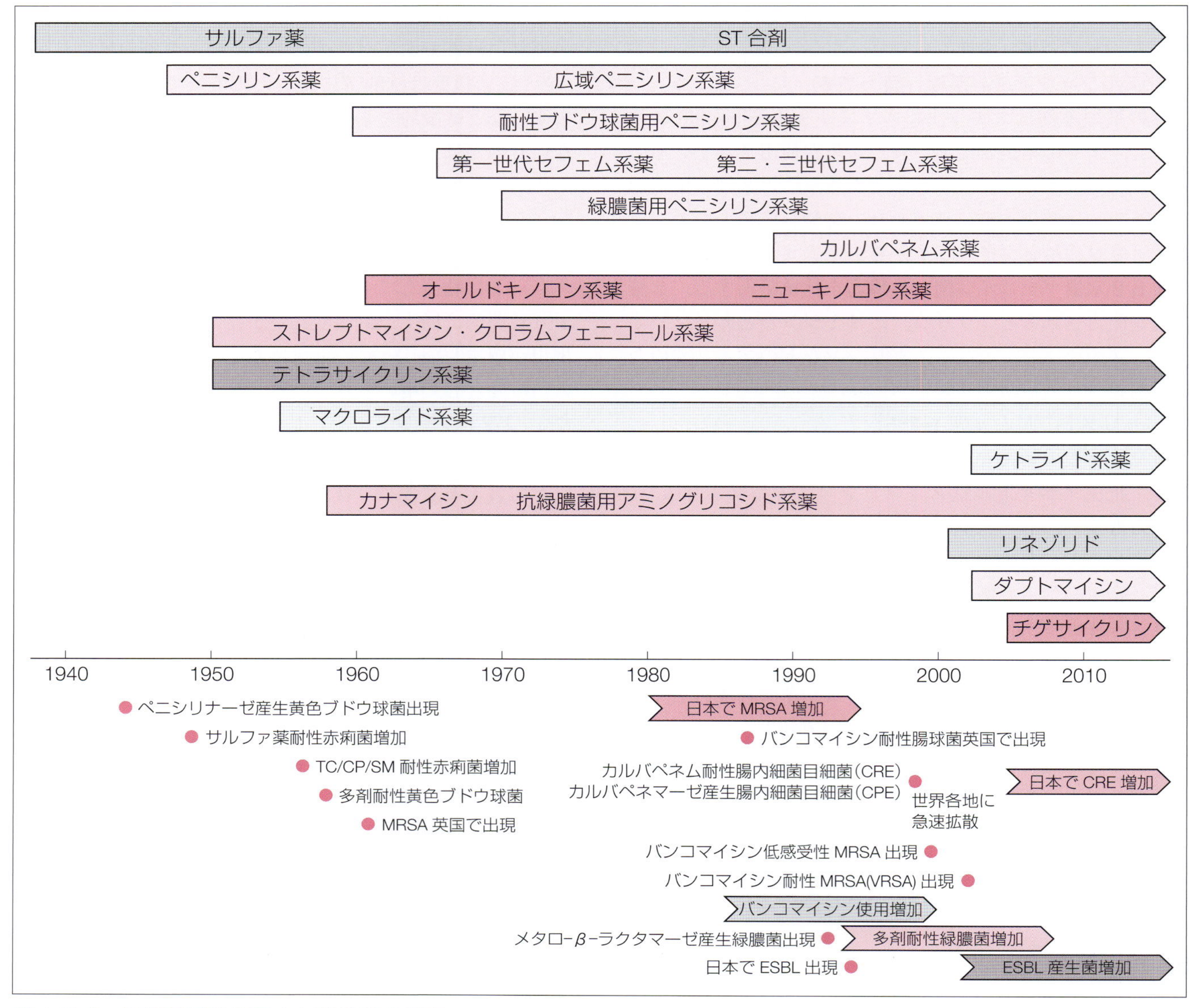

図 1-7-8　抗菌薬開発の歴史と耐性菌の出現

1）薬剤耐性化機序

薬剤耐性化は一般に遺伝子の変化を伴う．薬剤耐性化には種々の機序が知られており，①薬剤を不活化する酵素の産生，②薬剤標的の変化，③薬剤の蓄積量の変化，のように分類できる（**図 1-7-9**）．

（1）薬剤を不活化する酵素

β-ラクタム系薬はβ-ラクタム環を加水分解するβ-ラクタマーゼによって開裂され，抗菌活性を消失する（**図 1-7-10A**）．主としてペナム系薬を分解するペニシリナーゼ penicillinase 型と，セフェム系薬を分解するセファロスポリナーゼ cephalosporinase 型に分類されてきた．現在では，酵素タンパク質のアミノ酸配列から4つのクラスに分類されている（**図 1-7-10B**）．

クラス A，C，D は活性中心にセリン残基をもつ．クラス B は活性残基に亜鉛など2価金属を含み，メタロβ-ラクタマーゼとよばれている．クラス A はペニシリナーゼ，クラス C はセファロスポリナーゼである．クラス D は Oxa 型とよばれ，オキサシリン系の薬剤も分解する．クラス B は通常のβ-ラクタマーゼに耐性のカルバペネムをも分解し，カルバペネマーゼとよばれている．

クラス A β-ラクタマーゼは第二世代，第三世代セフェムを分解できないが，近年，遺伝子の変異により，これらを分解できるクラス A β-ラクタマーゼを有する大腸菌やクレブシエラが出現した．これらのβ-ラクタマーゼを基質拡張型β-ラクタマーゼ extended spectrum β-lactamase（ESBL）とよんでいる．β-ラクタマーゼはグラム陽性菌では菌体外に放出され，グラム陰性菌では細胞壁外膜と内膜の間隙，ペリプラズム内に産生される．ペニシリナーゼは，ほとんどがプラスミド性である．β-ラクタマーゼ産生には構成型と誘導型があり，誘導型はβ-ラクタム薬の添加によってβ-ラクタマーゼの産生が誘導される．

クロラムフェニコールは，クロラムフェニコールアセチルトランスフェラーゼ chloramphenicol acetyltransferase（CAT）によってアセチル化される．アミノグリコシド系

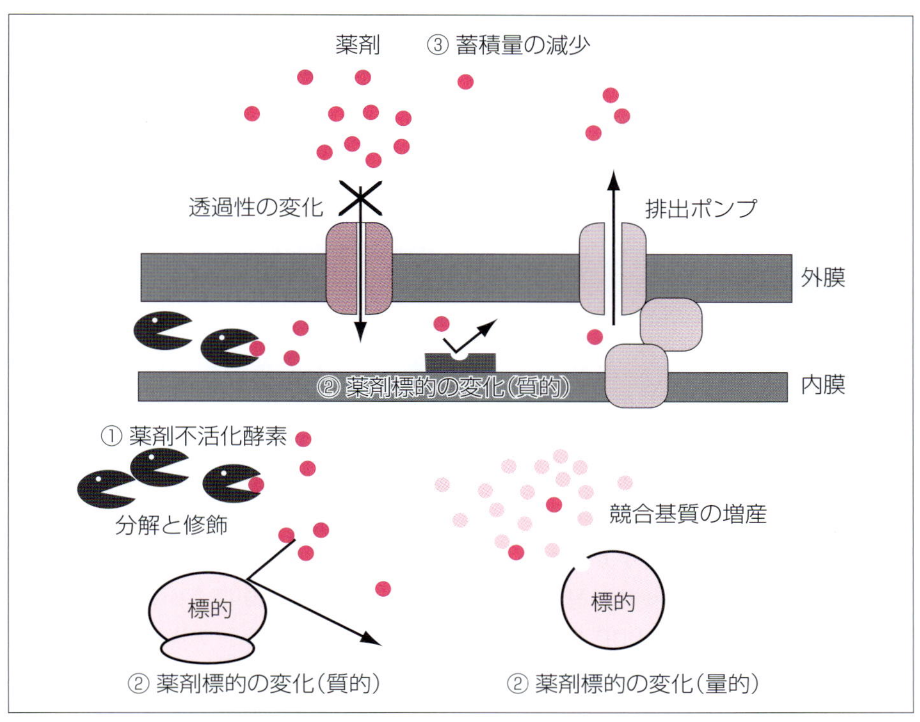

図 1-7-9　薬剤耐性化の機序

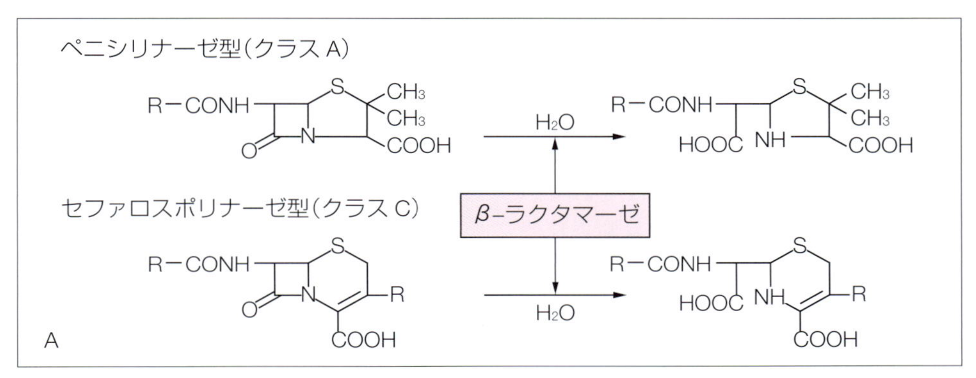

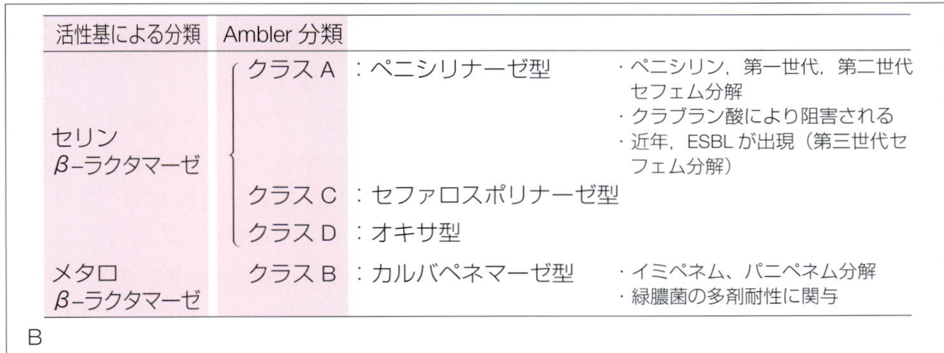

活性基による分類	Ambler 分類		
セリン β-ラクタマーゼ	クラス A	：ペニシリナーゼ型	・ペニシリン，第一世代，第二世代セフェム分解 ・クラブラン酸により阻害される ・近年，ESBL が出現（第三世代セフェム分解）
	クラス C	：セファロスポリナーゼ型	
	クラス D	：オキサ型	
メタロ β-ラクタマーゼ	クラス B	：カルバペネマーゼ型	・イミペネム、パニペネム分解 ・緑膿菌の多剤耐性に関与

B

図 1-7-10　β-ラクタマーゼによるβ-ラクタム系薬の加水分解とβ-ラクタマーゼ分類

薬に対する耐性化の多くは，薬剤の化学修飾による不活化である．アミノグリコシド修飾酵素にはアセチル化酵素（アセチル転移酵素）aminoglycoside acetyltransferase（AAC），リン酸化酵素（リン酸基転移酵素）aminoglycoside phosphotransferase（APH），あるいはアデニリル化酵素 aminoglycoside adenylyl/nucleotidyl-transferase がある．

(2) 薬剤標的の変化

a）質的変化

アミノグリコシド系薬やマクロライド系薬はリボソームの 30S，50S サブユニットに結合して作用する．このため，これらのリボソームサブユニットを構成しているタンパク質に変化が起きた場合に耐性化する．

ストレプトマイシン耐性として，30S リボソームの変化が知られている．マクロライド系薬耐性としては，23S RNA（50S サブユニットの一部）のアデニンのメチル化によって，マクロライド系薬の 50S リボソームへの親和性が低下することが知られている．メチル化による耐性獲得は，rRNA メチラーゼをコードする *erm* 遺伝子の獲得による．

リファンピシンは容易に耐性菌が得られる．この耐性は RNA ポリメラーゼのβサブユニットの変化である．

キノロン系薬は，Ⅱ型トポイソメラーゼである DNA ジャイレースおよびトポイソメラーゼⅣを標的として作用する．キノロン系薬耐性は，染色体上のこれらの遺伝子の点変異によってキノロン系薬のこれらの酵素への結合親和性が低下することによることが明らかにされている．耐性化にかかわる点変異の位置は特定のアミノ酸に集中する傾向があり，これらのアミノ酸領域をキノロン耐性決定領域 quinolone resistance-determining region（QRDR）とよんでいる．

β-ラクタム系薬は，細胞壁のペプチドグリカン合成における架橋反応を阻害する．架橋反応には複数の酵素が関与するが，β-ラクタム系薬はこれらの酵素 PBP と共有結合して，架橋反応を止める．黄色ブドウ球菌は元来，β-ラクタム系薬に感受性であったが，メチシリン耐性黄色ブドウ球菌 methicillin-resistant *Staphylococcus aureus*（MRSA）とよばれる耐性菌が出現した．MRSA は感受性菌が保有する PBP1～4 以外に，β-ラクタム系薬と結合親和性の低い PBP2' を有している．このため，MRSA はβ-ラクタム系薬による架橋阻害を免れ，すべてのβ-ラクタム系薬に対して耐性化する．PBP2' は，染色体に取り込まれた外来性の DNA 断片に存在する *mecA* 遺伝子にコードされている．PBP の変化によるβ-ラクタム系薬耐性化は肺炎球菌やインフルエンザ菌でもみられる．

バンコマイシンやテイコプラニンは，ペプチドグリカン前駆体の D-Ala-D-Ala 末端に結合するが，*Enterococcus faecalis* は前駆体末端を D-Ala-D-Lac に変えることにより耐性化した．これは細胞壁の生合成系を変化させる一連の *van* 遺伝子群を接合により取り込んだためでバンコマイシン耐性腸球菌 vancomycin-resistant enterococci（VRE）とよばれる．

バンコマイシンは MRSA の治療に用いられるが，2000 年に米国でバンコマイシンに耐性を示す MRSA，vancomycin-resistant *S. aureus*（VRSA）が見出された．この株は VRE の耐性遺伝子群を，種を越えて獲得したと考えられている．

b）量的変化（酵素や競合基質の増産）

黄色ブドウ球菌や腸球菌では，PBP の増量によってβ-ラクタム系薬の MIC が上昇することが知られている．スルフォンアミド系薬は，葉酸合成系の基質パラアミノ安息香酸と拮抗して二水素プテロイン酸合成を阻害する．パラアミノ安息香酸量が増加すると，細菌は耐性になることが知られている．

(3) 薬剤の蓄積量の変化

a）細菌細胞表層の変化

ホスホマイシンはヘキソースリン酸の細胞内輸送系を用いて細胞内部に入るため，この輸送系遺伝子に変異が起こると，細菌はホスホマイシンに耐性になる．グラム陰性菌の場合，β-ラクタム系薬，キノロン系薬，テトラサイクリン系薬などの親水性の薬剤の外膜透過はポーリンタンパク質の形成する孔に依存する．したがって，ポーリンタンパク質遺伝子に変異が生じ，ポーリンタンパク質を薬剤が通過しにくくなると，細菌はその薬剤に対して耐性となる．

b）薬剤の排出

細菌をはじめすべての生物は，細胞内の化学物質をエネルギーを使って能動的に排出するポンプ（排出ポンプ）を保有している．細菌は，種々の薬剤が排出ポンプによって排出されることが明らかにされている．消毒薬の排出にかかわる QacE，テトラサイクリンの排出にかかわる TetA，キノロン耐性にかかわる NorA などがある．また，グラム陰性菌の RND 型排出ポンプは基質域が広く，類似性のない複数の抗菌薬を排出することが知られている．緑膿菌の MexA-MexB-OprM などがある．

2）薬剤耐性獲得の機序

(1) 内因性の耐性化—突然変異

キノロン系薬，リファンピシンやストレプトマイシンは治療中に耐性菌が出現しやすい．これらの耐性は染色体の突然変異によって生じることが知られている．突然変異によって出現した耐性菌は薬剤存在下で生き残り，薬剤感受性菌は死滅する結果，耐性菌が選択されてくる．

(2) 外来性の耐性遺伝子の獲得

薬剤耐性遺伝子の獲得にはプラスミド，ファージ，トランスポゾンなどの可動性遺伝因子 mobile genetic element が深くかかわっている．

a）薬剤耐性プラスミドの獲得

臨床分離株のグラム陰性菌である腸内細菌目細菌や緑膿菌の多くは，接合伝達性 R プラスミドを保有している．R プラスミドによる耐性化の場合には，複数の薬剤に同時に耐性化することが多い．R プラスミドには腸内細菌目細菌，緑膿菌などにおいて近縁種間で伝達されるものと，幅広く広範囲の宿主に伝達されるものがある．グラム陽性菌では *Enterococcus faecalis* や *Staphylococcus* 属で薬剤耐性が接合伝達されることが知られている．

一方，自己伝達遺伝子をもたない低分子量の薬剤耐性プラスミドも存在する．このプラスミドはファージによる形質導入の際に伝達されたり，他の伝達性プラスミドと共存する際に伝達される．これを可動化 mobilization という．R プラスミドによる薬剤耐性伝達は，主にグラム陽性菌間で認められる．

b）他の伝達手法による獲得

形質導入や形質転換によっても耐性遺伝子は獲得される．ペニシリン耐性肺炎球菌のPBP2は，感受性株のPBP2とβ-ラクタム系薬に自然耐性を示す口腔レンサ球菌のPBP2のキメラになっており，肺炎球菌が外来性に獲得したPBP2の遺伝子と相同組換えをした結果と考えられている．また，トランスポゾンは染色体，プラスミド，ファージDNAと比較的自由にDNA間を移動するため，薬剤耐性化の拡大に大きな役割を果たしている．

c）インテグロン

インテグロンは，組換えが起こる部位attachment site（*attI*），組換えにより遺伝子を組込むためのインテグラーゼintegrase（*int*），組み込まれた遺伝子の転写のためのプロモーターの3つの要素からなる遺伝子獲得システムである．1ないし複数の遺伝子をカセットのように次々と獲得することにより，インテグロン自体が複数の耐性遺伝子を保有することを可能にする．可動性遺伝因子がインテグロンを保有すると，この可動性遺伝因子の獲得により細菌が一挙に多剤耐性を獲得するため，耐性菌の拡大に重要な役割を果たすことが知られている．

4 抗菌薬の臨床

1）抗菌薬の選択

細菌感染症の治療に適切な抗菌薬を用いるには，原因菌を特定し，その細菌の薬剤感受性試験を行ったうえで用いることが原則である．しかし，臨床の場では検査結果が出るまでに投与を必要とする場合が多い．そのような場合は感染症の主要原因菌を推定し，使用抗菌薬の臓器移行性，耐性菌誘発性，副作用，経済性を考慮に入れて行う．これをエンピリックセラピーempiric therapyという．

実際の使用に対しては，抗菌薬はできる限り単剤を使用する．ただし場合により併用療法が必要なことがある（結核，免疫不全者，重複感染など）．また重症感染症では常に殺菌的薬剤を使用し，静菌的薬剤は使用しない．抗菌薬投与後72時間で最初の治療効果判定を行い，効果が認められない場合はその原因の検討を行い休薬，他薬への変更などの対処を行う．

2）副作用

抗菌薬は基本的には選択毒性が高く，安全であるとされている．しかしながら，現実には多岐にわたる副作用が報告されている．したがって，抗菌薬の使用にあたっては常に患者の症状や臨床検査値の変動に留意する必要がある．また，日常的に複数の抗菌薬の併用療法や他の薬剤との併用療法が行われるようになっている．抗菌薬が他の薬剤の作用を修飾することも報告されており，薬剤の使用は慎重に行う必要がある．

副作用には過敏症反応および中毒反応がある．

（1）過敏症反応

過敏症には，使用直後に発現する即時型と，使用開始後数日ないしは1週間以上経過した後に現れてくる遅延型がある．

a）即時型

●ペニシリン系薬によるアナフィラキシーショック

悪心，嘔吐，腹痛，喘息様発作，血圧低下，チアノーゼ，意識混濁などを呈し，死に至ることもある．

b）遅延型

●薬剤性過敏症症候群

一般的なアレルギー症状である発疹，発熱，好酸球増多症，白血球増多，異型リンパ球の出現やリンパ節炎，関節炎などさまざまな症状が現れる．通常，粘膜疹を伴わないが，ときに口腔粘膜のびらんを認める．過敏症反応を前もって予測することは困難なため，詳細な問診によりアレルギーの既往歴を確認する必要がある．

●レッドネック症候群

バンコマイシンを大量に急速に点滴静注した際に顔，頸部，上体幹，背中および腕に紅斑性の発疹や充血を認める．耳鳴，痒み，頻脈，呼吸困難を伴う．

●Stevens-Johnson症候群Stevens-Johnson syndrome（皮膚粘膜眼症候群）

皮膚・粘膜移行部の重篤な粘膜病変（出血性あるいは充血性）で発熱を伴う．口唇，眼粘膜，外陰部に顕著に現れる．しばしば水疱，表皮剝脱を認める．通常，服用後2週間以内に発症するが数日から1か月以上までと幅がある．

●Lyell症候群Lyell's syndrome，中毒性表皮壊死症候群toxic epidermal necrolysis（TEN）

Stevens-Johnson症候群の進展形．皮膚の広汎な水疱で発熱を伴う．口腔粘膜の結膜のびらんを認める．重篤化で生命にかかわる場合がある．

（2）中毒反応

中毒反応は抗菌薬の細胞毒性によるものである．肝障害，腎障害，造血器障害，神経障害や，内服による胃腸障害などがある．好発障害部位はその薬剤の代謝臓器と関連している．

a）肝障害

マクロライド系薬，テトラサイクリン系薬，サルファ薬，抗結核薬，β-ラクタム系薬，ニューキノロン系薬などで認められる．肝機能値（GOT，GPT，ALPなど）に注意し，上昇が認められる際は投与を中止する．

b）腎障害・聴力障害

腎障害はバンコマイシン，アムホテリシンB，ポリエン系薬，アミノグリコシド系薬，セフェム系薬の一部などで認められる．アミノグリコシド系薬は腎障害による排泄遅延から体内に蓄積されると不可逆的な第8脳神経（聴神経）障害を起こす．

c）神経障害

軽度のめまい，ふらつき感から，痙攣・意識障害まで多彩である．β-ラクタム系薬やニューキノロン系薬による痙攣が報告されている．

d）胃腸障害

重篤なものとして偽膜性大腸炎，急性出血性大腸炎が知られている．すべての抗菌薬が原因となりうるが，経口β-ラクタム系薬，リンコマイシン系薬で頻度が高い．偽膜性大腸炎は薬剤による直接的中毒というよりは菌交代症による二次的副作用と考えられる．*Clostridioides difficile* が検出される．

e）出血傾向

抗菌薬による腸内細菌の抑制によるビタミンK合成障害や一部のセフェム系薬（セフォペラゾン，セフメタゾール，ラタモキセフなど）が共通してもつセフェム環3位側鎖のN-メチルテトラゾールチオメチル基の代謝産物によるビタミンK再利用系の障害によるビタミンK欠乏症，セフェム7位による血小板凝集能障害により出血傾向を招くことがある．

f）ジスルフィラム様作用

セフェム環3位側鎖にN-メチルテトラゾールチオメチル基をもつ一部のセフェム系薬（セフォペラゾン，セフメタゾール，ラタモキセフなど）はアルコール代謝を抑制し，血中アセトアルデヒドの蓄積を起こす．このため投薬時には飲酒を控えることが必要である．

E　滅菌と消毒

医療従事者あるいは微生物を取り扱う研究者は，その危険性を十分認識しなければならない．微生物を含めて生物がヒトの健康や生命に危害を及ぼすことをバイオハザードbiohazardとよび，そのような危害に対して安全を確保するための感染防御対策をバイオセーフティbiosafetyという．特に，日常の臨床において，医療従事者は微生物と接触する機会は多く，滅菌sterilizationや消毒disinfectionに関する知識やその実践は必要不可欠なものであるが，両者は目的と手段が異なることを熟知しなければならない．

滅菌とは，すべての微生物を完全に死滅あるいは除去して無菌状態をつくることで，確率論的な概念として運用される．一方，消毒は生存する微生物の数を減らして感染力やビルレンスを可能な限り低下，消滅させることをいう．滅菌には目標となる数値の概念があるが，消毒や殺菌には，そのような概念はない．したがって，後者はすべての微生物を死滅させたり，除去することを意味しない．たとえば，滅菌により芽胞をもつ細菌は死滅するが，消毒では致死効果を示さない場合があるので，十分な注意を払う必要がある．

❶ 物理的な方法

1）熱による滅菌・消毒

(1) 火炎滅菌

バーナーを用いて，火炎中で細菌学的検査で用いる白金耳やガラス器具の管口などを滅菌する方法である．

(2) 乾熱滅菌

乾熱滅菌器を用いて，庫内を160～180℃の高温で60～30分間（温度により異なる）維持することが必要である．この方法は，高熱に耐えるガラス器具，陶器，金属などの器材の滅菌に用いられる．

(3) 煮沸消毒

シンメルブッシュの煮沸消毒器を用いて，被消毒物を沸騰水中に沈めて15分以上煮沸する．栄養型細菌，結核菌，真菌，ウイルスを殺滅するが，芽胞は殺滅できない．1～2%炭酸ナトリウムを加えることにより，殺菌力が高まるとともに金属器具の腐食を防止する．

(4) ウォッシャーディスインフェクターによる消毒

主に医療器材を対象とした温湯を用いた強力水流による洗浄と，それに続く熱湯消毒法である．タンパク質が熱変性を起こさない程度の温湯を噴射して洗浄した後，高温水で処理することで微生物の希釈・除去を行う．従来の薬液浸漬や人手による一次洗浄が不要となり，作業者の感染リスク回避に有効である．

(5) 温湯・熱湯消毒

ほとんどの病原微生物は湿状態，65℃以上で処理することで死滅する．英国のガイドラインは90℃で1秒以上，80℃で1分以上，70℃で2分以上，65℃で10分以上と定めている．日本では，リネンの消毒について80℃，10分間と基準が定められている．

(6) 低温殺菌

被殺菌物（液）の品質の変化を最小限にとどめながら，100℃以下の温度で比較的長時間をかけて微生物を死滅させる方法である．Pasteurがワインの腐敗を防止するために60℃で熱したことに由来し，パスツリゼーションpasteurizationともいう．牛乳の場合，60～68℃，30分処理で風味や香りを損なうことなく殺菌する方法として用いられている．大部分の栄養型細菌は死滅するが，芽胞には無効である．

(7) 超高温殺菌

被殺菌物（液）を120℃以上の湿熱で加熱する．牛乳の場合，通常は120℃，3秒処理する．

(8) 高圧蒸気滅菌

高圧蒸気滅菌器（オートクレーブautoclave）を用いて，高圧の蒸気で滅菌する方法である（**図1-7-11**）．滅菌対象の耐熱性によって種々の条件の中から選んで行う（**表1-7-4**）．この方法では芽胞やウイルスを含めて完全に微生物を殺滅することができるので，現在，微生物実験や医

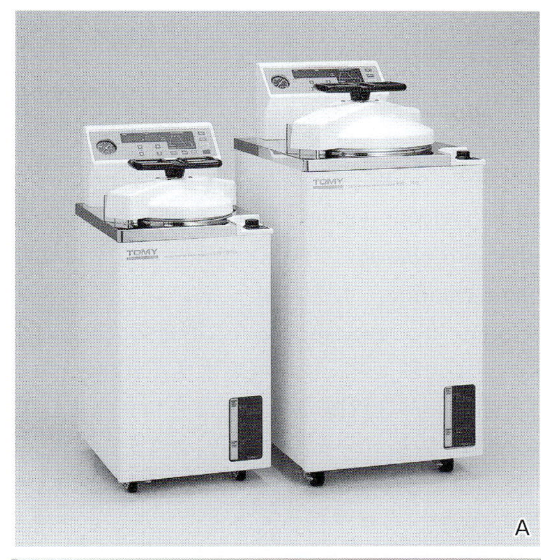

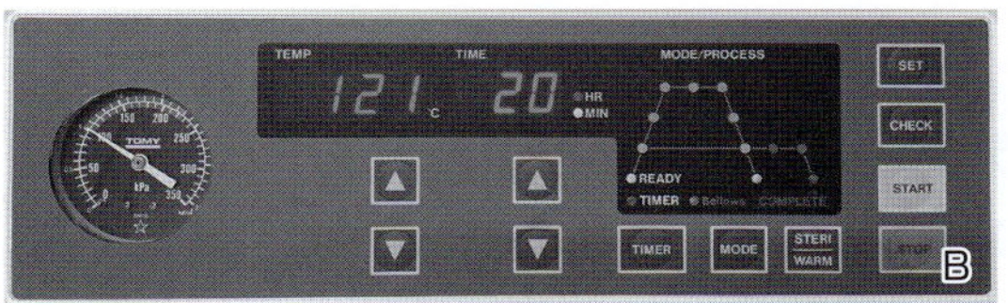

図 1-7-11　高圧蒸気滅菌器（オートクレーブ）の一例
大小さまざまなタイプのオートクレーブが用途に応じて用いられる．
A：本体，B：パネル

表 1-7-4　オートクレーブによる滅菌の条件

温度	時間
115～118℃	30 分間
121～124℃	15～20 分間
126～129℃	10 分間
132～134℃	3 分間＋α

培養に用いる培地などでは115℃で滅菌する必要がある場合がある．異常プリオンの混入の可能性がある場合は，132℃ 1 時間処理で異常プリオンの感染力を落とすことができる．

療現場で最もよく用いられている．

2）照射滅菌

（1）紫外線

紫外線 ultraviolet ray は，100～400 nm の波長をもった光線のことをいう．波長が 260 nm 付近の紫外線は強い殺菌効果を示し，核酸を変性させ，微生物を死滅させる．実験室や手術室の空気，実験器具などの表面や水の殺菌などに利用されている．一般には殺菌灯として低圧水銀灯を用いる．紫外線照射の効果は距離の二乗に反比例し，照射時間は長いほうがよい．表面のみが殺菌され，陰になる部分には効果がない．直視や皮膚への照射は避けなければならない．

（2）γ線による滅菌

放射線照射で細胞内成分がイオン化されることにより，種々の化学反応が起こり結果的に微生物が死滅する．これらの放射線は，物質への強い透過力により食品内部の微生物も熱を加えずに殺菌でき，包装した被滅菌物も殺菌できる．コバルト 60 のγ線が主として用いられる．

3）低温プラズマ滅菌

過酸化水素ガスに高周波やマイクロ波のエネルギーを与え，100％イオン化したプラズマ状態をつくる．この中には殺菌効果の高いフリーラジカルが多く含まれ，その作用により菌が死滅する．全工程が低温（45℃）で，残留毒性がない．金属器具，非金属の非耐熱器具が対象となる．

4）濾過滅菌

濾過滅菌 filtration とは，被滅菌物をフィルターを通してその中に混入している微生物を除去する方法である．

（1）液体の濾過

多孔質のセルロース誘導体，プラスチックあるいはテフロン製のフィルターが用いられる．フィルターにはさまざまな孔径の物があり，細菌の濾過には孔径 0.22～0.45 μm の物が用いられる．また超濾過法という方法もある．逆浸透膜や限外濾過膜を用いて濾過する方法で，分子量約 6,000 以上のものを除去できる．この方法でウイルスや内毒素を除去することができる．注射用水の製造に用いられている．

（2）気体の濾過

高性能粒子吸着フィルター high efficiency particulate air filter（HEPA フィルター）が用いられている．HEPA フィルターはガラス線維の濾紙でできており，JIS 規格で粒径 0.3 μm の粒子に対して 99.97％の捕集率をもつことが規定されている．HEPA フィルターを用いて空気清浄度を上げた部屋をクリーンルームとよび，手術室や滅菌室などはクリーンルーム化されている．

清浄度は許容粒子数により規格化されているが，医療用クリーンルームでは菌の制御を目的とするため，単位体積あたりの浮遊細菌数 / 単位面積あたりの落下細菌数による規格（NASA 規格）で表記することが多い．たとえば，クラス 100 では 1 ft^2 での 1 週間の落下細菌数が 1,200 CFU 以下である．また，感染予防で用いられるマスクとして N95 マスクがある．これは，米国労働安全衛生研究所の N95 規格（粒径 0.3 μm の粒子に対して 95％の捕集率をもつこと）を満たすマスクで，空気感染の原因となる飛沫粒子核（5 μm 以下）も捕集することができる．

❷ 化学的な方法

1）ガス滅菌

ゴムやプラスチック製品などのような加熱滅菌できない器材の滅菌には，殺菌力のあるガスを用いて微生物を殺滅することが有効である．これらの殺菌性ガスとしては，エチレンオキサイド ethylene oxide やホルムアルデヒド formaldehyde が用いられる．いずれのガスも微生物タンパク質，核酸，酵素などのアミノ基などをアルキル化することにより不活化する．

エチレンオキサイドガス滅菌

アルキル化薬として作用し，タンパク質や核酸と結合して変質させ，強い殺菌力を示す．医療用器材の滅菌に広く用いられている．エチレンオキサイドガスは殺菌力，浸透性に優れており，40℃，湿度40％の条件で利用されている．エチレンオキサイドガスは強い引火性，爆発性を有し，ヒトへの毒性（急性中毒，発がん性，催奇性）があるため換気システムを含む特殊な装置が必要である．ガス滅菌は，被滅菌物をポリエチレンフィルムに包み込み，ガス存在下で2～4時間処理する．その後，エアレーションにより8～12時間以上放置しガスがなくなった後使用する．2001年5月より滅菌作業者や医療従事者のガスへの曝露を防ぐために，労働安全衛生法で環境でのエチレンオキサイドガス濃度を1 ppm以下にする規制が適用されている．

2）オゾン

強い酸化作用をもち，殺菌的に働く．オゾンガスを水に溶け込ませたり，電気分解により水に含まれる酸素を利用して「オゾン水」として活用する．不安定な性質で数十分で水に戻るため，残留性のない殺菌水として使える．近年，ナノバブルといわれる超微細な泡を用いてオゾンを1か月程度保持させることができるようになった．

3）電解水

水を電気分解し陽極側にできた酸性電解水の次亜塩素酸により殺菌する．酸性の強い強酸性電解水と中性に近い微酸性電解水がある．強酸性電解水は有効塩素濃度の低下が著しく保存ができないが，微酸性電解水は低下が緩やかで半年程度保存ができる．

❸ 薬剤による消毒法

1）消毒薬

殺菌作用のある化学薬品．多くの消毒薬があるがその作用機序はさまざまである．微生物に対する有効性（抗微生物スペクトル），適用対象，経済性，環境に配慮して消毒薬を選択し，適正使用する必要がある（**表1-7-5，6**）．また，消毒薬は一般に強い毒性をもっているので，服用することはできない．消毒薬の殺菌効果は，その濃度，作用時間，温度などにより異なるので注意しなければならない．

消毒薬の効果判定基準について一般的な規定はないが，欧州ではヒト以外に使用する消毒薬の有効判定基準として細菌に5分間作用した後に$1/10^4$以下（99.99％以下）にすることと規定している．消毒薬の力価は，消毒薬の1つである石炭酸（フェノール）と比較して表示され，これを石炭酸係数 phenol coefficient とよんでいる．この値が大きいことは消毒力が強いことを示す．また，死滅速度恒数（K）あるいは微生物の数を1/10にするための時間D値で表すことがある．K = 1/Dの関係にある．K値が大きければ殺菌力が強いことを意味する．

日本薬局方に記載，もしくは日本歯科医学会が認める消毒薬成分は主に7種類である．すなわち①グルタラール，②消毒用エタノール，③次亜塩素酸ナトリウム，④ポビドンヨード povidone iodine，⑤ベンゼトニウム塩化物 benzethonium chloride，⑥ベンザルコニウム塩化物 benzalkonium chloride，⑦クロルヘキシジングルコン酸塩 chlorhexidine digluconate である．消毒薬は対象とする微生物スペクトルにより，広域（高水準），中域（中水準），狭域（低水準）の3段階の消毒薬に分類される（**表1-7-5，6**）．標準予防策（☞ p.293参照）の考え方から，血液・体液・排泄物などは病原体が未同定である．このような対象を消毒する際は標準予防策の考え方に沿って使用する必要がある．

2）消毒効果に影響を与える因子

消毒薬の効果は，温度，濃度，時間に影響を受ける．温度は通常20℃以上で使用する．温度が低いと十分な消毒効果が得られない．濃度は添付文書に沿って指定された適切な濃度で使用する．通常は濃度が高いと消毒効果は上がるが，副作用や環境への影響，経済性に問題が生じる．消毒薬と微生物の接触時間は長いほど効果が期待できる．

3）消毒薬各論

（1）アルデヒド類

アルキル化薬として作用し，タンパク質や核酸と結合して変質させ，強い殺菌力を示す．グルタラール glutaral は一般細菌のみならず芽胞，結核菌やウイルスにも有効である．2～20％溶液がグルタラールとして使用されている．有機物の混入による効力の低下は少ない．高レベルの消毒が必要な内視鏡の消毒に用いられ，金属を腐食させにくい．人体には使用できない．

（2）アルコール類

エタノール ethanol は，60～90 w/w％で強い殺菌効果が得られ，これらの濃度範囲外ではかえって効力が落ちる．70 w/w％（消毒用エタノールの濃度である76.9～81.4 vol％と同等）で最も強い殺菌効果を示す．一般の細菌は15秒程度で殺菌され，アルコールは蒸発するので残留の危険性もない．皮膚や手指の消毒などによく用いられる．一般細菌，結核菌やHIVにも有効であるが，芽胞には無効である．揮発性で引火性であり，ゴムやプラスチック製品は変性するので用途に注意しなければならない．

作用機序としては，微生物の細胞壁や細胞膜を通過して細胞質のタンパク質を変性したり，酵素阻害や脂質の溶解などにより微生物を死滅させる．イソプロパノール isopropyl alcohol は，無色透明でエタノールと同様に揮発性で30～50％溶液で殺菌作用を発揮する．毒性や刺激性はエタノールよりやや強いが，比較的安価である．消毒用エ

表 1-7-5　消毒薬の抗微生物スペクトル

消毒薬 ＼ 微生物		細菌						真菌	ウイルス				
		グラム陽性菌			グラム陰性菌		結核菌						
		一般細菌	MRSA	芽胞	一般細菌	緑膿菌			一般ウイルス	HBV	HCV・HIV	ライノウイルス	ノロウイルス
広域	グルタラール	◎	◎	◎	◎	◎	◎	◎	◎	◎	◎	◎	◎
中域	消毒用エタノール	◎	◎	×	◎	◎	◎	○	◎	×*	◎	×	×***
	次亜塩素酸ナトリウム	◎	◎	○	◎	◎	○	◎	◎	◎	◎	◎	◎
	ポビドンヨード	◎	◎	○	◎	◎	◎	◎	◎	○	◎	○	×***
狭域**	ベンゼトニウム塩化物	◎	○	×	◎	○	×	○	×	×	×	×	×
	ベンザルコニウム塩化物	◎	○	×	◎	○	×	○	×	×	×	×	×
	クロルヘキシジングルコン酸塩	◎	○	×	◎	○	×	○	×	×	×	×	×

◎：有効　○：効果弱い　×：無効
*消毒用エタノールはHBVに対して有効との報告もあるが，ここでは厚生省保健医療局監修ウイルス肝炎研究財団編「ウイルス肝炎感染対策ガイドライン」を参考とした．
**狭域スペクトルのベンゼトニウム塩化物，ベンザルコニウム塩化物，クロルヘキシジングルコン酸塩は一般細菌には有効であるが，緑膿菌などのブドウ糖非発酵菌が抵抗性を示す場合があるので注意する．また，調整後の綿球やガーゼ含有の分割使用は24時間以内が望ましい．
HBV：B型肝炎ウイルス，HCV：C型肝炎ウイルス，HIV：ヒト免疫不全ウイルス
***平成20年度ノロウイルスの不活化に関する調査報告書（国立医薬品衛生研究所）を参考とした．
（標準予防策実践マニュアル．ICHG研究会編，南江堂，2005，p.44を改変）

表 1-7-6　医療現場で用いられる各種消毒法の特徴と適用

消毒薬 ＼ 適用対象		手指・皮膚	粘膜	器具類	環境
広域	グルタラール（ステリハイドなど）	×	×	◎（内視鏡に使用）	×
中域	消毒用エタノール	◎	×	◎	○
	次亜塩素酸ナトリウム（デキサント，ハイポライトなど）	○	×	○（印象体に使用）	◎ 環境には清拭に使用
	ポビドンヨード（イソジンなど）	◎	◎	×（金属不可）	×
狭域	ベンゼトニウム塩化物（ハイアミンなど）	◎	◎	◎	○
	ベンザルコニウム塩化物（オスバン，ウェルパスなど）	◎	◎	◎	○
	クロルヘキシジングルコン酸塩（ヒビテンなど）	◎	×	◎	○

◎：使用可　○：注意して使用可，または第一選択ではない　×：使用不可または使用不適
（ICHG研究会編：標準予防策実践マニュアル．南江堂，2005.を改変）

タノールにベンザルコニウム塩化物，クロルヘキシジングルコン酸塩などを添加した速乾性手指消毒薬も頻用されている．

(3) ハロゲン類

a）次亜塩素酸ナトリウム

次亜塩素酸ナトリウム NaOCl は4〜6%の有効塩素を含有し，細菌やB型肝炎などのウイルスにも有効である．器具や手指の消毒には50〜1,000 ppmで用いる．金属腐食性があり，有機物の混入による効力の低下がある．酸性の洗浄剤との混合により有毒な塩素ガスを発生するため注意を要する．床に落ちた血液・体液・排泄物などの消毒に使用する．有機物と反応してNaClとなるため，環境にも使用される．

b）ポビドンヨード

ポビドンヨードは，ヨウ素をキャリアであるポリビニルピロリドンに結合させて可溶化したものである．広い抗微生物スペクトルをもち，生体への刺激性も低い．皮膚や粘膜（口腔，膣），創傷部位にも適用が可能である．ヨードアレルギーの人には使用できない．

(4) クロルヘキシジングルコン酸塩

クロルヘキシジングルコン酸塩は，ビグアナイド系消毒薬である．副作用が少なく不快な臭気もないため，現在，

広く臨床で用いられている．グラム陽性菌・陰性菌を問わず広く細菌一般に有効であるが，結核菌，芽胞，ウイルスには無効である．金属反応性があり，一部金属イオンや有機物の混入による効力の低下がある．アルカリ性で殺菌効果が消失する．0.1～0.5％溶液を手指や一般器具の消毒に用いる．粘膜や皮膚からほとんど吸収されないため，全身的な毒性は低いが，ごくまれにショック様症状を起こすことがあるとされる．

(5) 陽イオン界面活性剤

高級アルキル基を含む4級アミンで逆性石鹸とよばれる．ベンザルコニウム塩化物とベンゼトニウム塩化物がある．無色あるいは薄黄色の透明無臭の液体で，消毒効果が高いが洗浄効果は低い．普通石鹸と併用するとかえって効果を低下させる．一般細菌や真菌には有効であるが，結核菌や芽胞にはほとんど効果がない．手指や皮膚の消毒に用いられる．

(6) その他

過酸化物類

発生期の酸素（活性酸素）により殺菌作用を示す．3％過酸化水素 hydrogen peroxide は，組織や細菌などと接触すると分解され発生期の酸素（発泡）を遊離し，殺菌とともに発泡による機械的洗浄を行う．過酸化水素ガスはプラズマ滅菌に使用される．消毒に用いる場合は，分解（発泡）しない条件下で，一般細菌（5～20分作用），芽胞（高濃度で3時間作用）の殺滅が期待できる．

F　感染症予防法

人類はこれまでに多くの感染症により困難に直面してきた．有史以降でも黒死病（ペスト），痘そう（天然痘），コレラ，COVID-19などの流行は歴史的に大きな打撃を人類文明に与えてきた．近代以来，細菌学，微生物学研究の発展により感染症の原因の探究，対策，予防法の開発が進められてきた．これらに基づいて医学医療の進歩や衛生水準の著しい向上がはかられ，より多くの感染症が克服されてきた．しかし新たな感染症の出現（新興感染症）やいったん克服されたと思われた感染症の再興（再興感染症）が現在でも相次いでいる．また全地球的な国際交流の進展も感染症によるパンデミック発生の危険性を高めている．これらの状況から現在だけでなく，将来的にも感染症の対策の重要性は増している．またわが国においてはハンセン病，後天性免疫不全症候群などの感染症の患者に対するいわれない差別，偏見が存在した事実があり，これを教訓として実際の感染症対策に生かすことが必要である．以上を踏まえ，感染症の患者などの人権を尊重したうえでの感染症対策が求められている．

わが国の感染症対策は，現在，1998年に制定，以降改正された「感染症の予防及び感染症の患者に対する医療に関する法律（感染症予防法）」に基づいて実施されている．この法律は従来の「伝染病予防法」「性病予防法」「AIDS予防法」の3つを統合したものである．そして，この法律は感染症の患者などの人権を尊重しつつ，感染症の予防および患者に対する医療に関し適正かつ必要な措置を定めることにより，感染症の発生を予防し，およびその蔓延の防止をはかり，公衆衛生の向上および増進をはかることを目的としている．

法律に基づく感染症の分類

個別の感染症をその症状の重さ，病原体の感染力から危険性を分類する．一～五類感染症，新型インフルエンザ等感染症，指定感染症および新感染症が指定される（**表1-7-7**）．実施できる措置，保健所への届出の有無についてもこの分類をもとに定められている．また，必要が認められる際は分類，措置の見直しを行う．

（内藤真理子）

表 1-7-7「感染症の予防及び感染症の患者に対する医療に関する法律」の対象となる感染症
（改正感染症法（2023 年 4 月 1 日施行）に基づく）

分類	定義	感染症名	届け出（保健所），措置
一類感染症	感染力や罹患した場合の重篤性などに基づく総合的な観点からみた危険性がきわめて高い感染症	エボラ出血熱，クリミア・コンゴ出血熱，痘そう，南米出血熱，ペスト，マールブルグ病，ラッサ熱	全例ただちに届け出 原則入院
二類感染症	感染力や罹患した場合の重篤性などに基づく総合的な観点からみた危険性が高い感染症	急性灰白髄炎，結核，ジフテリア，重症急性呼吸器症候群（病原体がコロナウイルス属 SARS コロナウイルスであるものに限る），中東呼吸器症候群（病原体がベータコロナウイルス属 MERS コロナウイルスであるものに限る），鳥インフルエンザ（H5N1，H7N9）	全例ただちに届け出 状況に応じて入院
三類感染症	感染力や罹患した場合の重篤性などに基づく総合的な観点からみた危険性は高くないものの，特定の職業に就業することにより感染症の集団発生を起こしうる感染症	コレラ，細菌性赤痢，腸管出血性大腸菌感染症，腸チフス，パラチフス	全例ただちに届け出 特定業務への就業規制
四類感染症	人から人への感染はほとんどないが，動物，飲食物などの物件を介して人に感染し，国民の健康に影響を与えるおそれのある感染症	E 型肝炎，ウエストナイル熱，A 型肝炎，エキノコックス症，黄熱，オウム病，回帰熱，Q 熱，狂犬病，コクシジオイデス症，エムポックス（2023 年 5 月名称変更），ジカウイルス感染症，重症熱性血小板減少症候群（病原体がフレボウイルス属 SFTS ウイルスであるものに限る），炭疽，チクングニア熱，つつが虫病，デング熱，鳥インフルエンザ（鳥インフルエンザ（H5N1 および H7N9）を除く），日本紅斑熱，日本脳炎，鼻疽，ブルセラ症，発しんチフス，ボツリヌス症，マラリア，野兎病，ライム病，類鼻疽，レジオネラ症，レプトスピラ症など	全例ただちに届け出 動物への措置を含む消毒などの対物処置
五類感染症	国が感染症発生動向調査を行い，その結果に基づき必要な情報を国民や医療関係者などに提供・公開していくことによって，発生・拡大を防止すべき感染症	アメーバ赤痢，ウイルス性肝炎（E 型肝炎および A 型肝炎を除く），カルバペネム耐性腸内細菌目細菌感染症，急性弛緩性麻痺（急性灰白髄炎を除く），急性脳炎（ウエストナイル脳炎，日本脳炎などの四類感染症を除く），クロイツフェルト・ヤコブ病，劇症型溶血性レンサ球菌感染症，後天性免疫不全症候群，ジアルジア症，侵襲性インフルエンザ菌感染症，侵襲性髄膜炎菌感染症，侵襲性肺炎球菌感染症，水痘（入院例に限る），先天性風しん症候群，梅毒，播種性クリプトコックス症，破傷風，バンコマイシン耐性黄色ブドウ球菌感染症，バンコマイシン耐性腸球菌感染症，百日咳，風疹，麻疹，薬剤耐性アシネトバクター感染症など	全例届け出（7 日以内，風疹，麻疹はただちに届け出） 発生状況の収集，分析，公開
		RS ウイルス感染症，咽頭結膜熱，A 群溶血性レンサ球菌咽頭炎，感染性胃腸炎，水痘，手足口病，伝染性紅斑，突発性発しん，ヘルパンギーナ，流行性耳下腺炎，インフルエンザ（鳥インフルエンザおよび新型インフルエンザ等感染症を除く），急性出血性結膜炎，流行性角結膜炎，性器クラミジア感染症，性器ヘルペスウイルス感染症，尖圭コンジローマ，淋菌感染症，感染性胃腸炎（病原体がロタウイルスであるものに限る），クラミジア肺炎（オウム病を除く），細菌性髄膜炎（髄膜炎菌，肺炎球菌，インフルエンザ菌を原因として同定された場合を除く），マイコプラズマ肺炎，無菌性髄膜炎，ペニシリン耐性肺炎球菌感染症，メチシリン耐性黄色ブドウ球菌感染症，薬剤耐性緑膿菌感染症，新型コロナウイルス感染症	定点医療機関が届け出 発生状況の収集，分析，公開
新型インフルエンザ等感染症	新たに人から人へ伝染する能力をもつインフルエンザや再興したものであって，国民が免疫を獲得してないことから，全国的かつ急速なまん延により国民の生命および健康に重大な影響を与えるおそれがあるもの	新型インフルエンザ，再興型インフルエンザ，再興型コロナウイルス感染症 （2023 年 5 月改正）	全例ただちに届け出 一～三類感染症に準じた対応
指定感染症	一～三類感染症，新型インフルエンザ等感染症に含まれない感染症で，一～三類感染症に相当する対応が必要なもの	政令指定，1 年限定	一～三類感染症に準じた対応
新感染症	ヒトからヒトに伝播する既知の感染症と異なる危険性が高い感染症		個別に応急対応

・この表は頻繁に変更があるため，最新の情報は https://elaws.e-gov.go.jp/document?lawid=410AC0000000114 で確認すること.

第2章 免疫学

Ⅰ 免疫学の基礎
Ⅱ 自然免疫
Ⅲ 自然免疫から獲得免疫へ
Ⅳ 体液性免疫
Ⅴ 細胞性免疫
Ⅵ 粘膜免疫
Ⅶ 過敏症反応（アレルギー）と自己免疫疾患
Ⅷ 免疫不全症
Ⅸ ワクチンによる感染症の予防
Ⅹ 抗原非特異的免疫療法

I 免疫学の基礎

1 自己と非自己の認識

免疫応答 immune response は，体内に侵入してきた非自己 nonself（異物）を自己 self と見分けて，非自己を排除し，自己の恒常性を維持するように働く生体反応である．そして，免疫応答に携わる臓器・組織，細胞，分子を含めて免疫系 immune system とよぶ．免疫系によって非自己とみなされる物質を抗原 antigen といい，タンパク質，糖，脂質など免疫応答を惹起する物質をさす．通常これらの分子であっても自己由来の物質には反応しない．しかし，免疫系に異常が生じたときには，自己の物質が抗原と認識される場合がある．免疫 immunity のメカニズムを明らかにする学問を免疫学 immunology という．

2 免疫学の歴史

1）免疫学の始まり“2 度なし現象”

免疫ということばは“疫”を“免れる”ということに発している．“疫”とは「はやりやまい」あるいは「疫病」であり，今日でいう感染症である．すなわち“疫”を“免れる”とは，感染症の発症を防ぐことができる，ということであり，感染症の原因となる病原体に抵抗する能力，ということを意味する．そして，「流行病」と「それに抵抗する」という概念が免疫学の発展につながってきた．

免疫学は予防接種の考え方と始まりをともにする．イギリスの Jenner は，ウシの乳搾りを行っている女性はウシの天然痘に軽くかかり，その後はヒトの天然痘にはかからない，ということに着目した．そして，天然痘にかかったウシから膿を採取し，8 歳の少年に接種した結果，天然痘を免れたことを発見した．ワクチンの基本となる“2 度なし現象”の発見でもある Jenner のこの方法は「種痘」とよばれ，その後世界的に広く使われるようになり，1979 年に出された世界保健機構（WHO）による天然痘根絶宣言に至っている．ワクチン vaccine の語源は，ラテン語で雌牛を意味する Vacca に由来する．

19 世紀後半になり，Pasteur は，継代により弱毒化したニワトリコレラ菌を注射すると，その後，元の強毒株を同じニワトリに感染させても病気にならないことを観察し，“2 度なし現象”の重要性を指摘した．この考えをさらに拡大し，炭疽菌，ブタ丹毒，狂犬病などによる感染病の予防に応用できることを示し，弱毒化ワクチンによる免疫法を一般化した．

2）抗体の発見

北里柴三郎（☞ p.6 図 1-1-8 参照）は，破傷風菌に感染した動物や破傷風毒素を投与した動物の血清中に毒素の活性を中和する物質が存在することを発見した．これが抗体 antibody の発見であり，さらに Emil von Behring（1854〜1917）（図 2-1-1）とともに，ジフテリアを対象として，無毒化したジフテリア毒素（トキソイド）を投与した動物から得られた血清（抗毒素血清）を，ジフテリアを発症した患者に投与することにより治療できることを示した．いわゆる血清療法の始まりである．これにより，感染症に対する“2 度なし現象”の一部は抗体が担っていることが示された．

3）抗体多様性の解明

破傷風の毒素に対する抗体はジフテリア毒素を中和せず，同様にジフテリア毒素に対する抗体は破傷風毒素を中和しないことから，抗体には抗原に対する特異性があること，また用いる抗原特異的に多くの種類の抗体がつくられることなど，抗体は多くの研究者の興味を引いた．Paul Ehrlich（1854〜1915）（図 2-1-2）は，抗体を産生する細胞の表面に多くの受容体（レセプター）があり，これにトキソイドが結合すると細胞が刺激され，受容体が血清中に放出されて抗毒素になるという側鎖説 side chain theory を唱えた．

Niels Jerne（1911〜1994）は，免疫系は多様な抗体をはじめからつくっており，抗原と抗体の結合が特異的な抗体の発現を誘導すると考え，自然選択説として発表した．Jerne は，抗体が抗原に結合する部位（イディオタイプ）

図 2-1-1　Emil von Behring（1854〜1917）
（学校法人北里研究所）

図 2-1-2　Paul Ehrlich（1854 ～ 1915）
（学校法人北里研究所）

とそれに対する抗体（抗イディオタイプ抗体）が免疫系の恒常性（ホメオスタシス）に重要だとするネットワーク説も唱えた．MacFarlane Burnet（1899～1985）は，1 個の細胞がつくる抗体の種類は限られると考えた．そして，ある抗原が対応する抗体と結合すると，その抗体をもつ細胞は抗体を分泌するとともに，さらに分裂増殖すると考えた．免疫記憶と免疫寛容の概念も取り入れている．これらの一連の考えをクローン選択説として発表した．今日の 1 細胞 1 抗体の原理は Gustav Nossal（1931～），Joshua Lederberg（1925～2008），Jerne によって後に証明された．

抗体の化学的本体は生化学や分子生物学の発展に伴い，明らかになっていった．Rodney R. Porter（1917～1985）や Gerald M. Edelman（1929～2014）らにより，抗体分子である免疫グロブリン immunoglobulin（Ig）が各 2 本の L 鎖と H 鎖から構成され，抗原が結合する可変領域と抗体に共通の配列をもつ定常領域が存在することなどが明らかにされた．抗体の中で，IgE は I 型アレルギーを誘導する抗原に特異的に結合する物質として，石坂公成（1925～2018）と石坂照子（1926～2019）夫妻によって発見された．

抗体の種類数は 10^9 にも及ぶ．この抗体多様性ができる仕組みは利根川進（1939～）によって最終的に解き明かされた．抗体の可変領域をコードする遺伝子はいくつかの領域に分かれており，それぞれの領域には同等の遺伝子断片が並んでいる．B 細胞の成熟に伴い抗体がつくられる段階になると，それぞれの領域から 1 つずつランダムに遺伝子断片が選択されて，繋ぎ合わされる．選択されなかった遺伝子断片はすべてゲノム上から消失する．このように B 細胞のゲノム上で遺伝子再構成 gene rearrangement が行われることにより，抗体の多様性が生じる．なお，T 細胞受容体 T cell receptor（TCR）においても同じ機構が働く．

4）リンパ球の発見

Bruce Glick（1927～2009）と Jacques Miller（1931～）はリンパ球には 2 種類あることを明らかにした．抗体を発現する B 細胞と，移植片の拒絶を担う T 細胞である．Glick はトリにおいては，抗体は排泄口近傍のファブリキウス嚢 bursa of Fabricius でつくられることを示し，また Glick と Miller の実験により，胸腺 thymus が免疫機能を発揮するうえで重要な器官であることが示された．抗体の産生において B 細胞と T 細胞の協調作業が必要であることは，Graham Mitchell（1941～）と Miller らによって示された．

5）アレルギー研究の進歩

北里らの抗血清療法は有効な治療法である．しかし，異種の動物の抗血清は抗原となって，これに対する抗体がヒト体内に生じる．ウサギに異種の血清を繰り返し皮下に注射すると，数日後に出血，壊死，潰瘍が生じる．この現象を発見者にちなみ，Arthus 反応とよぶ．血清病や Arthus 反応では，本来の免疫が生体に対して傷害的に働く．

6）自然免疫の発展

Pasteur と同じ時代に，ロシアの Élie Metchnikoff（1845～1916）はヒトデのような無脊椎動物に微生物を食べて処理する食細胞があることに気がつき，ヒトの白血球にも同様の細胞があることを発見し，マクロファージ macrophage と名づけた．その後，血清中に細菌に結合する物質が存在することや，それに結合した細菌がすみやかにマクロファージに貪食されることを明らかにした．この物質がいまの補体 complement であり，この貪食促進活性をオプソニン化 opsonization と名づけた．補体の他の機能として，溶菌や溶血反応に重要な役割を果たしていることは後に Jules Bordet（1870～1961）によって示された．補体という名前を使ったのは Ehrlich である．

自然免疫では抗原を非特異的に認識することで応答が行われる．1990 年に入り Jules Hoffmann（1941～）はショウジョウバエの *Toll* 遺伝子を欠損させると微生物に容易に感染することを発見した．Toll に似た分子が哺乳動物にもあることを Bruce Beutler（1957～）や Charles Janeway Jr.（1943～2003）らが発見したことにより自然免疫における非特異的抗原認識機構が急速に解明されるようになった．Toll 様受容体 Toll-like receptor（TLR）は細菌やウイルスなどに共通して存在する分子の立体構造を認識し，細胞内にシグナルを伝達する．TLR は細胞外あるいは食胞（ファゴソーム phagosome）内の微生物を認識するが，細胞質内にはペプチドグリカンを認識する NOD 様受容体がある．これらの受容体をパターン認識受容体 pattern recognition receptor（PRR）とよぶ．パターン認識受容体には脂質を認識する C 型レクチンなどもある．そして，パターン認識受容体によって認識される病原体の分

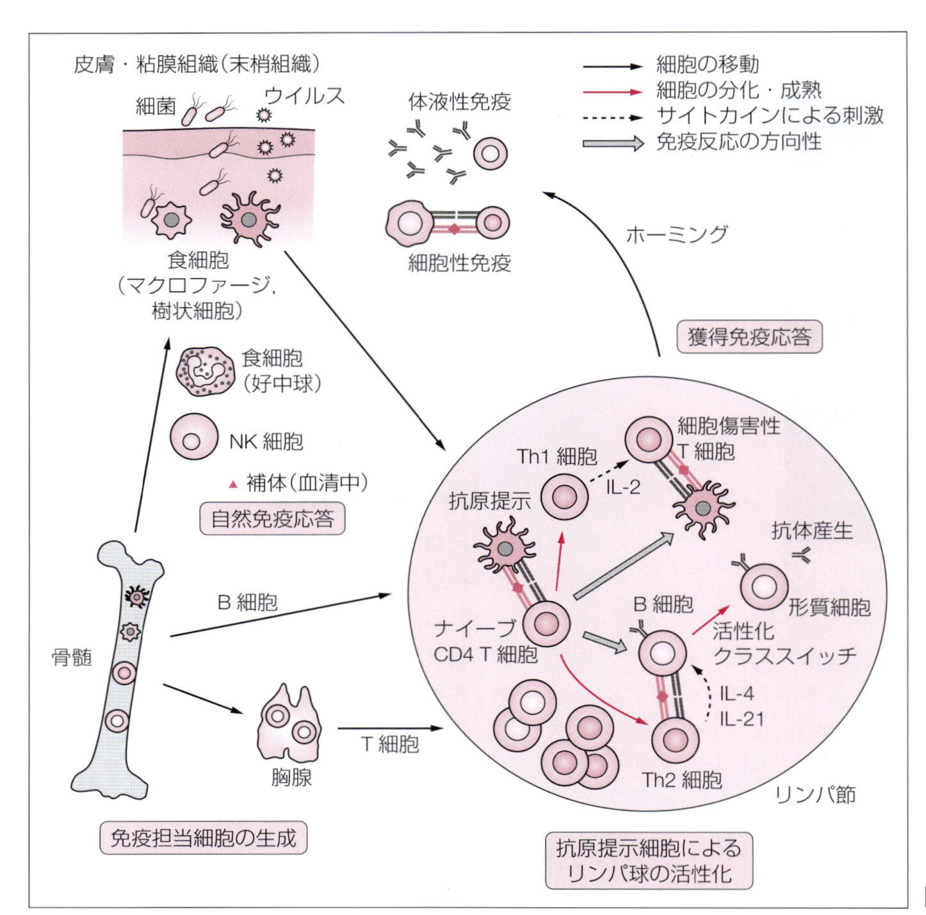

図 2-1-3　免疫反応の概念

子を病原体関連分子パターン pathogen-associated molecular pattern（PAMP）とよぶ．

最近になり自然免疫応答を担う自然リンパ球 innate lymphoid cell（ILC）の存在が明らかになった．B 細胞受容体 B cell receptor（BCR）や T 細胞受容体（TCR）をもたず，感染部位で損傷した細胞などから産生されるサイトカイン cytokine などの刺激により活性化され，ヘルパー T 細胞 helper T cell（Th 細胞）が産生するサイトカインと同様のサイトカインを産生する．

❸ 自然免疫と獲得免疫

免疫系は食細胞などが大きく働く自然免疫 innate immunity（先天免疫ともいう）と，B 細胞と T 細胞などのリンパ球が主役をなす獲得免疫 acquired immunity（適応免疫 adaptive immunity）の 2 つの大きなシステムからなる．なお，自然免疫は，広義には第 1 章Ⅶ I-B「感染の免疫」で述べた自然防御機構の障壁（☞ p.59〜60 参照）を含めるが，狭義にはこれらを含めない．ここでは自然免疫は狭義の自然免疫とする．自然免疫は抗原非特異的な防御機構であり，抗原の侵入に対して数時間で反応する．獲得免疫は抗原特異的な防御機構であり，反応が誘導されるまで数日を要する．

自然免疫では，多形核白血球，単球 monocyte・マクロファージなどの食細胞，樹状細胞 dendritic cell（DC），そしてナチュラルキラー細胞 natural killer cell（NK 細胞），さらに補体が中心的な役割を果たす．自然免疫はその応答が速いことを特徴とするが，出会った抗原を覚えることはなく，同じ抗原に再度出会っても 1 度目と同じ反応をする．

皮膚や粘膜を越えて侵入してきた病原体（抗原）を取り込んだマクロファージや樹状細胞は，所属リンパ節へ移動し，抗原提示細胞 antigen presenting cell（APC）として抗原の一部を細胞表面に提示することでリンパ球を活性化する．これにより獲得免疫が惹起される．活性化したリンパ球は病原体が侵入した部位に動員される（**図 2-1-3**）．獲得免疫は抗原特異的な免疫機構で，T 細胞が中心的な役割を果たす細胞性免疫 cell-mediated immunity と，T 細胞からのシグナルにより B 細胞から産生される抗体が中心的な役割を果たす体液性免疫 humoral immunity に分けて説明される．体液性免疫は細胞外の病原体の排除に働き，細胞性免疫は細胞内に侵入・増殖する病原体の排除に働く．1 つの T 細胞や抗体が結合する抗原は決まっており（特異性 specificity），理論的にはあらゆる抗原に対して反応できるだけの多様な T 細胞と B 細胞（抗体）が存在する（多様性 diversity）．獲得免疫のもう 1 つの大きな特徴は，免疫記憶 immunological memory をもつことである．初めて出会った抗原に対して獲得免疫が誘導されるまでに一定の期間を要する．しかし，1 度誘導された獲得免疫は長期間にわたりその抗原を記憶し，再度同じ抗原に出会っ

表 2-1-1　自然免疫と獲得免疫の比較

	自然免疫	獲得免疫
主な細胞	食細胞，NK 細胞	リンパ球 (B 細胞，T 細胞)
液性因子	補体	抗体
多様性	限定	多様
抗原の認識	微生物間に保存された共通の分子パターン	個々に厳密に区別
応答	迅速	遅い
特異性	なし	あり
免疫記憶	なし	あり

たときには1度目よりも迅速に，しかも強い応答が行われる（表 2-1-1）．

④ 能動免疫と受動免疫

病原体が体内に侵入したときなど，抗原を直接認識することによって誘導されてできる免疫を能動免疫 active immunization といい，ワクチン接種によっても能動免疫は誘導される．これに対して，他の個体がもつ免疫血清や免疫グロブリン製剤の投与，あるいは胎盤や母乳を介する母親の抗体の移入によって得られる免疫を受動免疫 passive immunization という．

⑤ 免疫系を構成する因子

1）免疫担当臓器

免疫を司る臓器は主にリンパ組織である．リンパ組織はリンパ球の生産，分化が起こる中枢（または一次）リンパ組織と，成熟したリンパ球が免疫反応を行う末梢（または二次）リンパ組織に大別される．前者は，すべての血液中の細胞成分を産生する骨髄 bone marrow と，未熟な T 細胞が分化・成熟する胸腺 thymus である．後者には脾臓 spleen，リンパ節 lymph node，粘膜関連リンパ組織 mucosa-associated lymphoid tissue（MALT）などが含まれる（図 2-1-4～6）．

2）免疫担当細胞

免疫反応にかかわるすべての細胞は造血幹細胞から生み出される（図 2-1-7）．造血幹細胞はリンパ球系幹細胞と骨髄系幹細胞に分化する．リンパ球系幹細胞は B 細胞，T 細胞，NK 細胞に分化する．骨髄系幹細胞は単球・マクロファージや樹状細胞，多形核白血球，肥満細胞（マスト細胞 mast cell），そして血小板を産生する巨核球や赤血球に分化する．このうち，単球・マクロファージと顆粒球である好中球 neutrophil，好酸球 eosinophil，好塩基球 basophil，そして肥満細胞を骨髄系（ミエロイド系）細胞という．

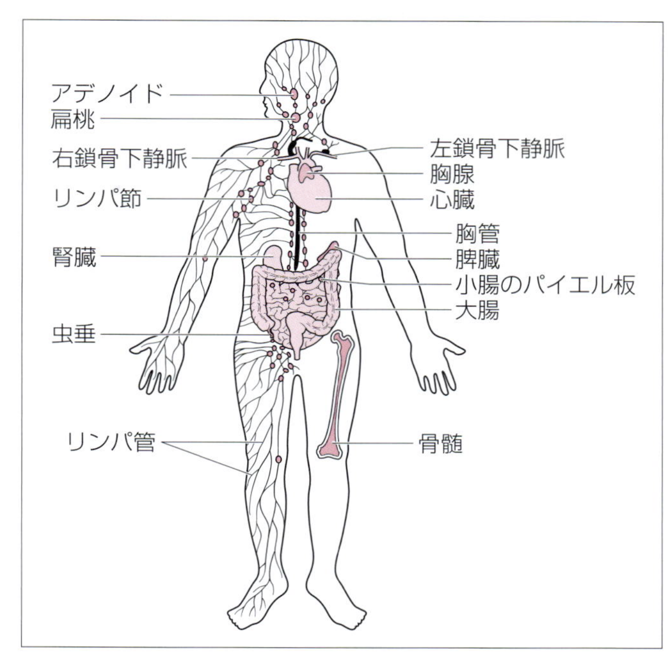

図 2-1-4　人体のリンパ組織
リンパ組織は，骨髄や胸腺からなる中枢リンパ組織とリンパ節，脾臓，パイエル板などの末梢リンパ組織からなる．

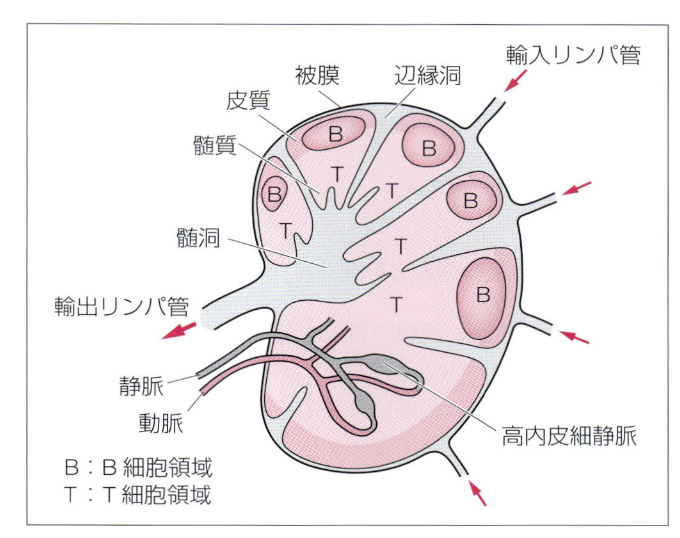

図 2-1-5　リンパ節の構造

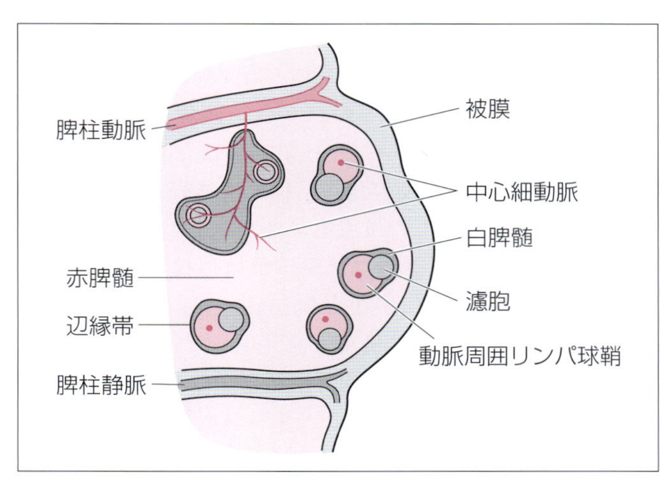

図 2-1-6　脾臓の構造

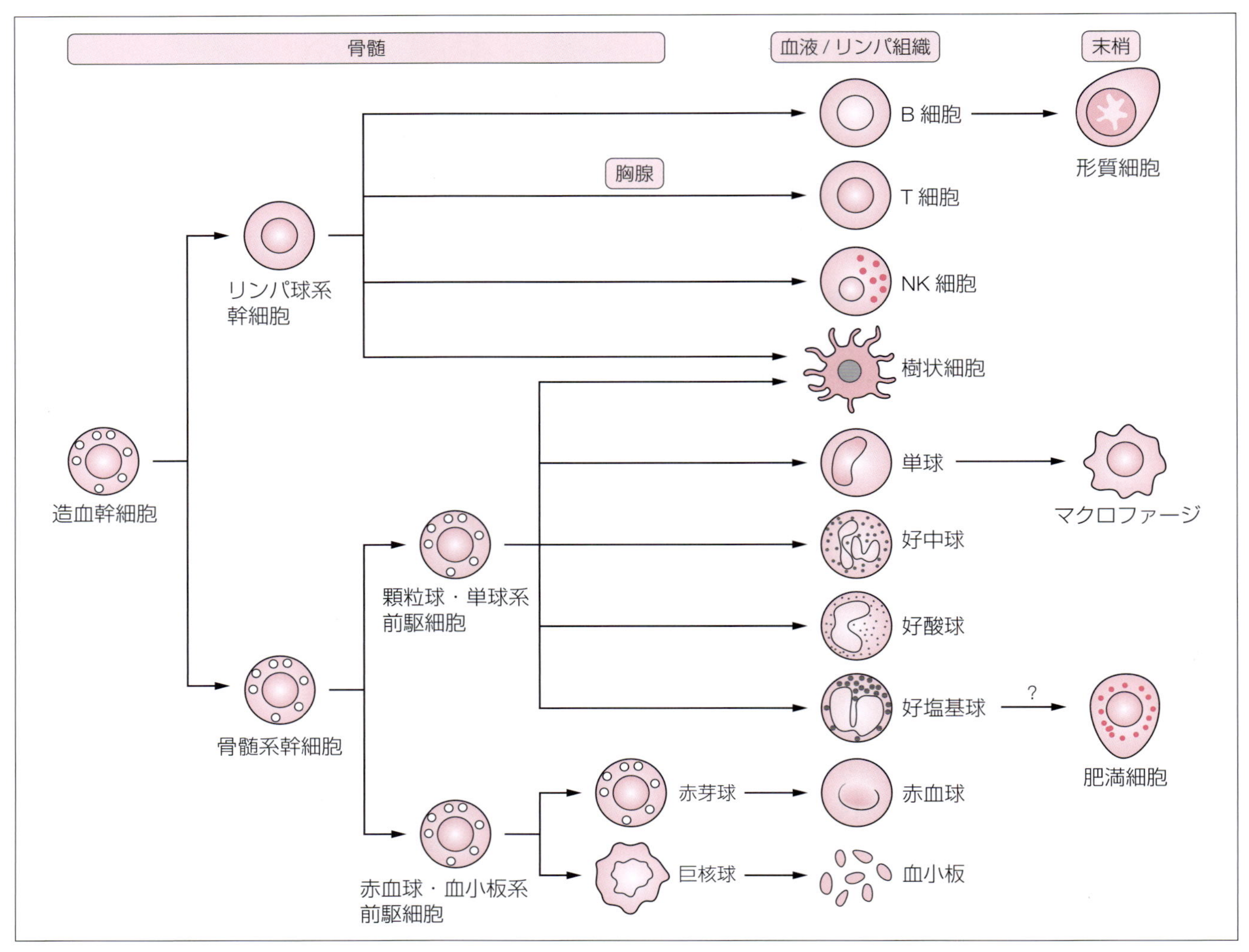

図 2-1-7　造血幹細胞の分化

以下にそれぞれの細胞の機能を簡単に説明する．

(1) マクロファージ

血液中の単球が，組織に遊走するとマクロファージに分化する．各組織に常在するマクロファージにはそれぞれ特有の名称がつけられている．大型の単核細胞で，強い食作用をもつ．貪食された微生物などは食胞に取り込まれ，食胞がリソソームと融合することでファゴリソソームとなり，リソソーム内の分解酵素，活性酸素，窒素酸化物により消化される．細胞表面には cluster of differentiation (CD) 4，Fc 受容体，補体受容体，微生物に存在する共通分子を認識する TLR などのパターン認識受容体，マンノース受容体，スカベンジャー受容体などを発現している．Fc 受容体や補体受容体は，抗原抗体複合物（免疫複合体）や補体に結合した抗原を貪食することを容易にする（オプソニン化）．マクロファージは抗原提示細胞の1つで，主要組織適合遺伝子複合体 major histocompatibility complex (MHC) クラスⅡ分子を発現している．

パターン認識受容体に病原体が結合することにより活性化されたマクロファージでは，NF-κB などの転写因子が活性化されることによってサイトカイン遺伝子の転写が促進され，TNF-α などの炎症性サイトカイン proinflammatory cytokine を産生する．これにより獲得免疫系が誘導される．マクロファージの機能を図 2-1-8 に示す．

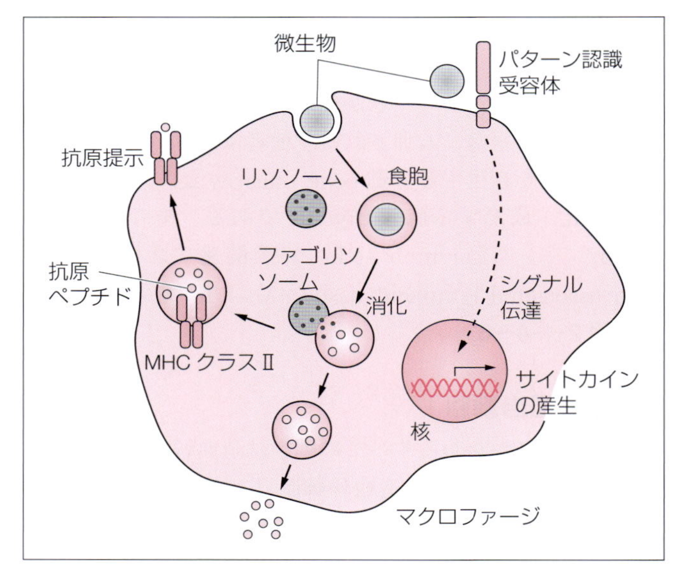

図 2-1-8　マクロファージの機能

マクロファージの他の機能として，アポトーシスによって死んだ細胞の貪食や血液中の過剰な変性脂質の取り込みを行う．このような体中の不要成分を掃除する働きをスカベンジャー機能という．これに問題がある場合は不要成分が組織に沈着し，メタボリックシンドロームやAlzheimer病などの疾患の原因となる．その他にもマクロファージは創傷治癒の過程で重要な働きを有している．

活性化したマクロファージは大きく2つに分類される．微生物が侵入したときに炎症反応を起こしてさまざまな免疫細胞を集積させ，獲得免疫を誘導するM1マクロファージと，異物の消化を主に行い，炎症の収束に働く抗炎症性サイトカイン anti-inflammatory cytokineや，創傷治癒に働く血管内皮細胞増殖因子や線維芽細胞増殖因子を産生するM2マクロファージである．

(2) 樹状細胞

外来抗原に接する機会の多い皮膚，腸管粘膜などに広く存在する強力な抗原提示能をもつ細胞である．樹状細胞は多種類のパターン認識受容体を発現しており，異物のパターン認識を行うことで活性化・成熟し，種々のサイトカインを産生することで，獲得免疫を発動させる．すなわち，自然免疫から獲得免疫へつなぐ役割を果たしている．樹状細胞は存在部位や機能の違いなどから，通常型（古典的）樹状細胞 conventional (classical) dendritic cell (cDC) と形質細胞様樹状細胞 plasmacytoid dendritic cell (pDC) の大きく2つのサブセットに分類される．臓器やリンパ組織に存在するほとんどの樹状細胞はcDCである．他に単球に由来する樹状細胞もある．cDCの主な機能は，取り込んだ微生物を消化して抗原ペプチドを産生し，それらをMHC分子に載せてT細胞を活性化することである．また微生物を認識した結果，産生されるサイトカインによりT細胞以外の免疫細胞も活性化させる．一方，pDCは，ウイルス感染時にI型インターフェロン interferon (IFN) を強く産生する主な細胞であり，自然免疫系で働く．

表皮の樹状細胞はランゲルハンス細胞 Langerhans cellとよばれており，全身の皮膚やリンパ節に存在し抗原提示細胞として働いている．外界から侵入しようとする病原体を皮膚で監視しており，貪食により抗原を取り込み所属リンパ節に移行した後，獲得免疫系に抗原提示することで全身の免疫系を活性化することができる．また免疫寛容にも関与する．

二次リンパ組織のリンパ濾胞に存在する濾胞樹状細胞 follicular DC (FDC) は，造血系幹細胞に由来せず，樹状細胞とはまったく異なる細胞である．T細胞への抗原提示に必要なMHCクラスII分子も発現していない．FDCはB細胞を活性化し，高親和性抗体の産生誘導や免疫記憶強化などを担っている．全身の所属リンパ節や脾臓，粘膜関連リンパ節に存在する．

(3) 好中球

好中球は通常の末梢血の50～70％程度を占めており，白血球の中では最も多い集団である．好中球は遊走能を有し，体の中に細菌などの病原体が侵入したときに誘導された炎症応答に反応し，最初に感染部位に集結する．集まった好中球は，細菌に吸着し，食作用により細胞内部に取り込み，消化殺菌する．そしてさまざまなサイトカインやケモカイン chemokineを産生する．殺菌を終えるとすみやかに細胞死により寿命を終える．

未分化の好中球は桿状の核型を示し，成熟すると特徴的な分裂した核型（分葉核）を示す．感染症にかかると血中の好中球数が増加するが，一過性に分化の十分でない幼若な好中球が認められる．このときの血液像では分葉核が減少し，桿状好中球の増加がみられることがある．これを核の左方転移とよぶ．

また細胞質中に中性色素により染色される顆粒を含むことから顆粒球ともよばれ，細胞の内部の顆粒中に殺菌に必要な加水分解酵素や活性酸素，一酸化窒素群が含まれている．

好中球は細胞内での殺菌に加え，核成分を細胞外に放出して好中球細胞外トラップ neutrophil extracellular traps (NETs) という線維状のマトリックスを形成し，微生物を捕捉する能力を有する．NETsには好中球が放出した殺菌性の顆粒成分が含まれる．

(4) 好酸球

好酸球は好酸性顆粒が細胞質に充満した，好中球に比べてやや大型の細胞である．好酸球はIL-3とIL-5により活性化して増加する．顆粒球に存在する主要塩基性タンパク質の作用によって寄生虫を傷害する．I型アレルギー反応のときには組織傷害に働く．

(5) 好塩基球

好塩基球は細胞表面にIgEに対応するFcε受容体(FcεR)をもつ．複数のFcεRにまたがる形でアレルゲンが結合して架橋することで活性化される．そして，脱顆粒によりケミカルメディエーターが放出され，I型アレルギー反応が誘導される．また，Th2型サイトカインを産生して，慢性アレルギー炎症を惹起する．寄生虫感染では寄生虫の排除に働く．

(6) 肥満細胞（マスト細胞）

肥満細胞は多数のケミカルメディエーターを含む顆粒をもつ．I型アレルギー反応の主要なエフェクター細胞であり，細胞表面に多くのFcεRがあり，アレルゲンの架橋により活性化されて脱顆粒を起こす．顆粒内にはヒスタミン，アラキドン酸代謝産物（プロスタグランジン，ロイコトリエン，トロンボキサンA_2）が含まれ，これらにより気道平滑筋の収縮，血管透過性の亢進，粘液の分泌などが引き起こされる．

(7) ナチュラルキラー細胞（NK細胞）

NK細胞は，骨髄のリンパ球系前駆細胞から分化するやや大型の細胞で，腫瘍細胞やウイルス感染細胞を抗原非特異的に傷害する．NK細胞にはT細胞やB細胞がもつ抗原特異的な受容体は存在しない．細胞表面上の受容体によりウイルス感染細胞や腫瘍細胞を識別して，それらの細胞

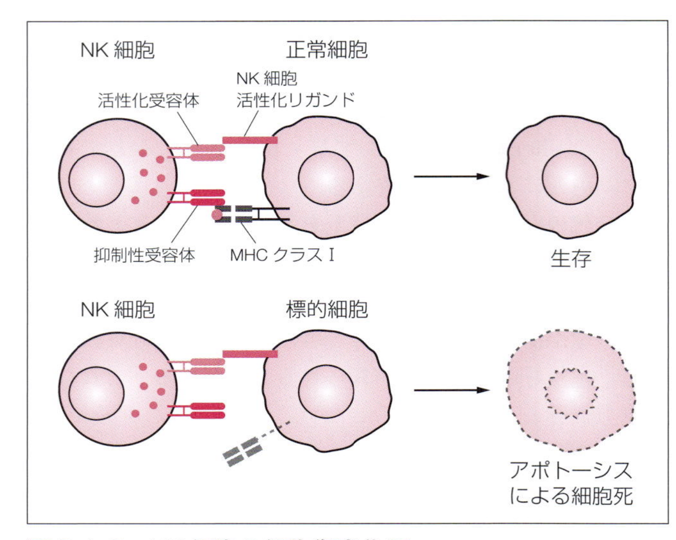

図 2-1-9　NK 細胞の細胞傷害作用

を2種類の方法により傷害する．1つは細胞質の顆粒に含まれるパーフォリン perforin とグランザイム granzyme というタンパク質による．パーフォリンは標的細胞の細胞膜を破壊し，グランザイムが標的細胞内に送り込まれ，アポトーシスが誘導される．もう1つは，NK 細胞表面上に存在する Fas リガンド（FasL）が標的細胞表面の Fas に結合することで，標的細胞にアポトーシスが誘導される．これらの機構は細胞傷害性 T 細胞と同じである．

NK 細胞上には活性化受容体と抑制性受容体が存在し，NK 細胞の活性化はそれぞれへの分子の結合のバランスで決定される．抑制性受容体には自己の MHC クラスⅠ分子が結合する．MHC クラスⅠ分子は健全なすべての有核細胞に存在しており，MHC クラスⅠ分子が抑制性受容体に結合すると，活性化受容体のシグナルが遮断される．そのため，正常な自己の細胞は傷害されない．しかし，感染細胞や腫瘍細胞では MHC クラスⅠ分子の発現が低下しているため，この抑制が解消され，傷害される．（**図 2-1-9**）．

NK 細胞はリンパ球と異なり，機能発現のために増殖する必要はなく，すぐに応答することが可能なため，自然免疫で重要である．一方，活性化した NK 細胞はインターフェロン-γ（IFN-γ）を産生し，マクロファージの活性化やヘルパー T 細胞（Th1 細胞）の誘導など，細胞性免疫能の活性化に寄与し，獲得免疫においても重要な役割を果たす．さらに，NK 細胞表面には Fc 受容体が強く発現しており，標的細胞に結合した抗体を認識することにより，その標的細胞を傷害する．この機構を抗体依存性細胞傷害 antibody-dependent cell-mediated cytotoxicity（ADCC）という．

（8）T 細胞

骨髄の中で造血幹細胞から生み出され，胸腺で分化・成熟する細胞群で，各種免疫応答の活性化と調節を行う細胞や細胞傷害活性をもつ細胞からなる．細胞表面に T 細胞のマーカー抗原である CD3 分子と，抗原を認識する T 細胞受容体をもつ．1つの T 細胞がもつ T 細胞受容体（TCR）は1種類である．多様な抗原に対応するため，T 細胞受容体遺伝子はゲノム上でランダムな再編成を起こし，多様な T 細胞集団を形成する．この多様な集団をレパトアという．T 細胞は T 細胞受容体の違いにより，α鎖とβ鎖をもつ$\alpha\beta$ T 細胞と，γ鎖とδ鎖をもつ$\gamma\delta$ T 細胞に分類される．$\gamma\delta$ T 細胞は胸腺外で分化するものも多く，多様性に乏しい．主に粘膜免疫で重要な役割を果たす．

$\alpha\beta$ T 細胞は細胞表面に CD4 分子を発現している CD4 T 細胞と，CD8 分子を発現している CD8 T 細胞に分けられる．T 細胞表面には，さらに T 細胞受容体からの刺激と並行して，補助的に働く補助刺激受容体とよばれる一連の分子が存在する．なお，抗原刺激を受けたことのない T 細胞をナイーブ T 細胞 naïve T cell という．T 細胞が抗原に反応して増殖・活性化するためには，T 細胞受容体からの刺激（第一シグナル）に加え補助刺激受容体からの刺激（第二シグナル）が必要である．さらにサイトカインの作用が重要である．T 細胞受容体からの刺激のみでは T 細胞は反応性を喪失する．

CD4 T 細胞の大部分は，他のリンパ球が活性化することを助ける役割（エフェクター活性）を果たすことから，ヘルパー T 細胞（Th 細胞）とよばれる．Th 細胞は抗原提示細胞表面の MHC クラスⅡ分子上の抗原ペプチドを認識する．また Th 細胞は活性化された後に産生するサイトカインの種類から Th1 細胞，Th2 細胞，Th17 細胞，濾胞性 T 細胞 follicular helper T cell（Tfh 細胞）などに分けられる（**図 2-1-10**）．Th1 細胞は IL-2，IFN-γ，TNF-α などのサイトカインを産生し，細胞内寄生性病原体の排除など細胞性免疫の誘導に関与する．Th2 細胞は IL-4，IL-5，IL-6，IL-10，IL-13 などのサイトカインを産生し，抗体を産生させ，体液性免疫を誘導する．また好酸球や好塩基球の活性化を促し，寄生虫などの細胞外寄生性の病原体の排除に働く．Th17 細胞は IL-17，IL-21 および IL-22 を産生することで炎症を誘発し，好中球を活性化させる．また，自己免疫疾患の発症に関与する．Tfh 細胞はリンパ濾胞に存在し，B 細胞の抗体産生に関与する．この他に，制御性 T 細胞 regulatory T cell（Treg 細胞）があり，TGF-βや IL-10 を産生して免疫応答や炎症を抑制し，また，自己免疫疾患（☞ p.122〜124）を防ぐために働いている．

CD8 T 細胞は，細胞傷害性 T 細胞 cytotoxic T cell（CTL，キラー T 細胞）とよばれ，細胞傷害性を発揮してウイルスなどに感染された細胞やがん細胞を攻撃し，除去する．

（9）B 細胞

造血幹細胞由来細胞で，胎生期には肝臓で，その後は骨髄で産生される．B 細胞表面には免疫グロブリン（Ig）の中の IgM と IgD が膜結合型として存在し，B 細胞受容体（BCR）として機能している．この状態の B 細胞をナイーブ B 細胞 naïve B cell という．ナイーブ B 細胞の B 細胞

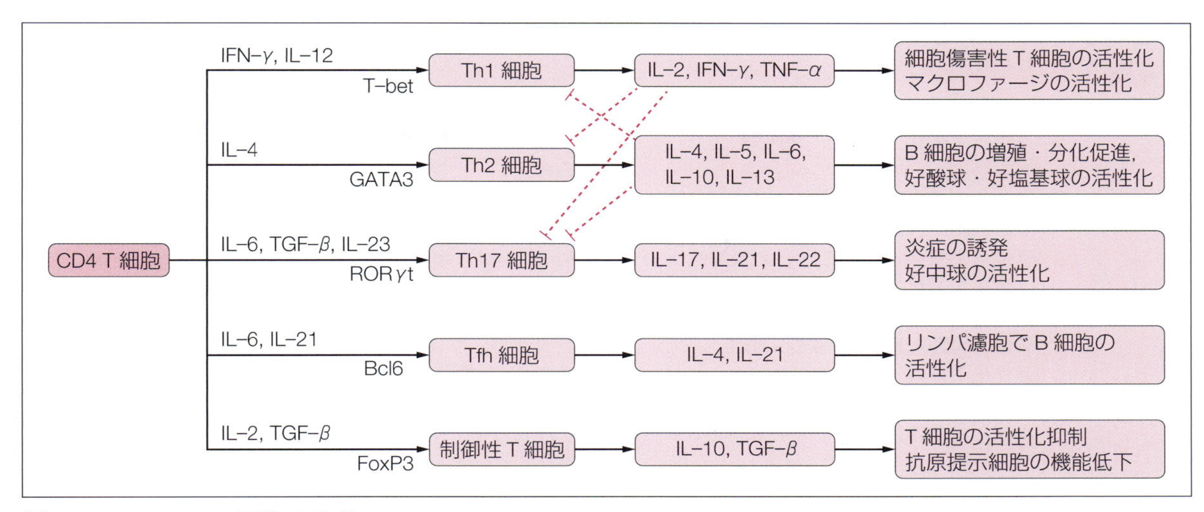

図 2-1-10　CD4 T 細胞の分化
---┤ は，それぞれのサイトカインが，示す先の細胞の分化・成熟を抑制することを示す．

受容体に特異的に抗原が結合すると B 細胞は活性化して，B 細胞受容体と同じ抗原を認識する Ig を分泌するエフェクター細胞である形質細胞となる．分泌型の Ig が抗体である．活性化した一部の B 細胞は抗体を産生せずに記憶 B 細胞 memory B cell（メモリー B 細胞）となる．T 細胞と同じように 1 つの B 細胞は 1 種類の B 細胞受容体をもつ．そして生体内には 10^9 種類以上の多様な抗体が存在する．すなわち多様な B 細胞レパトアが存在し，個々の B 細胞は発生の過程で抗体遺伝子のランダムな再構成を起こす．なお，B 細胞は MHC クラスⅡ分子を発現しており，抗原提示細胞としての機能をもつ．

B 細胞は，胎生期につくられて腹腔や胸腔内に存在する B1 細胞と，誕生後に骨髄でつくられる B2 細胞がある．B2 細胞は二次リンパ組織や末梢血に存在し，獲得免疫の主な反応にかかわっている．

⑥ サイトカインとサイトカイン受容体

1）サイトカイン

免疫担当細胞がその機能を発揮するためには，細胞間の情報伝達が必要である．細胞が産生・分泌し，周辺細胞との情報伝達に用いられる，分子量 1 万〜数万程度の可溶性タンパク質をサイトカイン cytokine という．サイトカインという名称は，細胞（cyto-）がつくる生理活性物質（kine）に由来する．サイトカインはオートクライン autocrine 的に産生細胞自身に，あるいはパラクライン paracrine 的に隣接する細胞に作用する．また，一部は内分泌 endocrine 的に遠隔組織の細胞に作用する．サイトカインは免疫担当細胞以外の細胞からも産生・分泌される．白血球により産生され，白血球間の情報交換に関与するサイトカインにはインターロイキン interleukin（IL）という統一名称がつけられている．インターフェロン（IFN），腫瘍壊死因子 tumor necrosis factor（TNF），造血系に働くサイトカインなどのサイトカインには機能に応じた名称がつけられている．また，白血球やリンパ球の遊走に働くサイトカインはケモカイン chemokine とよばれる．ケモカインは N 末端に存在するシステイン残基 cystein の数や位置から，CX3C ケモカイン，CXC ケモカイン，CC ケモカイン，および C ケモカインに分類される（**表 2-1-2，3**）.

サイトカインは以下の特徴をもつ．

① 多くは糖タンパク質として細胞外に分泌される．
② 刺激を受けた細胞から一過性に産生・分泌される．きわめて低濃度で作用し，半減期は短い．
③ 標的細胞上の特異的な受容体に結合する．そして，受け取った細胞の機能を変化させる．
④ 1 つのサイトカインは標的細胞によって異なる作用を示すことがある．
⑤ 異なるサイトカインが同じ活性を有することがある．
⑥ 1 つの細胞が複数のサイトカインを産生する．
⑦ 異なるサイトカインが相乗的，あるいは拮抗的に働き，サイトカインネットワークを形成する．

2）サイトカイン受容体

サイトカイン受容体 cytokine receptor は，細胞外領域，細胞膜貫通領域，細胞内の情報伝達分子と相互作用する細胞質領域からなる．サイトカインがサイトカイン受容体に結合すると，細胞内にシグナルが伝達され，生物作用が引き起こされる．サイトカイン受容体は構造によりグループ化され，スーパーファミリーを構成している．多くのサイトカインはホモ二量体あるいはヘテロ二量体の受容体に結合する．ヘテロ二量体の場合，一方の鎖を他の受容体と共有する場合がある．TNF ファミリーのサイトカインは三量体構造の TNF ファミリー受容体に結合する．また，ケモカインの受容体は 7 回膜貫通型の構造をとり，G タンパク質と共役して働く（**図 2-1-11**）.

表2-1-2　主なサイトカインとその働き

サイトカイン	産生細胞	作用
I型サイトカインファミリーメンバー		
IL-2	活性化T細胞	T細胞，B細胞の増殖・分化，NK細胞の増殖・活性化，制御性T細胞の分化
IL-3	活性化T細胞，NK細胞，血管内皮細胞	造血幹細胞の分化・成熟
IL-4	Th2細胞，Tfh細胞，肥満細胞，好塩基球	B細胞の増殖・分化，Th2細胞の分化，肥満細胞の増殖
IL-5	活性化T細胞（Th2細胞），肥満細胞	好酸球の分化・増殖，Igの産生誘導
IL-6	活性化T細胞T細胞，マクロファージ，内皮細胞	T細胞，B細胞の増殖・分化，血液幹細胞の分化・増殖，急性期タンパク質の産生誘導
IL-7	骨髄・胸腺ストローマ細胞，脾臓	プレB細胞，プレT細胞の増殖
IL-9	活性化T細胞（CD4 T細胞）	肥満細胞，胸腺細胞，T細胞の増殖
IL-11	骨髄ストローマ細胞	血液幹細胞の分化・増殖
IL-12	単球，マクロファージ，樹状細胞，B細胞	Th1細胞分化，NK細胞・T細胞によるIFN-γ産生誘導，NK細胞の活性化
IL-13	活性化T細胞（Th2細胞），2型自然リンパ球	B細胞の活性化と増殖，IgEの産生誘導，M2マクロファージの誘導
IL-15	単球，マクロファージ，樹状細胞，上皮系細胞	T細胞，B細胞，NK細胞の増殖・分化，腸管上皮T細胞の維持
IL-21	活性化T細胞（Tfh細胞，Th17細胞）	T細胞，B細胞，NK細胞の増殖，IgE産生の抑制，B細胞の形質細胞への分化促進，Th17細胞の分化維持
IL-23	マクロファージ，樹状細胞，B細胞	Th17細胞の分化維持，Th1細胞の増殖，IFN-γの産生
IL-25	T細胞，肥満細胞，好酸球，マクロファージ，粘膜上皮細胞	Th2応答の促進
GM-CSF	T細胞，マクロファージ，血管内皮細胞，線維芽細胞	顆粒球および単球・マクロファージの増殖，分化
II型サイトカインファミリーメンバー		
IFN-α	樹状細胞，マクロファージ	抗ウイルス作用，MHCクラスIの発現上昇，NK細胞の活性化
IFN-β	線維芽細胞，樹状細胞	抗ウイルス作用，MHCクラスIの発現上昇，NK細胞の活性化
IFN-γ	T細胞，NK細胞	マクロファージの活性化，Th1細胞分化，MHCクラスIおよびクラスIIの発現上昇
IL-10	Th2細胞，マクロファージ	マクロファージの活性抑制，Th1細胞の活性抑制，Th2細胞の分化促進
IL-22	活性化T細胞（Th17細胞），NK細胞	上皮細胞による抗菌ペプチド産生，角化細胞の増殖，腸管上皮の再生
TNFスーパーファミリーサイトカイン		
TNF-α	単球，マクロファージ，樹状細胞，NK細胞	内皮細胞の活性化，炎症の誘発
TNF-β	T細胞，B細胞，NK細胞	細胞傷害，内皮細胞の活性化，リンパ節・パイエル板の形成
FASリガンド（FASL）	活性化T細胞（CD8 T細胞），NK細胞	アポトーシスの誘導
CD40リガンド（CD40L）	T細胞，肥満細胞	B細胞の分化・増殖
RANKリガンド（RANKL）	T細胞，骨芽細胞，滑膜細胞	免疫応答の抑制，破骨細胞の増殖・分化，リンパ節形成
IL-1スーパーファミリーサイトカイン		
IL-1α，IL-1β	マクロファージ，上皮細胞	マクロファージの活性化，T細胞分化，内因性発熱物質として炎症反応を誘導
IL-18	活性化マクロファージ、クッパー細胞	Th1細胞分化，IFN-γ産生誘導
IL-33	平滑筋細胞，上皮細胞，内皮細胞	Th2応答の促進
TGF-βファミリー		
TGF-β	軟骨細胞，マクロファージ，T細胞	T細胞，マクロファージの活性抑制，抗炎症作用，Th17細胞と制御性T細胞への分化
IL-17ファミリー		
IL-17	Th17細胞，γδT細胞，CD8 T細胞，NK細胞，好中球	炎症性サイトカイン・ケモカインの産生誘導
チロシンキナーゼ		
M-CSF	マクロファージ，血管内皮細胞	単球・マクロファージの増殖，分化
SCF	骨髄ストローマ細胞	血液幹細胞の分化・増殖

表 2-1-3　主なヒトのケモカインとケモカイン受容体

ケモカイン	通称	主な産生細胞	主な作用	主な受容体
CXC ファミリー				
CXCL2	GROβ	単球	好中球，好塩基球の遊走と脱顆粒	CXCR2
CXCL8	IL-8	単球，マクロファージ，線維芽細胞，血管内皮細胞，肥満細胞，表皮細胞	好中球，好塩基球，T 細胞の遊走，血管新生	CXCR1 CXCR2
CXCL12	SDF-1α/β	骨髄ストローマ細胞	リンパ球の遊走，胎児肝から骨髄への血液幹細胞の移動	CXCR4 CXCR7
CXCL13	BLC/BCA-1	脾臓，リンパ節，パイエル板の濾胞樹状細胞	B 細胞の遊走	CXCR5
CC ファミリー				
CCL2	MCP-1	単球，血管内皮細胞，線維芽細胞	単球，好塩基球の遊走	CCR2
CCL9	MRP-2/ MIP-1γ	マクロファージ	胆汁への有機酸イオンの排出	CCR1
CCL11	eotaxin-1	気道上皮，血管内皮細胞，線維芽細胞	好酸球の遊走	CCR3
CCL17	TARC	樹状細胞	T 細胞の遊走	CCR4
CCL19	MIP-3β/ELC	活性化マクロファージ	リンパ球，樹状細胞，血液系前駆細胞の遊走	CCR7
CCL20	MIP-3α	活性化マクロファージ	リンパ球と好中球の遊走	CCR6
CCL21	6Ckine/SLC	リンパ節樹状細胞	二次リンパ組織へのリンパ球のホーミング	CCR7
CCL24	eotaxin-2/ MPF-2	活性化単球，T 細胞	好酸球，好塩基球の遊走	CCR3
CCL25	TECK	胸腺樹状細胞	樹状細胞，胸腺細胞，活性化マクロファージの遊走	CCR9
CCL26	eotaxin-3	血管内皮細胞，心臓，肺，卵巣	好酸球，好塩基球の遊走	CCR3
CCL27	CTACK	ケラチノサイト	T 細胞の皮膚への遊走・ホーミング	CCR10
CCL28	MEC	大腸，肺，唾液腺上皮細胞	T 細胞と好酸球の遊走	CCR10
CX3C および CXC3 ファミリー				
XCL1	lymphotactinα	活性化 CD8 T 細胞	NK 細胞，リンパ球の遊走	XCR1
CX3CL1	fractalkine	脳，心臓，肺，腎臓，筋肉，精巣など	白血球の遊走	CXCR1

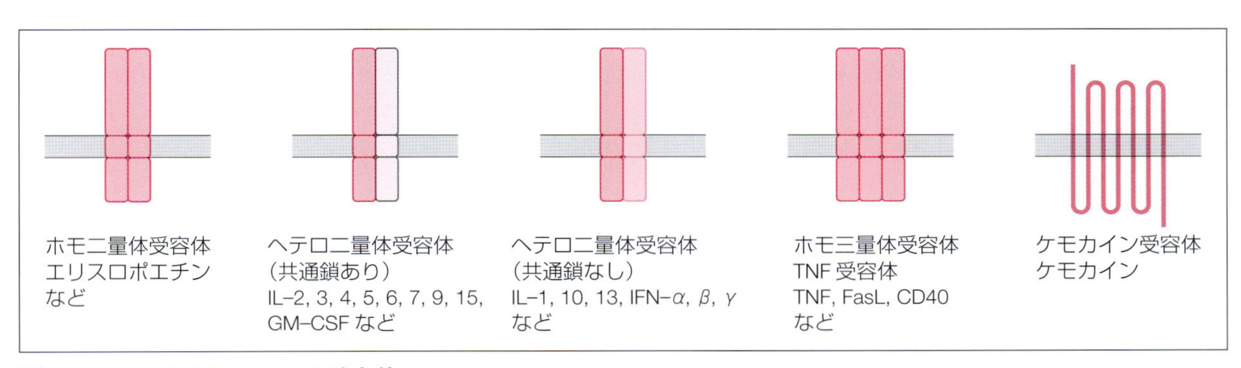

図 2-1-11　サイトカインの受容体

3）サイトカインの作用

代表的なサイトカインおよびケモカインを**表 2-1-2，3**に示す．これらは造血系の細胞，免疫系の細胞をはじめとするさまざまな細胞に対して，種々の生物作用を示す．

(1) 炎症反応や自然免疫におけるサイトカインの作用

病原体などの異物が体内に侵入してくると，まず自然免疫が活性化され，炎症が誘発される．このとき各種細胞からサイトカインが産生される．IL-1，TNF-α，およびケモカインは，末梢血中の好中球と単球の感染部位への動員に働く．また IL-1 と TNF-α は発熱を誘導し，そして，IL-6 とともに急性期タンパク質の発現に働く．さらにこれらのサイトカインは血管内皮細胞に作用して血管内皮細胞の活性化や血管透過性の亢進を引き起こす．極端な場合には敗血症性ショック septic shock を引き起こす．ウイルス感染細胞からは，直接的な抗ウイルス作用をもつ I 型インターフェロン（IFN-α，IFN-β）が産生される．

樹状細胞やマクロファージなどは，パターン認識受容体で病原体を認識すると活性し，IL-1，IL-6，IL-12，TNF-α などを産生する．これらのサイトカインはナイーブ T 細胞をエフェクター T 細胞へと分化させ，また抗原提示能を強めることで獲得免疫を誘導する．

IL-1β，IL-6，IFN-γ，TNF-α，および IL-8 をはじめとするケモカインは，傷害を受けた細胞や抗原刺激などで活性化した細胞から産生され，さまざまな炎症を引き起こすことから，炎症性サイトカインと総称される．これに対して，IL-10，IL-27，IL-35 などは炎症や免疫反応を抑えることから，抗炎症性サイトカインとよばれる．

(2) 獲得免疫におけるサイトカインの作用

前述のように，自然免疫から獲得免疫が誘導されていく過程においてサイトカインは重要な役割を果たす．感染した病原体や侵入した抗原の違いにより，感染局所で産生されるサイトカインの種類は異なり，その後に誘導される獲得免疫の方向性が大きく異なってくる．成立した獲得免疫による抗原排除においてもサイトカインは，リンパ球やマクロファージを活性化させ，感染した病原体や抗原を効率よく排除するために協調して働く．

抗原刺激を受けたナイーブCD4 T細胞は，特定のサイトカインの作用により性質の異なる細胞に分化する（**図2-1-10**）．IFN-γとIL-12が多く存在するとTh1細胞への分化が誘導される．一方，IL-4の刺激を受けるとCD4 T細胞はTh2細胞に分化する．活性化時のCD4 T細胞にIL-6，TGF-βおよびIL-23が作用した場合にはTh17細胞への分化を誘導する．制御性T細胞の分化にはIL-2の働きがTGF-βとともに必要である．Tfh細胞の分化にはIL-6が重要であると考えられている．

これらCD4 T細胞の分化は，サイトカインが対応する受容体に結合し，その下流で特定のシグナル分子や転写因子が活性化されることによる．Th1細胞，Th2細胞，Th17細胞，Tfh細胞，および制御性T細胞への分化には，それぞれT-bet，GATA3，RORγt，Bcl 6，そしてFoxP3が必須の転写因子として重要である（**図2-1-10**）．

ところで，CD4 T細胞の各サブセットから産生されるサイトカインには他のサブセットを負に制御するものがある．Th1細胞が産生するIFN-γはTh2細胞への増殖を抑制し，Th2細胞が産生するIL-4はTh1細胞への分化を抑制するとともにTh2細胞への分化を促進する（**図2-1-10**）．またIL-4とIFN-γはともにTh17細胞の分化を抑制する．制御性T細胞から産生されるTGF-βはT細胞の増殖を阻害でき，IL-10は抗原提示細胞のMHC分子や補助刺激分子の発現を抑制する．

獲得免疫においてはさらに，IL-2はリンパ球の増殖促進，IFN-γとTNF-αはマクロファージの活性化や抗原提示能の増強に働き，IL-4はCD4 T細胞のTh2細胞への分化において中心的役割を果たすとともに，B細胞の増殖を促進させ，IgE抗体へのクラススイッチに作用する．IL-5は好酸球の増殖・活性化に関与し，寄生虫感染に対する防御に働く．IL-6はさまざまな細胞から産生され多様な作用をもつが，B細胞では最終分化段階である形質細胞への分化誘導に作用する．

(3) 造血機構におけるサイトカインの作用

サイトカインの中には造血系細胞の増殖や分化を制御するものがあり，造血因子という．幹細胞因子stem cell factor（SCF），顆粒球コロニー刺激因子granulocyte-colony stimulating factor（G-CSF），マクロファージコロニー刺激因子macrophage colony-stimulating factor（M-CSF），顆粒球マクロファージコロニー刺激因子granulocyte macrophage colony-stimulating factor（GM-CSF），IL-3，IL-7などである．たとえばG-CSFは好中球へ，M-CSFはマクロファージへの分化・増殖を誘導し，GM-CSFは造血前駆細胞の増殖を支持する．

（大原直也）

II 自然免疫

自然免疫は病原微生物などが組織や器官の深部へ侵入するのを防ぎ，侵入した場合はすばやく感知して排除するための防御機構である．そのため恒常的に作働しているか，あるいはすみやかに誘導されて（遅くとも数時間内に）発動する仕組みで構成されている．

自然免疫には微生物の侵入を防ぐための障壁（バリア機能）も含まれる．体表面を被覆する皮膚・粘膜上皮，各所の常在フローラ（細菌叢），抗菌因子を含む粘液層などは重要な障壁として働く．これに加え，涙液，唾液，胃液などの外分泌液による洗浄作用や消化作用，さらには，気道粘膜の線毛運動，喀痰，咳嗽，くしゃみによる呼吸器の排出機構，あるいは，腸管の蠕動運動・分節運動や，嘔吐・下痢による消化管の排出機構なども該当する（これらの障壁については第1章Ⅶ-B「感染の免疫」☞ p.59〜60を参照）．

微生物がこれらの障壁を越えて組織や器官深部へ侵入した場合には，侵入部位の周囲に存在するマクロファージなどの細胞が特有の受容体を使って微生物の構成要素を識別し，侵入を感知する．これにより殺菌機構を発動して直接的に微生物を排除したり，またサイトカインやケモカインの産生を誘導し，血管透過性を亢進させ，血中の白血球や補体などの血漿タンパク質を感染部位に動員し，感染防御反応としての炎症反応を誘導する．また抗ウイルス作用をもつサイトカインを誘導することにより，ウイルスの侵入や増殖を阻止する能力も備えている．

自然免疫はこれらの感染防御反応と並行して樹状細胞を活性化し，補助刺激分子の発現を誘導してナイーブT細胞への抗原提示を補助し，獲得免疫応答の誘導にも寄与する．また，獲得免疫反応の全般を補助し，反応を増幅させる能力をもつ．さらに，損傷組織や死細胞を排除し，組織修復にも加担する．

ここでは自然免疫系の感染防御反応として特に重要な微生物の認識機構と排除機構を中心に解説する．

1 微生物の認識機構

自然免疫では微生物の存在を感知するセンサーの役割を担う受容体群が発達しており，パターン認識受容体 pattern recognition receptor（PRR）とよばれている．特定の微生物グループに共通の構造的要素と結合し，“パターン”として微生物を感知する．この構造的要素のことを病原体関連分子パターン pathogen-associated molecular pattern（PAMP）とよび，パターン認識受容体に特異的に結合するリガンドとして作用する．たとえば，グラム陰性菌では外膜のリポ多糖（LPS），真菌では細胞壁のβ-グルカンなどがPAMPとしてパターン認識受容体に認識される（**表2-2-1**）．

パターン認識受容体の種類は豊富で，細胞膜上で細胞外の微生物を認識するもの，細胞質に発現して細胞内寄生性微生物を認識するもの，あるいは細胞から分泌され液性因子になるものなどもある．一方，パターン認識受容体をコードするすべての遺伝子は生殖細胞系で先天的に発現可能であり，豊富といえどもヒトでは100種類未満である．つまり，リンパ球の抗原受容体のように後天的に遺伝子再構成を受けて膨大な多様性を獲得することはない．

1）主なパターン認識受容体の種類と役割

（1）Toll様受容体

Toll様受容体 Toll-like receptor（TLR）は，最初に発見されたパターン認識受容体であり，昆虫から哺乳類まで動物界のあらゆる生物に存在する．名称の由来となったTollはショウジョウバエの発生に関与するタンパク質の名称であるが，成虫においてTollを人為的に欠損させると真菌感染への抵抗力を失うことが発見された．その後Tollの相同体がヒトを含むさまざまな生物種でみつかり，微生物の構造的要素を識別する特殊な受容体群であることが解明され，TLRと名づけられた．

TLRは細胞膜を貫通する受容体であり，細胞外領域にあたるN末端側にはロイシンリッチリピート leucine-rich repeat（LRR）とよばれるPAMPと結合するドメイン（機能構造）があり，また細胞内領域にあたるC末端側にはIL-1受容体と相同性をもつTIRドメインが存在し，MyD88などのTIRドメインをもつ細胞内のアダプタータンパク質と相互作用することで細胞内シグナルを発動することができる（**図2-2-1**）．

ヒトではTLR1〜10の10種が存在するが，細胞表面に存在して主に炎症応答を誘導するもの（TLR1，2，4，5，6，10）と，小胞体からエンドソーム膜へ移行しエンドソームに取り込まれた微生物の核酸を認識して主に抗ウイルス応答を誘導するもの（TLR3，7，8，9）に分けられる．TLRは同一種が結合したホモ二量体として機能するものが多いが，TLR2はTLR1やTLR6と結合してヘテロ二量体としても機能することができる．

TLR4は最初に機能が解明されたTLRであり，グラム陰性菌のLPS構造内のリピドA領域を認識する．以前はLPSの受容体と考えられていたCD14は，LPSをTLR4へ受け渡す補助受容体であることが解明されている．生体内でLPSが内毒素として作用するのは，さまざまな細胞

表 2-2-1　主なパターン認識受容体

グループ	パターン認識受容体	主なリガンド，PAMP	主な局在
Toll 様受容体（TLR）	TLR4	LPS 構造中のリピド A（グラム陰性菌）	細胞膜
	TLR2（TLR2/TLR1）	トリアシル化リポタンパク質（細菌），リポタイコ酸（グラム陽性菌）	細胞膜
	TLR2（TLR2/TLR6）	ジアシル化リポタンパク質（マイコプラズマ）	細胞膜
	TLR5	鞭毛のフラジェリンタンパク質（細菌）	細胞膜
	TLR9	非メチル化 CpG DNA（細菌，DNA ウイルス）	エンドソーム膜
	TLR7・8	一本鎖 RNA（RNA ウイルス）	エンドソーム膜
	TLR3	二本鎖 RNA（RNA ウイルス）	エンドソーム膜
NOD 様受容体（NLR）	NOD1	ペプチドグリカンの meso-ジアミノピメリン酸（グラム陰性菌）	細胞質
	NOD2	ペプチドグリカンのムラミルジペプチド（細菌）	細胞質
	NLRP3	細菌の毒素，ウイルス粒子，細胞外 ATP，尿酸結晶など	細胞質
RIG-Ⅰ様受容体（RLR）	RIG-I	短鎖一本鎖または二本鎖 RNA（RNA ウイルス）	細胞質
	MDA5	長鎖二本鎖 RNA（RNA ウイルス）	細胞質
C 型レクチン様受容体（CLR）	マンノース受容体	マンノース，フコース，*N*-アセチルグルコサミン（細菌）	細胞膜
	Dectin-1	β-グルカン（真菌）	細胞膜
	Mincle	トレハロースジミコール酸（コードファクター）（結核菌）	細胞膜
	DC-SIGN	マンノース付加リポアラビノマンナン（結核菌）	細胞膜
スカベンジャー受容体	CD36	リポタンパク質（細菌）	細胞膜
その他	cGAS	二本鎖 DNA（DNA ウイルス）	細胞質

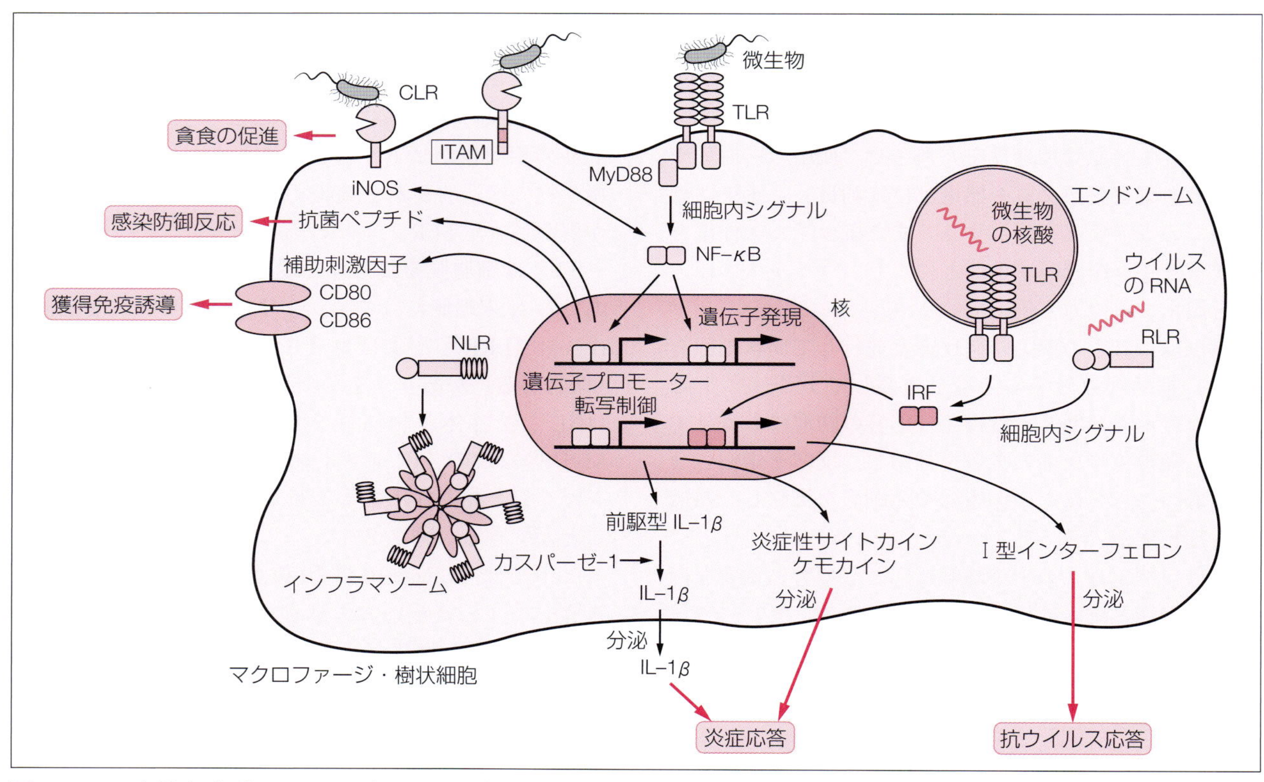

図 2-2-1　自然免疫系におけるパターン認識受容体の役割

が TLR4 を発現しており，これらが LPS に反応して炎症反応を起こすためである．その他，細菌のリポタンパク質は TLR2，鞭毛を構成するフラジェリンは TLR5，ウイルスの二本鎖 RNA は TLR3，細菌やウイルスの非メチル化 DNA は TLR9 で認識される（**表 2-2-1**）．TLR は細胞内シグナルの発動により，転写因子 NF-κB の活性化を介して抗菌ペプチド（β-ディフェンシンなど）をはじめとする殺菌因子を誘導したり，炎症性サイトカインの産生により炎症応答を誘導する．また細胞内で微生物の核酸を認識する TLR は転写因子 IRF（インターフェロン制御因子）

の活性化を介してI型インターフェロン（☞ p.91 参照）を産生し，抗ウイルス応答を誘導する（**図 2-2-1**）.

(2) NOD 様受容体

NOD 様受容体 NOD-like receptor（NLR）は，細胞質に局在し，細胞内に侵入してくる病原体を認識するパターン認識受容体である．NOD（nucleotide oligomerization domain）とよばれるドメインを中央部にもち，またC末端側のロイシンリッチリピートでPAMPと結合する．N末端側には細胞内シグナル伝達を誘導するドメインをもつ．ヒトでは20種以上のNLRが発見されている．

代表的なのはNOD1とNOD2であり，粘膜上皮細胞や食細胞で強く発現し，消化管の細菌感染に対する防御反応において重要な役割を果たす．いずれも細菌のペプチドグリカンの認識にかかわっている．

その他，N末端側にPYDとよばれるドメインを有するNLRPファミリー（NLRP3などを含む）とIPAFがある．これらはPAMP認識後にインフラマソーム inflammasome（☞ p.95 参照）を形成する能力をもつ．

(3) RIG-I 様受容体

RIG-I 様受容体 RIG-I-like receptor（RLR）は，細胞質に局在するRNAヘリカーゼ（RNAの二次構造をほどく酵素）活性を有するパターン認識受容体であり，ウイルス複製時に生じるRNAをC末端ドメインで感知することができる．RIG-Iの他，MDA5とLGP2が知られている．これらのパターン認識受容体にウイルス由来のRNAが結合すると，ミトコンドリア外膜へ移行してMAVSとよばれるタンパク質と結合し，転写因子IRFを活性化し，I型IFNの産生など抗ウイルス応答を誘導する．

(4) C 型レクチン様受容体

C型レクチン様受容体 C-type lectin-like receptor（CLR）は，細胞膜に発現し，細胞表面でCa^{2+}に依存的に微生物の糖鎖に結合するパターン認識受容体である．

マクロファージに発現するマンノース受容体は微生物表面のマンノースやフコースなどと結合し，微生物を細胞表面に密着させて食作用（☞ p.86 参照）を促進するのに役立つが，細胞内シグナルは誘導しない．樹状細胞に発現するDectinとよばれる受容体群は，免疫受容体チロシン活性化モチーフ immunoreceptor tyrosine-based activation motif（ITAM）とよばれるFc受容体などと共通の配列をもち，細胞内シグナルを誘導する能力をもつ．これに属するDectin-1は真菌のβ-グルカン，Dectin-2は真菌のα-マンナン，そしてMincleは結核菌の糖脂質であるトレハロースジミコール酸（コードファクター）を認識する．その他，樹状細胞やマクロファージに発現するDC-SIGN，Langerhans細胞に発現するランゲリンはマンノース結合性を有する．DC-SIGNは結核菌のマンノース付加リポアラビノマンナンの認識にかかわる．

(5) AIM2 様受容体

AIM（absent in melanoma）2様受容体 AIM2-like receptor（ALR）は，IFN-γによって発現が誘導されて細胞質に局在するパターン認識受容体群で，細胞内寄生性細菌やウイルス由来の二本鎖DNAを認識する．AIM2はDNA認識後にインフラマソームの形成と活性化を誘導する．IFI16はDNA認識後にSTINGとよばれるアダプタータンパク質と結合し，I型IFN産生など抗ウイルス応答を誘導する．

(6) その他

スカベンジャー受容体に分類されるCD36は，細菌由来のリポタンパク質に結合してマクロファージの貪食を補助し，またTLR2を介した炎症誘導にも関与する．

環状GMP-AMP合成酵素（cGAS）は，細胞質で二本鎖DNAを認識すると，環状GMP-AMP（cGAMP）を合成し，これが小胞体に局在するタンパク質STINGに結合する．その結果STINGの構造変化が起こり，小胞体からゴルジ体へと移行することでシグナル伝達が発動し，I型IFNや炎症性サイトカインの産生を誘導する．

2) インフラマソームの役割

炎症性サイトカインであるIL-1βやIL-18は，まず前駆型として産生されて細胞内にとどまり，その後成熟型に変換されない限りは細胞外へ分泌されない．この変換反応を仲介するのがインフラマソームである．インフラマソームは炎症の誘導にかかわる免疫細胞，特にマクロファージにおいて重要な意味をもつ．NLRPファミリーやAIM2などの特定のパターン認識受容体がPAMPを認識して活性化されると，アダプタータンパク質ASCが会合し，さらにcaspase-1やcaspase-4などのカスパーゼとよばれるシステインプロテアーゼがCARDとよばれるドメインを介して会合し，巨大なタンパク質複合体であるインフラマソームが形成される（**図 2-2-1**）．その後活性化されたカスパーゼの作用により，前駆型のIL-1βやIL-18の一部が切断されることで成熟型となる．また，インフラマソームの形成はパイロトーシスとよばれる炎症性細胞死の誘導にも関与している．

3) パターン認識受容体による生体の危機の認識

組織がストレスや損傷を受けたり，あるいは細胞破壊が起こると，通常は露出しないような内因性分子が露出し，炎症反応が誘導されることがある．このような内因性分子の中には微生物のPAMPと同様にパターン認識受容体による認識を受けるものがあり，ダメージ関連分子パターン damage-associated molecular pattern（DAMP）とよばれる．DAMPは生体の危機を知らせるシグナルの役割を果たすが，過剰になると炎症性疾患の原因になることがある．

DAMPにはさまざまな種類のものが含まれており，たとえば細胞外マトリックスのプロテオグリカンは組織の損傷に伴って低分子化すると，TLR2やTLR4に認識されるようになる．また死細胞由来のゲノムDNAやミトコンド

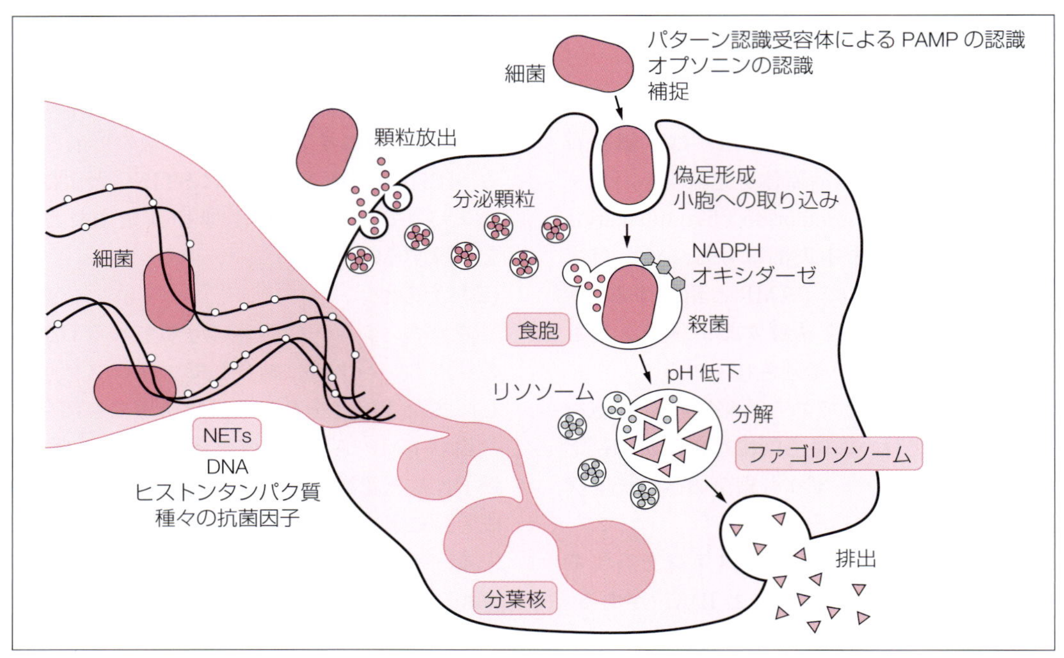

図 2-2-2　好中球の殺菌機構（食作用，顆粒放出と NETs 形成）

リア DNA は TLR9 により認識される．

その他，体内で過剰となった尿酸は各所で結晶化を起こし，マクロファージに取り込まれて NLRP3 による認識を受けるとインフラマソームを形成し，痛風の原因となる炎症反応を引き起こす．

❷ 微生物の排除機構

1）食細胞

食細胞 phagocyte は，微生物や自己の死細胞などを食作用 phagocytosis とよばれる過程により，さかんに細胞内に取り込み，殺滅・消化処理する細胞群である（**図 2-2-2**）．代表的なのは好中球，マクロファージや単球である．未熟樹状細胞も食作用をもつが，樹状細胞へ成熟化するとその能力は減弱する．食細胞がさかんな食作用を発揮できる理由は，CLR やスカベンジャー受容体などのパターン認識受容体を強く発現するためである．また，食細胞は微生物に結合能をもつ補体成分 C3b と結合可能な CR1 受容体，あるいは IgG 抗体の Fc 領域と結合可能な Fc 受容体をもつため，C3b や IgG が結合した微生物（オプソニン化された微生物）を効果的に排除することが可能であり，これはオプソニン作用とよばれる（☞ p.97 参照）．

食作用の過程では，まず細胞膜を陥入させて対象物を食胞（ファゴソーム）とよばれる小胞に包み込み，細胞内へ取り込む．食胞は TLR など細胞膜上のパターン認識受容体を巻き込んで形成されるため，取り込んだ微生物の PAMP は食胞内のパターン認識受容体で認識される．これにより食胞周囲に分布する NADPH オキシダーゼが活性化され，酸素から活性酸素をつくりだし，強力な酸化作用により内部を殺菌する．また，食胞は細胞表層から細胞内部へ移動する際，膜上のプロトンポンプ V-ATPase と ATP の働きにより内部 pH を 6.5 から 4 付近にまで酸性化させる．この状態の食胞にはリソソームが多数融合し，ファゴリソソーム phagolysosome とよばれる状態となり，リソソーム内のプロテアーゼ（タンパク質分解酵素），ヌクレアーゼ，グリコシダーゼ，リパーゼ，ホスホリパーゼ，ホスファターゼなど 40 種にも及ぶ加水分解酵素群が食胞内に移行し内部の消化を開始する．分解された残骸は細胞内で処理されるが，一部は細胞外へ排出され，抗原として獲得免疫の誘導に使用されることになる（**図 2-2-2**）．

好中球では，分泌顆粒に含まれる殺菌因子やプロテアーゼ（エラスターゼやカテプシン G）を細胞外へ放出して殺菌したり，あるいは食胞内へ分泌して殺菌・消化を補助する．さらに，好中球は自身の DNA や顆粒内容物を細胞内から飛び出させ，細胞外に網状の構造物をつくり，そこに微生物を捕捉して殺菌することができる．この構造物は好中球細胞外トラップ neutrophil extracellular traps（NETs）とよばれ，DNA とヒストンタンパク質からなる網状構造にミエロペルオキシダーゼ，エラスターゼ，ディフェンシンなどが高濃度で付着している．NETs 形成により好中球は死を迎えるが，周囲の好中球が集まり，NETs に捕らわれた微生物を食作用により，効率的に排除する．NETs は血中で血小板を捕捉し，血栓形成にも関与する．

マクロファージでは，誘導型一酸化窒素合成酵素（iNOS）の作用により一酸化窒素を産生する．一酸化窒素は活性酸素と反応するときわめて殺菌効果の高いペルオキシ亜硝酸ラジカルとなり，食胞内の殺菌に大きく寄与する．マクロファージは抗原提示細胞でもあり，食作用の過程で生じた微生物などの断片を抗原として直接 MHC クラスⅡ分子に受け渡し，細胞表面に提示することができる（☞ p.100 参照）．

2）補体

補体 complement は，自然免疫を支える重要な液性因子であり，主に肝臓で産生され血中に移行する血漿タンパク質群である．純粋に補体とよばれるのは complement の頭文字 C がつけられた C1～9 の主要成分であるが，その他にも，B 因子や D 因子などの補助因子，I 因子や H 因子，C1 インヒビター，C4b 結合タンパク質，プロパーディンなどの調節因子，補体受容体（CR1，CR2，CR3）を含む細胞膜上因子があり，これらを総称して補体系とよぶ．

（1）補体活性化と膜侵襲複合体の形成

補体は通常は不活性状態で存在するが，微生物表面の糖鎖などに結合したり，あるいは IgG 抗体や IgM 抗体が表面に結合した微生物などが存在すると活性化され，補体成分の特定部位を分解するカスケード（連続反応）が誘導される．補体が分解してできるフラグメントは，分子量の小さいほうに a，大きいほうに b の名称をつける．たとえば，C3 は分解を受けて小さなフラグメント C3a と大きなフラグメント C3b になる．補体活性化のカスケードは次に示す 3 種が知られており，“補体活性化経路” とよばれる（**図 2-2-3**）．

a）古典経路

古典経路 classical pathway は最初に発見された経路であり，補体成分 C1（C1q，C1r，C1s）と抗体（IgG または IgM）が関与する．微生物などの抗原に 2 分子の IgG または 1 分子の IgM が結合して抗原抗体複合物（免疫複合体）が形成されると，抗体の Fc 領域内にある補体結合部位に C1q が会合し，そこにセリンプロテアーゼである C1r と C1s が順次結合して複合体となる．これが C4 と C2 を分解する転換酵素として作用し，生成した C4b と C2a が結合し，C3 転換酵素として働く C4b2a が形成されることでカスケードが開始される．

b）副経路（第二経路）

副経路（第二経路）alternative pathway は，古典経路の次に発見されたためこのようによばれる．血中では補体成分 C3 の一部は血中の酵素により C3a と C3b に分解されており，弱い活性化状態にある．通常 C3a も C3b もすぐに不活化されるが，微生物が存在する場合には，C3b が微生物表面の LPS や*β*-グルカンなどの成分に結合する．そこに B 因子が結合し，これが D 因子によって分解されて Ba と Bb となる．C3b と Bb は結合して C3 転換酵素として働く C3bBb となり，カスケードが開始される．

c）レクチン経路

レクチン経路 lectin pathway は，微生物表面の糖タンパク質や糖脂質に存在する糖鎖にマンノース結合レクチンやフィコリンなどの可溶性レクチンが結合するためこのようによばれる．これらのレクチンには MASP1 や MASP2 とよばれるセリンプロテアーゼが順次結合し，この複合体が C4 と C2 を分解する転換酵素として作用するため，その後は古典経路と同様のカスケードが開始される．

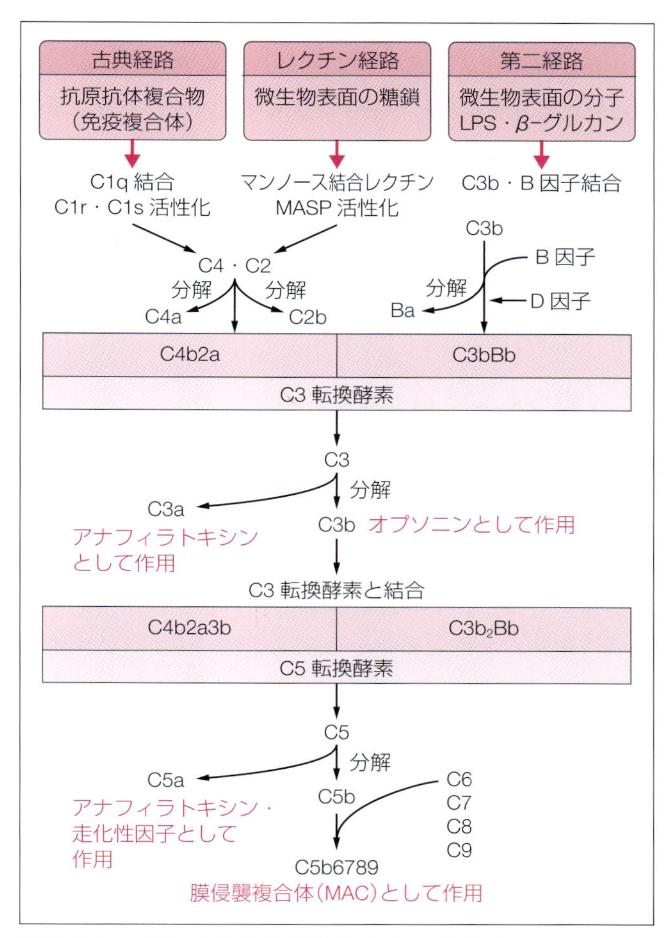

図 2-2-3　補体の活性化経路と各成分の役割

これらの補体活性化経路により C3 転換酵素が形成されると，C3 は C3a と C3b に分解される．C3b は細菌の細胞壁などに結合し，各々のカスケードの過程で生成した C3 転換酵素と結合することで C5 転換酵素として作用できるようになる．これにより C5 は C5a と C5b に分解される．C5b は C6，C7，C8，C9 を動員し，最終的にこの複合体（C5b6789）は膜侵襲複合体 membrane attack complex（MAC）とよばれる膜孔となって細胞膜を傷害し，細胞を融解させる能力を得る（**図 2-2-3**）．

（2）オプソニン作用

補体活性化経路の過程で生じる C3b は微生物表面に結合する能力をもち，微生物の感染力を中和する役割を果たすとともに，食細胞の食作用を促進する “オプソニン” としての能力もつ．食細胞は C3b の受容体である CR1 を細胞表面にもつため，C3b が表面に結合した微生物は食細胞に捕食されやすくなる．C3b や IgG 抗体が微生物に結合することをオプソニン化とよび，これにより食作用が促進されることをオプソニン作用（またはオプソニン効果）とよぶ（**図 2-2-3**）．

(3) アナフィラトキシンによる炎症誘導とケモタキシス

補体活性化経路の過程で生じるC3aとC5aには肥満細胞や好塩基球を刺激して炎症を誘導する能力があり，アナフィラトキシンとよばれる．肥満細胞や好塩基球は脱顆粒を起こして血管透過性を高めるため，好中球の血管外遊走や血漿の漏出が促進される．またC5aには食細胞，特に好中球の走化性（ケモタキシス chemotaxis）を刺激する働きがある（**図2-2-3**）．これにより血中の好中球を感染局所へ走化させることができる．

3） I型インターフェロン

自然免疫では，ウイルス抑制作用をもつサイトカインであるI型インターフェロン type I interferon（IFN）が産生される．I型IFNとよばれるのはIFN-α（13種）とIFN-β（1種）であり，II型IFNであるIFN-γとは異なる活性をもつ．IFN-αは形質細胞様樹状細胞（pDC）など活性化された免疫細胞から産生され，IFN-βはウイルス感染を受けたさまざまな細胞から産生される．I型IFNの産生はTLRやRLRなどのパターン認識受容体によりウイルス核酸が認識された際に転写因子IRFが活性化されることで誘導される（☞ p.94参照）.

I型IFNの主な作用は，ウイルス抵抗性をもたらすタンパク質の発現を誘導することである．ウイルス遺伝子の転写・翻訳を抑制するプロテインキナーゼR protein kinase R（PKR）やウイルスRNAを分解するRNase Lなどがこれに該当する．また，MHCクラスI分子の発現を増やしてウイルス抗原の提示能を強めたり，NK細胞や細胞傷害性T細胞のウイルス感染細胞への傷害活性を高めたり，あるいは樹状細胞から抗原提示を受けたナイーブT細胞がTh1細胞へ分化するのを促進し，細胞性免疫応答を高める働きももつ．またウイルス感染細胞に直接作用して，アポトーシスによる細胞死の感受性を高める効果も有している．

自然リンパ球

自然リンパ球 innate lymphoid cell（ILC）は自然免疫で働くリンパ球様細胞群で，骨髄でリンパ球系幹細胞から発生し，転写因子Id2を発現する前駆細胞を経て分化する．リンパ球のような抗原受容体はもたないため，本来，英名ではlymphocyte（リンパ球）ではなく，lymphoid cell（リンパ球様細胞）とよばれるが，和名では「自然リンパ球」の名称が定着している．ILCは主にサイトカイン産生により免疫応答を補助する役割をもち，ヘルパーT（Th）細胞と類似するが，Th細胞はナイーブT細胞から抗原特異的に誘導される必要があるのに対し，ILCは抗原認識を介在せず，他の細胞が産生するサイトカインで活性化されてすばやく応答できる．ILCにはNK細胞や胎生期のリンパ組織形成に関与するリンパ組織誘導細胞（LTi細胞）も分類されるが，ここではILC1，ILC2ならびにILC3の3種についてのみ述べる．

ILC1は主にウイルスやクラミジアなど細胞内寄生性微生物の感染に対する防御反応を補助する．Th1細胞と同様に転写因子T-betを発現し，IL-12やIL-18の存在下で活性化され，IFN-γを産生する．ILC2は寄生虫感染に対する生体防御を補助したり，アレルギー性炎症に関与する．Th2細胞と同様に転写因子GATA-3を発現し，IL-25やIL-33などの存在下で活性化され，IL-4やIL-5，IL-13を産生する．ILC3は主に粘膜組織，特に腸管の粘膜固有層に多く分布し，細胞外微生物の感染に対する生体防御を補助したり，粘膜上皮のバリア機能の維持に関与する．Th17細胞と同様に転写因子RORγtを発現し，IL-1βやIL-23などの存在下で活性化され，IL-17やIL-22を産生する．

（引頭　毅）

自然免疫から獲得免疫へ

病原体の侵入を受けて感染が起こると，はじめに自然免疫によってほとんどの病原体は非特異的に排除される．しかし，病原体を十分に排除できない場合には，自然免疫から獲得免疫へと免疫応答が移行する．リンパ球が主体となる獲得免疫では，多様な病原体は特異的に認識されて排除される．

1 主要組織適合遺伝子複合体

1）MHC クラス I と MHC クラス II の構造

主要組織適合遺伝子複合体 major histocompatibility complex（MHC）の役割は，病原体などの抗原ペプチドを結合して T 細胞の抗原受容体である T 細胞受容体 T cell receptor（TCR）が認識できるように細胞表面に提示することである．この現象を抗原提示 antigen presentation という．T 細胞が活性化されると，B 細胞の活性化を介した抗体産生による細胞外の病原体の排除などの体液性免疫，あるいはウイルス感染細胞の排除や感染マクロファージにおける細胞内寄生性細菌の排除などの細胞性免疫，といった獲得免疫が自然免疫に続いて引き起こされる．

MHC 分子には MHC クラス I 分子と MHC クラス II 分子があり，CD8 T 細胞と CD4 T 細胞に抗原ペプチドをそれぞれ提示する．

MHC クラス I 分子は，α 鎖と β_2 ミクログロブリン（β_2 m）が非共有結合して形成される．α 鎖は α_1，α_2，α_3 の 3 つのドメインと膜貫通領域からなる．抗原ペプチドが結合するペプチド収容溝は α_1 と α_2 で形成される．MHC クラス I 分子のペプチド収容溝の両端は閉じた構造になっており，8〜10 アミノ酸残基からなる短い抗原ペプチドと結合する（**図 2-3-1**）．

MHC クラス II 分子は，α 鎖と β 鎖からなる．α 鎖は α_1，α_2 の 2 つのドメインと膜貫通領域，β 鎖は β_1，β_2 の 2 つのドメインと膜貫通領域からなる．抗原ペプチドが結合するペプチド収容溝は α_1 と β_1 で形成される．MHC クラス II 分子のペプチド収容溝の両端は開いた構造になっており，9〜30 アミノ酸残基からなるやや長い抗原ペプチドと結合し，長さは一定ではない（**図 2-3-1**）．

MHC クラス I 分子と MHC クラス II 分子の構成は異なるが，立体構造はよく似ている．どちらも抗原ペプチドを不可欠なものとして結合しており，細胞表面上で MHC 分子を安定化して抗原提示している．

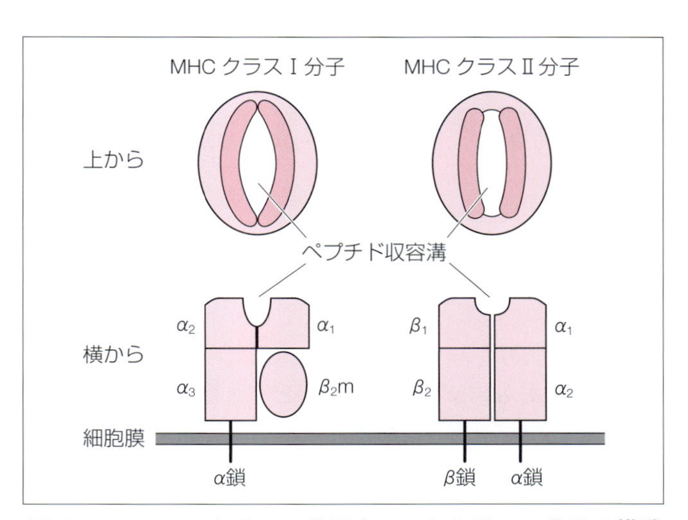

図 2-3-1 MHC クラス I 分子と MHC クラス II 分子の構造

MHC クラス I 分子は，α_1，α_2，α_3 の 3 つのドメインからなる α 鎖と β_2 ミクログロブリン（β_2 m）が非共有結合して形成され，ペプチド収容溝の両端は閉じた構造になっている（左図）．MHC クラス II 分子は，α_1，α_2 の 2 つのドメインからなる α 鎖と β_1，β_2 の 2 つのドメインからなる β 鎖で形成され，ペプチド収容溝の両端は開いた構造になっている（右図）．

2）MHC の特徴

MHC は多重性と多型性によって病原体などに由来する MHC 結合ペプチドの種類を広げている．多重性とは，MHC クラス I および MHC クラス II ともに同一個体内に複数の異なる遺伝子をもつことである．多型性とは，*MHC* 遺伝子には多数の変異体があり，同一種の集団内に多数の対立遺伝子が存在することである．遺伝的多型の異なる型の主な違いはペプチド収容溝に存在しており，抗原ペプチドの結合や T 細胞への提示に影響する．また，MHC には共優性という特徴があり，2 つの対立遺伝子が細胞上に同等に発現して抗原ペプチドを提示している．この特徴により 1 つの宿主には異なる MHC 分子を同時に発現することができ，MHC の多様性をさらに広げている．

MHC 遺伝子領域はヒトでは第 6 染色体，マウスでは第 17 染色体にある．ヒト *MHC* 遺伝子は *HLA*（human leukocyte antigen；ヒト白血球抗原）遺伝子，マウス *MHC* 遺伝子は *H-2* 遺伝子とよばれる．ヒトの MHC クラス I には HLA-A, -B, -C があり，ヒトの MHC クラス II には HLA-DR, -DP, -DQ があって，それぞれが結合するペプチドの種類が異なり，多様なペプチドを提示できる（**図 2-3-2**）．また，Sjögren 症候群や Behçet 病などの自己免疫疾患では特定の HLA 遺伝子型と相関性がある．

対立遺伝子

相同の遺伝子座に位置する遺伝子を対立遺伝子という．一人のヒトの中で同じ遺伝子座に位置する *MHC* 遺伝子が同じ対立遺伝子をもつことは少なく，ほとんどはヘテロ接合体であるため MHC 結合ペプチドの種類をさらに広げて

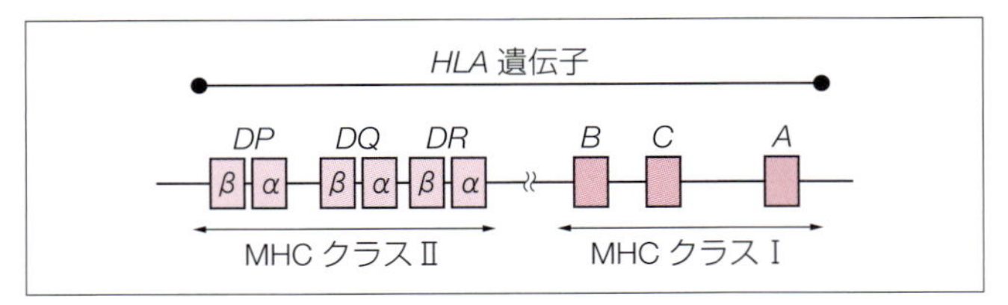

図 2-3-2　ヒト *MHC* 遺伝子（*HLA* 遺伝子）
ヒト *MHC* 遺伝子は *HLA* 遺伝子とよばれ，第6染色体にある．ヒトの *MHC* クラスⅠ遺伝子には *HLA-A*，*-B*，*-C* があり，ヒトの *MHC* クラスⅡ遺伝子には *HLA-DR*，*-DP*，*-DQ* がある．

いる．

❷ 抗原の処理と提示

抗原とは，リンパ球の抗原受容体によって特異的に認識される分子あるいはその一部のことである．B細胞の抗原受容体は免疫グロブリンであり，多糖体やタンパク質のような分子を抗原として特異的に認識する．T細胞の抗原受容体はT細胞受容体であり，MHC分子に結合したペプチドを抗原として特異的に認識する．抗原受容体が結合する抗原の部位を抗原決定基またはエピトープという．

1）MHC クラスⅠによる抗原提示

MHC クラスⅠ分子はほとんどすべての有核細胞に発現している．無核細胞である赤血球にはMHC分子は発現していない．MHC クラスⅠ分子は，細胞質内にあるタンパク質をペプチド断片として主に抗原提示する．つまり，MHC クラスⅠ分子は，主にウイルスなどの細胞内病原体由来の抗原を提示する．

細胞内病原体のタンパク質は細胞質内で分解される．プロテアソームによって細胞質内のタンパク質が抗原ペプチドの断片に分解されると，抗原ペプチドはTAP（transporter associated with antigen processing）とよばれるトランスポーターにより小胞体内へ輸送される．小胞体内で抗原ペプチドはMHC クラスⅠ分子のペプチド収容溝に結合して抗原ペプチド・MHC複合体を形成し，細胞表面へと輸送されて，CD8 T細胞へ抗原提示する（**図 2-3-3**）．

2）MHC クラスⅡによる抗原提示

MHC クラスⅡ分子は樹状細胞，マクロファージ，B細胞といった一部の免疫担当細胞に発現している．MHC クラスⅡ分子は，細胞外の抗原が細胞内へ取り込まれたタンパク質をペプチド断片として主に抗原提示する．つまり，MHC クラスⅡ分子は，主に細菌などの細胞外病原体由来の抗原を提示する．

細胞外病原体のタンパク質は細胞内小胞とリソソームの中で分解される．つまり，細胞外病原体は，樹状細胞やマクロファージといった抗原提示細胞 antigen presenting cell（APC）によって貪食されてファゴリソソーム内で抗原ペプチドの断片に分解される．また，B細胞では細胞表面の免疫グロブリンによって細胞外の抗原と結合してエンドサイトーシスによって取り込み，リソソームと融合して抗原ペプチドの断片に分解される．小胞体内ではMHC クラスⅡ分子のペプチド収容溝にはインバリアント鎖（Ii）が結合しており，エンドソームのpH低下に従ってインバ

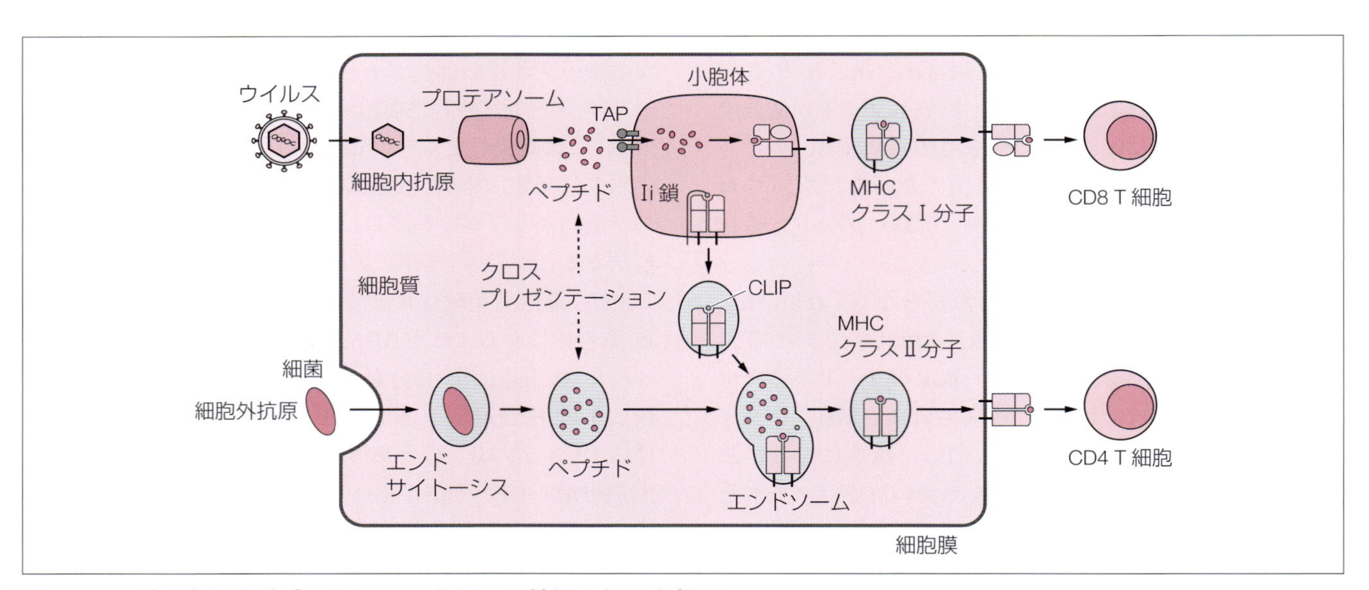

図 2-3-3　抗原提示細胞内での MHC 分子への抗原の処理と提示
MHC クラスⅠ分子と MHC クラスⅡ分子は主に細胞内抗原と細胞外抗原をそれぞれ提示する．ウイルスなどの細胞内病原体は細胞質内でプロテアソームによって抗原ペプチドに分解され，TAPにより小胞体内へ輸送される．小胞体内で抗原ペプチドはMHC クラスⅠ分子のペプチド収容溝に結合して抗原ペプチド・MHC分子複合体を形成し，細胞表面でCD8 T細胞へ抗原提示する．細菌などの細胞外病原体はエンドサイトーシスによって取り込まれファゴリソソーム内で抗原ペプチドに分解される．小胞体内ではMHC クラスⅡ分子のペプチド収容溝にはインバリアント鎖（Ii）が結合しているが分解されてCLIPがペプチド収容溝に残る．抗原ペプチドを含むエンドソームは，MHC クラスⅡ分子を含むエンドソームと融合するとCLIPは取り除かれ，抗原ペプチドはMHC クラスⅡ分子のペプチド収容溝に結合して抗原ペプチド・MHC複合体を形成し，細胞表面でCD4 T細胞へ抗原提示する．

表 2-3-1　抗原提示細胞の種類

	樹状細胞	マクロファージ	B 細胞
抗原の摂取方法	食作用	食作用	免疫グロブリンによる特異的抗原の摂取
MHC 分子の発現	誘導性（＋→＋＋＋）	誘導性（＋→＋＋＋）	恒常的に発現（＋＋） 活性化（→＋＋＋）
補助刺激分子の発現	誘導性（－→＋＋＋）	誘導性（－→＋＋＋）	誘導性（－→＋＋＋）

主要な抗原提示細胞には，樹状細胞，マクロファージ，B 細胞がある．
－～＋＋＋は，発現量の段階を表している．

リアント鎖は分解されて CLIP（class II associated Ii chain peptide）がペプチド収容溝に残る．抗原ペプチドを含むエンドソームは，MHC クラス II 分子を含むエンドソームと融合すると CLIP は取り除かれ，抗原ペプチドは MHC クラス II 分子のペプチド収容溝に結合して抗原ペプチド・MHC 複合体を形成し，細胞表面へと輸送されて，CD4 T 細胞へ抗原提示する（**図 2-3-3**）．

3）抗原提示細胞

MHC クラス I 分子と MHC クラス II 分子をともに細胞表面に発現して抗原を提示して，T 細胞を活性化できる免疫担当細胞を抗原提示細胞またはプロフェッショナル抗原提示細胞という．主要な抗原提示細胞には，樹状細胞，マクロファージ，B 細胞がある（**表 2-3-1**）．抗原提示細胞はナイーブ T 細胞を活性化してエフェクター T 細胞 effector T cell を誘導することができ，自然免疫から獲得免疫へと免疫応答を移行する役割を果たしている．

4）T 細胞への抗原提示と抗原提示増強の仕組み

特異的抗原にまだ出会っていない成熟 T 細胞をナイーブ T 細胞という．ナイーブ T 細胞は循環血液からリンパ節などの二次リンパ組織へ移行する．この過程をホーミング homing という．ナイーブ T 細胞はケモカイン受容体 CCR7 を発現しており，リンパ節内の間質細胞や樹状細胞が産生する CCL21 などのケモカインによってリンパ節に導かれる．ナイーブ T 細胞は，抗原提示細胞による特異的抗原の提示を受けて活性化されるとエフェクター T 細胞となってさまざまな免疫応答の機能を発揮する．

T 細胞は T 細胞受容体とともに補助受容体 co-receptor として CD4 分子あるいは CD8 分子を発現している．CD4 分子はヘルパー T 細胞に，CD8 分子は細胞傷害性 T 細胞にそれぞれ発現しており，区別される．補助受容体は，T 細胞受容体が抗原ペプチド・MHC 複合体を認識するために必要である．CD4 分子は MHC クラス II 分子と，CD8 分子は MHC クラス I 分子とそれぞれ結合する（**図 2-3-4**）．

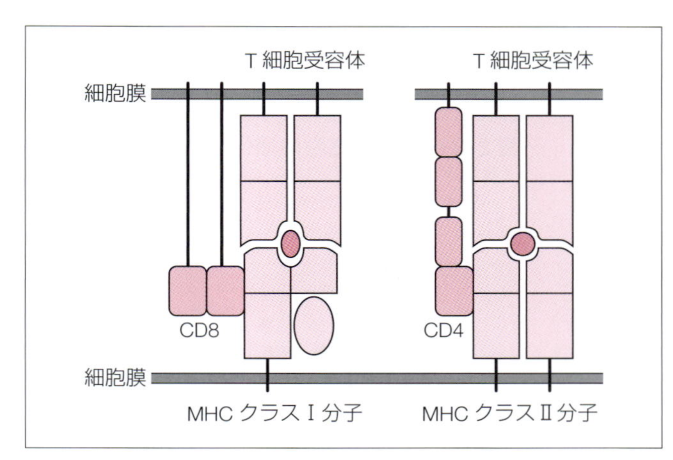

図 2-3-4　T 細胞の補助受容体
T 細胞受容体とともに補助受容体 CD4 あるいは CD8 を発現しており，MHC クラス II 分子と MHC クラス I 分子とそれぞれ結合する．

樹状細胞の最も重要な役割は，病原体を破壊することではなく，リンパ節などの末梢リンパ組織に病原体の抗原を運び抗原提示して，ナイーブ T 細胞を活性化してエフェクター T 細胞を誘導することである．皮膚などの末梢組織にいる樹状細胞は未熟樹状細胞とよばれ，病原体などを取り込む貪食能は高いが，MHC 分子や補助刺激分子の発現量は低い．未熟樹状細胞が病原体やその成分を取り込み，Toll 様受容体（TLR）などからのシグナルによって活性化すると，リンパ管を介して所属リンパ節へ遊走し，ナイーブ T 細胞を活性化する能力を獲得して成熟樹状細胞とよばれる（**図 2-3-5**）．成熟樹状細胞では貪食能は低くなり，病原体の抗原ペプチドを提示する MHC 分子やナイーブ T 細胞の活性化に必要な補助刺激分子の発現量は高くなり，エフェクター T 細胞を誘導できるようになる．このように T 細胞はリンパ節などの末梢リンパ組織で効率よく樹状細胞と出会って活性化される．

5）クロスプレゼンテーション

抗原提示細胞の樹状細胞は，食作用などで細胞外から取り込んだ病原体を MHC クラス I 分子に提示する過程があり，クロスプレゼンテーション cross-presentation という（**図 2-3-3**）．これによって細胞外の抗原を MHC クラス I 分子により提示して CD8 T 細胞を活性化する．また，オートファジー経路により細胞内の抗原を MHC クラス II 分子に提示して CD4 T 細胞を活性化する．

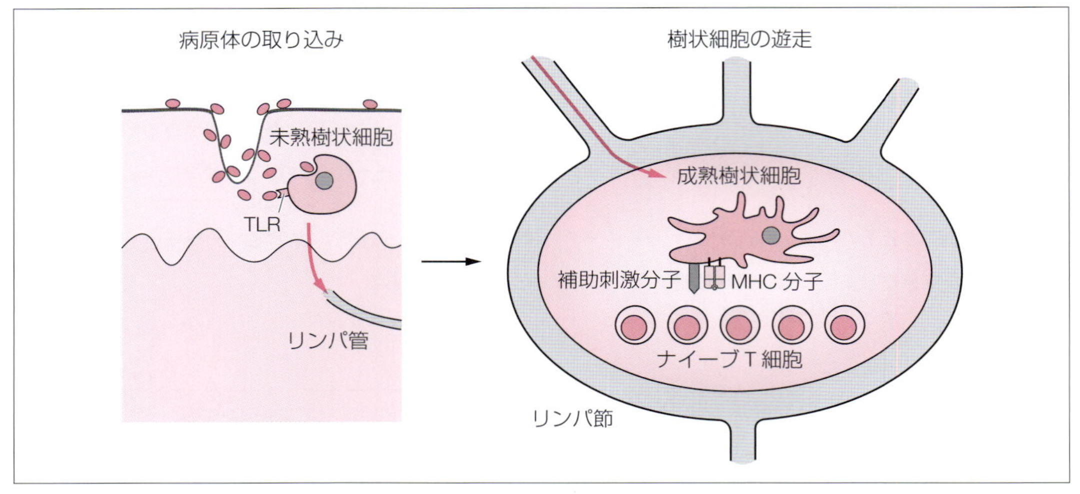

図 2-3-5　樹状細胞の活性化と二次リンパ組織への遊走
皮膚などの末梢組織にいる未熟樹状細胞は病原体を取り込み TLR などからのシグナルによって活性化すると，リンパ管を介して所属リンパ節へ遊走し成熟樹状細胞となり，ナイーブT細胞を活性化する能力を獲得する．

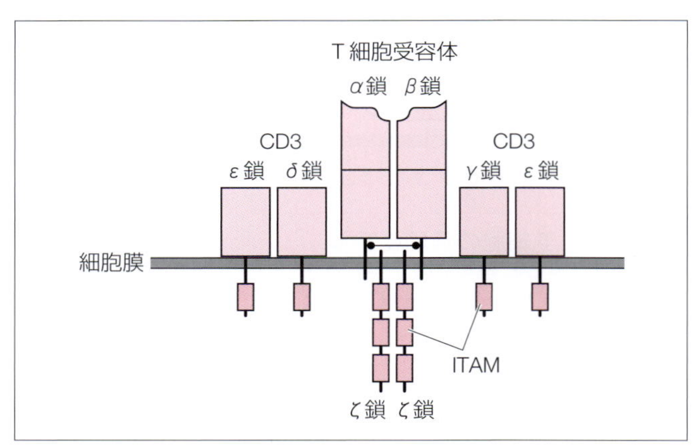

図 2-3-6　T細胞受容体の構造
T細胞受容体は TCRα鎖と TCRβ鎖が会合した抗原受容体である．1つの CD3γ鎖，CD3δ鎖と2つの CD3ε鎖，ζ鎖からなる CD3 複合体とともにT細胞受容体複合体を形成している．CD3 複合体の ITAM がチロシンリン酸化されることでT細胞受容体からのシグナル伝達が起こる．

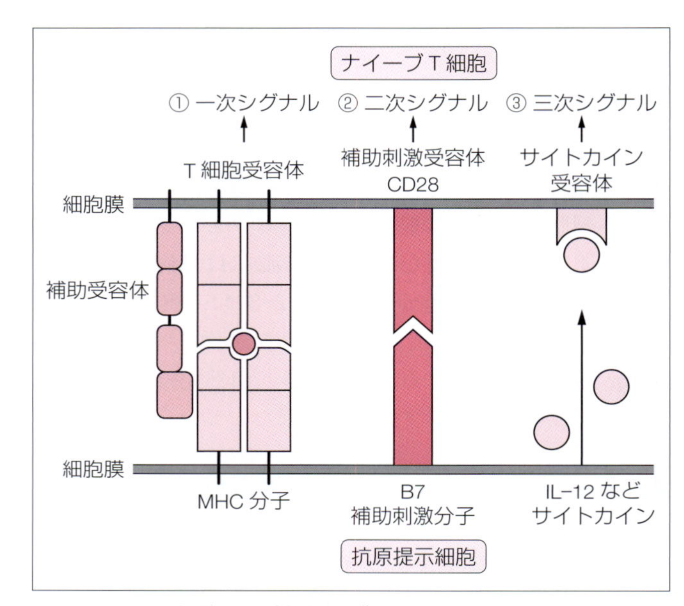

図 2-3-7　T細胞の活性化シグナル
T細胞受容体が抗原ペプチド・MHC 分子を認識することにより抗原特異的シグナル（①一次シグナル）がT細胞内に伝達される．ナイーブT細胞を活性化するにはそれだけでは十分ではなく，エフェクターT細胞に分化するには補助刺激シグナル（②二次シグナル）が必要である．CD4 T細胞ではサイトカインシグナル（③三次シグナル）が異なるサブセットへ分化を誘導する．

❸ T細胞受容体とT細胞の活性化

T細胞受容体は，TCRα鎖（TCRα）と TCRβ鎖（TCRβ）という2本のポリペプチド鎖がジスルフィド結合で会合した抗原受容体であり，抗原ペプチド・MHC 分子複合体を認識する．1つのT細胞は1種類のT細胞受容体のみを発現する．非常に多様な抗原を認識するT細胞受容体の構造は免疫グロブリンと似ているが，免疫グロブリンと異なり分泌されることはない．T細胞受容体は，1つの CD3γ鎖，CD3δ鎖と2つの CD3ε鎖，ζ（ゼータ）鎖からなる CD3 複合体とともにT細胞の細胞表面に発現しており，8本のポリペプチド鎖からなるT細胞受容体複合体を形成している．CD3 複合体の免疫受容体チロシン活性化モチーフ immunoreceptor tyrosine-based activation motif（ITAM）という細胞内領域がチロシンリン酸化されることでT細胞受容体からのシグナル伝達を引き起こす（**図 2-3-6**）．

一部のT細胞では，TCRγ鎖と TCRδ鎖という別のポリペプチド鎖の組み合わせのγδT細胞受容体をもちγδT細胞といい，ペプチド以外の抗原を認識する．

T細胞受容体と補助受容体が抗原ペプチド・MHC 分子を認識することにより抗原特異的シグナル（①一次シグナル）がT細胞内に伝達される．ナイーブT細胞を活性化するにはそれだけでは十分ではなく，補助刺激（副刺激，共刺激）シグナル（②二次シグナル）が必要である（**図 2-3-7**）．T細胞の補助刺激受容体 co-stimulatory receptor は CD28 分子であり，活性化した抗原提示細胞に発現

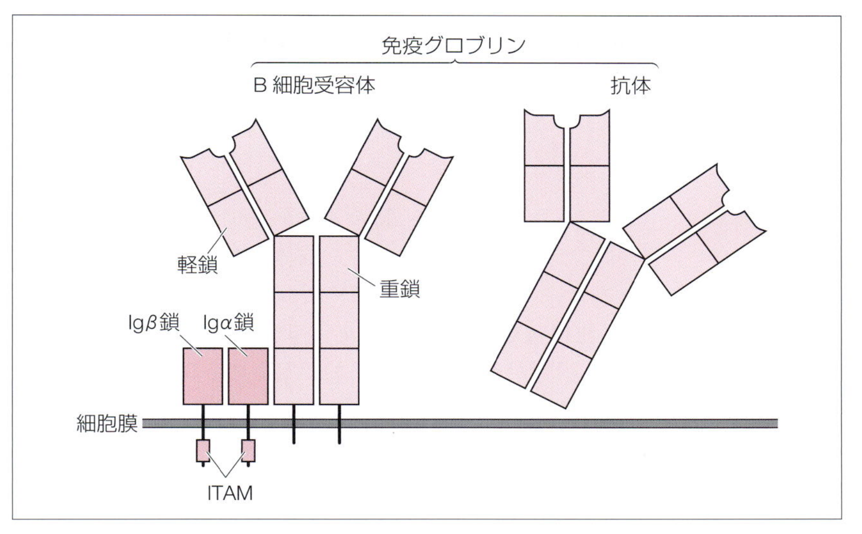

図 2-3-8　B 細胞受容体の構造
B 細胞受容体は 2 本の重鎖と 2 本の軽鎖が会合した抗原受容体である．Igα鎖，Igβ鎖とともに B 細胞の細胞表面に発現して B 細胞受容体複合体を形成している．Igα鎖と Igβ鎖の ITAM がチロシンリン酸化されることで B 細胞受容体からのシグナル伝達が起こる．免疫グロブリンは，B 細胞上の膜貫通型の B 細胞受容体と分泌型の抗体からなる．

する補助刺激分子 co-stimulatory molecule である B7 分子（CD80，CD86）と結合することで補助刺激シグナルが伝達されてエフェクター T 細胞に分化する．いったんエフェクター T 細胞に分化した T 細胞は補助刺激シグナルがなくとも抗原特異的シグナルだけで免疫応答を起こす．CD4 T 細胞では，サイトカインシグナル（③三次シグナル）が異なるサブセットへ分化を誘導する（☞ p.110，**図 2-5-1** 参照）．また，T 細胞の活性化を抑制するために，CD28 分子と競合する CTLA-4 や免疫受容体チロシン抑制性モチーフ immunoreceptor tyrosine-based inhibitory motif（ITIM）をもつ PD-1 といった分子があり，T 細胞による免疫応答を調整している．

ナイーブ T 細胞が活性化されるとき，補助刺激シグナル（二次シグナル）なしに，抗原特異的シグナル（一次シグナル）のみが伝達されると不応答状態（アナジー anergy）になる．一度，不応答状態になった T 細胞はその後に補助刺激シグナルとともに抗原特異的シグナルを受けても活性化しない．このような機構によって末梢組織において T 細胞の免疫寛容を誘導している．

④ B 細胞受容体と B 細胞の活性化

B 細胞受容体 B cell receptor（BCR）は，2 本の重鎖 heavy chain（H 鎖）と 2 本の軽鎖 light chain（L 鎖）という 4 本のポリペプチド鎖がジスルフィド結合で会合した抗原受容体であり，特異的抗原を認識する．1 つの B 細胞は 1 種類の B 細胞受容体のみを発現する．免疫グロブリンは，B 細胞上の膜貫通型の B 細胞受容体と分泌型の抗体からなる．B 細胞受容体は，1 つの Igα鎖，Igβ鎖とともに B 細胞の細胞表面に発現しており，6 本のポリペプチド鎖からなる B 細胞受容体複合体を形成している．Igα鎖と Igβ鎖の ITAM がチロシンリン酸化されることで B 細胞受容体からのシグナル伝達を引き起こす（**図 2-3-8**）．これに加え，B 細胞受容体は結合した抗原を細胞内に取り込んで，抗原を処理して MHC クラス II 分子に提示する．この抗原ペプチド・MHC クラス II 分子複合体は同一の抗原に応答して分化したヘルパー T 細胞（Th 細胞）により認識されて，相互作用により抗原特異的な B 細胞クローンが選択的に活性化される．特異的抗原により活性化された B 細胞は形質細胞 plasma cell となって，B 細胞受容体と同じ抗原特異性をもつ抗体を産生する．一部の活性化された B 細胞は，記憶 B 細胞 memory B cell となって長期間生存する．

B 細胞受容体が抗原を認識することにより抗原特異的シグナル（①一次シグナル）が B 細胞内に伝達される．B 細胞を活性化するにはそれだけでは十分ではなく，補助刺激シグナル（②二次シグナル）が必要である．タンパク質抗原への B 細胞の応答には Th 細胞の補助刺激が必要となり，これらの抗原は胸腺依存性抗原という．このような B 細胞の応答における補助刺激受容体は CD40 分子であり，Th 細胞に発現する補助刺激分子である CD40 リガンド（CD154）と結合することで補助刺激シグナルが伝達されて B 細胞が活性化する．また，細菌多糖類などの微生物成分は Th 細胞がなくとも B 細胞を活性化することができ，これらの抗原は胸腺非依存性抗原という．このような B 細胞の応答における補助刺激シグナルは Toll 様受容体（TLR）などのパターン認識受容体から伝達される．

（田中芳彦）

体液性免疫

❶ B細胞と抗体

B細胞は末梢血リンパ球の10%を占め，他には脾臓，リンパ節などの末梢リンパ組織に存在する．B細胞が末梢組織中で抗原刺激により分化すると，抗体antibodyを生産する形質細胞となる．抗体の遺伝子は未分化B細胞の表面に発現するB細胞受容体B cell receptor（BCR）遺伝子をもとにして設計される．抗体は免疫グロブリンimmunoglobulin（Ig）ともよばれ，血清を電気泳動法で分画した場合に，アルブミンに次いで多くみられる．

1）B細胞の分化

B細胞の発生は，骨髄に含まれるリンパ球系幹細胞から始まる．段階的にプロB細胞やプレB細胞を経て，骨髄中で遺伝子編集酵素RAGによりB細胞受容体遺伝子が再構成を受けることでB細胞受容体陽性未熟B細胞（抗原刺激を受けていないB細胞）となる．これにより抗体多様性が獲得されるが，まだ自己反応性を示すB細胞が存在するため，細胞死の誘導により負の選択negative selectionを受けるか，もしくはさらなる遺伝子編集を受ける．骨髄から末梢リンパ組織へ移動し，この段階でも自己反応性を示すB細胞は細胞死や不応答により除去され，生き残ったB細胞が成熟ナイーブB細胞とよばれ，末梢リンパ組織において抗原刺激を受け，さらなる遺伝子編集により高親和性B細胞が生み出されクローン増殖により細胞数が増加する．これらの選別の後，形質細胞（エフェクター細胞）へ分化する．一部の細胞は形質細胞とならずに，感染終了後に将来の再感染に備えて長期に生存する記憶B細胞（メモリーB細胞）として残る．

2）抗体の構造

1つのB細胞は1種類の抗体のみを産生する．抗体は，重鎖（H鎖heavy chain）と軽鎖（L鎖light chain）のそれぞれ2本がジスルフィド結合（S-S結合）した，分子量15万のY字構造をした四量体の糖タンパク質である．重鎖，軽鎖のどちらも可変領域（V領域variable region）と定常領域（C領域constant region）に分けられ，抗原特異性は可変領域の最外部（超可変領域）のタンパク質構造で決定される．単一分子の抗体は抗原結合部位がY字の先端部分の2か所に存在し，2価の抗体とよぶ．消化酵素パパインで抗体分子を切断すると抗体分子を3つに分解することができる．このときN末端側の領域をFab（抗原結合断片fragment, antigen binding）といい，C末端側の領域をFc（結晶性断片fragment, crystallizable）という．抗体のFc部位は免疫細胞表面のFc受容体に結合する．2本のFabと1本のFcが結合する部分はヒンジhingeとよばれ，蝶つがいのように角度が変わる（**図2-4-1**）．（Fcのcは結晶を意味し，定常領域のCとは異なる）．

3）抗体の種類

ヒトの抗体には分子量と性質が異なるIgG，IgM，IgA，IgD，IgEの5種類が存在し，これらをクラス（あるいはアイソタイプ）とよぶ．各クラスのFc部位はタンパク質構造が異なる（**図2-4-2**，**表2-4-1**）．IgG，IgAにはさらにバリエーションとしてサブクラスが存在する．IgG1からIgG4の4種類とIgA1，IgA2の2種類が存在し，性質も若干異なる．特にIgG4の高産生は慢性炎症性疾患と関連すると考えられる．なお，基礎的実験で使用されるマウスはサブクラスが異なり，IgGがIgG1，IgG2a，IgG2b，IgG3の4種類に分類され，IgAは1種類のみとなる．

（1）IgG

IgGは抗体の代表的存在で，血清中に最も多く存在する．二次免疫応答時に最も多く産生され，中和作用やオプソニン化などの体液性免疫の主体をなす（**図2-4-3**）．IgGが抗原に結合すると免疫細胞はFc受容体を介して抗原を捕捉できる．抗原が感染細胞や腫瘍であればNK細胞や細胞傷害性T細胞（キラーT細胞）により細胞を破壊し，病原体であればマクロファージや好中球によって貪食・排除する．血中半減期は20日ほどで他の抗体よりも長く安定に存在する．胎盤通過性があり母体から胎児へ移行し（受動免疫），出生後に新生児が抗体を十分産生するまでの間の生体防御を担う．

（2）IgM

IgMは一次免疫応答時，新規の抗原に曝露されたときに産生される（**図2-4-3**）．クラススイッチ誘導前のB細胞受容体遺伝子は膜型IgM遺伝子をもとに設計され，B細胞が成熟した後，IgMを産生する．IgMではJ鎖とよばれるタンパク質により各抗体分子が連結され，五量体として産生される．このとき1分子あたり抗原結合部位が10か所あり，抗原と強く凝集するため，補体に対する活性化誘導能が高い．半減期は短い．

（3）IgA

IgAは血清中では主に単量体として存在するが，J鎖により二量体を形成し，トランスサイトーシスとよばれる分泌過程を経て粘膜へ分泌される．そのため，肺胞や腸管などの分泌中や唾液，鼻汁，涙，初乳，尿などに高濃度に存

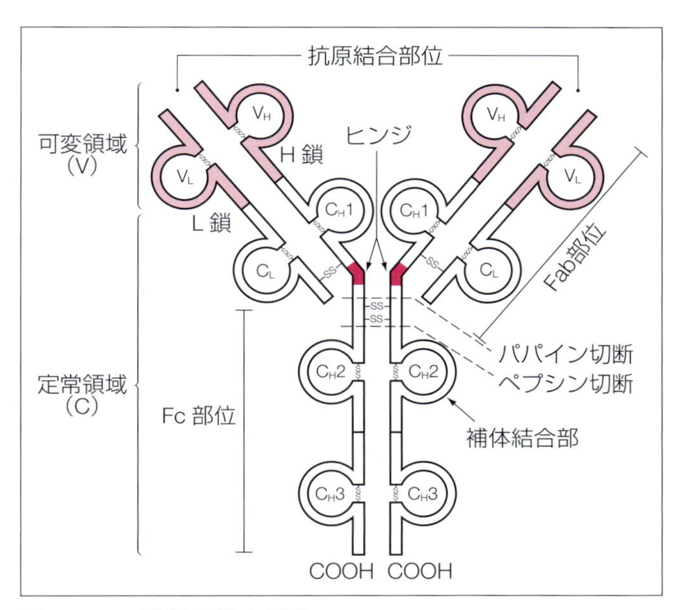

図 2-4-1 抗体の基本構造

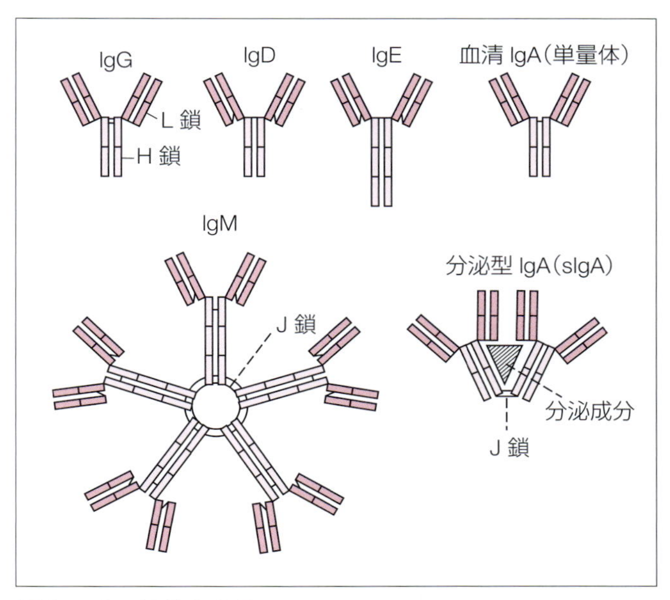

図 2-4-2 抗体のクラス

表 2-4-1 免疫グロブリンの種類と性状（ヒト）

	IgG	IgM	IgA	IgE	IgD
サブクラス	IgG1，IgG2，IgG3，IgG4		IgA1，IgA2		
H 鎖	γ1，γ2，γ3，γ4	μ	α1，α2	ε	δ
分子量（kDa）	150	900	170（血清中単量体） 400（分泌型二量体）	200	180
血清中正常値（mg/mL）	12.4	1.2	2.8	0.0003	0.03
中和活性	+	++	+	+	+
補体結合	++	+	−	−	−
オプソニン化	+	−	−	−	−
粘膜や外分泌液中の濃度	+	−	+++	−	−
胎盤通過性	+	−	−	−	−
皮膚感作	+	−	−	+++	−

L 鎖はクラスにかかわらずλ鎖とκ鎖のいずれかである．

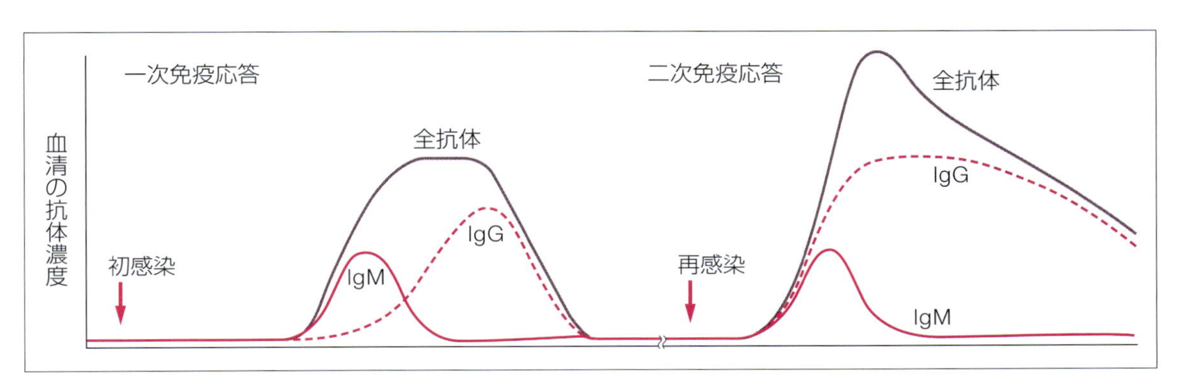

図 2-4-3 免疫応答の時間的推移

在し，病原体が粘膜から体内へ侵入するのを防いでいる．粘膜上へ分泌される際に分泌成分 secretory component が結合して，分泌型 IgA（sIgA）とよばれる．分泌型 IgA は粘膜中のタンパク質分解酵素に対して高い抵抗性を示し，粘膜面での安定に機能する．

(4) IgE

IgE は，血清中には微量しか存在しない．IgE は即時型（Ⅰ型）過敏症反応（アレルギー）を誘発する抗体で，レ

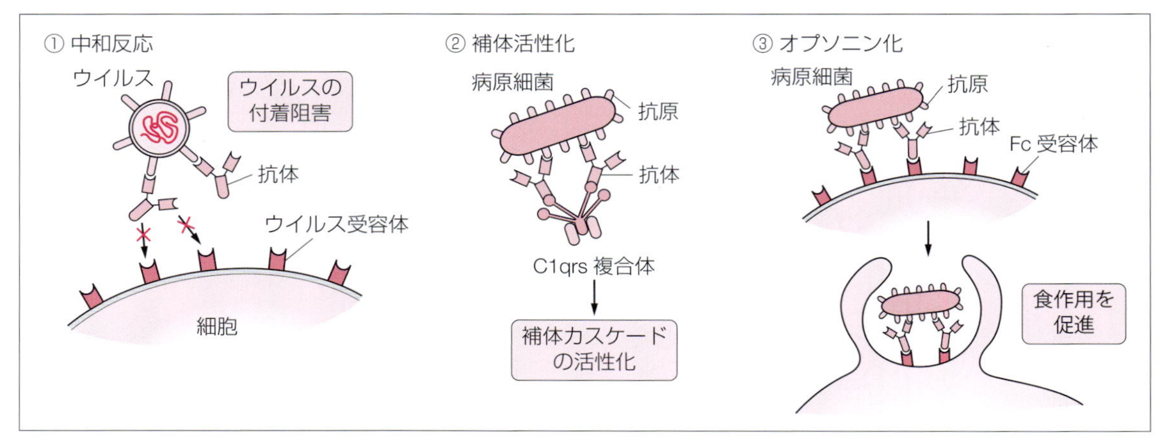

図 2-4-4　抗体の生物活性

アギンともいう．IgE の Fc 部分に結合する Fcε 受容体が肥満細胞や好塩基球に高レベルで発現しており，アレルギーの原因となる物質（アレルゲン）がこれらの細胞表面で結合・架橋すると即時型アレルギーが惹起される．

(5) IgD

血清中では IgD の濃度は IgE の次に低く，役割は不明な点が多い．膜型 IgD は膜型 IgM とともに B 細胞表面に存在し，B 細胞の分化誘導にかかわると考えられている．

4）抗体の生物活性

抗体の機能としては，中和反応，補体活性化，オプソニン化がある（図 2-4-4）．

(1) 中和反応

ウイルスや毒素などの抗原が抗体と結合することにより，抗原の標的細胞への結合を阻害し，毒性や感染性を失わせることをいう（☞ p.108「中和反応」を参照）．

(2) 補体活性化

IgG もしくは IgM が抗原に結合すると抗体 Fc 部位に補体が結合し，補体経路が活性化されると標的細菌の表面に膜侵襲複合体（MAC）が形成され，菌体を破壊する．

(3) オプソニン化

抗原に結合した抗体の Fc 部位が Fc 受容体（FcγR）に結合し，食細胞による食作用を促進することをいう．

5）免疫グロブリン遺伝子の再構成とクラススイッチ

同じクラスの抗体分子構造は基本同一であるが，重鎖および軽鎖の可変領域（V_H と V_L）のアミノ酸配列は膨大な多様性を示し，10^9 以上の特異性をつくりだす．

免疫グロブリン遺伝子 immunoglobulin gene は重鎖が V，D，J，C 領域，軽鎖が V，J，C 領域から構成される．VDJ が可変領域をコードしており，遺伝子再構成により抗体多様性を生み出す．VDJ 遺伝子編集の後，B 細胞は骨髄から末梢組織へ移動し，体細胞超変異 somatic hyper mutation（SHM）が起こる．SHM は B 細胞にのみ高頻度でみられる特異な体細胞遺伝子変異であり，特に V 領域での遺伝子置換が誘導され，抗原への親和性を高める．これらは生体に侵入する無数の抗原に抗体が親和性を獲得するための重要な機序となっている（図 2-4-5）．この段階では重鎖，軽鎖ともに C 領域の組換えは起きておらず，最初にできた IgM が B 細胞の表面に膜型抗体として存在する．なお，重要性は不明ながら膜型 IgD も同様に B 細胞表面に存在する．

末梢において B 細胞は抗原特異的な刺激を受けると，抗原特異性を維持したまま，産生する抗体のクラスを切り替える．これをクラススイッチという．クラススイッチではヘルパー T 細胞（Th 細胞）からの刺激とサイトカインの働きにより，H 鎖の定常領域をコードする遺伝子が，IgM の Fc（Cμ）から IgG3，IgG1，IgA1，IgG2，IgG4，IgE，IgA2 の各種クラスをコードする C 領域（Cγ3，Cγ1，Cα1，Cγ2，Cγ4，Cε，Cα2）へと，遺伝子編集によりつなぎ替えられる（図 2-4-6）．免疫グロブリンの遺伝子編集においては，活性化誘導シチジンデアミナーゼ activation-induced cytidine deaminase（AID）が SHM とクラススイッチの両方に必須である．また，VDJ 遺伝子組換えは RAG1/2（recombination activating gene 1/2）により行われ，この酵素は TCR 遺伝子の組換えにも必須である．

6）体液性免疫の一次応答と二次応答

生体に初めて抗原が侵入し，B 細胞によって認識されると，B 細胞は分裂増殖して形質細胞になり，抗体を合成する．B 細胞分化に時間が必要なため，抗体産生まで数日かかる．最初 IgM が産生され，次第に IgG を産生する形質細胞へ変化していく．抗原が排除されると，抗原特異的 IgG は減少し，検出されなくなる．この過程を一次免疫応答という．B 細胞の一部が記憶 B 細胞として残り，脾臓や所属リンパ節などの体内のリンパ組織を循環しながら長期生存する．

再度，同じ病原体に感染すると，二次免疫応答が起こる．記憶 B 細胞は抗原特異的な刺激により形質細胞へ変化し，すみやかに多量の抗体を産生する．二次免疫応答の際，すでにクラススイッチが行われた特異性の高い IgG

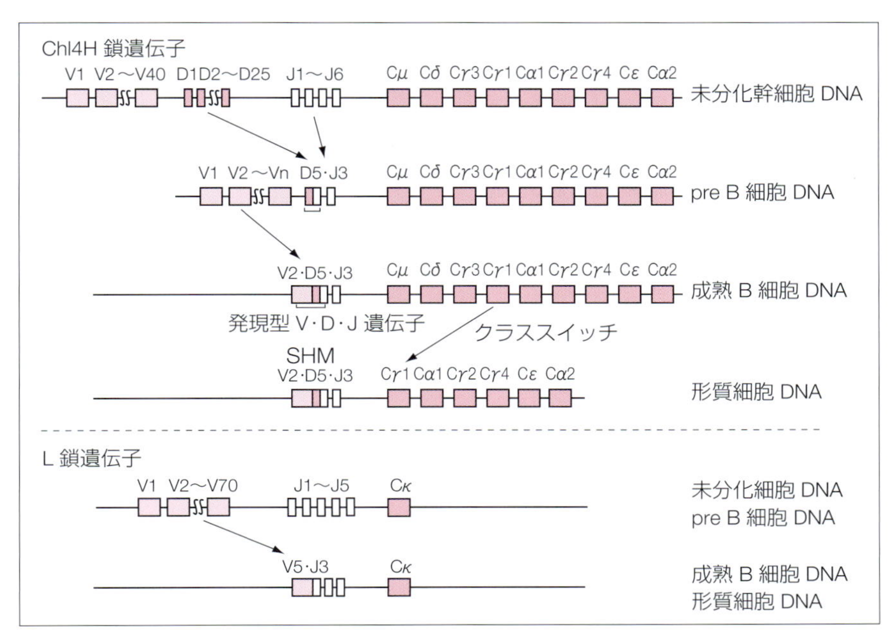

図 2-4-5　免疫グロブリンの遺伝子再構成

抗体の可変（V）領域の H 鎖は V, D, J，また L 鎖は V, J のおのおのの任意の遺伝子が 1 個ずつ結合することによってつくり出される．次いで定常（C）部位の中の 1 個の遺伝子が結合し抗体のアイソタイプが規定される．
SHM：体細胞超変異

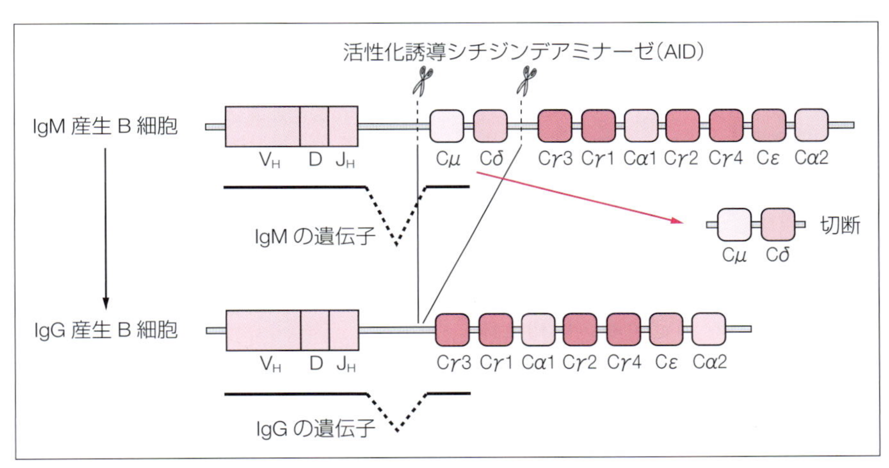

図 2-4-6　クラススイッチの例

がクローン誘導されるため，獲得免疫の利点が発揮される．同一抗原に対する再曝露は，一次応答のときと比べて免疫応答が速く，かつ効果的となる（**図 2-4-3**）．記憶 B 細胞は体内で数十年程度の長期にわたり生存する．

7）抗原とエピトープ

細菌やウイルスなどの外来の病原体や腫瘍細胞など抗原として認識される．成分としては，タンパク質や糖質，脂質，核酸など多様なものがなりうるが，数千程度の分子量の大きなものが抗原となりやすい．大きな抗原の場合，1 つの物質が複数の抗体認識部位をもつ．抗体によって認識される抗原の特異的な構造をエピトープ（抗原決定基）とよぶ．また，異なる抗原であっても，エピトープが類似している場合には，同じ抗体によって認識されることがあり，交差反応の原因となる．

8）抗体のアロタイプとイディオタイプ

抗体の H 鎖の定常領域の構造の違いはアイソタイプとよばれる．しかし，同じクラスやサブクラスの抗体であっても，定常領域の構造には個人間でわずかの違い（多型）が存在する．この違いをアロタイプ allotype とよぶ．同一のアイソタイプ，アロタイプの抗体であっても可変領域，特に超可変領域の構造は抗体分子ごとに多様である．これを抗体のイディオタイプ idiotype とよぶ．

9）ハプテン

分子量の小さな抗原の中には，それ自体は抗原性をもたないが，生体内の他の物質と化学的に結合することで，抗原性を獲得するものをハプテン hapten という．ペニシリンの抗原性は低いが，赤血球の表面タンパク質と結合し抗原性を獲得し，自己抗体による溶血を引き起こすことが知られている．金属アレルギーでは，タンパク質が溶出しニッケルイオンなどと結合することで抗原性を獲得し，産生された抗体が自己を攻撃すると考えられている．

❷ 抗原抗体反応とその応用

抗原と抗体は高い特異性により結合する．抗原－抗体の親和性を利用することで，抗原の存在の確認や定量，類似抗原の有無などの検査や研究に応用されている．また抗体を医薬品として使用することで治療にも用いられている．

1）中和反応

中和反応 neutralization とは，毒素やウイルスなどの生物活性をもつ抗原に抗体が結合し，病原性を阻止することをいう．中和反応の機能をもつ抗体を中和抗体 neutralizing antibody という．抗原の特性ごとに，毒素中和反応，細菌中和反応，ウイルス中和反応と分類される．

特に毒素を中和する抗体を抗毒素 antitoxin という．強毒毒素である破傷風毒素，志賀毒素，ジフテリア毒素などは抗毒素によって無毒化される．毒素（または抗体）の力価 titer は，段階希釈した毒素（抗体）溶液に対して一定量の抗体（毒素）を加えた混合液を作製し，その毒素に感受性のある動物に接種して死亡率や皮膚反応から測定する．ウイルス中和反応は，ウイルスを含む材料と免疫血清を混合し，一定温度で一定時間保った後，感受性のある個体，孵化鶏卵，培養細胞に接種し，ウイルス感受性や細胞変性効果 cytopathic effect（CPE）を測定する．中和抗体による阻害の程度を測定することで，中和活性定量化やウイルス同定に用いられる．

2）沈降反応

抗原と抗体の反応は特異的であるため，血清などの生体材料に微量含まれる物質の同定・定量・分離などに応用されている．抗体の同定には高純度の抗原を，抗原の同定には特異性の高い精製抗体を用いる．

可溶性抗原に抗体が結合し，不溶性の抗原抗体複合物（免疫複合体）を形成して，目に見える沈降物を生じる沈降反応と，赤血球や細菌のような粒子を抗原とし，目に見える凝集塊をつくる凝集反応がある．

沈降反応では，抗原と抗体の比率が最適のときに最も大きな格子状の抗原抗体複合物が形成され，沈降物を可視化できる．可視化される領域を最適域（等量比域）という（図 2-4-7）．寒天ゲル内沈降反応では，寒天中に抗原と抗体を拡散させ，肉眼で沈降物を観察する．オクタロニー Ouchterlony 法は類似抗原の異同を解析する古典的な検査方法で，寒天ゲル平板上の向かい合った小さな穴に複数の

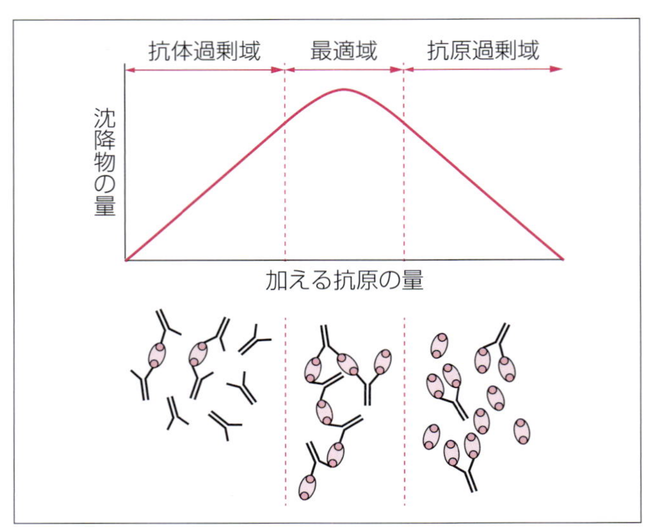

図 2-4-7　免疫沈降反応

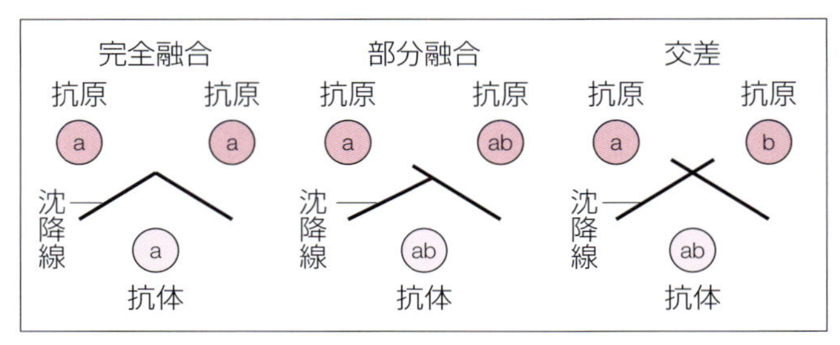

図 2-4-8　オクタロニー法
形成される沈降線は，同一抗原性を示す場合は完全融合，一部共通抗原性を示す場合は部分融合（分岐線の形成），異なる抗原性を示す場合は交差となる．

抗原と抗体を入れ，拡散した抗原と抗体の特性に応じて沈降線パターンを形成する（図 2-4-8）．

3）免疫電気泳動法

試料に多種類の抗原が含まれる場合，電気泳動によって分離し，抗体を拡散させると抗原の分離にしたがって複数の沈降線がみられる．このように電気泳動と沈降反応を組み合わせた方法を免疫電気泳動法という．他に試料を電気泳動した後セルロースあるいはナイロンのメンブレンに転写し，抗体と反応させることで試料中の抗原の有無や分子量を調べるイムノブロット immunoblotting（ウエスタンブロット western blotting）法がある．

4）凝集反応

細菌や赤血球などの粒子状抗原は抗体と反応して凝集塊をつくる．血液型判定の ABO 型別試験は抗 A，抗 B 抗体を用いた赤血球凝集試験である．また，可溶性抗原を赤血球やラテックスビーズ表面に固定させ，抗体を含む血清と反応させ，凝集を調べることで，より特異的な抗体を検出する方法を受身凝集反応 passive agglutination という．逆に，粒子表面に特異的抗体を結合させ，抗原溶液と反応させ抗原の存在を調べる手法を逆受身凝集反応という．これ

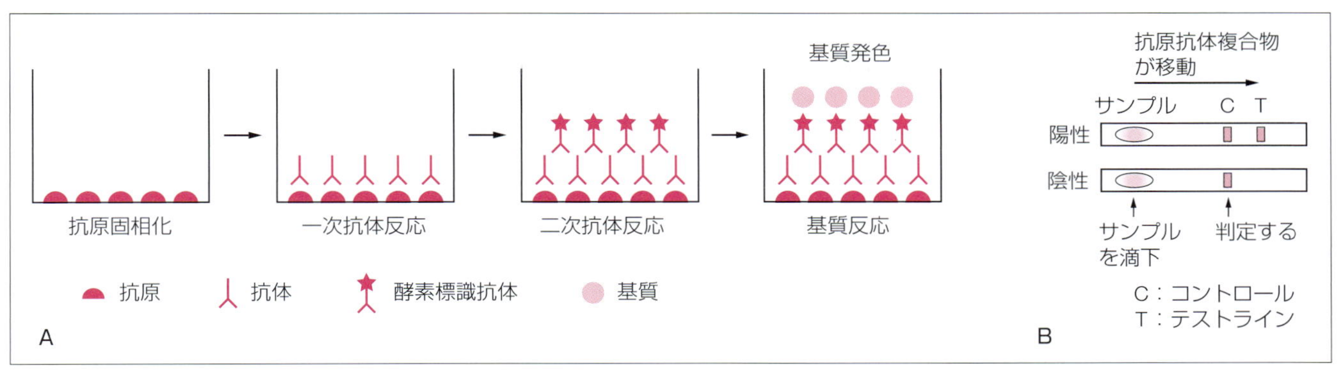

図 2-4-9　標識抗体法（A：ELISA，B：イムノクロマト法）
プラスチックプレートの穴の内壁に抗原を結合させておき，そこに被験抗体（一次抗体）を反応させる．次に一次抗体に対する酵素標識した抗体（二次抗体）を反応させ基質を加える．標識抗体の結合量に応じてその酵素作用により基質は発色する．

らの受身凝集反応は，さまざまな感染症の診断（抗体検査，抗原検査）に用いられている．

5）補体結合テスト

抗原抗体複合物に補体が結合することを利用して，補体の消費量から抗原抗体反応を定量的に検出する手法を補体結合テスト complement fixation（CF）test という．

CF テストは二段階反応からなる．第一反応として希釈した非働化血清に抗原と補体を加え，混和後，冷室に一夜放置する．この段階で抗原抗体反応に応じた補体の消費が起こる．次に第二反応として，抗体を結合させた感作赤血球を加え，37℃，60 分間反応させ，残存補体に依存した溶血度を調べることで抗原抗体反応を定量化する．梅毒血清検査（ワッセルマン Wassermann 反応）などに応用されている．

6）標識抗体法

酵素や蛍光色素で標識した抗体と抗原の反応を利用した解析方法である．特に HRP（horseradish peroxidase，西洋わさびペルオキシダーゼ）や AP（alkaline phosphatase，アルカリフォスファターゼ）などの酵素を用いた呈色反応は鋭敏で感度や定量性に優れる（酵素抗体法）．抗体に対する抗体（二次抗体）を標識したものを用いることも多い．酵素以外に，蛍光色素で標識した蛍光抗体法も用いられる．抗原を含んだサンプルをビーズやプラスチック製の反応プレートに固定化し，抗体を含んだ血清と作用させ，特異的な抗原抗体反応の後に，酵素標識した二次抗体を加えて反応させ，酵素作用による呈色反応で反応を可視化する方法を ELISA（enzyme-linked immunosorbent assay）という（**図 2-4-9A**）．より簡便に抗体抗原反応を利用した検査としてイムノクロマト法がある（**図 2-4-9B**）．検体中の抗原が金属コロイドで標識した抗体と抗原抗体複合物を形成し，メンブレン中を毛細管現象により移動し，最終的に捕捉抗体との結合により生じた呈色を目視もしくは専用装置で測定する．他に標識抗体を用いて細胞や組織における抗原の存在部位を特定する免疫細胞（組織）染色法 immunocyto（histo）chemistry や，細胞表面抗原を蛍光標識抗体と反応させ，蛍光レーザーにより個別の細胞ごとに解析するフローサイトメトリー法 flow cytometry が研究や臨床検査で利用されている．他の標識方法としては放射性同位元素，金粒子などがあり，それぞれの特性を生かした解析が行われる．

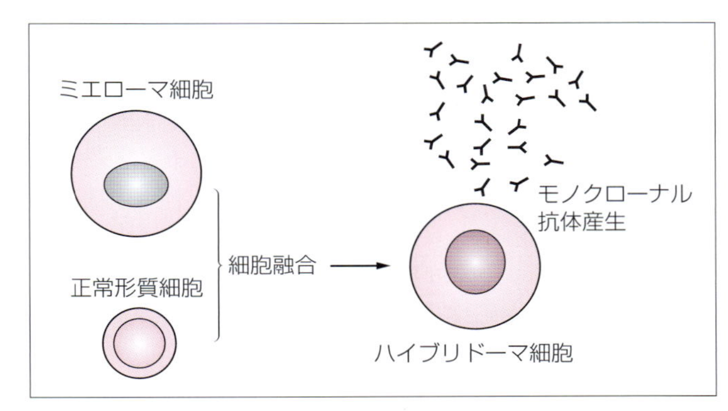

図 2-4-10　モノクローナル抗体の原理
ミエローマ細胞の不死化能と形質細胞の単一抗体生産能の両者を兼ね備えたハイブリドーマ細胞を作出することにより，大量のモノクローナル抗体を産生できる．

7）モノクローナル抗体

1 つの形質細胞は一種類の抗体を産生し，その抗体はすべて単一のエピトープを認識する．抗原で免疫した実験動物から形質細胞を取り出し試験管内で培養するとほとんどは死滅するが，腫瘍細胞（ミエローマ細胞）と人為的に融合させることで，一部に抗体を産生する不死化したハイブリドーマ hybridoma 細胞を得ることができる．この手法によりつくられた抗体をモノクローナル抗体 monoclonal antibody とよぶ．この手法が確立したことで特異的抗体を大量に得ることが可能となり，解析精度の向上や検査コストの低下がもたらされた．臨床検査の分野で幅広く診断試薬として利用されている（**図 2-4-10**）．

（桑田啓貴）

細胞性免疫

❶ T細胞と細胞性免疫

細胞性免疫 cell-mediated immunity は，獲得免疫の中に位置づけられており，自然免疫による応答に引き続いて誘導され，特に抗原特異的なT細胞を中心とした免疫応答である．

1）T細胞の種類と性状

ナイーブT細胞に抗原提示細胞を介した抗原認識が起こると，いくつかの異なる機能をもつエフェクターT細胞 effector T cell へ分化する．CD8 T細胞は，MHCクラスI分子に提示された病原微生物の抗原ペプチドを認識して感染細胞を殺傷することができる細胞傷害性T細胞 cytotoxic T cell（細胞傷害性リンパ球 cytotoxic lymphocyte：CTL，キラーT細胞）へ分化する（**図2-5-1**）．

それに対して，CD4 T細胞はMHCクラスII分子に提示された病原微生物の抗原ペプチドを認識すると，状況に応じて異なるサブセットのTh1（T helper type 1）細胞，Th2（T helper type 2）細胞，Th17（T helper type 17）細胞，Tfh（T follicular helper）細胞，あるいは制御性T（T regulatory：Treg）細胞といったエフェクターCD4 T細胞へ分化する．これらのサブセット分類は，分泌するサイトカインによって基本的に定義されている（**図2-5-1**）．一般的に，B細胞の抗体産生やマクロファージが取り込んだ病原体の殺菌などを担うCD4 T細胞をヘルパーT細胞という．CD8とCD4は細胞表面に発現しているタンパク質で，T細胞では補助受容体として機能しており，細胞を

T細胞の種類	CD8 T細胞	CD4 T細胞				
	細胞傷害性T細胞	Th1細胞	Th2細胞	Th17細胞	Tfh細胞	制御性T細胞
分化へのサイトカイン	———	IL-12 IFN-γ	IL-4	IL-6 TGF-β IL-23	IL-6	TGF-β
T細胞の主な働き	ウイルスなどが細胞内へ感染した細胞の殺傷	感染マクロファージの活性化	B細胞の抗体産生とIgEへのクラススイッチ	組織の細胞に働きかけて好中球をよび寄せる	B細胞の抗体産生とクラススイッチ	T細胞の抑制
産生するサイトカイン	IFN-γ IL-2，TNF-α	IFN-γ IL-2，TNF-α	IL-4，IL-5 IL-6，IL-10 IL-13	IL-17 IL-21 IL-22	IL-21 (IL-4, IL-5, IL-6, IFN-γ，TGF-β)	IL-10 TGF-β
機能発現に重要な転写因子	———	T-bet	GATA3	RORγT	Bcl6	FoxP3

図2-5-1　T細胞の種類と性状

CD8 T細胞は細胞傷害性T細胞（CTL）となり，感染細胞のMHCクラスI分子と結合した病原微生物由来の抗原ペプチドを認識し，アポトーシスを誘導して破壊する．Th1細胞，Th2細胞とTfh細胞は，MHCクラスII分子と結合した病原微生物由来の抗原ペプチドを認識し，CD40リガンド/CD40を介してそれぞれの抗原提示細胞を活性化する．Th1細胞はIFN-γを産生して，感染マクロファージを活性化し，細胞内の感染微生物を殺傷する．Th2細胞はIL-4を産生して，B細胞を活性化し，特にIgEへのクラススイッチを誘導する．Tfh細胞はIL-21を分泌し，B細胞を活性化してクラススイッチを誘導することで各種免疫グロブリンの産生を促す．Th17細胞はIL-17を産生して，局所の細胞に作用し好中球を動員するケモカインの産生を促す．制御性T細胞（Treg細胞）はIL-10やTGF-βを産生するとともに樹状細胞に働きかけてT細胞の活性化を抑制する．

見分けるためのマーカーとして役に立つ．

(1) Th1 細胞

Th1 細胞は，結核菌などがマクロファージの細胞内に感染した場合に，IFN-γを産生するなどしてマクロファージを活性化して細胞内に感染した細菌を殺菌させる働きがある．B 細胞を活性化することで，強いオプソニン効果をもつ IgG へのクラススイッチを誘導する．IL-12 と IFN-γによるシグナルと転写因子 T-bet の発現が Th1 細胞の分化において重要な役割をしている．

(2) Th2 細胞

Th2 細胞は，病原体が感染した場合に，B 細胞からの抗体産生を促す．また，寄生虫感染の場合などに，IL-4 を産生するなどして B 細胞にクラススイッチを起こして IgE の産生を誘導する働きもある．アレルギー反応には IgE が重要な役割をしており，Th2 細胞がかかわっている．IL-4 によるシグナルと転写因子 GATA3 の発現が Th2 細胞の分化において重要な役割をしている．

(3) Th17 細胞

Th17 細胞は，病原微生物が感染した場合に，IL-17 を産生して感染巣の組織に働きかけて好中球などの炎症細胞を動員するケモカインの分泌を誘導させる．Th17 細胞は多くの自己免疫疾患の発症と関係があると考えられている．IL-6，transforming growth factor-β（TGF-β），IL-23 によるシグナルと転写因子 RORγT の発現が Th17 細胞の分化において重要な役割をしている．

(4) Tfh 細胞

Tfh 細胞は，リンパ組織の濾胞に存在していることで特徴づけられており，B 細胞に高い親和性の抗体産生を誘導することができる．ケモカイン受容体 CXCR5 と補助刺激分子 ICOS を細胞表面に発現する．IL-6 によるシグナルと転写因子 Bcl6 の発現が Tfh 細胞の分化において重要な役割をしている．

(5) 制御性 T 細胞

制御性 T 細胞は，過剰な免疫応答を抑制することで恒常性を維持する．TGF-βと IL-10 の分泌，あるいは制御性 T 細胞の細胞表面に発現する CD28 と類似した CTLA-4（cytotoxic T lymphocyte-associated antigen-4）が抗原提示細胞の B7 補助刺激分子と結合して競合が生じることでナイーブ T 細胞の活性化を阻害する．IL-2 受容体α鎖である CD25 を細胞表面に発現している特徴がある．TGF-βによるシグナルと転写因子 FoxP3 の発現が制御性 T 細胞の分化において重要な役割を担う．

このように，これら CD4 T 細胞のサブセットの分化には，サイトカインによるシグナルが重要な役割を果たしており，サブセットに特異的な転写因子がそれぞれの機能の発現にかかわっている（**図 2-5-1**）．

以上の T 細胞は$\alpha\beta$T 細胞受容体をもっており$\alpha\beta$T 細胞とよばれるが，CD4 と CD8 を発現せず$\gamma\delta$T 細胞受容体をもっている T 細胞が存在しており，$\gamma\delta$T 細胞という．$\gamma\delta$T 細胞は表皮，腸管や生殖器官の上皮に局在しており，感染の早期に IL-17 を産生することで好中球やマクロファージを感染局所へよび寄せる役割をすると考えられている．また，非常に限られた多様性しかない$\alpha\beta$T 細胞受容体をもち，通常は NK 細胞に発現する NK1.1 受容体をもつ NKT 細胞という細胞が存在する．NKT 細胞は，感染の早期に活性化され，IL-4 と IFN-γを分泌する．NKT 細胞は，CD1d 分子に提示されたある種の糖脂質抗原を認識する．$\gamma\delta$T 細胞と NKT 細胞は，自然免疫に関与する細胞と考えられている．

2）細胞性免疫の制御機構

細胞性免疫とは抗原特異的な T 細胞性免疫応答のことで，抗体が機能しない宿主の細胞内に侵入する結核菌のような細胞内寄生性細菌やウイルスの処理に働く獲得免疫をいう．免疫担当細胞としては，細胞傷害性 T 細胞，Th1 細胞，樹状細胞，あるいはマクロファージが中心となって感染細胞を破壊するための免疫応答が誘導される．その他に，細胞性免疫は移植拒絶反応，腫瘍免疫や遅延型過敏症反応などにおいて中心的な役割を果たしている．

樹状細胞は獲得免疫応答を開始することができ，その最も重要な機能は，病原微生物を破壊することではなく，末梢リンパ組織に病原微生物からの抗原を運び，そこで抗原ペプチドを T 細胞に提示することである．MHC 分子と補助刺激分子は，病原微生物やサイトカインの作用によって高く発現されるようになる．マクロファージは食作用あるいはオプソニン効果によって病原微生物を摂取して抗原ペプチドを提示する．細胞内寄生性細菌はマクロファージに貪食されても殺菌作用から回避しているが，Th1 細胞はマクロファージを活性化することでマクロファージ内に寄生する細菌を殺菌することができる．

3）T 細胞の分化・成熟と免疫記憶

(1) 胸腺での T 細胞の分化・成熟

T 細胞は他の免疫担当細胞と同じように骨髄の多能性造血幹細胞から分化する．このとき T 前駆細胞は骨髄から胸腺へ到達して，胸腺において選択を受けて成熟した T 細胞になる．しかしながら，胸腺へ到達したわずかに数％の細胞のみが成熟 T 細胞となり胸腺から末梢リンパ組織へ移出していくことができるが，残りの大部分の細胞は胸腺内で死滅する．

胸腺は周縁の皮質と中心の髄質という大きく 2 つの領域からなる．皮質髄質境界領域から侵入した骨髄由来の T 前駆細胞は，胸腺被膜下領域の皮質に到達する．このとき T 細胞の補助受容体である CD4 や CD8，あるいは T 細胞受容体のいずれもまだ発現しておらずダブルネガティブ胸腺細胞（DN）とよばれる．この段階で T 細胞受容体β鎖の遺伝子再構成が起こり，対立遺伝子排除を強制して 2 つ

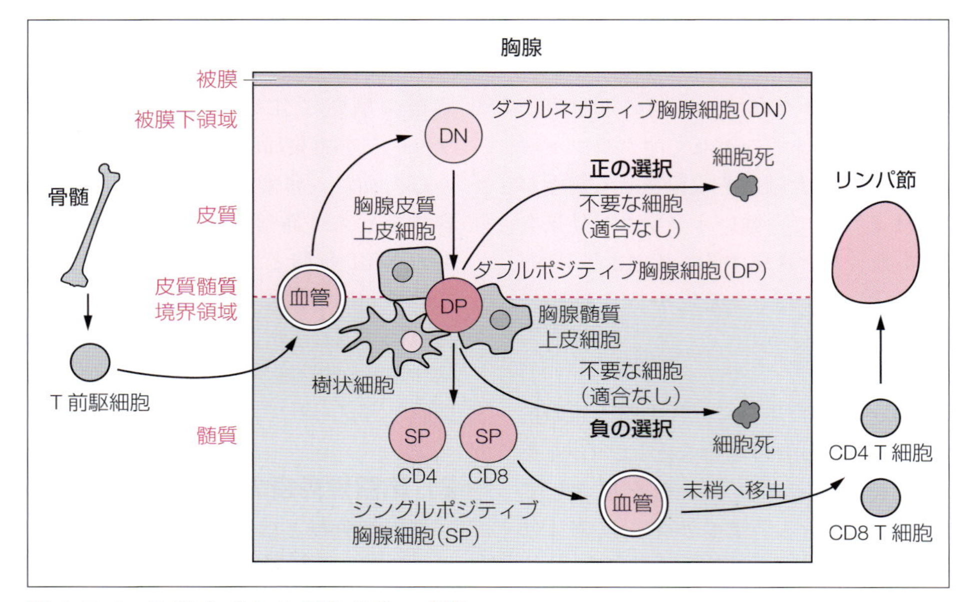

図 2-5-2 胸腺内でのT細胞分化・成熟

骨髄のT前駆細胞は皮質髄質境界領域の血管から胸腺内に入り，被膜下領域に到達して$CD4^-CD8^-$ダブルネガティブ胸腺細胞（DN：CD4とCD8のいずれももたない）となる．皮質へ移動して$CD4^+CD8^+$ダブルポジティブ胸腺細胞（DP：CD4とCD8の両方をもつ）へと分化してT細胞受容体を発現するようになる．ストローマ細胞（間質細胞）である胸腺皮質上皮細胞との相互作用により正の選択を受けて自分のMHCにより提示された抗原ペプチドを認識できるようになり，認識できない胸腺細胞は細胞死を起こして除去される．また，皮質髄質境界領域の樹状細胞や胸腺髄質上皮細胞との相互作用により負の選択を受けて自己MHCと自己ペプチドの複合体に非常に強く結合するT細胞受容体をもつ胸腺細胞は細胞死を起こして除去される．最終的に生き残ったCD4またはCD8シングルポジティブ胸腺細胞（SP）が成熟T細胞となり，CD4 T細胞またはCD8 T細胞として胸腺からリンパ節などの末梢リンパ組織へと移出していく．

の対立遺伝子のうち1つだけが発現している状態になる．次にCD4とCD8を発現するダブルポジティブ胸腺細胞（DP）となり，T細胞受容体α鎖の遺伝子再構成が起こりT細胞受容体を発現するようになる．そして，胸腺皮質上皮細胞によって正の選択（ポジティブセレクション）を受けて自分のMHCと相互作用ができるようになる．さらに，皮質髄質境界領域で負の選択（ネガティブセレクション）を受けて自己MHCと自己ペプチドの複合体に非常に強く結合するT細胞受容体をもつT細胞は除去されて死滅する．こうして2つの補助受容体のうちいずれか1つだけを発現するCD4またはCD8シングルポジティブ胸腺細胞（SP）が選択されて生き残り，ナイーブT細胞として胸腺から末梢リンパ組織へ移出していく（**図 2-5-2**）．

自己免疫調節因子 autoimmune regulator（AIRE）

負の選択の際に，末梢組織に特異的に発現しているはずの自己ペプチドに対する選択については，胸腺髄質上皮細胞においてAIREとよばれる遺伝子が末梢組織に特異的な（一部の）自己ペプチドの発現の調節をしていることが明らかとなっている．この遺伝子に異常があると自己免疫性多腺性内分泌不全症-カンジダ症-外胚葉性ジストロフィー autoimmune polyendocrinopathy-candidiasis-ectodermal dystrophy（APECED）というヒトの自己免疫疾患を発症することが知られている．

(2) T細胞受容体の多様性

T細胞はクローンごとに多様性をもつT細胞受容体の巨大なレパートリーを遺伝子再構成によってつくりだして病原微生物の侵入に備えている．T細胞受容体の多様性は，免疫グロブリンの遺伝子再構成による多様性と基本的に同様の機構によって獲得される．

T細胞受容体は，可変領域と定常領域で構成されるα鎖（TCRα）とβ鎖（TCRβ）という2本のポリペプチド鎖からなり，両鎖がジスルフィド結合で結ばれている．免疫グロブリンとは異なり分泌されることはない．T細胞受容体の遺伝子構造は免疫グロブリンのそれとよく似ているが，主な違いは定常領域をコードするC領域の単純さにある．TCRα鎖の可変領域はV，J遺伝子断片により，TCRβ鎖の可変領域ではさらにD遺伝子断片が加わりV，D，J遺伝子断片によりコードされる（**図 2-5-3**）．胸腺においてT細胞受容体の遺伝子断片が遺伝子再構成 gene rearrangement されて，1つ1つのT細胞に固有の新しい遺伝子がつくられる．このとき，V，(D,) J遺伝子断片の間にランダムに塩基が挿入されることで，可変領域の多様性はさらに増加する．免疫グロブリンと同様にT細胞受容体α鎖とT細胞受容体β鎖の最も多様性が集中している相補性決定領域3 complementarity-determining region 3（CDR3）が抗原結合部位の中央部を形成しており，抗原ペプチドとの接触面を形成する．一方，CDR1とCDR2は抗原結合部位の周辺部を形成しており，MHC複合体との接触面を形成する．

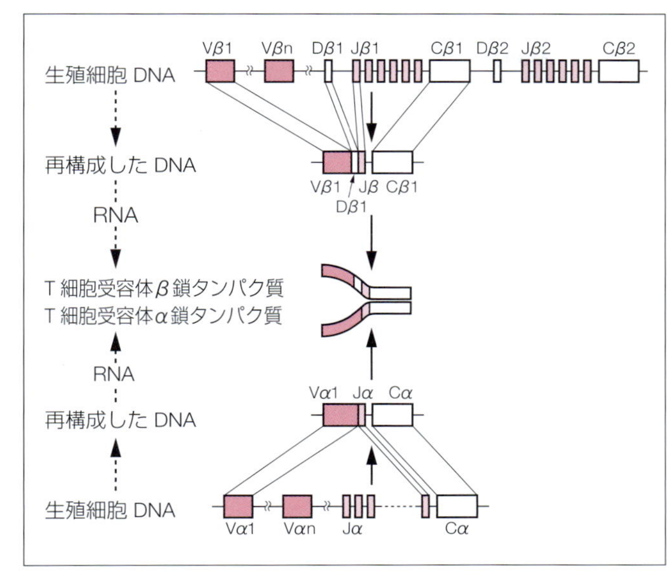

図 2-5-3　T 細胞受容体の遺伝子再構成と発現
T 細胞受容体の遺伝子断片の配列は V（可変），D（多様），J（結合）そして C（定常）遺伝子断片からなる．α鎖には D 遺伝子断片はない．生殖細胞 DNA から遺伝子再構成によって機能的な可変領域の遺伝子が形成される．遺伝子の転写と RNA スプライシングを受けて mRNA となり，翻訳を受けて T 細胞受容体α鎖とβ鎖のタンパク質がそれぞれつくられて，2 本が結ばれて T 細胞受容体が完成する．

これらのαβT 細胞受容体と構造上よく似ているが，γ鎖（TCRγ）とδ鎖（TCRδ）からなる少数のγδT 細胞が存在する．γδT 細胞は，胸腺内での分化においてαβT 細胞の分化に先立って最初に現れてくる．

(3) 免疫シナプス

T 細胞が抗原提示細胞や標的細胞と結合するときに，細胞間に接触面を形成する．それを免疫シナプス immunological synapse あるいは超分子活性化クラスター supramolecular activation cluster（SMAC）とよぶ．T 細胞の活性化に重要な T 細胞受容体，補助刺激分子や細胞内シグナル分子が接触面の中心部に集まって構成される cSMAC（central supramolecular activation cluster）と，その外側に LFA-1 や talin などの細胞間の接着にかかわる分子群が集まって構成される pSMAC（peripheral supramolecular activation cluster）とよばれる 2 つの領域から，免疫シナプスは形成される（**図 2-5-4**）．

(4) T 細胞の免疫記憶

活性化 T 細胞では，CD28 と類似した CTLA-4 を細胞表面に発現するようになる．抗原提示細胞上の B7 との結合力は CTLA-4 のほうが CD28 よりも数十倍も高く，CD28 と競合して結合することによって T 細胞の活性化を阻害していると考えられている．このような制御を受けた T 細胞のうち少数が記憶 T 細胞（メモリー T 細胞 memory T cell）として長期間生き残り，再感染に備える．記憶 T 細胞では，CD62 L（L-selectin）のような血中からリンパ組織に入るために必要な接着分子の発現は起こらなくなり，CD44 の発現が増強して組織へ遊走するようになる．記憶 T 細胞は，同じ病原微生物による再感染に対して亢進した反応性を維持するとともに，同じ病原微生物によってナイーブ T 細胞が活性化されることを抑制している．

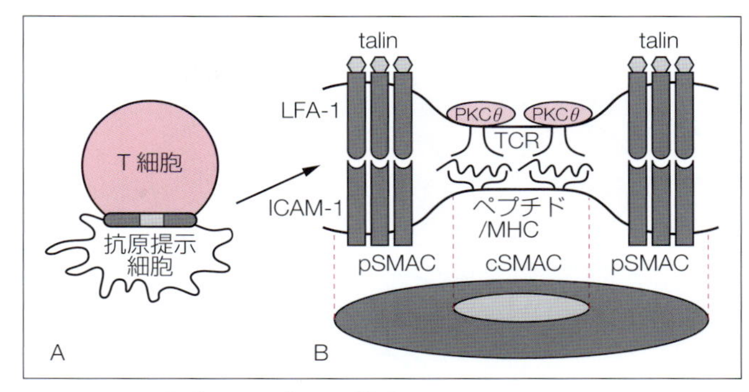

図 2-5-4　免疫シナプスの構造
抗原提示細胞上の抗原ペプチド/MHC 分子に T 細胞受容体（TCR）が結合すると，抗原提示細胞と T 細胞の間に接触面を形成する．これを免疫シナプス，あるいは超分子接着複合体という（A）．T 細胞の T 細胞受容体や PKCθといった重要なシグナル分子が免疫シナプスの中心部に配置され，ここは cSMAC とよばれる．一方，LFA-1 や talin といった細胞間の接着にかかわる分子群は免疫シナプスの周辺部に配置され，ここは pSMAC とよばれる．抗原提示細胞では，ペプチド/MHC が cSMAC，LFA-1 が pSMAC にそれぞれ配置される（B）．

❷ ウイルス感染細胞の排除

ウイルスは宿主細胞内でしか増殖できない偏性細胞内寄生性微生物である．初期段階のウイルス感染では，細胞傷害活性をもつ NK 細胞や大量の I 型インターフェロンを産生する形質細胞様樹状細胞 plasmacytoid dendritic cell（pDC）といった自然免疫系の免疫担当細胞が重要な役割を果たすが，それでも排除できない場合は獲得免疫系の細胞性免疫が主役となる．ナイーブ CD4 T 細胞とナイーブ CD8 T 細胞は樹状細胞などの抗原提示細胞によって活性化されて，Th1 細胞や細胞傷害性 T 細胞といったエフェクター T 細胞へと分化する（**図 2-5-5**）．このとき，抗原提示細胞は直接的にウイルス感染を受けてウイルス由来の抗原ペプチドを提示するのみならず，ウイルス感染細胞を異物として取り込んで MHC クラス I 分子に抗原提示すること（クロスプレゼンテーション cross-presentation）が知られている．細胞傷害性 T 細胞は，Th1 細胞が産生する IL-2 によって増殖する．

感染部位において，ウイルス感染細胞が MHC クラス I 分子によってウイルス由来の抗原ペプチドを提示すると，それを認識した細胞傷害性 T 細胞は細胞内に貯留していた細胞傷害顆粒 cytotoxic granule を感染細胞に放出し，アポトーシスを誘導してウイルス感染細胞を破壊する．細胞傷害性 T 細胞は感染細胞との接触面に細胞内の微小管形成中心 microtubule-organizing center（MTOC）を集中させてきわめて高い精度で細胞傷害顆粒を接触面へ向けて放出する（**図 2-5-6**）．そのため感染細胞のみが殺傷されて，周囲の健常組織や細胞傷害性 T 細胞は殺傷されな

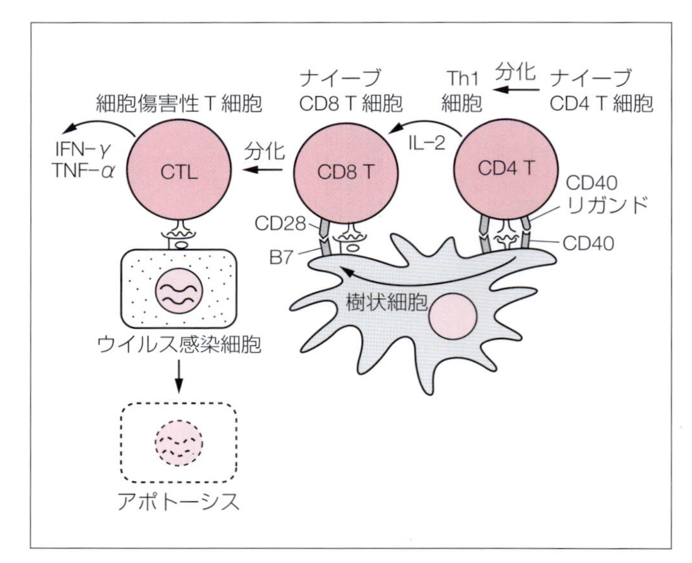

図 2-5-5　樹状細胞を介した T 細胞の活性化
ナイーブ CD8 T 細胞は，樹状細胞などの抗原提示細胞上の MHC クラスⅠに結合した抗原ペプチドを T 細胞受容体で認識するが，多くの場合，それのみでは活性化されない．ナイーブ CD8 T 細胞が細胞傷害性 T 細胞（CTL）に分化し，エフェクター細胞として機能するためには，さらに補助刺激分子を介したシグナルとサイトカインの助けを必要とする．これらは同一の抗原提示細胞に結合している Th1 細胞によってなされる．
ナイーブ CD4 T 細胞は抗原提示細胞上の MHC クラスⅡに結合した抗原ペプチドを認識して活性化すると Th1 細胞などのエフェクター CD4 T 細胞に分化する．Th1 細胞は CD40 リガンド/CD40 を介したシグナルにより抗原提示細胞を活性化して，補助刺激分子 B7 の発現を高める．すると MHC クラスⅠと抗原ペプチドに結合したナイーブ CD8 T 細胞上の CD28 が B7 分子に結合し，強い補助刺激シグナルが CD8 T 細胞に入る．また Th1 細胞から産生された IL-2 は，その受容体を介して CD8 T 細胞に結合する．このようにして抗原提示，補助刺激分子，サイトカインの3つのシグナルを得た CD8 T 細胞は CTL へと分化・増殖し，抗原ペプチドと結合した MHC クラスⅠを介してウイルス感染細胞を認識し，アポトーシスを誘導して破壊する．

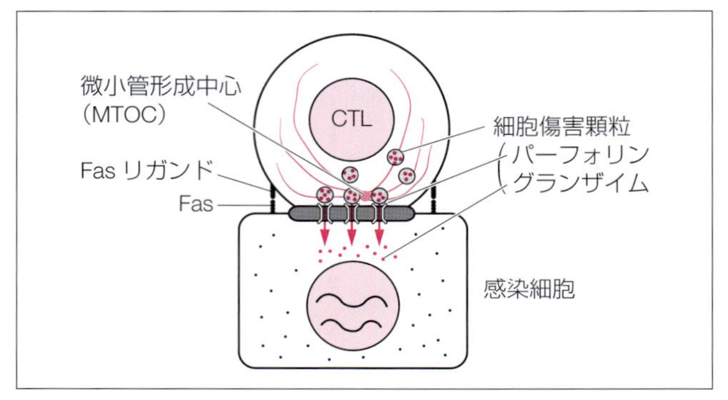

図 2-5-6　細胞傷害性 T 細胞による感染細胞の破壊
細胞傷害性 T 細胞（CTL）は感染細胞に孔を形成するパーフォリンやタンパク質分解酵素であるグランザイムを含む細胞傷害顆粒を細胞内に貯留している．感染細胞などの標的細胞と結合すると，細胞傷害性 T 細胞は極性をもつようになり，微小管形成中心（MTOC）とよばれる構造物を接触面に配置する．細胞傷害顆粒は微小管を伝わって接触面に到達し，接触面を通して正確に標的細胞へ向けて放出され，アポトーシスが誘導されて標的細胞を破壊する．細胞傷害性 T 細胞の Fas リガンドは，感染細胞の Fas と相互作用することで感染細胞にアポトーシスを誘導する．

い．細胞傷害顆粒には，感染細胞に孔を形成し，顆粒を運ぶ働きをもつパーフォリンやタンパク質分解酵素であるグランザイムなどが含まれている．また，細胞傷害性 T 細胞の細胞表面に発現した Fas リガンドは，感染細胞の細胞表面の Fas と相互作用することで感染細胞にアポトーシスを誘導して殺傷することができる．

③ 細胞内寄生性細菌に対する感染防御機構

1）Th1 細胞によるマクロファージの活性化

結核菌やサルモネラ菌などの細胞内寄生性細菌は，マクロファージに貪食されて食胞に取り込まれてもその殺菌機構から回避する仕組みをもっている．ナイーブ CD4 T 細胞は病原微生物を取り込んだ樹状細胞などの抗原提示細胞によって活性化されて，Th1 細胞へと分化する．Th1 細胞が同じ病原微生物を抗原提示している感染マクロファージを活性化することで，食胞とリソソームを効率よく融合させるとともに，強い殺菌活性がある活性酸素や一酸化窒素（NO）が産生され，寄生する細菌の殺菌を行う．マクロファージの活性化には，IFN-γ受容体と CD40 からの2種類のシグナルが必要である．IFN-γは Th1 細胞が産生する最も重要なサイトカインであり，Th1 細胞上の CD40 リガンドがマクロファージ上の CD40 と結合することでシグナルを伝達し，マクロファージを活性化する（**図 2-5-1**）．活性化マクロファージは IL-12 を産生することで，さらに Th1 細胞の分化を増強する．

2）細胞傷害性 T 細胞（CTL）による傷害

ナイーブ CD4 T 細胞とナイーブ CD8 T 細胞は，病原微生物を取り込んだ樹状細胞などの抗原提示細胞によって活性化されて，それぞれ Th1 細胞や細胞傷害性 T 細胞といったエフェクター T 細胞へと分化する（**図 2-5-5**）．細胞傷害性 T 細胞は，Th1 細胞が産生する IL-2 を受け取り増殖する．細胞傷害性 T 細胞は感染細胞内で増殖した病原微生物の抗原ペプチドと MHC クラスⅠ分子を認識して，健常な組織を損傷することなく感染細胞だけを正確に破壊する．感染細胞が壊死に陥る場合に健常な組織への病原微生物の再感染を伴うのに対して，細胞傷害性 T 細胞は感染細胞にアポトーシスを誘導し，感染細胞とともに細胞内で増殖した細菌を殺傷する．細胞傷害性 T 細胞の傷害活性については，前述の「2. ウイルス感染細胞の排除」と同様の機序による．

3）肉芽腫の形成

細胞内寄生性細菌がマクロファージ活性化による殺菌作用からうまく免れた場合は，慢性炎症へと進行してしまうことがある．このとき，結核菌が感染した複数のマクロファージは融合して Langhans 巨細胞となる．類上皮細胞とよばれる大型のマクロファージとともに集塊をつくり，

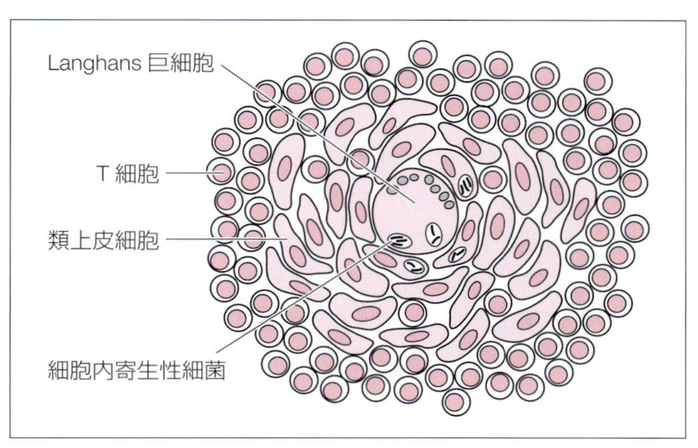

図 2-5-7　肉芽腫の模式図
結核菌などの細胞内寄生性細菌がマクロファージ活性化による殺菌作用から免れた場合，組織中に細菌を封じ込めようとして肉芽腫を形成する．複数の感染マクロファージが融合して多核になった Langhans 巨細胞とよばれる細胞や，マクロファージが変化した類上皮細胞とよばれる感染細胞の周囲に上皮のようにみえる細胞が集塊をつくり，その周りを T 細胞が取り囲んだ様相を呈する．

その周りを活性化 T 細胞が取り囲んだ様相を呈するようになる．これを病理学的に肉芽腫 granuloma とよぶ（**図 2-5-7**）．肉芽腫は細胞内寄生性細菌が健常な細胞へ再感染しないための生体防御反応と考えられている．結核では，中心部分がチーズのように見えることから乾酪壊死といわれる．

4 移植と拒絶反応

1）拒絶反応の仕組み

臓器移植は現代医療に欠かせない治療法になっている．臓器提供を受ける患者をレシピエント recipient，臓器を提供する健常者をドナー donor という．臓器移植において拒絶反応が障害となるが，これには獲得免疫がかかわっている．拒絶反応は，多くの場合で移植片の同種抗原への免疫応答が原因であり，きわめて多型に富む MHC 分子への T 細胞応答に他ならない．

自分自身の移植片を自家移植片 autograft，一卵性双生児のような遺伝的に同一の移植片を同系移植片 syngeneic graft といい，これらの臓器移植には拒絶反応は起こらない．一方，血縁関係のないドナーの移植片を同種移植片 allograft といい，CD8 T 細胞や CD4 T 細胞による免疫応答が拒絶反応を引き起こす．MHC 分子とは主要組織適合遺伝子複合体のことであるが，移植片の拒絶反応において重要な役割をしていることから，このような名前がつけられている．MHC 分子が一致した同種移植片の移植では成功率は向上するが，拒絶反応を避けることは難しい．それは MHC 分子が一致していても，移植片の MHC 分子と結合した同種抗原由来のペプチドのほうの多型により拒絶反応が起こるからである．このような抗原は副組織適合抗原 minor histocompatibility antigen とよばれる．このため一卵性双生児間の移植でない限りは，レシピエントは拒絶反応を予防するためにタクロリムス（FK506）やシクロスポリン A などの免疫抑制薬を使用しなければならない．

移植片からドナー由来の抗原提示細胞がレシピエントのリンパ組織に入り込み，それによってレシピエント T 細胞が活性化されて拒絶反応を起こす場合を直接同種認識 direct allorecognition という．移植片に由来する抗原をレシピエント由来の抗原提示細胞が取り込むことによってレシピエント T 細胞が活性化されて拒絶反応を起こす場合を間接同種認識 indirect allorecognition という．

2）移植片対宿主反応

移植拒絶と逆の反応が移植片対宿主反応 graft-versus-host reaction である．白血病などの治療法として造血幹細胞移植が行われる際には，はじめに白血病の原因となっているレシピエントの骨髄を放射線や化学療法によって死滅させてから移植するため，レシピエントはドナー細胞を拒絶することはない．しかし，ドナー細胞の中に成熟 T 細胞が存在している場合には，レシピエント組織を異物と認識して攻撃することで，発熱，発疹，下痢や黄疸といった重篤な症状を呈することがあり，これを移植片対宿主病 graft-versus-host disease（GVHD）といい，重症化すると致命的になる．

5 腫瘍免疫

病原微生物を排除するのと同じように，腫瘍と正常組織の違いを免疫系が見分けられれば，細胞レベルでの排除が期待できるためとても魅力的な手段となる．このような腫瘍に対する免疫応答を腫瘍免疫という．

生体においては，絶えず腫瘍細胞が発生しているが，多くの場合は免疫応答によって排除されていると考えられている（排除相 elimination phase）．しかし，腫瘍が変異するなどして免疫応答から免れるようになると，腫瘍細胞の排除がうまく働かないようになり，次第に腫瘍細胞が生き残るようになる（平衡相 equilibrium phase）．やがて，免疫応答は腫瘍細胞の増殖を抑えることができなくなり，腫瘍として臨床的にはっきりわかるようになる（逃避相 escape phase）．このようにして腫瘍細胞が免疫応答から排除されずに生き残るための特性を形成することを，免疫編集 immunoediting という．

1）腫瘍抗原

腫瘍抗原とは，腫瘍細胞に特徴的に生じた免疫系に認識される抗原をいう．正常細胞にはなく腫瘍細胞のみに存在する抗原は，腫瘍特異抗原 tumor-specific antigen という．また，腫瘍細胞のみに存在しているわけではないが，通常と比較して発現が変化している抗原は，腫瘍関連抗原 tumor-associated antigen という．

腫瘍特異抗原は，正常細胞には発現していない抗原で，

EBウイルス由来のEBNA-1といったウイルスタンパク質，あるいは染色体転座によるBcr/Ablや，がん遺伝子Rasやがん抑制遺伝子p53といった遺伝子変異などによって生じた腫瘍細胞に限って発現している抗原をいう．

腫瘍関連抗原は，腫瘍細胞に限って発現している抗原ではなく，その抗原が発現する細胞や量が通常と異なっていることで免疫原性をもつような抗原をいう．たとえば，増殖因子受容体のHER2/neuは，正常細胞での発現は低いが，乳がんや卵巣がんなどの腺がんで過剰発現しており予後不良因子である．MAGEは精巣といった生殖細胞を除く正常細胞では発現していないが，メラノーマ（黒色腫）細胞の腫瘍抗原として知られている．CEAは胎生期に限り発現を認めるが，大腸がんなどにおいて発現が亢進する．また，MART-1，gp100とgp75はメラノサイト系列の細胞の分化抗原であるが，メラノーマ細胞においてこれらの抗原が過剰発現して，細胞傷害性T細胞の標的となりうる．

2）腫瘍細胞に対する傷害作用

腫瘍細胞に対する免疫応答は，自然免疫と獲得免疫の両方がかかわっている．腫瘍細胞が腫瘍抗原をMHCクラスI分子に高発現すると細胞傷害性T細胞に排除されるが，MHCクラスI分子の発現を低くした腫瘍細胞は細胞傷害性T細胞から免れることができる．このような場合は，NK細胞が腫瘍細胞からのMHCクラスI分子を介した抑制シグナルを受け取らないので，腫瘍細胞を殺すことができる．また，マクロファージが分泌するTNFなどのサイトカインには腫瘍細胞への傷害作用がある．これらは腫瘍抗原に特異的な免疫応答ではなく，自然免疫による腫瘍免疫である．

一方，腫瘍抗原を特異的に認識する細胞傷害性T細胞やCD4 T細胞が誘導される場合は，腫瘍抗原を発現する腫瘍細胞を選択的に排除することが期待される．このときの細胞傷害性T細胞の傷害活性については，前述の「2. ウイルス感染細胞の排除」と同様の機序による．しかしながら，腫瘍が免疫の攻撃から逃れる機構として，抑制性受容体による免疫応答の抑制や制御性T細胞の動員が知られており，このことが腫瘍免疫療法を困難にする原因となる．また，腫瘍抗原に対する抗体が産生される場合は，NK細胞やマクロファージが抗体依存性細胞傷害antibody-dependent cell-mediated cytotoxicity（ADCC）によって腫瘍細胞を破壊することが期待される．これらは腫瘍抗原に特異的な免疫応答で，いずれも獲得免疫による腫瘍免疫である．

チェックポイント阻害

腫瘍に対する免疫応答を強化するには，PD-1やCTLA-4などの抑制性受容体の機能を抑えることでT細胞応答を増強する方法があり，チェックポイント阻害とよばれる．チェックポイント阻害薬として，抗PD-1抗体であるニボルマブや抗CTLA-4抗体であるイピリムマブなどがある．PD-1とCTLA-4の発見に対して2018年ノーベル生理学・医学賞が本庶佑（ほんじょたすく）とJames P. Allisonに授与された．

（田中芳彦）

Ⅵ 粘膜免疫

われわれの身体は，口・鼻腔から肛門へと通ずる管腔状の形態をなし，その外面は皮膚，内面は粘膜で覆われている．すなわち，生命活動である呼吸，摂食・嚥下，消化，吸収，排泄を担う呼吸器や消化器，泌尿器などの重要な臓器は粘膜に覆われており，その総面積は，ヒト（成人，体重 60 kg）の場合，約 400 m^2 と皮膚の 200 倍以上，バスケットボールコート 1 面分に相当するといわれている．この広大な粘膜面上では，常に病原微生物やアレルゲンといった外来抗原が存在し，それらから身を守るために全身性免疫システムとは異なる，粘膜特有の監視・防御機構が発達している．一方，食物由来抗原や常在細菌などの生体に有益な物質に対しては，免疫寛容を誘導することで自己にとって有益なものを選択的に取り込むといった共生的な環境を形成している．このように，粘膜を形成する粘膜組織は，生体にとって有害なものと有益なものを識別する，すなわち，正と負の反応のバランスをとることで，体内恒常性を維持するという，非常にユニークな機構を備えている．

1 生体防御の最前線としての粘膜

1）粘膜上皮

粘膜表層では，上皮細胞がタイトジャンクションにより強固に結合することで上皮細胞層を形成，物理的バリアとして機能している．また，腸管などでは，上皮細胞の亜種細胞の 1 つである杯（ゴブレット）細胞が，ムチンを主成分とする粘液を分泌し，上皮細胞層上に粘液層を形成している．さらに，微絨毛を覆うグリコカリックス glycocalyx（糖衣）に含まれるムチン様構造をもつ細胞膜貫通糖タンパク質の糖鎖は，病原微生物のレクチン様タンパク質と結合することで病原微生物を物理的に排除している．またそれ以外にも小腸の絨毛陰窩部に存在するパネート細胞が分泌するリゾチームやα-ディフェンシンなどの抗菌ペプチドは化学的バリアとして，上皮細胞による食作用や粘膜固有層に存在する免疫細胞による免疫応答は，生物的バリアとして非特異的な防御機能を果たしている（表 2-6-1）．

2）免疫グロブリン IgA

特異的防御バリアとしては，哺乳類で最も多く産生される免疫グロブリン IgA が知られている．ヒト成人の IgA 産生は 1 日約 5～6 g であり，腸管粘膜固有層の形質細胞（小腸では 1 m^2 あたり約 100 億個）の約 80％以上は IgA を産生する．

マウスをはじめとするほとんどの哺乳類では，IgA は 1 種類のみであるが，ヒトでは IgA1，IgA2 の 2 種類のサブクラスがある．ヒト血液中の IgA は，そのほとんどが単量体で，IgA1，IgA2 の存在比率はおよそ 10：1 である一方，粘膜組織における IgA1，IgA2 の存在比率は 1：1～3：1 と，血液中と比較して IgA2 比が高い．髄膜炎菌や肺炎球菌などの病原細菌が産生するプロテアーゼ（タンパク質分解酵素）は，IgA1 ヒンジ部の特定のアミノ酸配列を認識し切断する（図 2-6-1）．一方，IgA2 のヒンジ部にはプロテアーゼの認識する配列が存在しないことから，IgA2 はプロテアーゼ分解抵抗性を示す．したがって，この比率の違いは粘膜部における感染防御の点から理にかなったものと考えられている．

表 2-6-1　粘膜における主な防御バリア

非特異的防御バリア（自然免疫）	特異的防御バリア（獲得免疫）
物理的バリア ・ムチン（粘液層） ・グリコカリックス ・タイトジャンクション	体液性免疫 ・分泌型 IgA ・粘膜固有層 Th2 型細胞 ・IgA 形質細胞
化学的バリア ・リゾチーム（細胞膜融解） ・ラクトフェリン（鉄代謝阻害） ・ペルオキシダーゼ（H_2O_2 代謝） ・α-ディフェンシン（細胞膜融解）	細胞性免疫 ・上皮内リンパ球（IEL） ・粘膜固有層 Th1 型細胞 ・粘膜系，$\gamma\delta$T 細胞
生物的バリア ・上皮細胞（ファゴサイトーシス） ・M 細胞 ・自然免疫受容体（TLR） ・樹状細胞，好中球，B1B 細胞 ・3 型自然リンパ球（ILC3）	

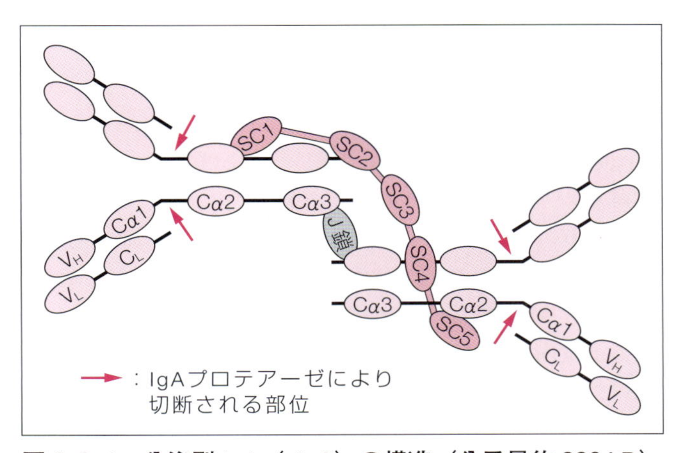

図 2-6-1　分泌型 IgA（sIgA）の構造（分子量約 390 kD）
2 つの単量体 IgA が Fc 領域でジスルフィド結合し，J 鎖がα鎖の末端から 2 番目のシステイン残基同志をつなぎ 2 量体を形成する．pIgR 由来の SC がジスルフィド結合で接着する．

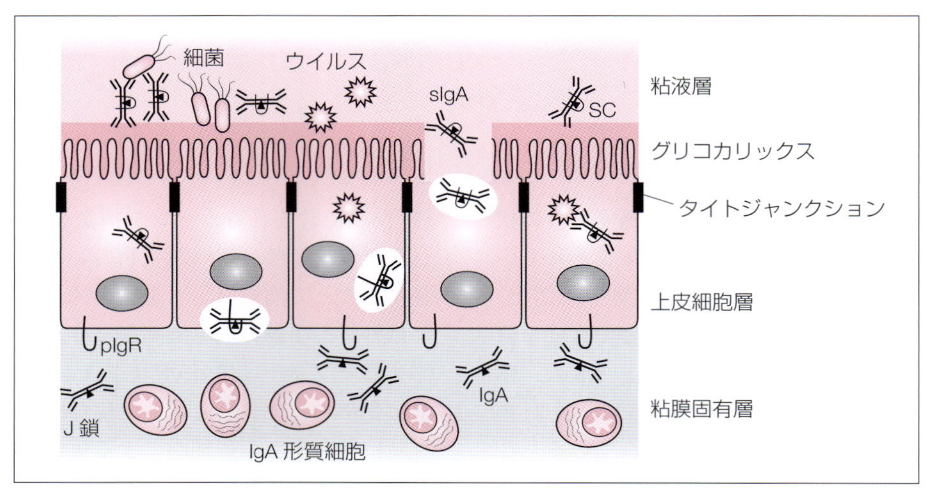

図 2-6-2　上皮細胞層を介した IgA 細胞内輸送と sIgA 分泌
腸管，気道，唾液腺などの上皮細胞の基底側に存在する形質細胞から産生された IgA は，上皮細胞の基底膜に発現している pIgR に結合する．IgA-pIgR 複合体はエンドサイトーシスにより細胞内に取り込まれ，トランスサイトーシスにより上皮細胞頂端部へ輸送される．この輸送過程で pIgR は切断されるが，その一部は分泌成分（SC）として IgA に会合したまま残り，sIgA として細胞外に分泌される．

また，粘膜部にみられる IgA は，そのほとんどが分泌型 IgA secretory IgA（sIgA）である．これは2つの IgA が Fc 領域でのジスルフィド結合と J 鎖，そして分泌成分 secretory component（SC）により，その2量体化を実現している（**図 2-6-1**）．

粘膜固有層で形質細胞から産生された2量体 IgA は，まず粘膜上皮細胞基底膜側に発現する多量体免疫グロブリン受容体（pIgR）と結合し，IgA-pIgR 複合体を形成する．その後，トランスサイトーシスにより上皮細胞管腔側へと輸送され，sIgA として粘膜面に分泌される．この輸送過程で pIgR は消化されることになるが，その一部は IgA と会合した状態で残留し SC となる（**図 2-6-2**）．SC 自体はプロテアーゼ分解から IgA を保護するだけでなく，抗菌ペプチド様活性を有する他，腸管管腔側に放出された SC の糖鎖は粘液中のムチンと結合し，IgA を腸管粘膜上皮細胞表層にとどめる役割などを担っている．

3）上皮内リンパ球

マウスの腸管上皮細胞層の基底膜上には上皮内リンパ球 intraepithelial lymphocyte（IEL）とよばれるユニークな T 細胞が局在する．その多く（約 80％）は CD8αを発現しており，その上皮内リンパ球の成熟・維持には，上皮細胞からの IL-7 や IL-15 が必要であることが知られている．上皮内リンパ球は，$\alpha\beta$T 細胞受容体（TCR）を発現している上皮内リンパ球と$\gamma\delta$型 TCR を発現する上皮内リンパ球に大別されるが，腸管部では多くの上皮内リンパ球（30～50％）が$\gamma\delta$型 TCR を発現している．$\alpha\beta$T 細胞受容体は MHC クラスII分子を介して提示された抗原を認識するが，$\gamma\delta$T 細胞受容体は抗原認識のプロセッシングを必要としない MHC-class I-related chain（MIC）をリガンドとして認識する．上皮内リンパ球のその他の機能としては，上皮細胞から産生される IL-12 や IL-18 により，IFN-γを産生し，また，セリンプロテアーゼであるグランザイム B や抗菌ペプチドである RegIIIγを産生することで，傷害を受けた上皮細胞の排除や管腔内での病原細菌からの感染防御機能を果たしている．

❷ 腸管粘膜免疫システムにおける分泌型 IgA 抗体誘導のための抗原取り込みとリンパ球の活性化

1）免疫誘導組織と抗原捕捉

粘膜ではリンパ球や樹状細胞，マクロファージをはじめとした免疫細胞が集積している場所を粘膜関連リンパ組織（MALT）とよび，免疫応答を誘導する場として重要な役割を果たしている．腸管では腸管関連リンパ組織（GALT），鼻・口腔では鼻咽頭関連リンパ組織（NALT），呼吸器では誘導性気管支関連リンパ組織（iBALT），感覚器では涙道関連リンパ組織（TALT）などの存在が知られている．GALT の代表的組織である小腸のパイエル板は，ドーム状の濾胞被覆上皮 follicle-associated epithelium（FAE）とよばれる特殊な上皮細胞に覆われることで腸管管腔と隔てられており，濾胞被覆上皮直下にはさまざまなリンパ球が集積している（**図 2-6-3**）．また，濾胞被覆上皮にはエンドサイトーシスにより，外来抗原の取り込みに特化した M 細胞が存在する．M 細胞の基底膜側の直下には，抗原提示細胞である樹状細胞が数多く存在し，M 細胞 microfold cell を介し抗原を捕捉する．樹状細胞の一部は上皮細胞間に樹状突起を伸ばし，M 細胞を介さずに抗原を捕捉するものもある．

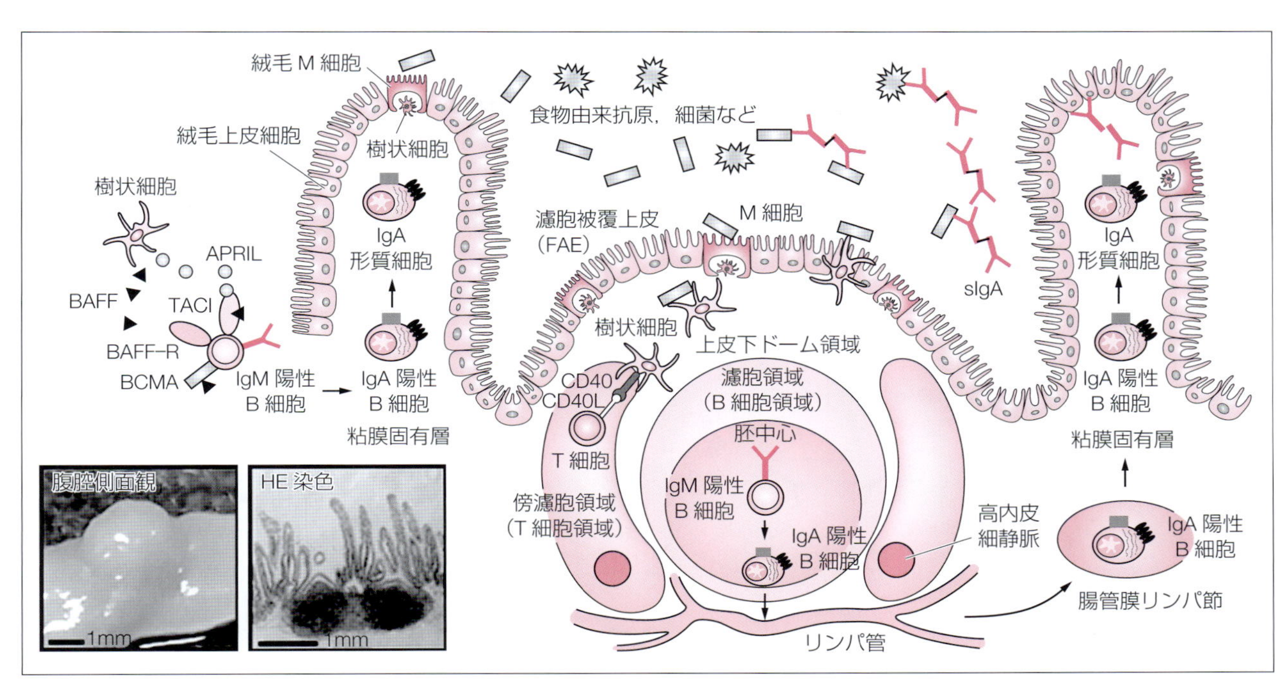

図 2-6-3　小腸パイエル板の構造と抗原の取り込み
パイエル板の上皮層（FAE）直下は上皮下ドーム領域とよばれ，未熟な樹状細胞が分布している．また，パイエル板は，抗原特異的な抗体を産生する濾胞領域（B 細胞領域）と，その周辺を取り囲む T 細胞領域から構成される．濾胞中心部は胚中心 germinal center とよばれ，抗体をつくる場である．傍濾胞領域では，樹状細胞などにより提示された抗原を T 細胞が認識する場である．パイエル板のリンパ球は，高内皮細静脈から流入し，分化・活性化された後，リンパ管を通じて腸管膜リンパ節を経由し小腸粘膜固有層へと移動する．左下図は，パイエル板を管腔側から観察したものと HE 染色した横断面図（University of Alabama at Birmingham, IVC）．

2）捕捉後の抗原提示と B 細胞 IgA クラススイッチ

抗原を捕捉した樹状細胞は，抗原を処理しながら成熟化し，傍濾胞領域に移動，ナイーブ T 細胞に抗原提示する．抗原提示を受け活性化した CD4 T 細胞は，濾胞領域に移動し，TGF-β や Th2 型サイトカイン（IL-4，IL-6，IL-10）を産生する．また CD4 T 細胞上に発現している CD40 リガンド（CD40L）からの刺激を受けた濾胞領域の IgM 陽性 B 細胞は，抗体遺伝子改変酵素である活性化誘導シチジンデアミナーゼ（AID）の発現とともにクラススイッチを開始する（T 細胞依存性クラススイッチ）（**図 2-6-3**）．

IgA クラススイッチについては，粘膜上皮細胞や粘膜樹状細胞から産生される APRIL（a proliferation-inducing ligand）や BAFF（B cell activating factor of the tumor necrosis factor），レチノイン酸により，T 細胞非依存的に誘導される経路も知られている（T 細胞非依存性クラススイッチ）（**図 2-6-3**）．

❸ 腸管粘膜免疫システムにおける分泌型 IgA 抗体誘導のためのリンパ球遊走

1）粘膜免疫循環帰巣経路（CMIS）

胸腺と骨髄からパイエル板や腸間膜リンパ節へのナイーブ T 細胞や B 細胞の遊走は，それらが発現しているケモカイン受容体 CCR7 と高内皮細静脈内皮細胞や間質細胞が産生するケモカイン CCL19，CCL21 との相互作用により制御されている．高内皮細静脈を介しパイエル板にたどり着いたリンパ球は，抗原提示を受けない場合は，再度輸出リンパ管から血流へと移行するが，抗原提示を受けた場合は，抗原特異性を獲得し活性化した後に CCR7 や L-セレクチンの発現を低下させ，他の末梢リンパ節への遊走指向を消失させる．また，リンパ球は，$\alpha_4\beta_7$ インテグリンを発現していることから，粘膜組織に分布する血管の内皮細胞が発現している MAdCAM-1（mucosal addressin cell adhesion molecule-1）に特異的に結合することで遊走シグナルを受け，粘膜固有層へと移動する（**図 2-6-4**）．MAdCAM-1 は呼吸器や泌尿生殖器，乳腺にも発現していることから，腸管関連リンパ組織で活性化されたリンパ球がさまざまな実効組織へと遊走することが可能とされている．このようなリンパ球の循環経路は粘膜免疫循環帰巣経路 common mucosal immune system（CMIS）と称される．たとえば粘膜ワクチンのように，粘膜に抗原を投与することで，当該粘膜だけのリンパ球を感作するのではなく，粘膜免疫循環帰巣経路を経由して遠隔の粘膜や腺組織にも免疫応答の誘導を可能にすると考えられている．

2）B 細胞の腸管粘膜固有層への遊走

ケモカイン受容体 CCR9 や CXCR4，CCR10 を発現しているエフェクター B 細胞は，上皮細胞の産生する CCL25，CXCL12，CCL28 ケモカインによって，実効組織である腸

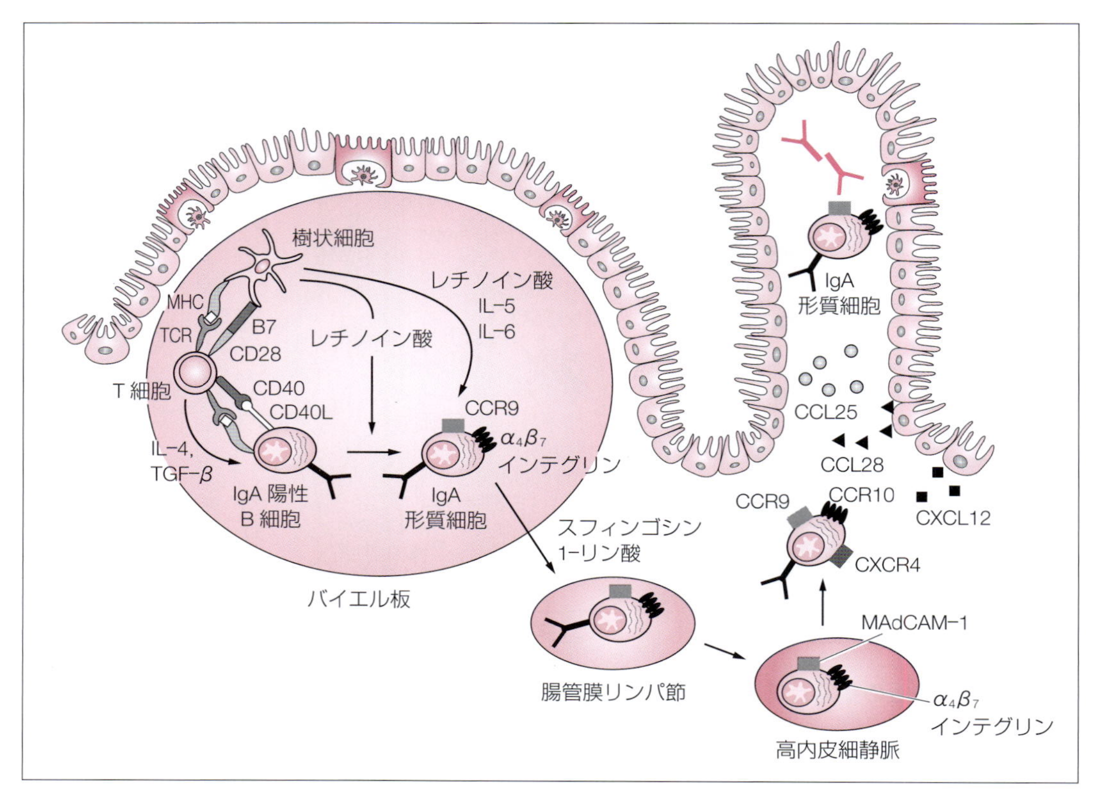

図 2-6-4 パイエル板から粘膜固有層への B 細胞遊走
パイエル板において抗原刺激を受け活性化した B 細胞は，腸管粘膜固有層へ移動するための腸管指向性分子群（CCR9，CXCR4，CCR10）を発現し，脂質メディエーターの制御を受け，パイエル板から移出する．その後，共通粘膜免疫システム（CMIS）を介し粘膜固有層に到達し，抗原特異的 sIgA 産生を行う．

管粘膜固有層に引き寄せられる（**図 2-6-4**）．CCR9 欠損マウスの解析では，小腸粘膜固有層の形質細胞数は半減しているが，大腸では形質細胞数に変化がないことから，小腸における形質細胞の局在には CCR9 の重要性が示唆されている．

❹ 分泌型 IgA 抗体による腸内フローラの制御と共生

1）腸内フローラの生命活動への影響

ヒトの腸管には約 1,000 種類，38 兆個の腸内細菌が存在する．今世紀に入り次世代シークエンサー，質量分析計といった解析機器の進歩に加え，バイオインフォマティクス（生物情報科学）が発展したことで，網羅的に解析するオミクス研究がさかんに行われ，腸内フローラ研究も大きく前進している．

たとえば，無菌マウスを用いた研究では，無菌マウスの腸管関連リンパ組織は未熟なものしか存在せず，胚中心も小さいことから，腸内細菌がそれらの成熟に関わっていると考えられている．確かに無菌マウスの腸管では IgA 産生細胞や Th1，Th17 細胞，制御性 T 細胞の減少が認められるが，セグメント細菌が存在することで小腸 IgA 産生細胞が増加すること，また *Clostridium* 属が存在することで大腸 IgA 産生が増加することも認められ，その他にもリンパ球の分化に腸内細菌が影響を及ぼしている可能性が示唆されている．

それ以外にも腸内細菌は，宿主が消化できない多糖類を単糖類に分解するといった糖代謝機能により，宿主にエネルギーを供給し，またその代謝の過程で産生されるビタミン K や B_{12} などの栄養素，酢酸，酪酸といった短鎖脂肪酸も供給している．たとえば，腸内細菌が未発達の新生児などではビタミン K が不足することで易出血症になりやすいことや，また *Clostridium* 属が食物繊維を分解し産生する酪酸は，制御性 T 細胞の *FoxP3* 遺伝子におけるヒストンのアセチル化を促す．つまり，酪酸によるエピゲノム修飾が制御性 T 細胞の分化を誘導すると考えられている．また，無菌マウスではサルモネラ菌や *Citrobacter rodentium* といった病原細菌に対する定着抵抗性が弱まることなども報告されている．すなわち，腸内細菌は，二次リンパ節の成熟やリンパ球の分化や誘導（免疫システムの構築），また多糖類を分解する糖代謝機能や短鎖脂肪酸の供給（エネルギー源の供給），そして病原細菌の定着や増殖を阻害（感染防御）といったわれわれの生命活動に大きな影響を与えていることが明らかとなってきている．

2）腸管 IgA による腸内細菌の排除と共生

腸管における IgA の機能の 1 つは，病原細菌の増殖を抑制し排除することである．IgA の糖鎖が管腔内の病原細菌表面構造との相互作用で凝集を起こし，また病原細菌が産生する毒素と結合し中和する．また粘膜固有層に侵入した病原細菌とも結合し排除する．近年では，もう１つの重要な機能として，腸管における常在腸内細菌の共生にIgAが非常に重要な役目を果たしていることが示された．すなわち，腸管由来のIgAは病原細菌だけでなく，常在細菌と結合・認識し，免疫系全体の恒常性の維持をはかることが報告されている．

2014年米国イエール大学のグループは，腸炎を起こしているヒトの腸管からIgAと結合する細菌群と非結合細菌群を解析し，２つの細菌群構成には明らかな違いがあることを示した．さらにIgA結合細菌とIgA非結合細菌を無菌マウスに移入し，硫酸デキストランを経口投与し腸炎を誘導したところ，IgA結合細菌を移入したマウスでは，IgA非結合細菌移入マウスより重篤な腸炎が誘発された．このことから，IgAと選択的に結合する細菌は，腸炎を誘発する細菌であり，IgAは排除すべき細菌に結合すること，すなわち，腸内フローラとIgA応答の適切な相互制御が，腸管組織の恒常性維持に深く関わっていることを明らかとした．つぎに，奈良先端科学技術大学のグループは，その常在細菌に対するIgAの認識機構を明らかにするため，マウス腸管のＢ細胞からIgAを産生するハイブリドーマを作製し，IgAを産生するクローンを分離した．得られたモノクローナルIgAの重鎖遺伝子の可変領域遺伝子配列の解析から，多様なＢ細胞由来のIgAが腸管に存在し，それぞれに体細胞突然変異が蓄積していること，また，それぞれのモノクローナルIgAは２種以上の腸内常在細菌と結合する能力がある（poly-reactivity）ことを明らかとした．中でもW27モノクローナル抗体は，大腸菌や*Pseudomonas fulva*という*Proteobacteria*属の細菌に対して強く結合する一方，乳酸菌*Lactobacillus casei*には結合しないこと．またW27モノクローナル抗体に結合するタンパク質はアミノ酸・葉酸代謝関連酵素serine hydroxymethyltransferase（SHMT）であることを見出した．多くの細菌はアミノ酸・葉酸代謝関連酵素をコードする*glyA*遺伝子を有していることから，エピトープのアミノ酸配列を解析し，W27モノクローナル抗体はアミノ酸・葉酸代謝関連酵素のＮ末端にあるアミノ酸配列RQ-XXXX-ELIASENのXXXXがEEHIの場合のみ認識することを明らかとした．たとえば*L. casei*のアミノ酸配列はEHNIであり，W27モノクローナル抗体はこのＨとＮの違いを区別していることが明らかとなった．このことから，*Proteobacteria*属は腸管の免疫恒常性の維持に重要な細菌群であることが示された．

⑤ 粘膜ワクチン

1）粘膜投与型ワクチンの特徴

感染症予防のワクチン開発には，安全性を向上させること，疾患発症の予防効果が高いこと，そして接種回数が少なく投与法が簡便，保存が容易であるといった利便性を向上させることが重要である．現行ワクチンは，大半が皮下・筋肉内注射であり，全身性免疫を誘導し感染症の重篤化を予防するものである．しかしながら，感染症を引き起こすほとんどの抗原は粘膜から侵入することから，感染防御の観点からいえば，粘膜組織における免疫応答を作動，活性化することが効率的であり効果的である．そういった意味で，粘膜免疫機構を応用する粘膜ワクチンは，粘膜から侵入する病原体に対し粘膜組織での免疫応答を活性化しsIgAを誘導，抗原の体内への侵入を許さないことが可能である．また，粘膜ワクチンは粘膜免疫だけでなく全身性免疫をも誘導することができる．すなわち，粘膜ワクチンは侵入口である粘膜部における感染を阻止し，また万一体内に侵入を許したとしてもその後の重症化予防ができるという二段構えの防御機構が期待できる．

さらに粘膜ワクチンは粘膜投与型であることから，無痛であり，またシリンジや針といった特殊な医療器具を必要とせず，運搬困難な発展途上国などでの利用や，また二次感染や医療廃棄物問題も解消できると考えられている．

2）粘膜アジュバント（免疫賦活化剤）

粘膜ワクチンの効果を高めるためには，効率的なワクチン送達手段（デリバリーシステム）や粘膜アジュバント（免疫賦活化剤）が必要である．

近年の粘膜アジュバント研究では，その多くは自然免疫受容体（Toll様受容体：TLR，NOD様受容体：NLR，RIG様受容体：RLR）により認識されるリガンドを利用したものが多い．これらは樹状細胞などの抗原提示細胞に特異的に作用することで活性化させ，その遊走や成熟，抗原提示能や補助刺激シグナル分子の発現を促進し，Ｔ細胞やＢ細胞の抗原特異的な活性化を増強する．ペプチドグリカンやLPS，CpGモチーフを有するオリゴデオキシヌクレオチドなどが知られている．またそれ以外にも細菌由来の毒素（コレラ毒素，大腸菌の易熱性毒素）やサイトカイン，界面活性剤などがアジュバントになる可能性が示されている．アジュバントには上記のような抗原特異的な免疫を強化するだけでなく，ワクチン抗原を投与部位に長時間とどめたり，炎症性細胞浸潤を促進する要件を兼ね備えることも重要である．

粘膜アジュバント開発の一例として，造血因子でもあるサイトカインFlt3 ligand（FL）を発現するプラスミド（pFL）と，肺炎球菌の表面タンパク質抗原PspAを同時にマウスに経鼻投与し，血清中に抗原特異的IgGが産生され，また肺洗浄液と唾液中に抗原特異的IgAが産生されていることを認めた．さらにマウス上・下気道中の肺炎球菌の排除には，肺洗浄液中に誘導された抗原特異的IgAが必須であることを明らかとした．

（片岡宏介）

過敏症反応（アレルギー）と自己免疫疾患

獲得免疫 adaptive immunity は微生物感染に対する宿主の防御に重要な役割を果たす．通常，免疫応答は自己と非自己を識別し，自己の組織に重大な傷害を与えることはなく，非自己である感染した病原体の排除を行う．しかし，適切な免疫応答の制御がなされないと，通常は無害な常在微生物や，環境因子（抗原）に対して反応を始め，宿主の組織を標的とした免疫応答が惹起され，さまざまな疾患を引き起こすことがある．外から侵入してきた抗原に対する免疫応答が過剰となって，生体に傷害的に作用することを過敏症反応 hypersensitivity，あるいはアレルギー allergy という．過敏症の原因となる免疫応答は抗原の種類によっていくつかの種類がある．自己の正常組織を攻撃しないように制御されている自己寛容 self tolerance の機序が破綻し，自己抗原に対する免疫応答が起こることを自己免疫 autoimmunity とよび，それによって引き起こされる疾患を自己免疫疾患 autoimmune disease とよぶ．

❶ 免疫寛容

免疫系は，ありとあらゆる抗原に対応しうる数のリンパ球を準備すると考えられるが，自己を構成している組織成分に対しては免疫応答が生じない．免疫系が正常に作動するには，生体の構成成分である自己抗原に対する免疫寛容と，アレルゲン，腸内フローラ，食物など本来無害な，または有用な異物に対する免疫寛容 immunological tolerance が成立している必要がある．免疫寛容とは，特定の抗原に対する免疫反応を起こさないための機構である．

自己抗原に反応する抗原受容体をもつリンパ球クローンは，一次リンパ組織（骨髄，胸腺）で自己抗原と出会うことで除去され（負の選択），末梢に出ることはない．そのため，自己の成分に対して免疫応答は起こらず，自己寛容が成立する．これを中枢性寛容 central tolerance という．しかし，末梢に存在する自己抗原のすべてが骨髄や胸腺に存在している明らかな証拠はなく，それらの抗原に反応するリンパ球クローンは一次リンパ器官では除去されずに末梢に出ていると考えられている．また，外来抗原の中には自己抗原に類似した交差反応性を示すものがあり，中枢において厳密にクローン除去が行われると，交差性のある外来抗原を除去することができなくなり，感染防御の低下を招きかねない．末梢において，これらの自己応答性クローンが応答しないように制御する多様な機構が存在する．これを末梢性寛容 peripheral tolerance という．末梢性寛容には，①抗原提示の際に補助刺激分子からの補助刺激が伴わなかったことによる不応答性（アナジー anergy）の誘導，②細胞表面における抑制性分子の発現による抑制シグナル，③制御性T細胞や抑制性サイトカインによる抑制性の制御などがある（図 2-7-1）．

1）不応答性（アナジー）の誘導

T細胞が抗原提示細胞と遭遇し，十分に活性化して増殖やサイトカイン産生をするためにはT細胞受容体からの刺激に加えて，CD80 や CD86 などの補助刺激分子とT細胞上に発現する CD28 分子との結合が必要である．逆に補助刺激シグナルが欠如した場合にはT細胞に抗原特異的な不応答性（アナジー）が誘導される．また，活性化T細胞は CTLA-4 や PD-1 などの抑制性受容体を出すようになる．CD80 や CD86 に対する CTLA-4 の親和性は CD28 の数十倍高いため，CD28 の結合と CD28 によるシグナルが阻害される．PD-1 のリガンドである PD-L1 はさまざまな体細胞に発現していて，T細胞にアナジーを誘導する．

2）抑制シグナル

抗原刺激により活性化されたT細胞は細胞表面上に発現してくる Fas リガンド（FasL）などの分子により Fas を介してアポトーシスに陥り排除されることが知られている（活性化誘導細胞死 activation-induced cell death：AICD）．Fas や Fas リガンドに変異を有するヒトやマウスが自己免疫疾患を発症することからその重要性が示されている．

3）制御性T細胞による抑制

制御性T細胞（Treg 細胞）は抑制性のサイトカインである IL-10 や TGF-βなどを産生し，また CTLA-4 分子を発現することで CD80 や CD86 などの補助刺激分子と CD28 分子との結合をブロックする．さらにT細胞の増殖に必須である IL-2 をその受容体である CD25 分子を用いて大量に消費することで免疫抑制を行っていると考えられている．制御性T細胞の分化に必須の遺伝子である転写因子 FoxP3 の突然変異により，ヒトで重篤な自己免疫疾患を発症することからもその重要性が示されている．

❷ 自己免疫疾患

免疫の基本は，自己と非自己の識別であり，非自己を排除し，生体を守るという目的をもっている．その反応が自己である正常組織に向けられた場合，その組織は傷害を受け，そうして発生した疾患を自己免疫疾患という．健常者においても自己抗原に対するB細胞やT細胞の存在は知られているが，組織傷害に至らないようにコントロールさ

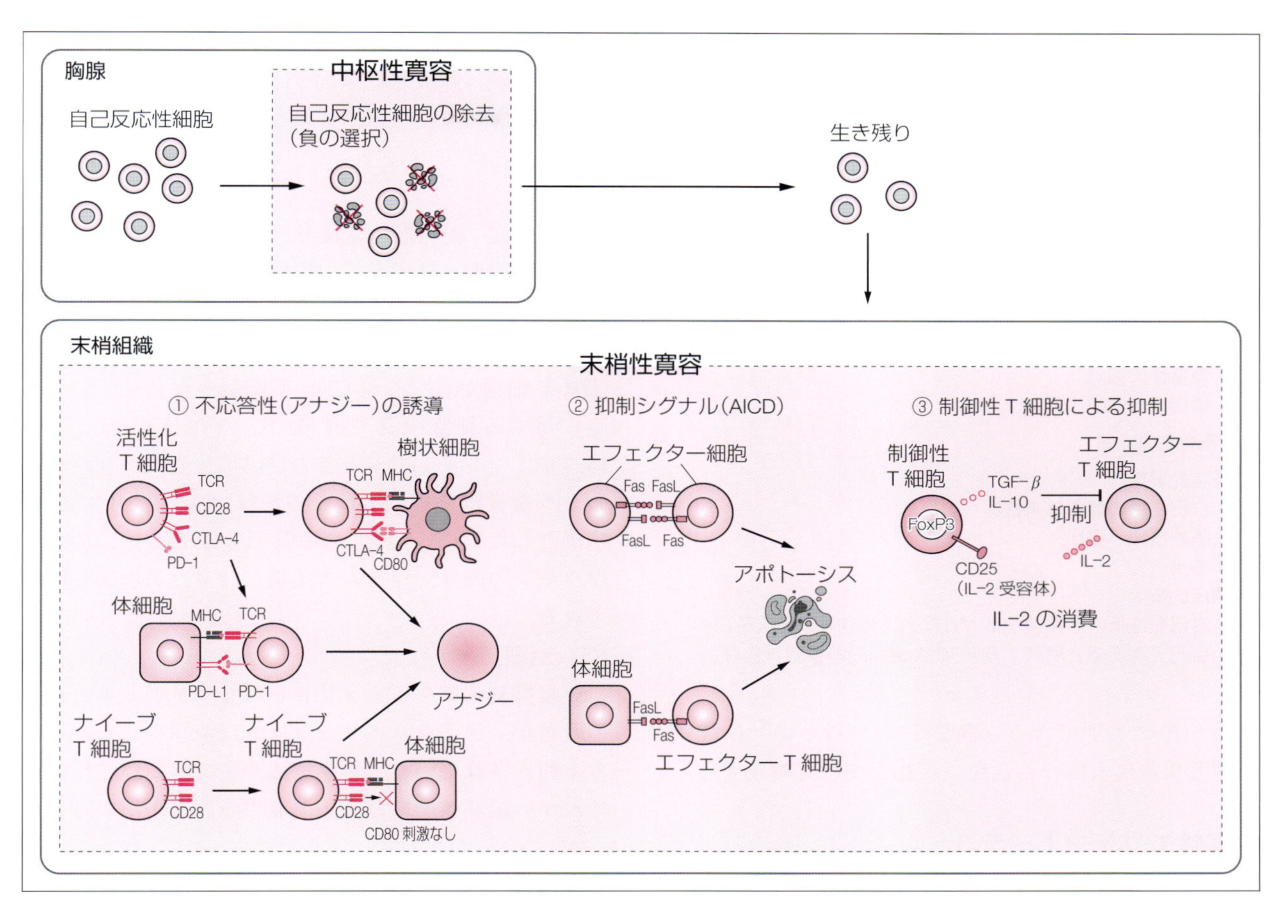

図 2-7-1　中枢性寛容と末梢性寛容

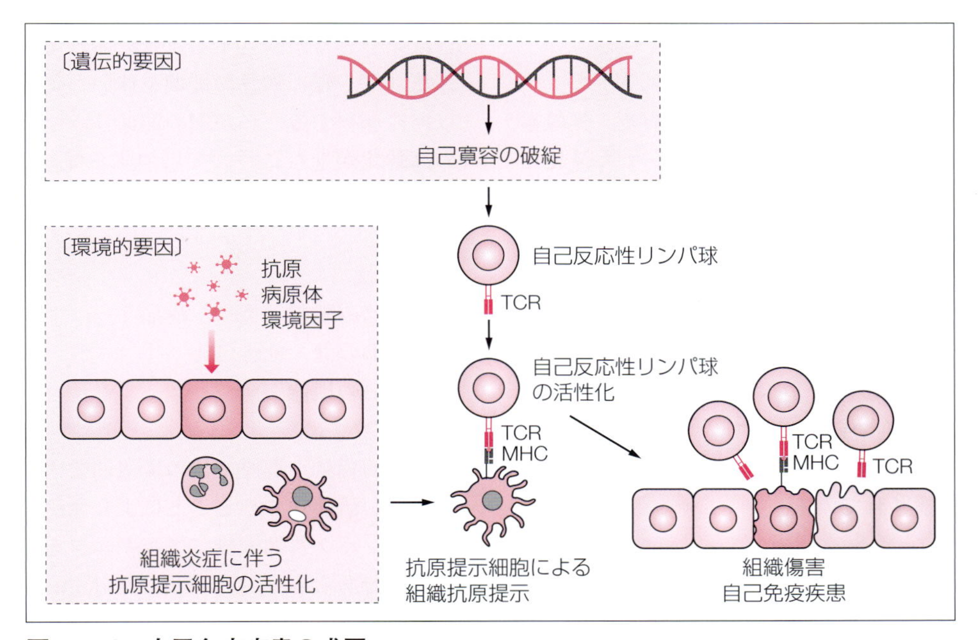

図 2-7-2　自己免疫疾患の成因
環境的要因で非特異的に活性化した抗原提示細胞が自己抗原を提示し，自己寛容の異常により末梢に循環したリンパ球を活性化して起こると考えられる．

れていると考えられる．自己免疫による組織傷害の機序としては，自己組織に対する抗体による組織傷害（Ⅱ型過敏症），自己抗原と抗体による抗原抗体複合物（免疫複合体 immuno-complex）形成による組織傷害（Ⅲ型過敏症），自己組織に反応する T 細胞による組織傷害（Ⅳ型過敏症）がある．

自己免疫疾患の原因は，遺伝的要因と環境的要因に求めることができるが，いくつかの要因が重なって発症している可能性が考えられている（**図 2-7-2**）．

自己免疫疾患は全身性の自己免疫疾患と，臓器特異的な

表 2-7-1　代表的自己免疫疾患と成因

1. 全身性の自己免疫疾患
・全身性エリテマトーデス（SLE） ・Sjögren 症候群 ・関節リウマチ（RA）
2. 臓器特異的な自己免疫疾患
・尋常性天疱瘡 ・1 型糖尿病 ・橋本甲状腺炎 ・多発性硬化症 ・潰瘍性大腸炎 ・重症筋無力症
3. 自己免疫の成因
●環境的要因 ・自己抗原の類似外来抗原への反応 ・隔絶抗原の露出 ・感染 ●遺伝的要因 ・自己免疫反応と関連する MHC アレル（対立遺伝子） ・自己免疫反応と関連する非 HLA 遺伝子の多型（変異）

自己免疫疾患に大別できる（**表 2-7-1**）．以下に，口腔領域で問題となる代表的な自己免疫疾患をあげて解説する．

1）全身性エリテマトーデス

全身性エリテマトーデス systemic lupus erythematosus（SLE）は，臓器や症状に限定されない疾患群である．発症の原因として複数の遺伝的素因に加え，細菌感染症などの環境的因子が複合的に関与すると考えられている．

（1）症状

①頬部・鼻部の蝶形紅斑を特徴とする皮膚病変，光線過敏症，②血管炎，③関節炎，④腎病変（ループス腎炎），⑤胸膜心外膜炎，⑥中枢神経病変，⑦口腔内の無痛性の潰瘍，口唇や粘膜に紅斑やびらんを呈する．

（2）特徴

二本鎖 DNA に反応する抗 DNA 抗体が産生されていることが多く，全身性エリテマトーデスでは IgG クラスであることが特徴である．また，TLR9 と DNA 高親和性の受容体を発現する B 細胞が確認されていることから，細胞外へ漏出した DNA は，抗 DNA 抗体産生 B 細胞クローンを樹立させると推察されている．

（3）治療

糖質コルチコイド，ステロイド療法が実施されている．さらに，B 細胞を除去するモノクローナル抗体（抗 BAFF 抗体，抗 CD22 抗体，抗 CD20 抗体）を用いた免疫療法や，免疫抑制薬も用いられる．

2）Sjögren 症候群

Sjögren 症候群は，主に涙腺，唾液腺といった外分泌腺が標的となることを特徴とする自己免疫疾患であり，リンパ球浸潤による腺組織の障害が腺分泌能の低下，眼と口腔内の乾燥症をきたす．多様な自己抗体や高γグロブリン血症の出現などの免疫学的異常を認める．Sjögren 症候群は病変が涙腺，唾液腺に限局する腺型と，病変が肺・腎臓・膵臓・皮膚・血液・末梢神経など全身臓器に及ぶ腺外型に分けられる．

（1）症状

①腺病変：乾燥性角結膜炎，口腔乾燥症，唾液腺腫脹など
②腺外病変：易疲労感，関節炎，骨格筋痛，皮膚症状など

（2）特徴

唾液腺や涙腺といった腺組織へのリンパ球浸潤は主に CD4 T 細胞からなるが CD8 T 細胞も存在している．腺細胞に対する細胞浸潤や抗 Ro/SS-A 抗体や抗 La/SS-B 抗体，リウマトイド因子などの自己抗体産生が病態形成にどのような役割を担っているのかはいまだ不明な点が多い．病因として HLA をはじめとした遺伝的背景に加え，女性ホルモンの関与，ウイルス感染といった環境的要因が推測される．

（3）治療

免疫抑制薬であるミゾリビンは唾液量の分泌と乾燥症状の改善が，メトトレキサートは乾燥症状の改善が認められると報告されている．対症療法が主で，口腔乾燥には人工唾液が，眼球乾燥には人工涙液や点眼薬が用いられる．

3）関節リウマチ

関節リウマチ rheumatoid arthritis（RA）は，関節滑膜を病変の主座とする全身性の慢性炎症性疾患で，発症には自己免疫異常が関与すると考えられている．関節の炎症のみならず，骨・軟骨の破壊を伴い，関節破壊は発病後数年以内に進行する．わが国の関節リウマチの患者数は，社会の高齢化が進むにつれて増加する傾向にある．国内の RA 患者はおよそ 80 万人で，男女比は 1：4.7 で女性に好発している．

（1）症状

①関節の腫脹と炎症，疼痛
②関節の骨，軟骨傷害
③関節の機能不全

（2）特徴

遺伝的背景，喫煙や他の環境的要因により自然免疫系が繰り返し活性化されることにより発病に至ると考えられるが，タンパク質翻訳後にアルギニンをシトルリンに変換する酵素である peptidyl arginine deiminase（PAD）によってシトルリン化されたタンパク質に対する抗体 anti-cyclic citrullinated peptide antibody（anti-CCP，ACPA）が産生されることが関節リウマチに特徴的である．CD4 T 細胞が慢性的に活性化され，RANKL（receptor activator of NF-κB ligand）の放出も確認される．RANKL は，破骨細胞の RANK に作用して，破骨細胞を活性化し，関節の硬組織分解を促進する．

（3）治療

関節腔内への抗炎症剤や潤滑成分の投与，さらに，近

表 2-7-2　アレルギーの分類（Coombs と Gell の分類）

	Ⅰ型	Ⅱ型	Ⅲ型	Ⅳ型
アレルギーのタイプ	即時型 （アナフィラキシー型）	細胞傷害型	免疫複合体型 （アルサス型）	遅延型
作用因子	IgE（レアギン）	IgG，IgM	IgG，IgM	感作 T 細胞
補体の関与	なし	一部あり	あり	なし
発症機序	肥満細胞や好塩基球の細胞上の FcεRI に結合した IgE が抗原により架橋され，活性化された肥満細胞などからケミカルメディエーターが放出されて症状が現れる．	抗体が細胞表面にある抗原と結合することで，補体の活性化，オプソニン化，抗体依存性細胞傷害（ADCC），受容体の機能亢進または機能低下などが起き，細胞が傷害される．	抗原抗体複合物が組織に沈着し，補体や好中球が活性化することで組織が傷害される．	抗原に感作された T 細胞が再度抗原に出会うことでサイトカインを分泌し，細胞免疫が誘導される．
反応時間	数分～30 分	数分～数時間	4～8 時間	24～48 時間
疾患例	気管支喘息 蕁麻疹 花粉症 アレルギー性鼻炎 アトピー性皮膚炎 局所麻酔薬アレルギー 薬物アレルギー	自己免疫性溶血性貧血 突発性血小板減少紫斑病 Rh 不適合妊娠（新生児溶血性黄疸） 橋本甲状腺炎 重症筋無力症	血清病 ループス腎炎 急性糸球体腎炎 意識障害 皮膚紅潮	アレルギー性接触皮膚炎（金属，薬品，化粧品，うるしなど） 移植片対宿主病（GVHD） ツベルクリン反応 レプロミン反応

年，抗 TNF-α抗体，抗 TNF-α受容体抗体，抗 IL-6 抗体，CTLA-4-Ig などが使われる．

4）天疱瘡

天疱瘡 pemphigus は，表皮細胞間接着構造デスモゾームの接着分子であるデスモグレインに対する自己抗体を病因とする自己免疫水疱症である．天疱瘡は，尋常性天疱瘡 pemphigus vulgaris，落葉状天疱瘡 pemphigus foliaceus，腫瘍随伴性天疱瘡 paraneoplastic pemphigus の 3 型に大別される．

(1) 症状

尋常性天疱瘡が天疱瘡の中で最も頻度が高く，特徴的な臨床所見は，口腔粘膜に認められる疼痛を伴う難治性のびらん，潰瘍である．

(2) 特徴

病理組織学的に表皮細胞間の接着が障害される結果生じる，棘融解 acantholysis による表皮内水疱形成を認め，免疫病理学的に表皮細胞膜表面に対する自己抗体が皮膚組織に沈着する，あるいは循環血中に認められることを特徴とする．口腔粘膜以外に，口唇，咽頭，喉頭，食道，眼瞼結膜，膣などの重層扁平上皮が侵される．約半数の症例で，口腔粘膜のみならず皮膚にも，弛緩性水疱，びらんを生じる．

(3) 治療

基本的には自己抗体産生の抑制を目的としたステロイド内服が主体となる．初期治療が不十分と判断された場合には，血漿交換療法，ステロイドパルス療法，免疫グロブリン大量療法（IVIG）などが用いられる．

❸ 過敏症反応（アレルギー）（表 2-7-2）

1）Ⅰ型過敏症反応と疾患（IgE 抗体関与）

広義には，Ⅰ～Ⅲ型過敏症反応を即時型過敏症 immediate hypersensitivity というが，狭義にはⅠ型過敏症反応を意味する．反応が生じるまでの時間が短く，アナフィラキシー反応ともよばれる．気管支喘息，蕁麻疹，アレルギー性鼻炎などが代表的な疾患である．Ⅰ型過敏症反応は環境抗原に特異的な IgE 抗体が関与する，過敏症の中で最も多い型である．このとき，IgE 抗体の産生を誘発する抗原をアレルゲン allergen とよぶ．本来は無害である食物，薬剤，花粉，ダニ，ハウスダストなどが代表的なアレルゲンである．

アレルギー素因があると，アレルゲンの感作によりリンパ組織における IL-4，IL-5，IL-13 産生の Th2 細胞が誘導され，高レベルのアレルゲン特異的 IgE 産生が誘導される．IgE は肥満細胞や好塩基球の細胞表面上にある高親和性の FcεRI に結合する．その後再度アレルゲンに曝露すると肥満細胞や好塩基球上で FcεRI に結合した IgE が架橋され，肥満細胞や好塩基球が活性化し細胞内の顆粒の脱顆粒が起こる．脱顆粒によって放出されたヒスタミン，ロイコトリエンなどのケミカルメディエーターは，平滑筋収縮，毛細血管透過性亢進，末梢血管拡張などが生じる（図 2-7-3）．

このような反応が皮膚で起これば発赤（蕁麻疹），気管支平滑筋が収縮すれば呼吸困難（喘息発作），消化管で起これば腹痛，下痢などの形態で現れる．局所麻酔薬，ペニシリンなどにより全身的に起これば，ショック症状をきたすアナフィラキシー反応となる．

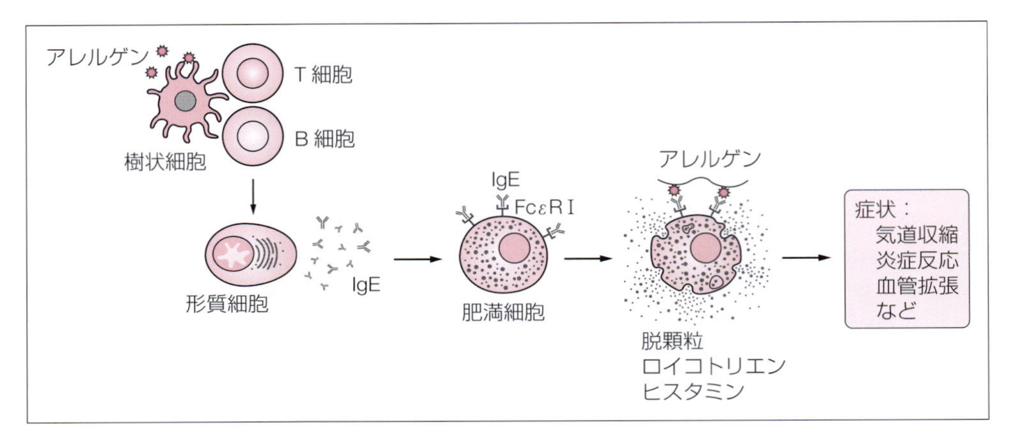

図 2-7-3　Ⅰ型過敏症の発症機序

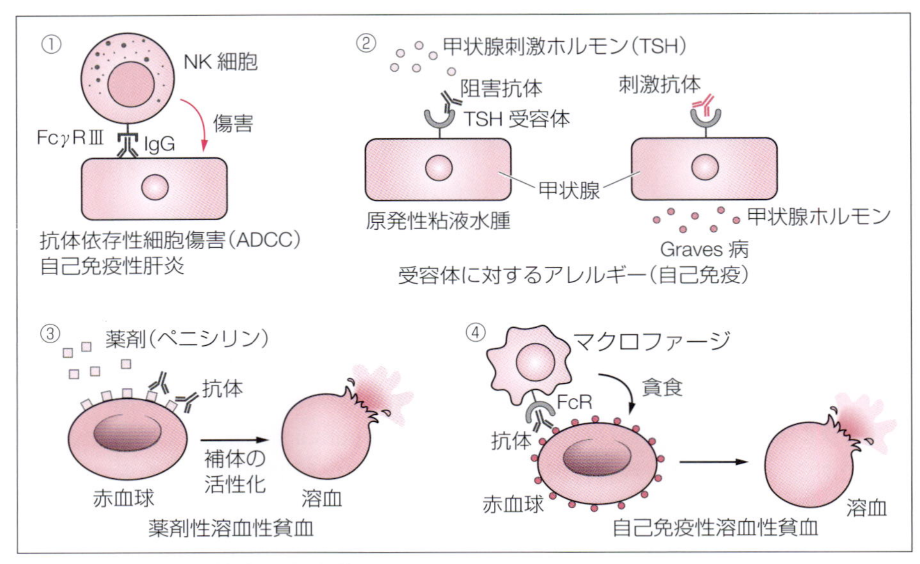

図 2-7-4　Ⅱ型過敏症の発症機序

2）Ⅱ型過敏症反応と疾患（抗体を介在する過敏症）

Ⅱ型過敏症反応は細胞傷害型過敏症ともよばれ，組織や細胞表面の抗原に IgG または IgM 抗体が結合することにより細胞や組織の傷害が起こる．本来は抗体が産生されるべきではない自己抗原に対して抗体が産生されることによるが，その産生機序として，免疫調節系の異常により自己抗体がつくられる場合と，外来の微生物や薬剤により修飾された自己抗原が異物抗原として働く場合，あるいは組織に固着した外来の微生物や薬剤が抗原として働く場合が考えられる．細胞や組織の傷害機序として大きく 4 つが考えられる（**図 2-7-4**）．

① NK 細胞やマクロファージがもつ FcγRⅢに，細胞表面に結合した抗体が結合すると，これらの細胞が細胞傷害活性を示す．
② 細胞膜上にあるホルモン受容体などに抗体が結合すると，その受容体から細胞内シグナルが入り機能が亢進するか，逆に細胞内シグナルが抑制されて機能低下が起こる．
③ 細胞表面の抗原に抗体が結合することにより補体が活性化され，膜侵襲複合体 membrane-attack complex（MAC）が形成されることにより細胞溶解反応が起こる．
④ 細胞表面の抗原に結合した抗体のオプソニン化により，食細胞に貪食される．

3）Ⅲ型過敏症反応と疾患（抗原抗体複合物による過敏症）

Ⅲ型過敏症反応は免疫複合体型またはアルサス Arthus 型ともよばれる．可溶性抗原に IgG や IgM が結合した抗原抗体複合物が腎糸球体，血管壁，関節嚢などに沈着すると，その場で好中球や補体が活性化し，その組織は傷害を受ける．抗原抗体複合物の IgG の Fc 部に対する受容体をもつ好中球が反応するが，抗原抗体複合物が小さければ好中球の貪食により処理される．しかし，組織に沈着しているような抗原抗体複合物で好中球が取り込めない場合，好中球はその場で活性化し，細胞外に活性酸素種 reactive oxygen species（ROS）やエラスターゼなどの酵素を放出する．その作用により組織は傷害される．補体反応部位で

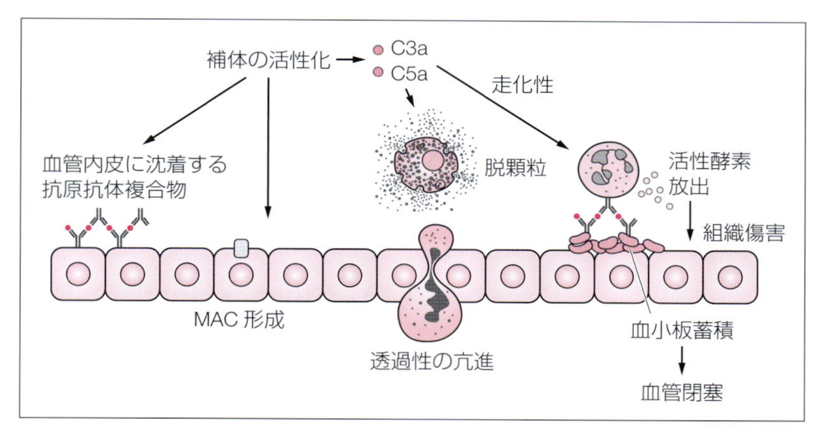

図 2-7-5　Ⅲ型過敏症の発症機序

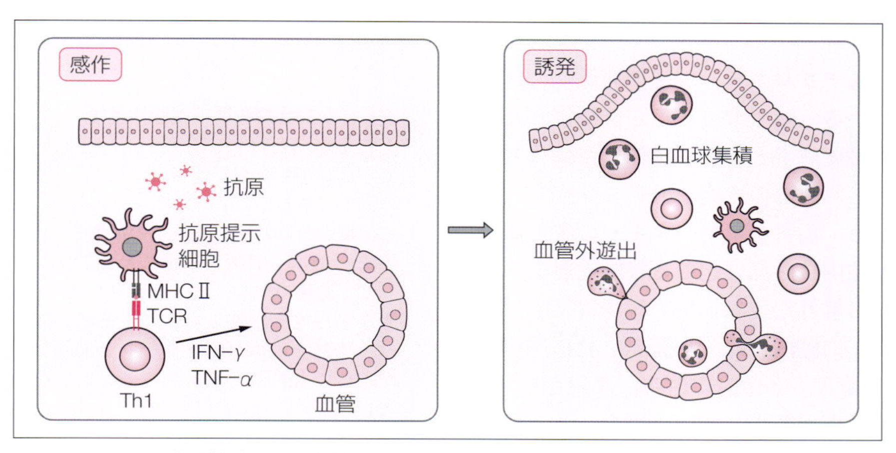

図 2-7-6　Ⅳ型過敏症の発症機序

つくられた補体成分 C3a や C5a（アナフィラトキシン）は好塩基球や肥満細胞に作用してヒスタミンなどのケミカルメディエーターを放出させ，結果的に血管の透過性を亢進させるとともに平滑筋の収縮を起こす．また，C3a や C5a は白血球の遊走を促し，反応部位に集積させて反応を増大させる（**図 2-7-5**）．

IgA 血管炎（旧病名：Henoch-Schönlein 紫斑病）は血管性紫斑病の 1 つで，免疫複合体血管炎に分類される．明確な原因は不明であるが，IgA 血管炎は，β溶血性レンサ球菌やマイコプラズマなどの感染症，薬剤アレルギー，その他の原因によるアレルギーにより産生された IgA の免疫複合体が，毛細血管などの小さな血管の壁に付着することによって発症する病気と考えられており，皮膚の紫斑，関節痛や腹痛・下血などの消化管症状，腎障害（紫斑病性腎炎）を合併することがある全身性の小型血管炎である．10 歳以下の子どもに多く，4 ～ 7 歳頃に発症のピークがある．

4）Ⅳ型過敏症反応と疾患（T 細胞による過敏症）

Ⅰ～Ⅲ型過敏症反応がすべて抗体の関与する体液性免疫によるものであるのに対し，Ⅳ型過敏症反応は抗体が関与せず，抗原と T 細胞が反応する細胞性免疫によるものである．IgE と抗原との反応によるⅠ型過敏症反応では，抗原が侵入してから症状が出現するまでは数分～数十分であり，即時型とよばれるのに対し，特定の抗原に感作された個体が，再度同じ抗原に接触して T 細胞が反応し，症状が出現するのに要する時間は 24～48 時間をピークとする．そのため遅延型過敏症反応 delayed-type hypersensitivity（DTH）ともいう．

抗原が生体内に侵入すると抗原提示細胞が抗原を捕捉し，ナイーブ T 細胞に抗原を提示することで感作される．このとき，CD4 T 細胞が抗原刺激とともに IL-12 の刺激を受けると Th1 細胞に分化する．また，CD8 T 細胞は抗原提示細胞が MHC クラスⅠを介して提示する抗原を認識して，細胞傷害性 T 細胞に分化する．再度同じ抗原が侵入し，その抗原に反応して Th1 細胞と CD8 T 細胞が IFN-γや TNF-αをはじめとするサイトカインを産生する．これらのサイトカインにより血管内皮細胞上の接着分子の発現が増強され，さらに走化性因子（RANTES，MIP-1α，MCP-1）によりマクロファージや好中球，好塩基球などの炎症性細胞が抗原侵入部位に集積する．また IFN-γや TNF-αによってマクロファージは活性化されて，プロスタグランジン，IL-1，TNF-α，IL-6，活性酸素などを産生する．プロスタグランジンや好塩基球からのヒスタミンは血管透過性を亢進させ，細胞の血管外への遊出や血漿成分の滲出がさらに促進される（**図 2-7-6**）．

典型的な遅延型過敏症反応に，結核におけるツベルクリン反応やハンセン病のレプロミン反応などがある．ツベルクリン反応は，結核感染の既往を調べる検査である．結核菌抗原に反応するT細胞が増加していると，結核菌抗原を皮内に注射されたときに皮膚に硬結・発赤といった反応が現れる．薬品，化粧品，うるしなどによる接触皮膚炎 contact dermatitis では，これらがハプテンとして働き，皮膚タンパク質と結合して免疫原となることによりT細胞が感作される．

歯科領域では金属アレルギーが問題となるが，その機序は不明な点が多い．

4 口腔領域にみられるアレルギー

1）歯科金属アレルギー

金属アレルギーは接触アレルギー，遅延型過敏症の典型的な反応と考えられている．臨床型は抗原が直接接した部位で発症する局所性接触皮膚炎と，経皮感作した個体で抗原が血流で全身に拡散され遠隔の皮膚において発症する全身性接触皮膚炎とがある．歯科金属アレルギーの主たる臨床症状は，金属との口腔内接触部に起こる接触皮膚炎や粘膜炎，あるいは口腔から離れた遠隔部位の湿疹様反応や掌蹠膿疱症などである．①口腔内に痛みや発赤，特に口腔扁平苔癬が発生している場合，②全身に湿疹，掌蹠膿疱症，水疱，かゆみ，皮膚の紅斑が発生している場合，③これらの症状の出現が歯科での治療歴や病歴と一致する場合は，歯科金属アレルギーの可能性を考慮する．

2）口腔アレルギー症候群（OAS）

なんらかの食材による口腔内の反応を口腔アレルギー症候群 oral allergy syndrome（OAS）とよび，特に花粉との交差反応性により果物や野菜を経口摂取した際に生じるアレルギー反応を pollen-food allergy syndrome（PFAS）とよぶ．現在では，カバノキ科花粉（シラカンバ，ハンノキ）はバラ科果物（リンゴ，モモ，サクランボなど）やマメ科，イネ科花粉（オオアワガエリ，カモガヤ）はウリ科果物（メロン，スイカなど），キク科花粉（ブタクサ，ヨモギ）はセリ科野菜など，花粉と食物との関連性が明らかになっている．食物摂取のおよそ15分以内に直接触れた口の中や唇の粘膜が腫れて違和感やしびれを自覚し，顔の浮腫，蕁麻疹，腹痛，ひどい場合には呼吸困難などを生じる．ラテックスゴムにもかぶれることが多いので，別名ラテックスフルーツ症候群ともよばれる．IgEが関与するものが多いが，IgGやT細胞の反応によるものもある．

3）Behçet 病

口腔粘膜の再発性アフタ性潰瘍，外陰部潰瘍，皮膚症状，眼のぶどう膜炎などの眼の症状の4つの症状を主症状とする原因不明の自己免疫疾患である．

4）多形滲出性紅斑

皮膚や粘膜に紅斑，びらん，水疱を生じる急性非化膿性炎症性病変である．口腔粘膜の好発部位は，口唇，頬粘膜，舌である．単純ヘルペスウイルス，マイコプラズマ感染，薬剤（サルファ薬，抗菌薬，非ステロイド性抗炎症薬など），食品などに起因するアレルギー反応と考えられている．

5）Stevens-Johnson 症候群

Stevens-Johnson 症候群は，高熱や全身倦怠感などの症状を伴って，口唇・口腔，眼，外陰部などを含む全身に紅斑，びらん，水疱が多発し，表皮の壊死性障害を認める疾患である．原因として統一見解はないが，薬剤性の報告が多い．また，マイコプラズマ感染や一部のウイルス感染に伴い発症するアレルギー反応も原因と推測されている．

アレルゲン免疫療法（減感作療法）

花粉症，食物アレルギー，口腔アレルギー症候群などに対して，アレルゲンが特定された場合，Ⅰ型過敏症の主体であるIgEの産生，あるいはアレルゲンへの反応を抑制することを目的とした治療が行われている．この治療をアレルゲン免疫療法（減感作療法），あるいは脱感作療法とよぶ．

ごく微量のアレルゲンを，アレルギー反応が出ないことを確かめながら皮下に投与することを繰り返す．皮下への抗原投与では，インフルエンザワクチンと同様に，つくられる抗体はIgGが主体でIgEがつくられることは少ない．そのため，抗原が侵入した際にはIgGが先に反応し，IgEが反応できないため肥満細胞からのヒスタミンなどのケミカルメディエーターの放出が起こらなくなると考えられる．また，抗原を経口投与すると，その抗原に対する免疫寛容（経口寛容，経口トレランス）が誘導されることから，アレルゲンを舌下投与（舌下免疫療法），あるいは経口投与することも行われている．この方法は主に樹状細胞から産生されるIL-10，TGF-βなどが制御性T細胞を誘導するためと考えられている．

6）IgG4 関連疾患

血中のIgG4値が高値を示し，病理組織学的特徴としてリンパ球とIgG4陽性形質細胞の臓器への著明な浸潤と線維化を認め，全身諸臓器の腫大や結節・肥厚性病変などを認める原因不明の疾患である．罹患臓器としては膵臓，胆管，涙腺・唾液腺，中枢神経系，甲状腺，肺，肝臓，消化管，腎臓，前立腺，後腹膜，動脈，リンパ節，皮膚，乳腺などが知られており，自己免疫性膵炎や涙腺唾液腺炎（ミクリッツ病）などが典型的疾患である．臨床的には各臓器病変により異なった症状を呈し，臓器腫大，肥厚による閉塞，圧迫症状や細胞浸潤，線維化に伴う臓器機能不全など時に重篤な合併症を伴うことがある．発症原因は不明であるが，ステロイドが有効であることや喘息やアトピー性皮膚炎の合併率が高いことなどから，自己免疫性疾患あるいはアレルギー性・炎症性疾患と考えられている．

歯科領域では，IgG4関連涙腺・眼窩および唾液腺病変を診断する際，Sjögren 症候群，サルコイドーシス，Castleman 病，多発血管炎性肉芽腫症，悪性リンパ腫，癌などを鑑別除外する必要がある．（藤猪英樹）

VIII 免疫不全症

免疫系の1つあるいは複数の機能不全が起きているとしばしば重篤な障害を引き起こす．これらを総称して免疫不全症 immunodeficiency disease という（**表 2-8-1**）．免疫不全症は2つに大別される．先天性（原発性）免疫不全症 congenital immunodeficiency disease は遺伝的欠損により，自然免疫系や獲得免疫系を構成する体液性ならびに細胞性要素に異常が認められる．後天性（二次性）免疫不全症 acquired immunodeficiency disease は遺伝性の疾患ではなく，栄養状態の低下，担がん状態，免疫抑制薬の使用，免疫担当細胞へのウイルス感染，特に後天性免疫不全症候群 acquired immunodeficiency syndrome（AIDS）の原因であるヒト免疫不全ウイルス human immunodeficiency virus（HIV）によって生じる．

表 2-8-1　代表的な免疫不全

先天性（原発性）免疫不全症
【自然免疫の異常】
1．補体欠損症
・補体成分の欠損に起因する先天性免疫不全症
・C3，H 因子，I 因子欠損
・補体受容体（LFA-1，CR3，CR4）欠損
・C1インヒビター欠損
・GPI アンカー型タンパク質異常
2．食細胞の機能不全による免疫不全
・活性酸素欠乏症
3．白血球接着不全症
・好中球の走化性障害
4．Toll 様受容体（TLR）シグナル伝達障害
【リンパ球の異常】
1．B 細胞の機能障害による免疫不全（体液性免疫異常）
・X 連鎖無γグロブリン血症
・IgA 欠損症
・高 IgM 症候群
・分類不能型免疫不全症（CVID）
2．T 細胞の機能障害による免疫不全（細胞性免疫異常）
・重症複合免疫不全症（SCID）
・DiGeorge 症候群
・MHC クラスⅡ欠損症
・X 連鎖重症複合免疫不全症
後天性（二次性）免疫不全症
【免疫抑制状態が引き起こす免疫不全症】
・タンパク質（栄養）摂取不良
・悪性新生物（がん）
・感染症
・後天性免疫不全症候群

❶ 先天性（原発性）免疫不全症

先天性（原発性）の免疫不全症では，自然免疫の異常，リンパ球の分化・成熟の異常などが原因となる．

1）自然免疫の異常

自然免疫の主な構成要素は，食細胞による食作用と補体であり，感染性の微生物に対する最前線の防御機構である．そのため，食細胞や補体に先天的な異常があると，感染を繰り返す易感染性を示す．

(1) 補体欠損症

補体タンパク質と補体調節タンパク質の欠損は，さまざまなヒトの疾患の原因となる．補体タンパク質については遺伝的な欠損症が知られている．

a）補体成分の欠損に起因する先天性免疫不全症

補体成分欠損による免疫不全の多くは，常染色体の劣性遺伝に起因する．C1q，C1r，C1s，C2，C4，C3を含む古典経路の構成因子のうち，C1q，C2，C4の欠損は，全身性エリテマトーデス（SLE）のような全身のさまざまな場所，臓器に，多彩な症状を誘発する．補体活性化が欠損しているため，抗原抗体複合物（免疫複合体）の除去が不十分であることが指摘されている．

b）C3，H 因子，I 因子欠損

オプソニン化に重要なC3，H因子，I因子を欠くと細菌感染症や糸球体腎炎を発症しやすくなる．C5～C8のそれぞれの欠損は，*Neisseria* 属などに易感染性となる．

c）LFA-1，CR3，CR4 欠損

補体受容体LFA-1，CR3，CR4欠損によっても，重症の細菌感染症を発症する．これは，食細胞の遊走やオプソニン化された菌体の貪食が妨げられるためである．

d）C1インヒビター欠損

補体調節タンパク質，C1インヒビターが欠損すると，皮膚や粘膜の血管に反復性の浮腫性病態を惹起する．C1インヒビターは，C1qが宿主細胞表層に非特異的に沈着し宿主細胞がプロテアーゼ（タンパク質分解酵素）によって傷害されるのを防いでいる．口腔領域から上気道に発症すれば，気道狭窄を起こし生命にかかわる症状を呈する．

e）GPI アンカー型タンパク質異常

GPIアンカー型タンパク質であるdecay accelerating factor（DAF）が欠損すると，赤血球表面に膜侵襲複合体（MAC）が形成され溶血反応が進行し，発作性夜間血色素尿症を発症する．

(2) 食細胞の機能不全による免疫不全

慢性肉芽腫症 chronic granulomatous disease は食細胞の酸化酵素複合体 phagocyte oxidase（phox）を構成する成分の異常によって発症する．この変異によりスーパーオキシドの産生が障害されることから，食細胞，特に好中球では貪食した微生物を殺菌できなくなる．好中球によって微生物排除ができないため，慢性的に細胞性免疫が刺激され，T細胞によるマクロファージ活性が持続する．活性化したマクロファージは病原体排除のため肉芽腫を形成する．

(3) 白血球接着不全症

白血球表面のL-セレクチンやLFA-1，血管内皮細胞上のE-セレクチンやICAM-1が欠損する常染色体劣性遺伝の疾患群である．これらの疾患では，白血球，特に好中球が感染局所へ動員されないため，乳児期早期から重症の歯周炎や感染を繰り返す．

(4) Toll様受容体（TLR）シグナル伝達障害

TLR4の欠損症でグラム陰性菌の易感染性が，TLR2欠損症では*Legionella*属などの易感染性が知られている．また，TLR3欠損症，およびTLR3のシグナル伝達経路のTRAF3の欠損では単純ヘルペス脳症に対して感受性が上がる．さらに，TLRのシグナル伝達経路の下流にあるMyD88やIRAK-4に変異をもつ患者では，肺炎球菌性の肺炎を発症する．

2) リンパ球の異常

(1) B細胞の機能障害による免疫不全（体液性免疫異常）(図2-8-1)

抗体を産生するB細胞に障害をきたした場合，抗体応答が不十分になり，同一種あるいは異種の細菌感染症を繰り返す．

a) X連鎖無γグロブリン血症

B細胞のブルトン型チロシンキナーゼ遺伝子の変異を伴うX染色体の劣性遺伝子欠損であり，B細胞の分化・成熟に障害を生じる．すべてのIgGサブクラスの濃度がきわめて低く，感染リスクが高い．定期的な免疫グロブリン製剤の投与によって感染症は改善する．

b) IgA欠損症

本疾患は，家族性に発症することが多く，人種差も認められる．単独の障害の場合，無症状で経過することが多いものの，IgGサブクラス欠損症やIgE過産生を合併し，重篤な細菌感染症を引き起こすこともある．IgAへのクラススイッチに異常があると推察されている．

c) 高IgM症候群

T細胞のエフェクター分子であるCD40リガンドに変異があると，B細胞のCD40に結合できない．そのため，B細胞はIgMからIgGやIgAへクラススイッチができないため，血液中の主な抗体のアイソタイプはIgMとなる．

d) 分類不能型免疫不全症（CVID）

分類不能型免疫不全症common variable immunodeficiency（CVID）は，免疫グロブリン産生低下を認める種々の疾患の総称である．名前のとおり分類が困難な免疫不全症である．CD4 T細胞からのシグナル伝達経路の障害により，B細胞の分化に不全が生じたために発症すると考えられている．

(2) T細胞の機能障害による免疫不全（細胞性免疫異常）

a) 重症複合免疫不全症

体液性免疫と細胞性免疫が障害される免疫不全症を，重症複合免疫不全症severe combined immunodeficiencies（SCID）という．重症複合免疫不全症はB細胞の成熟の障害の有無によらず，T細胞の分化が障害されることで起こる．B細胞の分化に障害がない場合の体液性免疫の異常

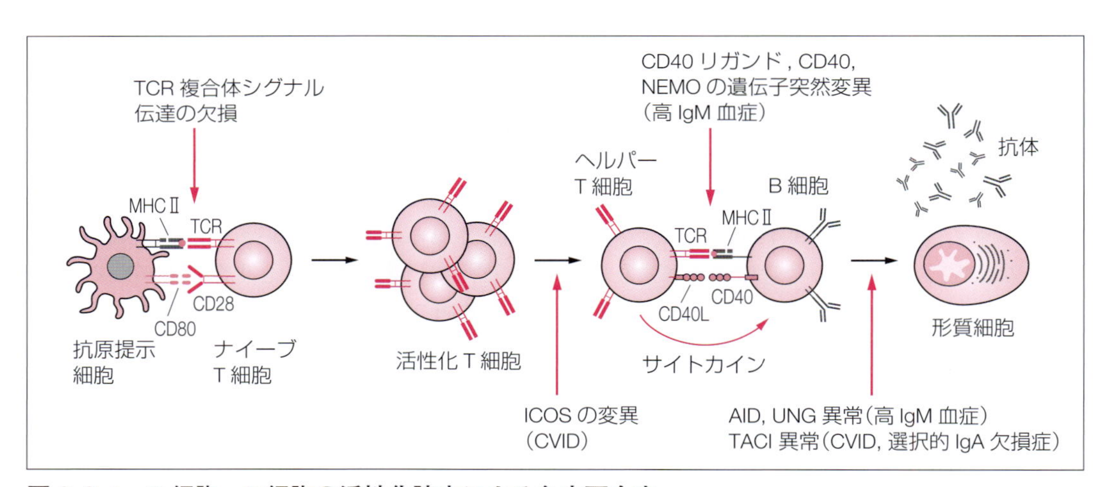

図2-8-1　B細胞，T細胞の活性化障害による免疫不全症

先天性の免疫不全症はB細胞やT細胞の受容体シグナルの障害や，それらの分子の遺伝的欠損によって起こる．CVID：分類不能型免疫不全症，ICOS：誘導性T細胞共刺激因子inducible T-cell co-stimulator，NEMO：NF-κB必須調節因子NF-κB essential modulator，AID：活性化誘導シチジンデアミナーゼactivation-induced cytidine deaminase，UNG：ウラシルDNAグリコシダーゼuracil DNA glycosylase，TACI：膜貫通型活性化因子およびカルシウム調節因子およびシクロフィリンリガンド相互作用因子transmembrane activator and calcium-modulator and cyclophilin ligand interactor

（分子細胞免疫学，原著第9版，p492，図21.2を参考に作成）

は，T 細胞の B 細胞分化の補助が欠落していることが原因である．重症複合免疫不全症の患者は肺炎や髄膜炎など，致死的な感染症を合併する．乳幼児において，弱毒微生物による呼吸器疾患，腸管感染症や皮膚感染症が重症化することで判明することが多い．重症複合免疫不全症判明前に水痘，麻疹，風疹，ムンプス，ロタウイルスに対する弱毒生ワクチンを接種すると，ワクチンによる感染症を発症しうる．

b）DiGeorge 症候群

DiGeorge 症候群は，胸腺発生時期に胚芽器官である第 3・4 鰓弓の形成異常に伴い，第 3・4 鰓弓から発生する胸腺や副甲状腺，その他の臓器の発生異常をきたし重症複合免疫不全症を発症する．鰓弓の癒合不全による両眼の解離顔貌を認める．本疾患多くは染色体 22 q11 部位が欠失している．

c）MHC クラスⅡ欠損症

MHC クラスⅡ分子が欠損すると，CD4 T 細胞の分化が障害される．そのため，B 細胞の免疫グロブリン産生が不全となり，無～低γグロブリン血症を起こし，日和見感染症を繰り返す．

d）X 連鎖重症複合免疫不全症

X 連鎖重症複合免疫不全症は，IL-2，IL-4，IL-7，IL-9，IL-15 の受容体に共通する共通γ（γ_c）鎖をコードする遺伝子の変異によって発症する．X 連鎖重症複合免疫不全症は，T 細胞と NK 細胞の分化成熟障害がみられ，それぞれの細胞数が激減する．その一方，B 細胞数に変化はなく，本疾患でみられる体液性免疫不全は，T 細胞の補助の欠失による．

❷ 後天性（二次性）免疫不全症

遺伝ではなく，後天性の異常によって免疫不全を発症することがある．実際に，後天性免疫不全症は先天性免疫不全症よりも頻度は高く，さまざまな要因により発症する．

免疫抑制状態が引き起こす免疫不全症

（1）タンパク質（栄養）摂取不良

タンパク質，脂肪，ビタミン，ミネラルの摂取不良により生じる全身性の代謝異常であり，免疫細胞の成熟や機能異常が起こるとされる．発展途上国で多くみられ，微生物感染に対する免疫応答の低下を引き起こし，感染症による死亡率を上げることになる．

（2）悪性新生物（がん）

進行性のがん患者では，体液性免疫や細胞性免疫の機能低下が起こるため，さまざまな微生物による感染症に罹患しやすくなる．白血病などの骨髄腫瘍や骨転移したがんでは，正常なリンパ球や白血球の分化や増殖が障害される．

（3）感染症

ウイルス感染は，少なからず細胞性免疫の低下をもたらす．麻疹ウイルスはリンパ球に感染して免疫応答を低下させることが知られている．さらに，ヒト T 細胞白血病ウイルス 1 型 human T cell lymphotropic virus type 1（HTLV-1）も CD4 T 細胞に感染し，成人 T 細胞白血病 adult T cell leukemia（ATL）とよばれる進行性のモノクローナルな悪性腫瘍を生み出す．成人 T 細胞白血病の典型例では重篤な免疫抑制状態となり，さまざまな日和見感染症に罹患する．

（4）ヒト免疫不全ウイルスと後天性免疫不全症候群

後天性免疫不全症候群（AIDS）は HIV（☞ p.203 参照）の感染によって発症する．HIV は表面の糖タンパク質 gp120 が CD4 分子と，gp41 がケモカイン受容体の CCR5（主にマクロファージ指向性）か CXCR4（主に T 細胞指向性）と結合することによって細胞に感染する．HIV による免疫不全の機序は主に CD4 T 細胞数の減少に起因する．CD4 T 細胞数の減少は，①ウイルス産生時の細胞変性によるアポトーシス，②遊離 gp120 などのウイルス産物による細胞毒性，③ CD8 T 細胞による感染 CD4 T 細胞の排除，④ T 細胞の慢性的な活性化による活性化細胞誘導死 activation-induced cell death（AICD）などによる．HIV による CD4 T 細胞の減少によって，さまざまな日和見感染症が発症する．

（藤猪英樹）

ワクチンによる感染症の予防

ワクチン vaccine は病原体の抗原を投与することで，抗原特異的な免疫記憶を獲得させ，感染症を予防する方法である（**表 2-9-1**）．感染前にはその病原体に特異的なリンパ球は非常に少なく，感染防御に必要な数のクローンの増殖と活性化に時間がかかる．そのため，感染初期には病原体が増殖し，発症する．しかし，ワクチンの接種により病原体に特異的な免疫を構築しておけば，構築された病原体に対する免疫記憶は，病原体の侵入に対して迅速に強い免疫活性を発揮し，感染しても発症前に病原体は排除されるか，重症化が抑制される．ワクチンはこのように接種した人への直接的な効果と，社会の大部分の人が免疫を獲得することで，集団としての流行を防ぐ効果がある（集団免疫の獲得）．また一部のワクチンは，病原体に曝露した後，発症に至るまでの間に接種することで免疫を獲得あるいは増強して，発病を防ぐ．さらにワクチンは感染症の予防のみでなく，がんなどの疾患の予防などにも使われ始めている．B 型肝炎ウイルスによる肝臓がんやヒトパピローマウイルスによる子宮頸がんなどが相当する．

免疫学の歴史で述べたように，ワクチンの歴史は Jenner によって始められ，今日まで多くのワクチンが開発された．ポリオ，麻疹，百日咳を含む多くの小児の疾患でもワクチンの接種は顕著な成果をあげている．

表 2-9-1 ワクチンの具備すべき条件

予防効果	病原体感染による発症を軽減または防御できること
持続性	病原体感染に対する効果が長期にわたり持続すること
安全性	ワクチン接種による発病や副反応を起こさないこと
接種法	接種が容易で，接種時に痛みや不快感を伴わないこと
安定性	長期間の保存や温度変化によっても力価が低下しないこと
製造コスト	安価であること

❶ ワクチンの種類と特徴（表 2-9-2）

ワクチンは，①生ワクチン，②不活化ワクチン，③コンポーネントワクチン，④トキソイド，⑤核酸ワクチン，⑥ウイルスベクターワクチンに大別される．

生ワクチンは，病原性を弱めたウイルス，細菌が主成分で，それらが体内で生存，増殖することで特異的抗体や免疫担当細胞の誘導を行う．接種後に得られる免疫能は他のワクチンに比べて強い．1 回のワクチン接種で必要な免疫応答を賦与できる．しかし，免疫原性を長期間持続させるためには，自然感染や追加接種による刺激が必要である．毒力復帰株出現の可能性は否定できず，また副反応が現れる危険性は他のタイプのワクチンに比べて高い．免疫機能の低下した人への生ワクチン接種は，発症の危険性が増す．

不活化ワクチンは大量に増殖させたウイルス粒子や細菌の菌体などを精製し，加熱やホルマリン処理によって，免疫原性を残しながら病原性を消失あるいは毒素を無毒化したものである．ワクチン株が体内で増殖することによる副反応はなく，免疫機能の低下した人にも接種できる．しかし，十分な免疫応答を誘導するために，多量の抗原が必要であり，免疫の持続期間が短いために複数回のワクチン接種が求められる．

コンポーネントワクチンは，微生物由来成分の中で，高い免疫原性を有している感染防御抗原を抽出・精製，あるいはその抗原の組換え体を作製したものである．不活化ワクチン同様，副反応は少なく，生ワクチンに比べ免疫原性は弱い．しかし，感染防御抗原が明確な場合には，大量か

表 2-9-2 ワクチンの種類と特徴

種類	特徴	誘導される免疫	基本的な接種回数	効果の持続性
生ワクチン	生きた病原体．健常者に病原性なし	細胞性免疫，体液性免疫	1 回	長期間
不活化ワクチン	不活化（死滅）した病原体．感染性，増殖性なし	主に体液性免疫	複数回	比較的短期間
コンポーネントワクチン	感染防御抗原	体液性免疫	複数回	比較的短期間
トキソイド	無毒化した細菌外毒素	体液性免疫	複数回	比較的長期間
核酸ワクチン*	抗原の遺伝子や mRNA を使用	体液性免疫，細胞性免疫 自然免疫も賦活	複数回	比較的短期間？
ウイルスベクターワクチン*	感染性はあるが増殖しないウイルス粒子に抗原遺伝子を組み込む	細胞性免疫，体液性免疫 自然免疫も賦活	1 回	比較的短期間？

*ヒトへの使用実績は短く，不明な点が多い．

つ安価に製造できるコンポーネントワクチンが優れている．

トキソイドは外毒素を精製し，ホルマリンで処理することにより，免疫原性を残して無毒化したものである．トキソイドを接種すると抗体が産生され，体内に侵入・増殖した毒素産生菌から産生された毒素を中和して発症を抑制する．毒素単独では免疫原性が弱いため，アジュバント adjuvant を加えて免疫原性を高める．国内で使用される代表的なトキソイドに，沈降破傷風トキソイド，沈降ジフテリアトキソイドがある．

最近では免疫原性をもつ病原微生物の成分の代わりに，その遺伝情報である DNA や mRNA（メッセンジャー RNA）をワクチンとして接種することで，ヒトの体内で遺伝子産物を産生させる核酸ワクチンや，それらの導入に体内では複製しないウイルスを使用するウイルスベクターワクチンなどが開発されている．いずれも細胞内に取り込まれた核酸をもとにつくられたタンパク質が抗原として働き，免疫応答が惹起される．核酸，特に mRNA は人体や環境中の分解酵素で簡単に分解されるため，構造を改変・最適化し，そして，分解を防ぐために脂質ナノ粒子で包んでカプセル化して使用する．さらに，微生物由来の DNA や mRNA には，自然免疫を賦活化する配列もあり（☞ p.94 **表 2-2-1** 参照），核酸そのものがアジュバントとして機能する場合もある．

❷ ワクチンの投与経路とアジュバント

適切な免疫応答が得られるかは，ワクチンの投与方法に大きく左右される．投与経路には，経口，経皮，皮下，筋肉内，経鼻などがあり，投与方法には服用，注射，噴霧などがある．現在用いられているワクチンは皮下あるいは筋肉中に接種するものがほとんどである．BCG ワクチンは皮内接種が推奨される．また，ロタウイルスワクチンがわが国における唯一の経口ワクチンである．一般に皮下接種に比べ筋肉中へのワクチン接種は，局所反応（発赤，腫脹，疼痛）が少なく，免疫応答は高いとされている．

不活化ワクチン，コンポーネントワクチン，トキソイドでは，抗原のみでは十分な免疫誘導・抗体産生が得られない．免疫原性を高める物質を同時に投与することで，これらに対する十分な免疫誘導や抗体産生を起こすことができる．このように抗原とともに生体に投与されたときに，抗原に対する免疫応答を非特異的に増強させる物質をアジュバントという．アジュバントの具体的な作用として，①抗原に吸着して抗原提示細胞への取り込みを高める，②抗原を局所に長期間とどめて徐々に放出させ，抗原刺激を持続させる，③免疫担当細胞を非特異的に活性化させるなどが知られている．パラフィンとアラセルの混合物である不完全フロイントアジュバント，それに結核菌死菌を加えた完全フロイントアジュバントなどが有名であるが，ヒトでは比較的安全なアジュバントであるアルミニウム塩と，エマルジョンアジュバントである MF59 および AS03（スクワレンを含む），および AS04（混合アジュバント）が認められている．

新たなアジュバントの開発も進められており，自然免疫を活性化する微生物由来成分（リピド A，鞭毛成分，核酸），植物成分，ポリペプチド，バイオポリマー，サイトカインなどの使用が検討されている．

❸ 現行ワクチンの性状（表 2-9-3）

予防接種は予防接種法に基づく「定期接種」，「臨時接種」と，予防接種法に基づかず独自の判断で接種する「任意接種」に大別される．そして定期接種は集団予防の観点から実施される A 類疾病と，主にリスクの高い者の個人予防の観点から実施される B 類疾病がある．ここでは定期接種されるワクチンを中心に説明する．この中でムンプ

表 2-9-3　主な現行ワクチンの種類

性状	病原体の種類	ワクチン名	接種経路
生ワクチン	ウイルス	麻疹	皮下注
		風疹	皮下注
		水痘	皮下注
		ムンプス	皮下注
		ロタウイルス	経口
	細菌	BCG	経皮
不活化ワクチン	ウイルス	IPV	皮下注
		日本脳炎	皮下注
		狂犬病	皮下注
コンポーネントワクチン	ウイルス	インフルエンザ	皮下注
		B 型肝炎	皮下注
		HPV	筋注
		帯状疱疹	筋注
	細菌	Hib 結合	皮下注
		20 価肺炎球菌 15 価肺炎球菌	皮下注
		23 価成人用肺炎球菌	筋注または皮下注
		髄膜炎菌	筋注
トキソイド	細菌毒素	ジフテリア・破傷風（DT）	皮下注
		DPT	皮下注
		破傷風	皮下注
核酸ワクチン	ウイルス	新型コロナウイルス	筋注
ウイルスベクターワクチン	ウイルス	新型コロナウイルス	筋注
その他		DPT-IPV	皮下注

スワクチンは任意接種である．なお，予防接種スケジュールについては，国立感染症研究所ホームページを参照のこと．
https://www.niid.go.jp/niid/ja/vaccine-j.html

1）ジフテリア・百日咳・破傷風混合ワクチン＋不活化ポリオワクチン（DPT-IPV）

予防接種法による定期接種の1つに指定されている．2012年4月に不活化ポリオワクチン inactivated polio vaccine（IPV）が認可されたことにより，従来のジフテリア diphtheria- 百日咳 pertussis- 破傷風 tetanus（DPT）の3種混合ワクチンにIPVを加えた4種混合ワクチン（DPT-IPV）が2012年11月から使用されるようになった．それまではポリオに対しては経口生ポリオワクチン oral polio vaccine（OPV）が経口投与されていたため，3種混合ワクチンとOPVは分けて接種されていた．ジフテリアワクチンと破傷風ワクチンはそれぞれの毒素を無毒化したジフテリアトキソイドと破傷風トキソイドであり，百日咳ワクチンは百日咳毒素（PT）と線維状赤血球凝集素（FHA）を主成分としたコンポーネントワクチンである．生後3か月になった時点で接種を開始し，4回接種する．なお，2018年から1月からDPTが再び使用可能となり，DPTとIPVを個別にそれぞれ4回接種することも可能となっている．予防接種法では，11歳以上13歳未満にジフテリア・破傷風混合ワクチンDTの2種混合ワクチンが接種される．2023年3月に上記の4種に加えてインフルエンザ菌b型を予防する5種混合ワクチンが薬事承認されている．

2）麻疹ワクチンおよび風疹ワクチン

これらはいずれも生ワクチンであり，2種混合ワクチン measles-rubella（MR）として，1歳以上2歳未満と就学前の1年間の2回，皮下接種する．麻疹は国内においてもしばしば流行発生しているが，感染者の多くはワクチン未接種者か1回接種者である．ただし，再感染することもあり，またワクチン接種を受けても麻疹を発症する例も存在する．風疹は，最近では2018年頃から流行しており，これまで一度も風疹の定期予防接種を受ける機会がなかった1962年4月2日～1979年4月1日の間に生まれた男性には，風疹の抗体検査を前置したうえで，2025年7月31日までの時限付きで定期接種が行われている（第5期定期接種）．

風疹は感染力が高く，妊娠初期に感染した場合，先天性疾患の原因となる．生ワクチンのため，妊娠中には接種できない．十分な免疫を獲得できていない女性が妊娠を希望する場合には，妊娠前に2回接種しておくことが望ましい．

3）水痘ワクチン（帯状疱疹ワクチン）

水痘（みずぼうそう）と帯状疱疹はいずれも水痘帯状疱疹ウイルス varicella-zoster virus（VZV）による疾患で，発熱と全身の水疱性皮疹を特徴とする．初感染により水痘が引き起こされる．ウイルスはその後，脊髄後根神経節や脳神経節に潜伏する．ウイルスが再活性化されると，神経支配領域に疼痛を伴う水疱が集簇して出現する帯状疱疹を発症する．水痘ワクチンは日本で開発された弱毒生ワクチンで，皮下に接種する．2014年10月から定期接種ワクチンに導入され，1歳以上3歳までの間に，3か月以上の間隔をあけて2回接種する．妊婦には禁忌で一部の免疫不全者にも投与できない．

帯状疱疹は高齢者に多く発症することから，50歳以上の者に弱毒生水痘ワクチン（1回皮下注）またはサブユニットタイプのコンポーネントワクチンである帯状疱疹ワクチン（2か月間隔で2回筋中）が任意接種される．

4）日本脳炎ワクチン

日本における日本脳炎の発生数は年間10名以下であるが，西日本におけるブタの感染率は高く，ヒトへの感染リスクは無視できない．マウス脳由来ワクチンが不活化ワクチンとして従来使用されてきたが，急性散在性脳脊髄炎 acute disseminated encephalomyelitis（ADEM）の症例が健康被害認定を受けたことにより，接種の積極的勧奨が差し控えられた．その後，不活化ワクチンである乾燥細胞培養日本脳炎ワクチンが開発され，現在使用されている．定期接種ワクチンの1つであり，第1期は生後6か月以降に追加免疫を含めて3回接種する．第2期は追加接種として9～13歳に予定される．ワクチン接種の積極的勧奨が差し控えられた間に小児の日本脳炎例が散発したこともあり，この間接種の機会を逃した人にも新しいワクチンが接種されている．また北海道は対象外であったが，2016年から定期接種が開始された．

5）Hib ワクチン

インフルエンザ菌b型に対するコンポーネントワクチンであり，本菌の菌血症によって起こる細菌性髄膜炎が予防対象疾患である．2013年4月から定期接種となった．インフルエンザ菌感染症の防御は莢膜多糖体に対する抗体が担うが，莢膜多糖体のみの接種では十分な免疫原性がない．そのため，キャリアタンパク質を結合させたHib結合体ワクチンが開発され，現在使用されている．日本ではキャリアタンパク質として破傷風トキソイドを使用したPRP-T ワクチンが認可されている．

6）肺炎球菌ワクチン

肺炎球菌は乳幼児に髄膜炎，敗血症を伴う侵襲性肺炎球菌感染症 invasive pneumococcal disease（IPD）を起こす他，肺炎，中耳炎，副鼻腔炎などの局所感染症を起こす．高齢者においては市中肺炎の原因菌の中で最も多いのが，肺炎球菌である．

肺炎球菌の莢膜多糖体がワクチンの主成分である．肺炎球菌には100種類以上の血清型が存在する．肺炎球菌ワクチンは，莢膜多糖体に無毒性変異ジフテリア毒素をキャリアタンパク質として結合した結合型ワクチンであり，20種類の血清型の莢膜多糖体を用いたPCV20が小児を対象とした定期接種に原則として用いられる．15種類の血清型の莢膜多糖体を用いたPCV15も使用可能である．高齢者には23価多糖体肺炎球菌ワクチン（PPSV23）が定期接種化されている．

7）ヒトパピローマウイルスワクチン

ヒトパピローマウイルス（HPV）の外膜のみからなるウイルス様粒子を抗原とするコンポーネントワクチンで，子宮頸がん・陰茎がん・咽頭がんなどの原因となる16・18型の高リスクのみを含有する2価ワクチンと，それに尖圭コンジローマ・再発性呼吸器乳頭腫症などの良性疾患と関連のある6・11型を加えた4価ワクチンがある．主な接種対象は11～13歳の女性で，接種回数は3回，筋注である．2013年4月から定期接種となっている．重篤な副反応が数多く報告されたことから積極的な接種勧奨が一時差し控えられたが，2021年10月にはこの状態は解除され，現在は積極的勧奨となっている．2020年7月には，新たな9価ワクチン（31・33・45・52・58型を追加）も承認され接種可能となった（2023年より定期接種化）．

8）BCGワクチン

BCGワクチンは強毒であるウシ型結核菌 *Mycobacterium bovis* を長期にわたって継代することにより弱毒化した生ワクチンである．唯一の細菌性生菌ワクチンで，世界中で最も多くの人に接種されてきた．乳幼児の結核性髄膜炎や粟粒結核の発症にはきわめて有効であるが，成人の結核発症予防効果については議論のあるところである．生後1歳に至るまで（標準的接種期間は生後5か月以上8か月未満）に1回接種する．接種後の局所に潰瘍やリンパ節の腫脹がみられることがあり，また，全身播種性BCG感染症，腋窩リンパ節腫脹，骨炎・骨髄炎，皮膚病変が生じることがある．

9）インフルエンザワクチン

現在日本で用いられているインフルエンザウイルスワクチンは，発育鶏卵の漿尿膜腔で増殖させたウイルスを精製した後，脂質成分を除去し，ホルマリンで不活化したHA（赤血球凝集素，hemagglutinin）ワクチンである．HAは体液性免疫の主体となる抗原であるためワクチンの標的として適しているが，亜型間の抗原性の違いが大きく，獲得する免疫は亜型特異的である．そのため，流行株がワクチン株と一致した場合の効果は大きいが，両者が異なった場合にはその効果は激減する．しかし，ワクチンにより発症予防が完全に行われなくても症状が軽減されることが期待できる．65歳以上の者，および60歳以上65歳未満で特定の基礎疾患を有する場合は定期接種である．それ以外は任意接種である．

この従来からのインフルエンザワクチンに加えて，新型インフルエンザ（高病原性インフルエンザ；H5 N1型）の流行に備えて高病原性新型（H5 N1）インフルエンザワクチンが承認，備蓄されている．

10）B型肝炎ワクチン

HBV持続感染者（キャリア）の10～15％は慢性肝疾患（慢性肝炎，肝硬変，肝がん）である．現在使用されているワクチンはエンベロープに含まれるHBs抗原の遺伝子を酵母に組込んでつくらせた組換えワクチンである．重篤な副反応はほとんどない，安全性の高いワクチンである．若年者ほど抗体獲得率が高い傾向にある．2016年10月からは2016年4月1日以降に生まれたゼロ歳児を対象に定期接種されている．

11）ロタウイルスワクチン

小児の下痢症のほとんどが感染性胃腸炎であり，ロタウイルスは乳幼児の感染性胃腸炎の中で最も多くみられる病原体である．主に乳幼児（4～23か月児）に重度の脱水症を認める．2011年以降2種類の経口生ワクチンが認可されている．2020年10月1日以降，定期接種されている．

12）ムンプスワクチン

流行性耳下腺炎（おたふくかぜ）の発症を予防する生ワクチンで，初代の野外ウイルスを細胞継代により弱毒化し，ニワトリの胚細胞で増殖して製造される．以前は麻疹ワクチンおよび風疹ワクチンとともに3種混合のMMRとして接種されていたが，副反応として無菌性髄膜炎が相次いで報告されたため，MMRの接種は中止され，今日まで単独で使用されている．妊娠中の女性には接種できない．最も多い副反応は一過性の耳下腺腫脹で100人に2～3人の頻度でみられる．任意接種である．

13）SARS-CoV-2（新型コロナ）ワクチン

2020年1月3日にWHOへ初めて報告された新型コロナウイルス感染症（COVID-19）に対して，世界中の研究機関でさまざまな種類のワクチンの開発が行われた．その中で，mRNAワクチンとアデノウイルスベクターワクチン（☞ p.188参照）が，約1年という異例の速さで実用化された．前者にはSARSコロナウイルス2 severe acute respiratory syndrome virus 2（SARS-CoV-2 ☞ p.199参照）のウイルス粒子表面にあるSタンパクのmRNAが用いられ，後者にはその遺伝子が組み込まれている．いずれもヒトに対して初めて実用化されたタイプのワクチンである．そして，そのウイルス遺伝子の配列が，アジュバントとしても作動する可能性がある．なお，mRNAは分解されやすいため，超低温下で輸送・保存される．2021年の導入以来，対象者全員に行われてきた臨時接種（公費による無料接種）は2024年3月末で終了し，2024年4月以降は高齢者のみを対象とした定期接種に切り替えられた．2024年12月現在，日本ではウイルスベクタータイプのワクチンは使用されていない．mRNAワクチンと組換えタンパク質ワクチンが接種されている．また，mRNAワクチンを改変した自己増殖型のレプリコンワクチンも承認されている．

④ 現行ワクチンの問題点と副反応

特異的免疫誘導の機序から，理論上副反応の生じないワクチンの製造は不可能である．ワクチン接種後に最も注意すべきはアナフィラキシーショックであり，ワクチンに含まれる成分に対して反応し，接種後30〜60分以内に突然に発症し，症状が急速に進行する．生命にかかわることもある．

生ワクチンが免疫原性を発揮するためには，ワクチンが接種された宿主の中でワクチン株が増殖する必要がある．ワクチン株は毒性が減弱されているものの，病原体がもつ性質は維持されているため，ワクチン株増殖による臨床症状が出現するリスクがある．BCG接種による腋窩リンパ節腫脹や骨（髄）炎，ポリオ生ワクチン投与によるポリオワクチン関連麻痺などがある．

不活化ワクチン，コンポーネントワクチン，トキソイドでは接種後に自然免疫がまず活性化され，TNF-α，IL-1β，IL-6，IFN-γなどの炎症性サイトカインが産生される．このため，発赤・腫脹・疼痛などの局所反応や，発熱，頭痛，倦怠感などの全身反応が引き起こされる．

ワクチンにより誘導された獲得免疫が宿主のタンパク質などと交差反応を示し，症状が表れることがある．急性散在性脳脊髄炎（ADEM），Guillain-Barré症候群（GBS），特発性血小板減少性紫斑病（ITP）などが知られている．

一定の基準に基づいた副反応が疑われる症状に接したときには，医師・医療機関は独立行政法人医薬品医療機器総合機構（PMDA）に届け，PMDAはこれらの報告をまとめて厚生労働省に伝え，厚生科学審議会予防接種ワクチン分科会・副反応検討部会で評価を行い，必要に応じて国が対応する．

（大原直也）

抗原非特異的免疫療法

免疫制御の仕組みに異常が生じると，免疫疾患が引き起こされる．特に免疫寛容においては，自己抗原に対する免疫応答を不活性化状態で維持する必要がある．免疫制御が破綻した場合，さまざまな免疫療法が行われる（**表 2-10-1**）．

❶ ステロイド

副腎皮質ホルモンの１つグルココルチコイド glucocorticoid（糖質コルチコイド）は強い免疫抑制作用があり，薬物アレルギーや喘息などの幅広い自己免疫疾患や慢性炎症疾患の治療に使用される．ステロイドは細胞膜を透過し細胞内の受容体と結合することにより複合体を形成し，核内へと移行する．作用としては，IL-1 や TNF-αなどの炎症性サイトカインの産生抑制，プロスタグランジン産生の抑制，T 細胞増殖の抑制，B 細胞抗体産生の抑制などである．他に，細胞接着分子発現を抑制することにより，炎症性細胞浸潤も抑制する．治療に用いられる副腎皮質ステロイドホルモンは抑制作用が非特異的なため，効果が過度になれば免疫不全による感染症や悪性腫瘍を誘発する．また副作用などの課題も多い．

❷ 免疫抑制薬

免疫抑制薬が多く開発され，免疫疾患の治療に用いられている．主としてリンパ球に作用してその増殖や活性化を阻害し，免疫機能を抑制する．カルシニューリン阻害剤やアルキル化薬，代謝拮抗薬などがある．これらの免疫抑制薬はステロイドでは効果が不十分であったり，副作用により使用できないときの選択肢として使用される．カルシニューリン阻害剤は放線菌などの代謝産物から発見された細胞内シグナル伝達阻害剤で，作用機序はカルシニューリンと結合することにより，転写因子である NFAT の活性化を抑制し，T 細胞の活性化を抑制する（アトピー治療に使用されるタクロリムスなど）．アルキル化薬は DNA 合成を阻害し，細胞死を引き起こす．代謝拮抗薬は核酸のプリンあるいはピリミジンの合成経路の酵素を拮抗的に阻害することにより，核酸合成を阻害してリンパ球の増殖や活性化を選択的に抑制する．葉酸の代謝拮抗薬も使用される．

表 2-10-1　免疫療法に用いられる薬剤

カテゴリー	種類	薬剤の例
ステロイド	合成グルココルチコイド	プレドニゾロン，デキサメタゾン
免疫抑制薬	カルシニューリン阻害剤	タクロリムス，シクロスポリン
	アルキル化薬	シクロホスファミド
	代謝拮抗薬	メトトレキサート
生物学的製剤	サイトカイン製剤	IFN，IL-2，EPO，G-CSF，FGF
	抗体医薬	抗 TNF-α抗体，抗 IL-6R 抗体，抗 CTLA-4 抗体，抗 PD-1/PD-L1 抗体，抗 RANKL 抗体，抗 SARS-CoV-2 抗体

❸ サイトカイン製剤

サイトカインを遺伝子工学的に作製し，サイトカイン製剤として治療に使用する．抗ウイルス薬としてのインターフェロン（IFN）が代表的である．サイトカイン単独では不安定のため，作用を持続させるためポリエチレングリコールに結合させ投与する．IFN は B 型肝炎や C 型肝炎，がん治療に用いられる．他に IL-2 は腫瘍治療の際に，T 細胞活性化の増強に用いられる．エリスロポエチン（EPO）や顆粒球コロニー形成刺激因子（G-CSF）は，血液疾患治療に用いられる．線維芽細胞増殖因子（FGF）は褥瘡や皮膚潰瘍の治療に用いられる．

❹ 抗体医薬

抗体医薬は遺伝子工学的手法により開発され，近年利用が広まりつつある薬剤である．標的に対して特異的効果を期待でき，腫瘍免疫療法や関節リウマチなどの自己免疫疾患治療では保険適応されている．自己免疫疾患では TNF-αや IL-6 などの炎症性サイトカインが過剰に産生されることで炎症病態を形成するが，これらのサイトカインを標的とした抗体を投与することで，従来の治療では効果が十分でなかった症例に対しても，症状の改善が認められる．特に腫瘍免疫療法では CTLA-4 や PD-1，PD-L1 などの免疫チェックポイント分子に対する抗体を投与することで，従来治療が難しかった腫瘍の治療が可能となっている．破骨細胞に発現する RANKL に対する抗体は骨粗鬆症や骨髄腫の治療にも効果を示す．効果や安全性などの問題は解決されつつある一方で，抗体製剤はどれも高価であり，今後の保険適応の範囲の拡大による公的医療制度への影響が懸念される．一般にマウスで作製されたモノクローナル抗体をヒトに投与すると異物と認識されるため，遺伝子工学的に Fab 領域の抗原結合部位以外をヒト抗体へ変換したものを薬剤とする（キメラ化，ヒト化抗体）．

（桑田啓貴）

病原微生物各論

I グラム陽性球菌と感染症

① *Streptococcus* 属（レンサ球菌）

レンサ球菌 streptococci は連鎖状あるいは対状に配列するグラム陽性球菌である（図 3-1-1）．菌が分裂する際，分裂面が平行に生じていくため，菌体が連鎖状に並んでいく．学名の strepto はラテン語でねじれた連鎖を意味し，coccus（複数形は cocci）は粒を意味する．菌種の大部分は通性嫌気性であるが，一部は偏性嫌気性である．カタラーゼ陰性であり，多くは抗酸化酵素としてスーパーオキシドジスムターゼをもつ．

レンサ球菌は，血液寒天培地上での溶血性により分類される．α溶血レンサ球菌はコロニー周辺に不完全溶血を生じ，緑色を呈する．α溶血レンサ球菌には *Streptococcus pneumoniae*（肺炎球菌）を含む一部の口腔レンサ球菌が含まれる．β溶血レンサ球菌では，コロニー周辺が完全溶血を呈し，透明斑が生じる．β溶血レンサ球菌には，*Streptococcus pyogenes*, *Streptococcus agalactiae* や一部の口腔レンサ球菌がある．非溶血のものは比喩的にγ溶血という．

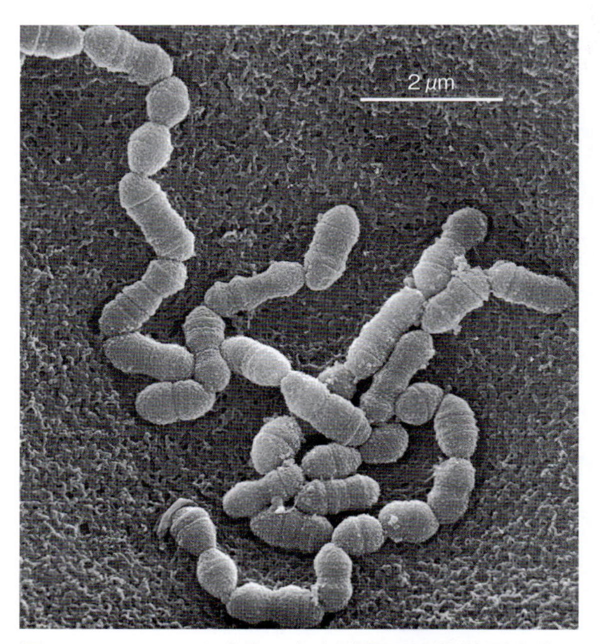

図 3-1-1　レンサ球菌の走査型電子顕微鏡写真像
寒天平板上の *S. pyogenes* の微小集落．

詳細な分類として，米国の Rebecca Lancefield が 1933 年に提唱した，細胞壁多糖の抗原性による血清群別があげられる．Lancefield の分類で，*S. pyogenes* は A 群，*S. agalactiae* は B 群に分類される（表 3-1-1）．また，16S rRNA の塩基配列によって，pyogenic group，mitis group，anginosus group，salivarius group，bovis group，mutans group に分けられる（図 3-1-2）．

1）A 群レンサ球菌 Group A *Streptococcus*

A 群レンサ球菌は，大部分が *S. pyogenes* のため，*S. pyogenes* とほぼ同意義で使われることが多い．しかしながら，A 群には *S. pyogenes* の他にも *Streptococcus anginosus* の一部などが含まれるため，厳密には定義が異なる．

（1）特徴：発見に至る歴史・背景・構造・分類・現在の感染状況

1874 年に外科医 Christian Billroth（1829〜1894）が丹毒患者の皮膚膿汁中から見出した．その後，1884 年に Friedrich Rosenbach（1842〜1923）が"*Streptococcus pyogenes*（化膿レンサ球菌）"の学名を命名した．

S. pyogenes は非運動性の通性嫌気性菌で，菌体表層に M タンパクとよばれる病原因子をもつ．この M タンパクの抗原性の違いによって，M 血清型別がなされている．現在では，より簡便な方法として，M タンパクをコードする遺伝子配列の違いによって分類する，*emm* 遺伝子型別がしばしば用いられている．また菌体表層の T タンパクによる T 血清型別もなされる．

日本において，A 群溶血性レンサ球菌咽頭炎は五類感

表 3-1-1　主なレンサ球菌の分類と病原性

血清群	菌種	ヒツジ赤血球溶血	ヒトでの生息・感染部位	病原性
A 群	*S. pyogenes*	β	咽頭，皮膚	咽頭炎，膿痂疹，猩紅熱，リウマチ熱，腎炎
B 群	*S. agalactiae*	β（α/γ）	咽頭，膣	新生児脳炎，産褥熱，（ウシ乳房炎）
C 群	*S. equi* *S. equisimilis*	β	咽頭，膣，皮膚	咽頭炎，その他（ウマ腺疫）
D 群	*E. faecium*	β/α	大腸	尿路感染，骨盤内炎症・膿瘍，心内膜炎
C/G 群	*S. dysgalactiae* subsp. *equisimilis*	β	咽頭，皮膚	蜂窩織炎，化膿性関節炎
—	*S. pneumoniae*	α/β	口腔，咽頭，喉頭	肺炎，中耳炎，骨髄炎，心内膜炎

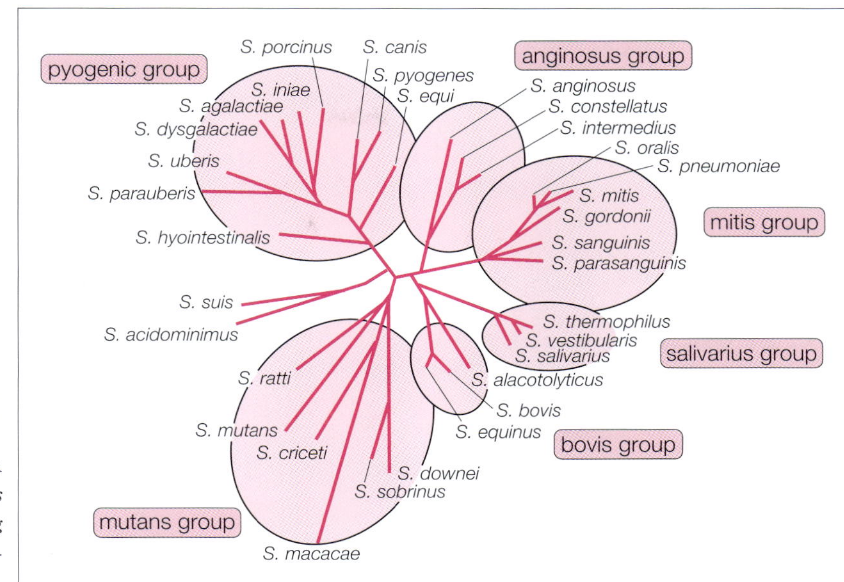

図 3-1-2　16S rRNA の塩基配列に基づくレンサ球菌の系統関係

（Kawamura Y et al.：Determination of 16S rRNA sequences of *Streptococcus mitis* and *Streptococcus gordonii* and phylogenetic relationships among members of the genus *Streptococcus*. *Int J Syst Bacteriol*, **45**(2)：406 ～ 408, 1995. を改変）

染症の定点把握疾患に指定されており，全国約 3,000 の小児科定点医療機関から，毎年 30 万～40 万症例が報告されている．また，劇症型溶血性レンサ球菌感染症は五類感染症の全数把握対象疾患に指定されている．2010 年までは日本における症例数は年間 100 例ほどであったが，2019 年には 894 例，2020 年は 718 例，2021 年は 622 例，2022 年は 708 例と高い水準にある．感染症の発生動向に関しては，統計データが国立感染症研究所のホームページ（https://www.niid.go.jp/niid/ja/idwr.html）にて公開されている．

（2）感染と病態

S. pyogenes はヒトに特異的な病原細菌であり，さまざまな疾患を引き起こす．最も頻度の高い感染症は咽頭炎である．症状として，発熱，頭痛，扁桃炎，頸部リンパ節腫脹，鼻咽喉粘膜の発赤・腫脹，膿性滲出物などが認められることがある．その一方で，鼻炎・咳嗽の症状を欠くのが特徴である．また，猩紅熱は小児に好発し，咽頭炎，発熱，苺舌，全身性の発疹を特徴とする．この全身性の発赤は後述する発赤毒素によるものである．

咽頭炎感染後の続発症として，急性糸球体腎炎やリウマチ熱，リウマチ性心疾患などが知られている．急性糸球体腎炎は，*S. pyogenes* に対する抗体が産生され，抗原抗体複合物（免疫複合体）が腎糸球体基底膜に沈着することによって生じる．また，*S. pyogenes* の抗原への交差反応により，心臓や脳などへの体液性免疫および細胞性免疫による自己免疫反応が引き起こされ，リウマチ熱やリウマチ性心疾患が生じる．

S. pyogenes の皮膚感染では化膿性の病変を生じる．具体的には，局所の膿痂疹や浅在性の蜂窩織炎である丹毒が知られている．なお，皮膚感染後には急性糸球体腎炎はみられるが，一般にリウマチ熱は起こらない．

さらに，致死性の高い劇症型 A 群レンサ球菌感染症が存在する．劇症型 A 群レンサ球菌感染症は，突発的な敗血症性ショックから，播種性血管内凝固症候群 disseminated intravascular coagulation（DIC）や多臓器不全といった病変を起こす．レンサ球菌性毒素ショック様症候群 streptococcal toxic shock-like syndrome（STSS），壊死性筋膜炎，もしくは敗血症の 3 つの病型に分けられることが多い．病変は日単位ではなく時間単位で急速に進行する．STSS では半数程度の症例で壊死性筋膜炎を伴う．手足の壊死が急激に進行することから，同じく壊死性筋膜炎の原因となる *Vibrio vulnificus* と並んで，人喰いバクテリアとよばれている．劇症型 A 群レンサ球菌感染症を引き起こす *S. pyogenes* は，先進国においては *emm*1 型が最も多い．近年は，*emm*89 型の分離頻度が世界的に増加している．

（3）病原因子

レンサ球菌の主な病原因子（**表 3-1-2**）と免疫回避機構（**図 3-1-3**）を示す．ヒアルロン酸莢膜や，M タンパクは *S. pyogenes* の主要な病原因子の 1 つであり，ともに抗貪食能をもつ．莢膜のヒアルロン酸はヒトのものと構造的に同一であり，糖鎖による分子擬態として働く．M タンパクは菌体表層に局在し，補体の活性化を抑制することにより抗貪食能をもつ．また，宿主分子と相同性をもつ領域をもち，その交差反応性により自己抗体の産生を促す可能性が指摘されている．M1 タンパクはヒトのフィブリノーゲンと結合し，特殊な立体構造を取ることで好中球を活性化させる．このメカニズムが STSS の発症にかかわることが示唆されている．また，*S. pyogenes* による壊死性筋膜炎患者の組織所見では，感染局所における好中球の遊走が極端に少ないのが特徴である．これは，*S. pyogenes* の IL-8 分解酵素 SpyCEP，ScpA や SpeB による補体群の分解，ストレプトキナーゼにより活性化された宿主のプラスミンの働きなどが原因として考えられている．

表 3-1-2　レンサ球菌の代表的な病原因子

	S. pyogenes	*S. agalactiae*	*S. pneumoniae*
付着因子	フィブロネクチン結合タンパク質 ラミニン結合タンパク質 M タンパク ヒアルロン酸莢膜 線毛	フィブリノーゲン結合タンパク質 ラミニン結合タンパク質 莢膜 線毛	PspC（CbpA） フィブロネクチン結合タンパク質 PsaA 線毛
抗貪食因子・自然免疫回避に関わる因子	M タンパク ヒアルロン酸莢膜 免疫グロブリン結合タンパク質 DNA 分解酵素（Sda1） D-アラニル化リポタイコ酸 SpeB SodA	莢膜 D-アラニル化リポタイコ酸 色素 SodA	莢膜 PspA PspC（CbpA） Ply DNA 分解酵素（EndA） D-アラニル化リポタイコ酸 SodA
好中球遊走阻害因子	C5a プロテアーゼ（ScpA） GAPDH SpeB SpyCEP Sic	C5a プロテアーゼ（ScpB）	IgA1 プロテアーゼ
毒素	SLO SLS 発熱毒素	CylE CAMP factor	Ply

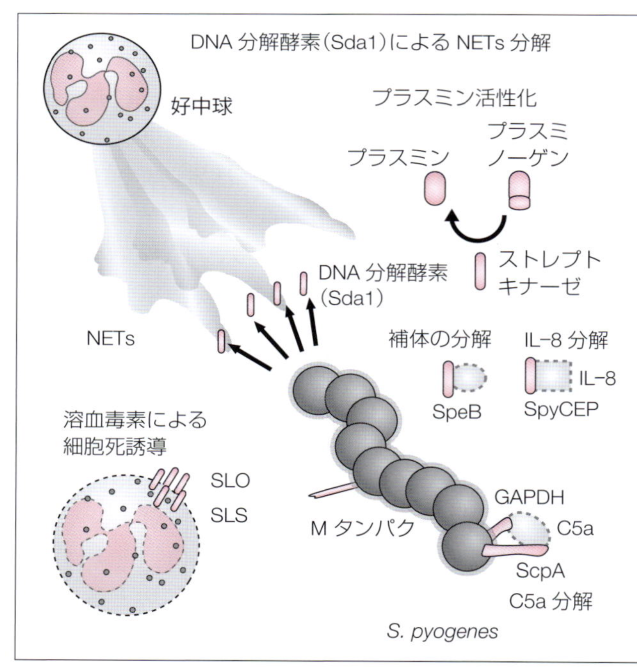

図 3-1-3　*S. pyogenes* の病原因子による免疫回避機構
S. pyogenes はさまざまな菌体表層タンパク質や分泌型のタンパク質によってヒトの免疫機構を回避する．*S. pyogenes* を覆う莢膜ヒアルロン酸は，ヒトのものと同一の構造であり，糖鎖による分子擬態として働く．また，SLO や SLS といった溶血毒素は，食細胞の直接的な細胞死を誘導する．ストレプトキナーゼによって活性化されたプラスミン，ならびに SpeB や SpyCEP，ScpA といった *S. pyogenes* がもつタンパク質分解酵素は，ヒトの補体や炎症性サイトカインを分解し，好中球の遊走やオプソニン化を阻害する．さらに，*S. pyogenes* が分泌する DNase によって，DNA を骨格とする NETs の分解がなされる．

S. pyogenes は溶血毒素として，ストレプトリジン O（SLO）とストレプトリジン S（SLS）の 2 種類をもつ．

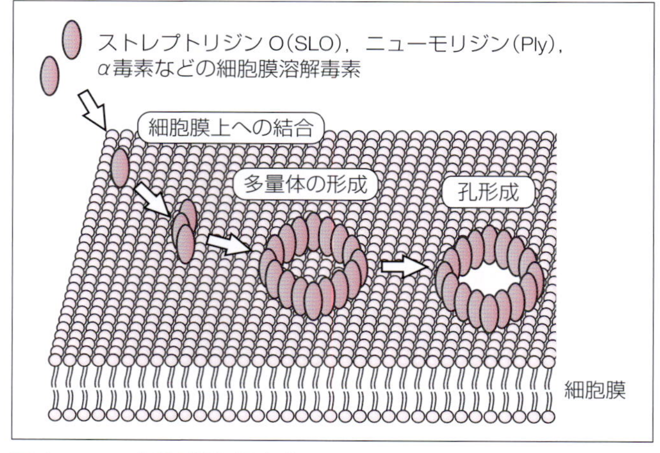

図 3-1-4　細胞膜溶解毒素による孔形成機構
細胞膜溶解毒素は，細胞膜上で多量体を形成して細胞膜に孔を開ける．形成する多量体の数は毒素により異なる．

SLO は細胞膜溶解毒素で，細胞膜のコレステロールに結合する．細胞膜に結合した複数の SLO は環状に配置され，細胞膜に孔を形成する（**図 3-1-4**）．なお，SLO は酸素に感受性であり，SLS は酸素に安定である．また，SLS の欠失により，血液寒天培地上における β 溶血能はほぼ消失する．

S. pyogenes は菌株によってさまざまな発赤毒あるいは発熱毒素（Spe）を産生する．Spe は，基本的に T 細胞を非特異的に活性化するスーパー抗原として働く（**図 3-1-5**）．ただし，SpeB に関しては，スーパー抗原ではなく，スペクトルの広いシステインプロテアーゼであることが後に明らかとなった．*S. pyogenes* は少なくとも十数種類のスーパー抗原をもつ．

2004 年に，neutrophil extracellular traps（NETs）と

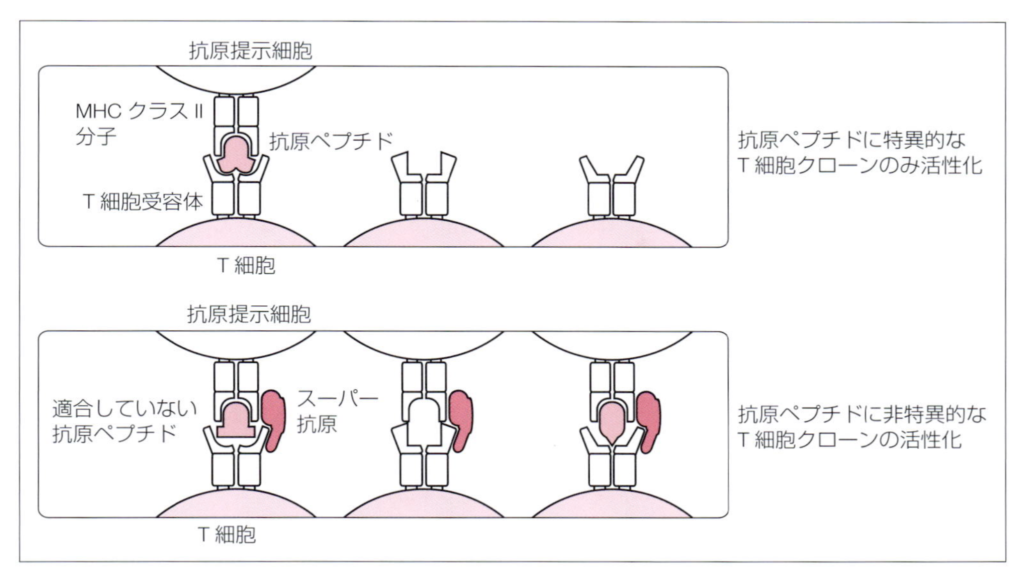

図 3-1-5　通常抗原断片およびスーパー抗原と MHC クラスⅡ分子および T 細胞受容体の結合様式

通常，抗原提示細胞は MHC クラスⅡ分子を介して抗原提示を行う．提示された抗原が T 細胞受容体に特異的な抗原であった場合に，T 細胞が活性化される．その一方で，スーパー抗原は T 細胞受容体の抗原特異性とは無関係に同受容体に結合し，非特異的に T 細胞を活性化させる．

よばれる好中球の殺菌機構が新たに発見された．NETs は，好中球が IL-8 などの刺激を受けて活性化した際に放出される，DNA を骨格とした網状の構造物である．好中球は NETs で菌体を絡め取り，DNA 上に固相化された抗菌ペプチドや，ヒストン，プロテアーゼ（タンパク質分解酵素）によって殺菌する．しかし，*S. pyogenes* は DNA 分解酵素を産生し，NETs を分解することで殺菌から免れる．

咽頭炎の原因菌である *S. pyogenes* が劇症型の疾患を引き起こす機構は長らく不明であった．劇症化の原因の 1 つとして，*S. pyogenes* のタンパク質の発現を制御する二成分制御系の突然変異があげられている．この変異によって，一部の病原因子の発現量が大きく上昇し，劇症化が引き起こされると考えられている．

（4）検査と診断

感染症の原因菌を推定するうえで，グラム染色はきわめて重要な情報源となる．*S. pyogenes* が原因として疑われる咽頭炎に関しては，抗原抗体反応を用いた迅速診断キットが用いられる．陰性の場合は咽頭拭い液の培養を行う．*S. pyogenes* に関してはペニシリン耐性菌の報告がほとんどないため，菌の確定が抗菌薬を選択するうえで重要である．また，血清学的検査として，ASO（anti-streptolysin O）の抗体価測定があげられる．ASO は感染後数週間でピークとなり，続発症の診断に有用である．

（5）予防と治療

治療としてペニシリン系薬が第一選択薬となる．*S. pyogenes* のβ-ラクタム系薬耐性菌の報告はこれまでほとんどなされていないが，マクロライド系薬やリンコマイシン系薬耐性菌は増加傾向にあるため，抗菌薬の選択には注意を要する．

S. pyogenes に対するワクチンはいまだ実用化されていない．しかし，M タンパクの一部を抗原とするワクチンについて臨床試験がすでに行われており，第 1 相および第 2 相が終了している．また，さまざまなフィブロネクチン結合タンパク質など，主に菌体表層に局在する分子がワクチン抗原として有効であることが，動物実験で確認されている．

劇症型溶血性レンサ球菌感染症

五類感染症の全数把握疾患であり，β溶血を示すレンサ球菌を原因とし，突発的に発症して急激に進行する敗血症性ショック病態であると定義されている．原因菌として，*S. pyogenes* が最も高い頻度で分離される．他に，Lancefield の血清型別で C 群または G 群に分類されるレンサ球菌 *Streptococcus dysgalactiae* subsp. *equisimilis* や，B 群レンサ球菌も劇症型感染症を引き起こす．

2）B 群レンサ球菌 Group B *Streptococcus*

B 群レンサ球菌には，*S. agalactiae*，*Streptococcus halichoeri* が含まれる．しかし，「A 群レンサ球菌」が *S. pyogenes* と同意義で使われることが多いのと同様に，「B 群レンサ球菌」は *S. agalactiae* としばしば同意義で使われる．

（1）特徴：発見に至る歴史・背景・構造・分類・現在の感染状況

1874 年に Edmond Nocard（1850～1903）らによって，ウシの乳腺炎の原因として報告された．1896 年に Karl Lehmann（1858～1940）と Rudolf Neumann（1868～1952）が *S. agalactiae* の学名を用いた．

S. agalactiae は，非運動性の通性嫌気性菌である．表層にシアル酸を有する，多糖からなる莢膜をもち，その抗原性の違いにより少なくとも 10 種類の血清型に分類される．

世界的に，Ⅲ型が侵襲性疾患から最も高い頻度で分離される．次いで，Ⅰa，Ⅴ，Ⅰb，Ⅱ型の順になっている．日本ではⅥ，Ⅷ型の分離頻度が高かったが，近年はⅢ型とⅠa型が主な血清型となっている．

(2) 感染と病態

膣内に存在し，出産の際に新生児に感染すると，細菌性髄膜炎や敗血症などの重篤な疾患を引き起こすことがある．日本では，生後4か月未満の乳児において，細菌性髄膜炎の起因菌として最も高い頻度で分離される．その一方で，生後4か月以上の細菌性髄膜炎ではほとんど分離されない．

(3) 病原因子

莢膜多糖によって好中球やマクロファージによる貪食を逃れる．また溶血毒素として，β溶血毒素 CylE と CAMP factor をもち，食細胞に細胞死をもたらす．酸化ストレスに対しては，スーパーオキシドジスムターゼ（SodA）と，自身が産生する色素によって抵抗性をもつ．また，セリンプロテアーゼ（ScpB）で補体 C5a を分解し，好中球の遊走を阻害する．細菌性髄膜炎に関して，脳微小血管内皮細胞上のヘパラン硫酸を利用することで血液脳関門を突破し，中枢へ移行することが示唆されている．

(4) 検査と診断

新生児の髄膜炎の原因となることから，妊婦の保菌の有無を培養によって検査する．妊娠33～37週に膣周辺の培養検査を行う．保菌母体から感染児が出生する確率は2%前後と推定され，髄膜炎による死亡や後遺症などを考慮して，わが国では厚生労働省と日本産婦人科学会のガイドラインに基づき，全妊婦に対する検査を実施している．

細菌性髄膜炎が疑われる場合は，原因菌の同定のため，血液培養検査，腰椎穿刺による髄液検査などが行われる．また，ラテックス凝集反応を用いた細菌抗原検査や PCR 法による細菌の遺伝子検査も推奨されている．

(5) 予防と治療

妊婦がB群レンサ球菌陽性の場合，ペニシリン系薬静注による母子感染予防を行う（妊娠35～37週）．また，B群レンサ球菌による細菌性髄膜炎が想定される場合，髄液移行性のよい第三世代セフェム系薬またはアンピシリンによる治療を行う．

3) 肺炎球菌 *Streptococcus pneumoniae*

(1) 特徴：発見に至る歴史・背景・構造・分類・現在の感染状況

1881年に George Sternberg（1838～1915）と Louis Pasteur がそれぞれ独立に発見した．1884年に Emanuel Klein（1844～1925）が *Diplococcus pneumoniae* と命名し，1901年に William Chester（1834～1920）により *Streptococcus pneumoniae* と改名された．また，1928年の Frederick Griffith による「グリフィスの実験」，1944年の Oswald Avery らによる「アベリーの実験」によって，遺伝子の本体が DNA であるという証明にも用いられた．（☞ p.49 参照）

肺炎球菌は，非運動性の通性嫌気性菌である．肺炎双球菌，肺炎レンサ球菌ともよばれる．ランセットあるいは連鎖状の形成を示し，多糖からなる莢膜をもつ．*S. agalactiae* と異なり，莢膜糖鎖上にシアル酸をもたない．この莢膜多糖の抗原性の違いにより，100種類以上の血清型に分類される．16S rRNA の塩基配列では，口腔レンサ球菌の一種である mitis group に分類される（**図3-1-2**）．また，細胞壁のタイコ酸は，ヒト血清中のC-反応性タンパク質（CRP）と沈降反応を起こす種特異的多糖（C多糖体）としても知られている．莢膜はグリコシド結合によって細胞壁と結合している．

集計方法が変わったため肺炎による死亡者数は低下し，2019年では第5位となった．しかし，誤嚥性肺炎とあわせた死亡者数では第3位に相当し，いまだに上昇傾向にある．肺炎球菌は肺炎の主たる原因菌であり，高齢の重症肺炎患者の約半数から分離される．

(2) 感染と病態

健常な小児の口腔からしばしば分離される．また，肺炎，小児の中耳炎，成人の髄膜炎から最も高頻度に分離される．グラム陽性菌では，黄色ブドウ球菌と並んで敗血症の主な原因菌である．WHO の報告（2018年）によると2015年には世界で30万人以上の5歳未満の小児が肺炎球菌感染症により死亡しており，半数以上をインド，ナイジェリア，コンゴ共和国，パキスタンの小児が占める．

(3) 病原因子

肺炎球菌の感染部位である口腔から呼吸器にかけて IgA が防御に重要である．IgA は IgA1 と IgA2 の2つのサブクラスをもち，唾液，鼻粘液中では IgA1 が全 IgA のおよそ70～95%を占める．肺炎球菌は IgA1 プロテアーゼを産生し，IgA1 のヒンジ領域を切断することで免疫を回避している（☞ p.117 **図2-6-1** 参照）．

細胞膜溶解毒素としてニューモリジン pneumolysin（Ply）を産生する．Ply は好中球の細胞膜のコレステロールと結合し，孔を形成する（**図3-1-4**）．

S. pneumoniae は，複数の菌体表層タンパク質によって，抗体や補体の働きを阻害する．菌体表層タンパク質（PspA）は，自身が強く負に帯電していることにより，菌体への補体の結合を阻害する．また，PspC はヒトH因子と結合し，補体 C3b を分解する．Ply は菌体から離れた部位で補体の古典経路を活性化させ，補体成分の枯渇ならびに血清のオプソニン活性の低下を引き起こす．

肺炎球菌は DNA 分解酵素である EndA によって NETs を分解し，殺菌を免れる．また，莢膜とリポタイコ酸も NETs による殺菌に対する抵抗に働く．莢膜は抗貪食因子としても働く．

(4) 検査と診断

肺炎球菌性肺炎が疑われる場合の標準的検査として，血液培養検査と痰のグラム染色検査・培養検査が行われる．これらの検査の信頼度を高める目的で，成人において尿中抗原検査が行われる．これは，C多糖をイムノクロマト法によって検出する，簡便で迅速な検査法である．また，小児では鼻咽腔に常在する肺炎球菌によっても陽性反応が出ることが報告されている．C多糖と反応するCRPの検査は全身性炎症の指標として使用される．「成人肺炎診療ガイドライン2017」において，市中肺炎ならびに医療・介護関連肺炎のいずれにおいてもCRP測定を行うことが弱く推奨されている．肺炎球菌性肺炎を含め多くの感染症で末梢白血球数は増加するが，末梢白血球数が10,000/μL以上かどうかは細菌性肺炎と非定型肺炎の鑑別項目の1つとなっている．

細菌性髄膜炎が疑われる場合は，血液培養に加えて，髄液培養検査や細菌抗原検査，PCR法による遺伝子検査が行われる．

莢膜血清型は，莢膜に対する抗体を用いた膨化反応によって決定される．現在では，米国疾病予防管理センター Centers for Disease Control and Prevention（CDC）によって，40種類の血清型に対して有効な，Multiplex-PCR法を用いた莢膜型の決定方法が公開されている．

(5) 予防と治療

世界的には莢膜多糖を抗原とするワクチンが予防に用いられている．最初に，莢膜多糖のみを抗原とする23価ワクチン「ニューモバックス®」が，次いで，小児用7価ワクチン「プレベナー®」が開発された．2012年に，よりカバー範囲の広い13価ワクチン「プレベナー13®」へ，2024年10月にはさらに7つの血清型が追加された「プレベナー20®」に切り替えられた．また，日本では2014年10月から，高齢者を対象とした23価ワクチンが定期接種となった．さらに，2022年9月からは成人用15価ワクチン「バクニュバンス®」が承認された．肺炎球菌性肺炎の症例数は，肺炎球菌ワクチンの導入により世界的に減少傾向にある．一方で，ワクチン導入による選択圧によって肺炎球菌ワクチンに含まれない型の莢膜血清型の菌株の分離頻度が上昇する，血清型置換の問題が生じている．

治療として，ペニシリン系薬が第一選択薬となる．多くの肺炎球菌は高度のペニシリン耐性をもたず，髄膜炎を除く大部分の症例がペニシリンで十分治療可能である．細菌性髄膜炎の場合は，カルバペネム系薬を用いるか，第三世代セフェム系薬とバンコマイシンの併用を行う．近年，マクロライド耐性菌が増加している．

誤嚥性肺炎について

誤嚥性肺炎は，唾液や胃液が気管を通って肺に流れ込むことによって起きる肺炎である．誤嚥性肺炎の原因菌としては，肺炎球菌や黄色ブドウ球菌，口腔内常在細菌であると考えられている．口腔の菌量は，口腔ケアにより低下することが報告されており，口腔ケアによる誤嚥性肺炎の予防が期待される．一方で，口腔衛生状態の改善により入院期間が短くなる，または肺炎による死亡率が低下するというエビデンスは弱い．原因として，研究ごとの，口腔ケア方法や疾患の転機の定義の不均一性や，無作為化の欠如，盲検化されていないなどの方法論的欠陥があげられる．今後，歯科医師や歯科衛生士が行うプロフェッショナル・オーラル・ヘルスケアによる口腔衛生状態の改善状態を数値化し，病態との相関を評価する必要があるだろう．日本呼吸器学会が定めた「成人肺炎診療ガイドライン2017」では，肺炎発症の予防効果が認められること，副作用が大きな問題となりにくいこと，発症抑制による医療費の抑制が期待されることを踏まえ，肺炎予防において口腔ケアは「実施することを弱く推奨する」とされている．

4) 腸球菌 *Enterococcus*

腸球菌は，Lancefieldの分類でD群に属し（**表3-1-1**），以前はレンサ球菌として分類されていた．その後，レンサ球菌と違いが大きいことが判明し，1984年に*Enterococcus*属として独立して分類された．腸球菌は広い温度域（10〜45℃），高濃度の食塩（6.5%）存在下で増殖可能な点がレンサ球菌と異なる．*Enterococcus faecalis*，*Enterococcus faecium*が主要な菌種である．

近年，バンコマイシン耐性腸球菌 vancomicin-resistant enterococci（VRE）の増加が問題となっている．VREは1986年にイギリスで初めて報告された．健常者では，腸管内にVREが感染または定着していても，通常，無症状である．しかし，免疫能の低下した患者などでは腹膜炎や感染性心内膜炎 infective endocarditis（IE），敗血症などを引き起こす場合があり，院内感染の原因菌として大きな問題となる．VREは五類感染症の全数把握対象疾患に指定されており，2011年以降では毎年50〜90例ほどが報告されている．

保菌者からの菌の伝播を防止することが重要な予防手段である．VREによる敗血症に対しては，高用量アンピシリンやテイコプラニン，もしくはリネゾリドが用いられる．術創感染症や腹膜炎などの治療は，抗菌薬の投与とともに感染巣の洗浄やドレナージなどを適宜組み合わせて行う．

❷ *Staphylococcus*属（ブドウ球菌）

ブドウ球菌はグラム陽性の球菌で，菌体が分裂する際に，分裂面が互いに直交するように増殖する．そのため，菌体はブドウの房状に集まっているようにみえる．学名の*Staphylococcus*は，ブドウの房を意味するStaphyloと粒を意味するcoccusの2つのラテン語から名づけられた．*Staphylococcus*属は55菌種に分類されており，特に医学的に重要な菌種は，黄色ブドウ球菌*Staphylococcus aureus*，表皮ブドウ球菌*Staphylococcus epidermidis*，腐生ブドウ球菌*Staphylococcus saprophyticus*の3菌種である．ブドウ球菌はレンサ球菌と異なりカタラーゼ陽性であり，過酸化水素水を菌と混和した際に，過酸化水素が水と酸素に分解されることによる発泡が認められる．また，*S. aureus*はフィブリノーゲンをフィブリンに変換するコアグラーゼ産生能を有する点で，他のコアグラーゼ非産生菌種と区別できる（**表3-1-3**）．

表3-1-3 *Staphylococcus* 属の主要菌種と主な性状および病原性

菌種	カタラーゼ産生能	コアグラーゼ産生能	主な生息部位	病原性			
				化膿病変	外毒素産生	カテーテルなどへの付着・定着	ノボビオシンへの感受性
S. aureus	＋	＋	鼻腔，腸管，皮膚	＋	＋	＋	＋
S. epidermidis	＋	－	皮膚	±	－	＋	＋
S. saprophyticus	＋	－	自然界，尿路	±	－	＋	－

黄色ブドウ球菌 *S. aureus*

(1) 特徴：発見に至る歴史・背景・構造・分類・現在の感染状況

S. aureus は，1878年にRobert Kochがヒトの化膿巣中に発見し，Louis Pasteurが1880年に純培養に成功した．学名の *aureus* はラテン語で黄金を意味し，コロニーが本菌の産生する色素により黄色になることからつけられた．*S. aureus* は鼻咽腔，腸管，会陰部，皮膚などから分離される．

S. aureus は非運動性の通性嫌気性菌である．マンニトールを分解し，7.5%食塩の存在下で生育する性状を利用し，*S. aureus* の選択的培養が行われる．*S. aureus* は，菌体表層にミクロ莢膜とよばれる薄い莢膜多糖をもち，11血清型に分別される．ほとんどの臨床分離株は，血清型5型か8型である．臨床的には，ファージに対する感受性の違いによるファージ型別と，コアグラーゼの抗原性の違いによるコアグラーゼ型別がしばしば用いられる．

(2) 感染と病態

S. aureus は健常者の鼻腔からしばしば分離される．無症状保菌者がいる一方で，多様な疾患を引き起こす．皮膚の化膿性炎症の大部分は *S. aureus* によるものであり，毛包炎，癤，癰，膿痂疹，蜂巣炎などを引き起こす．また，生体深部においては敗血症・骨髄炎・肺炎・心内膜炎などを引き起こす．

さらに，*S. aureus* はさまざまな毒素を産生し，毒素性疾患を引き起こす．エンテロトキシンは加熱しても失活せず，食中毒の原因となり，発症が食品摂取後数時間と早い．1980年代より，発熱や発疹，胃腸症状，多臓器不全，ショックを主な症状とする，毒素性ショック症候群toxic shock syndrome（TSS）がみられる．これは，*S. aureus* の産生する，毒素性ショック症候群毒素-1 toxic shock syndrome toxin-1（TSST-1）やエンテロトキシンがスーパー抗原として働くことで発症すると考えられている．表皮剝脱性毒素（ET）は膿痂疹および皮膚の水疱形成と表皮の剝離を起こす．ブドウ球菌性熱傷様皮膚症候群staphylococcal scalded skin syndrome（SSSS）には表皮剝脱性毒素が関与している．新生児に発症したものはRitter病ともよばれる．

1980年代には，メチシリンに耐性をもつ，メチシリン耐性 *S. aureus*（methicillin-resistant *Staphylococcus aureus*：MRSA，メチシリン耐性黄色ブドウ球菌）が急増した．日本において，MRSAは五類感染症の定点把握対象疾患に指定されている．MRSAは，低親和性ペニシリン結合タンパク質（PBP2′）をコードする *mecA* を獲得し，β-ラクタム系薬に耐性を示す．MRSAとの対比で，メチシリンに感受性をもつ *S. aureus* はmethicillin-sensitive *Staphylococcus aureus*（MSSA）とよばれる．MRSAはMSSAと比較して病原性は同程度であると考えられており，健常者が保菌していても基本的には無症状である．しかし，易感染性の患者においては，抗菌薬による治療がうまく奏効せず，重症化する例が多い．

(3) 病原因子

S. aureus は多種の病原因子をもち，その働きは多彩である（**図3-1-6**）．ミクロ莢膜は，抗貪食因子として働く．コアグラーゼは，血漿を凝固させる働きをもつ．プロトロンビンに結合して活性化させ，フィブリノーゲンをフィブリンに変化させる．また，クランピングファクターは，フィブリノーゲンに直接的に作用し，菌体の凝集を引き起こす．*S. aureus* は，フィブリンを利用し，食細胞などのヒトの免疫機構から逃れる．スタフィロキナーゼは，プラスミノーゲンを活性化し，プラスミンにする．

S. aureus は自身の細胞壁に架橋するフィブロネクチン結合タンパク質をもち，ヒトの細胞表層のフィブロネクチンと結合することで細胞に付着する．

溶血毒素として，α毒素，β毒素，γ毒素，δ毒素の4種類をもつ．α毒素は，孔形成毒素であり，ヒトの細胞膜上のコレステロールおよびADAM10受容体（レセプター）と結合し，膜に孔を形成する（**図3-1-4**）．β毒素はリン脂質を分解するスフィンゴミエリナーゼであり，低温で溶血作用を発揮する．γ毒素は，細胞膜に結合するSサブユニットと，そのSサブユニットに結合するFサブユニットからなる．δ毒素はホスホリパーゼで，界面活性剤様の作用で細胞膜を溶解する．

食中毒の原因となるエンテロトキシンは，100℃でも失活しない耐熱性をもち，嘔吐作用とスーパー抗原としての働きをもつのが特徴である．また，TSST-1もスーパー抗原として作用し，非特異的にT細胞を活性化する．表皮剝脱性毒素は，皮膚組織の細胞間結合部位で細胞を接着しているデスモグレインを分解する．

その他に，ヒトのIgGと結合するプロテインAや白血球に作用する殺滅毒であるロイコシジンなどの病原因子をもつ．プロテインAは，その性質を利用して，抗体のFc画分と結合し免疫回避する．また，血清からIgGを精製

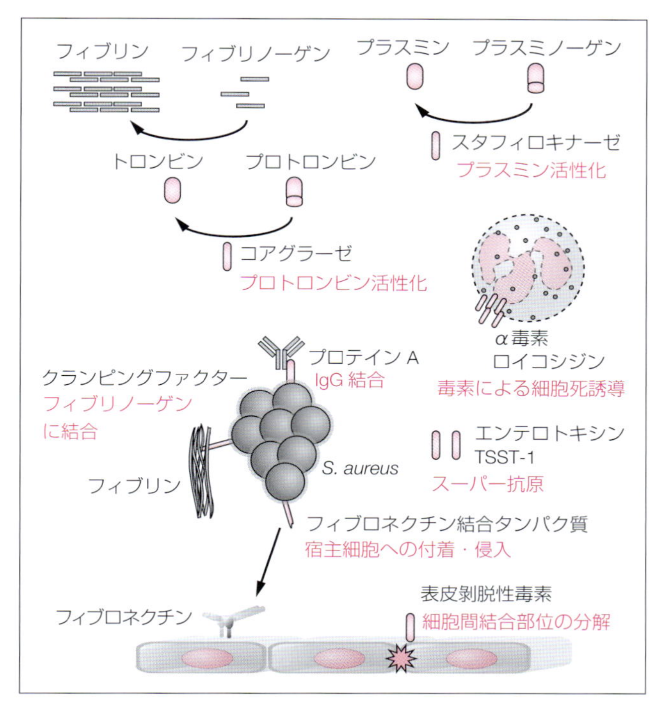

図 3-1-6　黄色ブドウ球菌の病原因子

黄色ブドウ球菌は多様な毒素を産生するとともに，宿主の分子を巧妙に利用することで，免疫機構からの回避や宿主組織の傷害などを行う．α毒素，ロイコシジンは直接的に細胞死を誘導する．エンテロトキシンと TSST-1 はスーパー抗原として作用し，T 細胞を活性化させる．また，表皮剝脱性毒素は細胞間結合部位を分解することで，皮膚の水疱形成や表皮の剝離を起こす．さらに，スタフィロキナーゼによりプラスミンの活性化を起こす一方で，コアグラーゼやクランピングファクターによってフィブリノーゲンをフィブリンへと変化させる．菌体表層に局在するフィブロネクチン結合タンパク質は，宿主のフィブロネクチンを介して上皮細胞への付着・侵入因子として作用する．

するためのツールとして応用されている．

(4) 検査と診断

ブドウ球菌食中毒の検査では，原因食品や嘔吐物などから黄色ブドウ球菌の分離を行う．そして，疫学的にブドウ球菌食中毒を証明するためには，分離菌株のエンテロトキシン産生性を調べ，コアグラーゼ型別を実施する．

日本においては，*S. aureus* について，オキサシリンの MIC 値が 4 μg/mL 以上，またはオキサシリンの感受性ディスクの阻止円の直径が 10 mm 以下である場合に MRSA として報告される．

(5) 予防と治療

現在のところワクチンは存在しない．*S. aureus* は接触感染であり，手洗いと手指消毒が基本，かつ最も重要な予防手段である．医療機関においては，標準予防策の徹底と，接触感染予防策が重要となる．食中毒は毒素によって引き起こされるため，抗菌薬には治療効果がない．輸液などの対症療法を行う．

図 3-1-7　表皮ブドウ球菌のポリスチレン表面への付着とバイオフィルムの形成

個々の細菌が直接表面に付着しているばかりではなく，細菌同士も凝集塊を形成している．(Hussain ら，1993)

MSSA に対しては，第一世代セファロスポリンや，β-ラクタマーゼに抵抗性のある，合成ペニシリンが用いられる．MRSA に対しては，バンコマイシン，テイコプラニン，アルベカシン，リネゾイド，ダプトマイシンが疾患に応じて用いられる．日本において，バンコマイシンに対する最小発育阻止濃度 minimum inhibitory concentration (MIC) は，わずかではあるが徐々に上がってきている．また米国では 2002 年に，VRE から耐性遺伝子を獲得したと考えられる，バンコマイシンに高度耐性である VRSA が報告されている（☞ p.72 参照）．

黄色ブドウ球菌に対するワクチン開発の現状

黄色ブドウ球菌に対して複数のワクチン抗原の開発が進められてきたが，実用化されているものはない．特に，血清型 5 型および 8 型の莢膜糖鎖や，菌体表層のヘモグロビン結合タンパク質を抗原とするワクチンについて第 3 相の臨床試験が行われたが，いずれも有効な防御効果が認められず開発中止となっている．第 1 相の臨床試験や前臨床試験で有効性が報告されているワクチン抗原は複数存在するため，今後の研究の進展が期待される．

表皮ブドウ球菌 *S. epidermidis* と腐生ブドウ球菌 *S. saprophyticus*

カテーテルや人工弁などに *S. epidermidis* が付着すると，体組織内で増殖し，バイオフィルムを形成し，血流を介して心内膜炎などを誘発することがある（図 3-1-7）．*S. saprophyticus* は自然界から人体へ感染すると考えられており，尿路感染症の原因となる．これらのコアグラーゼ陰性ブドウ球菌は皮膚の常在細菌であり，通常非病原性である．しかし，多くがメチシリン耐性であり，治療にはしばしばバンコマイシンが用いられる．

（山口雅也，川端重忠）

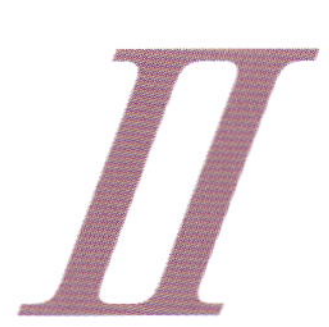

グラム陽性桿菌と感染症

❶ ジフテリア菌

Corynebacterium 属は放線菌に分類され，自然界に広く分布する．好気性あるいは通性嫌気性である．非運動性，芽胞，莢膜，鞭毛をもたず，カタラーゼ陽性である．ヒトに病原性を示すものにジフテリア菌 *Corynebacterium diphtheriae* とウルセランス菌 *Corynebacterium ulcerans* がある．

(1) 特徴：性状（形態，染色性）

0.5～0.8×1～8 μm の多形性を示す桿菌で，一端が棍棒状 club-shaped に膨らんでいる．メチレンブルー染色で濃淡がみられる．アニリン色素で染色（異染小体染色）すると菌体は黄褐色に染まり，両端に青黒色に染まった顆粒が存在し，異染小体 metachromatic granules とよばれる．これはポリリン酸からなる．鑑別分離培養には亜テルル酸カリウム含有血液寒天培地が用いられ，黒色ないし灰黒色の集落を形成する．ジフテリア菌はこの培地上の集落の形態から，重症型 gravis 型，中間型 intermediate 型，軽症型 mitis 型に分類されるが，病原性との間に明確な関連性はない．

(2) 感染と病態

ジフテリア菌は患者や無症候性保菌者の咳などの飛沫感染により上気道粘膜に感染し，ジフテリア diphtheria を起こす．2～7日の潜伏期を経て発熱，咽頭痛，嚥下痛を起こす．菌体外に産生されたジフテリア毒素 diphtheria toxin が局所粘膜組織の壊死を起こし，灰白色の偽膜 pseudo-membrane を形成する．扁桃・咽頭ジフテリアでは偽膜は，菌体外に産生されたジフテリア毒素により壊死に陥った粘膜組織や，炎症反応の結果生じたフィブリンや遊走白血球などの滲出液や菌体などからなる．偽膜は扁桃から咽頭，喉頭，気管などに生じ，これらが拡大すると呼吸困難となり，死に至ることがある．産生されたジフテリア毒素が血中に入り，昏睡や心筋炎などの全身症状が起こると死亡する危険が高くなる．また毒素の作用によりジフテリア回復後に軟口蓋や眼球，下肢などの筋肉の弛緩性麻痺や心筋の障害などが生じることがある．なお，感染者の約9割は臨床症状を示さず，不顕性感染となる．

(3) 病原因子

ジフテリア毒素は，分子量約58,000の易熱性タンパク質で，2つの分子内S-S結合をもつ．還元すると1つのS-S結合が切られ，A，Bの2つのフラグメントに分かれる（図3-2-1）．毒素活性部位はフラグメントAに存在し，フラグメントBには宿主細胞表面の受容体に結合し，細胞内へフラグメントAを挿入する部位を有する．フラグメントAはペプチド伸長因子EF-2をADP-リボシル化して不活化し，タンパク質の合成を阻止し，細胞死を招く（図3-2-2）．

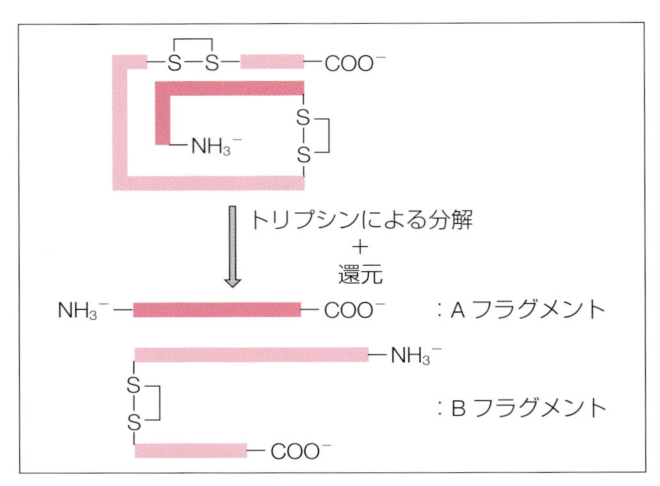

図3-2-1 ジフテリア毒素の構造

(4) 検査と診断

ジフテリアの確定診断には，患者の病変部位からジフテリア菌を分離することが重要であり，ジフテリア菌の検出が必須である．抗体価による診断は難しい．二類感染症に分類され，ジフテリア患者を診断した場合はただちに最寄りの保健所に届けなければならない．

(5) 予防と治療

毒素をホルマリン処理したトキソイド toxoid をリン酸アルミニウムに吸着させたものがワクチンとして用いられている．わが国では，2012年から現行のDPT-IPVワクチン（ジフテリア Diphtheria，破傷風 Tetanus，百日咳 Pertussis，不活化ポリオの4種混合ワクチン）の定期接種が行われている．2023年3月には，インフルエンザ菌b型（*H. influenzae* type b）に対するワクチンを追加した5種混合ワクチン（DPT-IPV-Hib）が承認された．

ジフテリアの防御免疫では，抗毒素抗体が主な役割を演じる．少量の毒素を皮内に接種すると，免疫のないヒトでは注射部位に毒素による発赤や硬結が現れるが，抗毒素抗体をもつヒトでは毒素がすぐに中和されるため，皮膚に反応は生じない．これを Shick テストという．

治療は，可能な限り早期の毒素に対する抗毒素血清療法と，菌に対する化学療法の2つを併用して行う．ペニシリン，セファロスポリン，エリスロマイシン，リファンピシンなどが有効である．

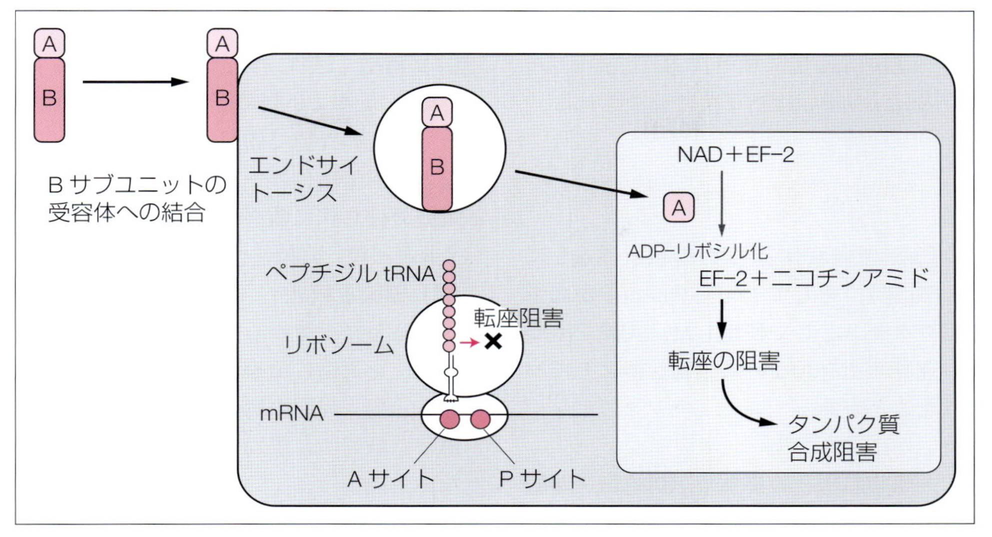

図 3-2-2　ジフテリア毒素の作用機序
ジフテリア毒素は，毒素活性部位であるAサブユニットと宿主細胞の受容体に結合するBサブユニットからなる．宿主細胞の受容体にBサブユニットが結合した後，エンドサイトーシスにより取り込まれる．その後Aサブユニットは細胞質に移行し，ペプチド伸長因子 EF-2 を ADP-リボシル化する．その結果 EF-2 は不活性型となり，タンパク質の合成が阻害される．

❷ リステリア菌

Listeria 属には6菌種があるが，*Listeria monocytogenes* 以外の菌種はヒトへの病原性は低い．動植物をはじめ自然界に広く分布している．

(1) 特徴（形態・増殖）

L. monocytogenes は 0.5×0.5～2 μm の，両端が円形の短桿菌で，単在あるいは短連鎖を示す．少数の周毛性鞭毛を有する．鞭毛構成因子の遺伝子発現は温度により調整され，20～25℃では発現されて弱い運動性を示すが，37℃では抑制される．莢膜はもたず，芽胞は形成しない．血液寒天培地上で弱いβ溶血性を示す．通性嫌気性あるいは微好気性である．至適発育温度は30℃であるが，4℃でも2～3日以内で増殖が起こる．増殖可能な pH は pH 5.2～9.0 であるが pH 5.2 以下でも死滅しない．食塩耐性で10％食塩存在下でも発育できる．

(2) 感染と病態

ヒトリステリア症 lysteriosis はヒトの他，種々の動物にも認められる人獣共通感染症 zoonosis の1つである．周産期リステリア症では垂直感染により流産や死産，乳児および小児の敗血症や髄膜炎を起こす．成人の易感染性宿主に成人（高齢者）リステリア症を起こし，髄膜炎，敗血症，髄膜脳炎などを起こす．また食品媒介性に感染する．低温でも増殖するため，低温での長期保存食品が要因として注目される．ヒト-ヒト伝播はみられない．

(3) 病原因子

通性細胞内寄生性で，マクロファージ，肝細胞，上皮細胞などの細胞質内で増殖する．活性酸素ラジカルを分解するスーパーオキシドジスムターゼやカタラーゼを産生して殺菌を免れる．感染後，食胞から細胞質へのエスケープには listeriolysin O（LLO）が関与する．細胞質内の菌は ActA の作用により菌体の片端にアクチンを重合させ移動する．肝細胞や上皮細胞の侵入にはインターナリン internalin（InlA/InlB）が関与する．

(4) 検査と診断

確定診断には，患者の臨床検体から血液寒天培地などを用いて菌を分離する必要がある．迅速診断には本菌 DNA を検出するための PCR 法が用いられる．

(5) 予防と治療

低温・高塩環境下でも生育可能であるが，60℃，30分の加熱で死滅する．そのため，リステリア症の予防には食品の加熱調理や洗浄を徹底する．抗菌薬に対する感受性は一般に高い．第一選択薬としてアンピシリンやペニシリンの単独投与，あるいはアミノグリコシド系薬（ゲンタマイシン）との併用が効果的である．

❸ *Bacillus* 属

ヒトに病原性を示す細菌の中で芽胞を形成するものには，好気性あるいは通性嫌気性の *Bacillus* 属と偏性嫌気性の *Clostridium* 属が知られており，いずれもグラム陽性桿菌である．前者には炭疽菌 *Bacillus anthracis* とセレウス菌 *Bacillus cereus* が，後者には破傷風菌，ボツリヌス菌，ウェルシュ菌，ディフィシル菌が含まれる．

Bacillus 属は大型（0.5～1.5×4～10 μm）で，土壌，水などの環境からよく分離される．病原性を示す菌種は少ない．セレウス菌は莢膜をもたず，食品腐敗菌として知られ，食中毒の原因菌に指定されている．食中毒には下痢型と嘔吐型の2型が知られ，腸管（下痢）毒素と嘔吐毒素が

それぞれ関与する．

代表的な非病原性の *Bacillus* 属に枯草菌 *Bacillus subtilis* があり，納豆菌 *Bacillus natto* は枯草菌に分類される．

炭疽菌

(1) 特徴

炭疽菌は炭疽 anthrax の病原体として Robert Koch によって分離され（1876年），そして Louis Pasteur が弱毒化した生菌を家畜用ワクチンとして使用した．莢膜をもつが，鞭毛をもたず，運動性を有しない．生物兵器としてバイオテロに利用されたことがある．

(2) 感染と病態

人獣共通感染症で，感染動物との接触や，炭疽菌の芽胞に汚染された家畜の肉などから感染する．症例のほとんどは接触した創傷部位から生じる皮膚炭疽で，他に芽胞を含む塵埃を吸入することにより起こる肺炭疽（吸入炭疽）や罹患動物の肉に含まれる芽胞を摂取することによる腸炭疽がある．いずれも重篤例では致死に至るが，肺炭疽のほとんどは致命的である．

(3) 病原因子

本菌はプラスミドにコードされた遺伝子から3種類の外毒素，浮腫因子 edema factor（EF），致死因子 lethal factor（LF），防御抗原 protective antigen（PA）を産生する．これらが複合的に働き，毒素活性を生じる．

(4) 検査と診断

世界保健機構（WHO）が中心となり作成された炭疽診断に関するプロトコールが公表されている．従来の細菌学的検査法とともに，PCR 法による毒素遺伝子などの検出も行われる．抗炭疽血清による診断法もある．

(5) 予防と治療

ヒトに使用できるワクチンはない．ペニシリン系薬，クロラムフェニコール，テトラサイクリン，エリスロマイシン，ストレプトマイシン，フルオロキノロン系薬などの多くの抗菌薬に感受性である．

4 *Clostridium* 属

嫌気性で芽胞を形成する．土壌やヒトを含む動物の腸管に生息する．周毛性鞭毛を形成する菌種と形成しない菌種がある．ヒトに病原性を有する主な菌種は破傷風菌 *Clostridium tetani*，ボツリヌス菌 *Clostridium botulinum*，ウェルシュ菌 *Clostridium perfringens*，ディフィシル菌 *Clostridioides*（旧名：*Clostridium*）*difficile* である．*Clostridium* 属による感染症は強力な外毒素と菌体外に産生される酵素によって起こる．転帰は早く，早期診断・早期治療が重要である．

1）破傷風菌

(1) 特徴：性状（分布，形態，代謝）

破傷風菌は芽胞の形で広く世界の土壌中に広く分布する．大型の桿菌で周囲に鞭毛をもち，運動性を有する．芽胞は円形で菌体の一端に形成され，菌体の幅よりも大きく太鼓のばち状に観察される．糖非分解性で，アミノ酸をエネルギー源，炭素源として利用する．リパーゼを産生しない．

(2) 感染と病態

汚染した土壌から芽胞が創傷部位に侵入し感染する．創傷部位を適切に治療することにより，感染の可能性が低くなる．侵入局所の嫌気度が高まると増殖が始まる．菌の増殖は感染局所に限局し，菌自体が他の部位へ広がることはない．

破傷風の初期症状として，潜伏期間の後，局所の反射の亢進や筋のこわばりが生じる．1～2日後に初期症状として，嚥下障害や開口障害（牙関緊急 trismus）などが現れる．顎顔面部に筋硬直が現れると苦笑の顔貌（痙笑 risus sardonicus）を呈する．さらに筋硬直は項・背・腹部に波及し，体幹部が弓なりとなる（後弓緊張 opisthotonus）．牙関緊急，痙笑，後弓緊張は3主徴として広く知られる．痙攣発作は，振動，微風，光などの微細な外界の刺激によって誘発される．呼吸筋の痙攣により死亡することがある．

(3) 病原因子

外毒素として，神経毒であるテタノスパスミン tetanospasmin と溶血毒であるテタノリジン tetanolysin を産生する．破傷風の発症に関与するのは前者である．毒素が血行性に全身に運ばれ発症する．

テタノスパスミンは1本のペプチドとして菌体外に分泌される．プロテアーゼ（タンパク質分解酵素）により N 末側の L 鎖と C 末側の H 鎖の2つのサブユニットになり，両者は S-S 結合で連結される．血行性に，あるいは直接神経筋接合部に到達した毒素は，神経終末膜に H 鎖の結合部が結合することにより神経内に取り込まれる．運動神経終末から取り込まれた破傷風毒素は逆行性軸索輸送によって脊髄の運動神経細胞体に運ばれ，抑制性介在ニューロンの神経終末部に移行する．そこで抑制性シナプス伝達を阻害することにより，骨格筋の強直・痙攣を招く．

(4) 検査と診断

患者の症状，外傷の有無，また土壌による汚染を考慮して診断する．

(5) 予防と治療

毒素をホルマリン処理して得たトキソイドがワクチンとして使用される．不活化ポリオワクチンを加えた4種混合ワクチン DPT-IPV が定期接種されている（☞ p.134 参照）．2023年3月には，5種混合ワクチン（DPT-IPV-Hib）が承認された．

発症後は，対処療法とペニシリン系薬の大量投与を併用して行う．受動免疫として，破傷風ヒト免疫グロブリンの

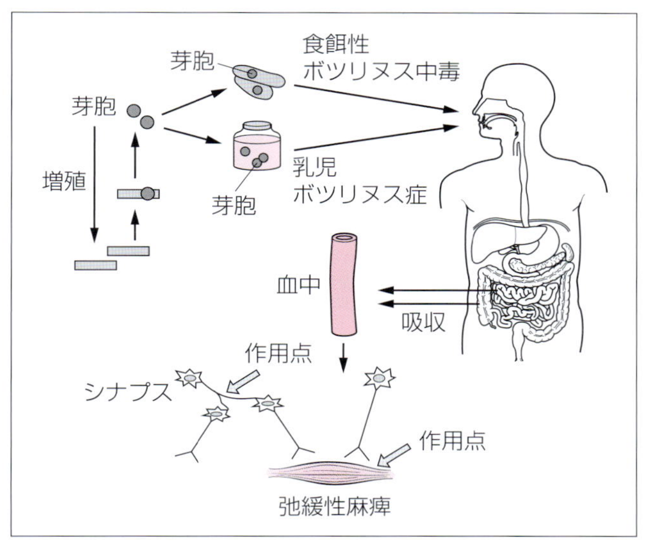

図 3-2-3　ボツリヌス菌（芽胞）の摂取とボツリヌス毒素の作用機序

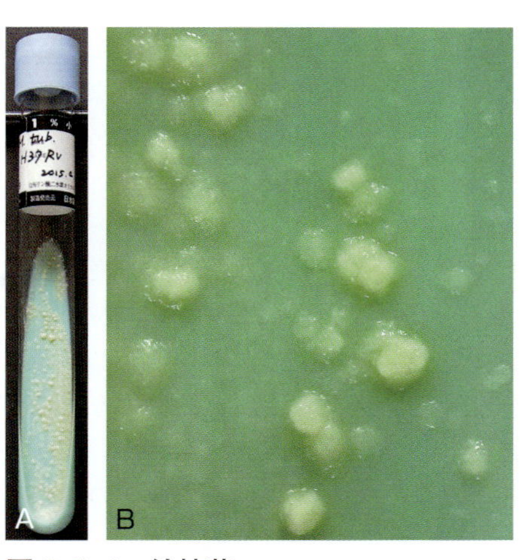

図 3-2-4　結核菌
A：小川培地上の結核菌のコロニー.
B：A の拡大像.
（産業医科大学 小川みどり博士）

筋注が行われる.

2）ボツリヌス菌

（1）特徴：性状（分布，形状）

ボツリヌス菌は土壌，河川，湖沼に広く分布する．大型の桿菌で，鞭毛をもち，莢膜はない．芽胞は楕円形で菌端近くに位置し，菌体の幅よりやや大きい．嫌気度の要求性は強くない.

（2）感染と病態

ボツリヌス毒素によってボツリヌス中毒が引き起こされる．ボツリヌス毒素はアセチルコリンを伝達物質とする神経筋接合部，副交感神経終末に働き，シナプス小胞付随タンパク質を特異的に切断することでアセチルコリンの放出を阻害する．食品中に産生された毒素を摂取することにより運動神経麻痺症状が現れる（食餌性ボツリヌス中毒）．乳児ボツリヌス症では経口摂取された芽胞が腸管内で発芽・増殖し，毒素が産生されることにより生じる（**図 3-2-3**）．ハチミツは本菌の芽胞を含んでいることがあり，乳児ボツリヌス症の主たる原因食品となっている．最近では 2017 年にハチミツが原因と思われる死亡症例が 1 例認められた．ハチミツは 1 歳未満の乳児には食べさせないように指導する．一方，ボツリヌス菌はハチミツのビンのなかでは増殖せず，ボツリヌス菌芽胞が入ったハチミツを成人が食べても，ボツリヌス菌は健常な成人の腸内では増殖しない.

（3）病原因子

神経毒素であるボツリヌス毒素が主な病原因子である.

（4）検査と診断

特有の症状と摂取した食品から本症を疑う．食品，便，から毒素を検出する.

（5）予防と治療

ボツリヌス中毒を起こす可能性のある食品加工時に，芽胞の死滅や，その発芽・増殖の阻止に注意する．治療は早期に十分な抗血清を投与し，呼吸の管理を行う．ワクチンは実用化されていない.

⑤ 抗酸菌

（1）特徴：形態，染色性，増殖と種類

Mycobacterium 属は非運動性の偏性好気性桿菌であり，多様な形態を示す．鞭毛，芽胞や莢膜はない．グラム陽性菌ではあるが，細胞壁が脂質に富む（約 60％）ために染色されにくい．しかし，いったんアニリン系色素で染色されると，酸やアルコールなどの強い脱色作用にも抵抗する．そのため，抗酸菌 acid-fast bacillus とよばれる．抗酸性を示す細菌には *Mycobacterium* 属（抗酸菌）に加え，*Nocardia* 属，*Corynebacterium* 属，*Actinomyces* 属，*Rhodococcus* 属などがあり，いずれも抗酸性染色で赤染されるため注意が必要である．DNA の塩基ではグアニン＋シトシン（GC）含有量が高い（62～70％）．加熱処理や紫外線照射には弱いが，凍結や乾燥には抵抗する.

至適発育温度は 30～45℃である．倍加時間は 2～20 時間以上，集落形成時間は 2 日～8 週間である．通常，固形培地〔卵培地である小川培地（**図 3-2-4**），あるいは合成培地である 7 H10 や 7 H11 培地など〕を用いる．増殖には 7 H9 培地などの液体培地も用いられる．*Mycobacterium* 属には 200 菌種以上が含まれ，結核菌群，それ以外の培養可能菌である非結核性抗酸菌 non-tuberculous mycobacteria（NTM），および培養不能のらい菌 *Mycobacterium leprae* に分類される．またコロニー形成に要する時間により，遅発育抗酸菌（8 日以上）と迅速発育抗酸菌（7 日以下）に分類される．発育・増殖速度および集落性状を元にした分類に Runyon 分類がある．本属の約半数はヒトに病原性を示し，結核の原因菌である *Mycobacterium tuberculosis*（結核菌），ハンセン病 leprosy，Hansen's disease の

原因菌である *M. leprae*（らい菌），肺に結核に類似した臨床症状を現す非結核性抗酸菌症の原因となる *Mycobacterium avium*，*Mycobacterium intracellulare*，*Mycobacterium abscessus*，*Mycobacterium kansasii* などが含まれる．

(2) 感染と病態

抗酸菌に対する宿主防御には細胞性免疫が大きく関与する．サイトカインではIL-12，IL-18，INF-γなどがTh1細胞の分化や活性化に重要である．しかし，遅延型過敏反応を含め，細胞性免疫はときに組織傷害を引き起こす．

(3) 病原因子

Mycobacterium 属の多くは外毒素などの明確な病原因子をもたない．抗酸菌の病原性は，菌を貪食したマクロファージの殺菌機構を回避して宿主内で生存・増殖する能力，また遅延型過敏症反応を誘導する能力で表現される．例外的にブルーリ潰瘍 Buruli ulcer の起因菌である *Mycobacterium ulcerans* は外毒素であるマイコラクトン mycolactone を産生する．

(4) 検査と診断

以下の各菌の項を参照のこと．

(5) 予防と治療

以下の各菌の項を参照のこと．

1）結核菌

(1) 特徴：患者数，性状

結核菌は結核（症）の起因菌である．1882年にKochによって発見された．結核患者数は戦後，顕著に減少したが，1980年代末から減少率は鈍化し，1993年に世界保健機関（WHO）は「結核の非常事態宣言」を，1999年に厚生省は「結核緊急事態宣言」をそれぞれ発表した．代表的な再興感染症であり，単一の病原体による感染症としては世界の死亡者数が最も多く，AIDS，マラリアとともに世界三大感染症の1つである．世界中の結核既感染者，年間患者数，年間死亡者数はそれぞれ20億人，1,060万人，130万人（WHO，2022）で，日本ではそれぞれ0.3億人，1.01万人，1,587人である（厚生労働省，2023）．2023年の人口10万人当たりの罹患者数は8.1で，低蔓延国に位置する．罹患者は大都市に集中し，高齢者が多い．学校，事業所，病院・医療機関などにおける集団感染が散発している．

結核菌は豊富な脂質成分からなる疎水性の細胞壁を有する．細胞壁脂質として，ミコール酸 mycolic acid，コードファクター cord factor，リポアラビノマンナンなどがある．ミコール酸は類縁の菌属にも存在し，その炭素長は菌属に依存する．増殖に酸素を要し，倍加時間が12〜24時間，集落形成が4〜8週間と，遅発育性である．ナイアシン陽性は結核菌に比較的特異的である（**表3-2-1**）．

結核菌は細胞内寄生性細菌であり，マクロファージ内に貪食された結核菌は食胞とリソソームの融合を阻害することにより，食胞の酸性化や分解を回避し，食胞内で生存し続ける．また細胞質にエスケープする．

表3-2-1　結核菌の特徴

細胞壁	脂質成分に富む，疎水性，グラム染色に難染色性，抗酸性
増殖環境	好気性，至適温度37℃，細胞内寄生性
遅発育性	倍加時間12〜24時間，集落形成4〜8週間
感染様式	飛沫核／空気感染，ヒト－ヒト感染
病原性	慢性炎症，肉芽腫（類上皮細胞，Langhans巨細胞），乾酪様壊死，空洞形成，線維化
ゲノム	高いGC含量

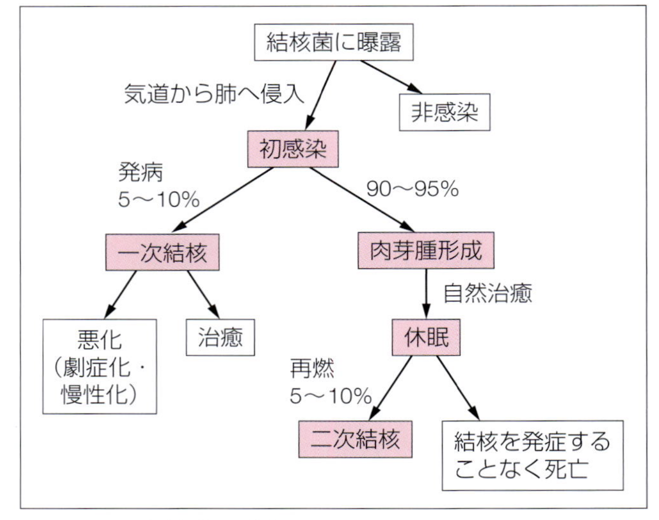

図3-2-5　結核菌の感染と進展

(2) 感染と病態

結核菌の感染は，肺結核患者が咳をしたときに飛び散る飛沫中の結核菌が飛沫核となったものを吸い込むことによって起こる（飛沫核感染）．未曝露宿主が結核菌の感染に引き続き発病する場合を一次結核，結核菌に既感染で，免疫学的感作が成立している場合に生じる外来性再感染あるいは内因性再感染を二次結核という．結核菌が感染した際には，細胞性免疫の発現により感染防御が成立し，生涯の間に発症するのは感染者の10%程度である．多くの場合は代謝を低下させた休眠状態 dormancy になり，生残菌（パーシスター persister）として持続感染する．肺が主要な感染臓器であるが，全身の他の臓器にも感染し，全身播種性結核になることもある．初回感染では4〜6週で乾酪壊死を伴う肉芽腫炎症が生じ，また遅延型過敏症反応であるツベルクリン tuberculin 反応が成立する．肉芽腫には，類上皮細胞やLanghans巨細胞がみられる．病変部における炎症性サイトカイン，Th1型サイトカイン，ケモカインの産生により，マクロファージの集積と細胞性免疫が誘導されるためである．初感染巣が石灰化巣として認められることがある（**図3-2-5**）．未発症で胸部X線画像診断に異常のない潜在性結核 latent tuberculosis infection（LTBI）とよばれる無症候感染が，結核の発生母体として問題視されている．

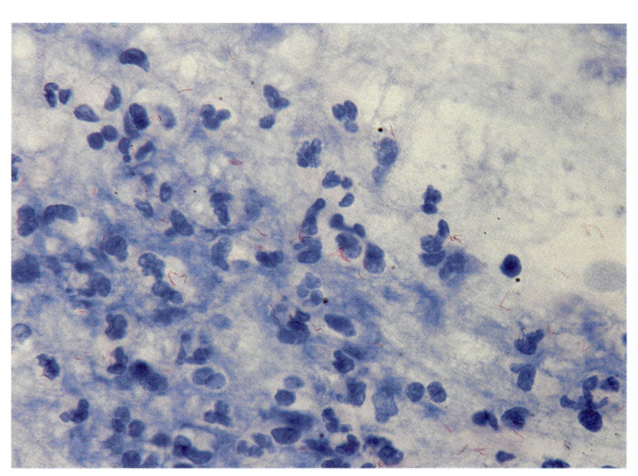

図 3-2-6 結核患者の気管支吸引喀痰中の結核菌；Ziehl-Neelsen 染色像（産業医科大学 小川みどり博士）

(3) 病原因子

外毒素などの明確な病原因子をもたない．種々の細胞壁脂質や分泌タンパク質が病原性に関わる．Ⅶ型分泌装置をもつ．

(4) 検査と診断

診断は，病原体診断が確実である．染色には抗酸性染色〔チールネルゼン Ziehl-Neelsen（**図 3-2-6**），キニヨン kinyoun〕や蛍光染色が用いられる．抗酸性染色は石炭酸フクシンで加温染色後，塩酸アルコールで脱色，メチレンブルーで後染色する．その結果，抗酸菌は脱色されずに赤色，抗酸菌以外の細菌やヒトの細胞などは青く対比染色される．培養法が最も信頼度の高い方法であるが，長期間を要する．PCR 法などの遺伝子増幅法は迅速性，感度，特異性に優れるが，死菌も検出され，また技術的な問題も生じる．胸部 X 線所見も補助的診断法として用いられる．

結核菌に対する免疫の成立を指標としたツベルクリン皮内検査 tuberculin skin test（TST）が用いられてきたが，ワクチンである bacille Calmette-Guerin（BCG）の接種や非結核性抗酸菌感染でも陽性となることから，現在では末梢血による IFN-γ 遊離試験 interferon-gamma release assay（IGRA，クォンティフェロン：QFT），および T スポット試験が用いられる．IGRA は結核菌のみに存在するタンパク質抗原と末梢血を混合，培養後，IFN-γを測定するもので，結核菌に対する特異免疫の存在を知ることができる．

(5) 予防と治療

予防法として，ウシ型結核菌を継代・弱毒化した BCG が汎用されている．乳幼児結核（特に髄膜結核）には有効であるが，成人の肺結核に対する予防効果は疑問視されている．ただし，感染者と濃厚に接触する医療従事者などには接種が推奨される．化学予防はイソニアジド（INH）の服用を行うことを基本とする．

治療の原則は多剤併用抗結核化学療法である．標準治療は，イソニアジドとリファンピシン（RFP）＋ピラジナミド（PZA）＋エタンブトール（EB）〔またはストレプトマイシン（SM）〕の 4 剤併用を 2 か月間，その後イソニアジドとリファンピシンを 4 か月間用いる．医療従事者などの目前で服用する直視監視下短期化学療法 directly observed treatment, short course（DOTS）を推進している．結核菌においても薬剤耐性菌が問題となっているが，その多くは不適切な薬剤の使用が原因である．他の抗結核薬にかかわらずイソニアジドとリファンピシンに同時耐性の結核を多剤耐性結核 multi-drug resistant-TB（MDR-TB），さらに注射薬であるカプレオマイシン，アミカシン（AMK）あるいはカナマイシン（KM）のいずれか 1 剤と，ニューキノロン系薬 1 剤以上にも耐性を示す結核を超多剤耐性結核 extensively multi-drug resistant-TB（XDR-TB）という．

感染症法では二類感染症に位置づけられ，結核を診断した際には全例届け出る義務がある．

2）非結核性抗酸菌

(1) 特徴：種類，分布

結核菌群とらい菌を除いた抗酸菌を非結核性抗酸菌 non-tuberculous mycobacteria（NTM）という．土壌や水などの環境中に広く分布する．非結核性抗酸菌による肺感染症（肺非結核性抗酸菌症：肺 NTM 症）の原因菌としては，*M. avium* と *M. intracellulare*〔両者を一括して *M. avium* complex（MAC）とよぶ〕が最も多く（約 9 割），次いで *M. kansasii*，*M. abscessus* である．これらの感染には地域差がみられる．特徴的な非結核性抗酸菌に，魚類から感染して皮膚に魚槽肉芽腫を形成する *Mycobacterium marinum* や，抗酸菌の中で例外的に外毒素マイコラクトンをもつ *M. ulcerans* がある．

(2) 感染と病態

健常者に対して病原性を示すことは少ない．ヒト-ヒト感染はない．隔離の必要はなく，届出の必要もない．中高年女性に多い．

呼吸器が主たる感染臓器である．非結核性抗酸菌による肺感染症（肺 NTM 症）は急速に増加し，推定罹患率（10 万人対）は 14.7（2014 年）であり，菌陽性結核罹患率よりも高い．易感染性要因に，進行した AIDS などの免疫不全や肺基礎疾患があるが，基礎疾患のない者の罹患が増加している．*M. ulcerans* や *M. marinum* などの菌種は皮膚に病変を表すことが多い．

(3) 病原因子

M. ulcerans を除き毒素はもたず，確たる病原因子は知られていない．

(4) 検査と診断

症状と細菌学的要件から診断する．菌の検出には抗酸性染色，PCR 法，DNA ハイブリダイゼーション法がある．環境菌の混入を懸念し，2 回以上の検出を必要とする．MAC に対しては糖脂質の一種グリコペプチドリピッド

glycopeptidolipid（GPL）に対する血清診断も行われる．

（5）予防と治療

非結核性抗酸菌は抗結核薬に耐性を示すことが多い．また菌種や同じ菌種でも株により感受性が異なる．特に *M. abscessus* では亜種により感受性が大きく異なる．感受性を示す薬剤がなく難渋する場合も少なくない．MAC症ではリファンピシン，エタンブトール，クラリスロマイシン（CAM）を組み合わせた3剤治療を基本レジメンとし，ストレプトマイシン，カナマイシンなどのアミノグリコシド系薬を併用する．またもアミカシンも使用される．外科治療併用を必要とする症例もある．*M. kansasii* は抗結核薬に感受性である．

3）らい菌

（1）特徴

らい菌はハンセン病の起因菌である．至適発育温度はやや低く30～33℃前後である．培養不能菌であり，これは多くの遺伝子が，機能しない偽遺伝子になっているためである．細胞内寄生性細菌でマクロファージに貪食され，また末梢神経シュワン細胞 Schwann cell に親和性が高く，これらの細胞内で増殖する．倍加時間は11～13日と考えられている．カタラーゼをもたず，そのために抗結核薬のイソニアジドに無効である．

世界の有病者数と新規患者数はそれぞれで18万人と21万人である（WHO）．インド，ブラジル，インドネシアなどに患者数は多い．日本における新規患者数は10人以下（大半が在日外国人）である．

（2）感染と病態

感染経路には不明なところが大きい．乳幼児期に，らい菌を多数排菌している患者との濃厚で頻回の接触により，多数のらい菌が経気道的に入ることが重要とされる．末梢神経，皮膚など体表部に好発する．発症には数年から数十年かかる．

ハンセン病の病型は，らい腫型 lepromatous と類結核型 tuberculoid から構成され，体液性免疫と細胞性免疫を反映している．また経過中の急性反応をらい反応という．らい腫型ではらい菌に対する細胞性免疫反応は欠落し，病変部に多数のらい菌を認める（多菌型）．体液性免疫優勢で，多数のらい菌に対する抗体が存在する．ときに知覚障害や発汗障害を認めるが，神経肥厚は顕著ではない．類結核型ではらい菌に対する細胞性免疫応答が強く，病変部にらい菌はほとんどない（少菌型）．経過は良好である．神経肥厚がみられ，支配領域の知覚・運動障害が生じることが多い．

（3）病原因子

確たる病原因子は知られていない．病態の形成には宿主側の要因によるところが大きい．

（4）検査と診断

診断は病原体診断が確定診断となる．らい菌に特異的なフェノール糖脂質 phenolic glycolipid（PGL-1）に対する特異的抗体検査がある．皮膚所見，神経学的所見，皮膚スメア所見，病理組織学的所見などを総合して診断する．

（5）予防と治療

治療は多剤併用化学療法を行う．標準的な治療として，リファンピシン，ジアフェニルスルホン（DDS），クロファジミン（CLF）を投与する．

（大原直也）

III グラム陰性球菌と感染症

① *Neisseria* 属

Neisseria 属には 50 菌種以上が含まれるが，健常な人に病原性を有するのは淋菌 *Neisseria gonorrhoeae* と髄膜炎菌 *Neisseria meningitidis* のみであり，多くは口腔などに常在細菌として生息する．直径 0.6～1.0 μm のグラム陰性球菌が 2 つずつ向き合った双球菌として観察される．条件により単球菌状や四連球菌状を呈することがある．鞭毛はなく芽胞は形成しない．髄膜炎菌には線毛と莢膜がある．*Neisseria* 属は自然環境には生息せず，淋菌と髄膜炎菌はヒトの粘膜組織，鼻腔，呼吸器上皮，尿道，膣・卵管などに生息する．両菌はグルコースや乳酸などのエネルギー源を必要とする．好気性でカタラーゼ陽性，チトクロームオキシダーゼ陽性，硝酸塩還元能陰性である．初代培養では 5～10% CO_2 存在下でよく増殖する．

1）淋菌

（1）特徴：性状（形状，増殖）

淋菌は腎臓型の球菌が 2 個対照的にくぼんだ面で接している．線毛はあるが莢膜はない．普通寒天培地には発育せず，チョコレート寒天培地を用いて，36℃で 3～10% CO_2 存在下で 24～48 時間培養する．好中球に貪食されても細胞内で生き続ける（図 3-3-1）．乾燥や熱に対する抵抗性は弱い．

（2）感染と病態

淋菌感染症は性感染症 sexually transmitted infection（STI）の中で最も多く，最近増加している．性行為による粘膜接触で伝播する．1,000 個程度の菌で感染は成立する．

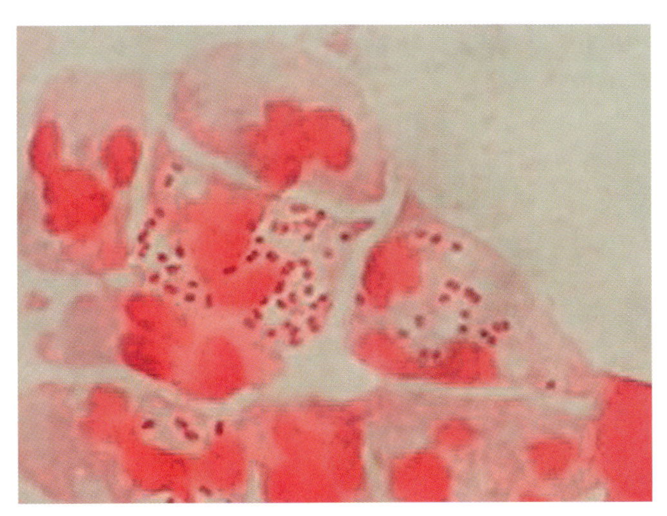

図 3-3-1 *Neisseria gonorrhoeae*
尿道炎患者の尿道分泌物の塗抹標本.
（古林敬一先生）

男性は主として化膿性尿道炎を呈し，女性は子宮頸管炎を呈する．粘膜接触で感染すると，2～9 日後に男性では排尿時の強い痛みと膿性の分泌物が出現する．尿道から上行感染すると，前立腺炎，精嚢炎へ進行する．女性では尿道炎の症状は軽く，自覚されないまま経過することが多く，保菌者として感染源になりやすい．子宮頸管炎，子宮内膜炎，卵管炎などを起こし，骨盤炎症性疾患，卵管不妊症，子宮外妊娠，慢性骨盤痛の原因となる．オーラルセックスにより咽頭炎を起こすこともある．淋菌感染症は何度も再感染することがある．

（3）病原因子

代表的な病原性因子に IgA プロテアーゼがあり，表層多糖体も病原性に深く関与している．病原性の維持には鉄イオンが必要である．

（4）検査と診断

尿道分泌物のグラム染色が有用である．確実な診断のためには検体の鏡検だけでなく，菌の培養と同定検査が必要である．培養には NYC 培地，サイヤー・マーチン培地 Thayer-Martin medium またはチョコレート寒天培地などを用い，37℃で 5～10%の炭酸ガス環境下で培養する．

（5）予防と治療

予防対策としては，性的接触時にはコンドームを必ず使用することを教育する．また，患者だけでなくその接触者を発見し，早期診断と治療を行うことが重要である．治療として，セフトリアキソン，セフォジジム，スペクチノマイシンの注射薬の使用が勧奨される．パートナーが感染している場合には再び感染が生じるため（ピンポン感染），パートナーの同時治療も重要である．

2）髄膜炎菌

（1）特徴：性状（形状，増殖）

髄膜炎菌は化膿性髄膜炎患者のみならず，健常者の鼻咽頭からも分離される（図 3-3-2）．0.6～0.8 μm の双球菌で非運動性である．血液寒天培地やチョコレート寒天培地上に発育する．乾燥や熱に対する抵抗性は弱い．

（2）感染と病態

化膿性髄膜炎のうち，髄膜炎菌を起炎菌とするものを髄膜炎菌性髄膜炎という．流行性髄膜炎ともいう．日本では年間 10 例程度である．ヒト以外からは分離されず，咳などから飛沫感染する．気道粘膜を介してリンパ節から血中に入り高熱を伴う敗血症を起こし，さらに髄液中に侵入・増殖して髄膜炎を起こすと，激しい頭痛，嘔吐，精神症

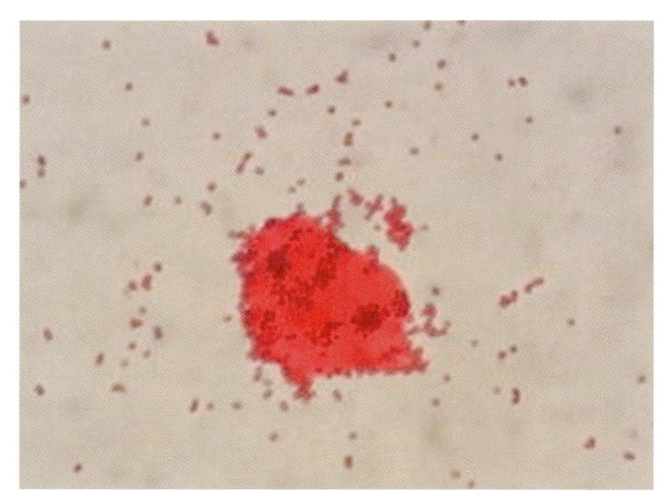

図 3-3-2 *Neisseria meningitidis*
咽頭検体の塗抹標本.
(古林敬一先生)

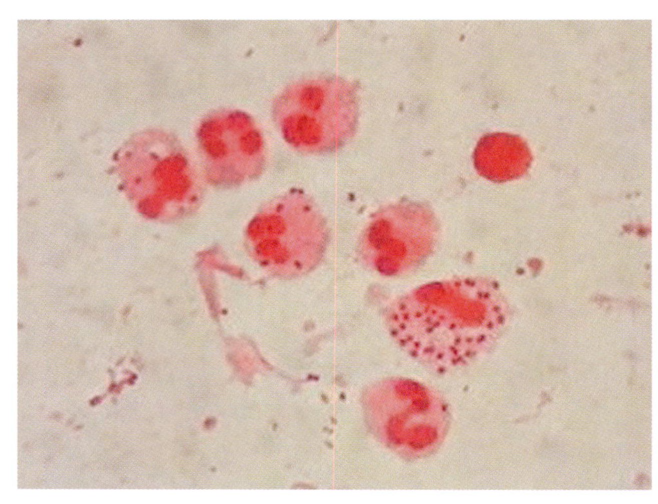

図 3-3-3 *Moraxella catarrhalis*
咽頭検体の塗抹標本.
(古林敬一先生)

状, 項部硬直などを呈する. 劇症型に移行すると突然発症し, 頭痛, 意識障害, 播種性血管内凝固症候群 (DIC) を伴い, ショックに陥って死に至る (Walterhouse-Friderrichsen 症候群). 髄膜炎を起こした場合, 治療を行わないと死亡率はかなり高い. 五類感染症に分類され, 全数届出の対象となっている. 近年, 全寮制の学校などにおいて死亡例を含む感染の拡大が報告されたことから, 学校保健安全法の第二種感染症に定められた (2012 年, 文部科学省).

(3) 病原因子

淋菌とともに, 線毛抗原やポーリンなどの表層タンパク質が病原因子として知られている.

(4) 検査と診断

診断は血液・髄液の培養により本菌を分離・同定することによる.

(5) 予防と治療

ヒトのみを自然宿主とするため, 感染予防対策は比較的容易である. 精製莢膜多糖体を使用した髄膜炎菌ワクチンが利用可能である. 流行地への渡航や, 大規模な人の移動や密集化などで感染のリスクが高まる場合などの際にはワクチン接種が推奨される. 国内では 2015 年 5 月から髄膜炎菌 (血清型 A, C, Y, W) による侵襲性髄膜炎菌感染症を予防する目的の 4 価髄膜炎菌ワクチンが認可され, 任意接種できるようになった. 治療は, ペニシリン系薬が第一選択薬である. 耐性菌に対してはセフトリアキソン, セフォタキシムやカルバペネム系薬が推奨される.

② *Moraxella* 属

好気性の双球菌であるが喀痰中で単球菌として観察されることもある (**図 3-3-3**). 直径は 1～1.5 μm. *Moraxella* 属の中で最も重要なのは *Moraxella catarrhalis* である.

M. catarrhalis

(1) 特徴

血液寒天培地やチョコレート寒天培地上で良好に増殖するが特別な栄養要求性はない. 鞭毛や芽胞は形成しない. オキシダーゼ陽性, カタラーゼ陽性, DNA 分解酵素を産生する. 多くの株はβ-ラクタマーゼを産生する.

(2) 感染と病態

健常者の鼻咽腔に常在していることがある. 肺炎, 気管支炎, および副鼻腔炎などを引き起こす. 小児では中耳炎や副鼻腔炎の起因菌となる.

(3) 病原因子

線毛が付着に強く関与することがいわれている.

(4) 検査と診断

喀痰などのグラム染色で, 好中球に貪食されたグラム陰性双球菌を確認する. 診断の確定は本菌を同定・分離することによってなされる.

(5) 治療

多くの株がβ-ラクタマーゼを産生するため, マクロライド系薬, キノロン系薬が選択される.

(大原直也)

グラム陰性桿菌と感染症

1 腸内細菌目の細菌

腸内細菌目 order *Enterobacterales* は通性嫌気性のグラム陰性桿菌であり芽胞を形成しない．この目に属する細菌の多くはヒトや動物の腸管内に生息するが，腸管に定着しているすべての細菌が腸内細菌目に含まれるわけではない．呼吸あるいは発酵による代謝を行い，特殊な栄養を必要とせず一般的な普通寒天培地で発育する．**表 3-4-1** にヒトに病原性を有する主な菌種をまとめた．この中には腸管とは関係のないペスト菌の他，抗菌薬耐性で院内の日和見感染症の原因となる菌も含まれている．特に最近，大腸菌，*Klebsiella* 属を含め，すべてのβ-ラクタム系薬に耐性を示すカルバペネム耐性腸内細菌目細菌 carbapenem-resistant *Enterobacterales*（CRE）の増加が世界的に問題となっている．

1）腸内細菌科大腸菌 family *Enterobacteriaceae Escherichia coli*

大腸菌はヒトや動物の腸管内常在細菌として存在し，宿主の消化吸収補助，ビタミン合成，代謝などの役割をもつが，病原因子を獲得することによって下痢を引き起こす下痢原性大腸菌や腸管以外の部位に定着して感染症を引き起こす大腸菌もいる．

本菌は中等大のグラム陰性桿菌（0.4～0.7×1.0～3.0 μm）で，多くは周毛性鞭毛を有して運動性があるが，一部運動性を欠く菌もいる．また莢膜を有する場合もある．

大腸菌を型別するために一般的に用いられているのが血清学的な分類である．LPS の O 抗原は 180 種類以上，H 抗原（鞭毛）は 50 種類以上，K 抗原（莢膜）は 80 種類以上報告されている．これらの血清型を組み合わせて O157:H7 などと表記する．病原性を有する大腸菌は特定の血清型をもつ場合が多く，血清型は病原性大腸菌の推定に利用されたり疫学解析の指標に用いられる．

菌体表層の多糖由来の O 抗原，鞭毛由来の H 抗原はいずれも培養上の細菌の性質を示すドイツ語に由来する．運動性を有する菌は濡れた寒天培地上で薄く広がり曇ったようにみえ，この状態を Hauchbildung とよんだ．この抗原性は H 抗原とよばれたが後で鞭毛の抗原性であることがわかった．一方でこの性質がない場合 Ohne Hauchbildung とよばれ，その抗原性は O 抗原とよばれた．実際には鞭毛とは関連のない菌体表層の多糖の抗原性であることがわかったが，そのままの名称が現在も使われている．なお，莢膜由来の K 抗原はドイツ語の莢膜 Kapsel に由来する．

表 3-4-1　腸内細菌目の代表的な細菌とヒト感染症

科	属	代表的な菌種	ヒトの感染症
Enterobacteriaceae	*Escherichia*	*E. coli*	下痢, 腸炎, 腸管外感染症（尿路感染症, 髄膜炎）
	Shigella	*S. dysenteriae*	細菌性赤痢
		S. flexneri	
		S. boydii	
		S. sonnei	
	Salmonella	*S. enterica*	急性胃腸炎，腸チフス（チフス菌による）
Yersiniaceae	*Yersinia*	*Y. pestis*	ペスト
		Y. enterocolitica	急性胃腸炎，腸間膜リンパ節炎，結節性紅斑
		Y. pseudotuberculosis	腸間膜リンパ節炎，結節性紅斑
	Serratia	*S. marcescens*	日和見感染症（尿路感染症，敗血症）
Enterobacteriaceae	*Klebsiella*	*K. pneumoniae*	日和見感染症（肺炎，尿路感染症）
		K. oxytoca	下痢（菌交代症による）
	Citrobacter	*C. freundii*	日和見感染症（尿路感染症）
		C. koseri	新生児髄膜炎
	Enterobacter	*E. cloacae*	日和見感染症（尿路感染症）
	Plesiomonas	*P. shigelloides*	下痢，腸炎
Morganellaceae	*Proteus*	*P. mirabilis*	日和見感染症（尿路感染症）
		P. vulgalis	
	Providencia	*P. alcalifaciens*	下痢，日和見感染症（尿路感染症）
		P. stuartii	日和見感染症（尿路感染症）
	Morganella	*M. morganii*	日和見感染症（尿路感染症）

表 3-4-2 腸管病原性大腸菌（下痢原性大腸菌）の種類とその特徴

起因菌	病原因子	主要な症状	主な O 血清型
腸管病原性大腸菌 enteropathogenic *E. coli*（EPEC）	III 型分泌装置を介した付着因子（A/E 付着）	下痢，発熱，腹痛，悪心，嘔吐，小児の腸炎	26, 55, 111, 119, 145
腸管組織侵入性大腸菌 enteroinvasive *E. coli*（EIEC）	III 型分泌装置を介した細胞侵入（腸管上皮への侵入と破壊）	粘血便，腹痛，発熱（赤痢に類似）	28ac, 29, 115, 121, 136, 144, 159, 164, 173
毒素原性大腸菌 enterotoxigenic *E. coli*（ETEC）	付着因子（CFA） 易熱性毒素（LT）コレラ毒素に類似 耐熱性毒素（ST）	水様性下痢，腹痛，微熱	6, 8, 25, 78, 148, 153, 169
腸管出血性大腸菌 enterohaemorrhagic *E. coli*（EHEC） あるいは Vero toxin-producing *E. coli*（VTEC） Shiga toxin-producing *E. coli*（STEC）	III 型分泌装置を介した付着因子（A/E 付着） ベロ毒素（VT1, VT2）〔別名志賀毒素（Stx1, Stx2）〕：タンパク質合成阻害	血便，腹痛，嘔吐，発熱 溶血性尿毒症症候群からまれに急性脳症	26, 45, 103, 111, 121, 145, 157
腸管凝集付着性大腸菌 enteroaggregative *E. coli*（EAggEC, EAEC）	付着因子（AAF） 腸管毒素（EAST-1 など）	水様性下痢（EPEC による症状に類似）	44, 73, 92, 111ab, 126, 136
均一付着性大腸菌 diffusely adherent *E. coli*（DAEC）	付着因子（Afa/Dr）	乳幼児の水様性下痢	O5, O86 など 25 種の異なる O 血清型が報告されている

（1）腸管病原性大腸菌 enteropathogenic *E. coli*

ヒトに下痢を主症状とする疾患を引き起こす大腸菌を腸管病原性大腸菌（あるいは下痢原性大腸菌 diarrheagenic *E. coli*）とよび，病型によって6種類に分類される（**表 3-4-2**）．以下，病原性と症状について述べる．

a）腸管病原性大腸菌 enteropathogenic *E. coli*（EPEC）

EPEC は主に小児の腸炎起因菌であり，発熱，嘔吐，下痢を起こす．古くから腸管への病原性が指摘されてきた大腸菌であり，特定の血清型（O55，O111）との関連が示唆されてきた．近年，分子遺伝学的な研究が進み，特殊に進化したⅢ型分泌装置によって種々のエフェクタータンパク質が宿主細胞に注入されることにより，腸管の粘膜上皮細胞表面の構造を変化させて（attaching and effacing；A/E 付着とよばれる），強固な付着を形成することがわかった．これにより特に毒素を産生しない EPEC が宿主に下痢を発症させると考えられている．

b）腸管組織侵入性大腸菌 enteroinvasive *E. coli*（EIEC）

赤痢菌感染症（☞ p.159 参照）に似た感染症を起こす．Ⅲ型分泌装置を介して粘膜上皮細胞に侵入し，細胞内で増殖して組織を破壊していく．主な症状として発熱，腹痛，粘血便を呈する．

c）毒素原性大腸菌 enterotoxigenic *E. coli*（ETEC）

発展途上国の乳幼児下痢症，旅行者下痢症の主な起因菌として知られている．主な症状は微熱を伴う腹痛，水様性下痢であり，コレラ菌（☞ p.162 参照）感染による症状と似ている．熱によって失活する易熱性毒素 heat-labile toxin（LT）と耐熱性毒素 heat-stable toxin（ST）が下痢の原因である．LT は構造と生理活性がコレラ毒素と非常に類似している．LT はアデニル酸シクラーゼを活性化し細胞内 cAMP 濃度を上昇させ，一方で ST はグアニル酸シクラーゼを活性化し細胞内の cGMP 濃度の上昇を引き起こす．これらが細胞のイオンチャネルの活性化を介して水と電解質を腸管腔への流出を起こす．

d）腸管出血性大腸菌 enterohaemorrhagic *E. coli*（EHEC）

1982 年，米国でハンバーガーが原因で出血性下痢を特徴とした集団食中毒を起こした起因菌として分離されたのが最初である（**図 3-4-1**）．感染経路は加熱不十分な肉類や生肉の摂取によることが多い（ウシの保菌率が高い）．主な症状は腹痛，下痢，発熱から始まり，その後血便を呈する例が多い．重症化すると溶血性尿毒症症候群 hemolytic uremic syndrome（HUS）や脳症を起こすことがある．HUS は溶血性貧血，血小板減少症，急性腎不全を主とする合併症である．主要な病原因子はベロ毒素 Vero toxin（VT）〔赤痢菌が産生する志賀毒素 Shiga toxin（Stx）と同一〕で，タンパク質合成阻害作用がある．ベロ毒素の名前の由来は，サル腎由来のベロ細胞に細胞死を引き起こしたことによる．また，EPEC と同様に A/E 付着を引き起こす．血清型として新聞報道などでよくみられる O157:H7 が多く報告されているが，他にも O26，O111 などさまざまな血清型がある．EHEC は感染症法の三類感染症として扱われる．

e）腸管凝集付着性大腸菌 enteroaggregative *E. coli*（EAggEC，EAEC）

菌体同士が凝集しやすい性質があり，上皮細胞に凝集塊として付着する．小児の慢性的な下痢の原因で，主な症状は水様性下痢，嘔吐である．凝集にかかわる特殊な線毛（AAF）と耐熱性の腸管毒素 EAggEC heat-stable enterotoxin 1（EAST-1）を産生する．

f）均一付着性大腸菌 diffusely adherent *E. coli*（DAEC）

上皮細胞に均一に付着する性質をもつ大腸菌で，乳幼児の水様性下痢の起因菌である．付着因子（Afa/Dr）が同定されている．なお，DAEC は EPEC の一種とする説も

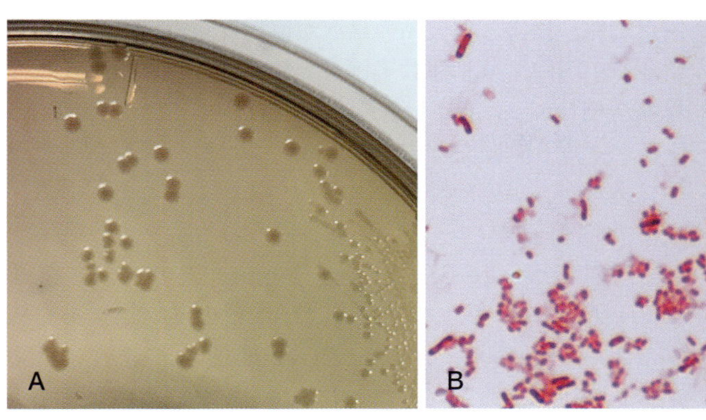

図 3-4-1　腸管出血性大腸菌 O157:H7
A：MacConkey 培地上のコロニー．B：グラム染色像．

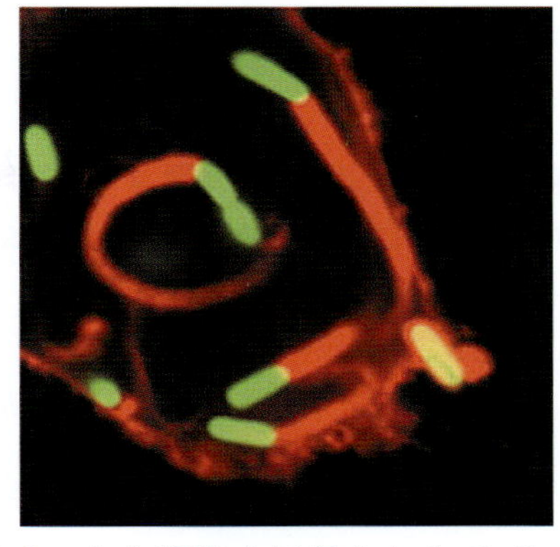

図 3-4-2　上皮細胞内に侵入した *S. flexneri* が誘導するアクチン重合
緑：菌体，赤：細胞内の菌の一端から重合した宿主タンパク質アクチンが認められる．
（Suzuki T et al. *J Immunol* 177: 4709〜4717, 2006 を改変）

あり，確定した菌群ではない．

(2) 腸管外感染症を起こす大腸菌

a）感染と病態

本来の常在場所ではなく異所性に感染症を起こす場合があり，これらは腸管外感染症と総称される．膀胱炎や腎盂腎炎を引き起こす大腸菌は腸管病原性大腸菌とは異なる定着因子を有し，尿路原性大腸菌 uropathogenic *E. coli* という．また，莢膜抗原 K1 を有する大腸菌は新生児の髄膜炎の起因菌として高率に報告されている．

b）検査と診断

起因菌の分離培養が基本であるが，糞便検体から分離する場合には非病原性の大腸菌が混入するため注意が必要である．血清型のみで決定するのではなく，毒素，病原性に関連する遺伝子などの病原因子の検出も同時に実施する．最近は，O157:H7 を選択的に分離できる特殊培地も利用できる．

c）予防と治療

通常，脱水症状に対する対症療法となる．抗菌薬の投与は症状軽減や病日短縮に有効とされているが，EHEC 感染の場合は抗菌薬の投与が毒素の放出を助長することが知られているため注意が必要である．一方で，腸管外感染症の場合は積極的な抗菌薬治療を実施する．予防のためのワクチンは実用化されていない．腸管感染症の場合，十分な加熱調理や二次感染防止といった食中毒予防の基本を遵守することが重要である．

2）腸内細菌科赤痢菌 family *Enterobacteriaceae* genus *Shigella*

(1) 特徴

赤痢菌は *Shigella* 属の 4 亜種の総称である．*Shigella dysenteriae*（A 亜群），*Shigella flexneri*（B 亜群），*Shigella boydii*（C 亜群），*Shigella sonnei*（D 亜群）の 4 亜群に分類され，*S. dysenteriae* による疾患が最も重症である．志賀潔が *S. dysenteriae* を初めて報告したことから *Shigella* と命名された．大きさは大腸菌とほぼ同じグラム陰性桿菌で，鞭毛，線毛，莢膜を有しない．

細菌性赤痢は感染症法の三類感染症となる．国内での発生は減少しており，最近では *S. sonnei* による散発的な保育園などでの集団感染事例が報告されている．

(2) 感染と病態

赤痢菌感染によって起きる細菌性赤痢は悪寒，発熱，腹痛，水様性および粘血性下痢が主な症状である．原虫感染症のアメーバ赤痢と混同しないように注意が必要である．下痢は頻回に生じ，排便後も便意が残るしぶり腹（テネスムス tenesmus）を伴う．4 亜群の中で *S. dysenteriae* は重症化することが多く，その他 *S. flexneri*，*S. boydii*，*S. sonnei* の順に軽症化する傾向がある．

(3) 病原因子

赤痢菌の宿主はヒトとサルであり，胃酸に抵抗性があることからきわめて少数の菌（10 個ほど）で感染が成立する．上皮細胞へ侵入し細胞質内で増殖する性質をもつが，腸管の粘膜固有層を超えて血中に侵入することはない．ヒト大腸に存在する孤立リンパ小節から侵入し，粘膜上皮細胞の細胞質内で増殖，宿主タンパク質のアクチンの重合を利用して動き回り，細胞外に遊離することなく隣接する上皮細胞へ次々と感染する（図 3-4-2）．粘膜上皮を破壊し潰瘍を形成することにより粘血性下痢を呈すると考えられる．一連の感染過程においてⅢ型分泌装置を介して多数のエフェクターが関与し，細胞侵入，免疫回避，宿主の細胞死抑制などの役割を果たしている．A 亜群 *S. dysenteriae* のみが志賀毒素を産生するが，腸管出血性大腸菌のベロ毒素 VT1 とアミノ酸配列が同一である．志賀毒素を産生する A 亜群による感染症は他の亜群より重症化しやすい．

(4) 検査と診断

糞便検体からの分離培養によって起因菌の同定を行う．

(5) 予防と治療

臨床分離株の多くは古い世代の抗菌薬に対して多剤耐性化している．このため治療にはニューキノロン系薬やホスホマイシンなどが用いられる．ワクチンは実用化されていない．

3）腸内細菌科サルモネラ属 family *Enterobacteriaceae* genus *Salmonella*

（1）特徴

0.7～1.5×2.0～5.0 μm の大きさで，グラム陰性桿菌で周毛性鞭毛をもち運動性がある．*Salmonella* 属は自然界のさまざまな動物の腸管に分布しているが，ヒト腸管内ではきわめて少ない．本菌には個人レベルの軽微な胃腸炎を起こすものからヒト-ヒト感染を起こす重症の腸チフスまでさまざまな感染症を引き起こす菌がある．

現在，*Salmonella enterica*，*Salmonella bongori* と *Salmonella subterranea* の3菌種があり，*S. enterica* は6つの亜種 subsp. に分かれる．さらに亜種は血清型で分類されている．*Salmonella* 属の血清型 serovar は，O抗原，莢膜抗原（Vi抗原とよぶ），鞭毛のH抗原の違いから約2,500種類にもなる．serovar の後に発見された土地や発見者の名が血清型としてつけられていることが多い．ヒトに病原性がある *Salmonella* 属はすべて *S. enterica* subsp. *enterica* に含まれる．菌名の記載法として，たとえば腸チフスを起こすチフス菌は *S. enterica* subsp. *enterica* serovar Typhi と表記されるが，長くなるので慣用的に *S. enterica* serovar Typhi と略記されることが多い．

（2）感染と病態

全身性感染症である腸チフスおよびパラチフスと，比較的症状が軽い胃腸炎とに大きく病態が区別される．

a）腸チフスおよびパラチフス

米国疾病予防管理センター（CDC）資料（2023年）によると，世界では腸チフスに年間1,100～2,100万人，パラチフスに年間500万人が罹患していると推定され，現在でも衛生水準が低い発展途上国で蔓延している．国内の症例の多くは輸入事例である．腸チフスの場合，経口感染した菌は小腸粘膜から移行し，粘膜下リンパ組織や腸間膜リンパ節で増殖する．その後リンパ管を経由して血中に入り，敗血症を引き起こし悪寒高熱が現れる．発熱のわりに脈が遅い比較的徐脈，白血球減少，脾腫，胸腹部のバラ疹（淡紅色の小丘疹）など特徴的な症状がみられる．パラチフスの症状は腸チフスに比較して症状が軽いとされる．なお，チフスとはギリシャ語で高熱により意識が朦朧としている状態を意味する．腸チフスとパラチフスは感染症法の三類感染症に分類される．

Salmonella 属による腸チフスと *Rickettsia* 属による発疹チフスがあるがまったく別の感染症である．日本語では同じ「チフス」と記述するが，英語では腸チフスを typhoid fever，発疹チフスを typhus と，これら2つの感染症を明確に区別している．

b）サルモネラ胃腸炎

サルモネラ胃腸炎は感染性食中毒の1つであり，汚染された鶏卵，食肉，乳製品の摂取が原因となる．発生は夏季に多く，国内では年間数千例の症例が報告される．代表的な血清型は serovar Enteritidis である．主な症状は発熱，腹痛，下痢，嘔吐などであり，成人では胃腸炎症状が一般的であるが，小児の場合は敗血症へ進行することもある．

（3）病原因子

チフス菌 *S. enterica* serovar Typhi やパラチフス菌 *S. enterica* serovar Paratyphi A はヒトにのみ病原性を発揮するが，*S. enterica* serovar Typhimurium のように動物が本来の宿主である一方でヒトに対しても病原性を示す菌が多い．*Salmonella* 属の染色体には遺伝子の水平伝播によって獲得された病原性に関連する遺伝子群が複数存在する．これらは *Salmonella* pathogenicity island（SPI）とよばれ，機能的に関連した遺伝子が近接してクラスター化している．現在，SPI-1～23まで報告されており，SPI-1～5までは *S. enterica* のすべての血清型に存在するが，他のSPIに関しては血清型あるいは株間で保有するSPIが異なっている．SPI-1とSPI-2はⅢ型分泌装置を構成する．

Salmonella 属は細胞侵入能と細胞内増殖能を有する．腸管の粘膜上皮あるいは腸管抗原を捕捉する機能をもつM細胞から侵入し，この機能にはSPI-1が関与する．侵入した菌は宿主の炎症性サイトカインの産生を誘導し腸炎を引き起こすと考えられる．また，細胞内ではファゴゾーム内で増殖し，宿主による殺菌作用から回避するがこれにはSPI-2が関連する．腸チフスを起こす菌は腸管のみならずリンパ節や肝臓や脾臓へ移行するが，この際SPI-2が細胞内生存に必要である．また，肝臓・脾臓での増殖に関連する *spv*（*Salmonella* plasmid virulence）遺伝子群が染色体とは別の環状DNAであるプラスミドにコードされており，すべての血清型が保有している．

チフス菌にはVi抗原とよばれる莢膜が知られており，食細胞の貪食や補体活性化に対する阻害活性がある．

（4）検査と診断

検体より各種選択培地を用いて起因菌の分離培養・同定を行う．

（5）予防と治療

腸チフス，パラチフスには抗菌薬による治療が行われる．以前はニューキノロン系薬が第一選択であったが，近年，耐性菌が増加している（特に南アジア）ことから現在は第三世代セフェム系薬が用いられる．その他のサルモネラ胃腸炎では，対症療法が基本となるが重症例ではアンピシリン，ホスホマイシン，ニューキノロン系薬が用いられる．薬剤耐性化の頻度は低い．

腸チフスに対するワクチンが海外で使われているが，国内では未承認である．余談になるが，ヒトではなくトリおよびウシサルモネラ症に対するワクチンは国内で広く使用されている．海外では腸チフスの予防として経口弱毒生ワクチンと莢膜多糖ワクチンが利用できる．感染流行国への旅行者にはワクチン接種が推奨されるが，効果は50〜80%と十分な感染防御効果を有するものではない．

4）エルシニア科エルシニア属 family *Yersiniaceae* genus *Yersinia*

Yersinia 属には26菌種が分類され，そのうちの3菌種，ペスト菌 *Yersinia pestis*，腸炎エルシニア *Yersinia enterocolitica* および偽結核菌 *Yersinia pseudotuberculosis* がヒトに病原性を示す．

Yersinia 属の病原性にかかわる遺伝子は染色体およびプラスミドにコードされている．染色体には宿主細胞侵入因子（インベイシン invasin）や細胞表面への定着因子などが，またプラスミドにはⅢ型分泌装置とエフェクターの遺伝子がコードされ，これにより10個以上のYop（Yersinia outermembrane protein）とよばれるエフェクタータンパク質が直接宿主細胞へ注入され，細胞にさまざまな作用を及ぼす．

（1）ペスト菌 *Y. pestis*

a）特徴

ペストは，もともと齧歯類の疾患であるが，ノミを介してヒトにも感染する．中世ヨーロッパにおいて大流行した黒死病をはじめ，たびたび流行を繰り返したが，20世紀以降は著明に減少した．現在でも，北米，南米，アジア，アフリカなどで年間数千人の患者が散発的に発生している．国内では1926年以降ペストの発生およびペスト菌の検出は報告されていない．

ペスト菌の感染によるペストは感染症法の一類感染症に分類される（一類に分類されている唯一の細菌感染症）．

b）感染と病態

感染した齧歯類などの動物を吸血し，ペスト菌を保有したノミがヒトを吸血する際に感染が起きる．菌はノミの刺し口からリンパ節へ達してリンパ節腫大をきたす腺ペストを起こす．全身症状として突発性発熱，頭痛，衰弱などがみられる．また毒素による出血性素因が現れると皮下出血斑（黒死病の由来）がみられ，敗血症を伴って死亡する（未治療の場合の致命率は40〜90%）．一方，ペスト患者の飛沫を介してヒト-ヒト間の伝播が起きる．この場合，出血性の重篤な肺炎（肺ペスト）を起こす（未治療の場合の致命率は100%）．

c）病原因子

ペスト菌は，前述の *Yersinia* 属がもつ病原因子以外にも，VW抗原（食細胞による殺菌に抵抗性をもつ菌体表層タンパク質）や毒素などを産生する．

d）検査と診断

臨床材料からの菌の分離培養と同定，菌の莢膜抗原を検出する抗体検査，PCR検査により起因菌を同定し診断する．

e）予防と治療

アミノグリコシド系薬，テトラサイクリン系薬，クロラムフェニコール，ニューキノロン系薬の抗菌薬が効果的である．ペストの治療薬として，国内ではストレプトマイシン，ドキシサイクリン，レボフロキサシンが保険適用を受けている．

ワクチンとしてホルマリン処理死菌ワクチンが用いられているが，十分な予防効果は期待できない．国内で発生していないので，日本に入港する船舶内での保菌動物の検査と輸入動物の検疫が重要である．

（2）腸炎エルシニア *Y. enterocolitica*，偽結核菌 *Y. pseudotuberculosis*

両菌種ともブタなどの動物や自然環境中に分布している．ヒトには汚染された食品あるいは保菌ペットとの接触を介して経口感染する．

腸炎エルシニアは，食中毒原因菌の1つである．ヒトに腸炎，回腸末端炎，腸間膜リンパ節炎などの急性腹症を起こすが，胃腸炎，敗血症や続発性の関節炎，結節性紅斑などもみられる．本菌は毒素原性大腸菌の耐熱性毒素とよく似た毒素を産生する．治療にはセフェム系薬，アミノグリコシド系薬，テトラサイクリン系薬が有効である．

偽結核菌は齧歯類などに結核様病変を起こすが，まれに汚染された食品を介してヒトへ感染し，敗血症，腸間膜リンパ節炎，下痢症を起こす．また結節性紅斑，関節炎などを伴うことがある．本菌はマクロライド系薬以外の抗菌薬に感受性を示す．

5）エルシニア科セラチア属 family *Yersiniaceae* genus *Serratia*

Serratia 属には約23菌種が知られている．基準種は *Serratia marcescens* で，赤い色素を産生することから，パンがキリストの血で赤く着色するキリスト教の故事にちなんで，和名で霊菌とよばれることがある．赤い色素を産生する菌種が多いが，臨床的に色素非産生菌も分離される．空気中，塵埃中，水中などに存在し，食物に付着して増殖し赤く色をつけることがある．

クロルヘキシジングルコン酸塩やベンザルコニウム塩化物などの低水準消毒薬に抵抗性があり，また抗菌薬耐性も多く報告されている．ヒトに対して日和見感染を起こし，肺炎，尿路感染，敗血症などの種々の感染症の原因であるともに，補液，輸液を汚染して院内感染を引き起こすことも知られている．

6）腸内細菌科クレブシエラ属 family *Enterobacteriaceae* genus *Klebsiella*

Klebsiella 属は17菌種あり，窒素固定細菌として，土壌，水，植物などの環境中に存在するが，ヒトに病原性を示す菌種として肺炎桿菌 *Klebsiella pneumoniae*（図3-4-3）や，*Klebsiella oxytoca* などが知られている．本来，ヒ

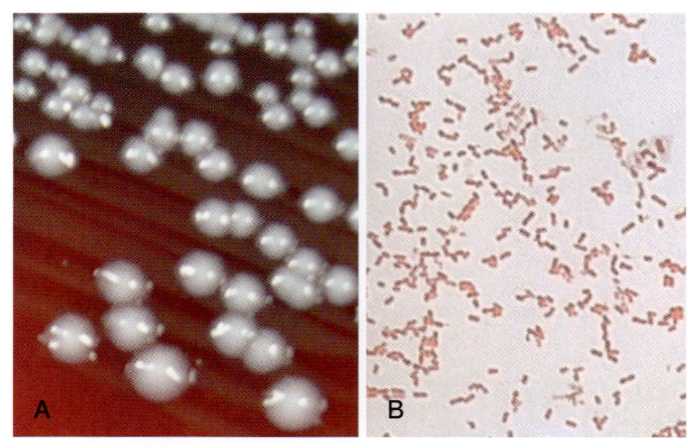

図 3-4-3 肺炎桿菌
A：血液寒天培地上のコロニー．粘液性のコロニーを形成する．B：グラム染色像．
（標準微生物学 第14版，医学書院，p.178を改変）

トに病原性を示す *Klebsiella* 属は，常在細菌として腸内，口腔内，上気道に存在するが，基礎疾患のある患者に肺炎などの呼吸器感染症，敗血症，尿路感染症などを起こす．*K. pneumoniae* は，アルコール中毒患者では肺が広範囲に炎症を起こす大葉性の重症肺炎を起こす．また院内感染や他の感染症の基礎疾患を治療中に，菌交代症の原因となることがある．*K. oxytoca* も，アンピシリンなどの抗菌薬投与後の菌交代症によって起きる抗菌薬関連腸炎の原因といわれているが，その病原性は不明である．

Klebsiella 属はもともとペニシリナーゼを保有しているためペニシリン系薬には耐性である．第三世代のセフェム系薬あるいはニューキノロン系薬が有効とされている．最近，基質特異性拡張型β-ラクタマーゼやOXA-48型カルバペネマーゼを産生して耐性化した *K. pneumoniae* が報告されており，治療には薬剤感受性試験が必要である．

7）その他の腸内細菌目の細菌

腸内細菌科の *Citrobacter* 属，*Enterobacter* 属，モルガネラ科 family *Morganellaceae* の *Proteus* 属，*Providencia* 属，*Morganella* 属はヒト腸管常在細菌として知られているが，**表 3-4-1** のように日和見感染症の原因となることがある．*Plesiomonas* 属は熱帯地域の淡水域の魚介類に多く分布しており，海外渡航者下痢症の原因となる．

❷ ビブリオ科の細菌

ビブリオ科 family *Vibrionaceae* は通性嫌気性のグラム陰性桿菌であり，増殖にNaClを要求する菌種が多い．海水から淡水の水域に広く分布し，魚介類からも分離される．ヒトに感染すると胃腸炎，下痢症，創傷感染や敗血症を起こすことが知られている．ビブリオ科に含まれる11属のうち *Vibrio* 属にヒトへの病原性を有する菌種が含まれる．

1）コレラ菌 *Vibrio cholerae* O1，O139

（1）特徴

コンマ状に彎曲した0.3～0.5×1.0～5.0 μmの桿菌であり，1本の極鞭毛によって活発に液体培地中で運動する．スクロース分解性のためTCBS（thiosulfate citrate bile sucrose）寒天培地上で黄色のコロニーを呈することから他の非分解性の腸炎ビブリオなどと区別される（**図 3-4-4**）．一般的にコレラ菌とは *V. cholerae* の中でもO1型およびO139型でかつコレラ毒素cholera toxin（CT）を産生する菌を指している．その他の軽度の下痢症を起こす *V. cholerae* はナグビブリオ non-agglutinable vibrio とよばれていたが，現在この名称はあまり用いられていない．

O1コレラ菌のO抗原はA，B，Cの3抗原からなり，その組み合わせによって小川型（AB），稲葉型（AC），彦島型（ABC）の3血清型に分けられる．また生物学的性状によりアジア型（古典型）とエルトール El Tor 型に分けられる．

コレラの世界的流行は7回記録されており，1817年にインドで始まった第1次世界流行から1899年の第6次世界流行までは古典型と考えられている．1961年から始まった第7次世界流行ではエルトール型が原因菌であり，現在でも終息することなく継続している．1990年代にはもともと非感染国であった南米諸国にコレラが伝播した．特に2010年に大地震の被害を受けたカリブ海のハイチでは，被災した難民キャンプの衛生環境の悪化の影響により82万人を超える疑い例を含む患者と約1万人以上の死者を出した（2010年10月～2019年11月までの同国保健人口省による報告）．また1992年にインドで新たに発生したO139型のコレラは新興感染症の1つとして数えられる．

コレラは感染症法の三類感染症に分類される．

日本でも19世紀には大流行を起こしたが，現在では海外で感染して帰国した輸入例のみとなっている．

（2）感染と病態

コレラ菌に汚染された食品あるいは水を介して経口感染

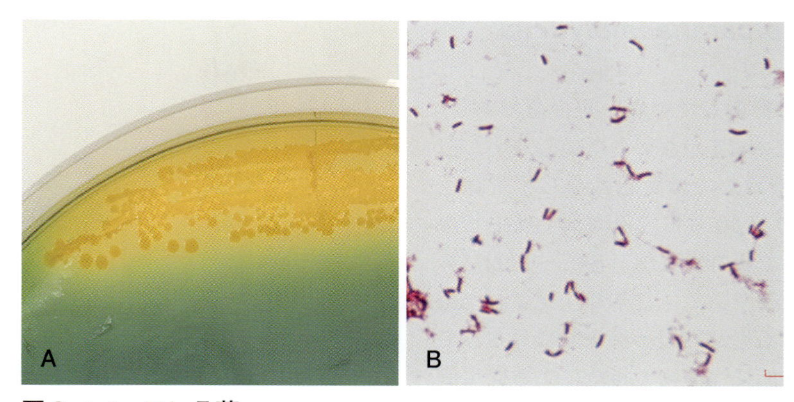

図 3-4-4　コレラ菌
A：TCBS 寒天培地上で白糖を分解して黄色を呈したコロニー．B：グラム染色像．

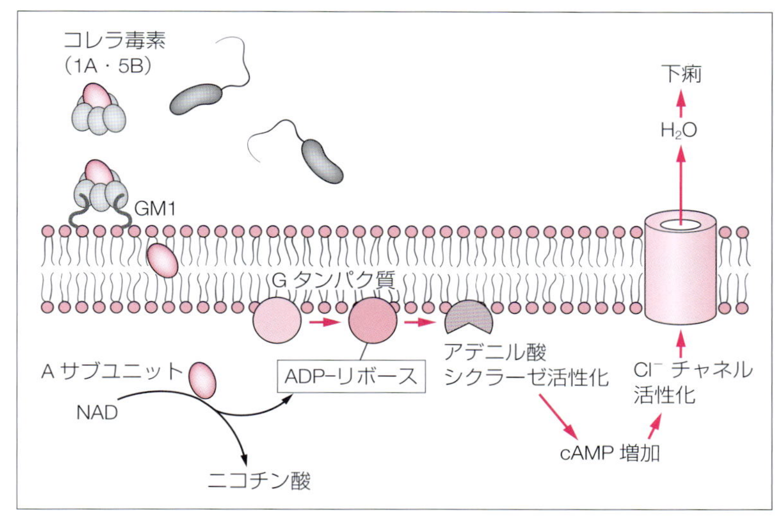

図 3-4-5　コレラ毒素の作用機序

する．もともとは酸に弱いので菌の多くは胃酸によって殺菌されるが，生き残った菌は小腸で増殖する．通常 1 日程度の潜伏期間の後に白色あるいは灰白色の水様性下痢（米のとぎ汁様便と称される）を発症する．下痢の量は 1 日 10 リットルを超えることもある．極度の脱水症状と血漿電解質異常をきたし，「コレラ顔貌」（目と頬がくぼむ）などの特徴的な所見を認める．嘔吐はみられるが，発熱，腹痛は認められないことが多い．

（3）病原因子

コレラにみられる激しい水様性下痢はコレラ毒素によって引き起こされる．コレラ毒素は毒素活性を有する A サブユニット 1 個と宿主細胞と結合する B サブユニット 5 個から構成される．腸管で増殖したコレラ菌から分泌された毒素は小腸粘膜上皮細胞膜表面にある糖脂質 GM1 ガングリオシドに B サブユニットが結合し，A サブユニットが細胞内に侵入する．細胞内でアデニル酸シクラーゼを活性化することによって cAMP 濃度が上昇し，その結果，細胞膜上の Cl^- チャネルが活性化する．これにより細胞内の水と電解質が大量に管腔内に流出する．なお，コレラ毒素は毒素原性大腸菌の易熱性毒素 LT（☞ p.158 参照）と構造が非常に類似している（**図 3-4-5**）．

（4）検査と診断

起因菌の同定は TCBS 寒天培地などの選択培地を用いて行う．

（5）予防と治療

治療は失った水と電解質の補給が中心である．経口輸液 oral rehydration solution（ORS）（組成はグルコース 20 g，NaCl 3.5 g，KCl 1.5 g，$NaHCO_3$ 2.5 g/L）や静脈内輸液が用いられる．重症例には抗菌薬が投与される．予防には感染源となる水や食品への注意が重要となる．海外でアウトブレイクが発生した際にはワクチンが使われているが，国内では未承認であり自費接種となる．

海外では東南アジア，インド，バングラデシュ，アフリカなどで散発的に発生しているが，いったんアウトブレイクが発生した際には流行地域住民へのワクチン投与が実施されている．流行地域への渡航に際しワクチン接種が推奨されるが，国内では未承認であり個人輸入の施設で自費接種となる．利用できるワクチンには不活化ワクチンと弱毒経口生ワクチンの 2 種類がある．

2）腸炎ビブリオ *Vibrio parahaemolyticus*

（1）特徴

通性嫌気性グラム陰性の彎曲していない短桿菌であり，*V. cholerae* と異なり培地に NaCl がないと増殖しない．白糖非分解性で TCBS 寒天培地上では黄色にならず青緑色コロニーを形成する．1950 年 10 月に大阪南部で発生したシラス食中毒の起因菌として藤野恒三郎（1907〜1992）らによって分離されたのが最初である．日本で発見された菌であるが，世界的に温暖な沿岸部周辺の海水域に分布している．現在，国内では散発的に海産物の摂取による発生例が報告されている．

本疾患は感染症法の五類感染症に分類され，定点把握疾患として報告対象になっている．

（2）感染と病態

菌に汚染された海産物の生食により経口感染する．12 時間前後の潜伏期間の後に激しい腹痛と下痢（水様便），嘔吐に加え発熱を伴うことが多い．

（3）病原因子

腸炎ビブリオと同定された菌をウサギやヒトの赤血球を添加した血液寒天培地（我妻培地）上で培養すると，溶血する菌としない菌に分けられる．この現象は発見した施設にちなんで神奈川現象とよばれ，陽性となる臨床分離株は耐熱性溶血毒 thermostable direct hemolysin（TDH）を産生する．一方で，環境から分離される株の多くは TDH を産生せずに神奈川現象が陰性となる．しかし，臨床株の中には TDH を産生しない株もあり，その中から類似の溶血毒 TDH-related hemolysin（TRH）がみつかっている．TDH，TRH いずれも溶血作用以外に細胞破壊作用などの生理活性がある．また，本菌はⅢ型分泌装置を有しており種々のエフェクターが病原性に関与している．

（4）検査と診断

起因菌の同定は TCBS 寒天培地などの選択培地を用いて行う．

（5）予防と治療

対症療法を行うが，止瀉薬は菌の排出を遅らせることから使用しない．本菌による食中毒が増える夏季には海産物の保存に注意が必要である．ワクチンはない．

3）*Vibrio vulnificus*

V. vulnificus による感染症は 1970 年に米国で初めて報告された．国内では西日本の沿岸域に主に分布しているとされる．腸炎ビブリオと同様に魚介類や沿岸海水から検出される．健常者に経口感染すると嘔吐，腹痛，下痢といった感染性胃腸炎を引き起こすが，肝疾患や糖尿病などの基礎疾患がある患者あるいは鉄剤を服用している場合に経口感染すると重症化する傾向があり，四肢の水疱，紅斑などを伴った敗血症を起こすことがある．いったん発症すると急速に進行するために予後がきわめて悪い．劇症型の A 群レンサ球菌と同様，「人喰いバクテリア」の 1 つに数えられている．また，海水に接した後の創傷感染から潰瘍，壊疽が起きる例もある．

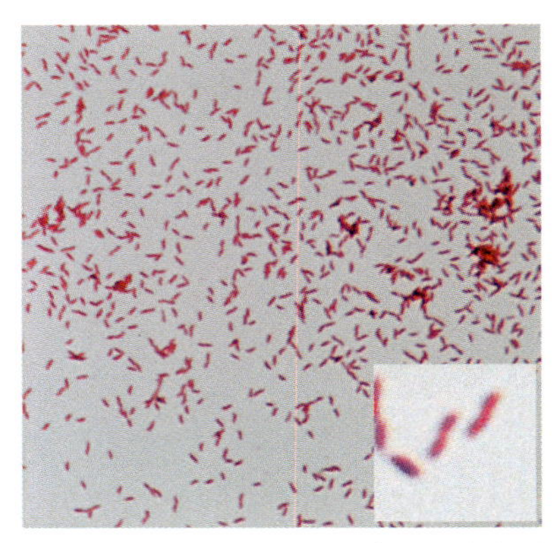

図 3-4-6　*C. jejuni* のグラム染色像
右下に拡大図を示した．2 個並んでいる菌が S 字型にみえる．

③ グラム陰性らせん菌

桿菌の中には菌体が曲がったりねじれたものがある．これらをらせん菌 spirillum と総称する．ヒト消化管に感染症を起こす *Campylobacter* 属や *Helicobacter* 属などが含まれる．

1）カンピロバクター属 genus *Campylobacter*

（1）特徴

0.2〜0.5×0.5〜5.0 μm の細長いらせん菌であり，一端または両端にある極鞭毛によって活発に液体培地中で運動する．2 個の菌が並んで S 字型にみえたりカモメの翼状の形態を示すことが多い（**図 3-4-6**）．*Campylobacter* 属は一般に大気中では発育せず，5〜10％の酸素（微好気性）および 5〜10％の CO_2 の環境で増殖する．一方で，*Campylobacter* 属の中でも嫌気的条件を必要とする菌種も存在する．

（2）感染と病態

本菌に汚染された生肉，生乳，加熱が不十分な加工食品を介して経口感染する．下痢，腹痛，発熱，倦怠感を主な症状とし他の細菌性食中毒症状に類似するが，潜伏期間が 2〜5 日と比較的長いのが特徴である．*Campylobacter jejuni* 腸炎を発症して 1〜3 週後に四肢脱力を伴った自己免疫性末梢神経障害である Guillain-Barré 症候群を合併することがある．*C. jejuni* の菌体表層にある糖鎖にヒト神経細胞に存在する糖脂質 GM1 ガングリオシドと類似した構造があり，感染後に GM1 に対する抗体が産生され，自己抗体として神経細胞を攻撃すると考えられている．

（3）病原因子

ヒトに腸炎を引き起こす主な原因菌の 90〜95％は *C. jejuni* subsp. *jejuni*（*C. jejuni*）で，残りは *Campylobacter coli* である．*C. jejuni* はウシ，ヒツジ，家禽類の腸管に常

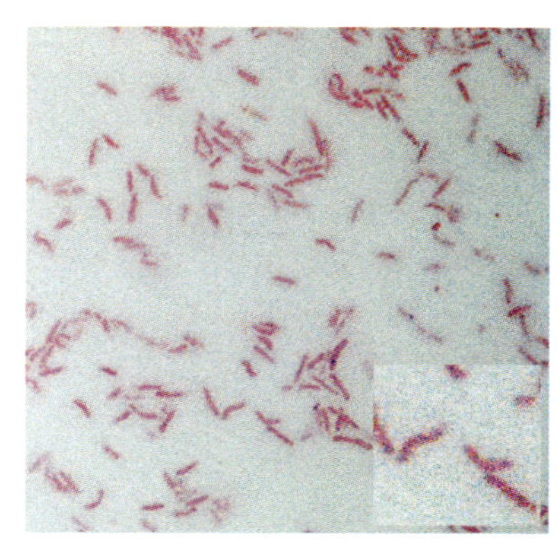

図 3-4-7 *H. pylori* のグラム染色像
右下に拡大図を示した.

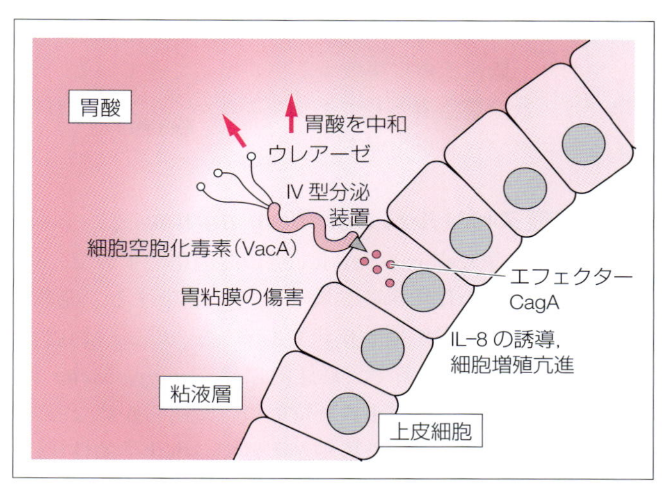

図 3-4-8 *H. pylori* による胃粘膜細胞傷害の作用機序

在細菌として保菌されている. *C. coli* は豚での保菌率が高い. 菌が産生する細胞毒や付着因子が病原性に関与すると報告されているが, 明らかにはなっていない.

(4) 検査と診断

糞便検体より modified Charcoal Cefoperazone Deoxycholate Agar (mCCDA) 培地などの各種選択培地を用いて *Campylobacter* 属の分離培養・同定を行う.

(5) 予防と治療

カンピロバクター腸炎の多くは自然治癒傾向が高く対症療法のみで回復することが多い. 重症例にはマクロライド系薬などの抗菌薬による治療を実施する. 以前よく使用されていたニューキノロン系薬に対して耐性化が進んでいる. 保菌家畜から菌を排除することはできないため, 感染を予防するには十分な加熱調理と生肉の摂取を避けることが重要となる.

2) ヘリコバクター属 genus *Helicobacter*

(1) 特徴

ヒトに胃炎を引き起こす *Helicobacter pylori* (ピロリ菌) は, 1983 年慢性胃炎患者の胃粘膜より分離され, 発見者の John R. Warren (1937〜), Barry J. Marshall (1951〜) は 2005 年のノーベル生理・医学賞を授与された. 0.5〜1.0 ×2.5〜5.0 μm のらせん状菌であり, 一端あるいは両端に数本出ている鞭毛によって活発に液体培地中で運動する (**図 3-4-7**). *Campylobacter* 属と同様に一般に大気中では発育せず, 5〜10% の酸素 (微好気性) および 5〜10% の CO_2 の環境で増殖する. *Helicobacter* 属はヒト以外の動物や鳥類の消化器官からも分離されてきており, それぞれの疾患との関連が考えられている. また, ヒト肝臓・胆道系からもみつかっており, 肝疾患との関連も示唆されている.

本稿では *H. pylori* について取り上げる.

(2) 感染と病態

慢性活動性胃炎および胃・十二指腸潰瘍より高率に本菌が分離されることから, これらの疾患の原因となっている. また, 抗菌薬投与による除菌治療は胃・十二指腸潰瘍の再発率を激減させる. さらに本菌の感染は胃がんおよび胃 MALT リンパ腫のリスク因子である. 1994 年 WHO によって *H. pylori* は確実な発がん因子であると認定された. 一方で, 除菌治療後に逆流性食道炎の発症率が高まることも報告されており, *H. pylori* 感染が逆流性食道炎の発症を抑制する可能性も示唆されている.

(3) 病原因子

H. pylori 感染率は居住地域の衛生環境に相関するとされ, 一般的に発展途上国では高い. 日本では *H. pylori* の感染者は全人口の約半分と推定されているが, 年齢別にみると 10〜20 歳代では 10% 前後と感染率が低い一方で, 50 歳代以上で 40%, 60 歳代以上では 60% と高くなる. この理由として, 現在に比較して良好でない衛生状態の中で生まれ育った世代では感染が容易に起きていたためと推測される.

本菌は強力なウレアーゼを産生することによって, 胃粘膜に存在する尿素を加水分解してアンモニアを生成させる. このアンモニアが胃酸を中和することによって *H. pylori* の胃粘膜での定着を可能にしている. 菌自体には胃酸に抵抗性はない. その他, 細胞空胞化毒素 (VacA) の産生やⅣ型分泌装置を介して CagA などのエフェクターを分泌することによって胃粘膜上皮細胞を傷害し, 炎症を引き起こす (**図 3-4-8**).

(4) 検査と診断

H. pylori を保菌しているか否かを調べることにより, 除菌治療の可否を判断する. 内視鏡を用いた胃生検材料を利用した方法として, 菌の分離培養, 組織鏡検法, ウレアーゼ活性を調べるウレアーゼ試験がある. また, 非侵襲的検査として ^{13}C でラベルした尿素を含む検査薬を飲んだ後, ウレアーゼによって分解されることによって生成する $^{13}CO_2$ を検出する尿素呼気試験, 血清および尿中の抗 *H. pylori* 抗体を検出する方法などがある.

(5) 予防と治療

除菌治療は, 胃酸分泌を抑制するプロトンポンプ阻害剤, アモキシシリン, クラリスロマイシンによる 3 剤併用療法によって行う．近年，クラリスロマイシン耐性菌が増加しており，除菌治療に失敗する例が増えてきている．その場合は二次除菌治療としてクラリスロマイシンの代わりにメトロニダゾールを用いる．

3）鼠咬症（そこうしょう）スピリルム *Spirillum minus*

S. minus は鼠咬症 rat-bite fever の起因菌の1つで，ヒトが齧歯類などの保菌動物に咬まれると感染する．発熱，咬傷部の炎症，発疹が主な症状である．*S. minus* は 0.2×2.0～5.0 μm のらせん菌で，形態的には *Campylobacter* 属に似ているが，分類学上正式な位置づけが明らかになっていない．現在でも人工的な培養が困難で，生化学的性状が不明である．

4 その他のグラム陰性通性嫌気性桿菌

1）インフルエンザ菌 *Haemophilus influenzae*

（1）特徴

19世紀末，全世界に流行したインフルエンザの原因微生物として最初に分離されたのが本菌である．その後インフルエンザの原因はインフルエンザウイルスであることが明らかになったが，菌の名前にはインフルエンザが残った．特に和名がインフルエンザ菌となっているため，インフルエンザウイルスと混同しないように注意が必要である．

H. influenzae は大きさが 0.3～0.5×0.5～1.0 μm の小桿菌であり多形性を示す．増殖に血液中のX因子（ヘミン）とV因子（NAD または NADP）を要求し，通常加熱した血液を混和したチョコレート寒天培地を用いる．

（2）感染と病態

自然宿主はヒトのみであり，小児の多くは上気道に保菌している（ただしほとんどは無莢膜型株）．くしゃみ，咳による飛沫感染および接触感染により伝播する．一部の菌が有する莢膜はその抗原性により a～f までの6血清型に分かれ，特に b 型の病原性が強い．髄膜炎や，喉頭が閉塞して窒息をきたす咽頭蓋炎といった侵襲性感染症の原因のほとんどは b 型である（*H. influenzae* type b：Hib，ヒブとよぶ）．乳幼児が発症する例が多く，死亡率も後遺症が残る確率も高い．一方，無莢膜型株は小児の気道感染症の原因となる．肺炎球菌 *Streptococcus pneumoniae* と *Moraxella catarrhalis* などとともに小児の肺炎，中耳炎の三大起因菌として知られる．

（3）病原因子

莢膜が免疫細胞（好中球やマクロファージなど）の貪食を回避する作用がある他，定着因子として線毛が報告されている．Hib が侵襲性を示すメカニズムはわかっていない．

（4）検査と診断

喀痰および血液からの培養により起因菌を同定する．本菌が髄液または血液などの無菌部位から検出された場合，侵襲性インフルエンザ菌感染症として感染症法の五類感染症に分類され，全数報告対象となる．

（5）予防と治療

治療には抗菌薬を用いるが，最近，アンピシリンや一部のセフェム系薬に対する耐性菌 β-lactamase negative ampicillin-resistant *H. influenzae*（BLNAR）が増えてきており，培養後の抗菌薬感受性試験が必要である．莢膜を抗原とした Hib ワクチンは国内で2013年より定期接種化され，生後2か月から接種できるようになった．2023年3月には，4種混合ワクチン（DPT-IPV）に追加した5種混合ワクチン（DPT-IPV-Hib）が承認された．

2）軟性下疳（げかん）菌 *Haemophilus ducreyi*

性感染症の1つで，接触感染によって感染すると外性器局所に腫脹，発赤膿疱，痛みを伴った潰瘍（軟性下疳 soft chancre）を生じる．下疳とは，性交渉により生じる伝染性の潰瘍という意味である．ちなみに，スピロヘータの1つ梅毒トレポネーマ *Treponema pallidum* の感染による第1期梅毒でみられるのは硬性下疳 hard chancre とよび，痛みのない硬結を生じる．最近は東南アジア諸国で感染して帰国した症例が散見される程度となっている．ほとんどの株がβ-ラクタマーゼを産生し，テトラサイクリン系薬にも耐性であるため，治療にはマクロライド系薬，ニューキノロン系薬が主に使用される．

3）*Pasteurella multocida*

Pasteurella 属は卵円形ないし桿状の非常に小さなグラム陰性菌である．代表的な菌種 *P. multocida* はイヌやネコの常在細菌であるが，これらによる咬傷や引っかき傷による創傷部感染として局所の化膿症の他，リンパ節炎や肺炎を起こすこともある．人獣共通感染症の起因菌として知られる．治療にはペニシリン系薬が第一選択となる．

5 グラム陰性好気性桿菌

1）緑膿菌 *Pseudomonas aeruginosa*

（1）特徴

P. aeruginosa は大きさが 0.5～0.8×1.5～3.0 μm のグラム陰性好気性菌で，菌体の一端に1本（極単毛），まれに2～3本の鞭毛を有する．多くの菌株は水溶性の緑色色素（ピオシアニンやフルオレシン）を産生する（図 3-4-9）．かつて本菌の感染症患者の包帯が緑色に着色したことが緑膿菌の名前の由来になっている．また独特の線香のような臭気がある．栄養要求性は低く，自然環境や水回りなどの生活環境中に分布している．ほとんど栄養分がない水中でも生存可能な菌種が多い．*Pseudomonas* 属をはじめ，後述する *Acinetobacter* 属や *Burkholderia* 属などの細菌は，嫌気的条件における糖の分解，すなわち発酵ができないグラム陰性桿菌という臨床検査上の特徴をもつことから，ブドウ糖非発酵性グラム陰性菌と総称され，腸内細菌目細菌

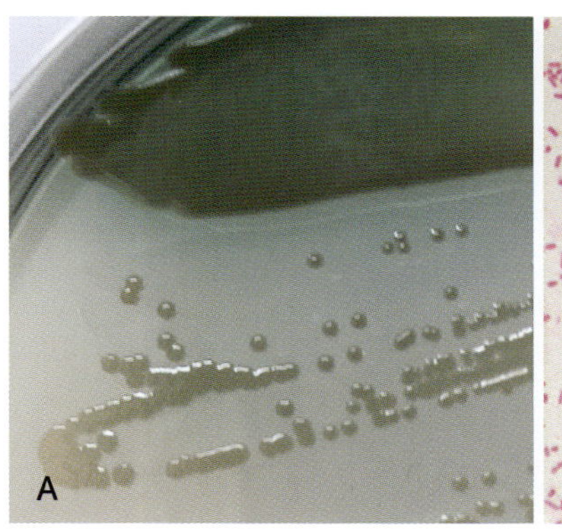

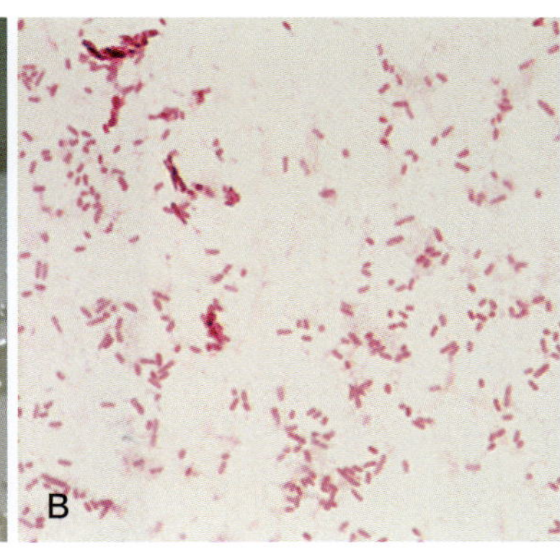

図 3-4-9　緑膿菌
A：普通寒天培地上で緑色色素を産生するコロニー．B：グラム染色像．

と区別される．

(2) 感染と病態

日和見感染症の代表的な起因菌であり，易感染性宿主に対する院内感染症を起こすとともに，長期の抗菌薬治療患者では菌交代現象を起こすことによって高頻度に検出される．呼吸器感染症，尿路感染症，菌血症など多彩な病態を呈する．長期の留置カテーテルの使用により起きるカテーテル関連感染症やコンタクト着脱時の眼粘膜損傷に引き続いて起きる感染症も知られている．院内感染症の中でも気管挿管，気管切開，人工呼吸器装着患者における人工呼吸器関連肺炎 ventilator-associated pneumonia（VAP）の原因として，緑膿菌はメチシリン耐性黄色ブドウ球菌 methicillin-resistant *Staphylococcus aureus*（MRSA）とともに重要である．また，欧米で患者が多い嚢胞性線維症 cystic fibrosis（常染色体劣性遺伝の遺伝性疾患）患者における難治性気道感染症の原因の 1 つとなっている．

(3) 病原因子

エキソトキシン A が菌体から分泌され宿主細胞のタンパク質合成を阻害する．その他多彩なタンパク質分解酵素などを分泌し，感染部位の組織破壊に働く．また，Ⅲ型分泌装置を介してエフェクターを分泌し，病原性に関与することが知られている．本菌はアルギン酸からなる細胞外ムコ多糖体を産生することによってバイオフィルムを形成する．バイオフィルムは食細胞の貪食に対して抵抗性を示し，さらに抗菌薬が浸透しにくくなるため治療が難しくなる．他のグラム陰性菌に比べて，消毒薬や一部の抗菌薬に自然耐性を示すとともに，抗菌薬に対する高度耐性を獲得しやすい．

(4) 検査と診断

起因菌の同定には PASA 培地などの選択培地を用いる．

(5) 予防と治療

ピペラシリン，アミカシン，セフタジジムあるいはニューキノロン系薬などを用いる．最近，ニューキノロン系薬，カルバペネム系薬，アミノグリコシド系薬の 3 系統の抗菌薬に耐性となった緑膿菌は多剤耐性緑膿菌 multiple-drug-resistant *P. aeruginosa*（MDRP）（☞ p.70 図 1-7-8 参照）とよばれ，大きな社会問題になっている．本菌による感染症と診断された場合，薬剤耐性緑膿菌感染症として感染症法の五類感染症に分類され，国が定める期間定点医療機関からの報告対象となる．

2）アシネトバクター属 genus *Acinetobacter*

Acinetobacter 属は好気性グラム陰性桿菌であるが，形状は球菌に近い短桿菌である．土壌などの自然環境に広く存在するとともに病院内の環境からも検出される．病原性は低いものの日和見感染症の原因になっている．*Acinetobacter baumannii* は臨床検体から分離される頻度が最も高い．近年ではほとんどの抗菌薬が効かない多剤耐性 *Acinetobacter* 属 multidrug-resistant *Acinetobacter*（MDRA）が出現し，院内感染の起因菌として注目されている．MDRA はカルバペネム系薬，アミノグリコシド系薬，フルオロキノロン系薬の 3 系統の薬剤に対する耐性を示す *Acinetobacter* 属として定義され，本菌による感染症は五類感染症に分類され，全数報告対象である．

3）*Burkholderia cepacia*

本菌は，もともと植物に病原性を示すことが知られているが，免疫が低下したヒトに対し日和見感染症を起こす．消毒薬のクロルヘキシジンに抵抗性を示す．院内において開封後の薬剤の汚染，手指，器具類，湿潤環境を介して伝播すると考えられている．欧米では特に嚢胞性線維症 cystic fibrosis 患者において肺感染症の発生が頻繁に報告されている．

4）百日咳菌 *Bordetella pertussis*

(1) 特徴

Bordetella 属にはヒトや動物に呼吸器感染症を起こす菌が知られているが，最も重要なのは百日咳菌 *B. pertussis* である．*pertussis* は激しい咳を意味する．日本では 1820 年ごろに流行した際に百日咳とよばれるようになったとされる．0.2～0.5×0.5～2.0 μm のグラム陰性好気性短桿菌で，自然宿主はヒトのみである．

(2) 感染と病態

母親からの免疫移行が期待できないため，6 か月未満の乳児が感染すると死亡率が高い．患者の気道分泌物の飛沫感染により上気道に付着後，気管支粘膜上皮上で増殖す

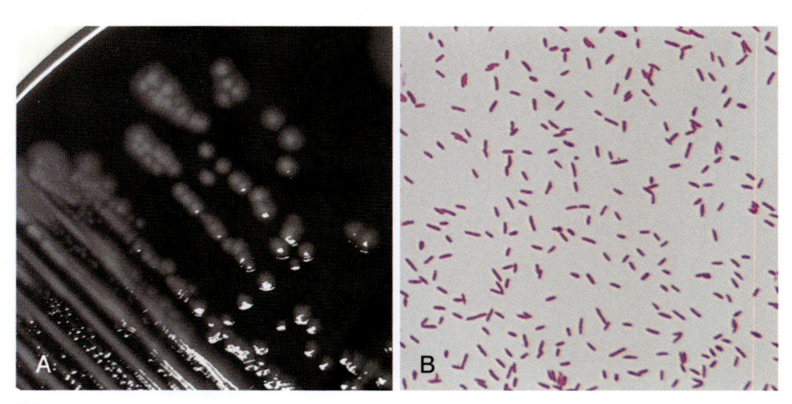

図 3-4-10　*L. pneumophila*
A：BCYE 寒天培地上の乳白色コロニー．
B：ヒメネス染色像．*L. pneumophila* が赤く染色されている．

る．ワクチン未接種児が発症すると以下の3期に分けられる典型的な経過をとる．①カタル期（1〜2週間）：感冒様症状，②痙咳期（2〜3週間）：特徴的な発作性痙攣性の咳を呈する．特に小児では努力性吸気時にヒューという吸気性笛声 whooping を生じる．白血球数は増加し特にリンパ球の著明な増多が特徴的である．③回復期：激しい発作は次第に減衰し，2〜3週間で認められなくなるが，その後も時折発作性の咳が出る．全経過約2〜3カ月で回復するとされる．しかし実際には，認められる症状は年齢，ワクチン接種の有無などの要因により多彩になる．また，ワクチン接種後に終生抗体価が維持されるわけではなく，大人になってから感染して気管支炎として発症することがある．また慢性咳嗽（がいそう）患者の中に百日咳菌感染者が含まれていることあるので注意が必要である．

（3）病原因子

本菌の主要な病原因子は百日咳毒素 pertussis toxin（PT）である．白血球増多，ヒスタミン感受性亢進，インスリン分泌促進など多彩な生物活性をもつが，細胞内で cAMP 濃度を上昇させる作用がある．また線維状赤血球凝集素 filamentous hemagglutinin（FHA）は宿主細胞への付着因子として働く．不活化した PT と FHA は百日咳ワクチンの主成分でもある．その他細胞への付着に関連するパータクチン pertactin や易熱性皮膚壊死毒素なども産生することが知られている．

（4）検査と診断

百日咳菌の分離同定により診断するが，カタル期以降は検出されなくなる．最近では，LAMP 法を用いて本菌の遺伝子を検出することにより診断する方法が普及している．本疾患は感染症の五類感染症に分類され，全数報告対象である．

（5）予防と治療

治療としてカタル期まではマクロライド系薬が用いられるが，それ以降は対症療法となる．

予防法として，乳幼児に対するジフテリア，百日咳，破傷風，ポリオの4種混合ワクチン Diphtheria，Pertussis，Tetanus，Inactivated Polio Vaccine（DPT-IPV）が定期接種化されている．2023年3月には，インフルエンザ菌b型（Hib）に対するワクチンを追加した5種混合ワクチン（DPT-IPV-Hib）が承認された．

5）*Legionella pneumophila*

（1）特徴

1976年，米国フィラデルフィアにおける在郷軍人集会において集団肺炎が起き，患者から分離された新種の菌は，そのときの病名 Legionnaires’ disease にちなんで *L. pneumophila* と命名された．0.3×0.7〜2.0〜5.0 μm のグラム陰性好気性桿菌であり，極鞭毛を有する．

増殖阻害物質を吸着する活性炭入りの BYCE（buffered charcoal-yeast extract）培地上で増殖し乳白色のコロニーを形成する（**図 3-4-10**）．*Legionella* 属はもともと土壌や水環境の自由生活アメーバ内に寄生しているが，エアコンや加湿器，ビル屋上の冷却塔や温泉施設といった人工環境にも分布していると考えられる．*Legionella* 属のうち約40菌種ほどがヒトへの病原性を有するが，*L. pneumophila* 血清型1が肺炎の原因となる頻度が高い．

（2）感染と病態

肺炎と肺炎症状を示さない一過性のポンティアック熱がある．特に肺炎はいったん発症すると重症化する率が高い．国内では入浴施設や温泉での集団感染が報告され，中高年の男性に発症者が多い．エアコンや加湿器からの感染も散発している．エアロゾルを吸い込んで肺炎を生じるが，ヒトからヒトへの感染は報告されていない．ポンティアック熱は感冒様症状が主体で対症療法のみで治癒することが多い．

本疾患は感染症法の四類感染症に分類され，全数報告対象である．

（3）病原因子

肺胞マクロファージをはじめとした宿主細胞内で増殖できる細胞内寄生性細菌である（**図 3-4-11**）．細胞に貪食された後，Ⅳ型分泌装置によって細胞内にエフェクターを放出し，食胞を小胞体様の構造に変化させることによって増殖する．

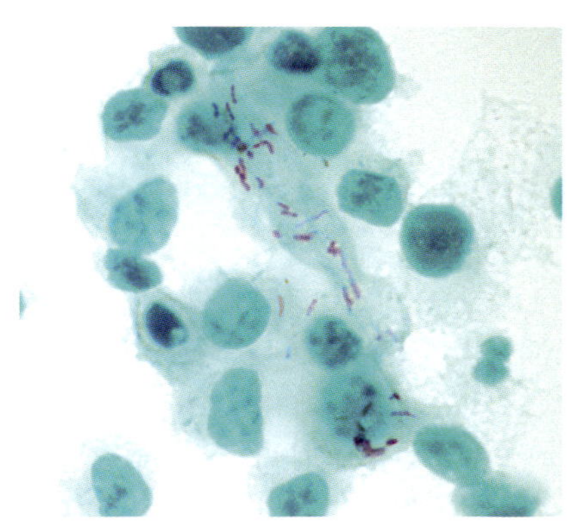

図3-4-11　マクロファージに感染した *L. pneumophila*
ヒメネス染色像.

(4) 検査と診断

喀痰などの検体を塗抹染色する場合グラム染色では染まりにくいため，ヒメネス Gimenez 染色を行う（図 3-4-10，11）．感染早期から尿中 LPS が排泄されるため，それを検出する尿中抗原検査が有用であるが，血清型 1 しか検出できない．また，LAMP 法による遺伝子検査が行われている．

(5) 予防と治療

治療には抗菌薬の投与が必要であるが，本菌は細胞内寄生性細菌であるので，細胞内移行性がよい抗菌薬（ニューキノロン系薬，マクロライド系薬）が選択される．ワクチンはない．予防には冷却塔や入浴施設などの洗浄管理が重要になる．

6）ブルセラ属 genus *Brucella*

(1) 特徴

ウシ，ヒツジをはじめ広範囲の動物種に流産を起こす菌で，人獣共通感染症の 1 つであるブルセラ症の起因菌である．ヒトのブルセラ症の最初の症例は 1861 年にマルタ島で発見され，波状熱（マルタ熱，地中海熱）とよばれた．好気的に人工培地で培養可能であるが，栄養要求性があり，血液や血清の添加により増殖が促進される．

(2) 感染と病態

ヒトへの感染は感染動物との接触あるいは乳製品の経口摂取によることが多い．発症すると間欠的な高熱（波状熱），頭痛，リンパ節腫大などが認められる．日本では各地の衛生対策として摘発と淘汰の徹底により，現在国内の家畜から菌が分離された例はない．国内の家畜由来のヒトブルセラ症例はすべて輸入症例である．一方で，ヒト-ヒト感染はきわめてまれと考えられている．本疾患は感染症法上四類感染症に分類され，全数報告対象である．

(3) 病原因子

宿主に感染すると細胞内で増殖する能力があり，好中球やマクロファージといった食細胞内でも増殖する．細胞内における殺菌に対する回避機構として，食胞とリソソームの融合を阻害する機構などが知られている．

(4) 検査と診断

急性発熱期の血液培養，病変部位検体からの培養により起因菌を同定する．

(5) 予防と治療

細胞内まで到達するテトラサイクリン系薬とストレプトマイシンによる併用療法を行う．家畜には弱毒生ワクチンが海外で実用化されているが，ヒトに対しては実用化されていない．

7）野兎病菌 *Francisella tularensis*

古くから野ウサギなどの野生動物との接触による致死性の高い急性熱性疾患が知られており，この人獣共通感染症はツラレミア tularemia（日本では野兎（やと）病）とよばれるようになった．*F. tularensis* が起因菌である．ヒトへの感染は感染野ウサギとの接触で起こるが，マダニなどの節足動物がベクターとなって感染する例も報告されている．発症すると発熱，頭痛，リンパ節腫大が起こるが感染部位によって多様な病型を認める．本感染症は感染症法の四類感染症に分類され，全数報告対象である．

⑥ グラム陰性嫌気性桿菌

バクテロイデス属 genus *Bacteroides*

ヒトに対する嫌気性菌による感染症の原因の 1 つとしてグラム陰性嫌気性桿菌が知られている．芽胞を形成しない．関連する感染症としては化膿性感染症（特に膿瘍）で，単独ではなく他のグラム陽性あるいは陰性の通性嫌気性菌などとの複合感染症を呈する．*Bacteroides* 属は，下腹部の腹腔内感染症，産科婦人科領域の感染症，皮膚軟部組織感染症などと関連が深く，中でも *Bacteroides fragilis*, *Bacteroides thetaiotaomicron* などが高率で分離される．臨床検体から分離される *Bacteroides* 属のほとんどが β-ラクタマーゼを産生し，一部を除いた β-ラクタム系薬に耐性を示すので治療には注意を要する．

（鈴木敏彦）

スピロヘータと感染症

スピロヘータ spirochetes は細長いらせん状を呈し（**図3-5-1**），活発な固有運動をする一群のグラム陰性菌である．環境中で自由生活するものやシロアリなど節足動物の腸管に共生するもの，ヒトの口腔や腸管に寄生するものなど，自然界に広く分布している．

スピロヘータの形態は，最外側のエンベロープ outer envelope（被膜あるいは外被 outer sheath ともいう）と細胞体，および鞭毛 flagella（軸糸 axial filament ともいう）の3基本構造からなる（**図3-5-2**）．

エンベロープは細胞表層にあって細胞体および細胞体に付着した鞭毛全体を包む膜状構造である．タンパク質，糖，脂質，リポタンパク質を含むが，一般のグラム陰性菌の外膜に存在するリポ多糖（LPS）と類似の内毒素活性をもつ成分の存在は明らかにされていない．

細胞体は架橋度の低い単層のペプチドグリカンからなる非常に薄い細胞壁に囲まれ，内部構造は一般の原核細胞生物と本質的には変わらない．

鞭毛は運動器官で，細胞体の両端付近に付着し，遊離先端部は細胞体中央付近まで伸び，全体がエンベロープに包まれている．したがって，スピロヘータの鞭毛は，一般細菌のそれと異なり，菌体外に遊離して外界と接することはない．そのため，細胞内鞭毛 endoflagella ともよばれる．

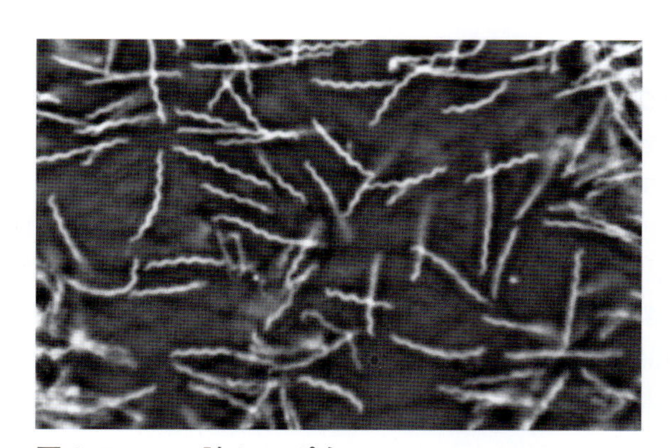

図3-5-1 口腔トレポネーマ *Treponema denticola* の位相差顕微鏡像
細長いらせん状を呈し，活発な固有運動をする．
（髙橋幸裕，歯科衛生士のための最新歯周病学．2018，p.44，図1-56）

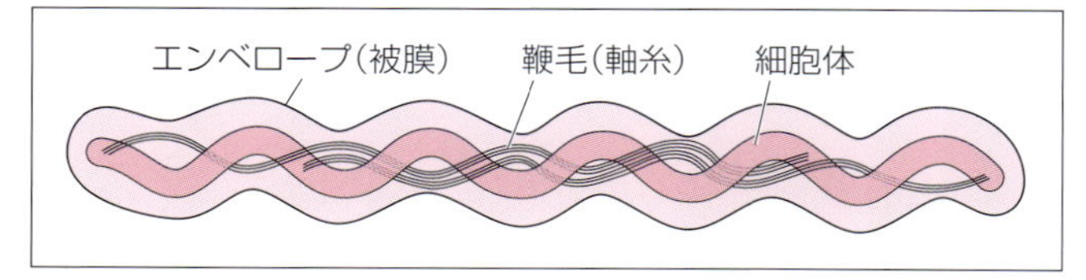

図3-5-2 スピロヘータの基本構造の模式図
らせんのピッチ，半径，規則性，鞭毛の本数，重なり合いの有無などは，種により異なる．

この鞭毛を回転させることで，液状環境中で変位，回転，屈曲など活発な固有運動を行う．

グラム染色など一般的に細菌に用いられる染色法では染まりにくく，Fontana 鍍銀法などの鍍銀法で染色される．また，パーカーインク法，墨汁法などの陰性染色も用いられる．固有運動の観察には暗視野顕微鏡法または位相差顕微鏡法が用いられる．一部の種を除き，一般にスピロヘータの培養は困難である．代謝は酸素要求性，酸素感受性，栄養源など，属や種により異なる．スピロヘータは一般細菌に比べて物理的，化学的ストレスに対する抵抗性が低く，乾熱，湿熱，乾燥，低濃度の消毒薬で急速に死滅する．また，多くの抗菌薬が有効である．

ヒトに対して病原性を有する主要なスピロヘータは，*Treponema* 属，*Borrelia* 属，*Leptospira* 属に分類される．

1 *Treponema* 属

1）梅毒トレポネーマ *Treponema pallidum* subsp. *pallidum*

梅毒 syphilis は，1492年 Christopher Columbus（1451ごろ～1506）の遠征隊により西インドからヨーロッパに渡り，その後，東洋にも伝えられたとする説，中央アフリカから Columbus の航海以前にヨーロッパにもたらされた説など諸説ある．*Treponema pallidum* は，1905年，Fritz R. Schaudinn（1871～1906）と Erick Hoffmann（1868～1959）により第2期梅毒患者の丘疹新鮮漿液から発見された．*T. pallidum* は3亜種に分けられ，ヒトの性病性梅毒および先天性梅毒の原因となるのは，梅毒トレポネーマである．

（1）特徴：基本的構造と性状

大きさ 0.1～0.2×6～20 μm の規則正しいらせん状の細菌で，細胞の先端はやや尖っている．ゲノムが 1.14 Mb ときわめて小さく，生合成系に限界があり，宿主に多くの栄養源を依存している．いまのところ人工培地あるいは組織培養系での培養の成功例はない．強毒の Nichols 株が1912年来ウサギ精巣に植え継がれている．宿主体外での抵抗性はきわめて低く，1～2時間以上生存できない．

梅毒は感染症法の五類感染症に分類され，全数把握が義務づけられている．わが国における梅毒患者報告数は，2000～2010年までは800例程度であったが，2011年以降増加が続き，2018年には6,923例に及んだ．2019年は6,590例，2020年は5,805例といったん減少したが，2021年は7,978例と再度増加に転じ，2022年は12,964例，2023年は14,906例と，現在の方法で統計を取り始めてから3年連続で過去最多となった．

表 3-5-1　梅毒の病状経過

期	第1期	第2期	第3期	第4期
感染からの時間経過	3週	3か月	3～10年	10～20年
侵襲臓器	感染局所	皮膚	骨・内臓	中枢神経系
梅毒血清反応	－	＋	＋	＋
主な症状	初期硬結（硬性下疳） リンパ節腫脹（無痛性横痃）	皮膚発疹（バラ疹） 扁平コンジローマ 梅毒性乾癬 梅毒性脱毛	梅毒疹（慢性増殖性） ゴム腫	脊髄癆 進行麻痺

表 3-5-2　梅毒の血清学的検査法

検査法	Wassermann反応	VDRL	RPR	TPHA	FTA-ABS
原理	補体結合反応	沈降反応	受身凝集反応	受身凝集反応	間接蛍光抗体法
抗原	カルジオリピンなどの脂質抗原			梅毒トレポネーマ 菌体由来抗原	
臨床的意義	梅毒発症による臓器破壊の証明			梅毒トレポネーマ感染または感染既往の証明	
特徴	非特異的で生物学的偽陽性がみられる 感染早期に陽性になる 感度が高い			特異的である 陽性になる時期が遅い	

(2) 感染と病態

梅毒の病型は大きく性病性梅毒と先天性梅毒に分けられる．性病性梅毒は性行為などの直接接触により感染し，病型によって3期または4期に分けられる．第1期梅毒は潜伏期が3週間程度で，梅毒トレポネーマは感染局所で増殖して，初期硬結という褐色の隆起した硬結が現れる．硬結の大きさはエンドウマメ大ほどで，痛みなどの自覚症状はなく，通常は単発に出る．3～4週で自然に吸収されることが多い．初期硬結が進展すると潰瘍に陥り硬性下疳を形成する．大きさは種々で母指球大にもなることがある．5～6週で自然消失することが多い．これら病変の所属リンパ節は，化膿も癒着もせず，無痛性に腫脹する（無痛性横痃）．

感染後約3か月後までに梅毒トレポネーマは血流に乗り全身に散布され第2期梅毒になる．前駆症状として，発熱，頭痛，骨痛，関節痛，浮腫などが認められ，間もなく皮疹が出現する．バラ疹は代表的な早期疹で体幹に多く，対称性に出る．顔面，手，足背などには少ない．通常，ソラマメ大の大きさで淡紅色を呈する．この他，丘疹性梅毒疹として，扁平コンジローマや梅毒性乾癬が現れ，また，梅毒性痤瘡，口腔粘膜疹，梅毒性脱毛などの症状が出る．

感染後数か月から数年ほど経つと第3期梅毒となり，梅毒疹が出る．第1期，第2期の梅毒疹は瘢痕を残さず治癒するが，第3期の梅毒疹は慢性増殖性，破壊性に進展し，瘢痕を残す．また，深部臓器のゴム腫がみられる．近年では第3期まで進行することはまれである．さらに，10年以上経過し，病状が進行して中枢神経が侵される脊髄癆や進行性麻痺となることもある．これらを変性梅毒と総称し，第4期梅毒とよぶこともある（**表 3-5-1**）．

先天性梅毒では，梅毒トレポネーマが胎盤を介して子宮内の胎児に感染（垂直感染）することが原因となる．母親が第1期ないし第2期梅毒で，血液中に多数の梅毒トレポネーマが存在する場合，妊娠後半期に早産，死産する．妊娠後半期感染では，先天性梅毒児として出生するか，出生後に先天性梅毒の諸症状を示す．晩発性先天性梅毒は7～16歳頃の学童期に発症する梅毒で，Hutchinsonの3徴候〔永久歯前歯のM型欠損（Hutchinson歯），角膜実質炎，内耳性難聴〕，さらには永久歯臼歯（主に第一大臼歯）の咬合面顆粒状凹凸（Fournier歯），発育不良，知能低下，高口蓋などがみられる．

(3) 病原因子

本菌はLPSや外毒素を産生しないが，ヒアルロニダーゼは組織内拡散を助け，フィブロネクチンを介して内皮細胞に結合し，炎症反応による傷害，抗体と免疫担当細胞による組織破壊が起こる．ポーリン，アドヘジン機能をもつ12種の膜タンパク質遺伝子（*trpA～L*）も抗原変換と病原性に関連している．

(4) 検査と診断

梅毒トレポネーマは培養細胞系を用いても人工培養は不可能であるため，病変部位からの菌体の検出は，暗視野顕微鏡法，位相差顕微鏡法，蛍光抗体法，陰性染色，鍍銀法などを用いた鏡検観察による．第2期以降は菌体の検出も困難であるため，感染の正確な診断には血清反応が重要な指標となる．

梅毒の血清学的検査法には，①抗原としてカルジオリピンなどの脂質抗原を用い，梅毒発症による組織破壊に伴って産生される自己抗体を検出する方法と，②梅毒トレポネーマ菌体またはその菌体成分を用い，菌体由来の抗原に対する特異的抗体を検出する方法がある（**表 3-5-2**）．単に「梅毒血清反応（serological test for syphilis，STS）」

という場合，狭義には前者を指す．

a）脂質抗原を用いる方法（STS）

Mary C. Pangborn（1941）は，梅毒血清反応の抗原として，ウシ心臓からアルコール抽出したリン脂質が安定した抗原になることを発見した．このリン脂質はカルジオリピン cardiolipin と名づけられたが，本態は diphosphatidyl glycerol であり，動物細胞のミトコンドリアに局在する．つまり，梅毒の発症による組織破壊に伴い自己抗原が認識されて自己抗体（本感染症における“reagin”はこの意）が産生されるわけである．その後，カルジオリピン，コレステロール，レシチンの混合物を抗原として用いると安定した結果が得られることがわかった．

これらリン脂質を抗原として用いる方法として，古典的には補体結合反応を応用した Wassermann 反応（わが国では抗原減量法である緒方法が用いられていた）がある．「ワ氏」などと略称でよばれ，あるいは陽性の場合「W（＋）」などと略号で記され，梅毒および補体結合反応の代名詞的な位置づけであった．かつては同反応用のキットも市販されていたが，補体結合反応そのものの原理・手順（抗原抗体複合物に補体を結合させることで補体を消費させ，消費されない補体を抗赤血球抗体を感作させた赤血球の溶血により定量する）が煩雑であるため，現在では事実上用いられていない（保険収載なし）．昨今では，沈降反応を応用した VDRL 試験 venereal disease research laboratory test，受身凝集反応を応用した RPR（rapid plasma reagin）カードテストなどが行われる．

これらの方法は感度が高く，感染の初期から陽性となり，炎症の消長と並行するため，治療効果の判定に有用である．しかし，非特異的な（梅毒トレポネーマ抗原特異的ではない）反応であるため，梅毒以外の感染症，自己免疫疾患，妊娠などにおいても陽性（生物学的偽陽性）となる可能性があることに注意しなければならず，確定診断は以下に記す梅毒トレポネーマに特異的な抗体の検出が必要である．

b）梅毒トレポネーマ菌体またはその菌体成分を抗原として用いる方法（TP 抗原法）

梅毒トレポネーマに対する抗体を検出する検査法で，既述の *T. pallidum* Nichols 株由来の抗原を用いる．TPHA 試験 *Treponema pallidum* hemagglutination test は，抗原の担体として赤血球を用いた受身凝集反応である．FTA-ABS 試験 fluorescent treponemal antibody absorption test は，あらかじめ非病原性の *T. pallidum* Reiter 株で血清中の非特異的抗体を吸収させた後，Nichols 株に対する抗体を間接蛍光抗体法で観察するものである．

これらの方法は梅毒トレポネーマ抗原特異的であるので，確定診断には必須である．しかし，脂質抗原を用いる方法と比較して，陽性になる時期が遅れること，治療により病原体が排除された後も陽性が続くため，治療効果の判定には使えないという難点がある．このため，スクリーニングには脂質抗原を用いる方法を用い，確定診断と治療判定には両者を組み合わせて用いる（**表 3-5-3**）．なお，梅毒トレポネーマに特異的なプライマーによる PCR 法を行うこともある．

表 3-5-3 梅毒の血清学的検査法の結果解釈

方法		結果の解釈
STS*	TP 抗原法**	
(−)	(−)	梅毒トレポネーマ非感染
(＋)	(−)	梅毒トレポネーマ感染初期 生物学的偽陽性
(＋)	(＋)	梅毒発症・非治癒
(−)	(＋)	梅毒治癒後の抗体保有者

*STS（serological test for syphilis 梅毒血清反応）：脂質抗原を用いる方法．Wassermann 反応など

**TP（*Treponema pallidum*）抗原法：梅毒トレポネーマ由来抗原を用いる方法．TPHA 法

(5) 予防と治療

予防対策には衛生教育が基本的に重要で，社会的な対策が必要である．個人的には性行為による感染の機会を避け，罹患したら早期に受診し，化学療法を用いた原因療法による完治を行う．妊娠時に感染が疑われる場合は，梅毒血清反応検査などを受けることが重要である．妊娠4か月までは胎盤形成がなく，化学療法により胎児への垂直感染（先天性梅毒）を防ぐことができる．梅毒に対する有効なワクチンはない．

原因療法には主にペニシリン系薬やマクロライド系薬が用いられる．なお，ペニシリンなどによる原因療法を開始して2〜24時間後に発熱，肋痛，頭痛，頻尿，白血球増多，血管拡張などの症状が現れることがある．これは Jarisch-Herxheimer 反応とよばれ，抗菌薬により梅毒トレポネーマが急速に死滅する過程で生じた毒性成分に対する宿主側の反応と考えられている．

2）その他のトレポネーマ

その他ヒトに対して病原性を有するトレポネーマとして，熱帯イチゴ腫の病原体である *Treponema pallidum* subsp. *pertenue*，地域流行性梅毒の病原体である *Treponema pallidum* subsp. *endemicum*，ヒトの接触伝播性皮膚疾患であるピンタの病原体として *Treponema carateum*，口腔に常在する *Treponema denticola*，*Treponema vincentii* などの口腔トレポネーマなどがある．口腔トレポネーマの詳細については，「第4章Ⅳ-C 口腔トレポネーマ」（☞ p.233 参照）に譲る．

❷ *Borrelia* 属

1）回帰熱ボレリア *Borrelia recurrentis*

B. recurrentis は，1873年，病原スピロヘータとして最初に記載された（Otto H. F. Obermeier，1843〜1873）．本

菌は回帰熱 relapsing fever の病原体である．菌体が血液中で増殖と消失を繰り返すために発熱が反復することからその名がある．他に，*Borrelia duttoni*，*Borrelia hermsii* が回帰熱の原因となる．

(1) 特徴：基本的構造と性状

菌体はやや粗いらせん状で，活発な固有運動をする．菌体表面に露出した血清型を決めるタンパク質（variable major protein：VMP）があり，これが順次変換して（抗原変換）宿主の免疫能を回避するために菌血症が繰り返し起こる．*B. duttoni* など一部は人工培養可能である．

わが国では少なくともここ数十年患者は報告されていない．世界的には難民キャンプや刑務所などで集団感染が散発的に起こる．東アフリカではマラリアに次ぐ感染症で，特に5歳以下の乳幼児の死亡例が多い．

(2) 感染と病態

ボレリアは本来齧歯類をリザーバー（保菌宿主）として，ヒメダニ類の吸血行動によって媒介される細菌である．ヒトを唯一の宿主とする *B. recurrentis* や *B. duttoni* などは，それぞれシラミとヒト，ダニとヒトの伝播サイクルに適応したものと考えられている．シラミ媒介回帰熱は世界中に，ダニ媒介回帰熱は北米，アフリカ，中東などの比較的乾燥した地域にみられる．ボレリアとそれを媒介するダニの間には密接な関係があり，ダニの種類が異なると媒介されるボレリアにも遺伝的な差異が認められる．このことはダニの種分化に伴ってボレリアが適応進化した結果と考えられている．

(3) 病原因子

表層抗原タンパク質などが病原性に関与しているという研究報告がある．

(4) 検査と診断

回帰熱の診断は繰り返す発熱により示唆され，発熱期血液中での菌体の検出により確定する．菌体は，暗視野顕微鏡下の鏡検またはライトもしくはギムザ染色した濃厚および薄層血液塗抹標本上で観察できる．

(5) 予防と治療

各種抗菌薬が有効で，テトラサイクリン系薬が奏効する．

2）ライム病ボレリア *Borrelia burgdorferi* sensu lato

ライム病の原因菌は，*B. burgdorferi* の他，*Borrelia garinii*，*Borrelia afzelii* があり，これらを総称して *B. burgdorferi* sensu lato とよんでいる．米国コネチカット州ライム Lyme 地方で発見されたためにこの名がある．

(1) 特徴：基本的構造と性状

菌体はやや粗いらせん状で，大きさ 0.2×11～30 μm，トレポネーマに比べてやや大きい．スーパーオキシドジスムターゼを有し，微好気性である．長鎖脂肪酸や *N*-アセチルグルコサミンなどを要求し，ウサギ血清，ウシ血清アルブミンなどを添加した BSK II 培地で増殖する．

1982 年，米国で本菌がマダニから分離されて以来，患者の皮膚，関節などの病変部，血液，髄液などからも分離されている．本症は季節的には春から夏の発病が多く，北米，ヨーロッパ，東アジアなど世界各地に広く蔓延する人獣共通感染症である．わが国ではシュルツェマダニ *Ixodes persulcatus* の分布に対応して主に北海道から本州中部以北に患者がみられる．

(2) 感染と病態

シカや野ネズミなどの野生動物がライム病ボレリアのリザーバーである．野山に入ったヒトがリザーバーの血液を吸血したマダニに刺咬されることによって媒介される．刺咬後数日から数週以内で遊走性紅斑やインフルエンザ様症状（発熱，筋肉痛など）が現れる（第1期）．さらに数週から数か月後にライム病ボレリアが血行性に拡散するために，関節炎，髄膜炎，心筋炎などの全身症状が出現する（第2期）．これらの病変は再燃・消退を繰り返し慢性化する．発症から数か月から数年の単位で慢性関節炎，慢性脳脊髄炎，慢性萎縮性肢端皮膚炎などを呈する晩期に移行する（第3期）．

(3) 病原因子

表層抗原タンパク質およびスフィンゴ糖脂質などが病原性に関与しているという研究報告がある．

(4) 検査と診断

本菌の表層抗原タンパク質およびそれらをコードする遺伝子が，ELISA，ウエスタンブロット，DNA プローブ法，PCR 法などによる診断に応用されている．

(5) 予防と治療

治療にはテトラサイクリン系薬またはβ-ラクタム系薬を用いる．有効なワクチンはなく，野山に入る場合は忌避剤を用いてマダニの刺咬を防ぐことが重要である．

❸ *Leptospira* 属

1）黄疸出血性レプトスピラ（ワイル病レプトスピラ）*Leptospira interrogans* serovar Icterohaemorrhagiae

本菌は 1915 年，ワイル病 Weil's disease の原因菌として，稲田龍吉（1874～1950），井戸泰（ゆたか）（1881～1919）により発見，分離された．今日レプトスピラ感染症は世界各地に広範に蔓延する最も代表的な人獣共通感染症の1つである．

(1) 特徴：基本的構造と性状

大きさは 0.1×6～12 μm で，スピロヘータでは最も小型である．らせんは細かく密で，両端がフック状に彎曲している．培養はスピロヘータ中最も容易で，微好気的に増殖する．ペプトンなどに非働化ウサギ血清を添加した Korthof 培地，Fletcher 培地，Stuart 培地などが用いられる．

熱帯・亜熱帯の高温多湿な地域で患者発生が多く，ヒトのみならず家畜の被害も大きい．わが国では四国，九州地方などで小規模な流行があるが，年間10数例にとどまっている．発生は夏から秋にかけて多い．

(2) 病態と感染

黄疸出血性レプトスピラ症（ワイル病）は，リザーバーであるネズミなどの齧歯類の尿で汚染された水などを介した接触，経皮感染が主である．ヒトからヒトへの感染はまれである．5～10日の潜伏期の後，高熱，筋肉痛，結膜の充血，タンパク尿などを伴って発症する．約半数の患者に黄疸が生じる．出血性黄疸や腎不全に至る場合もあり，この場合致死率は5～30%と高い．感染初期には血液中にレプトスピラが証明されるが，抗体産生に伴って血中からは消失し，以後は腎臓にとどまり長く尿中に排泄される．

(3) 病原因子

ヘムオキシゲナーゼやヘモリシンなどが病原性に関与するとの研究報告がある．

(4) 検査と診断

診断には鞭毛遺伝子や16S rRNA遺伝子をターゲットとしたPCR法が迅速診断に有効である．

(5) 予防と治療

予防にはホルマリン不活化死菌ワクチンが有効である．治療にはテトラサイクリン系薬，β-ラクタム系薬が有効である．黄疸出現後の抗菌薬の効果はあまり期待できないので，迅速診断と早期の抗菌薬投与開始が重要である．

2) その他のレプトスピラ

病原レプトスピラは前述のワイル病のように出血性黄疸を伴う重篤なものから，軽微な熱性疾患の原因となるものまで多様である．日本各地には症状の軽い地方病としてのレプトスピラ症が存在し，静岡県では秋疫（あきやみ）あるいは用水熱，岡山県の作州熱，福岡県の七日疫，長崎県の波佐見熱などとよばれる．これらは秋に流行するために秋季レプトスピラ症と総称される．病原体として，秋疫Aレプトスピラ *Leptospira interrogans* serovar autumnalis Akiyami A，秋疫Bレプトスピラ *Leptospira interrogans* serovar hebdomadis Akiyami B，秋疫Cレプトスピラ *Leptospira interrogans* serovar australis Akiyami Cがある．ワイル病と同様，齧歯類の排泄物に汚染された水を介して経皮感染する．潜伏期は1週間前後で，ほとんど前駆症状なしに発症し，頭痛，筋肉痛，発熱，眼球結膜充血，タンパク尿，リンパ節腫脹を伴うが，通常，黄疸は伴わない．治療にはテトラサイクリン，ペニシリン，エリスロマイシンなどが有効で，予後は良好である．

（髙橋幸裕）

VI マイコプラズマと感染症

マイコプラズマ mycoplasma は自己増殖能を有する最小の微生物で，細胞壁を欠いており，モリキューテス網 class *Mollicutes*（軟らかい皮膚という意味）として分類される．*Mollicutes* 網は 4 つの目 order（*Mycoplasmatales, Entomoplasmatales, Acholeplasmatales* ならびに *Anaeroplasmatales*）に分類される（**表 3-6-1**）．

ヒトから分離されるマイコプラズマは主に，*Mycoplasmatales* 目の *Mycoplasma* 属と，尿素を分解するウレアーゼを有する *Ureaplasma* 属であり，まれに *Acholeplasmatales* 目の *Acholeplasma* 属が分離されることもある．

Mycoplasmatales 目は発育にコレステロールを要求し，*Acholeplasmatales* 目はコレステロールを要求しない．*Entomoplasmatales* 目と嫌気性の *Anaeroplasmatales* 目は主に昆虫や植物に生息する．

Mycoplasma 属のヒトにおける生息部位は主に上気道，泌尿生殖器ならびに口腔である．*Ureaplasma* 属は主に泌尿生殖器に生息しており，まれに口腔からも分離される．以後，本書でマイコプラズマといえば *Mycoplasma* 属と *Ureaplasma* 属を指すものとする．

マイコプラズマの発見については込み入った経緯がある．1898 年に Edomond Nocard（1850〜1903）と Emile R. Roux（1853〜1933）はウシの伝染性胸膜肺炎の濾過性検体を血清添加培地で培養し，“純培養菌”を得た．同様な研究例が他の家畜の肺炎についても集積され，当初は PPLO（pleuropneumonia-like organism，現在は *Mycoplasma mycoides* subsp. *mycoides* と命名されている）と呼称された．一方，ヒトの異型性肺炎 atypical pneumonia から類似の濾過性病原因子が分離され，発見者の名にちなみ Eaton 因子と名づけられた．後にこの因子は無細胞培地で純培養できることがわかり，1962 年に Robert M. Chanock（1924〜2010）らは *Mycoplasma pneumoniae* と命名し，その後のマイコプラズマ研究の基礎を築いた．

❶ 性状

1）形態

マイコプラズマの細胞のサイズは 125〜1,000 nm で，最小のものは 125〜200 nm しかなく，パラミクソウイルス科のサイズに近い．細胞壁が存在しないため培地成分の浸透圧などの影響を容易に受けて多形性を示し，また，フィラメント状あるいは菌糸状を呈することもある．細胞サイズの小ささから直径 0.45 μm のフィルターを通過でき，この点においてはクラミジアや大型ウイルスと類似するが，人工培地で増殖可能である点で異なる．細胞質には電子密度の高い直径 14〜20 nm のリボソームが散在し，DNA が糸状に存在する（**図 3-6-1**）．

2）グラム染色性

細胞壁がないためにグラム染色を行うとグラム陰性に染まるが，分類学的にはマイコプラズマが含まれる *Mollicutes* 網はグラム陽性菌である *Firmicutes* 門に含まれる．したがって，マイコプラズマは一般細菌のグラム染色による分類は当てはまらない．

3）培養

マイコプラズマは栄養要求性が強く，また発育にコレステロールを要求するので栄養に富んだ培地が工夫されている．

一般的には PPLO 液体培地に 20%（v/v）ウマ血清ならびに 10%（v/v）新鮮酵母抽出液を含む Hayflick 培地が用いられ，液体培地あるいは 1%（w/v）寒天を加えた固形培地で培養できる．

分離培養には，この培地にペニシリン G（1,000 U/mL）あるいはアンピシリン（50 μg/mL）などの抗菌薬が使用されている．液体培地では，非発酵性マイコプラズマには

表 3-6-1　マイコプラズマの分類

網	目	科	属	菌種の数
Mollicutes	*Mycoplasmatales*	*Mycoplasmataceae*	*Mycoplasma*	117
			Ureaplasma	7
	Entomoplasmatales	*Entomoplasmataceae*	*Entomoplasma*	6
			Mesoplasma	11
		Sproplasmataceae	*Spiroplasma*	37
	Acholeplasmatales	*Acholeplasmataceae*	*Acholeplasma*	18
	Anaeroplasmatales	*Anaeroplasmataceae*	*Anaeroplasma*	4
			Asteroplasma	1

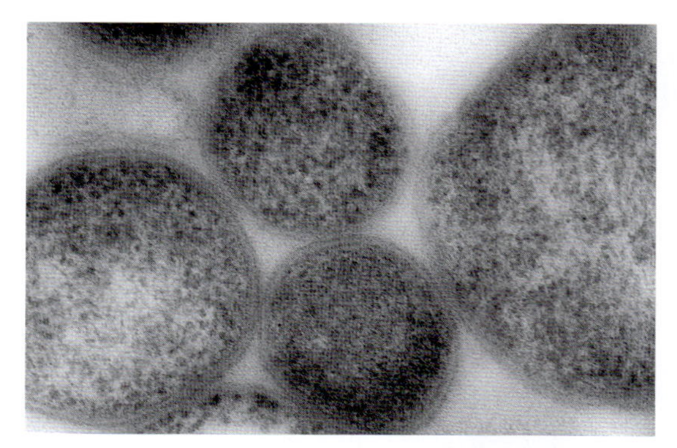

図 3-6-1 *M. salivarium* の透過型電子顕微鏡像
（北海道大学 柴田健一郎博士）

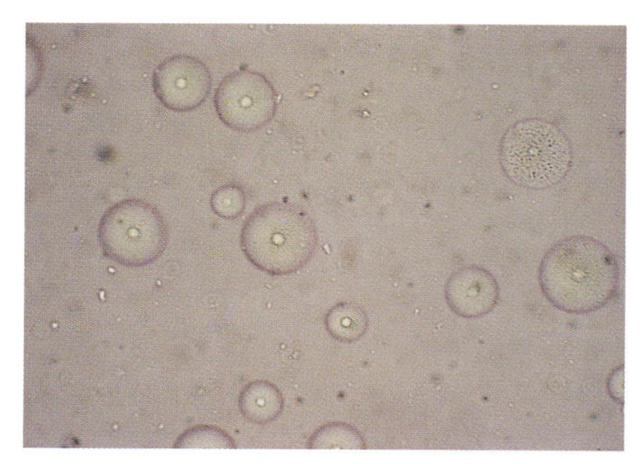

図 3-6-2 *M. salivarium* のコロニー
（北海道大学 柴田健一郎博士）

1%（w/v）のアルギニンを，発酵性マイコプラズマには 1%（w/v）グルコースを，さらに，尿素利用性の *Ureaplasma* 属には 1%（w/v）尿素を加える．また，増殖しても培養液が著しく混濁することがないために，培地に 0.02%（w/v）のフェノールレッドを加え，培地 pH の変化を色の変化で確認することにより増殖の程度を判断する．

寒天培地上では，直径が 15〜500 μm 程度の目玉焼き状のコロニー（**図 3-6-2**）を形成し，通常は実体顕微鏡で観察する．コロニーが目玉焼き状にみえるのは，コロニー中心部が培地に食い込んで増殖するためである．

4）薬剤感受性

細胞壁が存在しないため，ペニシリン系薬ならびにセフェム系薬などの細胞壁合成阻害薬には非感受性である．タンパク質合成を阻害するマクロライド系薬のエリスロマイシンやテトラサイクリン系薬には強い感受性を示す．ただし，近年マクロライド耐性の *M. pneumoniae* が分離されている．その耐性機構は 23S rRNA 遺伝子のドメイン V 領域の 2,063 番目，2,064 番目および 2,617 番目に点変異が生じることによる．

5）代謝

Mycoplasma 属は，主なエネルギー源としてグルコースを利用する発酵性マイコプラズマと，アルギニンを利用する非発酵性マイコプラズマに分類される．*Ureaplasma* 属は尿素を利用し，エネルギーを獲得している．

6）ペプチダーゼ活性

非発酵性マイコプラズマの細胞膜には，アルギニン特異的なカルボキシペプチダーゼならびにアミノペプチダーゼが存在し，これらの酵素は環境に存在するペプチドからエネルギー源としてのアルギニンを獲得するために存在しているものと考えられている．

7）遺伝的性状

マイコプラズマのゲノムサイズは一般細菌よりかなり小さく，最も小さいのは *Mycoplasma genitalium* の 580 kb で，最も大きいのは *M. mycoides* subsp. *mycoides* の 1,380 kb である．また，細菌の中でゲノムの GC 含量は最も低く，23〜41%の範囲である．通常の細菌では，コドンの対応は UGA が終止コドンであるが，マイコプラズマではトリプトファンに翻訳されることが特徴である．*M. genitalium* はゲノムサイズが自己増殖可能な微生物の中で最も小さいために，真正細菌の中でその染色体 DNA の全塩基配列が最も早く明らかにされた．

8）抗体による発育阻止

ウイルスと同じように，特異的抗体によりマイコプラズマの生育は阻害される．以前はこの性質は代謝阻止試験法 metabolic inhibition test（MI テスト）などによるマイコプラズマ種の同定に利用されていたが，現在ではマイコプラズマ種の同定に特異的プライマーを用いた PCR 法を利用するのが主流になってきている．

❷ ヒトマイコプラズマの感染

動物では，それぞれの種に特有のマイコプラズマが生息し，それらは重篤な肺炎，関節炎の病原体であることが明らかにされている．ヒトでは少なくとも十数種のマイコプラズマの分離が報告され，その中で重要な病原体は *M. pneumoniae* と *M. genitalium* の 2 種であり，それぞれ肺炎ならびに尿道炎を惹起する．その他のマイコプラズマ種は主に泌尿生殖器，呼吸器，口腔の粘膜や組織に生息し，常在フローラのメンバーとして存在する（**表 3-6-2**）．

これまで，マイコプラズマは細胞表面に付着して，種々の生物活性により組織を傷害すると考えられてきたが，近年，*Mycoplasma penetrans* が発見され，細胞内侵入能を有する種が存在することが明らかにされている．

表 3-6-2　ヒトにおけるマイコプラズマ生息部位と病気との関連性

種	生息部位	病気との関連性
M. salivarium	口腔咽頭，泌尿・生殖器	
M. orale	口腔咽頭	
M. buccale	口腔咽頭	
M. faucium	口腔咽頭	
M. fermentans	泌尿・生殖器	
M. hominis	泌尿・生殖器	腟炎，骨盤内感染症
M. genitalium	泌尿・生殖器	非淋菌性非クラミジア性尿道炎，腟炎
M. pneumoniae	上気道，口腔咽頭	肺炎
M. penetrans	泌尿・生殖器	
U. urealyticum	泌尿・生殖器，口腔咽頭	
U. parvum	泌尿・生殖器	絨毛膜羊膜炎

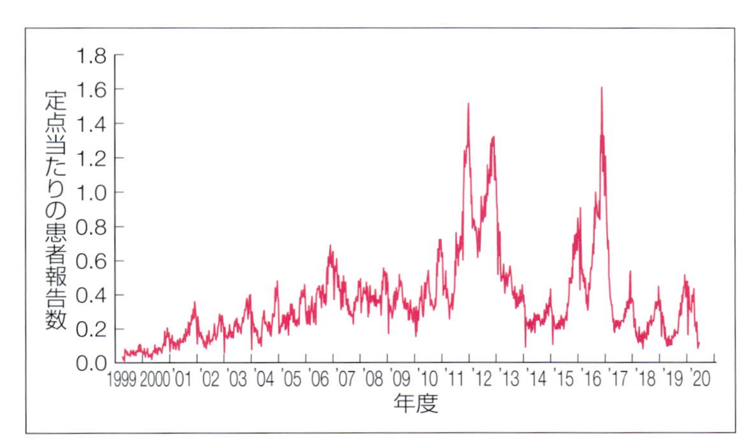

図 3-6-3　年度別マイコプラズマ肺炎の発生動向
（国立感染症研究所感染症疫学センターの集計による）

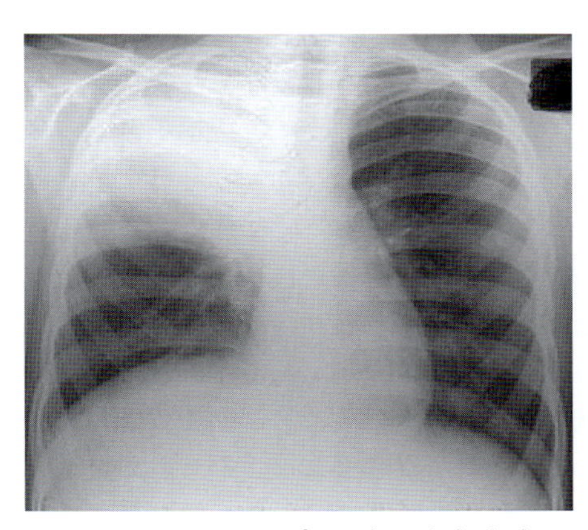

図 3-6-4　マイコプラズマ肺炎患者の胸部X線写真（札幌徳洲会病院 成田光生博士）
右上肺野に潤滑影と無気肺による含気の低下があり，右横隔膜の挙上が認められる．

1）*M. pneumoniae*

（1）特徴

上述した経緯でヒトの異型性肺炎の明確な病原体として発見され，1962 年に R.M. Chanock らにより *M. pneumoniae* と命名された．

国立感染症研究所の感染症疫学センターが集計した 1999～2020 年途中までのマイコプラズマ肺炎の定点あたりの報告数を図 3-6-3 に示す．わが国において 2011～2012 年ならびに 2015～2016 年にかけてマイコプラズマ肺炎の大流行があり，そのほとんどがマクロライド耐性の *M. pneumoniae* による肺炎であった．

（2）感染と病態

M. pneumoniae 感染によるマイコプラズマ肺炎は，市中肺炎の 20～30％を占めるとされており，5～20 歳までが好発年齢層である．学校，家庭，寄宿舎などで飛沫感染するが，その伝播は緩慢である．多くは秋から冬にかけて流行し，数年に一度多発する周期性がある．感染すると，1～3 週間の潜伏期を経て頭痛と上気道の刺激による持続性の咳が出る．放置すると血痰や胸痛を訴えることもある．

（3）病原因子

M. pneumoniae は，宿主細胞への付着に関与する物質であるアドヘジンを複数有している．その中で最も注目されているのが分子量 170 kDa の P1 タンパクで，上気道の粘膜上皮細胞との接着にかかわる病原因子の 1 つと考えられている．また，近年，*Mycoplasma* 属の細胞膜に存在するリポタンパク質が内毒素様の活性を有することが明らかにされ，病原因子の 1 つとして注目されている．*Mycoplasma* 属のリポタンパク質はトリアシル型構造（脂肪酸が 3 個結合）である細菌のリポタンパク質と異なり，ジアシル型構造（脂肪酸が 2 個結合）である．*Mycoplasma* 属のリポタンパク質は，TLR2 と TLR6 のヘテロダイマーで認識され，これらの TLR を介して線維芽細胞，マクロファージ，樹状細胞などを活性化したり，これらの細胞に細胞死を誘導したりすることが明らかにされている．特に，リポタンパク質が TLR2/6 による認識を介して産生される炎症性サイトカインの中で，IL-8 ならびに IL-18 が肺炎の発症に重要であることが指摘されている．

（4）検査と診断

X 線診断を行うと，境界がはっきりしない片側性陰影を認め（図 3-6-4），肺結核との鑑別診断が必要である．最終的診断は *M. pneumoniae* の分離あるいは本菌に対する特異的抗体の上昇を確認して行う．

(5) 予防と治療

マイコプラズマ肺炎の治療には第一選択薬としてマクロライド系薬が投与される．しかしながら，近年，マクロライド系薬に耐性を示す *M. pneumoniae* による肺炎が増加している．そこで，マクロライド系薬が無効な場合は，テトラサイクリン系薬あるいはキノロン系薬が投与される．ただし，テトラサイクリン系薬を8歳未満の小児に投与すると，未萌出の永久歯胚に作用し，歯の着色やエナメル形成不全を起こすことがある．

M. pneumoniae による肺炎に対するワクチンは実用化されていない．

2) *M. genitalium*，*Mycoplasma hominis*，*Ureaplasma urealyticum*

現在，男性の尿道炎のうち非淋菌性非クラミジア性尿道炎において *M. genitalium* と，*U. urealyticum* の一部が起炎菌であると考えられている．また，*M. hominis* は，非淋菌性非クラミジア性尿道炎ではなく，女性における腟炎や骨盤内感染症の原因菌とされ，不妊や流産に関与しており，*M. genitalium* も腟炎の原因となる．

M. genitalium は *M. pneumoniae* と相同性が高く *M. pneumoniae* と同様にマクロライド系薬で治療を行う．しかし，わが国においてもマクロライド系薬のアジスロマイシンに対する耐性化が進んでおり，またキノロン系薬に対する耐性菌も出現していることから，抗菌薬の使用は十分に検討しなければならない．

3) 口腔マイコプラズマ

ヒト口腔から最も高頻度に分離されるのは *Mycoplasma salivarium* で，次いで，*Mycoplasma orale* もかなりの高頻度で分離される．これらのマイコプラズマに比べると分離頻度は低いが，*Mycoplasma faucium* ならびに *Mycoplasma buccale* も口腔から分離される．まれに，*M. hominis* や *U. urealyticum* が口腔から分離されることもある．*M. salivarium* は唾液ならびに歯肉溝を主な生息場所としているが，口腔疾患における病因的役割は現時点では不明である．しかしながら，*M. salivarium* に対する抗体価が健常者に比べて歯周病患者で高く，また，*M. salivarium* の細胞膜に存在するリポタンパク質は強いマクロファージ活性化能ならびにマクロファージやリンパ球に対する細胞死誘導活性を有していることから，*M. salivarium* は歯周病においてなんらかの病因的役割を果たしていると推測されている．また，近年，PCR法により顎関節症患者の滑液から *Mycoplasma fermentans* ならびに *M. salivarium* のDNAが検出されている．*M. fermentans* はリウマチ性関節炎における病因的役割が注目されており，顎関節炎においてもなんらかの病因的役割を果たしている可能性がある．

動物におけるマイコプラズマ感染症

動物のマイコプラズマ感染症は重篤なものが多く，その数例を以下に記す．

Mycoplasma hyopneumoniae は豚に肺炎を起こし，養豚産業に多大な被害を与えている．*M. hyopneumoniae* も *M. pneumoniae* と同様にアドヘジンを有しており，その中でもP97分子は気管支繊毛への接着で重要である．この分子を利用したワクチンが *M. hyopneumoniae* 感染の防御に有用であることからも，本分子が重要な病原因子であることがわかる．また，*M. hyopneumoniae* においても，細胞膜リポタンパク質がTLR2を介するシグナルで炎症性サイトカインを誘導することで炎症を惹起すると推測されている．その他，豚に関節炎を起こす *Mycoplasma hyorhinis* に関する研究もなされている．

Mycoplasma pulmonis はラットやマウスなどに肺炎を起こし，動物実験施設などで大きな問題になっている．*Mycoplasma arthritidis* はラット，マウス，ウサギなどにリウマチ性関節炎様関節炎を惹起し，その重要な病原因子はスーパー抗原の *Mycoplasma thritidis* mitogen（MAM）である．

（長谷部　晃）

VII クラミジアと感染症

1 クラミジアの分類と性状

1）発見と分類

Ludwig Halberstädter（1876～1949）と Stanislaus von Prowazek（1875～1915）は，トラコーマの研究中に患者の結膜上皮細胞質内に特異な小体を認めた．そして古代ギリシャ語のマントを意味する Chlamydozoa（クラミドゾア；被膜に包まれた生物）と命名し，この微粒子がトラコーマの病原体ではないかと報告した（1909）．その後トラコーマ同様の特徴を有する病原体の存在が明らかにされてきたが，大きさが一般細菌に比べきわめて小さいことや特異な増殖能を有し，人工培地で培養できないことから，ウイルスやリケッチアとの鑑別が難しい時期もあった．しかし，DNA と RNA，また，リボソームを保有し，二分裂増殖能と抗菌薬感受性があり，さらに外膜などグラム陰性菌の特徴を有していることから，ウイルスとは明らかに異なる原核生物に分類された．近年，16S rRNA と 23S rRNA 遺伝子の塩基配列に基づいた分類により，*Chlamydia* 属には 9 菌種存在し，病原性クラミジアは哺乳類や鳥類をはじめさまざまな生物種から検出される．ヒトに病原性を発揮する *Chlamydia trachomatis* はヒトからのみ分離され，*Chlamydia pneumoniae* は主にヒトから，*Chlamydia psittaci* は鳥類から検出される（**表 3-7-1**）．

2）性状・増殖

クラミジアは小型の球形から卵形の菌で，グラム陰性菌に類似した脂質二重層を保有する．しかし一般細菌にみられる細胞膜と外膜の間のペプチドグリカン層は電子顕微鏡でも認められず，さらに化学分析によってもムラミン酸の存在は確認されていない（しかし基本小体の分裂や網様体から基本小体への形態変化がペニシリンによって阻害されることから，ペプチドグリカン類似の構造物の存在が示唆されている．また最近きわめて薄いペプチドグリカン層が確認された）．その代わりシステインに富む OmcB タンパクが存在し，その S-S 結合により外膜の強固な剛性が保持されている．OmcB タンパク層は OmcA タンパクを介して外膜と結合し，また外膜にはポーリンを形成している major outer membrane protein（MOMP）が存在する（**図 3-7-1**）．

クラミジアはリケッチア同様，偏性細胞内寄生性で，動物細胞内でのみ増殖が可能である．ATP などの高エネルギーリン酸化合物の供給を宿主細胞に依存するエネルギー寄生体であり，外生的にこれらエネルギーの供給を受けて通常の代謝を行っている．また，特異な増殖環をもち，宿主細胞に侵入した後，食胞内で増殖して封入体 inclusion body を形成する．そのユニークな増殖サイクルは，まず感染型の基本小体 elementary body（EB：直径 0.3～0.4 μm）が細胞膜に吸着する．その後貪食され，6～8 時間後に形態が異なる増殖型の網様体 reticulate body（RB：直径 0.5～1.0 μm）へと変換し，二分裂を繰り返して増殖する．この増殖の場をクラミジア封入体（**図 3-7-2**）という．その後，中間体 intermediate form（IF）を経て再び基本小体に変換する．この封入体は 48～72 時間後には崩壊し，多数の菌体が放出される（**図 3-7-3**）．基本小体のみが感染性を有し周囲の新たな細胞に感染して同様の生活サイクルを繰り返す．

3）検査

患者材料を Giemsa 染色，Macchiavello 染色やヨード染色をして封入体を直接顕鏡する．あるいは封入体または菌体を蛍光色素で標識した特異的抗体で染色して顕鏡する免疫組織学的手法を用いる．また，核酸プローブや PCR 法によるクラミジア核酸の検出や，血清中や局所分泌物中の抗体を ELISA で検出する方法が行われている．

表 3-7-1　クラミジアの分類

科	属	医学上重要な細菌	感染症	感染経路
Chlamydiaceae	*Chlamydia*	*C. trachomatis*	トラコーマ	接触，性行為
			封入体結膜炎	
			非淋菌性尿道炎（NGU）	
			子宮頸管炎	
			性病性リンパ肉芽腫症	
		C. pneumoniae	肺炎，上気道炎	吸入
		C. psittaci	オウム病，気管支炎	吸入

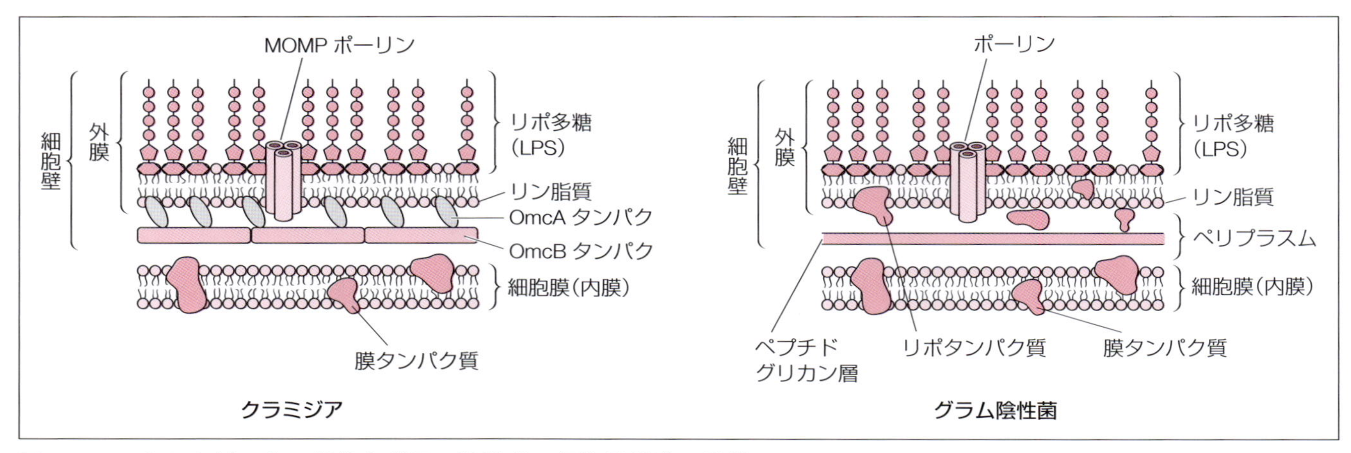

図 3-7-1　クラミジアと一般的なグラム陰性菌の細胞壁構造の比較

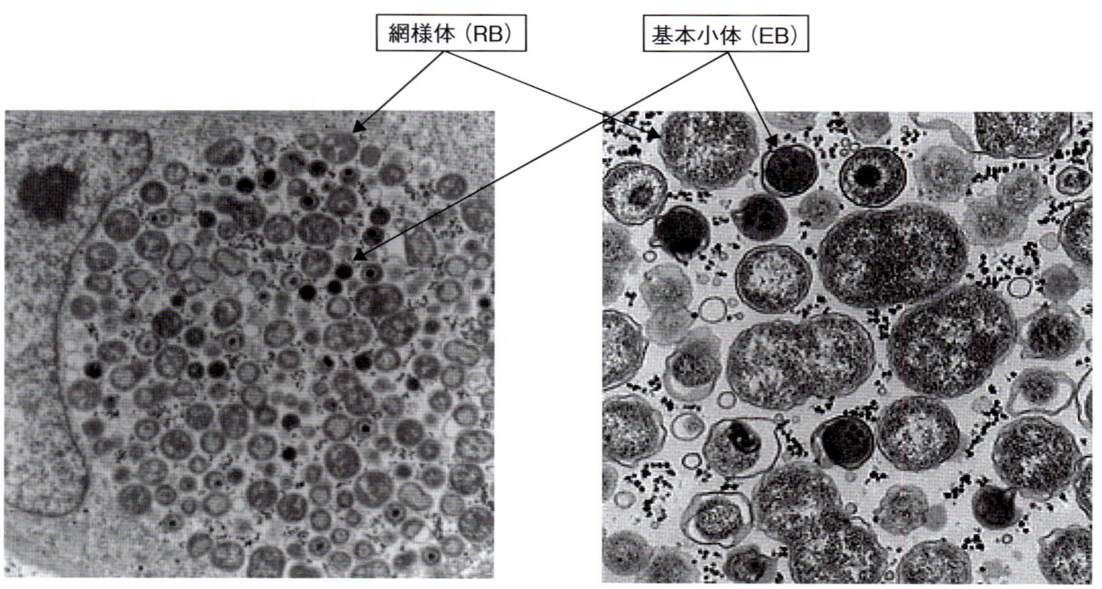

図 3-7-2　*C. pneumoniae* を感染 72 時間後，HEp-2 細胞中の封入体にみられる基本小体（EB）と網様体（RB）
（順天堂大学 中村眞二先生，北海道大学 山口博之先生）

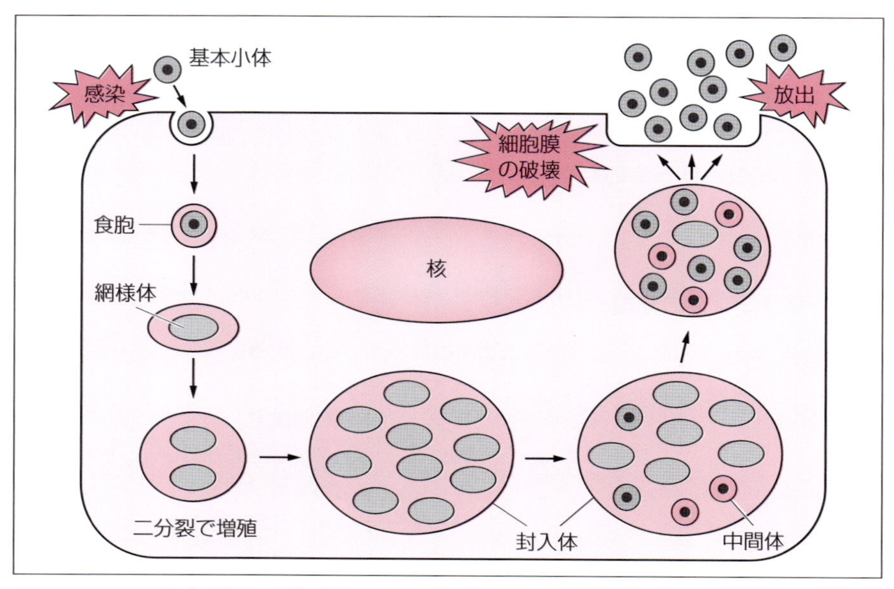

図 3-7-3　クラミジアの増殖サイクル

4）治療

宿主細胞内で代謝活性が高く活発に分裂・増殖している網様体が標的となる．したがって細胞内移行性の高いテトラサイクリン系薬（第一選択薬），マクロライド系薬，ニューキノロン系薬を用いる．特にテトラサイクリン系薬を成人に，マクロライド系のエリスロマイシンを乳幼児や妊婦に用い，7～14 日間持続投与する．

❷ クラミジアの感染

1）トラコーマクラミジア *C. trachomatis*

トラコーマ trachoma や封入体結膜炎 inclusion conjunctivitis などの眼感染症と性行為を介する泌尿生殖器感染症がある．眼感染症は不潔な手指，タオルなどを介した間接的な接触で伝播する．トラコーマは慢性の角結膜炎であり，結膜の濾胞形成，乳頭増殖，角膜への血管侵入（パンヌス）および瘢痕化を主徴とする．封入体結膜炎は新生児への感染が重要である．すなわち産道感染により新生児封入体結膜炎を，さらに中耳炎，肺炎，咽頭炎などを起こす．泌尿生殖器感染症は性行為により伝播する性感染症（STI）の 1 つである．1～3 週間の潜伏期を経て，多くは尿道炎，子宮頸管炎，前立腺炎，精巣上体炎（副睾丸炎）を発症する．また，女性では子宮内膜炎，卵管炎，卵巣炎などに進展し，不妊症の原因ともなる．女性では自覚症状が乏しく見逃されることも多いため，蔓延の要因の 1 つとみなされている．性病性リンパ肉芽腫症 lymphogranuloma venereum も性感染症の 1 つであり，感染局所に丘疹，水泡，潰瘍が形成され，後に鼠径リンパ節の腫張が現れる．

2）肺炎クラミジア *C. pneumoniae*

C. pneumoniae の自然宿主はヒトで，飛沫を介したヒト－ヒト感染が主な感染経路と考えられている．感冒様症状から上気道炎，気管支炎，肺炎（非定型肺炎 atypical pneumoniae），中耳炎，副鼻腔炎を起こす．臨床症状は，発熱が軽度で遷延する痰のない咳（乾咳）が特徴であり，マイコプラズマ肺炎と類似する．軽いかぜ症状や無症候感染者が多いが，ときに劇症化し，死の転機をとる場合もある．本菌に対する抗体保有率は 4 歳以下では少ないが，5～15 歳にかけて増加し，成人では 60％を上回る．

3）オウム病クラミジア *C. psittaci*

ヒトに対してオウム病 psittacosis を起こす人獣共通感染症の病原細菌である．わが国では愛玩鳥からの感染がほとんどである．感染は乾燥し粉塵として舞い上がった糞の吸入や，口移しでの餌やりなどの濃厚接触により起こる．病鳥は戦慄，下痢，衰弱をきたし，大量の菌体を糞便や唾液に排出するが，無症状の場合も多い．ヒトでは 1～2 週間の潜伏期の後，悪寒を伴う突然の高熱と咳で発症する．呼吸器に感染するがその病型は上気道炎から重症肺炎までさまざまである．かぜ様の軽症例もあるが，重症化し無処置の場合の致命率は 20～40％である．

（佐々木　実）

VIII リケッチアと感染症

① リケッチアの分類と性状

1）発見と分類

米国の微生物学者 Howard T. Ricketts（1871〜1910）およびドイツの Stanislaus von Prowazek（1875〜1915）はロッキー山紅斑熱や発疹チフスの研究に従事し，患者に吸着していたダニやシラミの組織から小型の桿菌を見出すなど病原細菌の発見に寄与した．しかし，彼らは研究中に発疹チフスに罹患し若くしてこの世を去った．後に Henrique da Rocha-Lima（1879〜1956）により，それら桿菌が発疹チフスの病原細菌であることが証明され，両研究者の名に因んでロッキー山紅斑熱の病原細菌は *Rickettsia rickettsii*，発疹チフスは *Rickettsia prowazekii* と命名された．その後多数の菌種がみつかり，現在は**表 3-8-1** のように分類されている．*Rickettsiales* 目には *Rickettsiaceae* 科および *Anaplasmataceae* 科があり，ヒトに病原性を示すものとして *Rickettsia* 属，*Orientia* 属，*Anaplasma* 属，*Ehrlichia* 属，*Neorickettsia* 属がある．

2）性状

大きさは 0.3〜0.6×0.8〜2.0 μm であり，一般的な桿菌に比べ小型でかつ多形性である．光学顕微鏡観察には Giemsa 染色，Macchiavello 染色などが適している．生きた細胞の中でしか増殖できない偏性細胞内寄生性である．細胞に吸着し，食胞に包まれ細胞内へ侵入した後，食胞膜を破壊して細胞質で二分裂により増殖する．その後，感染宿主細胞はリケッチアのホスホリパーゼにより破壊され，増殖したリケッチアは細胞外へ出て新たな感染サイクルに入る．実験的にはマウス，モルモット，ウサギ，発育鶏卵卵黄や培養細胞を用いて増殖させることができる．また，細胞の構造と化学組成はグラム陰性菌に類似している．*Rickettsia* 属はグラム陰性菌同様，細胞壁にペプチドグリカンおよび LPS が存在するが，*Orientia* 属ではそれら構成成分を含まない．

3）伝播・病原性

リケッチアの感染にはダニ，ノミ，シラミなどの節足動物（ベクター）による媒介が必要である．自然界においてリケッチアを保有しているベクターの一部はリザーバーを兼ねるものがある（**表 3-8-1**）．リケッチアは節足動物の刺咬により哺乳動物へ侵入する．ダニでは刺し口がみられ，侵入部皮膚に丘疹，硬結，水疱，壊死，潰瘍，痂皮や黒いかさぶたが認められる．局所で増殖した後，血行性に全身へ移行する．

4）検査・治療

血清学的診断法（間接蛍光抗体法，間接免疫ペルオキシダーゼ法，ELISA，ラテックス凝集反応）が主に行われる．さらに DNA 診断として，リケッチアの遺伝子に特異的なプライマーを用いた PCR 法が開発されている．*Proteus* 属を用いた Weil-Felix 反応は古くからリケッチア感染症の診断に用いられてきたが，現在行われている方法に感度と特異性で劣り，その重要性は低下した．また，多くのリケッチア症はテトラサイクリン系薬が著効を示す．

② リケッチアの感染

1）発疹チフス群リケッチア

発疹チフスの病原細菌は発疹チフスリケッチア *R. prowazekii* であり，ベクターはコロモジラミ，リザーバーはヒトである．シラミが本菌を保有するヒトを吸血した際

表 3-8-1　リケッチアの分類

目	科	属	医学上重要な細菌	リザーバー	ベクター	感染症
Rickettsiales	*Rickettsiaceae*	*Rickettsia*	*R. prowazekii*	ヒト	コロモジラミ	発疹チフス
			R. typhi	ネズミ	ノミ	発疹熱
			R. rickettsii	マダニ	マダニ	ロッキー山紅斑熱
			R. japonica	マダニ	マダニ	日本紅斑熱
		Orientia	*O. tsutsugamushi*	ツツガムシ（ダニ）	ツツガムシ	ツツガムシ病
	Anaplasmataceae	*Anaplasma*	*A. phagocytophilum*	野生齧歯類	マダニ	ヒト顆粒球性アナプラズマ症
		Ehrlichia	*E. chaffeensis*	野生哺乳類	マダニ	ヒト単球性エールリキア症
		Neorickettsia	*N. sennetsu*	不明	不明	腺熱リケッチア症

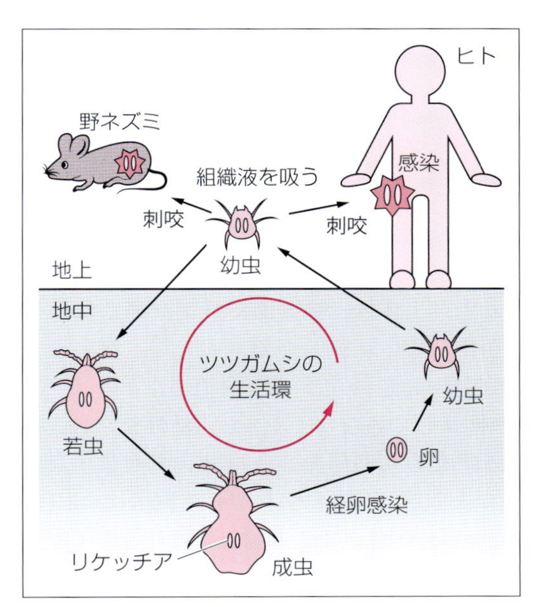

図 3-8-1　ツツガムシ病の伝播様式

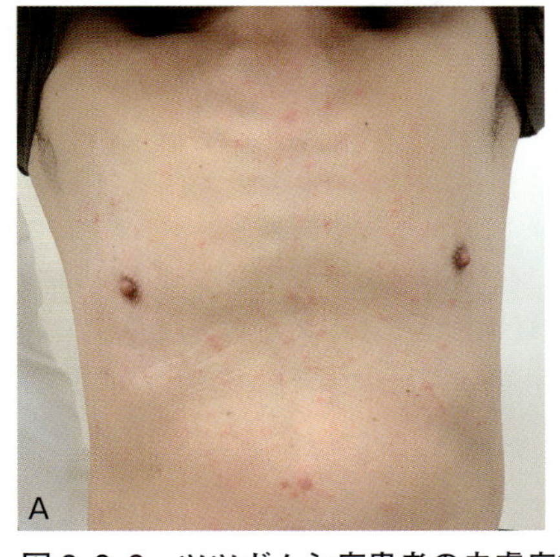

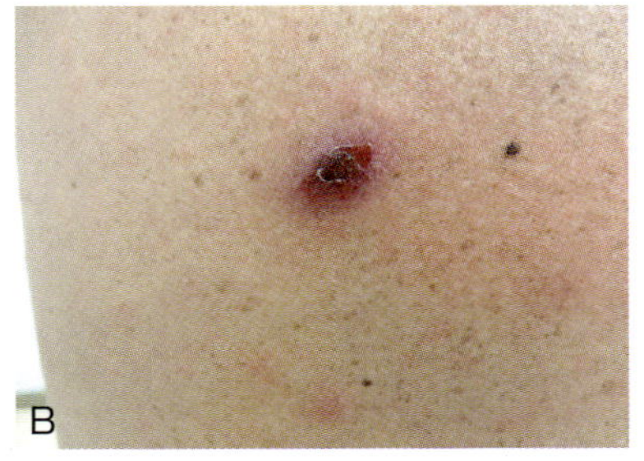

図 3-8-2　ツツガムシ病患者の皮膚症状
A：全身の発疹．B：特有の刺し口．
(JA 秋田厚生連大曲厚生医療センター 石河軌久先生)

リケッチアの感染を受け，そのシラミが他のヒトを吸血すると感染が伝播する，いわゆるヒト－シラミ－ヒトの感染サイクルが存在する．1～2 週間の潜伏期の後，悪寒発熱，頭痛，筋肉痛をもって発症する．発症 5 日以内に全身にバラ疹を生じる．中枢神経症状や意識障害，幻覚などを示すこともあり，適切な化学療法を行わないと死亡率は 10～40％に及ぶ．

発疹熱は発疹熱リケッチア *Rickettsia typhi* を保有している野ネズミに寄生するノミが媒介する．潜伏期は 1～2 週間で頭痛，発熱，悪寒戦慄をもって発症するが，発疹チフスに比べ症状は軽く回復も早い．

2）紅斑熱群リケッチア

ロッキー山紅斑熱は，北米にみられる熱性疾患で病原細菌は *R. rickettsii* である．ベクターはダニであり，ダニの唾液腺で増殖したリケッチアがヒトに感染する．同じ紅斑熱群でわが国でもみられる日本紅斑熱は，西日本を中心にみられる熱性疾患で，病原細菌は *Rickettsia japonica* である．ベクターはマダニと考えられている．いずれの紅斑熱も 1～2 週間の潜伏期をおいて発熱，頭痛，悪寒をもって発症する．発熱後全身に紅斑が生じる．

3）ツツガムシ病群リケッチア

かつて秋田，山形，新潟の 3 県の河川流域での発生が報告されていた（古典的ツツガムシ病）が，第二次世界大戦後，北海道と沖縄を除く日本全国でみられるようになった（新型ツツガムシ病）．また最近は東アジアおよびオセアニアの広い地域での発生が報告されている．病原細菌は *Orientia tsutsugamushi* で，ベクターはツツガムシというダニである．夏季に流行する古典的ツツガムシ病のベクターはアカツツガムシ，春と秋に流行する新型はフトゲツツガムシあるいはタテツツガムシが媒介する．以前は *Rickettsia tsutsugamushi* とよばれていたが，細胞壁にペプチドグリカンおよび LPS が存在しないことや 16S rRNA 遺伝子の塩基配列からリケッチア属と区別することが提唱され，新たに *Orientia* 属を設けて再分類された．ツツガムシは一生の大半を地中で過ごすが，卵から孵化した幼虫の時期に限り数日間だけ地上に出て哺乳類（野ネズミなど）に吸着し組織液を吸う．このときたまたま吸着されたヒトはリケッチアの感染を受ける（**図 3-8-1**）．潜伏期は 7～10 日で全身倦怠，頭痛，関節痛を伴った急激な発熱，全身の発疹（**図 3-8-2A**），および刺し口の形成（**図 3-8-2B**）を主徴とする．刺し口は発赤から丘疹，水疱，潰瘍の順に皮膚病巣が進展し，発病の頃は潰瘍部が直径 1 cm 程度の黒色の痂皮に覆われ周囲に発赤が認められる．重症の場合，肺炎，脳炎の症状がみられることもあり，播種性血管内凝固症候群（DIC）を起こして死亡する場合もある．古典的ツツガムシ病では治療しない場合の致死率は 40％に達する．

4）ネオリケッチア

わが国でみられるネオリケッチア症（腺熱リケッチア症）は発生地域により，日向熱（宮崎県），鏡熱（熊本県），土佐熱（高知県）とよばれている．悪寒を伴う発熱，全身のリンパ節腫脹と異型リンパ球が出現する．病原細菌は *Neorickettsia sennetsu* であるが，ベクターやリザーバーは不明である．

（佐々木　実）

ウイルスと感染症

A DNAウイルス

DNAウイルスには，アフタ性歯肉口内炎などを病態とするヘルペスウイルス，咽頭結膜熱などを呈するアデノウイルス，子宮頸がんの一因となるパピローマウイルス，そしてB型肝炎ウイルスなどが含まれる（☞ p.22 **表1-3-7**参照）．なお，B型肝炎ウイルスは，「肝炎ウイルス」の項に記載する（☞ p.205参照）．

❶ ヘルペスウイルス科 *Herpesviridae*

感染時に水疱性病変が，「這う（herpes）」ように広がることから命名された．ヘルペスウイルス科に属するウイルスは100種類近く報告されており，感染宿主は真菌から哺乳類まで多岐にわたる．それらの中で，ヒトに感染するヘルペスウイルスは8種である（**表3-9-1**）．

ヘルペスウイルスの基本構造を**図3-9-1**に示す．DNAは120,000〜220,000塩基対であり，単一の二本鎖線状を呈す．カプシドは正二十面体でエンベロープに覆われ，そのウイルス直径は120〜200 nmとなる．宿主へ感染する際には，5つのエンベロープ糖タンパク質（gB，gC，gD，gHおよびgL）とそれぞれに対応する宿主細胞の受容体（gB受容体など）を介した吸着を起点とする（☞ p.25 **図1-3-15**参照）．

ヘルペスウイルスの特徴的な感染像として，持続感染もしくは潜伏感染がある．初感染の後，ウイルスが宿主より完全に排除されず，生体内（神経節やリンパ節）に残存し，症状が顕在化しない状態となる．そして，宿主に発熱，紫外線，疲労，月経，あるいは歯科治療などのストレスが生じると，潜伏していたウイルスが再活性化され，症状の再顕在化，すなわち回帰発症（再発）を起こす（☞ p.58参照）．免疫を回避し体内に潜伏できる機序は，MHCクラスI認識（☞ p.100 **図2-3-3**参照）を逃れるウイルス分子群の存在により説明される．

1）ヒトヘルペスウイルス1（単純ヘルペスウイルス1型）

（1）特徴

単純ヘルペスウイルス1型 herpes simplex virus（HSV-1）は，単純疱疹ヘルペス1型ともよばれ，神経向性で，皮膚や粘膜に集簇的な水疱性病変を形成する．小児早期に感染し，主に三叉神経節に潜伏する．ストレスにより再活性化したHSV-1は，三叉神経に沿って運ばれ口唇などに発赤や水疱を形成（疱疹性口内炎）する．そのため，本感染症は口唇ヘルペスとよばれる．

（2）感染と病態

初感染の多くは，1〜4歳の小児期である．大部分が不顕性（病原体の感染後，感染徴候が発現していない状態）

表3-9-1　ヒトヘルペスウイルスの分類と特徴

学名（略号）	一般名（略号）	日本語表記	主な感染疾患	主な潜伏場所
Human herpesvirus 1 （HHV-1）	herpes simplex virus type 1 （HSV-1）	単純ヘルペスウイルス1型 単純疱疹ウイルス1型	口唇ヘルペス Bell麻痺	三叉神経節
Human herpesvirus 2 （HHV-2）	herpes simplex virus type 2 （HSV-2）	単純ヘルペスウイルス2型 単純疱疹ウイルス2型	性器ヘルペス	仙骨神経節
Human herpesvirus 3 （HHV-3）	varicella-zoster virus （VZV）	水痘・帯状疱疹ウイルス	帯状疱疹 非歯原性歯痛 Ramsay Hunt症候群	知覚神経節
Human herpesvirus 4 （HHV-4）	Epstein-Barr virus （EBV）	Epstein-Barrウイルス （EBウイルス）	Burkittリンパ腫 上咽頭がん 伝染性単核球症 毛状（毛様）白板症	B細胞
Human herpesvirus 5 （HHV-5）	human Cytomegalovirus （HCMV）	ヒトサイトメガロウイルス	日和見感染症 先天性CMV感染症	唾液腺，前立腺
Human herpesvirus 6B （HHV-6B）		ヒトヘルペスウイルス6B	突発性発疹	CD4 T細胞
Human herpesvirus 7 （HHV-7）		ヒトヘルペスウイルス7	突発性発疹	CD4 T細胞
Human herpesvirus 8 （HHV-8）	Kaposi's sarcoma-associated herpesvirus（KSHV）	ヒトヘルペスウイルス8	Kaposi肉腫 （AIDS関連）	B細胞

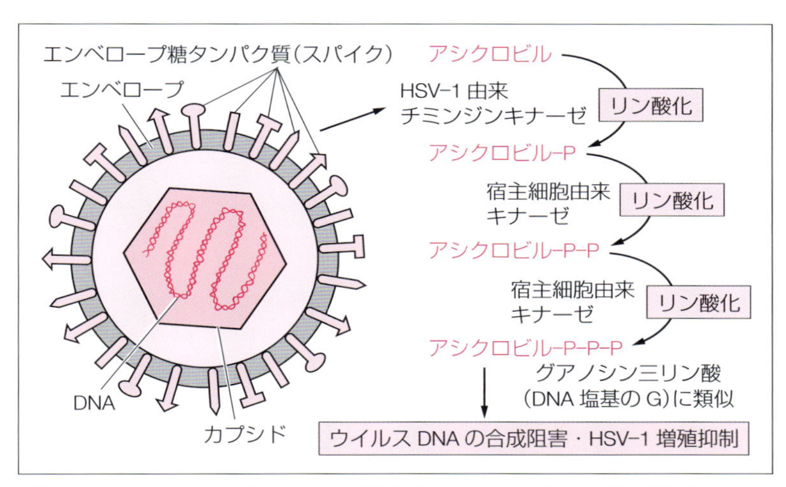

図 3-9-1　ヘルペスウイルスの構造とアシクロビルの作用機序

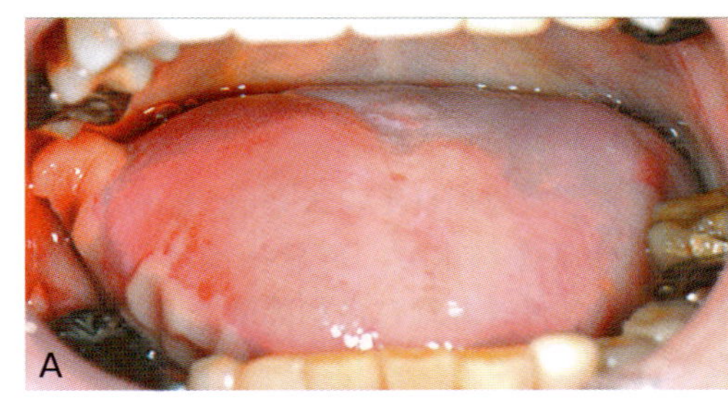

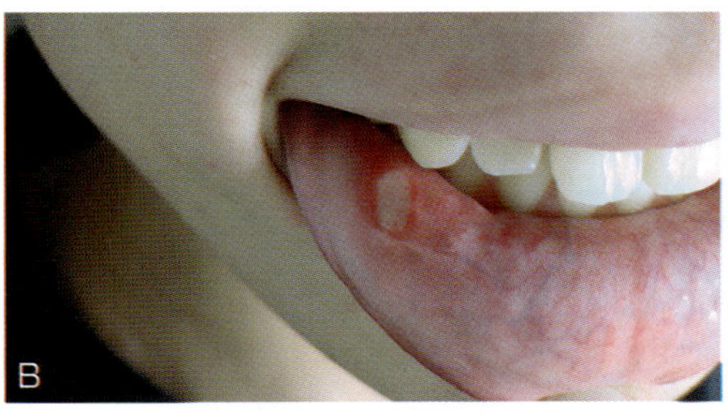

図 3-9-2　ヘルペス性歯肉口内炎患者の口腔内写真
A：舌の右側辺縁部に紅暈を伴う白色の潰瘍を認める．（安島久雄博士）
B：下口唇の右側にアフタ性病変を認める．

となる．歯肉口内炎は，乳児に多くみられる初感染病型で，発熱，顎下リンパ節の有痛性腫脹，歯肉，口唇内面，舌，頬粘膜，口蓋粘膜に発赤腫脹を生じ，水疱および潰瘍形成後，痂皮をつくり治癒する．ヘルペス粘膜病変の肉眼的特徴は，紅暈（こううん）に囲まれた難治性の白色境界明瞭な潰瘍（アフタ）である（**図 3-9-2**）．HSV-1 の回帰発症として最もよくみられる症状は，口唇ヘルペスの再発である．また，ウイルスが目から侵入すると，角膜に糜爛（びらん）を形成し，単純ヘルペス角膜炎となる．重篤な場合は失明に至る．先進国における感染性失明の原因としては，本感染症が最多となっている．Bell 麻痺の一因ともされる．

（3）検査と診断

イムノクロマト法（☞ p.109 **図 2-4-9** 参照）による迅速検査が保険適応となっている．また，モノクローナル抗体（☞ p.109 **図 2-4-10** 参照）と病変細胞片を用い，塗抹標本の HSV-1 抗原を顕鏡することでも診断可能である．その他にも，PCR 法（☞ p.55 **図 1-6-4** 参照）を用いた DNA 検査，および患者検体からのウイルス分離診断も行われる．

（4）予防と治療

HSV-1 に対する有効なワクチンはない．しかし，抗ヘルペス薬が実用化されており，アシクロビル，バラシクロビル，ファムシクロビル，ビダラビン，アメナメビルが治療薬として使用されている．アシクロビルは，感染部位の HSV-1 の酵素（チミジンキナーゼ）により化学修飾され，ウイルス DNA ポリメラーゼを阻害する．そのため，正常細胞に影響することなく，ウイルス増殖のみを抑制する．

2）ヒトヘルペスウイルス 2（単純ヘルペスウイルス 2 型）

（1）特徴

単純ヘルペスウイルス 2 型（HSV-2）は，単純疱疹ヘルペス 2 型ともよばれる．仙骨神経節に潜伏し，その神経支配領域である性器，尿道に発症する．HSV-2 による感染症は，性器ヘルペスとよばれ，性感染症（STI）の 1 つである．しかし，近年では HSV-1 による性器ヘルペスも報告され，型による感染領域の区別は厳格なものではなくなってきている．2019 年の国内感染数は，男性が 40 歳代を中心に約 3,500 人，女性が 20 歳代を主として約 5,500 人であり，経年微増している．世界では，4 億人以上が罹患していると推計されている．回帰発症を特徴としているため，患者の 6〜7 割は再発例である．

（2）感染と病態

HSV-2 は，主に性行為によって感染し，生殖器の皮膚や粘膜に長期間潜伏感染し，周期的に再活性化し生殖器に水疱および潰瘍を形成する．HSV-2 は，感染してもおおむね不顕性状態となる．そのため患者は，無症状でウイルスを排出している場合が多く，本人も感染に気づかないまま次の相手に移してしまうことが問題となっている．HSV-2 感染の母親から生まれた児には，新生児ヘルペスに転ずるリスクがあり，約半数は脳，肺，肝臓などに炎症を起こし，高い確率で死亡する．

（3）検査と診断

問診と視診に加え，保険適応のイムノクロマト迅速検査，あるいは蛍光モノクローナル抗体と塗抹標本による検鏡検査，PCR 法，患者検体からのウイルス分離培養検査などにより診断される．

（4）予防と治療

ワクチンは実用化されていない．HSV-2 感染者が性行為のパートナーである場合，予防のためにコンドームを使用すべきであるが，病変が広範にわたる場合には完全に防ぐことはできない．性器ヘルペスに対しては，抗ヘルペス薬のアシクロビル，バラシクロビルやアメナメビルが治療薬として使用される．再発事例が多いことから，バラシクロビルによる再発抑制療法も保険適応となっている．しかしながら，抗ヘルペス薬は潜伏感染しているウイルスにまでは奏効しないため，再発の抑制や完治には困難が伴う．

3）ヒトヘルペスウイルス3（水痘・帯状疱疹ウイルス）

（1）特徴

水痘・帯状疱疹ウイルス varicella-zoster virus（VZV）は，初感染像が水痘，再発症像は帯状疱疹である（**図3-9-3**）．知覚神経節に潜伏感染するが，HSV は神経細胞にのみ潜伏するのに対し，VZV は神経細胞周囲の外套細胞にも潜伏感染する．宿主の免疫機能がストレスや加齢などによりに衰えると再活性化し，頭頸部や胸部に帯状の発疹を形成する．

（2）感染と病態

水痘（水疱瘡）は2〜8歳の小児にみられ，紅斑点，丘疹，水疱，そして痂皮と急速に経過する．感染力が強く，飛沫もしくは飛沫核感染（☞ p.57 参照）により伝播する．学校保健安全法では，“痂皮に至るまでは出席停止”と定めている．初曝露での感染率と発症率が，ともに約90%と高い．潜伏期間は約2週間であり，その後，全身倦怠，頭痛，発熱を認める．さらに，1〜2日後に発疹が出現する．発疹は，顔面，頭部，口腔内に初発し，やがて四肢に広がる．この発疹は，散在性の3〜4 mmの小紅丘疹であり，12〜24時間以内に掻痒感の強い水疱となる．水疱は周囲に紅暈があり，水疱壁は破れやすい．1〜2日後には黒褐色になり，乾燥して痂皮となる．

回帰発症の帯状疱疹は，20歳以降から患者が増え，50歳以降に急増する．帯状疱疹では，知覚過敏，知覚異常，熱感，掻痒感などの前駆症状の後，神経支配領域の軸索に沿って帯状紅斑，紅丘疹を発症し，1〜3日後に片側性の水疱疹を生じる．皮疹が出現する前には，皮膚に強い痛みが現れる．帯状疱疹の発症誘因としてストレス，加齢，悪性腫瘍，放射線療法，免疫抑制薬，各種感染症があげられる．水疱にはウイルスがいるため，感染源となる．高齢者が発症した場合，帯状疱疹後神経痛になることがあり，発症領域に慢性的な痛みが数か月から数年にわたり続く．

小児期に感染したVZVが顔面神経節に潜伏し，後年，VZVが再活性化すると顔面神経に麻痺や疼痛を発症させ，非歯原性歯痛を生じることがある．さらに，顔面神経麻痺を主徴とし，耳痛，難聴，めまいなどを合併するRamsay Hunt症候群に移行することもある．

（3）検査と診断

水疱内容物を採取し，イムノクロマト法による迅速検査を行う他，特異的抗体によるVZV抗原検出，PCR法を用いたDNA検査，およびウイルス分離診断も行われる．

（4）予防と治療

水痘の予防法は，罹患前の水痘ワクチン（弱毒生ワクチン）接種である．罹患歴や予防接種歴がなくVZVに曝露した場合でも，曝露後3日以内に緊急ワクチン接種することで発症および重症化の予防が可能となる．また，水痘ワクチンは帯状疱疹の予防にも有効であることが示されたため，2016年以降は帯状疱疹予防の目的でも水痘ワクチン

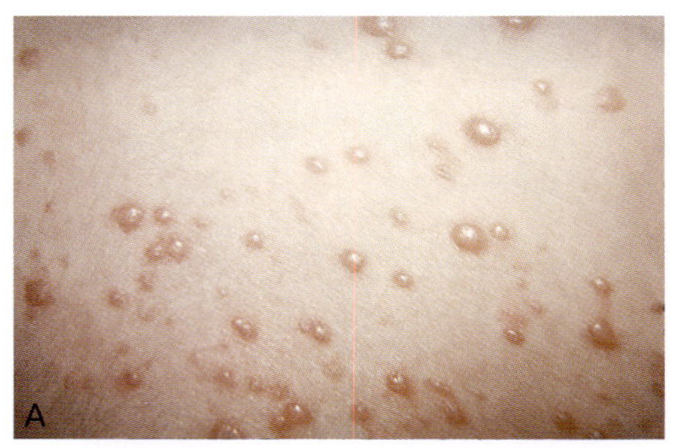

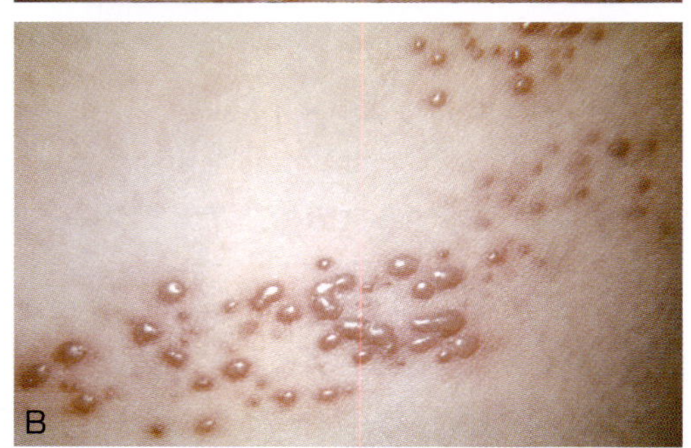

図3-9-3　水痘（A）と帯状疱疹（B）（CDC）

（1回接種，発症予防50%）が，2020年以降は帯状疱疹ワクチン（2回接種，発症予防97%）の接種が可能となっている（50歳以上を対象）．水痘の治療にはアシクロビルやバラシクロビルを使用し，帯状疱疹にのみアメナメビルを用いる．免疫不全者には，水痘・帯状疱疹免疫グロブリンも使用される．

4）ヒトヘルペスウイルス4（Epstein-Barr ウイルス）

（1）特徴

Burkitt リンパ種から，Michael A. Epstein（1921〜）と Yvonne Barr（1932〜2016）により分離され，Epstein-Barr ウイルス（EBV）と命名された．EBVは，唾液中に排泄され，キスなどにより感染し，B細胞（☞ p.104 参照）に潜伏感染する．欧米では，初感染による伝染性単核球症が思春期に多く，「キス病」と称されている．最近，日本でも生活環境や習慣の変化から思春期の初感染が増えている．

（2）感染と病態

小児期の初感染は不顕性のことが多く，3歳までに90%以上がEBV抗体陽性となる．EBVは，口腔や気道を介して咽頭上皮に感染し増殖後，リンパ節に達し，B細胞を形質変換する．生体の防御機構により形質変換細胞は排除され，一部の細胞のみ潜伏感染の状態になる．伝染性単核球症では，ウイルスがB細胞に感染し，全身に異形リンパ球が増殖する（**図3-9-4**）．伝染性単核球症は，全身倦怠感で始まり，発熱，咽頭炎，ときに前頭部の頭痛が起こる．リンパ節，扁桃，脾臓などのリンパ組織はすべて腫大し，扁桃の表面には膿が認められる．1年以上持続することもあり，ウイルス性慢性疲労症候群（☞ p.210 **表3-9-**

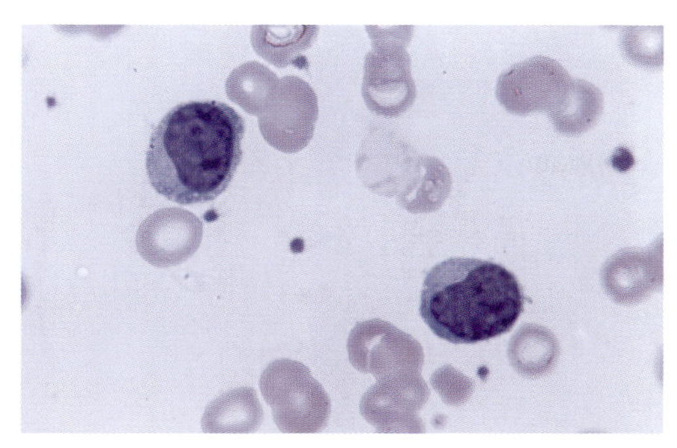

図 3-9-4　Epstein-Barr ウイルス感染患者の末梢血塗抹標本（CDC）

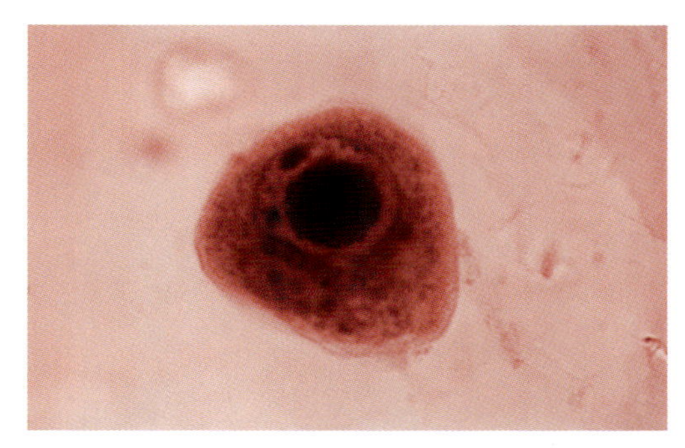

図 3-9-5　サイトメガロウイルス感染細胞（CDC）
「ふくろうの眼」様の巨大核内封入体を内包する巨細胞を呈する．

6）を示す．また，EBV キャリアの一部では，Burkitt リンパ腫（高悪性度 B 細胞性腫瘍）や上咽頭がんへ転じることがある．毛状（毛様）白板症との関連が報告されている．

(3) 検査と診断

抗 EBV 抗体検査を行う．Burkitt リンパ種や上咽頭がんでは，患者検体中のウイルス DNA を検出し診断する．

(4) 予防と治療

ワクチンや有効な抗ウイルス療法はない．

5）ヒトヘルペスウイルス 5（ヒトサイトメガロウイルス）

(1) 特徴

ヒトサイトメガロウイルス human cytomegalovirus（HCMV）は，感染した細胞の核および細胞質内に「ふくろうの眼」と称される巨大核内封入体をもつ巨細胞 cytomegalia を形成することから命名された（**図 3-9-5**）．ヒトヘルペスウイルスで最も大きいゲノムを有する．1956 年，先天性重症黄疸児の尿より初めて分離された．HCMV は，胎盤を通して感染することができ，また母乳，性行為，唾液の交換でも伝播する．通常，幼小児期に不顕性感染を起こし，唾液腺，耳下腺，肺，子宮，血管，血球細胞，前立腺など多くの器官に潜伏感染すると考えられている．

(2) 感染と病態

感染経路は，接触による水平感染および母児の垂直感染とさまざまであり，ウイルス粒子は尿や唾液，子宮頸管粘液，精液および母乳に排出される．特に，尿や唾液からは長期にわたり検出されることがある．そのため，家庭や育児施設にて感染が広がると推察されている．輸血により感染すると，伝染性単核球症様の症状が出ることもあるが，EBV の感染像と鑑別することは困難である．近年，AIDS（☞ p.203 参照），臓器移植，放射線治療などに伴う日和見感染症（☞ p.58 参照）の原因ウイルスとして重要性が高まっている．先天性サイトメガロ感染症は胎盤を介する母子感染であり，無症状から，肝脾腫，黄疸，小頭症，脈絡網膜炎，脳石灰化まで幅広い病態を呈する．

(3) 検査と診断

抗体検査の他，患者検体と CMV 特異的抗体を用いた中和試験や検鏡検査で診断する．先天性 CMV 感染症には，尿中ウイルス検出や臍帯血の抗体検査を行う．

(4) 予防と治療

実用化されたワクチンはないため，家庭および保育園や幼稚園における手洗いと含嗽が感染予防に重要となる．治療には，ガンシクロビル，バルガンシクロビル，ホスカルネットが使用される．

6）ヒトヘルペスウイルス 6A／6B

(1) 特徴

ヒトヘルペスウイルス 6 *Human herpesvirus 6*（HHV-6）は，1986 年に AIDS 患者の末梢血から分離され，2012 年に 6 A と 6 B へ細分類された．HHV-6 A は病原性をほとんど示さない．HHV-6 B は，家庭や育児施設での濃厚接触で感染すると考えられており，乳幼児期に初感染し突発性発疹を引き起こす．小児の約 90％が感染していると推定されており，HHV-6 B は，唾液，母乳，生殖器より分泌され，授乳やキスにより感染後，CD4 T 細胞（☞ p.89 図 2-1-10 参照）に潜伏感染する．AIDS 患者や移植患者のような免疫抑制状態において，再活性化され種々の臨床像を引き起こすことが示唆されている．

(2) 感染と病態

生後 1 年未満の乳児に起こり，高熱が 3～5 日持続した後，突然の解熱とともに全身の皮膚に淡紅色の丘疹を発症する（突発性発疹）．

(3) 検査と診断

PCR 法を用いた DNA 検査の他，抗体検査を行い診断する．

(4) 予防と治療

実用化されたワクチンや有効な抗ウイルス治療法はないため，家庭や育児施設で手洗いや含嗽に努める．

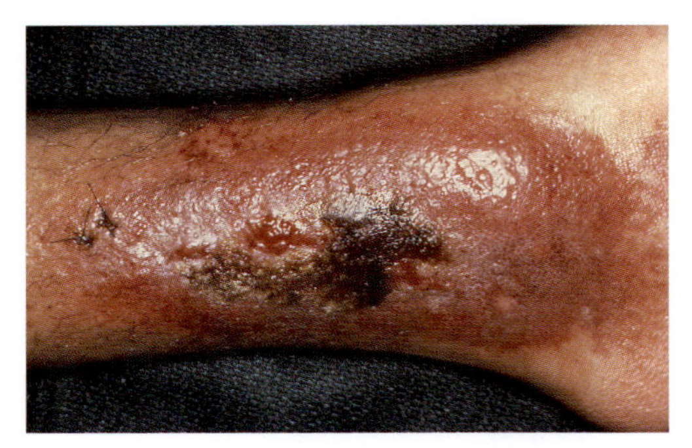

図 3-9-6 Kaposi 肉腫（CDC）

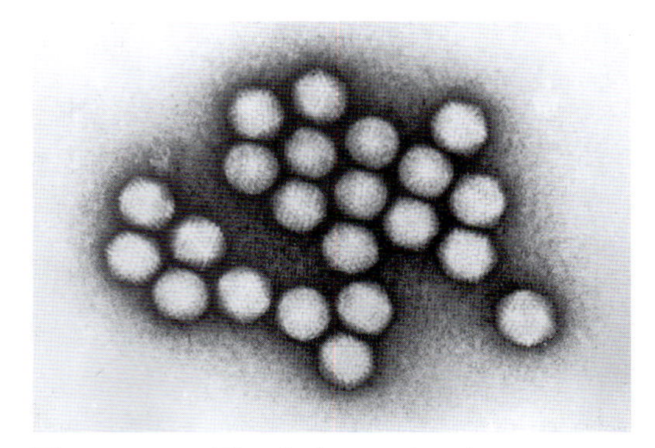

図 3-9-7 アデノウイルス（CDC）

7）ヒトヘルペスウイルス 7

（1）特徴

ヒトヘルペスウイルス 7（HHV-7）は，1990 年に健常者の CD4 T 細胞より分離された．HHV-7 は，唾液，母乳，生殖器より分泌され，授乳やキスにより感染後，CD4 T 細胞に潜伏感染する．乳幼児期に初感染し，その一部は突発性発疹様疾患として発症する．

（2）感染と病態

感染者のほとんどは不顕性である．突発性発疹患者では，高熱が 3～5 日持続した後，解熱とともに全身に淡紅色の突発性発疹を示す．

（3）検査と診断

PCR 法を用いた DNA 検査を行う．

（4）予防と治療

予防効果のあるワクチンや有効な抗ウイルス治療法はない．家庭や育児施設において，手洗いや含嗽を励行する．

8）ヒトヘルペスウイルス 8（カポジ肉腫関連ヘルペスウイルス）

（1）特徴

ヒトヘルペスウイルス 8（HHV-8）は，1994 年，Yuan Chang（1959～）らによって，AIDS 患者の Kaposi 肉腫（図 3-9-6）組織から検出された．そのため HHV-8 は，Kaposi 肉腫関連ヘルペスウイルス Kaposi's sarcoma-associated herpesvirus（KSHV）の別称でも知られており，唾液，母乳，生殖器分泌液中に排泄され，授乳，性行為，輸血により感染し，B 細胞に潜伏感染する．HHV-8/KSHV は，Kaposi 肉腫の他，Castleman 病，B 細胞リンパ腫の発症に関与することが示唆されている．

（2）感染と病態

皮膚，口腔内，消化管，脳などに暗褐色の多発性の結節（Kaposi 肉腫）を形成する．気管支や脳に発生した場合，死亡することもある．

（3）検査と診断

PCR 法を用いた DNA 検査を行う．

（4）予防と治療

予防効果のあるワクチンや有効な抗ウイルス治療法はない．Kaposi 肉腫は悪性腫瘍であるため，外科的切除，放射線療法，化学療法などが行われる．

② アデノウイルス科 *Adenoviridae*

アデノウイルス adenovirus は，小児の扁桃とアデノイド組織から分離された．呼吸器疾患の他，結膜炎や胃腸炎の原因ウイルスであることが知られている．ウイルスは，直径が 70～90 nm，正二十面体の構造であり，表層に 12 本のファイバーを発現する（図 3-9-7）．ウイルスゲノムは，34,000～35,000 塩基対の線状二本鎖 DNA である．エンベロープを有さず，表層ファイバーにてヒト細胞上のコクサッキー・アデノウイルス受容体（CAR）に吸着後，ヒト細胞のインテグリンを介して侵入する．細胞侵入後にウイルス増殖を果たす際には，アポトーシス（☞ p.114 図 2-5-6 参照）を抑制することで免疫回避をはかる．

哺乳類アデノウイルスと鳥類アデノウイルスに大分類され，さらにヒトアデノウイルスは，血清型で 57 型に分類される．ゲノムの GC 含有量などで A～F 群に亜型化もされている．一部の血清型では，病態との相関が明らかにされている．また 2 型や 5 型は，培養細胞で大量に増殖するなど実験操作性に優れるため，ウイルスベクターとして広く実験室で使用されている．アデノウイルスベクターは，遺伝子治療やワクチンのツールとしても期待されている（2021 年 1 月に，新型コロナウイルス SARS-CoV-2 ワクチンとして承認された．☞ p.199 参照）．

アデノウイルス

（1）特徴

ヒトのアデノウイルスは世界各地に流布しており，不顕性感染となっている場合がある．飛沫や接触で感染すると，咽頭炎，扁桃炎，肺炎などの呼吸器疾患，咽頭結膜熱，流行性角結膜炎，胃腸炎，出血性膀胱炎，肝炎，膵炎，脳炎など多彩な臨床症状を引き起こす．乳幼児の急性気道感染症の約 10％がアデノウイルス感染症と報告されている．また，エンベロープを欠くため，消毒用エタノールに抵抗性で，酸やタンパク質分解酵素に対しても安定性を示す．そのため不活化されにくい．伝染力も強いウイルスであることから，流行期には院内感染への注意が必要となる．

(2) 感染と病態

a) 咽頭結膜熱（プール熱）

主に3，7型によって引き起こされる．発熱，咽頭痛，結膜炎の症状が数日続く．下痢を伴うこともある．本咽頭炎では，患部がびまん性に発赤，腫脹する．咽頭部に，明瞭なアフタ性水疱を生じるヘルパンギーナ（☞ p.196 参照）や手足口病（☞ p.196 参照）とは視覚的に異なる．夏季にプールの水を介して伝播され，学童・幼児に集団発生を起こすことから，「プール熱」と称される．主要症状が消退した後2日を経過するまでは出席停止である（学校保健安全法）．なお，プール外でも，飛沫や接触，糞口感染する．

b) 急性熱性咽頭炎

主に1～7型によって引き起こされる．結膜炎を伴わない本咽頭炎は，冬季に散発する傾向がある．

c) 流行性角結膜炎

主に8型，そして19，37型によっても引き起こされる．伝染力が強く，手指やタオルなどから接触感染する．急に発症し，眼瞼の浮腫および流涙を呈し，「はやり目」とも称される．

d) アデノウイルス性胃腸炎

40，41，52型によって引き起こされる．季節性は少なく，下痢・嘔吐を起こす．乳幼児の下痢症としては，ロタウイルス（☞ p.197 参照）・ノロウイルス（☞ p.197 参照）に次いで多い．

e) 気管支炎・肺炎

3，4，7，21型によって引き起こされる．近年，7型による小児の重症化肺炎が報告され，再興感染症として警戒されている．

f) 急性出血性膀胱炎

11，21型によって引き起こされる．排尿時痛と肉眼的血尿を呈する．

(3) 検査と診断

イムノクロマト法による迅速検査を行う他，PCR法によるDNA検査，ペア血清〔同一患者から採取された1組の急性期（感染初期）血清と回復期血清〕による血清診断も行われる．

(4) 予防と治療

国内では有効なワクチンや治療薬がないため，対症療法が中心となる．予防方法は感染者との濃密な接触を避けること（学校保健安全法による患児出席停止など），流行時に含嗽や洗眼，手指の消毒を行うことである．ただし，消毒用エタノールやグルコン酸クロルヘキシジンなどは無効であることに留意する（☞ p.77 **表 1-7-5** 参照）．なお，咽頭炎では激しい嚥下痛を伴うため，給水を忌避しやすい．そのため，脱水に注意を払う．

③ パピローマウイルス科 *Papillomaviridae*

旧パポーバウイルス科内の2属から，独立した2科（パピローマウイルス科とポリオーマウイルス科 *Polyomaviridae*）へと分類変更された．

ヒトパピローマウイルス human papillomavirus（HPV）は，直径約50 nmのエンベロープがない正二十面体の構造である．ウイルス発見者のHarald zur Hausen（1936～）は，2008年のノーベル生理学・医学賞を受賞した．ウイルスゲノムは約8,000塩基対の環状二本鎖DNAであり，その塩基配列に基づき，200種以上の遺伝型に分類される．Hausenらが子宮頸がんからHPVを分離した後，実験的にも疫学的にも両者の因果関係が証明されている．HPVカプシドのL1タンパクおよびL2タンパクがリガンドと目されており，ラミニン332を介してヒト細胞の$\alpha_6\beta_4$インテグリンへ吸着する．感染細胞内で，HPVのE6およびE7タンパクは，それぞれヒトのp53およびRB（ともに細胞増殖やがんを抑制する分子）を阻害し，細胞の異常増殖疾患である乳頭腫 papilloma（ウイルス性疣贅（ゆうぜい），いぼ）を生じさせる．高リスク型HPVでは，E6およびE7が高発現しているうえ，子宮頸部（細胞増殖が活発）の粘膜に感染することから，がんへと移行することもある．

ポリオーマウイルス科のサル simian virus 40（SV40）は，組換え遺伝子実験で頻用される．ヒトポリオーマウイルスとしては，BKウイルスおよびJCウイルスが知られている．ともに不顕性感染が主で，免疫不全患者には日和見感染症を発症させる．

ヒトパピローマウイルス

(1) 特徴

HPVは上皮細胞を感染標的とし，その指向性から皮膚型，粘膜型，および皮膚粘膜型に大別される．子宮頸がんなどを引き起こす国際的な高リスク型（16，18型の他，31，33，35，39，45，51，52，56，58，59，68型），ならびに国内における高リスク型（53，67，69，70型）は，すべて粘膜型に分類される．粘膜型のHPVは，性行為により感染することが主である．感染しても約90％は数年でHPV陰性となり，子宮頸がんへ移行するのは一部である．それでも，国内で年間約10,000人が発症し，約3,000人が死亡している．なお，皮膚型HPVによる疣贅は，接触感染する良性腫瘍であり，がん化しない．

(2) 感染と病態

a) 子宮頸がん

16，18型などの高リスク型（上述）によって引き起こされる．肛門がんや中咽頭がんも引き起こすことがある．特に，16型による子宮頸がんが多く，全症例の半数を占める．

b）尖圭コンジローマ

主に3，6，11型によって引き起こされる．外性器に疣贅を生じる．

c）尋常性疣贅

主に2，4型によって引き起こされる．手足の傷口などから感染し，表皮角化細胞が異常増殖して乳頭腫（「いぼ」）を生じる．悪性化はしないが，再発を繰り返すことがある．

d）男性のがん

女性のがんよりも頻度は低いものの，男性にも中咽頭がん，肛門がん，陰茎がんなどを発症させることが報告されている．特に，中咽頭がんは国内年間約1,800人が報告され，男性患者が女性の5倍となっている．

(3) 検査と診断

子宮頸がんの検診では患部組織を採取し，細胞診検査（検鏡やDNA検査）を行う．疑い症例には，内診や画像検査（CT，MRI，PET）を行い診断する．

(4) 予防と治療

a）子宮頸がん

予防を目的としたHPVワクチンは，2009年に国内承認され，2013年4月には定期接種化された（小学校6年から高校1年の女子を対象）．2価ワクチン（16，18型を標的），4価ワクチン（6，11，16，18型を標的）に加え，新たに9価ワクチン（6，11，16，18，31，33，45，52，58型を標的）も2020年7月に承認され利用可能となった．しかしながら，接種4年で約3,000人に有害事象（半数以上が重篤）の副反応が報告され，2013年6月からは“積極的勧奨は差し控え（厚生労働省）”られた．その結果，HPVワクチン接種数が減少し，子宮頸がん患者数と死亡数が増加したため，2022年4月から積極的勧奨が再開された．他の性行為感染症とは異なり，コンドームによる予防は期待できない．放射線治療，化学療法，あるいは外科的切除にて治療する．分子標的薬のベバシズマブ（血管内皮細胞増殖因子VEGFを阻害）を用いることもある．

b）尖圭コンジローマ

予防にHPV4価もしくは9価ワクチン，治療にはイミキモドクリームが有効である．

c）尋常性疣贅

液体窒素による患部の凍結療法にサリチル酸外用薬を併用，ビタミンD_3の外用，あるいはヨクイニン漢方薬の内服を行う．

d）男性のがん

先進諸国では，男性にもHPVワクチンが接種される．日本でも，2020年12月から男性への4価ワクチン接種が開始されている．

④ ヘパドナウイルス科 *Hepadnaviridae*

B型肝炎ウイルスが属する（☞ p.206参照）．

⑤ ポックスウイルス科 *Poxviridae*

ヒトに感染する最大のウイルスであり，卵形を呈する（300〜450×170〜260 nm）．脂質を含むエンベロープで覆われ，内部にはDNAを含むコアと側体がある．ヒト細胞の細胞質内で増殖する唯一のDNAウイルスであり，特有の封入体を形成する．

1）痘瘡（とうそう）ウイルス

痘瘡ウイルスvariola virusは，ヒトのみに飛沫や接触で感染し，痘瘡（天然痘）を発症する．痘瘡は，予防接種により撲滅された唯一の急性伝染病である（痘瘡根絶宣言，WHO，1980年）．痘瘡ウイルスは，上気道から侵入し，局所のリンパ節で増殖した後，ウイルス血症を起こし，高熱，頭痛そして発疹を生じる．発疹は紅斑，水疱，膿疱，痂皮へと転じ，回復後は瘢痕を残す．一方で死亡率も高い．生ワクチン（ワクチニアウイルスvaccinia virus）がきわめて有効である．

2）ワクチニアウイルス

ワクチニアウイルスは，痘瘡とサル痘（mpox）の生ワクチンとなるウイルスであり，痘瘡の根絶に貢献した．1796年にJennerが初めて牛痘接種法を行った（☞ p.6参照）．痘瘡根絶後の現在は，痘瘡ウイルスを用いたバイオテロに備え，再びワクチンの製造と備蓄が行われている．

⑥ パルボウイルス科 *Parvoviridae*

DNAウイルス最小のパルボウイルスは，その名も「小さいparvus」に由来している．50種類以上に分類される．ウイルスは，ゲノムが約5,000塩基の一本鎖DNAで，エンベロープをもたず，直径約20 nmの正二十面体構造である．有効なワクチンや治療薬はない．

1）ヒトパルボウイルス

ヒトパルボウイルスparvovirus B19は飛沫感染し，ヒトの赤血球前駆細胞を標的とする．妊婦がこのウイルスに初感染すると，垂直感染し胎児は死亡や重症化することがある．主要な感染症は，小児の伝染性紅斑である．「リンゴ病」と称され，発熱と両頬のびまん性紅斑をきたす．冬から春にかけて流行する．アルコール消毒が無効であるため，石鹸での手洗いやマスクの着用で予防をはかる．

2）アデノ随伴ウイルス

アデノ随伴ウイルスadeno-associated virus（AAV）は，ヒトおよびヒト細胞株に感染するが病原性はない．そのため，組換え遺伝子実験に多用される他，遺伝子治療のツールとして研究が進められている．

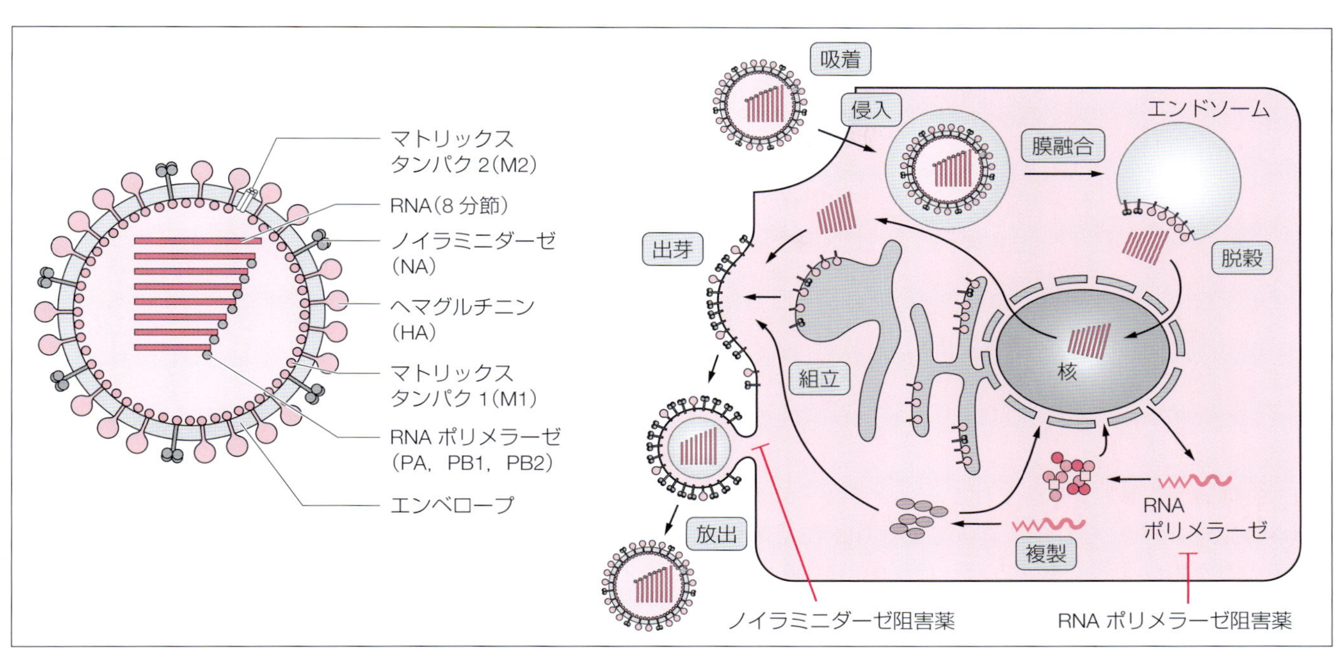

図 3-9-8　A 型インフルエンザウイルスの構造と増殖様式および治療薬の作用機序

B　RNA ウイルス

RNA ウイルスは変異を起こしやすいことから，種類が多くその感染症も多様である（☞ p.23 **表 1-3-8** 参照）．そのため，インフルエンザウイルスのような毎シーズンの流行，SARS-CoV-2 などの新興感染症（☞ p.209 **表 3-9-5** 参照）や世界的大流行（パンデミック☞ p.57 参照）の素地となりやすい．

1　オルトミクソウイルス科 *Orthomyxoviridae*

オルトミクソウイルス科は，マイナス一本鎖の分節状 RNA ゲノムをもつウイルスにより構成され，インフルエンザウイルス属，トゴトウイルス属，アイサウイルス属に分類される．インフルエンザウイルスは，抗原性の違いにより A～D 型に分けられる．A 型はヒトをはじめ，トリ，ブタ，ウマなどの多くの動物に感染するのに対し，B 型と C 型は主にヒトへ感染する．新しく同定された D 型は，家畜のみに感染する．

オルトミクソウイルス科の中では，A 型インフルエンザウイルスが最も注意を要する病原体である．毎年冬季に，死者を伴うインフルエンザの流行を起こす．新しい抗原型のインフルエンザが出現した場合，すべてのヒトが中和抗体（☞ p.108 参照）を有しておらず感受性となるため，パンデミックなどが懸念される．大規模な流行として，1918 年のスペインかぜ（H1N1），1957 年のアジアかぜ（H2N2），1968 年の香港かぜ（H3N2），2009 年の新型インフルエンザ（A/H1N1 pdm09：約 1.8 万人死亡）が発生した．さらに，高病原性鳥インフルエンザ（A/H5N1 香港 1997 年・A/H7N9 オランダ 2003 年・A/H5N8 ロシア 2021 年）や新型インフルエンザ（G4 EA H1N1 中国 2020 年）のパンデミックが懸念されている．近年では，春季にも B 型インフルエンザウイルスによる流行が散発している．

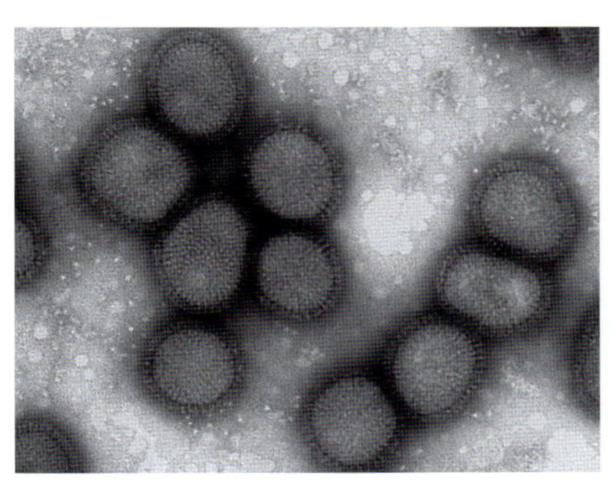

図 3-9-9　H1N1 型インフルエンザウイルスの電子顕微鏡写真（京都大学 野田岳志教授）

インフルエンザウイルス

(1) 特徴

インフルエンザウイルス influenza virus は，エンベロープに覆われた直径 80～120 nm の球状であるが（**図 3-9-8**），多型性の粒子構造をとることもある（**図 3-9-9**）．ウイルス表面には，スパイク状の糖タンパク質を発現している．A 型と B 型には赤血球凝集素 hemagglutinin（HA）とノイラミニダーゼ neuraminidase（NA）が，C 型には hemagglutininesterase（HE）が発現する．マトリックス 2 タンパク（M2）は四量体の管孔構造体をとり，エンベ

表 3-9-2 A型インフルエンザウイルスの治療薬一覧

分類	薬剤名	商品名	標的
M2阻害薬	アマンタジン	シンメトレル®	M2
ノイラミニダーゼ（NA）阻害薬	ザナミビル	リレンザ®	ノイラミニダーゼ
	オセルタミビル	タミフル®	
	ペラミビル	ラピアクタ®	
	ラニナミビル	イナビル®	
RNAポリメラーゼ阻害薬	ファビピラビル	アビガン®	RNAポリメラーゼ PB1サブユニット
	バロキサビルマルボキシル	ゾフルーザ®	RNAポリメラーゼ PAサブユニット

ロープを貫通する形で少量含まれる．エンベロープはマトリックス1タンパク（M1）によって裏打ちされ，ウイルス粒子の殻を形成する．ゲノムは，13,000〜15,000塩基のマイナス一本鎖の線状分節RNAである．A型とB型の遺伝子は8分節，C型は7分節が1組となる．ウイルスRNAにはRNAポリメラーゼなどが結合し，リボヌクレオプロテイン ribonucleoprotein（RNP）を形成する．RNAポリメラーゼは3種類のサブユニット〔PB1（polymerase basic protein 1），PB2（polymerase basic protein 2），PA（polymerase acid protein）〕で構成される．A型はHAとNAの抗原性の違いによりH1N1，H2N2，H3N2などの亜型に分類される．インフルエンザウイルスは変異能力に富んでおり，抗原構造は流行のたびに変異している．変異には，*HA*遺伝子内の点突然変異によって起こる抗原連続変異（抗原ドリフト：毎年の流行に関与），およびヒトと動物のA型インフルエンザウイルスが同時感染し，宿主細胞内でRNA分節が遺伝子交雑して生じる大規模な抗原不連続変異（抗原シフト：世界的大流行に関与）がある．

（2）感染と病態

インフルエンザウイルスは主に飛沫と接触で感染を起こす．気道粘膜上皮に感染したウイルスはHA抗原をリガンドとし，ヒト細胞上のシリアルオリゴ糖を受容体として“吸着”する（**図3-9-8**）．引き続き，エンドサイトーシスにて細胞へ“侵入”し，ウイルスエンベロープと細胞エンドソーム膜の融合を経て“脱殻”する．脱殻により放出されたウイルスRNAは細胞核内に移行し，RNAポリメラーゼにより“複製”される．感染後期には，HA，NA，マトリックスタンパク質が産生され，複製RNAとともに大量の子孫ウイルスの“組立て”に供される．ヒト細胞膜をエンベロープの一部に用いてウイルス粒子は“出芽”し，さらにNAのシアリダーゼ活性によりヒト細胞表層のシアル酸を切断して細胞外へ“放出”される．インフルエンザ治療薬群は，これらウイルス増殖サイクルの各段階を阻害するメカニズムに基づいて開発されている．しかしながら，変異しやすいウイルスであることから，特定の治療薬を多用すると耐性ウイルス株が短期間に出現し難治化する．

インフルエンザでは，1〜4日の潜伏期間を経て悪寒，頭痛，高熱，そして気道症状（鼻汁，咽頭痛，咳など）が発症する．特有の症状として，筋肉痛や関節痛，全身倦怠感があげられる．有熱期間は3〜4日，ときに1週間持続する．下痢や腹痛の他，小児では中耳炎や熱性痙攣を伴うこともある．さらに，意識障害や異常行動を呈すインフルエンザ脳炎・脳症を起こすケースもある（転落事故に注意する）．死亡につながった症例では，細菌（肺炎球菌，A群レンサ球菌，黄色ブドウ球菌，インフルエンザ菌b型など）の二次感染が多い．

（3）検査と診断

イムノクロマト法によってA型とB型の抗原を検出し，迅速診断を行う．亜型の決定には，ウイルス遺伝子の配列解析が用いられる（☞ p.55 **図1-6-5** 参照）．

（4）予防と治療

65歳以上の高齢者と呼吸器系の有病者，および60〜64歳の希望者には，ワクチンが定期接種化されている．60歳未満は任意接種となる．A型とB型由来の各2種類のHAを混合し，4価コンポーネントワクチンとしている．変異しやすいウイルスの特性と免疫持続性が短いワクチンの性質から，毎シーズンの接種が必要である．なお，HAワクチンでは，感染防御よりも重症化防止の効果が示される．2023年には，経鼻弱毒生ワクチンが承認された（2〜18歳を対象）．

特異的な治療薬を**表3-9-2**に示す．M2阻害薬のアマンタジンはA型のみ有効，ノイラミニダーゼ（NA）阻害薬のオセルタミビル，ザナミビル，ラニナミビル，ペラミビルはA型，B型に対して有効で，症状発現48時間以内に服用を開始する．2系統のRNAポリメラーゼ阻害薬のうち，ファビピラビルは2014年に承認されたが，通常の医療用医薬品とは取り扱いが異なる．すなわち，催奇形性が否定できないことから，他のインフルエンザ治療薬が無効または効果不十分なインフルエンザウイルス感染症が発生し，本剤を当該インフルエンザウイルスへの対策に使用すると国が判断した場合にのみ患者への投与が検討され，かつ厚生労働大臣の要請がない限り販売はできない．一方，PAサブユニットを標的とするバロキサビルマルボキシルは有効性が高いことから，2018年認可とともに多用された．そのため，翌年には耐性ウイルス株が日本中に流布し，小児への使用制限がかけられることになった．もちろん，前述のアマンタジン，オセルタミビルやザナミビルなどにも一定の耐性ウイルス株は出現している．変異を生じやすいインフルエンザウイルスの特徴を勘案し，特定治療薬への依存を避けリスク分散をはかる必要がある．

対症療法として解熱鎮痛薬を用いる場合にも注意が必要であり，ジクロフェナクナトリウム（ボルタレン®など）は禁忌である．インフルエンザ脳炎・脳症の予後を悪化させる．また，小児にはロキソプロフェンナトリウム（ロキソニン®など）も禁忌であり，アセトアミノフェン（カロナール®など）が推奨される．

マスクの着用などの咳エチケットや含嗽が予防に有効である．接触でも感染することから，手洗いと消毒の励行も予防に有効となる．エンベロープを有しており，エタノール消毒が可能である．学校保健安全法では，罹患児童は“発症した後5日を経過し，かつ，解熱した後2日を経過するまで出席停止”とし感染拡大を防いでいる．なお，感染症法では，通常の季節性インフルエンザが五類感染症，高病原性鳥インフルエンザA（H5N1）およびA（H7N9）が二類感染症，新型および再興型インフルエンザは新型インフルエンザ感染症などに分類し，それぞれ適切な感染予防の諸政策と患者医療の措置を定めている．

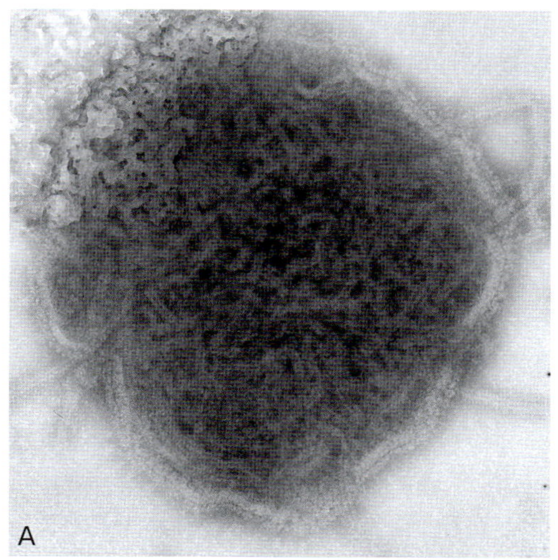

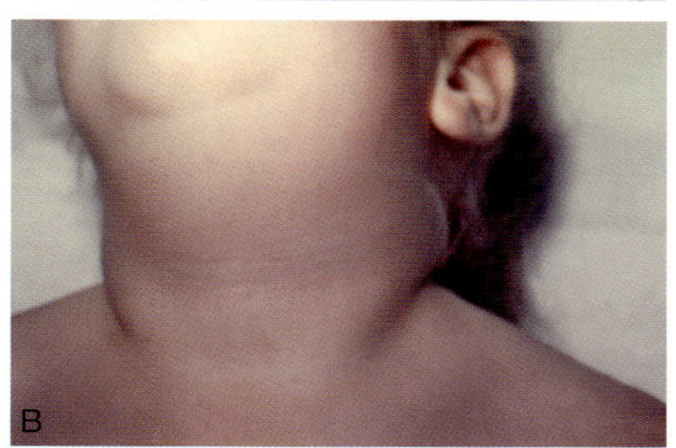

図3-9-10　ムンプスウイルス（A）と流行性耳下腺炎（B）（CDC）

② パラミクソウイルス科 *Paramyxoviridae*

エンベロープで囲まれた直径150～250 nmの球状ウイルス粒子である．ウイルスゲノムは非分節のマイナス鎖RNAからなり，長さは15,000～19,000塩基でらせん型を呈する．ウイルススパイクとして，融合（F）タンパクと赤血球凝集素-ノイラミニダーゼ（HN）タンパクを有するが，各酵素活性は消失していることもある．エンベロープの裏打ちとしてMタンパクを発現する．構造上の類似性を示すオルトミクソウイルス科インフルエンザウイルスと同様に，ヒト細胞表層のシアル酸に吸着し，感染およびウイルス増殖が引き起こされる．

オルトミクソウイルスに比べ，やや大型で多形性をとる．パラミクソウイルス亜科とニューモウイルス亜科に分けられる．パラミクソウイルス亜科には，流行性耳下腺炎を起こすムンプスウイルスを含むルブラウイルス属，麻疹ウイルスを含むモルビリウイルス属，およびレスピロウイルス属，アブラウイルス属，ヘニパウイルス属の5属が含まれる．ニューモウイルス亜科には，呼吸器系疾患を起こすRSウイルスを含むニューモウイルス属とメタニューモウイルス属の2属がある．

1）ムンプスウイルス

（1）特徴

ムンプスウイルス mumps virusは，流行性耳下腺炎（ムンプス，おたふくかぜ）の病原体で，飛沫を介して気道粘膜に感染する（**図3-9-10A**）．2～3週の潜伏後に気道粘膜から血中に移行し，耳下腺などへ波及する．感染時には，HNタンパクをリガンドとし，ヒト細胞上のシアル酸を受容体とする．細胞侵入後，増殖する際には，感染細胞のアポトーシスを抑制することで細胞性免疫（☞ p.114 **図2-5-6参照**）を逃れる．そして増殖をした後，血中へと放出されると，血行性に各種臓器へと伝播する．受容体のシアル酸はヒト組織に広く発現しているため，所属リンパ節，神経組織，内耳，膵臓，精巣，卵巣などにも感染が波及する．

（2）感染と病態

約30％では不顕性感染となる．発熱を伴った顕著な耳下腺腫脹が通常片側性に始まり，ときとして両側に及ぶ．顎下腺や舌下腺腫脹を伴うこともある（**図3-9-10B**）．唾液の分泌時に疼痛が激しくなる．上述のウイルス感染の機序により，唾液腺以外にも睾丸，卵巣，髄膜，膵臓が標的臓器となりうる．懸念されている合併症は永続性難聴であり，現在も年間100～200例報告されている．思春期以降の男性罹患者では睾丸炎もみられるが，片側性に起こるため不妊になることはまれである．思春期以降の女性が感染すると卵巣炎が起こることがある．年齢と無関係に無菌性髄膜炎を併発するが，一般に予後はよい．

(3) 検査と診断

視診による臨床診断の他，血清中の抗ムンプスウイルスIgM抗体の検出を行う．赤血球凝集抑制反応（HI）やRT-PCR法を用いた遺伝子検査を行うこともある．

(4) 予防と治療

有効な抗ウイルス薬はないが，弱毒生ワクチンが存在する．しかし，任意接種となったため，患者数抑制につながらない低接種率（約40%）が続いている．以前は，1989年に定期接種化されたMMR（M：麻疹・M：ムンプス・R：風しん）ワクチンが用いられていたが，含有ムンプスワクチンによる無菌性髄膜炎の患者が多発した（183万接種に対し患者1,754人：約1/1,000に重篤な副反応）ため，1993年にMMRの接種は中止され，ムンプスを除くMR（M：麻疹・R：風しん）ワクチンが使用されるようになった．その結果，現在の日本では，ムンプスの流行と永続性難聴の合併が発生し問題視されている．

2）麻疹ウイルス

(1) 特徴

麻疹ウイルス measles virus は飛沫核感染（☞ p.57参照）し，麻疹（はしか）を起こす．きわめて強い感染力と高い発症率で，乳幼児に好発する．10歳までにおおむねのヒトは感染し免疫を獲得するが，18歳以上の麻疹もまれではなく，成人では重症化しやすい．麻疹に罹患すると一過性の免疫抑制が起こり，細菌による肺炎などの二次感染で死亡することがある．世界では毎年約10万人が死亡しているが，ワクチン接種率が低迷する年は20万人以上が死亡する．2008年までの国内患者は年間1万人以上であったが，ワクチン啓発がいったんは実を結び，2009年以降は数十から数百名へと患者数が減少し「麻疹排除国（WHO，2015年）」に認定された．しかし，2019年には麻疹が700名を超え，ワクチンの再啓発などが求められている．

ウイルス表層には，スパイクとしてHタンパクとFタンパクを発現している．感染リガンドがHタンパクで，ヒト細胞の受容体は糖タンパク質のCD150（SLAM：B細胞，活性化T細胞，樹状細胞，単球に発現）である．細胞侵入後は，Fタンパクが膜融合を起こすと考えられている．

(2) 感染と病態

飛沫および飛沫核により気道へ感染する．感染力は病原体の中で最も強く，ワクチン未接種の初曝露者には確実に感染し，かつ麻疹（「はしか」）を確実に発症させる．2週間程度の潜伏を経て，発熱，上気道炎（鼻汁，咳，くしゃみ），結膜充血の症状が2～3日続くカタル期へ移行する．さらに3～4日後に，下顎臼歯付近の頬粘膜に数個から20～30個の紅暈（こううん）に囲まれた針頭大の白斑（Koplik斑 Koplik's spot）が生じる（図3-9-11A）．診断的価値は高く，その

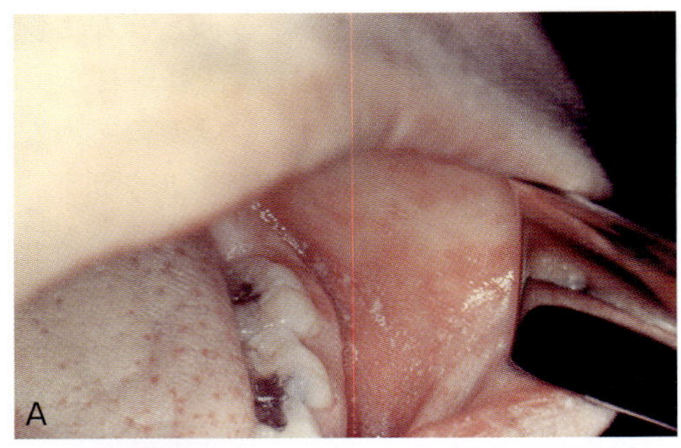

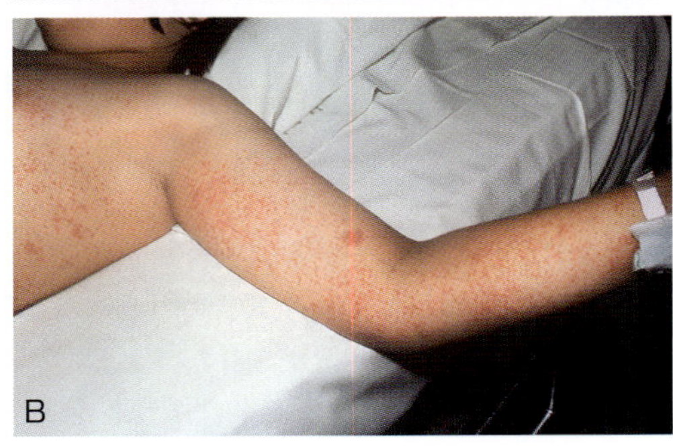

図3-9-11　麻疹によるKoplik斑（A）と皮疹（B）（CDC）

後1～2日で消失する．いったんは解熱するが，1週間後に高熱とともに皮疹が出現する．皮疹は耳後部から頸部に始まり，顔面，体軀，四肢へ広がり3～5日続く（**図3-9-11B**）．カタル症状も強くなり，下痢，嘔吐などの消化器症状も現れる．皮疹は，鮮紅色の不整形斑丘疹で，やがて融合して大きな斑丘疹になることが多い．回復期に入ると解熱し，発疹も退色し全身症状も改善される．細菌の二次感染などによる合併症として，中耳炎，肺炎，咽頭炎，脳炎があり，途上国では死亡の誘因となる．

(3) 検査と診断

皮疹と発熱と3C（結膜炎 conjunctivitis，鼻汁 coryza，咳嗽 cough）に加えKoplik斑を認めれば，麻疹と臨床診断できる．血清中の抗麻疹ウイルスIgM抗体の検出を行う他，RT-PCR法を用いた遺伝子検査を行うこともある．

(4) 予防と治療

弱毒麻疹風疹混合ワクチン（MRワクチン）を2回定期接種する．1回接種では感染防御は不十分となる．また，患者と接触した後，3日以内のワクチン接種にて罹患や重症化を阻止できる．有効な治療法はないため，合併症には対症療法を行う．

3）RSウイルス（ヒトオルソニューモウイルス）

(1) 特徴

RSウイルス human respiratory syncytial virus は，乳幼児の急性気道感染症から最も多く分離される病原ウイルスで，しばしば細気管支炎，肺炎へと進展する．表層にはGタンパクとFタンパクを発現し，Gタンパクの抗原性から2つのサブグループに細分類される．RSウイルスは冬季に流行し，飛沫にて気道へ感染する．母親からの移行

抗体は感染防御効果がない．感染によってできる免疫は不完全であり，一度罹患しても再感染しやすい．

（2）感染と病態

潜伏期は1～5日である．症状は，普通感冒類似の症状から細気管支炎，肺炎に至るまで多様である．乳幼児や高齢者は細気管支炎や肺炎になり重症化することもある．学童以降は咽頭痛を伴った上気道感染症となる．

（3）検査と診断

イムノクロマト法による迅速診断を行う．

（4）予防と治療

2023年に，60歳以上を対象とするコンポーネントワクチンが承認された．重症化例では，輸液や呼吸管理などを行う．

3 トガウイルス科 *Togaviridae*

ヌクレオカプシドは，一本鎖のプラス鎖線状RNAを含む正二十面体構造をとる．ウイルスゲノムは11,000～12,000塩基であり，ウイルス直径は60～70 nmである．エンベロープを有し，その表面には糖タンパク質のヘテロ二量体（E1タンパク，E2タンパク）スパイクを発現する．E1タンパクは，赤血球凝集能を有する．アルファウイルス属と風疹ウイルスが含まれるルビウイルス属に分かれる．

風疹ウイルス

（1）特徴

風疹ウイルス rubella virus は抗原的に単一で，ヒトが唯一の宿主である．一般には，経気道的に感染して風疹を引き起こす（**図3-9-12A**）．風疹ウイルスに対し免疫のない妊婦が感染すると，胎盤を介して胎児に感染し，先天性風疹症候群 congenital rubella syndrome（CRS）のリスクが生じる．風疹ウイルスは飛沫を介して上気道から侵入し，上皮における局所感染後，ウイルス血症を起こし，皮膚，鼻咽腔をはじめ全身に広がる．風疹ウイルスの感染リガンドはE1タンパクで，ヒト細胞上のⅠ型膜タンパク myelin oligodendrocyte glycoprotein（MOG）を受容体として吸着し侵入する．細胞内では，ウイルスのカプシドタンパク質がアポトーシスを抑制し，細胞性免疫を回避する．

（2）感染と病態

風疹ウイルスは2～3週間の潜伏期を経て，発熱，発疹，リンパ節腫脹の3主症状を引き起こす．風疹そのものは軽い疾患で予後はよい．妊婦が風疹ウイルスに感染すると，ウイルス血症を起こし，胎児に経胎盤感染し種々の臓器を傷害するため，さまざまな症状を合併するCRS（白内障，難聴，先天性心疾患）が出現する（**図3-9-12B**）．妊娠初期に感染すると，CRSの発症は50%を超える．あるいは流産や死産となる．2012～2013年と2018～2019年に風疹の国内流行があり，それぞれCRS患児が複数報告されている．

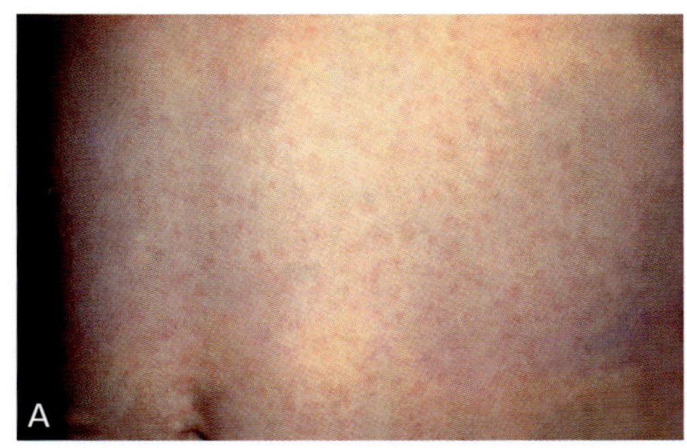

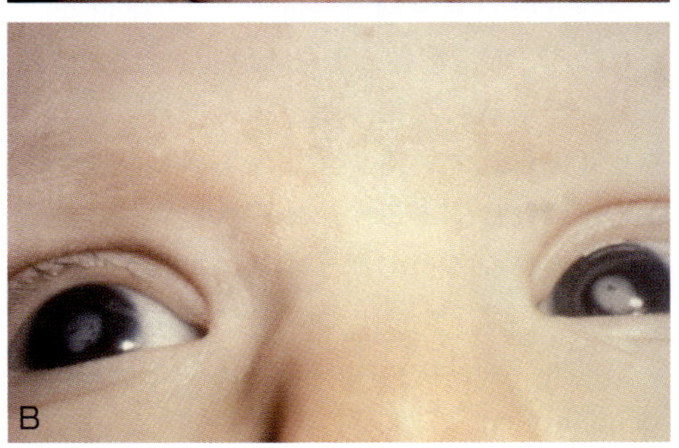

図3-9-12　風疹による皮疹（A）と先天性風疹症候群（B）（CDC）

（3）検査と診断

主に，上述の臨床所見から診断される．血清抗体価の測定やRT-PCR法を用いた遺伝子検査を行うこともある．CRSが疑われる場合は，羊水や臍帯血のウイルスRNAを検出し，出生前診断が行われる．

（4）予防と治療

抗ウイルス薬はなく，対症療法を行う．弱毒生ワクチンが広く使われている．わが国では1977年以降，CRSの発生を予防する目的で女子中学生を対象に予防接種が行われてきたが，1989年以降は風疹の流行制御を目的として小児に接種する方法に切り替えられた．2006年以降は，MR（風疹・麻疹）混合ワクチンの定期接種が導入されている．さらに，近年の風疹流行とCRS患児の報告を受け，ワクチン接種率の低い1962～1979年生まれの男性にも抗体検査とワクチン接種が励行されている．

4 ピコルナウイルス科 *Picornaviridae*

ピコルナ picorna は，「小さい pico RNA」に由来する．7,500～8,500塩基からなるプラス鎖の一本鎖RNAを有し，それ自身が感染性をもつ．直径約30 nmの正二十面体であり，エンベロープをもたない．

ピコルナウイルス科は47属からなり，ヒトに感染するのはエンテロウイルス属（コクサッキーウイルス，エンテロウイルス，ポリオウイルス，ライノウイルスなど），ヘパトウイルス属（A型肝炎ウイルスなど），パレコウイルス属，コブウイルス属，およびカルジオウイルス属の5属である．

1）コクサッキーウイルス，エコーウイルス，エンテロウイルス，パレコウイルス

(1) 特徴

コクサッキーウイルス coxsackie virus の名は，1948年に米国ニューヨーク州コクサッキー地区で分離されたことに由来する．コクサッキーウイルスは，生物学的性状によってA群とB群に分類される．さらに，A群は1～22および24に，B群は1～6に型別されている．経口感染し，ヒト細胞表層のICAM-1（intercellular adhesion molecule 1，CD54）を受容体として細胞内へ侵入する．次いで咽頭や腸管で増殖した後，ポリオと同様に全身へ感染が波及すると考えられている．多くは不顕性感染であり，発症しても一般に軽症であるが，無菌性髄膜炎，脳炎を起こすことがある．異なる型のウイルスには再感染することがある．

エコーウイルス echo virus は，enteric cytopathogenic human orphan virus の頭文字から命名され，$\alpha_2\beta_1$ インテグリン（VLA-2，CD49b/CD29）を受容体とする．

エンテロウイルス enterovirus は，糞口感染することから命名され，受容体は未同定である．エンテロウイルスとエコーウイルスの亜型は，アルファベットなしの数字のみで記される．

パレコウイルス parechovirus は，かつてのエコーウイルス22と23から独立したもので，19の遺伝子型に再分類されている．近年，パレコウイルスA3型による乳幼児の流行性筋痛症が散発している．

(2) 感染と病態

a）ヘルパンギーナ

コクサッキーウイルスA2～6，A8，A10によって引き起こされる．発熱と口腔粘膜に現れる水疱性発疹（アフタ）を特徴とし，夏季に流行する小児の急性ウイルス性咽頭炎である．水疱が破れて痛みを伴う．その後2～4日で解熱し，7日程度で治癒する．口腔内疼痛のため，哺乳障害や脱水症などを呈することはあるが，おおむね予後良好である．合併症として，熱性痙攣，髄膜炎や心筋炎が生じることがある．

b）手足口病

コクサッキーウイルスA4，A5，A9，A10，A16，A24，B2，B5，およびエンテロウイルス71によって引き起こされる．口腔粘膜，手，足などに現れる水疱性発疹を主症状とし，夏季に流行がみられる．3～5日の潜伏期をおいて，口腔粘膜，手掌，足底や足背などに2～3 mmの水疱性発疹が出現する．発熱は約3分の1にみられるが軽度である．通常3～7日の経過で消退し，水疱が痂皮を形成することはない．

c）Guillain-Barré 症候群

エコーウイルス2，6，9，19感染が原因と示唆されている．呼吸器や消化管へのウイルス感染後，四肢や顔面に神経麻痺および疼痛が左右対称に現れる．

(3) 予防と治療

抗ウイルス薬やワクチンはなく，乳幼児のヘルパンギーナや手足口病では脱水に注意を払う．

2）ポリオウイルス

(1) 特徴

ポリオウイルス poliovirus は抗原性の違いにより1～3型に分類されるが，いずれも脊髄前角の運動神経根を破壊して麻痺を生じる急性灰白髄炎（ポリオ，小児麻痺）を起こす．経口感染によって広がる．ヒト細胞上のCD155を受容体として，口腔咽頭や腸管の粘膜から感染する．その後，増殖したウイルスは血液中に入りウイルス血症を起こし，さらに血液脳関門を通過し中枢神経系に感染する．腸管で増殖したウイルスは，長期間にわたり糞便中に排出されるため糞口感染も起こす．1960年代までは，世界中で猛威を奮っていたが，経口生ワクチンの普及とともに激減した．日本では，1981年以降に野生型ウイルスの感染例はない．2020年8月には，WHOがアフリカでもポリオが根絶されたことを宣言した．その結果，ポリオの残存地域は，アフガニスタンとパキスタンのみとなった．

(2) 感染と病態

感染者の90～95%は不顕性に終わり，約5%が発熱，頭痛，咽頭痛，悪心，嘔吐などの感冒様症状に終始する（不全型）．1～2%では上記の症状に続いて，無菌性髄膜炎を起こす（非麻痺型）．定型的な麻痺型ポリオを発病するのは，感染者の0.1～2%である．その場合には6～20日の潜伏期をおき，前駆症状が1～10日続いた後，四肢の非対称性の弛緩性麻痺が出現する．この場合，特に小児における前駆症状は二相性となることが多く，初期の軽い症状の後1～7日の間隔をあけて，表在反射消失，筋肉痛，筋攣縮などの前駆徴候がみられ，その後麻痺に進展する．

(3) 予防と治療

ワクチンは，経口弱毒生ポリオワクチンと不活化ポリオワクチンの2種類がある．経口生ワクチンは免疫力が強く，血中に中和抗体をつくるだけでなく，分泌型IgA（☞ p.118参照）を産生して咽頭や腸管壁におけるウイルスの増殖を抑えるため，感染防御効果と発症阻止効果がある．しかしながら，ウイルスの復帰変異による麻痺が200万～300万人に1人に発症する．そのため，2012年以降は，不活化ワクチンがDPT-IPV（ジフテリア・百日咳・破傷風・不活化ポリオウイルス）ワクチンとして定期接種されている（☞ p.134参照）．2023年3月には，インフルエンザ菌b型（Hib）に対するワクチンを追加した5種混合ワクチン（DPT-IPV-Hib）が承認された．特異的な抗ウイルス治療法はなく，対症療法が中心となる．

3）ライノウイルス

ライノウイルス rhinovirus は，“鼻 rhinos”かぜから高頻度に分離されたため命名された．ICAM-1を受容体と

し，飛沫感染する．鼻炎を伴うウイルス性感冒（鼻かぜ：鼻水，くしゃみ，鼻づまり）を引き起こす．pH5以下の酸性下で不活化するため，消化管へは波及しない．また，37℃では増殖しにくいウイルスであり，33℃程度の鼻腔でよく増殖する．そのため，ライノウイルスによる炎症は軽度で，上気道に限局される．数日で治癒する．

⑤ レオウイルス科 *Reoviridae*

レオウイルスreovirusは，respiratory enteric orphan virusの頭文字から命名された．二本鎖RNAを有する初めてのウイルスとして注目された．ウイルス粒子は直径80〜100 nmの正二十面体構造であり，エンベロープをもたない．乳幼児嘔吐下痢症のロタウイルス属，およびオルトレオウイルス属，オルビウイルス属，コルチウイルス属の4属がヒトに感染し，その他に8属がある．

ロタウイルス

（1）特徴

ロタウイルスrotavirusは，VP1〜4およびVP6とVP7タンパクを有しており，VP4をリガンドとしてヒト細胞上のシアル酸受容体に吸着する．また，VP4は遺伝子型別の指標としても用いられP型表記される．VP7は血清型別に使用されG型で表される．感染動向を正確に分析するため，この2種類のタンパク質による型別から，12種類のタンパク質を用いた詳細型別へと移行しつつある．

ロタウイルスは，ヒトとヒトの間で糞口感染する．そして，小腸の腸管上皮細胞から侵入したウイルスは，微絨毛の配列の乱れや欠落などの組織病変の変化を起こす．これにより腸からの水分の吸収が阻害され下痢症を発症する．ロタウイルスの感染力はきわめて高く，環境中でも安定であるため，衛生状態が改善されている先進国でも感染予防は難しい．5歳までにおおむねの小児がロタウイルスに感染し，胃腸炎を発症するとされる．異なる型による反復感染も生じやすい．

（2）感染と病態

冬季に乳幼児の下痢，嘔気，嘔吐，発熱，腹痛を引き起こす．乳幼児の急性胃腸炎の半数を占める．通常，発熱と嘔吐から始まり，頻繁な白色の水様性便を認めた後，1〜2週間で治癒する．脱水がひどくなるとショック，電解質異常で死に至ることもある．ロタウイルスは異なる型にも交差免疫が成立するため，感染を繰り返すごとに症状は軽くなっていく．

（3）検査と診断

イムノクロマト法による迅速診断を行う．疫学解析に際しては，遺伝子配列を決定する．

（4）予防と治療

特異的な治療はなく，下痢，脱水，嘔吐に対する治療として点滴，経口補液，整腸剤の投与が行われる．1価と5価の経口弱毒生ワクチンが承認されている．2020年10月からは，乳児を対象に定期接種化された．

⑥ カリシウイルス科 *Caliciviridae*

ウイルス粒子の直径は約30 nmと小型で，正二十面体構造を呈する．ウイルスゲノムはプラス鎖の線状一本鎖RNAで，5,000〜8,000塩基である．酸性ならびに塩基性環境下においても安定である．さらに，エンベロープがないため，消毒用エタノールにも抵抗する．一方で，熱には比較的弱い．

ノロウイルス属ノーウォークウイルス，およびサポウイルス属サッポロウイルスが含まれ，ともにヒトへ急性胃腸炎を引き起こす．

ノロウイルス（ノーウォークウイルス）

（1）特徴

ノロウイルス*Norovirus*は属名であり，その中のノーウォークウイルスNorwalk virusがヒトに胃腸炎を引き起こす．1属1種であることから，一般にも臨床医療現場においても，「ノロウイルスnorovirus」と呼称される．ゲノム塩基配列は多様性に富んでおり，5種類の遺伝子型（GI〜GV）に分類されている．

ノロウイルスは経口的に感染し，嘔吐，下痢を主症状とする感染性胃腸炎，食中毒を起こす．酸，塩基，アルコールに抵抗し除去困難であり，かつ感染力が強い．そのため，食中毒1事例あたりの患者数が多く，細菌性を含めたすべての食中毒患者数の30％以上を占める．2017年には，1事例で患者約1,000名の大規模食中毒が複数報告された．原因物質として生カキが多いが，汚染された他の飲食物や調理器具，手指を介しても起こり，冬季を中心に大規模発生する．便中に排出されたノロウイルスが下水を介して海へ広がり，生息するカキなどの2枚貝に蓄積し，それを食べることにより糞口感染が起こる．

（2）感染と病態

吐気，嘔吐，下痢が主症状であるが，腹痛，頭痛，発熱，悪寒，筋痛，咽頭痛，倦怠感などを伴うこともある．乳幼児や高齢者などの体力低下患者は嘔吐，下痢による脱水，窒息には注意を要する．ウイルスは，症状が消失した後も1週間程度は患者の便中に排出される．そのため，患者の手指，使用済みタオルや衣服から，二次感染が拡大しやすい．

（3）検査と診断

イムノクロマト法による迅速診断を行う．

（4）予防と治療

加熱調理，手洗い励行の食中毒対策によって予防する．消毒には次亜塩素酸ナトリウム溶液による浸漬や拭き取り，および85℃で1分以上の加熱や温水洗浄を行う．アルコールには抵抗性を示すが，クエン酸添加の酸性アルコールでは消毒が可能となる．ワクチンや治療薬はなく，対症療法を行う．

⑦ コロナウイルス科 *Coronaviridae*

ウイルス粒子の外観が，太陽のコロナ corona に似ていることから命名された（**図 3-9-13**）．すなわち，ロリポップ状のスパイクをエンベロープ全周に発現する．ウイルス直径は 120〜160 nm で，ゲノムは 27,000〜31,000 塩基のプラス鎖一本鎖 RNA である．ゲノムにコードされる S タンパクが三量体を形成し，1 本のコロナ状スパイクとなる．これが，ヒト細胞上の膜型エンドペプチダーゼファミリー（ACE2 および DPP-4）に吸着し，細胞侵入を果たす．増殖過程でウイルスは感染細胞を直接傷害するが，重症化の主たる要因はヒト免疫系の過剰応答による自己傷害と考えられている．

約 60 種のコロナウイルスのうち，7 種がヒトに感染し病原性を示す．はじめに発見されたヒトコロナウイルスの 4 種（HCoV-229E，HCoV-HKU1，HCoV-NL63，HCoV-OC43）は，主にかぜ症候群を引き起こす．重症化しないことから，本ウイルス科には大きな注意が払われなかった．しかし，他の哺乳動物（コウモリと推定される）を自然宿主とするコロナウイルスが変異し，ヒトへの感染性と高い病原性を獲得した．2020 年までに，SARS コロナウイルス 1（SARS-CoV-1），MERS コロナウイルス（MERS-CoV），そして SARS コロナウイルス 2（SARS-CoV-2：新型コロナウイルス）が発生し，それぞれ重症急性呼吸器症候群を引き起こした．SARS-CoV-2 は，現代人が真に経験した初のパンデミック病原体となった．

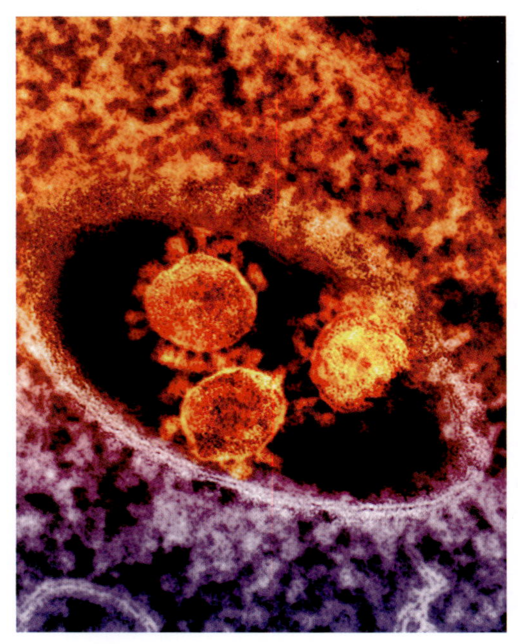

図 3-9-13　コロナウイルス（CDC）

1）SARS コロナウイルス 1（SARS-CoV-1）

（1）特徴

アウトブレイクした新興感染症である（☞ p.208 参照）．SARS コロナウイルス 1 severe acute respiratory syndrome virus 1 は，2002 年 11 月に中国広東省仏山市で検出された．世界各地へ伝播し，アジア，北米などで約 8,000 人が重症急性呼吸器症候群（SARS）を発症し，約 800 人が死亡した．コウモリが自然宿主と目されており，変異を繰り返しながらハクビシンを介しヒトへ感染したと考えられている．ヒトからヒトへ感染する変異を獲得し，呼吸器へ飛沫感染した後，腸管などの他臓器へと拡散する．アンジオテンシン変換酵素 2 angiotensin converting enzyme-2（ACE2）を標的に侵入したウイルスは，増殖サイクル内で直接的に細胞変性や傷害を引き起こす．しかし主たる病態は，ウイルスに誘発された大量のサイトカイン（☞ p.91 参照）産生と過剰な免疫応答（サイトカインストーム）による自己組織傷害と推察されている．感染症法上，SARS は二類感染症に定められた．2019 年に SARS-CoV-2 が出現したため，SARS-CoV-1 と改名された．

（2）感染と病態

2〜10 日の潜伏後，急激な発熱，咳，呼吸困難を主症状とし発症する．発症初期ではウイルスが検出されにくい．発症 1 週〜10 日で呼吸器症状が悪化する際には，肺でウイルス増殖が活発化しその検出率も高まる．発症 2 週目以降には SARS を起こし，重症化する．死亡率は約 10％であるが，年齢によるばらつきが大きい（25 歳未満は 1％未満，65 歳以上は 50％以上）．

（3）検査と診断

感染地域への渡航歴の問診，リアルタイム PCR 法（☞ p.55 参照）による遺伝子検査，およびイムノクロマト法による迅速検査を行う．

（4）予防と治療

ワクチンや有効な治療薬はない．感染地域への渡航自粛の他，対人距離の確保ならびにマスク着用などの咳エチケット，含嗽が有効である．

2）MERS コロナウイルス（MERS-CoV）

（1）特徴

アウトブレイクした新興感染症である．MERS コロナウイルス Middle East respiratory syndrome virus は，2012 年にサウジアラビアとヨルダンで検出された．その後，中東や欧州を中心に伝播し，次いで 2015 年には韓国で，2016 年には再度サウジアラビアで流行した．合計約 2,500 人が MERS を発症し，約 850 人が死亡した．自然宿主と目されるコウモリからヒトコブラクダを介し，ヒト-ヒト感染する変異を獲得したと考えられている．上述の SARS-CoV-1 と比較すると感染力は低く，一方で致死率は高い．そのため，起源ウイルスの由来は異なると推測されている．飛沫で呼吸器へ感染し，細胞上の DPP-4（dipeptidyl peptidase 4, CD26）を標的受容体とする．感染症法上，MERS も二類感染症に定められた．

（2）感染と病態

MERS-CoV は，飛沫および濃厚接触にてヒトからヒトへ感染する．発熱，咳，呼吸困難の他，筋肉痛がよくみられる．下痢，嘔吐，腹痛などの消化管症状が約 1/3 患者で発症する．おおむねの患者には，入院を要する中東呼吸器症候群（MERS）がみられ，致死率は約 35％であった．高齢者，あるいは糖尿病，慢性心不全，慢性腎疾患などの有病者では，より重度化する傾向が認められた．一方で，約 20％は無症状か軽症であった．

（3）検査と診断

感染地域への渡航歴や患者との接触歴の問診，リアルタイム PCR 法による遺伝子検査を行う．

（4）予防と治療

ワクチンや有効な治療薬はない．感染地域への渡航自粛の他，マスク着用などの飛沫感染予防，含嗽や手洗いが有効である．エンベロープがアルコール感受性であるため，消毒用エタノールが有効となる．

3）SARS コロナウイルス 2（SARS-CoV-2：新型コロナウイルス）

（1）特徴

パンデミックを生じた新興感染症である．SARS コロナウイルス 2 severe acute respiratory syndrome virus 2 は，中国湖北省武漢市で 2019 年 12 月に「原因不明の肺炎」として確認され，2020 年 1 月に WHO に報告された（新型コロナウイルス白書，中国，2020 年）．その後，地球規模で爆発的に感染拡大した．WHO によるパンデミック緊急事態宣言が終わる 2023 年 5 月までに，少なくとも 6.9 億人に感染し約 690 万人を死亡させた．SARS-CoV-1 と同じくコウモリが自然宿主と推察され，センザンコウへの感染を経てヒト-ヒト感染力を得たと考えられている．頻回に変異を繰り返し，数多い遺伝子型に分かれた．遺伝子型が異なる株には，再感染することが報告されているうえ，2020 年後半からは世界各国で感染力が高まった変異株が出現し流行した（感染に関与する S タンパクが変異）．SARS-CoV-2 はウイルス表層 S タンパクをヒト細胞表層 ACE2 に結合させ，ACE2 とともに細胞内へ侵入する．アンジオテンシンⅡ抑制性の ACE2 がウイルスと共に細胞内へ取り込まれると，アンジオテンシンⅡ系の抑制が低下し，炎症性サイトカインが増加する．さらに，血管内皮細胞（ACE2 を発現）にも感染すると，血管を傷害して血栓を誘発させる他，血管からも炎症性サイトカインを過剰産生させ，サイトカインストームを生じさせると考えられている．ACE2 の発現は経年的に増加するため，高齢者の重症化との関連が指摘されている．また，ACE2 は血圧調節に関与することから，高血圧患者の重症化傾向との相関が示唆されている．感染症法上，新型コロナウイルス感染症（COVID-19：coronavirus disease 2019）は指定感染症を経て，新型インフルエンザ等感染症（二類相当）に定められた．その後，2023 年 5 月に五類へと改められた（☞ p.79 参照）．

（2）感染と病態

SARS-CoV-2 は環境中で生存しやすく，空気中で約 3 時間，皮膚上で約 9 時間，プラスチック上で 2〜3 日間は感染力を保持する．そのため，飛沫だけでなく接触感染も起こす．さらに，エアロゾル感染も起こす．感染しても，多くは無症状か軽症で寛解する．発症する場合でも，1〜12 日は潜伏する．しかし，ウイルス感染は無症状，軽症，発症前の患者からも起こる．ウイルス陰性になるまで 30 日以上かかるケースもある．以上のことが重複し，急激な感染拡大につながった．一方で，これらの知見は院内感染予防の重要なヒントにもなる．発症すると，咳，発熱，息切れ，倦怠感が約 1 週間続く．味覚障害および嗅覚障害を自覚することもある．重症化すると，呼吸困難，胸痛，高熱，言語障害や意識消失，運動機能障害が現れる．国内死亡率は約 0.2％であり，後遺症が 3 週間以上続くこともある．

（3）検査と診断

感染者との接触歴の問診，リアルタイム PCR 法による遺伝子検査，血液からの抗体・抗原検査，唾液からの抗原検査が行われる．

（4）予防と治療

ワクチンや治療薬については，過去に例がないスピードと規模，および新技術の導入で開発が進められている（実用化された mRNA ワクチンやウイルスベクターワクチンについては p.135 参照）．2024 年には，mRNA ワクチンの改良型のレプリコンワクチンが承認された．抗インフルエンザ薬のファビピラビル（アビガン®☞ p.192 参照），吸入ステロイド喘息治療薬のシクレソニドや関節リウマチ治療薬のヤヌスキナーゼ阻害薬のバリシチニブおよび抗体カクテル療法薬が治療薬として承認されている．また，ウイルス増殖に必須の 3 CL プロテアーゼを標的としたエンシトレルビルフマル酸（ゾコーバ®）も実用化された．重症化例には，人工呼吸器，体外式膜型人工肺（ECMO），血液浄化装置，デキサメタゾン（ステロイド）などを用いて対症療法を行う．

不要不急の外出自粛の他，人と人との距離の確保，室内の換気，マスクの着用（サージカルマスクも有効），含嗽と手洗いの徹底に努める．アルコール感受性エンベロープを有していることから，消毒用エタノールが有効である．また，次亜塩素酸ナトリウム溶液も除去に効果的である．歯科診療室では，ポビドンヨード（手指・粘膜）やグルタラール（器具類）も消毒に適する（☞ p.77 参照）．パンデミックでは，感染の拡大を可能な限り抑制することが，医療体制を崩壊させないためにも重要となる．

8 フラビウイルス科 *Flaviviridae*

ウイルス粒子は，直径40〜60 nmの球形でエンベロープを有する．ウイルスゲノムは，約11,000塩基の一本鎖プラス鎖線状の感染性RNAである．エンベロープには，Eタンパクと Mタンパクを発現し，Eタンパクが感染リガンドとして機能する．

フラビウイルス科は，吸血性の節足動物（蚊，ダニ）と脊椎動物（哺乳類，鳥類）の間に感染環を形成している．ヒトにとっては，節足動物の唾液がウイルスの感染源となる．フラビウイルスは節足動物には非病原性であるが，脊椎動物には病原性を示し不顕性感染が多い．約70種のフラビウイルス科ウイルスのうち，約40種がヒトに病原性を示す．その中で，日本脳炎ウイルス，デング熱ウイルス，黄熱ウイルス，ウエストナイル熱ウイルス，ジカウイルスは，いずれも蚊によって媒介される．ジカウイルスを除けば，ヒトからヒトへの伝播は起こらない．

1）日本脳炎ウイルス

（1）特徴

日本脳炎ウイルス Japanese encephalitis virusは，コガタアカイエカによって媒介され，急性脳炎を引き起こす．日本脳炎ウイルスは，水田耕作や養豚がさかんな東〜南アジアに広く分布している．ヒトからヒトへの感染はなく，増幅動物（ブタ）の体内で増殖し血液中に出てきたウイルスを蚊が吸血し，そのうえでヒトを刺したときに感染する．日本ではワクチンの接種により1970年代以降患者は激減しているが，東南アジアではしばしば流行が発生している．感染症法上，四類感染症に指定されている．

（2）感染と病態

急激な発熱，髄膜刺激症状（項部硬直，痙攣など），脳炎症状（意識障害，異常反射など）を3主徴とする急性脳炎である．感染の多くは不顕性感染であり，発症率は100〜1,000人に1人である．しかし発症すると，死亡率は20〜40%となる．2021年に国内感染死者が報告された．

（3）検査と診断

患者検体から，RT-PCR法を用いたウイルスRNA検出が行われる．

（4）予防と治療

2012年に承認された不活化ワクチンが有効であり，定期接種化されている．蚊の防除も重要である．

2）デングウイルス

（1）特徴

デングウイルス dengue virusは，4つの血清型に分類される．蚊に媒介されるデングウイルス感染症には，2つの病型がある．すなわち，発熱，発疹，痛みを3主徴とし，予後のよいデング熱，そして，発熱，出血傾向，循環障害を3主徴とする，重篤なデング出血熱・デングショック症候群である．デング熱は世界中の熱帯〜亜熱帯地域に広がっており，年間50万〜500万人が発症している．2024年現在も，南米や東南アジアにおいて深刻な流行が続いている．2014年に戦後初めてデング熱患者の国内発生が確認され，次いで2019年にも国内患者が報告され，輸入感染症として注意が払われている．

（2）感染と病態

デング熱は一過性熱疾患の症状を呈し，感染3〜7日後，突然の発熱で始まり，頭痛，眼窩痛，筋肉痛，関節痛を伴う．発症後3〜4日後より，胸部，体幹から始まる発疹が出現し，四肢，顔面へ広がる．症状は10日ほどで消失し後遺症なく回復する．デング出血熱は，デング熱とほぼ同様の経過後，突然血漿漏出と出血傾向を主症状とするデング出血熱が現れる．胸水や腹水が高率に生じ，肝臓の腫脹や補体の活性化，血小板減少，血液凝固時間延長がみられ，点状出血，鼻出血，消化管出血が現れる．

（3）検査と診断

酵素抗体法（☞ p.109 図2-4-9参照），およびRT-PCR法を用いた検査が行われる．

（4）予防と治療

2022年に生ワクチンが実用化された．蚊の防除が予防となる．治療は対症療法を行う．

3）黄熱ウイルス

（1）特徴

黄熱ウイルス yellow fever virusは，黄熱の原因ウイルスである．ネッタイシマカを感染保有宿主とし，蚊がサルやヒトを刺すことによって媒介される．発熱，出血傾向，黄疸を3主徴とし，回復すると終生免疫を獲得する．現在でもアフリカ，南米などで地域的流行が発生し，旅行者に罹患することがある．

（2）感染と病態

3〜6日の潜伏後，軽症黄熱では突然の発熱と頭痛が出現する．悪心嘔吐，結膜充血，タンパク尿が現れるが，1〜3日で回復する．重症黄熱では，頭痛，めまい，高熱から始まる．その後，高熱にもかかわらず徐脈が起こる．重症例では死亡することもある．

（3）検査と診断

抗体測定やRT-PCR法を用いた遺伝子検査が行われる．

（4）予防と治療

流行エリアへの渡航時には，弱毒生ワクチン接種が義務となる．媒介動物の蚊への対策も重要である．

4）ウエストナイルウイルス

（1）特徴

ウエストナイルウイルス West Nile virusは，ウエストナイル熱・ウエストナイル脳炎の原因ウイルスである．ウイルスの感染環はトリと蚊である．ヒトにはウイルス保有の蚊の吸血によって感染し，発熱や脳炎を引き起こす．元来，ウエストナイルウイルスはアフリカ，欧州，中近東，中央・西アジアに分布していたが，1999年以降は米国にも伝播し患者が報告されている．

(2) 感染と病態

ヒトにおける潜伏期間は3〜15日である．感染者の約80%は不顕性感染であるが，発症した場合は，高熱，頭痛，筋肉痛などの症状が現れるウエストナイル熱，あるいは頭痛，筋力低下，意識障害などを起こすウエストナイル脳炎となる．

(3) 検査と診断

RT-PCR法を用いた遺伝子検査が行われる．

(4) 予防と治療

有効なワクチンと治療薬は実用化されておらず，蚊の防除にて予防する．

5) ジカウイルス

(1) 特徴

ジカウイルス zika virus は，蚊の媒介の他，性行為でも感染する．中南米，アフリカ，東南アジアで流行があり，2015年のブラジル流行時にはWHOが“公衆衛生上の緊急事態”を宣言した．

(2) 感染と病態

蚊媒介性であるが，性行為でのヒト-ヒト感染も報告されている．多くは軽症あるいは不顕性となるが，ジカウイルス感染症（ジカ熱）を起こすことがある．また，妊娠中に感染すると，胎児に小頭症などの先天性ジカウイルス症候群をきたすことがある．

(3) 検査と診断

RT-PCR法を用いた遺伝子検査が行われる．

(4) 予防と治療

有効なワクチンと治療薬はなく，蚊の防除および避妊具の使用にて予防する．2016年にWHOは，“妊婦は流行地域への渡航をすべきでない”と勧告した．厚生労働省からは，流行地滞在中および帰国後6か月の性行為への注意喚起が出されている．

6) C型肝炎ウイルス

「肝炎ウイルス」の項に記載する（☞ p.207 参照）．

⑨ フィロウイルス科 *Filoviridae*

ウイルス粒子はマイナス一本鎖のRNAを内包し，約80×1,000〜10,000 nmの細長いフィラメント状を呈す．その形態的特徴からフィロウイルスと命名された．エンベロープを有し，その表面には長さ10 nmのスパイクが規則正しく並んでいる．

フィロウイルス科のエボラウイルスとマールブルグウイルスは，免疫学的には異なるが，アフリカあるいはアジアに常在し，致死率が高い劇症の出血熱であるエボラ出血熱とマールブルグ病を引き起こす．両ウイルスは最高危険度のクラス4の病原体に分類され，エボラ出血熱とマールブルグ病は感染症法の一類感染症である．両疾患は，新興感染症（☞ p.209 表3-9-5参照）の代表例である．

エボラウイルス，マールブルグウイルス

(1) 特徴

エボラウイルス Ebola virus は血液や体液との接触により，ヒトからヒトへ感染が拡大する．そして，致死率の高いウイルス性出血熱のエボラ出血熱を引き起こす．1976年，ザイール（現在のコンゴ）およびスーダンで，頭痛・発熱をもって発症し，やがて激しい出血を伴う出血熱が流行し，合わせて430名の死者が報告された．それ以降，20回を超えるエボラ出血熱のアウトブレイクが報告されている．

マールブルグウイルス Marburg virus は，ウイルス性出血熱のマールブルグ熱を引き起こす．1967年，ドイツのマールブルグで，ウガンダから輸入したアフリカミドリザルに接触した研究職員25名に出血熱が発生し，7名が死亡した．患者に接触した医療従事者6名にも，二次感染がみられた．患者血液からウイルスが分離され，地名にちなんでマールブルグウイルスと命名された．2024年現在もアフリカで散発しているが，エボラ出血熱のように一度に多数の感染者や死者が生じた例はない．

(2) 感染と病態

突然の発熱，悪寒，筋肉痛，頭痛などに始まり，その後，嘔吐，下痢，腹痛をきたし，やがて出血傾向が現れて消化管をはじめ種々の臓器で出血する．致死率は50〜90%である．

(3) 検査と診断

流行エリアへの渡航歴を問診し，ウイルス分離により診断する．

(4) 予防と治療

a) エボラウイルス

RNAポリメラーゼを阻害する抗エボラ薬のベクルリー（レムデシビル®）が臨床試験中である（2020年5月米国で特例承認）．2018〜2020年のコンゴ流行時には，複数の開発中ワクチンも投与され，ベクルリーなどとともに終息に寄与した（2021年流行時には，流行初期から承認済みとなったワクチンが投入された）．

b) マールブルグウイルス

ワクチンも治療薬もない．

⑩ ラブドウイルス科 *Rhabdoviridae*

ウイルス粒子は約80×180 nmでエンベロープを有し，表層は長さ5〜10 nmのスパイクで覆われている．ビリオン内部には，マイナス一本鎖のRNAゲノムを有する．

狂犬病ウイルス

(1) 特徴

狂犬病ウイルス rabies virus は陸生の肉食動物を宿主とし，ヒトは患獣に咬まれて感染し，アセチルコリン受容体を介して神経細胞に波及し狂犬病を発症する．狂犬病ウイルスの媒介動物は，主としてイヌである．熱帯，発展途上国では主要な人獣共通感染症の1つで，毎年5万人以上が死亡している．日英豪ではワクチンと輸入動物の検疫により狂犬病の制圧が成功し，日本では1986年に絶滅を果たした．しかし，入国前に自国でイヌに咬まれた外国籍男性が，来日後に狂犬病と診断され日本で死亡した（2020年）．その後に国内感染は生じていないものの，1990年代に99%以上であったペットへの予防接種率は，70%以下にまで低下しており，再啓発の必要性が唱えられている．

(2) 感染と病態

1～数か月，ときとして1年の潜伏後，全身倦怠感，頭痛，食欲不振，嘔気，疲労，ときに発熱を伴って発症し，神経症状を呈する．狂騒型では，異常行動，幻聴，狂騒状態から嚥下困難などの痙攣発作を呈する．発症後は，どのような治療を施しても死亡する．

(3) 検査と診断

動物による咬傷の視診と問診，およびRT-PCR法を用いた遺伝子検査を行う．

(4) 予防と治療

ペットとヒトに不活化ワクチンが用いられる．流行地への渡航者は，あらかじめワクチンを接種することが望まれる．狂犬病は感染後もワクチンによって予防できるため，通常ヒトにはウイルス曝露後に接種が行われる．また，国レベルでは，輸入動物の検疫徹底も重要となる．

⑪ アレナウイルス科 *Arenaviridae*

アレナウイルスは，直径50～300 nmの球形・多形性で，エンベロープを保有する．ゲノムは二分節の一本鎖RNAで，10,000～11,000塩基である．GP1とGP2タンパクが四量体を形成し，スパイクとなる．

ネズミを自然宿主とするが，ヒトに水平伝播をして髄膜炎や出血熱を引き起こす．ヒトに病気を起こすアレナウイルス科のウイルスには，ラッサウイルス（ラッサ熱），マチュポウイルス（ボリビア出血熱），フニンウイルス（アルゼンチン出血熱），グアナリトウイルス（ベネズエラ出血熱），サビアウイルス（ブラジル出血熱）などがある．

ラッサウイルス

(1) 特徴

ラッサウイルス lassa virus はアフリカ西部にしか存在せず，自然宿主であるマストミスネズミの排泄物からヒトへ感染し，ヒトからヒトへも広がる．ラッサ熱の病原体であり，ウイルス性出血熱を引き起こす．世界で年間20～30万人の感染者が発生し，死者は約5,000人と推計される．感染症法上，ラッサ熱は一類感染症である．

(2) 感染と病態

発熱，頭痛，筋肉痛，関節痛にて発病し，高熱，心不全，腎不全，全身の出血傾向をきたし，血圧低下，ショックで死亡する．致死率は約15%である．

(3) 検査と診断

PCR法を用いた遺伝子検査や血清診断が行われる．

(4) 予防と治療

ワクチンはないが，リバビリン（抗C型肝炎ウイルス薬 ☞ p.208参照）が有効である．衛生環境あるいは経済面に恵まれないエリアでは，医療器具の使い回しを余儀なくされ，院内感染を起こすことがある．

（寺尾　豊）

⑫ レトロウイルス科 *Retroviridae*

レトロ retro は，自己の「逆転写酵素 reverse transcriptase」によりウイルスRNA上の遺伝情報がDNAへ逆転写されることに由来する．直径約100 nmの球状構造で，ゲノムとして約7,000～10,000塩基の一本鎖RNAが2分子存在する．同じ配列のRNAが2分子存在する理由は未解明である．RNAの周囲には正二十面体のヌクレオカプシドまたはコアタンパク質が存在し，さらにその外側には糖タンパク質と脂質のエンベロープが存在する．

オルトレトロウイルス亜科とスプーマレトロウイルス亜科に大別される．オルトレトロウイルス亜科は，さらにアルファ，ベータ，ガンマ，デルタ，イプシロンレトロウイルス，およびレンチウイルスの6属に分けられる．

1) ヒトT細胞白血病ウイルス1型（HTLV-1）

(1) 特徴

ヒトT細胞白血病ウイルス1型 human T cell lymphotropic virus type 1（HTLV-1）は，デルタレトロウイルス属に分類される．成人T細胞白血病 adult T cell leukemia（ATL）の病原体として，ヒトで最初に発見されたレトロウイルスである．現在までに1～4型が報告されている．HTLV-1はCD4 T細胞（☞ p.89 **図2-1-10** 参照）に感染して染色体DNAへ組み込まれた後，ウイルスがん遺伝子およびヒトがん原遺伝子の活性化により感染細胞のがん化を誘導する．HTLV-1感染者の大部分は，日本，カリブ海地方，ニューギニア，アフリカに限局する．わが国においては，九州や沖縄に多発し，感染しているキャリアは約100万人であり，年間約5%が数年から数十年の潜伏を経てATLを発症する．

(2) 感染と病態

主な感染経路として，血液による感染，母乳を介する垂直感染，性交による感染があげられる．血液による感染は，輸血用血液の抗体検査により著しく減少した．一方，母子感染率の報告では，長期母乳保育で約20%となっている．子宮内感染や出産時の産道感染の可能性は低いようにみえる．乳児期に感染したキャリアの3～10%がATLを発症する．性交感染では，主に精液に含まれるウイルス感染細胞が相手側に移入されて伝播する．臨床像と予後因子解析から，ATLは急性型，リンパ腫型，慢性型およびくすぶり型の4つの病型に分類され，平均発症年齢は約60歳である．初発症状としては全身倦怠感，発熱，リンパ節の腫大などがみられる．約70%の症例で高カルシウム血症を合併する．腫瘍細胞の増殖・浸潤に伴い，皮疹，肝臓・脾臓の腫大や下痢などの症状もしばしばみられる．また，免疫不全により日和見感染症（☞ p.58参照）の合併頻度が高くなる．

(3) 検査と診断

抗HTLV-1抗体のスクリーニングとしてゼラチン粒子凝集法（PA法）や化学発光法が用いられる．偽陽性の問題があるため，ウエスタンブロット法による確認検査が必要である．わが国では2011年より抗HTLV-1抗体検査が妊婦健康診査の標準的検査項目に追加されている．

(4) 予防と治療

有効なワクチンはない．そのため輸血前検査によりHTLV-1感染が予防されている．母親がキャリアの場合，人工乳による保育が行われる．性行為による感染は，避妊具の使用により予防する．潜伏期間が非常に長いため，成人期に感染しても発症しにくく，乳幼児期の感染防御が重要となる．治療は主として化学療法や骨髄移植が行われるが，病型や年齢などにより治療法は異なる．近年，ウイルス感染細胞が発現するCCR4（ケモカイン受容体）を標的とした治療薬が用いられている．

2) ヒト免疫不全ウイルス（HIV）

(1) 特徴

ヒト免疫不全ウイルス human immunodeficiency virus（HIV）は，レンチウイルス属に分類される．1983年に後天性免疫不全症候群 acquired immunodeficiency syndrome（AIDS）の原因ウイルスとして発見された（**図3-9-14**）．ウイルス発見者のFrançoise Barré-SinoussiとLuc Montagnier（1932～2022）は，2008年のノーベル生理学・医学賞を受賞した．HIVは直径約100～120 nmのRNAウイルスで，その粒子内部に円筒形のコア構造を有する．コアの中に，逆転写酵素やインテグラーゼなどのウイルスタンパク質およびウイルスゲノムとして約9,500塩基からなるプラス鎖一本鎖RNAが2本存在する．コアの外側は糖タンパク質と脂質のエンベロープで包まれている（**図3-9-15**）．エンベロープ糖タンパク質gp120は，ヒト細胞表面のCD4を受容体とし，かつケモカイン受容体（CXCR4あるいはCCR5）を補助受容体とし，細胞種特異的に感染する（**図3-9-16**）．結果として，HIVはCD4 T細胞（☞ p.89 図2-1-10参照）とマクロファージ（☞ p.86参照）のみに感染し進行性の免疫不全を引き起こす．HIVは血清学的に型の異なるHIV-1とHIV-2に大別され，いずれもAIDSの原因となる．HIV-1は，日本を含め世界中で流行している型である（感染者約3,900万人・死者約63万人，WHO，2022年）．HIV-2は，西アフリカならびに同関連国で感染が確認されている（約100万人）．AIDS発症までの無症候期も長く，HIV-1に比較して弱毒性と考えられている．

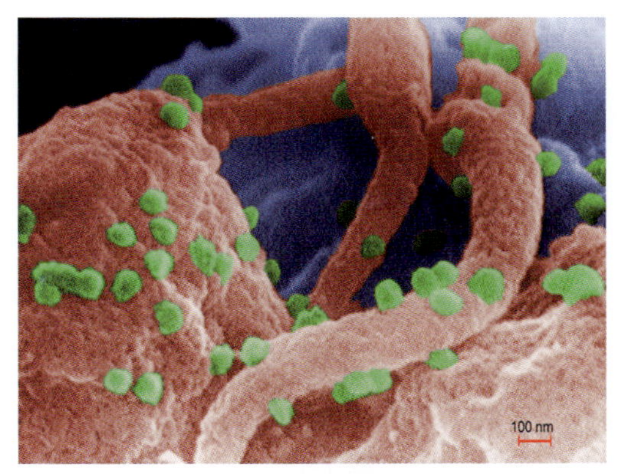

図3-9-14　ヒト白血球に感染するHIV（CDC）

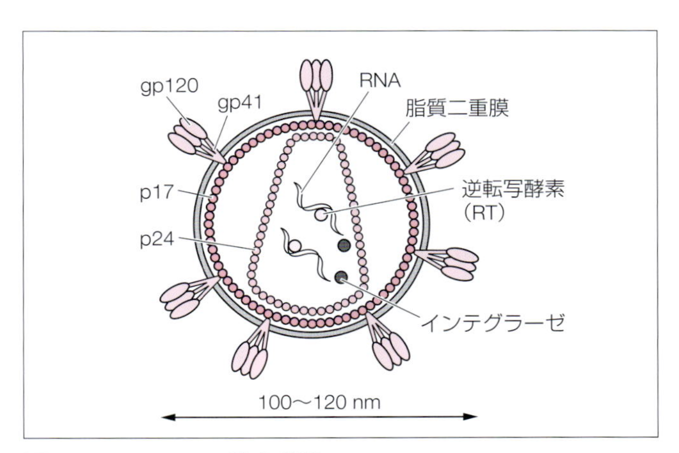

図3-9-15　HIVの基本構造

HIVウイルス粒子の直径は100～120 nmで約9,500塩基対のRNAを2本もつ．エンベロープは糖タンパク質であるgp120，gp41からなり，p17タンパクは膜を裏打ちしている．円筒状のコア粒子はp24タンパクによって形成され，核酸，逆転写酵素，インテグラーゼなどを有している．

(2) 感染と病態

HIVの感染源は，感染細胞ないしは遊離ウイルスが存在する体液である．したがって，HIVの主な感染経路は，①性的接触，②母子感染（経胎盤，経産道，経母乳感染），③血液（輸血，臓器移植，針刺し受傷などの医療事故，静脈内注射薬物の濫用など）である．血液を介さない通常の皮膚接触，唾液や尿，および蚊などによる刺傷により感染した知見はない．HIVの感染からAIDS発症までの期間は長く，約10年である．HIVに感染すると，数週間後にかぜ様症状（発熱，咽頭痛，リンパ節腫脹）を呈する．この急性期にはまだ抗体は陰性であり，感染細胞内でウイルスの複製がさかんに行われ，多量のウイルスが血中に出現

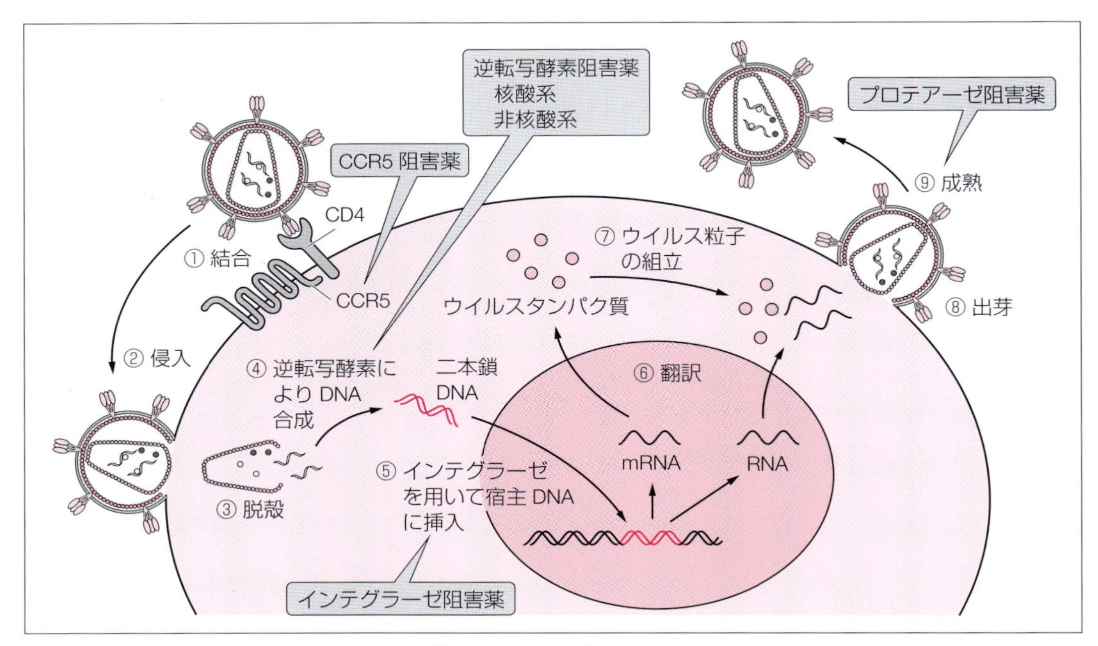

図 3-9-16　HIV のライフサイクルと抗 HIV 薬の分類
HIV は標的細胞である CD4 T 細胞やマクロファージに吸着・侵入し，自身の逆転写酵素を使い，宿主細胞 DNA に HIV の相補的 DNA を挿入する．続いて，HIV mRNA の合成後，ウイルス粒子の組立てが起こり，宿主細胞の膜構成成分を応用し，完全な HIV ウイルスとして細胞外へ放出される．

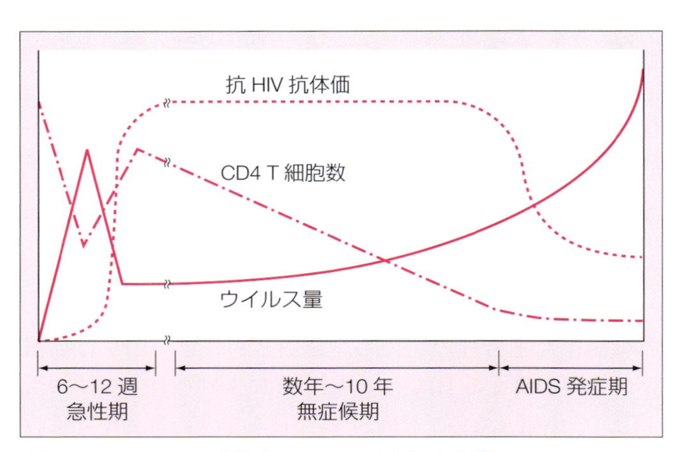

図 3-9-17　HIV 感染から AIDS 発症の経過
急性期には，ウイルス RNA が血液中に多量に検出される高ウイルス血症を呈する．HIV 特異的な抗体産生や細胞傷害性T細胞の活性化が起こり，血液中のウイルス量は急激に低下する．HIV 感染後 AIDS 発症まで 8～10 年間は無症候期に入り，表面的には健康で自覚症状はほとんどみられない．HIV は感染直後から激しく複製しており，大量に産生された CD4 T 細胞がウイルスの複製を阻止している．この均衡が持続している期間では，血液中のウイルス量が急激に増えることはない．健康な人は血液 1 μL 当たり 1,000 個の CD4 T 細胞をもっているが，HIV 感染後徐々に細胞数が低下する．CD4 T 細胞が 200/μL 以下になると HIV と生体の免疫機能のバランスが崩れ，急速にウイルス量が増加する．この時期に日和見感染を起こし，AIDS 発症に至る．

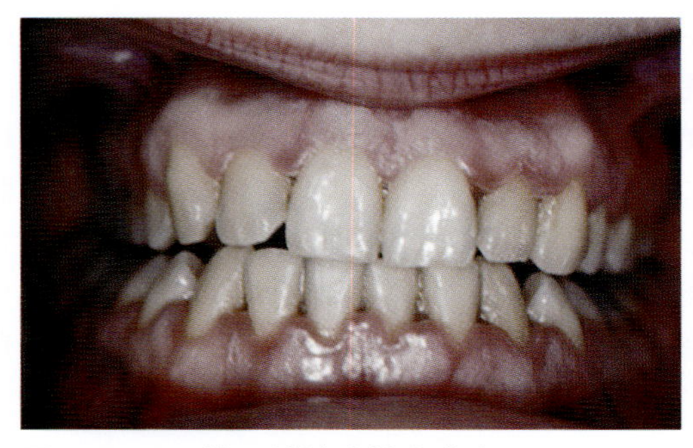

図 3-9-18　壊死性潰瘍性歯肉炎（CDC）

する．抗 HIV 抗体は，初感染から 6～8 週後に認められるようになる．細胞性免疫とそれに引き続く体液性免疫により血中ウイルスは排除され，やがて臨床症状も軽快して無症状となる．この時期の HIV 感染者は無症候性キャリアとよばれ，ウイルスの排除は完全でなく，その一部は体内に残存する．そして，ウイルスの増殖と免疫応答が拮抗し，慢性感染の状態が成立する．無症候期においても，次第にウイルス増殖は優位となっていき，HIV は感染細胞（CD4 T 細胞）を破壊しつつ免疫不全を引き起こす．CD4 T 細胞数が 200/μL 以下になり，日和見感染症などを発症するようになると AIDS と診断される（**図 3-9-17**）．AIDS の段階に至ると，全身症状（下痢，体重減少，発熱など），日和見感染症（ニューモシスチス肺炎，サイトメガロウイルス感染症，カンジダなどの真菌症，抗酸菌症など），腫瘍〔Kaposi 肉腫（**図 3-9-6**），リンパ腫など〕，神経症状（脳症，認知症）などを合併し複雑な病像を呈する．壊死性潰瘍性歯肉炎（**図 3-9-18**，☞ p.262 参照）の素因ともなる．

(3) 検査と診断

血中の HIV 抗体検査により診断する．血清診断としてゼラチン粒子凝集法（PA 法）や酵素抗体法（☞ p.109 **図 2-4-9** 参照）でスクリーニングを行った後，陽性例についてはウエスタンブロット法およびリアルタイム PCR 法による確認検査を行う．

表 3-9-3 ウイルス性肝炎と肝炎ウイルスの比較

	ウイルス性肝炎の種類				
	A型	B型	C型	D型	E型
肝炎ウイルス略称	HAV	HBV	HCV	HDV	HEV
ウイルス科	ピコルナウイルス	ヘパドナウイルス	フラビウイルス	未分類	ヘペウイルス
ウイルス属	ヘパトウイルス	オルトヘパドナウイルス	ヘパシウイルス	デルタウイルス	ヘペウイルス
ウイルス核酸	RNA	DNA	RNA	RNA	RNA
感染経路	経口	血液・体液	血液	血液	経口
急性肝炎	有	有	有	有	有
慢性肝炎	無	有	有	有	無
肝がんとの関連	無	有	有	無	無
キャリアの存在	無	有	有	有	無
ワクチンによる予防	可能	可能	無	可能	無

(4) 予防と治療

予防効果のあるワクチンやゲノムに組み込まれたウイルスを除去できる治療薬はない．HIV の伝播様式のうち最も重要なものは性交を介するものであり，避妊具の使用を推進するなどの公衆衛生教育がウイルスの伝播を低下させる．それらの成果もあり，2014 年には AIDS 国内患者数が減少に転じた（厚生労働省，2020 年）．現在の HIV 感染症の治療は対症療法であり，3 剤以上の抗 HIV 薬 anti-retroviral drug（ARV）を組み合わせて服用する多剤併用療法が標準となっている．近年，多くの抗 HIV 薬が開発され，現在，核酸系逆転写酵素阻害薬，非核酸系逆転写酵素阻害薬，プロテアーゼ阻害薬，インテグラーゼ阻害薬，CCR5 阻害薬が実用化されている．日本ではこれら 3～4 剤が 1 錠となった合剤があり，1 日 1 回 1 錠治療が可能となった．日和見感染症を発症した場合は，原因微生物に対する化学療法を行う．

⑬ 肝炎ウイルス Hepatitis virus

肝臓を主たる感染標的とする一連のウイルスを肝炎ウイルスと総称する．したがって，肝炎ウイルスはウイルス学的に分類が異なる種々のウイルスが含まれる．現在，分類が確立している肝炎ウイルスは，A～E 型の 5 種類である（表 3-9-3）．そして，これらの肝炎ウイルスにより発症する肝炎をウイルス性肝炎とよぶ．

1) A 型肝炎ウイルス

(1) 特徴

A 型肝炎ウイルス hepatitis A virus（HAV）は直径 27～32 nm の球状で，エンベロープをもたない．ゲノムは約 7,500 塩基のプラス鎖一本鎖 RNA であり，ピコルナウイルス科ヘパトウイルス属に分類される．HAV には I～VII 型までの遺伝子型が存在するが，血清型は 1 種類のみである．ヒトを唯一の感染宿主とし，糞口感染で伝播する．経口摂取された HAV は酸に耐性があるため，胃を通過して小腸の M 細胞（☞ p.119 図 2-6-3 参照）から取り込まれて血中に入り，肝細胞に感染して A 型肝炎を引き起こす．肝細胞で増殖した HAV は，胆汁を介して糞便中に排泄される．排泄された HAV は河川や海水を汚染し，貝類に取り込まれ濃縮し，その貝類を生で摂取した抗体陰性者に感染する．HAV は熱，乾燥にも強いが，塩素およびヨウ素で失活する．HAV 感染の発生は衛生環境に影響されやすいため，発展途上国では蔓延しており，幼児期に多くが感染している．その場合，90％以上が不顕性感染として経過し，免疫を獲得するため，A 型肝炎が流行しているようにはみえない．

(2) 感染と病態

平均 4 週間の潜伏後に発熱し，全身倦怠感，食欲不振，腹部不快感などが発症する．発熱後 3～5 日経過すると肝腫大を伴い黄疸が出現する．一般に予後は良好で，1～2 か月以内に治癒し，慢性化することも HAV キャリアになることもない．小児は不顕性感染が多く，発症しても軽症であるのに対し，50 歳以上では重症化率が高くなるので注意が必要である．まれに男性同性愛者において性交感染が生じる．

(3) 検査と診断

酵素抗体法を用いて HAV 特異的 IgM 抗体を測定する．RT-PCR を用いた遺伝子検査も行われる．

(4) 予防と治療

感染流行地域への渡航中は HAV 感染のリスクが高くなるため，手洗いを励行し，生水や生の食物（魚介類，野菜）の摂取を避ける．HAV はホルマリン処理によって不活化されるが，抗原性は失われないので，この性質を利用して不活化ワクチンがつくられている．免疫グロブリン製剤も使用されるが，効果および持続性が低い懸念も報告されている．急性期の治療は原則入院し安静臥床とし，対症療法となる．上下水道の整備による衛生環境の向上が，HAV の感染予防に効果が高い．

2）B型肝炎ウイルス

（1）特徴

B型肝炎ウイルス hepatitis B virus（HBV）は，確定した肝炎ウイルスとしては唯一のDNAウイルスであり，ヘパドナウイルス科オルトヘパドナウイルス属に分類される．ウイルス発見者のBaruch S. Blumberg（1925～2011）は，1976年のノーベル生理学・医学賞を受賞した．エンベロープを有し，直径42 nmの球状構造を呈し，内部に正二十面体のヌクレオカプシドが存在する（**図3-9-19, 20**）．ゲノムは部分的に一本鎖をもつ不完全な二本鎖環状DNAである．長いマイナス鎖は約3,200塩基であるが，短いプラス鎖の長さは一定でなく，15～50％が欠落している．表層のエンベロープタンパク質がHBs抗原で，血中HBs抗原陽性は現在HBVに感染していることを示す．内側のコアタンパク質がHBc抗原とよばれ，HBc抗原に対する抗体陽性は，過去あるいは現在の感染状態を示す（**表3-9-4, 21**）．コアの内側にはDNAポリメラーゼが存在し，DNAゲノムと複合体を形成している（**図3-9-20**）．また，HBe抗原が分泌型のタンパク質として血中に遊離する．

感染経路は，①HBVに持続感染している母親から生まれた子どもへの感染（母子感染，垂直感染），②血液・体液を介する医療行為（針刺し事故や消毒不十分な内視鏡使用など）や静脈内注射薬物の濫用，③性交渉による感染（水平感染）がある．成人に感染した場合，多くは非持続性の急性B型肝炎の経過をとる．易感染性宿主（新生児や乳児，あるいは免疫不全状態の成人☞p.58参照）に感染した場合，持続感染の経過をとり，HBVキャリアとなる．HBVキャリアは世界で約20億人であるが頻度には地域差があり，欧米諸国が0.1～0.5％程度であるのに対し，アジア・アフリカ諸国は5～10％と高率である．日本では0.7％前後，すなわち約100万人と推定されている．日本のHBV感染者の多くは，医療過誤に基づく母子感染によるものである*．1985年以降はB型肝炎母子感染防止事業が実施されており，新たな母子感染はほとんど起きていない．近年，最も多いのは性交渉による感染となっている．

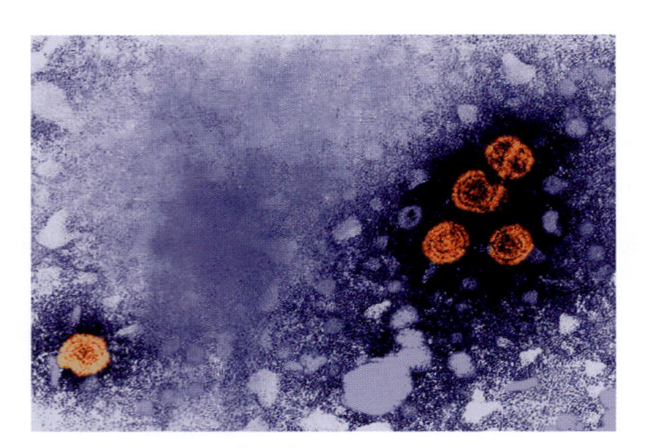

図3-9-19　B型肝炎ウイルス（CDC）

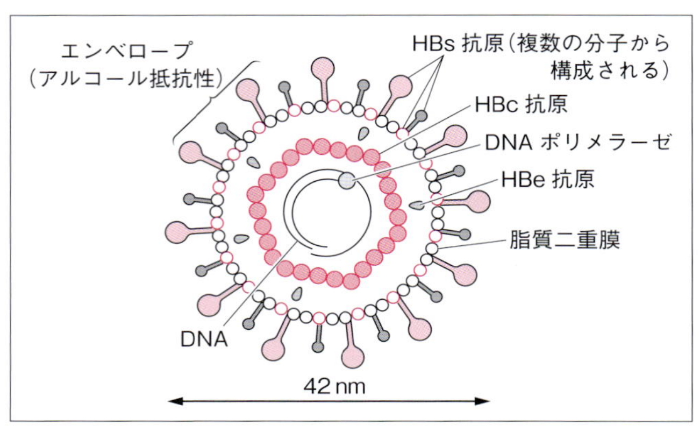

図3-9-20　B型肝炎ウイルスの構造

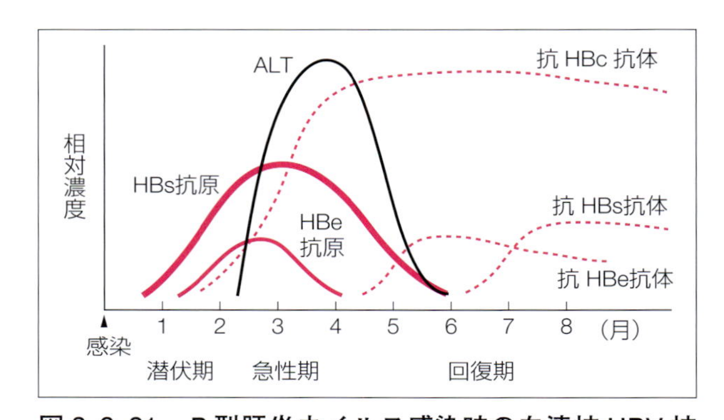

図3-9-21　B型肝炎ウイルス感染時の血清抗HBV抗体価およびその他のB型肝炎マーカーの推移

ALT：アラニンアミノトランスフェラーゼ．肝細胞中の酵素であり，血中への移行度で肝障害を知ることができる．旧来はGPTともよばれた．

表3-9-4　B型肝炎ウイルスマーカーの臨床的意義（日本肝臓学会，肝臓病理解のために，2015）

マーカー		臨床的意義
HBs	抗原	現在HBVに感染状態．
	IgG	過去の感染あるいはワクチン反応．
HBc	IgG	高抗体価は持続感染，低抗体価は過去の感染を示す．
	IgM	高抗体価は急性肝炎，低抗体価はキャリアからの急性増悪期を示す．
HBe	抗原	血中のウイルス量が多く，感染力が強いことを示す．活動性肝炎．
	IgG	血中のウイルス量が少なく，感染力が弱いことを示す．非活動性肝炎．
HBV-DNA		血中のウイルス量を示す．抗ウイルス療法の適応や治療効果の判定に用いる．

＊「日本におけるB型肝炎ウイルス持続感染の原因の多くは，集団予防接種における注射器などの使い回しおよびこれに起因する母子感染である」という歴史的事実があり，被害者救済の「B型肝炎特別措置法」が2012年より施行されている．医歯薬学を修める学生は，同事実を真摯に学び教訓とする必要がある．

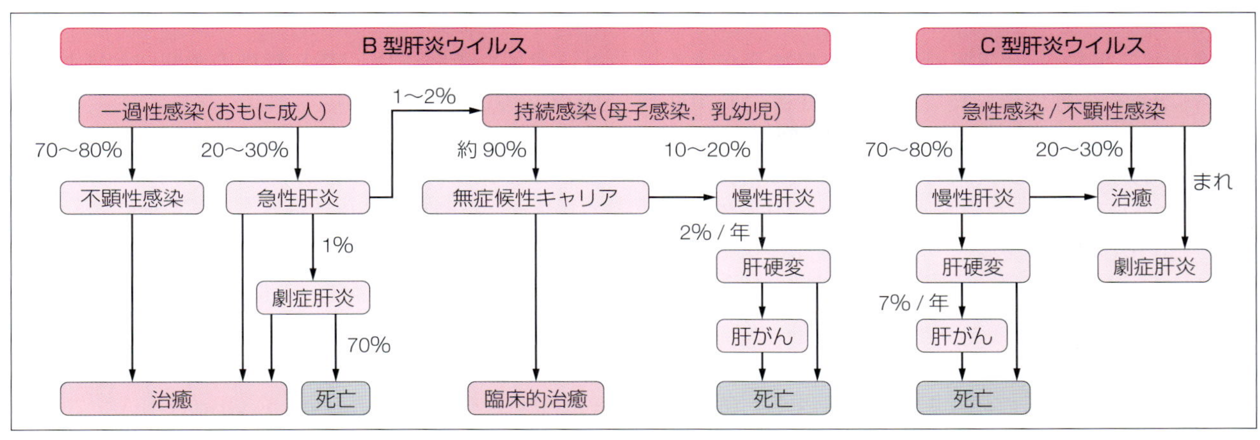

図 3-9-22　B 型肝炎・C 型肝炎の自然経過

(2) 感染と病態

成人に感染した場合，1〜6 か月の潜伏期を経て 20〜30%に急性肝炎が発症する．発熱，食欲不振，全身倦怠感，悪心などの症状がみられ，続いて黄疸が出現する．通常，これらの症状は 2〜4 か月程度で消失するが，約 1%に劇症肝炎が発症し約 70%の高い致死率を示す（**図 3-9-22**）．急性肝炎の 1〜2 %は持続感染状態となり，そのHBV キャリアの 10〜20%は慢性肝炎に進展する．一般に急性肝炎でみられる症状は出現しにくく，無症候性に過ごすが，しばしば急性増悪して強い肝障害を起こす．多くの場合，その後にウイルスが排除されて治癒へ向かうものの，患者の数%では感染が持続し，長い年月の末に肝硬変および肝がんへと進展する．

(3) 検査と診断

血中の HBs 抗原・抗 HBs 抗体，抗 HBc 抗体，HBe 抗原・抗 HBe 抗体を酵素抗体法にて測定し診断する．**図 3-9-21** と**表 3-9-4** に，B 型肝炎における各種ウイルスマーカーの経過と B 型肝炎の基本的な判断基準を示す．HBs 抗原陽性の血液が，HBe 抗原陽性であるのか，あるいは抗 HBe 抗体陽性であるのかを知ることは，院内感染防止という点からきわめて重要である．また，PCR 法を用いたウイルス DNA の検出も行われる．

(4) 予防と治療

組換え HBs 抗原を用いた B 型肝炎ワクチン（☞ p.135 参照）および高力価抗 HBV 免疫グロブリン（HBIG）による免疫予防が可能である．医療従事者などのハイリスク群には，B 型肝炎ワクチンの接種が感染予防に有効である．針刺し事故などにより HBV 曝露の機会があった場合には，ただちに HBIG を投与し，侵入した HBV を中和する．また，HBe 抗原陽性の妊婦から生まれた新生児には，HBIG と B 型肝炎ワクチンを出生時に投与し，1 および 6 か月後にワクチンを追加接種する．

急性 B 型肝炎は自然治癒の傾向が強く，通常は対症療法を行う．劇症化の可能性がある重症例では，核酸アナログ製剤（ラミブジン，アデホビル，エンテカビルなど）を早期に投与する．慢性 B 型肝炎の治療では，HBV を完全排除することはほぼ不可能なため，HBV の増殖を低下させ，肝炎を鎮静化させることに主眼を置いている．具体的には，インターフェロンや核酸アナログ製剤の投与が行われる．インターフェロンはウイルス増殖抑制作用および免疫賦活作用を有しており（☞ p.90 **表 2-1-2** 参照），一定の治療効果が示されている．核酸アナログ製剤は核酸に類似（＝アナログ）しており，HBV の DNA ポリメラーゼを特異的に阻害することで，ウイルス複製を抑制する．

なお，HBV はエンベロープを有するにもかかわらず，消毒用エタノールへ抵抗性を示すことに注意が必要である（☞ p.77 **表 1-7-5** 参照）．

3）C 型肝炎ウイルス

(1) 特徴

C 型肝炎ウイルス hepatitis C virus（HCV）はエンベロープに覆われた直径 55〜65 nm の球状を呈し，内部にウイルスゲノムとして約 9,500 塩基のプラス鎖一本鎖 RNA を有する．フラビウイルス科ヘパシウイルス属に分類される．6 つの遺伝子型が報告されている．わが国における遺伝子型の割合は 1 b（70%），2 a（15%），2 b（10%）となっている．ウイルス発見者の Harvey J. Alter，Michael Houghton，および Charles M. Rice は，2020 年のノーベル生理学・医学賞を受賞した．

感染経路は血液媒介性であり，輸血および経静脈的薬物乱用，ピアス，入れ墨，鍼治療などによるが，B 型肝炎ウイルスよりも感染力は弱く，母子感染や性交渉による感染頻度は少ない．世界全体では 7,000 万人以上（最大の推計では約 1.7 億人）が感染し，年間約 40 万人が死亡していると推計される．わが国では，輸血用血液のスクリーニングが行われているため，近年の輸血後 C 型肝炎はほとんどなくなった．わが国の HCV 抗体保有者は，約 200 万人と推定されており，加齢とともにキャリア率が増加する．わが国の肝がん死亡数は年間 3 万人を越えるが，その約 8 割が C 型肝炎を伴っている．

(2) 感染と病態

HCV感染後，平均6〜8週間の潜伏期を経て発症するが，約8割が無症候性感染に終わる．A型肝炎やB型肝炎に比べて一般に症状は軽く，黄疸を呈する例は少ない．20〜30%は一過性感染となり，自然にウイルスが排除されるが，70〜80%は慢性肝炎に移行する．このような慢性C型肝炎は，10〜20年で肝硬変へ，さらに15年後には肝がんへと進展する（**図3-9-22**）．

(3) 検査と診断

酵素抗体法により抗HCV抗体の検査が行われる．急性肝炎では抗体の出現が発症後数か月遅れることがあるため，RT-PCRを用いた遺伝子検査が行われる．

(4) 予防と治療

有効なワクチンはない．血液感染経路を排除することが予防となる．C型慢性肝炎に対してはインターフェロンと抗ウイルス薬であるリバビリンの併用療法が用いられてきた．しかし，インターフェロン療法の効果は遺伝子型によって異なり，HCV 2aと2b型には有効であるが，HCV 1b型には無効の場合が多い．そのうえ，副作用が大きかった．近年，忍容性と治療効果に優れた新薬が開発され，インターフェロンフリーでの完治が可能となった．1つは，NS5 Bポリメラーゼ阻害薬のソホスブビルであり，リバビリンと併用しHCV 2型の抗ウイルス作用を発揮する．さらに，NS5 A複製複合体阻害薬のレディパスビルも開発され，ソホスブビルとレディパスビルを組み合せたハーボニー合剤がHCV 1型に用いられ，著効率100%を示した．

4) D型肝炎ウイルス

(1) 特徴

D型肝炎ウイルス hepatitis D virus（HDV）は，直径約40 nmの球状で，HBV由来のHBs抗原を含んだエンベロープを有する．ウイルスゲノムは，約1,700塩基のマイナス鎖一本鎖環状RNAであり，本ウイルス固有のデルタ抗原をコードしている．特定の科に属さないままデルタウイルス属に分類される．HDVは単独では感染・増殖ができず，HBVの共存下でのみ増殖しうる．そのため，D型肝炎はHBVとHDVが同時感染するか，HBVキャリアにHDVが重複感染した場合にのみ発症する．したがって，HDVの伝播様式もHBVと同様となる（☞ p.206参照）．わが国において，D型肝炎はHBVキャリアの1%程度にみられる．

(2) 感染と病態

HBVと同時感染，重複感染を起こした後，潜伏期間の後，急激に発症する．HDVの存在により，致死的な劇症肝炎を起こすリスクがHBV単独感染の場合よりも高くなる．

(3) 検査と診断

酵素抗体法により抗デルタ抗体の検査が行われる．また，RT-PCRを用いた遺伝子検査が行われる．

(4) 予防と治療

一般的な予防法は，HBV感染の予防法と同じである．HDVのワクチンはないが，HDVのエンベロープはHBs抗原を含むこと，HBV感染を防げばHDV感染が成立しないことから，HBVのHBs抗原ワクチン（☞ p.135参照）を接種する．特異的治療法はないが，B型肝炎が完治すればHDVの増殖は防げるため，B型肝炎の治療を行う．

5) E型肝炎ウイルス

(1) 特徴

E型肝炎ウイルス hepatitis E virus（HEV）は，直径約30 nmの球状でエンベロープをもたない．ウイルスゲノムは，約7,200塩基のプラス鎖一本鎖RNAであり，ヘペウイルス科ヘペウイルス属に分類される．HEVは熱帯の発展途上国に分布し，主に経口感染でE型肝炎を起こす．一方，日本でもブタやシカの生肉やレバーの摂食後に，発症する例が報告されている．HEVには1〜4型の遺伝子型があるが，わが国では主に3か4型が分離されており，これら遺伝子型は，ヒトだけでなくブタやシカにも感染する（人獣共通感染症）．

(2) 感染と病態

E型肝炎の臨床症状はA型肝炎に類似しているが，潜伏期が平均40日と長く，劇症肝炎を起こす率が5〜10倍程度高い．妊娠後期の妊婦に感染した場合，死亡率が10〜20%に達するので注意を要する．

(3) 検査と診断

酵素抗体法を用いてHEV特異的抗体を測定する．RT-PCRを用いた遺伝子検査も有用である．

(4) 予防と治療

ワクチンは実用化されていない． HEVは加熱処理により感染性を失うので，獣肉調理時に十分な加熱処理を行う．感染流行地域への渡航中は，生水や生の食物の摂取を避ける．治療は対症療法となる．

（土門久哲，寺尾　豊）

C　新興・再興ウイルス感染症

新しく出現あるいは発見された，公衆衛生上問題となる感染症を新興感染症 emerging infectious disease，制圧されていたと考えられていたが，再び流行しはじめた感染症を再興感染症 re-emerging infectious disease という．グローバル化に伴う人的交流の活発化，自然破壊に伴う野生動物の分布変化，食生活の変化に伴う野生動物の捕食，そして微生物の突然変異など，これら各種の要因が複合的に集積し，新興・再興感染症を生じさせたと考えられている．その事例一覧を**表3-9-5**に示す．新興・再興感染症は，その成り立ちから人獣共通感染症を背景にもつことが多く，そして人類全体が獲得免疫を欠くことが多く，アウトブレイクやパンデミックを伴いやすい．また，原因の病

表 3-9-5　主な新興・再興ウイルス感染症

出現年	病原体	疾患	分布
1967	マールブルグウイルス	マールブルグ病	アフリカ中・東・南部
1969	ラッサウイルス	ラッサ熱	西アフリカ
1969	B 型肝炎ウイルス（HBV）	B 型肝炎	世界各国
1972	ノーウォークウイルス	急性胃腸炎	世界各国
1973	ロタウイルス	乳幼児下痢症	世界各国
1973	A 型肝炎ウイルス（HAV）	A 型肝炎	世界各国
1975	パルボウイルス B19	伝染性紅斑	世界各国
1976	エボラウイルス	エボラ出血熱	コンゴ
1978	ハンタウイルス	腎症候性出血熱	ユーラシア大陸
1980	HTLV-1	成人 T 細胞白血病	世界各国
1983	HIV-1	AIDS	世界各国
1986	プリオン*	牛海綿状脳症	世界各国
1988	HHV-6	突発性発疹	世界各国
1988	E 型肝炎ウイルス（HEV）	肝炎	世界各国
1989	C 型肝炎ウイルス（HCV）	肝炎	世界各国
1991	グアナリトウイルス	ベネズエラ出血熱	ベネズエラ
1993	Sin Nombre ウイルス	急性呼吸器障害症候群	米国，カナダ，アルゼンチン
1994	ヘンドラウイルス	モルビリウイルス症	オーストラリア
1995	HHV-8	カポジ肉腫	世界各国
1997	インフルエンザ A/H5N1	インフルエンザ	世界各国
1999	ニパウイルス	急性脳症	マレーシア
2002	SARS コロナウイルス 1	重症急性呼吸器症候群	中国，東南アジア
2003	高病原性トリインフルエンザウイルス	高病原性トリインフルエンザ	東南アジア，中国
2009	Pandemic（H1N1）2009	インフルエンザ	世界各国
2012	MERS コロナウイルス	中東呼吸器症候群	中東，韓国
2015	ジカウイルス	ジカウイルス感染症（ジカ熱）	南米
2019	SARS コロナウイルス 2	COVID-19	世界各国・パンデミック
2022	エムポックスウイルス	mpox（サル痘）	世界各国

* 感染性のタンパク質（☞ p.9 参照）.

原体は，変異スピードの速いウイルスが多い.

2019 年からの SARS-CoV-2（新型コロナウイルス）による COVID-19 は，典型的な新興感染症パンデミックである．これを例外的な事象とみなすことは早計である．2020 年以降も，新型インフルエンザウイルス（G4 EA H1N1 および H5 N8 亜型），新型ハンタウイルス，新型ブニヤウイルス，エゾウイルス，ペスト菌，およびエムポックスウイルスのヒト感染（旧病名：サル痘）などが報告されており，次なるパンデミックの可能性に警鐘が鳴らされている．なお，あいまいさが指摘されていたパンデミックの定義（☞ p.57 参照）については，2024 年 4 月に WHO が「当該国で保健システムの対応能力を超えた感染拡大の状況」と明記した．2023 年 9 月には，感染症危機管理庁が発足した．また，国立健康危機管理研究機構も設立される．医歯薬学領域の医療従事者は，COVID-19 から得られた知識と課題を真摯に学び，次なる新興・再興感染症への教訓と備えにすることが大切である.

（寺尾　豊）

表 3-9-6 微生物感染と関連する症候群

症候群	原因微生物*	特徴	参照頁
レンサ球菌性毒素ショック様症候群 streptococcal toxic shock-like syndrome（STSS）	*Streptococcus pyogenes* などのβ溶血性レンサ球菌	劇症型溶血性レンサ球菌感染症は，STSS，壊死性筋膜炎，および敗血症の3つの病型に分けられることが多い．病変は日単位ではなく時間単位で急速に進行する．STSSでは半数程度の症例で壊死性筋膜炎を伴う．	143
毒素性ショック症候群 toxic shock syndrome（TSS）	*Staphylococcus aureus*	発熱や発疹，胃腸症状，多臓器不全，ショックを主な症状とする．*S. aureus* が産生する毒素性ショック症候群毒素-1 toxic shock syndrome toxin-1（TSST-1）やエンテロトキシンがスーパー抗原として働き発症する．	146
ブドウ球菌性熱傷様皮膚症候群 staphylococcal scalded skin syndrome（SSSS）	*Streptococcus pyogenes* *Staphylococcus aureus*	*S. aureus* の表皮剝脱性毒素が関与する．新生児に発症した場合は，Ritter病とよばれる．	146
播種性血管内凝固症候群 disseminated intravascular coagulation（DIC）	*Neisseria meningitidis*	感染症などにより，全身性かつ持続性の著しい凝固活性化が生じ，全身の細小血管内に微小血栓が多発する病態である．微小血栓の多発により，微小循環障害となり各種臓器不全を招くことがある．	141，156
Walterhouse-Friderrichsen症候群	*Neisseria meningitidis*	*N. meningitidis* 感染時に，上記DICを伴い死に至る．	156
溶血性尿毒症症候群 hemolytic uremic syndrome（HUS）	enterohaemorrhagic *Escherichia coli*	腸管出血性大腸菌の感染後に発症する，溶血性貧血，血小板減少症，急性腎不全を主とする合併症である．主要な病原因子はベロ毒素 Vero toxin（VT）である．	158
Guillain-Barré症候群	*Campylobacter jejuni* エコーウイルス2，6，9，19	*C. jejuni* 腸炎を発症して1〜3週後に合併することがある，四肢脱力を伴った自己免疫性末梢神経障害．呼吸器や消化管へのエコーウイルス2，6，9，19感染後にも発症することがある．	164，196
Ramsay Hunt症候群	ヒトヘルペスウイルス3（水痘-帯状疱疹ウイルス）	水痘-帯状疱疹ウイルス感染後に，顔面神経麻痺を主徴とし，耳痛，難聴，めまいなどを合併する．	186
ウイルス性慢性疲労症候群	ヒトヘルペスウイルス4（Epstein-Barrウイルス）	著しい疲労を特徴とし，筋肉や関節の痛み，記憶や精神状態の障害，不眠などを伴う．EBウイルスの他，ヒトヘルペスウイルス6感染の関与も示唆されている．	186
先天性風疹症候群 congenitial rubella syndrome（CRS）	風疹ウイルス	妊娠初期に感染すると，50%以上の確率で発症する．白内障，難聴，先天性心疾患の合併の他，死産となることもある．	195
重症急性呼吸器症候群 severe acute respiratory syndrome（SARS）	SARSコロナウイルス1	急激な発熱，咳，呼吸困難などを伴う重症肺炎を呈する．2002年に中国から各国へ感染拡大した．死亡率は約10%．	198
中東呼吸器症候群 Middle East respiratory syndrome（MERS）	MERSコロナウイルス	急激な発熱，咳，呼吸困難などを伴う重症肺炎を呈する．2012と2016年に中東や欧州で流行した．2015年には韓国でも発生した．死亡率は約35%．	199
新型コロナウイルス感染症 coronavirus disease 2019（COVID-19）	SARSコロナウイルス2	急激な発熱，咳，呼吸困難などを伴う重症肺炎を呈する．死亡率は約2%である．2019年末からパンデミックを引き起こした．	199
後天性免疫不全症候群 acquired immunodeficiency syndrome（AIDS）	ヒト免疫不全ウイルス	ヒト免疫不全ウイルスが，CD4 T細胞やマクロファージに感染し，進行性の免疫不全を引き起こす．	203

* 原因として推察されている微生物を含む

第4章 口腔の感染症

Ⅰ　口腔微生物学の発展
Ⅱ　人体の正常フローラ
Ⅲ　口腔フローラ
Ⅳ　口腔内の主な微生物
Ⅴ　デンタルプラーク
Ⅵ　口腔免疫学
Ⅶ　う蝕
Ⅷ　歯周病
Ⅸ　その他の口腔関連微生物感染症
Ⅹ　口腔微生物と全身疾患
Ⅺ　歯科診療における感染防止

口腔微生物学の発展

1683年，Antonie van Leeuwenhoekは自らの開発した顕微鏡を用いて歯の表面に生息する微生物を最初に観察した．口腔微生物学はその意味では，顕微鏡の開発と同じく古い歴史を誇っている．しかしながら，口腔内の微生物が歯科医学の研究対象の一環として認識されたのは，それから約2世紀も後のことであった（**表4-1-1**）．現在では，う蝕 dental caries や歯周病 periodontal disease は口腔感染症として認識されている．また，全身疾患との関連性についての研究も近年，多くなされてきており，口腔微生物学の新しい局面を迎えている．

❶ う蝕の病因論と細菌学

米国生まれの歯科医師 Willoughby D. Miller（1853～1907，**図4-1-1**）はベルリン大学で，口腔細菌について精力的に研究を行った．1889年に『ヒト口腔の微生物』という研究書をドイツ語で，次いで翌年には英語版で出版した．

Millerはう蝕の病因の解明において，今日「化学細菌説」とよばれる学説を提唱した．化学細菌説とは口腔内の酸産生菌が食餌中の糖質を代謝し，生じた酸が歯の硬組織を溶解（脱灰）するためにう蝕が発生することである．しかし，この説は*Lactobacillus*属に大きな焦点を当てる結果となった．Millerはう蝕の細菌学研究においては，主として唾液を材料として用いてはいたが，口腔内からの細菌を純培養し，1つ1つの細菌について詳しい解析を行っていなかった．その結果，口腔内の酸産生菌へと研究者の注意が分散し，*Lactobacillus*属がう蝕の原因菌であるかのような風潮を生み出してしまった．その風潮は20世紀半ばを過ぎる頃まで大きな影響力を残した．

このように，唾液が口腔内の微生物源であるという認識がなされたため，歯の表面に生じる膜状構造物であるデンタルプラーク（以下，プラーク）の重要性を見出せずにいた．プラークの病因的意義を提唱したのはJohn L. Williams や Greene V. Black（1836～1915）であった．Blackはゼラチン様微生物プラーク gelatinous microbial plaque という用語の命名者であり，歯面に付着した微生物がう蝕や歯周病の原因になることを最初に示唆した．

う蝕の病因については，*Lactobacillus*属説が大勢を占める中，英国のJ. Kilian Clarke（1886～1950）はヒトの活動性う蝕病変部から特徴的な性状を示す一群のレンサ球菌を分離し，*Streptococcus mutans*と命名し，本菌がう蝕の原因菌であることを提唱した．

さらに，う蝕が細菌性の病気であることは，間接的な2つの実験で明らかになった．1つは無菌飼育したラットにはう蝕が生じないとしたFrank J. Orland（1917～2000）らの研究，もう1つはペニシリンを投与するとラットのう蝕の発生がほぼ抑制されるとするFiona J. McClureとWilliam L. Hewitt（1916～1993）による研究である．Orland一派はさらに，*Lactobacillus*属を無菌ラットに感染させてもう蝕は生じないが，レンサ球菌の中にはう蝕誘発能を示すものがあることを実験的に証明した．

米国国立歯学研究所の研究者Robert J. FitzgeraldとPaul H. Keyes（1917～2017，**図4-1-2**）は，う蝕の感染論に決着をつける成果を発表した．う蝕を自然発生するハムスターにペニシリン処理をすると，その子孫にはう蝕が生じないこと，しかしその子孫をう蝕を自然発生する元のハムスターと同じケージ内で飼育すると再びう蝕を生じるようになること，さらにう蝕を誘発するのは特定のレンサ球菌であることを証明した．

表4-1-1　口腔微生物学の歴史

年	研究者	業績
1889	W. D. Miller	「ヒト口腔の微生物」出版，「化学細菌説」の提唱
1897 1898	J. L. Williams G. V. Black	「プラークの病因的意義」を提唱
1924	J. K. Clarke	「*S. mutans*がう蝕原因菌である」ことを提唱
1954 1946	F. J. Orlandら F. J. McClure と W. L. Hewitt	う蝕が細菌性の疾患であることを実験で証明
1960	R. J. Fitzgerald と P. H. Keyes	う蝕の感染論に決着
1965	D. D. Zinner	*S. mutans*の再発見
1965	H. Löe	歯周病におけるプラークの重要性を証明
1970後半～	J. Slots S. S. Socransky	歯周炎におけるグラム陰性偏性嫌気性桿菌の関連性を証明

図4-1-1　Willoughby D. Miller（1853～1907）
う蝕の化学細菌説の提唱者．

図 4-1-2　ミュータンスレンサ球菌群の再発見とその後のう蝕病因研究に大きな影響を与えた Robert J. Fitzgerald（左）と Paul H. Keyes（右）

ヒトのう蝕病巣から採取したプラーク中に，動物のう蝕原性細菌と免疫学的に交差反応を示すレンサ球菌が Doran D. Zinner らにより発見され，Clarke が古くに発見していた *S. mutans* の再発見に導く道筋がつけられた．1960 年代後半から，1970 年代にかけて，米国，ヨーロッパ，日本で，今日，ミュータンスレンサ球菌群と総称されるう蝕原因菌の研究は一挙に進展した．

❷ 歯周病の病因と細菌学の寄与

歯周病は歯を取り巻く歯肉と歯周組織の炎症および歯槽骨の吸収を伴う疾患である．その病像は多彩で，古来多くの人々を悩ませてきた．古くは約 4 万年前のネアンデルタール人の化石において臼歯部での歯槽骨の吸収が確認されている．歯周病の原因についても全身説や局所説などさまざまな学説が提唱されてきた．初期の学説は臨床家の観察と経験から導き出されたものであり，特に歯石との因果関係は古くから注目されていた．20 世紀に入るとプラークの重要性が認識されるようになった．

歯周病の病因論としてプラークの重要性を証明する知見は，1965 年に Harald Löe（1926～2008）らによるヒト実験歯肉炎による研究によりもたらされた．彼らは，多数の歯学生を被験者とし，実験的に起こさせたプラークの沈着が例外なく歯肉炎を引き起こし，その除去が歯肉炎を消退させることを明確に示した．同時に彼らは，プラークの沈着に際し，経時的にプラークを構成する微生物の種類がダイナミックに変遷することを顕微鏡観察により示した．彼らの知見ではプラーク，特にプラーク中の特定の細菌種が，歯周炎の発生に重要である可能性を示唆しているが，決定的な証明ではなかった．

歯周病の病因論の研究にインパクトを与えたのは，細菌の嫌気培養法技術の進歩であった．口腔フローラ（口腔細菌叢），特に歯肉溝においては嫌気性菌が大きな比率を占めていることは理解されていた．口腔内から検体を採取した時点から，無酸素状態を維持し，嫌気条件下で培養すると，多くの偏性嫌気性菌が培養できることが明らかにされ，歯周病の病因論研究は歯周病原細菌の同定という段階に入った．

1970 年代後半，Jørgen Slots や Sigmund S. Socransky らは，活動性歯周炎の患部から採取したプラーク中にグラム陰性偏性嫌気性桿菌の比率が著しく高いことを，他のさまざまな部位のフローラとの比較から明らかにした．このような研究が契機となり，歯周炎の特定の病型と特定の細菌種との関連が提唱されるようになった．たとえば，慢性歯周炎における *Porphyromonas gingivalis* や侵襲性歯周炎における *Aggregatibacter actinomycetemcomitans* などである．

しかし，種々の歯周病に関連する病原細菌が同定されたが，歯周病の発症には一方的なこれらの細菌感染と侵襲ではなく，宿主側の免疫応答も重要であることが注目されるようになった．1980 年代に入ると，プラーク中の細菌が歯周組織細胞に作用し，種々のサイトカインや起炎性物質を産生させ，歯槽骨吸収を促すことが明らかになった．

1990 年代に入ると，歯周病を惹起する微生物の検出は操作が煩雑な培養法に代わって，遺伝子レベルの検出法が用いられるようになった．サイトカインの産生性なども分子レベルで解析できるようになった．特に免疫応答の過程で骨吸収における破骨細胞や骨芽細胞の関連性などの解析が盛んになされている．また，2000 年代に入ると，塩基配列解読法の著しい進歩により，う蝕原因菌や歯周病原細菌などを含め，多くの細菌種の全遺伝子情報が明らかになった．この情報は個々の細菌種の病原性解析，フローラ解析などの研究を推進した．しかし，歯周病発症のメカニズムについては，明確な答えは出ておらず，今後のさらなる研究に委ねられている．

❸ 全身疾患と口腔細菌

歯周病に関する研究が進んでいく中で，歯周病と全身疾患の関連性の解析という新たな研究が展開され始めた．抜歯後などに一過性に口腔レンサ球菌などが血中に入り菌血症を起こし，ときとして亜急性心内膜炎などを引き起こすことが知られていたが，近年，歯周炎局所のプラーク中の細菌，特に歯周病原細菌が血中に侵入し，菌血症を起こすことで，動脈硬化症，低体重児や早産，糖尿病の発症（増悪）と関連する可能性などが報告されている．また，要介護者や入院患者などの口腔細菌による誤嚥性肺炎の発症予防において，口腔ケアの重要性が提唱されている．

（小松澤　均）

II 人体の正常フローラ

① フローラとは

子宮内は無菌環境と考えられており，ヒトは胎内に存在するときは，通常無菌状態であるが，出産と同時に産道，医療関係者，近親者を介して外環境中のさまざまな微生物に曝される．その結果，各種の微生物が定着し，一定の微生物群が認められるようになる．これらを正常（常在）フローラ normal flora または固有フローラ indigenous flora とよんでいる．フローラ flora は生物学的には，ある地域に分布・生息する植物のすべての種類（植物相）を意味する用語として使われてきたが，これを微生物に当てはめて使われている（微生物叢，細菌叢ともいう）．

外界と接する皮膚や体腔表面（消化管，呼吸器，泌尿器）の微小な環境にユニークな生息部位（ニッチ niche）が形成される（**表 4-2-1**）．これらは主に真正細菌であるが，真菌や原生生物なども含まれ，ヒトの体細胞数（数十兆：10^{13} オーダー）をはるかに超える．したがってヒトは，出生とほぼ同時に微生物との共生 symbosis 状態のもとで生命の営みを開始する．

正常フローラの構成の種類，比率は，年齢，生活環境，食習慣などによる影響を受けるものの，その定常領域ではほぼ一定しており，一時的に排除されても，ただちに補充され，元の状態に回復する．正常フローラは，生体防御機構とのバランスを維持しており，通常は宿主に害を与えないが，このバランスが崩れた場合，正常フローラを構成している微生物による宿主への感染が生じることがある．これを内因性感染 endogenous infection とよび，生体外から侵入した微生物によって生じる外因性感染と区別している．広域の抗菌薬投与などにより正常フローラが抑制されると，通常は少数しか存在していない薬剤耐性菌や真菌が過増殖し（菌交代現象），感染症を発症することがある．

表 4-2-1　身体に生息する微生物の量

組織	定着している細菌（g 湿重量）
眼	1
口腔内	10
呼吸器	20
膣	20
皮膚	200
腸管	1,000

湿重量の 90% は水分と考えると，理論的には眼には最大総数 10^{11}，腸管には 10^{14} オーダーの細菌がいると推定できる．
（Wilson M：Microbial Inhabitants of Humans. Their ecology and role in health and disease. Cambridge University Press, 2005. を改変）

さらに，生体防御機構が脆弱になると内因性感染のリスクは高くなる．このように正常フローラは，生体に対して，諸刃の剣的な作用を示す（**表 4-2-2**）．たとえば，先天性免疫不全患者，がんに対する化学療法を受けている患者，臓器移植後の免疫抑制療法を受けている患者，重症の熱傷患者などは，免疫機能の低下がみられ，易感染性宿主 compromised host とよばれるが，このような場合，健常者に対して通常病原性を発揮しない弱毒微生物によって，日和見感染 opportunistic infection が引き起こされる．医療技術の進歩に伴う重篤疾患患者の延命傾向や，老齢層の増加に伴い，日和見感染の発生の機会が増えており，現在では社会的問題となっている．

② 人体の各部位の主なフローラ

正常フローラは皮膚，口腔，鼻，胃，腸管，膣など全身にわたるが，その種類や菌数，組成比は生息部位によって異なり，それぞれ固有のフローラが形成されている（**表 4-2-3**）．

1）皮膚

成人の皮膚は，面積にすると 1.6 m^2 あり，重量は約 16% を占めている．皮膚は外部環境との接点として，水分の喪失や透過を防ぎ，体温調節に関与することに加え，物理化学的刺激に対するバリアや感覚器など多彩な機能を有している．皮膚の多くの部位は温度変化が著しく，乾燥し高浸透圧状態となり，常に塩濃度が高い環境であることから，グラム陽性菌が多く，*Staphylococcus* 属，*Cutibacterium* 属，*Corynebacterium* 属が普遍的にみられる．また数は少ないが，真菌である *Malassezia* 属，*Candida* 属も生息している．

表 4-2-2　正常フローラの生体への影響

生体に有利な点	生体に不利な点
・外来性の病原微生物の侵入，定着に拮抗する ・免疫系を刺激し，宿主の感染抵抗力や免疫応答力を増強する ・ビタミン類を合成し，生体に提供する	・易感染性宿主に感染症を起こすことがある（日和見感染） ・抗菌薬などにより，正常フローラが死滅，減少すると，常在しているわずかな病原微生物が優勢となる（菌交代現象） ・本来の箇所で病原性を発揮しない常在微生物が別の箇所で病原微生物となりうる（異所性感染）

表 4-2-3　人体の主な正常フローラ

部位	フローラの主な微生物			細菌数
	グラム陽性菌	グラム陰性菌	その他	
皮膚	*Staphylococcus* 属 *Cutibacterium acnes* *Corynebacterium* 属		*Candida albicans* *Malassezia* 属	10^3～10^4/cm^2 (脇の下や会陰では多く 10^6/cm^2)
鼻・鼻咽頭, 口腔咽頭（上気道）	*S. aureus* *S. epidermidis* *S. pneumoniae* *Corynebacterium* 属 口腔レンサ球菌	*Haemophilus influenzae* *Neisseria meningitidis* *Moraxella catarrhalis*		10^5～10^7/mL
胃		*Helicobacter pylori*		10^3/mL 程度
小腸上部（十二指腸）				10^3/mL 以下
小腸下部（回腸）	*Enterococcus* 属 *Lactobacillus* 属	*Bacteroides* 属		10^6～10^8/mL
大腸	*Eubacterium* 属 *Bifidobacterium* 属 *Peptococcus* 属 *Enterococcus* 属 *Lactobacillus* 属 *Clostridium* 属	*Bacteroides* 属 *Escherichia coli*		10^{11}/g 糞便
膣	*Lactobacillus* 属 *Staphylococcus* 属 *Streptococcus* 属 *Corynebacterium* 属	*Bacteroides* 属	*Candida albicans*	10^8～10^9/mL 粘液
泌尿器	*Streptococcus* 属 *Enterococcus* 属	*Escherichia coli*		10^5 以下 /mL 中間尿

皮膚は外界に直接接しているため，表層は主として好気性菌が生息し，コアグラーゼ陰性ブドウ球菌が最もよくみられる．その 50％は *Staphylococcus epidermidis* と考えられている．また，食中毒や内因性感染の原因菌となる *Staphylococcus aureus* も検出される．一方，毛包や脂腺など空気が希薄な部位には，嫌気性菌が生息している．皮膚における嫌気性菌では *Cutibacterium*（旧名：*Propionibacterium*）*acnes* が最優位で，これは鼻腔においても同様である．*C. acnes* は，リパーゼを分泌し，皮脂内の脂質が加水分解され，遊離脂肪酸となり，皮膚表面は弱酸性に維持される．皮膚のフローラと生理機能との相互作用について，近年，分子レベルの解析が進んでおり，創傷治癒をはじめ，アトピー性皮膚炎や乾癬との関連が報告されている．

2）鼻と鼻咽喉・上気道

呼吸器の入口である鼻腔や咽頭は，多数の微生物が定着する部位である．グラム陽性菌が多く，グラム陰性菌は比較的少ない．優勢菌種である *S. aureus* は，他のブドウ球菌と比べると，高濃度の食塩水中でも増殖が可能であり，平均 40％の人が鼻前庭粘膜に正常フローラの 1 つとして保持している．保有率は年齢，民族，性，遺伝的要因などによる影響を受けるものの，一般的に乳幼児と男性に多く，院内感染の感染源としても重要視されている．

その他に鼻腔には，*S. epidermidis*，*Streptococcus pneumoniae* などが生息している．さらに咽頭部では，口腔レンサ球菌が多く検出されるが，その他に *Neisseria* 属，*Haemophilus* 属，*Corynebacterium* 属などが常在している．鼻咽腔・上気道の細菌学的特徴として，特に乳幼児で *S. pneumoniae*，*Haemophilus influenzae*，*Moraxella catarrhalis* などが分離されることがあり，肺炎や中耳炎の起因菌となりうる．

3）胃

胃内は，胃酸（pH 1～2）の分泌により強い酸性環境にあり，空腹時における生菌数は 10^3/mL 程度とごくわずかである．食事とともに一時的に細菌数は増加するが，これは明らかに唾液由来のフローラであり，主に酸耐性の *Streptococcus* 属や *Lactobacillus* 属である．このように胃酸が腸管系の感染に対する防御因子として重要であることを示す事例として，胃の摘出により，腸炎が誘発されることが知られている．また胃酸分泌抑制薬服用者では，胃液酸性度の低下に比例して，常在細菌数が増加する．近年，グラム陰性のらせん菌であり，胃酸中和能を有する *Helicobacter pylori* が，世界人口の約半数の人々の胃粘膜面に生息していると報告され，慢性胃炎と消化性潰瘍の原因菌といわれている．さらに，胃がんとの関連も指摘されている．

4）腸管

小腸（十二指腸，空腸，回腸）での常在細菌数は大腸と比較するとはるかに少ない．特に，上部小腸である十二指腸は微生物の定着には不適当な領域とされる．その理由として低いpH，激しい蠕動運動を伴った食物の流れ，小腸分泌液，胆汁酸，消化酵素などの存在があげられるが，部分消化された食物の蠕動運動が阻害されると細菌数が増加することから，蠕動運動による影響が大きいと考えられている．サンプリングが困難な部位であり，わずかな研究報告にとどまるが，胃から食物が移行して1時間以内の生菌数は10^3/mL以下と胃の細菌数よりも少なくなる．

空腸においても膵液や胆汁の分泌などの影響により，*Lactobacillus*属などが10^4/mL以下検出されるのみである．しかし，回腸に至ると蠕動運動が低下し，胆汁酸も空腸で回収されるため，pHは中性〜アルカリ性に移行する．そのため，回腸に近づくに連れて細菌数は対数的に増加し，総菌数で10^6〜10^8/mLに達する．通性嫌気性の*Enterococcus*属，*Lactobacillus*属が多く，嫌気性菌の数十倍にのぼる．逆に，回腸粘膜面では，通性嫌気性菌よりも嫌気性菌の占める割合が数十倍多く，特に*Bacteroides*属はそのうち約10%を占める．これらのフローラは，健常者では比較的安定している．

大腸では菌数は著しく増加し，その構成はほぼ糞便と同様である．大部分が嫌気性であり，糞便成分の約30%は細菌で占められている．特に*Bacteroides*属，*Eubacterium*属，*Bifidobacterium*属，*Peptococcus*属などの嫌気性菌が優勢で，成人の糞便1g中に，10^{11}が生息している．また，*Enterococcus*属や*Lactobacillus*属などの通性嫌気性菌も10^8/g程度存在する．腸管蠕動運動は，内容物の移動速度を決定し，腸管各部の菌叢構成に影響を与え，排便は，腸内フローラの全体数のバランスを保つために有用である．腸管のフローラの研究は，主に採取が容易な糞便を使用したものが中心で，大腸上部のサンプル採取は難しく，特に粘膜上の細菌の研究例は少なく，正確な菌種，菌数については依然として不明な点が残っている．腸内に少数しか存在しない菌種を含めた腸内フローラの包括的分子生物学的定性定量解析法による研究が期待されている．

大腸フローラは，摂取した食物の中で，小腸までに消化，吸収されなかった多様な成分を分解してエネルギーを得ている．デンプンなどを発酵，分解している細菌に加えて，多くの大腸フローラは，タンパク質やペプチドを主な窒素源として，保有する加水分解酵素を用いてタンパク質を分解する．その結果，多様な代謝産物が生成されるが，中でも，酢酸，プロピオン酸，酪酸が主たる短鎖脂肪酸として検出される．短鎖脂肪酸の熱量は8.3 kcal/gと算定されることから，これらの脂肪酸は主たる重要なエネルギー源となっている．

出生直後の糞便は原則として無菌であるが，その3〜4時間後には，微生物が腸内に定着を始める．哺乳後，細菌数は急激に増加し，生後1日目には，ほとんどの新生児の糞便内に，*Escherichia coli*や*Streptococcus*属，*Lactobacillus*属，*Clostridium*属の細菌が検出されるようになり，

表 4-2-4　1週齢の乳児の糞便フローラ

検出された細菌	生菌数（10^n/g）	
	母乳	粉ミルク（人工乳）
*Bifidobacterium*属	9.0	7.8
*Bacteroides*属	7.3	7.4
*Clostridium*属	3.5	5.1
*Enterobacterium*属	7.5	8.3
*Lactobacillus*属	ND	ND
*Streptococcus*属	7.1	7.7

一般的に，母乳か粉ミルクで育てられた乳児の差は，離乳が始まるとなくなる．

ND：この研究では調べられていない．

表 4-2-5　成人の糞便フローラ

	菌数（10^n/g）	検出頻度（%）
総菌数	11.2	
*Bacteroides*群*	10.9	100
*Eubacterium*属	10.4	100
*Peptococcus*属	10.2	100
*Bifidobacterium*属	10.0	100
*Megasphaera*属	9.7	33
*Clostridium*属	9.5	67
*Streptococcus-Enterococcus*属	7.9	100
腸内細菌群（大腸菌など）	7.8	100
*Veillonella*属	7.4	79
*Lactobacillus*属	5.8	91

* *Fusobacterium*属を含む

レンサ球菌や腸内細菌群は主要な細菌として常に検出されるが，総菌数の1%以下に過ぎない．（Mitsuoka T：Intestinal flora and aging. *Nutr Rev*, **50**(12)：438〜446, 1992. を改変）

総菌数は10^{11}/gを超える．生後3日目頃，*Bifidobacterium*属が出現し始める一方で，すでに出現していた菌群は減少し始め，4〜7日目には*Bifidobacterium*属が10^{10}〜10^{11}/gのレベルで最優勢となり，腸内フローラのバランスはいったん安定する．人工乳で育てた乳児と比較して，母乳で育てた乳児は*Bifidobacterium*属が多く，*Clostridium*属や腸内細菌群が少ない傾向がある（**表 4-2-4**）．これは，母乳のほうがpH緩衝作用が弱く，腸管内が酸性に傾く結果（pH 5.1），*Bifidobacterium*属が多くなるためであると考えられている．その差は，離乳とともになくなり，腸内フローラはグラム陰性菌優勢の成人のパターンに変化していく．

加齢に伴い糞便中のフローラは変化し，成人では主に*Bacteroides*属，*Eubacterium*属，*Bifidobacterium*属，*Peptococcus*属が多く検出されるようになる（**表 4-2-5**）．*E. coli*を含む腸内細菌目細菌も生息するが，1gあたり10^8以下と総数の1%程度に満たない．やがて，老年期に入ると*Bifidobacterium*属が減少し，まったく検出されない個体もみられるが，一方で，*Clostridium*属が顕著に増

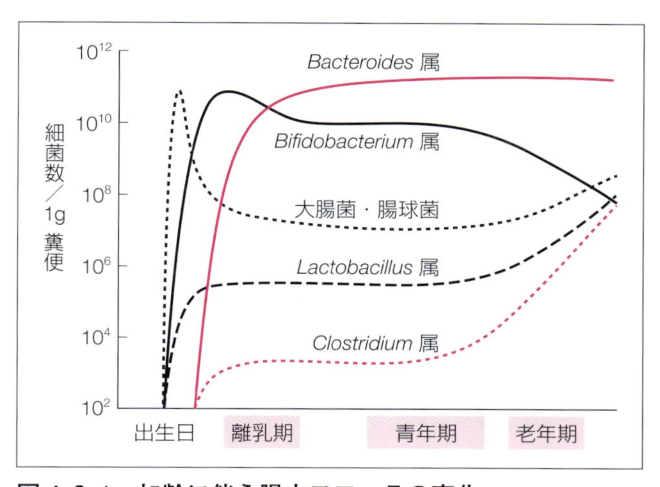

図 4-2-1　加齢に伴う腸内フローラの変化
（光岡知足：腸内菌叢研究の歩み．腸内細菌誌，**25**：113 〜 124，2011. を改変）

加する（**図 4-2-1**）．いずれにしても，腸内フローラは，難消化性多糖の分解，代謝，必須栄養素の生産，免疫系の成熟などの種々の生理活性を有しており，宿主であるヒトの健康に深く関連すると考えられている．

5）膣

膣分泌液中には，平均して 10^8〜10^9/mL の細菌が存在し，嫌気性菌の割合が高い．膣内のフローラは性ホルモンの影響を強く受けている．思春期以降，エストロゲンの作用によって，上皮細胞にグリコーゲンが蓄積するようになると，これを利用する *Lactobacillus* 属をはじめとする乳酸産生細菌が生息し，膣内を酸性（約 pH 5）に保ち，外来病原細菌の定着や増殖を妨げる働きをしている．このような自浄作用を示す乳酸桿菌をデーデルライン桿菌 Döderlein's bacillus とよぶ．

膣フローラにはさまざまな細菌が定量的に検出されるが，通性嫌気性菌の中では *Lactobacillus* 属が最も多く，その他に *S. epidermidis* や *Streptococcus* 属，*Corynebacterium* 属が生息する．偏性嫌気性菌では，グラム陽性菌の *Lactobacillus* 属，*Peptococcus* 属，*Peptostreptococcus* 属などが，グラム陰性菌では *Bacteroides* 属が優勢である．その他，*Candida albicans* などが見出される．

膣フローラは，年齢と性成熟度，月経周期，性生活，妊娠と避妊，閉経などの諸事情で変動が大きい．加齢や妊娠などによって膣上皮へのグリコーゲンの貯蔵が低下したり，中断されたりすると，デーデルライン桿菌の発育が止まり，膣の酸性度が低下して中性やアルカリ性に変化するため，*Staphylococcus* 属や *Streptococcus* 属などが増殖し，さまざまな感染症の原因となる．

6）泌尿器

健常者では，腎臓，尿管，膀胱は無菌である．男性は下部尿道のみに細菌が定着する．女性は下部に多いが，尿道全域に定着している．*Streptococcus* 属，*Enterococcus* 属，*E. coli* を中心とする腸内細菌，*Bacteroides* 属，場合によっては *Micrococcus* 属などが検出される．排尿時の尿道粘膜面の「洗浄」は，強い付着能をもつ細菌を選択する．健常者尿中の細菌数は 10^4/mL 以下であり，初期排尿後に採取した中間尿中に 10^5/mL 以上の生菌が検出されると，尿路感染が疑われる．尿路感染を引き起こす細菌は，通常 *E. coli* など，腸管由来細菌である．また，院内感染で多くみられる尿路感染は，その多くは膀胱カテーテルを留置されている患者で起こる．

（有吉　渉）

口腔フローラ

1 口腔微生物の生態系

口腔領域から500種に及ぶ菌種が分離同定されているが，現在では16S rRNAを標的とした解析から，さらなる多くの菌種の存在が示唆されている．口腔は，生理学的（湿度，温度，pH，酸素分圧），栄養学的（唾液，歯肉溝滲出液）にも，微生物の増殖に非常に適した環境であり，特有の生息場所（ニッチ niche）を求めて，細菌が定着・増殖し，それぞれの部位で特有のフローラ flora（細菌叢，微生物叢）を形成している．唾液，口腔粘膜（口蓋粘膜，頰粘膜，舌表面），歯の表面（咬合面，平滑面，隣接面），歯肉溝といった口腔の特殊な解剖学的構造により好気的環境や嫌気的環境が形成されているため，他部位の常在フローラと比較して，きわめて多様な細菌種が生息している．

口腔内には3大唾液腺（耳下腺，顎下腺，舌下腺）があり，分泌される唾液総量は1日あたり1〜1.5 Lとされ，その流速は1時間あたり1〜100 mLと幅が広い．しかも，食事や飲料などの摂取により大きく変動する．唾液には，固有のフローラが存在するわけではなく，口腔内の各部位のフローラ（特に舌表面）から遊離した細菌が10^8/mL程度存在する．

舌表面では，**表4-3-1**に示すように，グラム陽性通性嫌気性球菌が優勢であり，多くは*Streptococcus*属が分離され，*Streptococcus mitis*，*Streptococcus sanguinis*が報告されている．特に*Streptococcus salivarius*は，口腔粘膜部位のフローラと比較して割合が高い．他に，*Veillonella*属，*Actinomyces*属などが検出される．

口腔粘膜において大部分を占める菌種は，*Streptococcus*属と*Actinomyces*属などである．頰粘膜では，*Streptococcus*属が多くを占め，*Actinomyces*属，*Haemophilus*属が検出される．*Streptococcus*属では，*S. mitis*や*S. sanguinis*，*S. salivarius*などが分離されている．細菌以外では，真菌の*Candida*属は，正常口腔粘膜から分離される頻度は低いが，義歯装着患者などで検出頻度が高くなる．

口腔清掃を怠ると，歯面の細菌は急速に増加し，密集した細菌の集団を形成し，デンタルプラーク dental plaque（以下，プラーク）と呼称される特有の生態系をつくる．プラーク1 gあたり約10^{11}の細菌が存在していると報告され，これはほぼ大腸に存在している細菌数に匹敵する数である．歯面では，グラム陽性通性嫌気性球菌の割合は，口腔粘膜や舌表面と比較して半減し，グラム陽性通性嫌気性桿菌あるいはグラム陽性偏性嫌気性桿菌の割合が増加する．

一方，歯肉溝は他の口腔内部位と異なった生理学的空間を有している．特に，歯肉溝滲出液が分泌されていることで，この部位のフローラは嫌気性菌の割合が高くなり，深部に至るほど，その傾向は顕著になる．

いずれの部位においても，*Streptococcus*属は最大の比率を占めており，口腔フローラ oral floraを大きく特徴づけている．その比率は，培養可能菌数の約1/3前後にも及ぶ．しかし，よくみると，同じ*Streptococcus*属とはいえ，それぞれの部位ごとに菌種レベルでは大きな違いが認められる．たとえば，*Streptococcus mutans*は主として歯面に生息し，舌背や唾液中ではその数は少ない．反対に*S. salivarius*は，舌背や唾液中に多数認められる．*S. sanguinis*，*Streptococcus oralis*，*Streptococcus gordonii*，*S. mitis*などは歯の表面に高率で分布しているが，口腔内のいろいろな部位に広く分布している．

グラム陰性偏性嫌気性球菌である*Veillonella*属は，舌背や唾液では非常に高レベルで生息している．同じく嫌気性桿菌は，グラム陽性・陰性を問わず，歯肉溝，次いで歯面で高比率に認められる．これらの菌群の増加は，歯肉炎や歯周病の発症と関連している．運動性らせん状菌である口腔スピロヘータは，歯肉溝フローラの中で特徴的な細菌である．

表4-3-1　ヒトの口腔フローラの各部位における細菌分布

細菌群		細菌の分布（%）			
		口腔フローラの部位			
		唾液	舌背	歯面（プラーク）	歯肉溝
球菌	グラム陽性通性嫌気性球菌	46.2	44.8	28.2	28.8
	レンサ球菌	41.0	38.3	27.9	27.1
	ミュータンスレンサ球菌群	±	−〜+	±〜+++	−〜++
	ミティスレンサ球菌群	++	++	+++	++
	*S. salivarius*群	+++	+++	−	−
	*S. milleri*群	−	−	+	++
	グラム陽性偏性嫌気性球菌	13.0	4.2	12.6	7.4
	グラム陰性通性嫌気性球菌	1.2	3.4	0.4	0.4
	グラム陰性偏性嫌気性球菌	15.9	16.0	6.4	10.7
桿菌	グラム陽性通性嫌気性桿菌	11.8	13.0	23.8	15.3
	グラム陽性偏性嫌気性桿菌	4.8	8.2	18.4	20.2
	グラム陰性通性嫌気性桿菌	2.3	3.2	—	1.2
	グラム陰性偏性嫌気性桿菌	4.8	8.2	10.4	16.1
スピロヘータ		—	—	—	1.0

（Hamada S and Slade HD：Biology, Immunology, and cariogenicity of *Streptococcus mutans*. *Microbiol Rev*, **44**(2)：331〜384, 1980.）

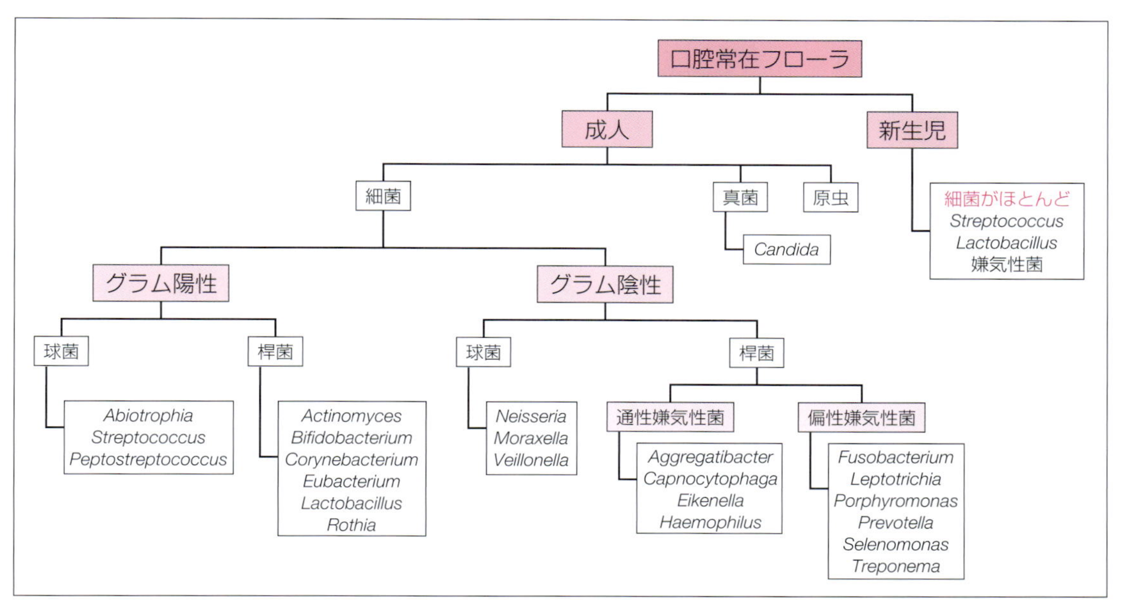

図 4-3-1　主な口腔常在フローラ
（Patil S et al.：Oral Microbial Flora in Health. *World Journal of Dentistry,* **4**：262〜266, 2013. と Marsh PD：Role of the Oral Microflora in Health. *Microbial Ecology in Health and Disease,* **12**：130〜137, 2000. を改変）

② 口腔フローラの成立と成熟

1）口腔フローラの成立

胎児の口腔内は無菌である．しかし，産道フローラ（乳酸桿菌：*Lactobacillus* 属など）が，分娩時に口腔内に侵入することなどにより，最初の細菌曝露を受ける．これらの産道常在細菌は，口腔内に定着することはほとんどない．新生児の母親や家族の唾液や皮膚のフローラは新生児の主たる感染源になっており，新生児からは，通性嫌気性菌である *Streptococcus* 属や，*Staphylococcus* 属，*Neisseria* 属，*Veillonella* 属などが分離されるが，口腔環境に適応できた細菌だけが生き残り，常在口腔フローラを形成することになる．新生児と母親から分離された菌株の性状や DNA の特徴を解析したところ，新生児の口腔フローラの形成に母子間の垂直感染が関与していることが，多くの研究結果から明らかとなっている．しかし，成人から新生児へ多くの種類の菌が侵入しても，口腔環境に付着能をもたない多くの菌種は通過菌となり，口腔内に定着できる菌種はきわめて限定されている．

新生児口腔内へ最初に定着する菌種は，先駆細菌 pioneer bacteria とよばれ，先駆細菌群落 pioneer bacterial community を形成する．このコミュニティは，日時の経過とともに増大していくが，菌の定着部位である上皮の剝離や，舌や頰粘膜の運動による物理的な力，唾液の分泌などの外的環境の影響を受け，コミュニティ自体が消失し大幅に減少することもある．

新生児口腔における先駆細菌種は，口腔レンサ球菌群の一種である *S. salivarius* や皮膚フローラの *Staphylococcus epidermidis* などで，これらが主たる構成菌となっている．生後 1 日も経過しないうちに，*S. salivarius* は口腔粘膜に定着増殖する．それとともに，定着部位周辺の pH や栄養状態，酸化還元電位の低下などの変化がみられる．この環境の変化により，構成菌種が質的・量的に複雑になると，フローラに変化が起こる．新生児口腔における早期定着細菌は，口腔レンサ球菌群以外に *Staphylococcus* 属，*Neisseria* 属，*Veillonella* 属などが多くみられるが，いずれも口腔粘膜に付着定着することができる．また，*Actinomyces* 属，*Lactobacillus* 属，*Fusobacterium* 属などの菌種も高頻度に分離される．グラム陰性偏性嫌気性桿菌はやや遅れて定着するが，乳歯の萌出後に急速に増加する．これは，歯の萌出に伴う歯肉溝や歯周ポケットの形成による嫌気的環境の出現によるものである．最終的には，きわめて多彩な菌種よりなる安定なコミュニティが生じ，動的平衡状態を保った正常なヒトの口腔フローラが形成される（**図 4-3-1**）．

2）口腔フローラの修飾と成熟

新生児における口腔フローラの成立は，半年後に訪れる歯の萌出により大きな変化を受けることになる．歯の萌出は，口腔内に新たに広い面積の固体表面を提供する．歯の平滑面，小窩裂溝部，さらには硬組織と粘膜上皮細胞の接点である歯肉溝の出現により，口腔環境が劇的に変化し，各部位で微生物は共存・競合を繰り返し，フローラを形成する．

歯の萌出後まもなく，歯の表面に唾液中の糖タンパク質が吸着し，獲得ペリクル acquired pellicle といわれる薄膜（0.3〜1 μm）が形成される．そして，ペリクル面に口腔

表 4-3-2 初期プラークと成熟プラークの比較

性状	初期プラーク	成熟プラーク
グラム染色像	グラム陽性菌が優勢	グラム陰性菌の増加
構成細菌	好気性球菌，レンサ球菌などの通性嫌気性球菌	レンサ球菌，グラム陽性桿菌，偏性嫌気性桿菌，スピロヘータなど
酸素感受性	通性嫌気性菌が多い	通性および偏性嫌気性菌
運動性菌	ほとんど認められない	経日的に増加する
病原性	認められない	う蝕や歯肉炎の病因となりうる

表 4-3-3 歯肉縁上プラークと歯肉縁下プラークの比較

性状	歯肉縁上プラーク	歯肉縁下プラーク
グラム染色像	グラム陽性菌が多い	グラム陰性菌が増加
構成細菌の特徴	球菌（レンサ球菌），放線菌，線状菌が優勢	桿菌，スピロヘータが増加する
酸素感受性	通性嫌気性菌が多い	偏性嫌気性菌が優勢
エネルギー源	炭水化物（唾液）	タンパク質など（歯肉溝滲出液）
運動性菌	少ない	多い
病原性	う蝕や歯肉炎の原因となりうる	歯肉炎や歯周炎の原因となりうる

細菌が定着・増殖することで，細菌が集合したプラークが形成される．プラークは，発生から成熟に至るまで，複雑な過程を経て変化する特徴的なフローラである．

歯の硬組織に最初に定着するのは，一群の口腔レンサ球菌，特に *S. sanguinis*，*S. gordonii*，*S. oralis*，*S. mitis* などである．これらの菌の定着や菌体外物質（菌体外多糖など）を足がかりとして，*Actinomyces* 属（*Actinomyces oris* や *Actinomyces naeslundii*）やグラム陰性偏性嫌気性球菌（*Veillonella* 属など）が歯面フローラのメンバーに加わる．さらに，*Corynebacterium* 属や *Rothia* 属が加わる．う蝕の原因となるミュータンスレンサ球菌群も，生後19〜33か月の間に現れるといわれ，その保有率も増加する．

歯肉溝では，唾液成分よりも血清成分が多く存在するようになり，血清由来のペリクルが形成される．正常な歯肉溝では，*Streptococcus* 属（*Streptococcus anginosus* や *S. mitis* など）や *Actinomyces* 属が，約70%占める割合で検出される．これらに引き続き，血液寒天培地上で黒色の集落を形成する *Prevotella* 属や *Porphyromonas* 属，あるいは口腔内スピロヘータのような活発な運動能を有するらせん状菌を含むグラム陰性嫌気性桿菌群がプラークに入り込み，*Streptococcus* 属の相対的な比率を減じながら増加していく．思春期以降には，pH，酸素分圧，栄養，唾液分泌などの影響を強く受けながら，歯肉溝フローラは大きく変化する．

このようにして成立したプラークは，動的な平衡状態を維持したコミュニティを形成し，成熟していく．初期プラークと成熟プラークの間には，構成菌種や潜在的な病原性に明らかな違いがある（**表 4-3-2**）．プラークは，肉眼的に直視可能な歯肉縁上 supragingival のみならず，根尖に向けて歯肉縁下 subgingival にも生じるが，歯の萌出により生じた歯肉溝が主として歯肉縁下プラーク発生の場となる．特に，永久歯の生えそろった思春期以降には，歯肉縁下プラークは複雑なフローラを形成する．なかでも嫌気性菌が優勢となり，スピロヘータやその他の運動性菌も増加する（**表 4-3-3**）．

生活習慣は，口腔フローラの構成に大きな影響を及ぼす．多量の糖摂取は，菌数増加だけでなく，構成細菌の代謝産物（酸）によるう蝕を誘発する．睡眠時や，薬剤の服用，頭頸部の放射線治療による唾液腺機能低下などにより起こる唾液量の減少は，フローラの総菌数の増加を招く．口腔細菌数には，日内変動がみられ，さらに食前と食後を比較すると，フローラの菌数には大きな違いがみられる．それは，食事に伴う咀嚼運動により唾液分泌は亢進し，嚥下による口腔フローラの細菌の多くの部分が食物とともに失われるためと考えられている．また，睡眠時間中は，唾液の液量減少や，嚥下回数も減少するため，起床時には細菌数が最大になる．一方，抗菌薬の投与は，フローラを構成する菌数を大幅に下げることになる．投与が長期にわたると，フローラの恒常性が失われ，抗菌薬に非感受性の真菌などが著しく増殖し，いわゆる菌交代症が引き起こされる．また，全部床義歯などの装着は，真菌類に新たな増殖の場を付与することになる．

（沖永敏則）

口腔内の主な微生物

A グラム陽性菌

❶ 口腔レンサ球菌

口腔内には数多くの細菌が存在するが，その中で最も多いものがレンサ球菌であり，歯肉縁上プラークや唾液中に多く検出される．口腔には複数のレンサ球菌種が存在し，総称して口腔レンサ球菌とよぶ．レンサ球菌の分類法として細胞壁多糖の特異性による血清群別（Lancefield 分類）があるが，口腔レンサ球菌ではこの分類に該当しないものが多くある（**表 4-4-1**）．

口腔レンサ球菌は通性嫌気性のグラム陽性球菌であり，鑑別には，これまでの生化学的手法（アルギニン分解能，糖発酵能，グルカン合成能など）に加えて，遺伝的手法が用いられている．特に，16S rRNA やデキストラナーゼなどの遺伝子の菌種特異的な塩基配列をターゲットとした遺伝子の同定による方法が用いられている．

口腔レンサ球菌は 16S rRNA の塩基配列に基づきミュータンス菌群 mutans group，ミティス菌群 mitis group，サリバリウス菌群 salivarius group，アンギノーサス菌群 anginosus group の 4 つに大分されている（**表 4-4-1**，☞ p.141 **図 3-1-2** 参照）．口腔レンサ球菌は通性嫌気性菌であるが，特に CO_2 存在下での環境下でよく発育する．

近年，ゲノム解読技術の著しい進歩により多くの微生物の全塩基配列の解読がなされている．*Streptococcus* 属のゲノム全塩基配列も *Streptococcus pneumoniae* が最初に報告されて以降，多くのレンサ球菌種で明らかになってきている．*Streptococcus* 属のゲノムサイズは 2 Mbp 前後であり，大腸菌（5 Mbp 前後）や *Staphylococcus* 属（2.5〜3 Mbp）などと比較すると小さい．口腔レンサ球菌では *Streptococcus mutans*，*Streptococcus gordonii*，*Streptococcus sanguinis*，*Streptococcus salivarius* など多くの細菌種の全塩基配列が明らかにされている．*S. mutans* UA159 株のゲノムサイズは約 2 Mbp であり，1,963 個の遺伝子が同定され，その中には未知の病原因子も含まれる．したがって，このようなゲノム情報は口腔レンサ球菌のより詳細な性状解析につながることが期待される．

口腔レンサ球菌の分離には Mitis-Salivarius 寒天培地

表 4-4-1　主要な口腔レンサ球菌の分類と性状

菌群	Lancefield 群抗原	溶血反応	由来	エスクリン分解能	アルギニン分解能	糖分解能	
						マンニトール	ソルビトール
ミュータンス菌群							
S. mutans	−/E	γ	ヒト	+	−	+	+
S. sobrinus	−	α	ヒト	±	−	+	±
S. criceti	−	α/γ	ハムスター	±	−	+	+
S. downei	−	γ	サル	−	−	+	±
S. ratti	−	γ	ラット	+	+	+	+
S. macacae	−	γ	サル	+	−	+	+
S. ferus	−	γ	ラット	+	−	+	+
ミティス菌群							
S. mitis	−/K/O	α	ヒト	−	±	±	±
S. oralis	−	α	ヒト	ND	−	−	±
S. gordonii	−/H	α	ヒト	−	+	−	±
S. sanguinis	−/H	α	ヒト	−	+	±	±
S. parasanguinis	−/C/F/G	α	ヒト	−	+	−	−
S. pneumoniae	−	α	ヒト	ND	+	±	−
S. cristatus	−	α	ヒト	−	+	−	−
サリバリウス菌群							
S. salivarius	K/−	γ	ヒト	+	−	−	−
S. thermophilus	−	γ	ミルク	−	−	−	−
S. vestibularis	−	γ	ヒト	ND	−	−	−
アンギノーサス菌群							
S. anginosus	−/A/C/F/G	α/β/γ	ヒト	+	+	−	±
S. constellatus	−/A/C/F/G	α/β/γ	ヒト	+	+	−	±
S. intermedius	−/C/F/G	α/β/γ	ヒト	+	+	−	±

±：菌株によって異なる，ND：未同定

表 4-4-2 Mitis-Salivarius（MS）寒天培地の組成（培地1L当たり）

トリプトース	10 g
プロテオースペプトン	5 g
グルコース	5 g
スクロース	50 g
K_2HPO_4	4 g
トリパンブルー	75 mg
クリスタルバイオレット	0.8 mg
寒天	15 g

上記を121℃，20分間オートクレーブ，50～55℃に冷却後1mLの1%亜テルル酸カリウム溶液を加え，平板培地を調製する．

（MS寒天培地）が選択培地として使用される（**表4-4-2**）．この培地には，レンサ球菌以外の細菌の増殖を抑制するためにトリパンブルーとクリスタルバイオレットの2つの色素が添加されている．また，5%スクロースが添加されているため，スクロースから多糖体をつくる菌種では特徴的な集落を示し，菌種判別の1つの指標を与える．

1）ミュータンス菌群

ミュータンス菌群には*S. mutans*，*S. sobrinus*，*S. cricetti*，*S. ratti*，*S. downei*，*S. ferus*，*S. macacae*の7菌種が分類されており，ヒトの口腔には*S. mutans*と*S. sobrinus*が存在する．*S. mutans*のグラム染色像（**図4-4-1A**），電子顕微鏡像（**図4-4-2**）を示す．ミュータンスレンサ球菌群の詳細については別項で述べる（☞ p.249～251参照）．

2）ミティス菌群

ミティス菌群には*S. mitis*，*S. oralis*，*S. pneumoniae*，*S. gordonii*，*S. sanguinis*，*S. parasanguinis*，*S. cristatus*の7菌種があるが，ヒト口腔より高頻度で分離される菌種は*S. mitis*，*S. sanguinis*，*S. gordonii*，*S. oralis*である．歯面や歯肉縁上プラーク，歯肉溝など広く口腔内に常在している．特に歯肉縁上プラーク中で最も数が多い細菌種が*S. sanguinis*である．

*S. sanguinis*は大きさ0.8～1.2 μmの球菌で比較的長い連鎖を呈する（**図4-4-1B**）．MS寒天培地上でのコロニーは0.5～1.5 mm程度の大きさで，半球状に隆起した辺縁が全円のスムーズ型と，表面が不規則で辺縁が波状のラフ型がある．いずれも寒天培地に硬く固着している．

*S. mitis*は大きさ0.6～0.8 μmで長い連鎖を呈する．MS寒天培地上では比較的小さいコロニー（0.2～0.8 mm）を形成し，柔らかく丸い濃紺あるいは黒褐色を示す．血液寒天培地上ではいずれもα型溶血を示す．

ミュータンス菌群とは異なりマンニトール，ソルビトール分解能がない．*S. mitis*および*S. oralis*を除く口腔から高頻度で分離されるミティス菌群はアルギニン分解能を有する．*S. sanguinis*の一部ではLancefield血清群別のH群抗原を有する．

う蝕誘発能はないが，歯の萌出後または歯面清掃後に比較的早く歯面に定着し，他の口腔細菌とともにデンタルプラーク（以下，プラーク）形成に重要な役割を果たす．また，ミティス菌群は感染性心内膜炎infective endocarditis（IE）の原因菌としても知られている．特に*S. sanguinis*は感染性心内膜炎患者からしばしば分離される．

3）サリバリウス菌群

サリバリウス菌群は*S. salivarius*，*S. thermophilus*，*S. vestibularis*の3菌種であるが，ヒト口腔からは*S. salivarius*が高頻度で分離される．*S. salivarius*の主な棲息部位は咽頭や舌背である．唾液中に多く存在（唾液中のレンサ球菌の40～60%）するが，プラーク中には多くは認めない．

*S. salivarius*は大きさ0.8～1 μmの球菌で連鎖は短いものから長いものまである（**図4-4-1C**）．MS寒天培地上でのコロニーは2～5 mm程度の大きさで他のレンサ球菌に比べて大きい．コロニーの形状は平滑で大きな青みを帯びた円形を呈する．血液寒天培地上ではいずれもγ型溶血（非溶血）を示す．

ミュータンス菌群とは異なりマンニトール，ソルビトール分解能がなく，またアルギニン分解能ももたない．*S. salivarius*の一部ではLancefield血清群別のK群抗原を有する．

う蝕誘発能を含め病原性はほとんど認めない．スクロースより可溶性のβ（2→6）結合を主体とするフルクタン（レバン）を産生する．

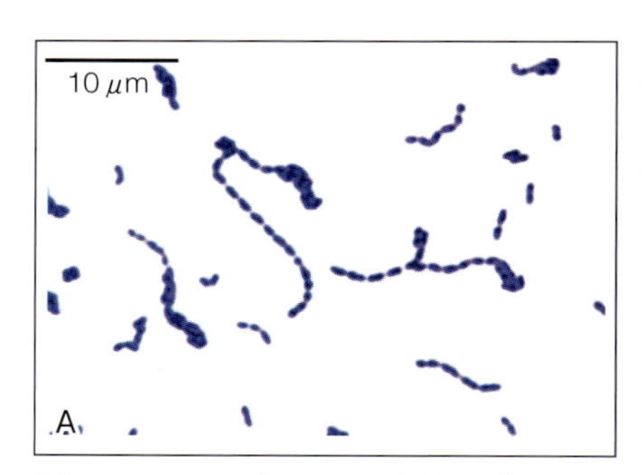

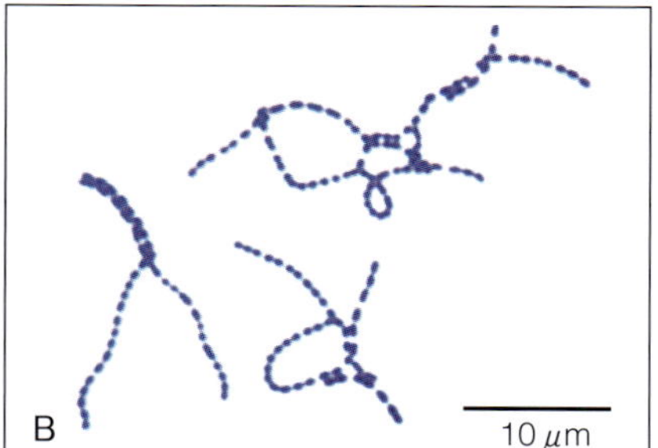

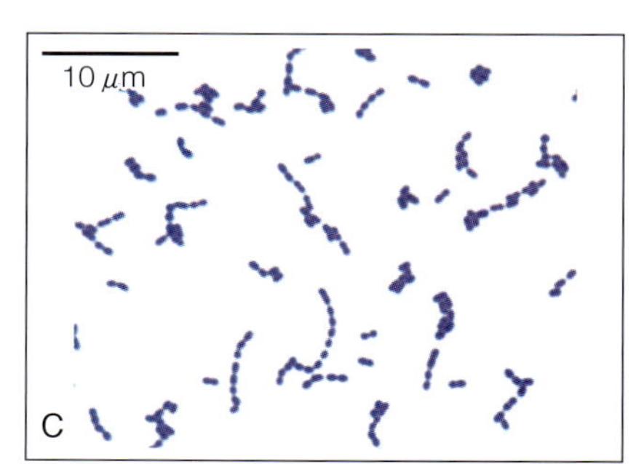

図4-4-1 口腔レンサ球菌のグラム染色像
A：*S. mutans*．B：*S. sanguinis*．C：*S. salivarius*．

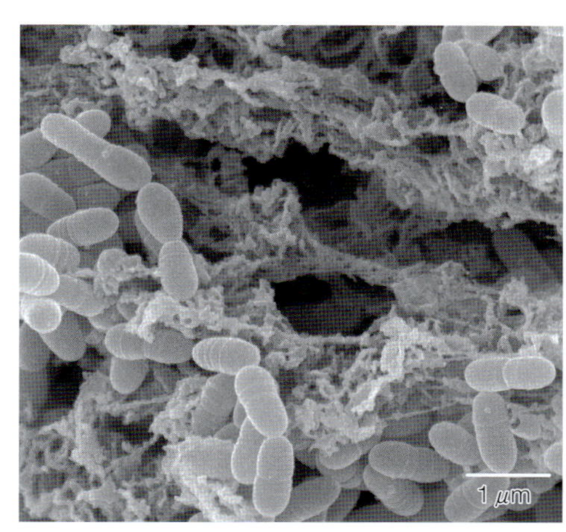

図 4-4-2 *S. mutans* の電子顕微鏡像
繊維状のものはグルカンを示す.

4）アンギノーサス菌群

アンギノーサス菌群は *S. anginosus*, *S. constellatus*, *S. intermedius* の3菌種に分類される．この菌群は当初ヒトの口腔の膿瘍から分離され，*S. milleri* と命名された菌群である．歯肉縁下プラークから高頻度で分離される．

S. anginosus は嫌気的条件下でよく増殖する．MS寒天培地上でのコロニーは0.6～0.9 mm程度の大きさである．コロニーの形状はスムーズ型およびラフ型の両型がともに存在する．血液寒天培地上ではいずれもγ型溶血（非溶血）を示すものが多いが，α型，β型を示すものもある．マンニトール，ソルビトールの分解能はないが，アルギニン分解能をもつ．血清学的には不均一でありLancefield血清群別の抗A，C，F，G群抗体と反応性を示すものがある．

う蝕誘発能は認めないが，口腔や全身の膿瘍から分離されており，感染性心内膜炎の原因菌としても知られている．

② *Abiotrophia* 属と *Granulicatella* 属

感染性心内膜炎患者の血液培養から特殊な栄養要求を示し，他の細菌の周囲に衛星現象として発育する栄養要求性レンサ球菌 nutritionally variant streptococci（NVS）として最初に報告された．一時期，*Abiotrophia adiacens* と *Abiotrophia defectiva* の2菌種に分類されていたが *Abiotrophia elegans* が追加され，現在では *A. adiacens* と *A. elegans* は *Granulicatella* 属に変更されている（**表 4-4-3**）．血液寒天培地上では発育せず，システインやビタミンB_6の添加により発育する．α型溶血を示す．一般的にはグラム陽性球菌であるが，長い培養では桿状を呈する場合もある．口腔咽頭部や上気道粘膜，腸管などから分離される．感染性心内膜炎の原因菌の1つである．

③ *Enterococcus* 属（腸球菌）

ヒトおよび動物の腸管に常在するグラム陽性球菌であり *Enterococcus* 属として分類される．形態的にはレンサ球菌でありLancefield血清群別のD群抗原を示すことから，以前は *Streptococcus* 属に入れられていたが，その後の研究により *Enterococcus* 属に分類された．腸球菌ともよばれる．レンサ球菌との違いは6.5% 食塩，pH 9.6，45℃あるいは10℃のそれぞれの条件下で発育可能であること，胆汁エスクリン培地で発育し，エスクリン分解能があることである．

ヒトの口腔からは *Enterococcus faecalis*, *Enterococcus faecium* などが分離される．カタラーゼ反応は陽性で，ホモ乳酸発酵を行う．バシトラシン添加MS寒天培地 mitis-salvarius-bacitracin agar（MSB寒天培地）上でも発育するが，ミュータンス菌群とはコロニー性状が異なり，扁平で暗青色から黒い1～2 mmの大きさを呈する．ヒトへの感染菌の多くは *E. faecalis* であり，尿路感染症，菌血症，心内膜炎を起こすことがある．本菌は60℃，30分の加熱にも抵抗性を示し，種々の抗菌薬に高い抵抗性を示すことから菌交代症の原因菌となる．バンコマイシン耐性腸球菌（VRE）は，院内感染の原因菌として問題になることがある（☞ p.145参照）．

④ *Peptococcus* 属と *Peptostreptococcus* 属

両菌属は偏性嫌気性のグラム陽性球菌であり，糖非分解性のものが多い．形態的には短連鎖状を形成する（**図 4-4-3**）．血液寒天培地上で灰白色のコロニーを形成するが溶血性はない．ヒトの口腔，上気道，腸管などの常在細

表 4-4-3 *Abiotrophia* 属と *Granulicatella* 属の分類と性状

菌種	由来	アルギニン分解能	酸産生能		
			スクロース	タガロース	トレハロース
Abiotrophia defectiva	ヒト	−	＋	ND	＋
Granulicatella adiacens	ヒト	−	＋	＋	−
Granulicatella para-adiacens	ヒト	−	＋	−	−
Granulicatella balaenoptera	クジラ	＋	−	−	＋
Granulicatella elegans	ヒト	＋	−	−	−

ND：未同定

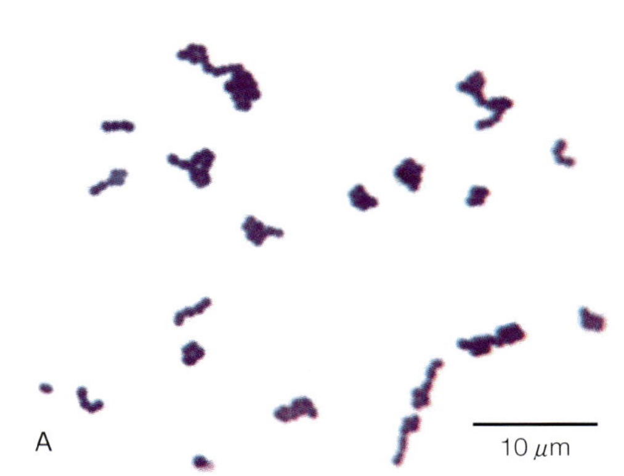

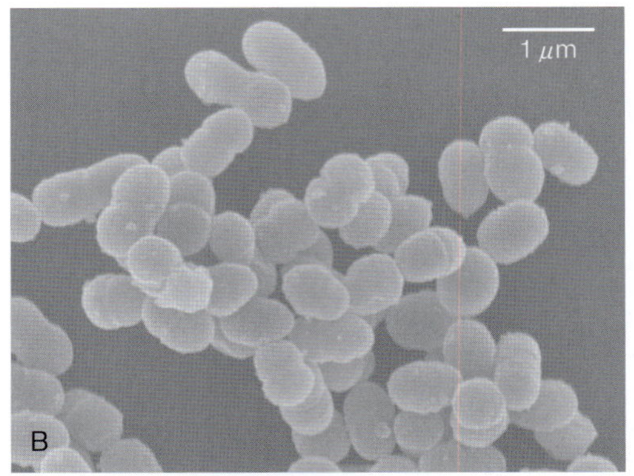

図 4-4-3 *P. anaerobius* のグラム染色像（A）と走査型電子顕微鏡像（B）
（B は産業医科大学 小川みどり博士）

菌である．ヒトの口腔内では主に *Peptostreptococcus* 属がプラークや舌背などから検出される．身体各所の膿瘍から分離され，口腔内では *Peptostreptococcus anaerobius*, *Peptostreptococcus prevotii*, *Peptostreptococcus micros* などが膿瘍や感染根管から高頻度で検出される．しかし，病巣から単独で分離されることはなく，他の嫌気性菌とともに分離される．

⑤ *Lactobacillus* 属

Lactobacillus 属（乳酸桿菌）はグラム陽性桿菌で，グルコースの代謝産物として主に乳酸を産生する．本菌属は自然界に広く分布しており，ヒトでは皮膚，口腔，消化管，膣などの常在細菌の1つとして知られている．口腔内にも *Lactobacillus casei, Lactobacillus acidophilus, Lactobacillus oris, Lactobacillus salivarius* など多くの菌種が存在する．また，これらの *Lactobacillus* 属の多くは通性嫌気性であるが，菌種あるいは菌株により偏性嫌気性を示すものもある．

Lactobacillus 属の大きさは幅 0.5〜1.1 μm, 長さ 2〜3 μm で，桿状の直線状あるいは湾曲した形態を示す．増殖時の至適 pH が 5.5〜5.8 と低く，耐酸性菌である．この性質を利用し，pH の低い Rogosa の SL 培地（pH 5.4）が選択培地として用いられる．この培地上で本菌属は白色のコロニーを形成する．

糖を分解して主として乳酸を産生するが，そのほとんどが乳酸である（ホモ発酵 homofermentation）菌種と，代謝産物の 50% 以上は乳酸であるがその他に酢酸，ギ酸，クエン酸，エタノールなどを産生する（ヘテロ発酵 heterofermentation）菌種がある．

本菌は，プラークからの分離頻度が低いことや歯面への定着性が低いため，平滑面う蝕との関連性は低い．しかし，う蝕病巣からはしばしば分離されるため，象牙質う蝕や小窩裂溝う蝕への二次的な関与が考えられる．

⑥ *Corynebacterium* 属

Corynebacterium 属は自然界に広く分布しているが，ヒトに病原性を示すものはジフテリア菌 *Corynebacterium diphtheriae* である．口腔内からは *Corynebacterium matruchotii* が分離される．形態は棍棒状 coryne のグラム陽性桿菌であり，菌の一端が膨らんでいる．大きさは幅 1.0 μm，長さ 10〜20 μm に達する長い線状菌である（**図 4-4-4**）．*Corynebacterium* 属は細胞壁にアラビノース，ガラクトース，メソジアミノピメリン酸を含有し，またミコール酸を含有する点で *Mycobacterium* 属や *Nocardia* 属と類似している．*C. matruchotii* は好気的条件下でよく増殖し，培地には 0.2% 酵母エキス添加ブレインハートインフュージョン培地 brain heart infusion broth（BHI 培地）を用いる．コロニーは小さく周辺は毛状を呈する．*C. matruchotii* は成熟したプラーク中に認められるコーンコブ corn-cob の芯の部分の細菌となる．また，石灰化する能力が強いため，歯石形成に関連していると考えられる．

⑦ *Cutibacterium* 属（旧名：*Propionibacterium* 属）

通性嫌気性，無芽胞性のグラム陽性桿菌であるが，酸素のない環境を好む．グルコースを発酵して主にプロピオン酸を産生する．形態は棍棒状で一端が膨隆しており，幅 0.5〜0.8 μm，長さ 1〜5 μm である（**図 4-4-5**）．配列は単菌，対をなすもの，X や Y 字状配列を示すものなどさまざまである．チオグリコレート培地で深部に白色から淡褐色の顆粒状に発育し，ブルセラ寒天培地上では白色の円形コロニーを形成する．*C. acnes* はヒトの皮膚，口腔，鼻腔，咽頭，腸管などに常在している．にきび acne の原因菌であり，プラーク中からも検出される．また，メナジオン（ビタミン K）を産生して，歯周病の主な原因菌とされる黒色色素産生性グラム陰性嫌気性菌群の増殖を促進させる．

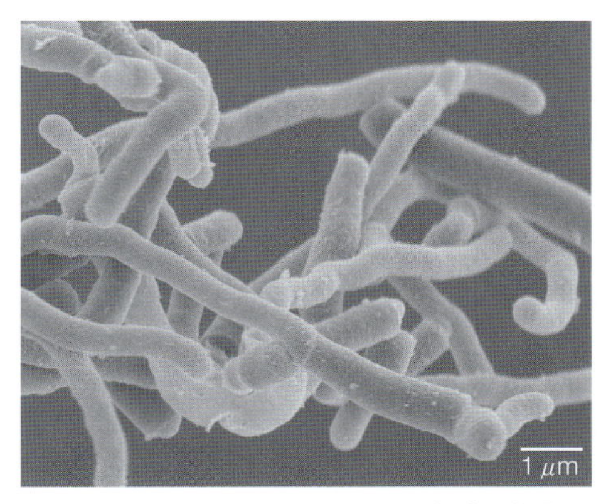

図 4-4-4　*C. matruchotii* の走査型電子顕微鏡像
（産業医科大学 小川みどり博士）

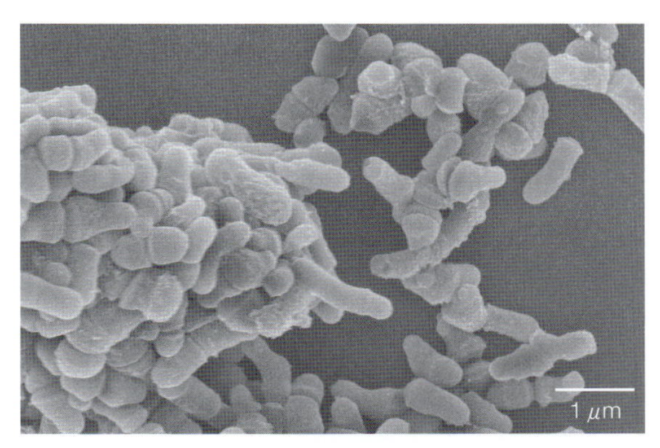

図 4-4-5　*C. acnes* の走査型電子顕微鏡像
（産業医科大学 小川みどり博士）

表 4-4-4　ヒト口腔放線菌 *Actinomyces* の性状

菌種	*A. viscosus*	*A. naeslundii*	*A. israelii*	*A. odontolyticus*
由来	ヒト	ヒト	ヒト	ヒト
集落の特徴	粘性	滑沢	隆起して白い	薄い赤色
カタラーゼ活性	＋	−	−	−
ウレアーゼ活性	±	＋	−	−
マンニトール分解能	−	−	−	＋
ラフィノース分解能	＋	＋	−	＋
アラビノース分解能	−	−	−	＋
特徴	1 型，2 型線毛	2 型線毛	顎放線菌症の病巣で菌塊（ドルーゼ）を形成	なし

⑧ *Eubacterium* 属

偏性嫌気性，無芽胞性のグラム陽性桿菌で *Cutibacterium* 属，*Lactobacillus* 属，*Actinomyces* 属，*Bifidobacterium* 属でないものが本属菌に分類される．形態は桿状を示すものが多いが，球桿状を示すものや多形性をとるものがある．糖分解性および糖非分解性の菌種があり，糖分解性のものはグルコースやペプトンから酪酸をつくる場合が多く，その他に酢酸，乳酸，ギ酸などをつくる．

Eubacterium 属は腸管の常在細菌の 1 つとして知られているが，その他，口腔や生殖器などにも常在する．口腔から分離される菌種は *Eubacterium aerofaciens*，*Eubacterium alactolyticum*，*Eubacterium brachy*，*Eubacterium nodatum*，*Eubacterium timidum* である．これらの菌種はプラーク，唾液，軟化象牙質，歯周ポケットなどから分離される．特に，*E. alactolyticum* は軟化象牙質から多く検出されている．また，*E. brachy*，*E. nodatum*，*E. timidum* は歯周病患者の歯周ポケットから高頻度で分離される．

⑨ *Actinomyces* 属（放線菌）

Actinomyces は線状 actis のカビ myces という意味である．通性嫌気性，無芽胞性のグラム陽性桿菌であり，その名前の由来のように糸状あるいは分枝状を呈する．形態は幅 0.2〜1.0 μm の直線状あるいはわずかに湾曲した細長い桿菌である．血液寒天培地あるいは BHI 培地でよく発育し，CO_2 分圧が高いと発育が促進する．*Actinomyces* 属はヒトや動物の口腔に常在し，ヒトの口腔からは *Actinomyces viscosus*，*Actinomyces naeslundii*，*Actinomyces israelii*，*Actinomyces odontolyticus* が分離され，ウシからは *A. bovis* が分離される（**表 4-4-4**）．

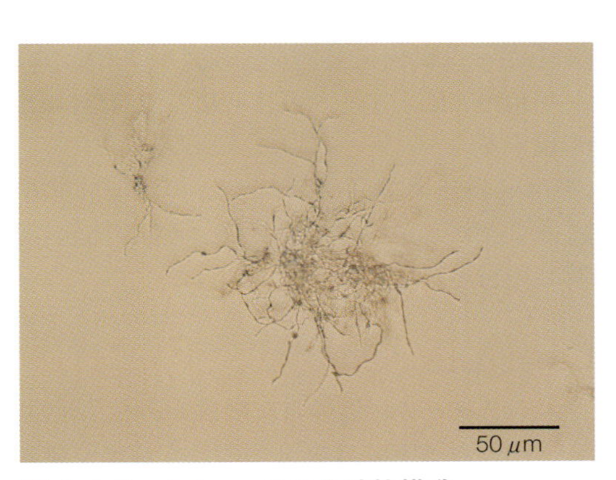

図 4-4-6　*A. israelii* の分岐状構造

BHI 培地上でマイクロコロニー（微小集落）が形成される．*A. israelii* のコロニーは糸状ないしはクモ状で，1 か所から長い糸状の分岐がみられる（**図 4-4-6**）．*A. viscosus* と *A. naeslundii* のコロニーは中心部に固まった小

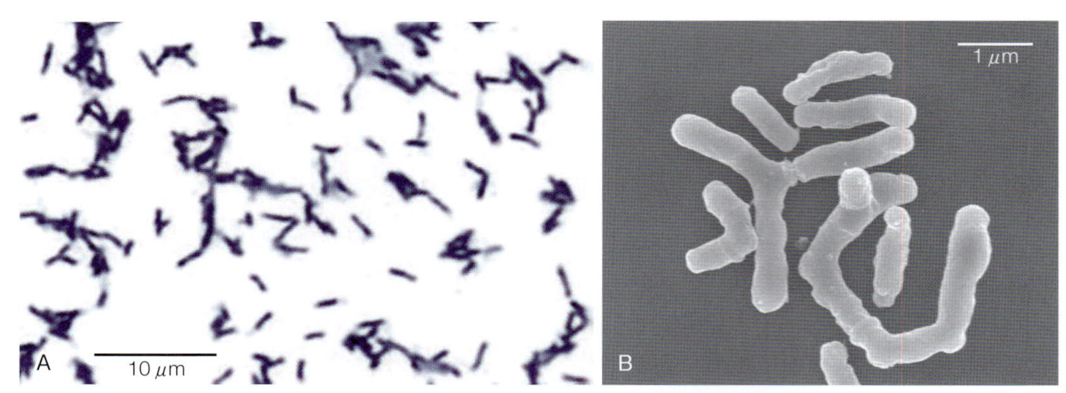

図 4-4-7　*A. viscosus* のグラム染色像（A）と走査型電子顕微鏡像（B）
（Bは産業医科大学 小川みどり博士）

集落があり，その周囲に糸状の菌糸が延びている．しかし，マイクロコロニーの特徴は絶対的なものではなく，異なるコロニー形態を示す場合もある．血液寒天培地上では白色あるいは灰白色のコロニーを形成する．

1）*A. israelii*（図 4-4-6）

ヒト口腔の常在細菌で，プラークや歯石中に検出され，顎放線菌症（☞ p.286 参照）を引き起こす主な原因菌である．通性嫌気性菌であるが酸素存在下での発育は悪い．嫌気的に5～14日培養すると0.5～1.0 mmのやや盛り上がった周辺に不規則な不透明なコロニーを形成する．さらに培養すると，コロニーは1.0～1.5 mmの大きさを示し，中心部が盛り上がった樹根状を呈する（**図 4-4-6**）．コロニーは硬く，培地中に陥入する．液体培地での発育は悪く，小顆粒を形成する．

顎放線菌症の病巣で直径1～2 mmの菌塊（ドルーゼ）を形成することが本菌の特徴である．通常，本菌はヒト以外の動物への自然感染はない．

2）*A. viscosus*（図 4-4-7）

ヒトやハムスターの口腔の常在細菌である．通性嫌気性であるが，CO_2 存在下では好気性のほうがよく発育する．3～5日培養で1～2 mmのスムーズ型の乳白色のコロニーを形成するが，まれにラフ型のコロニーを形成する．スクロースを含有する培地上では柔らかい粘稠性のムコイド型コロニーを形成する．これは本菌がスクロースからフルクタンとグルコサミンを含むヘテロ多糖を産生するためである．*Actinomyces* 属の中で唯一カタラーゼを産生する．

A. viscosus は2種類の線毛を有しており，両線毛を同時にもつものもある．1型線毛は唾液由来のペリクル中のプロリンを含むタンパク質に結合することで歯に付着する．2型の線毛は上皮細胞や *S. sanguinis* などの他の菌種と付着し共凝集を起こす．2つの血清型が認められ，1型はハムスターから，2型はヒトから分離される．*A. viscosus* は本来ハムスターの歯周疾患から分離された株である．本菌をハムスターやラットに感染させると根面う蝕，象牙質う蝕や歯周炎を引き起こす．しかし，ヒトに対するう蝕原性は低く，歯周炎との関連性も明らかではない．また，本菌はときに顎放線菌症の病巣からも分離される．

3）*A. naeslundii*

A. viscosus と類似性が強く，生化学的性状もほぼ同じであるが，カタラーゼを産生しないことで鑑別ができる．*A. viscosus* と同様に通性嫌気性であるが，CO_2 の存在により発育が促進する．寒天培地上ではスムーズ型とラフ型のコロニーがともにみられる．血清学的には3つの型に分類され，1型の分離頻度が最も高い．プラークや歯石中に検出される．*A. viscosus* に認められる2型の線毛を有するが，1型は存在しないためペリクルへの付着能は弱い．ときに放線菌症の病巣から分離される．また，歯周炎との関連性も報告されているが，病原性については明らかではない．*A. naeslundii* には genospecies 1と2があり，近年，genospecies 2は *A. oris* と命名された．

4）*A. odontolyticus*

通性嫌気性菌で，好気条件でも嫌気条件でも同様に発育する．BHI培地上で白色あるいは灰白色のマイクロコロニーを形成する．血液寒天培地上で5～10日培養することでα型溶血を示し，その後明瞭な暗赤色を呈する．ヒトのプラークや歯石に存在し，まれに放線菌症の病巣から分離される．象牙質う蝕の深部からも分離されるがう蝕との関連性は不明である．

⑩ *Arachnia* 属

本菌属は *Arachnia propionica* の1種のみである．当初，*A. israelii* と混同されていたが，プロピオン酸を産生し，細胞壁成分が異なることから *Arachnia* 属として分類された．形態的には *A. israelii* と類似している．大きさは幅0.3～0.5 μm，長さ3～5 μmである．分枝状のものは長さ5～20 μmに及ぶ．形態は菌体の一部が膨大した短桿菌である．コロニーも *A. israelii* と類似しており，ラフ型である．グルコースからの代謝産物としてはプロピオン酸と酢酸を産生するが，プロピオン酸産生性は*Actinomyces*属との鑑別の指標となる．カタラーゼを産生しないのでプロピオン酸産生能がある*C. acnes*と鑑別できる．通性嫌気性のグラム陽性桿菌であるが，嫌気条件のほうが発育を促す．放線菌症の病巣から*A. israelii*に次いで分離され，膿汁中の菌塊として見出される．

⑪ *Bifidobacterium*属

偏性嫌気性のグラム陽性桿菌であるが，空気中でも比較的長く生存する．形態は多形性であり，分岐を伴いY字やV字型の形態をとることが多いが，やや湾曲した桿状を呈することもある．コロニーはスムーズ型で不透明である．本菌の特徴の1つとしてグルコースからの代謝産物が主に酢酸と乳酸であり，常に酢酸の割合が高い（酢酸：乳酸＝3：2）．また，プロピオン酸を産生しない．*Bifidobacterium*属はヒトの腸管，特に母乳栄養児の腸内には多量に存在する．

*Bifidobacterium dentium*はヒトの口腔に常在し，象牙質う蝕などから嫌気的に分離される．グルコネート代謝系を有する点など*Bifidobacterium adolescentis*と非常に似ているが，DNAの相同性は低い．

⑫ *Rothia*属

口腔に常在する主な菌種は*Rothia dentocarinosa*と*Rothia mucilaginosa*である．多形性を示す分枝菌で，菌の一端が棍棒状に膨らんだ形態を示す．通性嫌気性のグラム陽性桿菌であるが，好気条件のほうが発育を促す．コロニーは通常，周辺が均一で表面は顆粒状の形態を呈し，大きさは24～48時間培養で1～2 mmである．カタラーゼ陽性であり，グルコースの代謝産物は酢酸と乳酸である．スクロースから菌体外にレバンを産生する．象牙質う蝕病巣から分離されるが，本菌のう蝕病原性については不明である．

B グラム陰性菌

① *Neisseria*属

*Neisseria*属は通性嫌気性あるいは好気性のグラム陰性球菌であり，ヒトや動物の口腔，鼻腔，泌尿生殖器などに常在する．鞭毛や芽胞をもたないが，一部の菌株が莢膜を有する．ヒト口腔内では初期の歯肉縁上プラーク，舌背，頰粘膜，唾液などに存在する．本菌は初期のプラーク形成に関与している．また本菌が口腔内に常在することにより遊離酸素の消費が進み，嫌気性菌の発育が助長されるという報告がある．口腔から分離される*Neisseria*属には，*Neisseria cinerea*，*Neisseria denitrificans*，*Neisseria flavescens*，*Neisseria mucosa*，*Neisseria sicca*，*Neisseria subflava*が知られている．

② *Moraxella*属

*Moraxella*属は好気性のグラム陰性球菌（1 μm）あるいは短桿菌（1～1.5 μm×1.5～2.5 μm）で，双状で存在することが多い．ヒトの鼻腔や気道に主に常在する．鞭毛や芽胞をもたないが，一部の菌株が莢膜を有する．グルコース，マルトース，スクロースなどを代謝することができず，酸を産生しない．健常な成人に比べ，小児や高齢者からの検出率が高く，日和見的に上気道の粘膜炎症，中耳炎，副鼻腔炎，肺炎，髄膜炎などを起こすことがある．口腔から分離される*Moraxella*属には*Moraxella catarrhalis*が知られている（☞ p.156参照）．

③ *Veillonella*属

*Veillonella*属は偏性嫌気性のグラム陰性小球菌（0.3～0.5 μm）である．ヒトや動物の口腔や消化管に常在する．本菌は単状，双状，塊状で存在しており，鞭毛，芽胞，莢膜をもたない．ヒト口腔内では歯肉溝，唾液，プラークなどに存在する．他菌種が産生する中間代謝産物である乳酸塩，ピルビン酸塩，フマル酸塩などを代謝できるが，グルコースやフルクトースなどを代謝できない．乳酸塩を含む培地でよく発育し，灰白色のコロニー（1～2 mm）を形成する．口腔から分離される*Veillonella*属には*Veillonella parvula*，*Veillonella atypical*，*Veillonella dispar*が知られている．これらはプラーク形成に重要な役割を果たしている．また，*V. parvula*はヒトに弱い病原性を有し，日和見感染症である術後菌血症や混合感染において検出される．

④ 黒色色素産生嫌気性桿菌

黒色色素産生性の偏性嫌気性のグラム陰性桿菌は増殖にヘミンとメナジオン（ビタミンK）が必要となる．本菌には歯周病原細菌である*Porphyromonas gingivalis*，*Prevotella intermedia*などが属する（**表4-4-5**）．血液寒天培地上で黒色のコロニーを形成するが，これは本菌がヘマチンを産生するためである．本菌はカナマイシンに自然耐性を有するため，本菌を選択的に培養するときは，カナマイシンを添加した血液寒天培地を用いる（**表4-4-6**）．

1）*P. gingivalis*

本菌はかつて*Bacteroides*属に分類され，*Bacteroides gingivalis*と命名されていたが，糖分解能がなく，プロトポルフィリンを産生する*Bacteroides*属の3菌種（*Bacteroides gingivalis*，*B. endodontalis*，*B. asaccharolyticus*）は*Porphyromonas*属として再分類された．*P. gingivalis*は

表 4-4-5 黒色色素産生嫌気性桿菌の生化学的性状の比較

性状	*P. gingivalis*	*P. endodontalis*	*P. intermedia*	*P. melaninogenica*
糖分解能				
グルコース	−	−	+	+
ラクトース	−	−	−	+
スクロース	−	−	+	+
セロビオース	−	−	−	−
エスクリン分解	−	−	−	−
インドール産生	+	+	+	−
プロテアーゼ産生	+	−	−	−
ヒツジ赤血球凝集	+	−	−	−
主な最終代謝産物	酪酸	酢酸，プロピオン酸	酢酸，コハク酸	酢酸，コハク酸

表 4-4-6 黒色色素産生性嫌気性桿菌の選択培地 （培地1L当たり）

成分	量
トリプチケースソイ培地	30 g
ウサギ脱繊維血液*	100 mL
ヘミン*	5 mg
メナジオン（ビタミンK）*	0.5 mg
カナマイシン*	200 mg
寒天	15 g

* 121℃，20分間オートクレーブし，45〜50℃に冷却後添加する

偏性嫌気性のグラム陰性短桿菌（0.5〜0.7 μm×1 μm程度）で，鞭毛，芽胞をもたないが，莢膜をもつ（**図 4-4-8**）．本菌は歯周炎，特に慢性歯周炎患者の歯周ポケットから高頻度に検出される．血液寒天培地上で光沢のある黒色のコロニーを形成し（**図 4-4-9**），硫化水素を産生することで悪臭を生じる．

本菌の保有する病原因子について多くの報告がある．代表的な病原因子として線毛，ペプチドおよびタンパク質分解酵素，赤血球凝集素，内毒素，莢膜，膜小胞vesicle，代謝産物（酪酸，硫化水素）などがある．

2種類の線毛（FimAとMfa）が報告されているが，主要な付着因子はFimAである．FimAは歯肉上皮細胞，歯肉線維芽細胞，歯面のペリクル，唾液成分，他のプラーク細菌などへの結合能を有する．また，種々の細胞を刺激し，炎症性サイトカインの産生を誘導する．分子構造の違いにより6種類の遺伝子型が存在し，遺伝子型と歯周病原性の関連性が報告されている．

本菌の特徴的な病原性として強いタンパク質分解活性がある．3種類のジンジパイン（RgpA，RgpB，Kgp）とよばれるシステインプロテアーゼは病原性に関連している．RgpAとRgpBはアルギニン残基のC末端側を切断し，Kgpはリジン残基のC末端側を切断する．主な病原性としては歯周組織を構成するタンパク質の分解，抗体の分解，補体成分の分解などの分解活性と赤血球凝集能，ヘモグロビンおよび細胞外マトリックスへの結合能などがある．本菌は糖発酵能をもたないため，ジンジパインによりタンパク質を分解することで，栄養素としている．また，本菌はジンジパイン以外にも3種のセリンペプチダーゼおよびエキソペプチダーゼ（DPP IV，PTP-A，DPP-7）を産生しており，これらすべてが本菌の増殖に必要であることが明らかになっている．

内毒素であるリポ多糖（LPS）を大腸菌のLPSと比較すると，本菌の内毒素活性は弱いことが知られている．莢膜は抗食作用を有するなどの宿主免疫機構からの抵抗性に働いている．膜小胞は外膜の断片であり，ジンジパイン，LPSなどの病原因子が含まれている．菌体から分泌した膜小胞は宿主細胞に侵入し，細胞傷害を引き起こす．硫化水素などの揮発性硫黄化合物や酪酸は口臭の原因となるだけでなく，宿主細胞傷害作用も有している．

本菌は増殖に際し，鉄要求性を示すことが知られている．本菌はシデロフォアをもたないが，特有の鉄獲得機構を有している．赤血球凝集素であるHagAにより，赤血球を捕獲し，その後ジンジパインにより赤血球の膜を破壊し，ヘモグロビンを遊離させ，最終的にヘム鉄を菌体内に取り込むシステムをもつ．

2）*P. intermedia*

*P. intermedia*は偏性嫌気性のグラム陰性桿菌（0.5〜0.7 μm×1.5 μm程度）で，鞭毛，芽胞をもたないが，莢膜をもつ（**図 4-4-10**）．本菌は歯肉縁下プラークや歯周炎の病巣から検出される．*P. gingivalis*とは異なり，グルコースやスクロースなどの糖分解能を有する．また，赤血球凝集能や細胞付着能をもつ．

病原因子としてLPS，コラゲナーゼ，免疫グロブリン切断酵素などがある．本菌の発育は，女性ホルモンであるエストロゲンやプロゲステロンにより促進される．これらのホルモンは思春期や妊娠時に増加するため，本菌は思春期関連歯肉炎や妊娠関連歯肉炎発症と関連すると考えられている．また，壊死性潰瘍性歯肉炎の患者の歯周ポケットに本菌が口腔トレポネーマなどとともに増加することから，本疾患との関連性が報告されている．

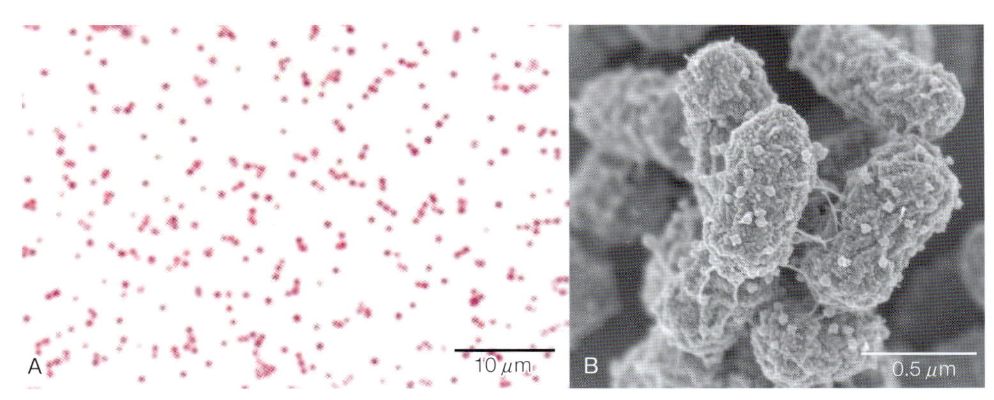

図 4-4-8 *P. gingivalis* のグラム染色像（A）と走査型電子顕微鏡像（B）
（B は国立感染症研究所 小林宏尚様，中尾龍馬博士）

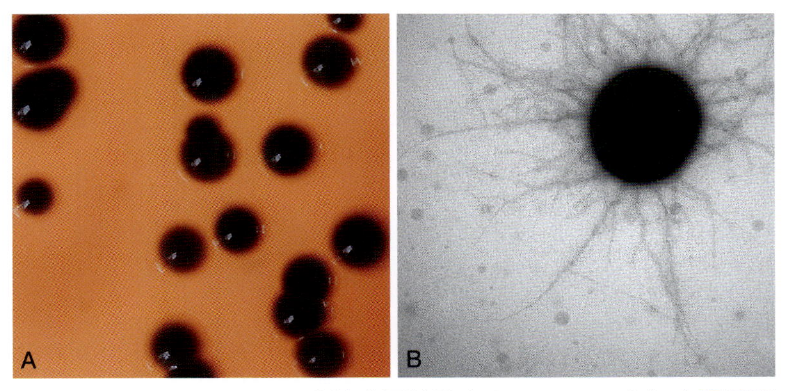

図 4-4-9 *P. gingivalis* の血液寒天培地上のコロニー（A）と電子顕微鏡像（B）
（B は長崎大学 中山浩次博士，柴田敏史博士）

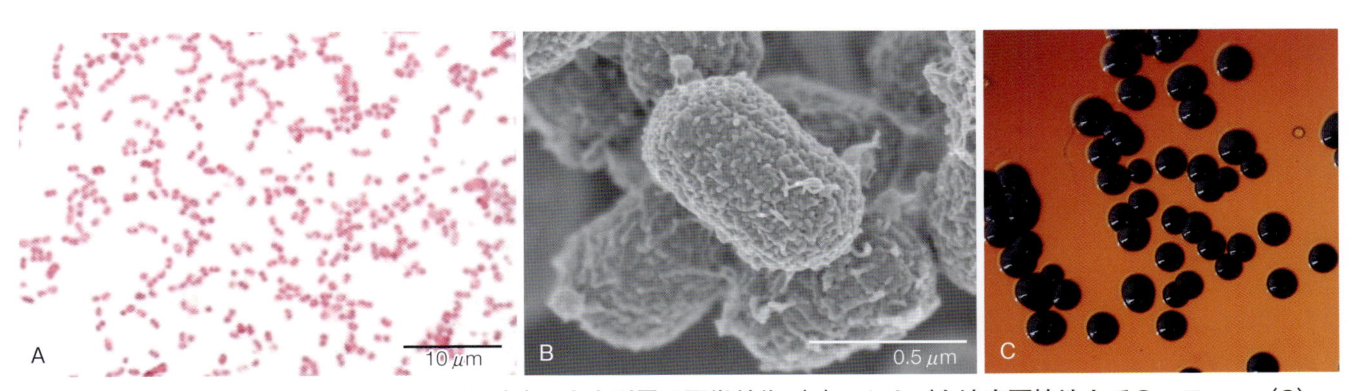

図 4-4-10 *P. intermedia* のグラム染色像（A），走査型電子顕微鏡像（B），および血液寒天培地上でのコロニー（C）
（B は国立感染症研究所 小林宏尚様，中尾龍馬博士）

3）その他の黒色色素産生菌

P. gingivalis および *P. intermedia* 以外に口腔内に認められる黒色色素産生性桿菌は *Porphyromonas endodontalis*，*Prevotella melaninogenica*，*Prevotella denticola* などがあるが，歯周疾患との関連性は明らかではない．

5 非黒色色素産生 *Prevotella* 属

Prevotella 属には黒色色素産生菌と非産生菌があり，口腔内から両型がともに分離されている．非黒色色素産生性 *Prevotella* 属は健常者のプラーク，歯肉溝から分離される．また，歯周炎病巣部から分離されるが，その病原性との関連性は明らかではない．口腔から分離される菌種は *Prevotella buccae*，*Prevotella heparinolytica*，*Prevotella oralis*，*Prevotella oris*，*Prevotella veroralis* などである（表 4-4-7）．

1）*P. oralis*

本菌は球桿状で，血液寒天培地上で 1〜2 mm のスムーズ型のコロニーを形成する．増殖時にヘミンおよびメナジオンを要求しない．溶血性を示さず，悪臭の原因となる硫化水素やインドールを産生しない．口腔内の他に上気道や

表 4-4-7　非黒色色素産生 *Prevotella* 属の生化学的性状の比較

性状	*P. buccae*	*P. heparinolytica*	*P. oralis*	*P. oris*	*P. veroralis*
糖分解能					
キシロース	+	+	−	+	−
ラクトース	+	+	+	+	+
スクロース	+	+	+	+	+
セロビオース	+	+	+	+	+
エスクリン分解	+	+	+	+	+
インドール産生	−	−	−	−	−
プロテアーゼ産生	−	+	+	−	−

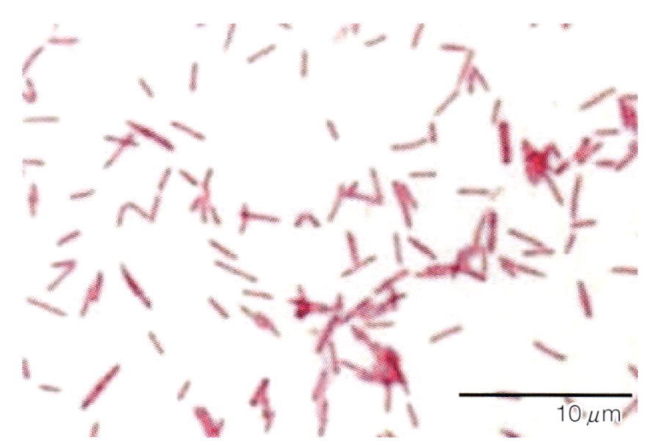

図 4-4-11　*T. forsythia* のグラム染色像

表 4-4-8　*A. actinomycetemcomitans* の選択培地（培地1L当たり）

成分	量
トリプチケースソイ培地	30 g
イーストエキス	1 g
馬血清*	100 mL
バシトラシン*	75 mg
バンコマイシン*	5 mg
寒天	15 g

*121℃，15分間オートクレーブし，45〜50℃に冷却後添加する

生殖器からも分離される．スクロースやラクトースの分解能をもつ．

2）*P. heparinolytica*

菌名の由来に関連するが，ヘパリンやヘパラン硫酸などの酸性ムコ多糖を分解する酵素を産生する．この酵素の産生は他の口腔細菌では認められない．ヘミンおよびメナジオンを必要とし，血液寒天培地上ではムコイド状のスムーズ型のコロニーを形成する．歯周炎患者の歯周ポケットから検出される．

6 *Tannerella forsythia*

T. forsythia は偏性嫌気性のグラム陰性桿菌である．米国ボストンの Forsyth Dental Center（現在の Forsyth Institute）の A. Tanner により分離された．本菌名はそのことに由来している．菌体の両端は尖って細くなっている．鞭毛，芽胞をもたない（図 4-4-11）．莢膜ももたないが表層は S-layer とよばれるタンパク性の構造物で覆われている．血液寒天培地上では非常に小さいコロニーを形成するが，*Fusobacterium nucleatum* の周囲では発育が促進される．これは，本菌が増殖時には *N*-アセチルムラミン酸を必要とし，*F. nucleatum* から *N*-アセチルムラミン酸を供給されるためである．*P. gingivalis* と *Treponema denticola* とともに本菌は歯周炎，特に慢性歯周炎患者の歯周ポケットから高頻度に検出される．マウスやラットを用いた動物実験では本菌の感染により歯槽骨の吸収誘導が認められたことから，本菌の歯周病原性が示されている．

本菌の保有する病原因子はプロテアーゼ（タンパク質分解酵素），S-layer，付着因子などがある．システインプロテアーゼである PrtH は赤血球に対して溶血活性や付着細胞を遊離させる活性を有している．S-layer は高分子タンパク質である TfsA と TfsB により構成されており，付着・侵入因子として知られている BspA とともに上皮細胞への付着や侵入に関与している．

7 *Aggregatibacter actinomycetemcomitans*

A. actinomycetemcomitans は通性嫌気性のグラム陰性短桿菌である．鞭毛，芽胞をもたないが莢膜をもつ（図 4-4-12）．CO_2 存在下では好気的に培養ができる．新鮮分離株は線毛を有しており，粘着性が強く，培地に固着し，1 mm 程度のコロニーを形成する．しかし，継代培養を行うことで線毛が消失し，コロニーも大きく白色を呈する．本菌は歯周炎，特に侵襲性歯周炎患者から分離される．バシトラシン，バンコマイシンに耐性を示すため，選択培地にはこれらの抗菌薬を添加する（表 4-4-8）．グルコース，フルクトース，マルトースなどを分解するが，ラフィノース，トレハロース，スクロースなどを分解しない．また，硫化水素を産生しない．

本菌の保有する病原因子は線毛，内毒素，ロイコトキシン，細胞致死膨化毒素 cytolethal distending toxin（CDT）などである．線毛は自己凝集や上皮細胞などへの付着能を有する．内毒素は動物実験などで骨吸収作用やサイトカイ

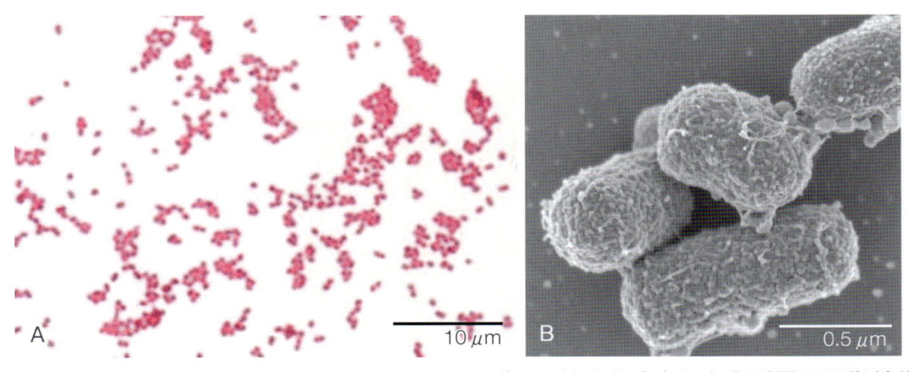

図 4-4-12　*A. actinomycetemcomitans* のグラム染色像（A）と走査型電子顕微鏡像（B）
（B は国立感染症研究所　小林宏尚様，中尾龍馬博士）

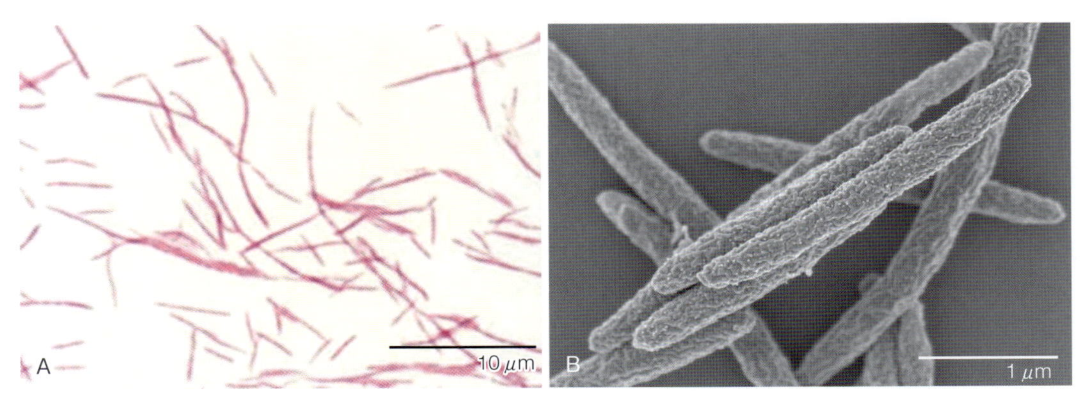

図 4-4-13　*F. nucleatum* のグラム染色像（A）と走査型電子顕微鏡像（B）
（B は国立感染症研究所　小林宏尚様，中尾龍馬博士）

ン産生誘導能などの生物活性が報告されている．ロイコトキシンはC末端側に繰り返し構造を有するグラム陰性菌の産生するRTX（Repeat in toxin）ファミリーに属する毒素であり，ヒト多形核白血球やマクロファージに作用し，細胞致死活性を有する．CDTは細胞周期のG2期を阻害することで，細胞の膨化および致死活性を有する．

⑧ *Fusobacterium nucleatum*

F. nucleatum は偏性嫌気性の紡錘状のグラム陰性桿菌である．菌体の幅は0.4〜0.7 μm，長さは3〜20 μmで両端は尖った構造である．鞭毛，芽胞，莢膜をもたない（**図 4-4-13**）．ギムザ染色により菌体内にクロマチン顆粒が染色される．血液寒天培地上では隆起したスムース型の2〜5 mmの透明あるいは白色のコロニーを形成する．糖分解能は非常に弱く，代謝産物として酪酸を産生する．本菌はヒト口腔内に常在し，また歯周炎病巣からも検出される．

本菌の特徴的な病原性として，他細菌種との強い共凝集能がある．本菌の菌体表層のレクチン様タンパク質が関与し，種々の細菌と特異的に結合する．プラーク中では紡錘菌の周りに球菌が結合したトウモロコシ状corn-cobの形態が観察されるが，本菌は芯の部分になることが知られている．また，カルシウムイオン依存性の赤血球凝集能を有しており，ガラクトースやラクトース添加により阻害される．宿主細胞への付着能やLPSによるさまざまな生物活性も報告されている．

⑨ *Leptotrichia buccalis*

L. buccalis は偏性嫌気性の紡錘状のグラム陰性桿菌である．菌体の幅は0.8〜1.5 μm，長さは5〜15 μmで，形態は直線的あるいは少し湾曲しており，一端あるいは両端が尖っている．鞭毛，芽胞をもたない．グラム陰性菌であるが，培養初期にはグラム陽性に染まることがあり，グラム陽性の顆粒が菌体内に長軸に沿って分布する．血液寒天培地上ではギリシア神話に登場するMedusaの頭状あるいは大脳表面状のコロニーを形成する．グルコースから主に乳酸を産生する．その他，フルクトース，マルトース，スクロース，マンノースを代謝し，酸を産生する．アンモニア，インドール，硫化水素などを産生しない．本菌はヒトの口腔に常在しており，特に歯肉縁下プラーク中に存在する．口腔外では女性の泌尿器から分離される．分離時に本菌は嫌気性であるが，多くはその後，CO_2存在下で好気的に発育する場合が多い．

本菌はヒトや動物の赤血球凝集能を有しており，またヒトの種々の細胞に付着するが，非病原性と考えられている．しかし，糖分解能は強いことから，う蝕との関連性やLPSによる歯周炎との関連性が考えられるが，明らかで

表 4-4-9 *Capnocytophaga* 属の生化学的性状の比較

性状	*C. gingivalis*	*C. ochracea*	*C. sputigena*
糖分解能			
ラクトース	−	+	±
ガラクトース	−	±	−
エスクリンデンプンおよびデキストラン分解能	−	+	±
硝酸還元能	−	−	±

−：90％以上陰性，±：11～89％陽性，＋：90％以上陽性

表 4-4-10 *E. corrodens* の選択培地

（培地1L当たり）

トリプチケースソイ培地	30 g
KNO_3	2 g
ヘミン*	5 g
クリンダマイシン*	5 mg
ヒツジ脱線維血*	50 mL
寒天	15 g

*121℃，20分間オートクレーブし，45～50℃に冷却後添加する

はない．

⑩ *Capnocytophaga* 属

Capnocytophaga 属は通性嫌気性の紡錘状のグラム陰性桿菌である．CO_2 存在下で好気的，嫌気的にも発育が良好である．菌体の大きさは培養条件により異なるが，幅は 0.4～0.8 μm，長さは 3～8 μm である．鞭毛や芽胞をもたない．本菌は湿潤な培地上を滑走 gliding することができる．

扁平なコロニーで周縁は不均一に突出しており不正円であり，コロニー形態は培地の種類などによって異なる．血液寒天培地上のコロニーは灰白色，黄色などを呈している．グルコース，スクロース，マルトースを代謝し，酸を産生する．インドールや硫化水素などを産生しない．また，カタラーゼやオキシダーゼの産生能はない．口腔内の常在細菌であり，歯周病病巣からも検出される．

Capnocytophaga 属は生化学的性状から，*C. ochracea*, *C. gingivalis*, *C. sputigena* に分類され，いずれも口腔内から検出される（**表 4-4-9**）．いずれの菌種も，動物実験においては歯槽骨吸収作用を有しているが，歯周疾患との関連性は明らかではない．

⑪ *Eikenella corrodens*

E. corrodens は通性嫌気性のグラム陰性桿菌である．菌体の幅 0.4～0.5 μm，長さは 1.5～4 μm で，菌端は鈍円で比較的均一な形態を示す．鞭毛，芽胞をもたない．コロニーの大きさは 1 mm 程度までと小さく，培地に食い込んで発育する．種名は食い込み corroding から命名された．CO_2 存在下での発育が良好で，10％ CO_2 存在下では黄味がかった不透明のコロニーを形成する．好気培養時にはヘミンを要求し，また，クリンダマイシン，テトラサイクリン，メトロニダゾールに耐性を示すため，本菌を分離する際にヘミンおよびクリンダマイシン含有の選択培地を用いる（**表 4-4-10**）．液体培地での発育は悪いが，血清やコレステロール添加で発育がよくなる．糖分解活性をもたず，インドール，カタラーゼを産生せず，硫化水素をほとんど産生しない．本菌はヒトの口腔や腸管に常在している．

本菌の病原性として上皮細胞への付着能や LPS の高い内毒素活性がある．慢性歯周炎の病巣から分離されるが，歯周疾患との関連性は不明である．種々の膿瘍，腹膜炎，敗血症から分離されることもある．

⑫ 運動性菌群

ヒトの口腔内に常在し，歯周炎局所で増加する運動性菌群として，*Selenomonas* 属，*Campylobacter* 属，*Wolinella* 属が知られている．

1）*Selenomonas sputigena*

S. sputigena は偏性嫌気性のグラム陰性桿菌である．菌体は幅が 0.9～1.1 μm，長さは 3～6 μm で，菌端はやや尖っている．莢膜や芽胞をもたない．半月状で湾曲しており，凹面側の中央から束状の鞭毛を有する．血液寒天培地上で滑沢な灰色がかった黄色の 0.5 mm 以下の小さいコロニーを形成する．グルコース，スクロース，ガラクトース，ラクトース，マンニトールなどの糖類を代謝し，酸を産生する．硝酸塩の還元能を有するが，カタラーゼ，インドール，硫化水素などを産生しない．ヒトの口腔に固有な常在細菌であり，歯周局所に炎症があると菌数の増加が認められるため，歯周病との関連性が指摘されている．

2）*Campylobacter* 属

Campylobacter 属は微好気性（5% CO_2, 10% H_2, 85% N_2）で発育が良好であるが，嫌気下でも発育する，湾曲した細いグラム陰性桿菌である．菌体は幅が 0.3～0.5 μm，長さは 2～4 μm で，菌両端は鈍円である．莢膜，芽胞をもたないが，一端あるいは両端に鞭毛を有する．血液寒天培地上では滑沢でややしわのある隆起があり，周縁が薄い広がりのある 1 mm 程度のコロニーを形成する．硝酸還元性を有するが，カタラーゼを産生しない．硫化水素産生性は通常ないが，認められる菌株もある．ヒトの口腔に常在しているが，慢性歯周炎では本菌が増加することから，歯周病との関連性が指摘されている．口腔から分離される *Campylobacter* 属は *C. rectus*，*C. sputorum* がある．

C　口腔トレポネーマ

口腔トレポネーマはスピロヘータに属する細菌である．スピロヘータには *Borrelia* 属，*Leptospira* 属，*Treponema* 属などがあるが，ヒトの口腔から分離されるのは *Treponema* 属である．*Treponema* 属の代表菌である *T. pallidum* は難培養性の菌であるが，口腔トレポネーマは培養可能である．動物の血清などを添加した TYGVS（tryptone-yeast extract-gelatin-volatile fatty acids-serum）寒天平板培地で嫌気的に培養すると，1〜2 週間でコロニー形成を認める．グラム染色性は陰性であるが，難染色性である．他の染色法として墨汁法やギムザ染色法などがある．また，暗視野顕微鏡や位相差顕微鏡により，染色することなく形態や運動性を観察することができる．ヒト口腔の歯肉溝や歯周ポケットに常在しており，歯周炎局所で *P. gingivalis* や *T. forsythia* とともに多く検出される．口腔から分離される培養可能なトレポネーマは小型スピロヘータである *T. denticola*，*T. socranskii*，*T. pectinovorum*，中型スピロヘータである *T. vincentii*，*T. medium* がある．

❶ *T. denticola*

T. denticola は偏性嫌気性のグラム陰性らせん菌である．菌体は幅 0.1〜0.25 μm，長さは 6〜16 μm で，細長いらせん形を呈している．軸鞭毛である軸糸は両端から 2 本出ており，中央で 4 本になっている．この軸糸により回転運動を行い，活発に運動する．寒天培地上で周縁が拡散性である 0.3〜1 mm の白色コロニーを形成する．糖分解能を有さず，アミノ酸を発酵し，最終産物として酢酸，乳酸，コハク酸，ギ酸を産生する．

本菌は歯周組織細胞，フィブロネクチンなどの細胞外マトリックス，他細菌種への付着能をもつ．*P. gingivalis*，*F. nucleatum*，*T. forsythia* などの細菌と共凝集することが知られている．病原因子としては被膜 major outer sheath protein（MSP），デンティリシン dentilisin が知られている．MSP はエンベロープの構成タンパク質であり，フィブロネクチンへの結合能，細胞傷害作用などが報告されている．デンティリシンはプロテアーゼ活性を有し，種々のマトリックスやサイトカインなどに対して分解活性を有する．また，本菌は dentipain とよばれるシステインプロテアーゼも産生している．

本菌は慢性歯周炎患者の歯周ポケットから特に顕著に検出されるが，*T. denticola* に対する抗体価の上昇は認められない．これは本菌が産生する免疫抑制因子による可能性が考えられている．

❷ *T. vincentii*

T. vincentii の菌体は幅 0.2〜0.3 μm，長さ 5〜16 μm で，軸鞭毛である軸糸は両端から 4〜6 本出ており，活発に運動する．寒天培地上で周縁が拡散性の不透明の白色コロニーを形成する．糖分解能は有さず，アミノ酸を発酵し，最終産物として酢酸，乳酸，コハク酸，ギ酸を産生する．

D　マイコプラズマ

マイコプラズマは細胞壁をもたず，形態は桿状あるいはフィラメント状で存在する．グラム染色性はグラム陰性で，ギムザ染色でよく染まる．栄養要求性が強く，コレステロールなどを含んだ栄養に富んだ培地で増殖する．口腔から高頻度で分離される *Mycoplasma* は *M. salivarium*，*M. orale* であり，*M. faucium*，*M. buccale*，*M. hominis*，*Ureaplasma urealyticum* も低頻度に分離される．

❶ *M. salivarium*

M. salivarium の形態は多形性を示すが，多くは桿状である．液体培地では好気的に発育するが，寒天培地上では好気条件下で発育が悪く，嫌気的に培養する．グルコースと尿素の分解活性はないが，アルギニン分解能を有する．ヒト口腔から分離され，唾液，歯肉溝，プラーク中に生息する．

本菌はリパーゼ，タンパク質分解酵素などを産生する．細胞膜に存在するリポタンパク質がマクロファージ活性化能やマクロファージ・リンパ球に対する細胞死誘導活性をもつことが報告されている．また，ホスファターゼ活性や溶血性を有している．健常者に比べ，歯周炎局所での菌数が増加することから，歯周病との関連性が考えられる．

❷ *M. orale*

M. orale の形態は多形性を示すが，多くは比較的長いフィラメント状（8〜10 μm）である．*M. salivarium* と同様に，液体培地では好気的に，寒天培地では嫌気的に発育する．グルコース，尿素の分解活性はないが，アルギニン分解能を有する．咽頭が主な生息部位で，唾液からも検出されるが，歯肉溝やプラーク中からは検出されない．

E 原 虫

❶ 口腔トリコモナス *Trichomonas tenax*

口腔トリコモナスの形態は一般に西洋梨型であるが，卵型や紡錘形を示すこともある．大きさは幅4～5 μm，長さ2～21 μmで，頭部より前方に伸びる4本の前鞭毛と後方に伸びる後鞭毛が存在する．中央部には波動膜があり，やや前方に楕円形の核がある．虫体の中心部，やや前方に核が位置する．

口腔内に常在しているが，歯周炎発症により，病巣局所からの本菌の検出率が高くなるため，歯周疾患との関連性が考えられるが，詳細は不明である．ヒトからヒトへの接触，器物，食物を介して感染する．

❷ 歯肉アメーバ

歯肉アメーバの大きさは直径3～5 μmの小さいものから，20～25 μmの大きいものまでさまざまである．虫体は内質と外質があり，内質は顆粒状構造物であり核や大小不同の空胞が存在する．外質には偽足が存在し，運動性を有する．口腔内に常在しており，歯周炎局所からの検出率は高いが，病原性については不明である．

（小松澤　均）

V デンタルプラーク

口腔は歯，舌，頬粘膜などが存在し，また飲食などの門戸としての機能を有していることから，複雑かつ固有な環境を形成している．口腔には数百種以上の細菌種が存在しているが，それぞれの細菌種は口腔の局所で固有の微生物生態系（微生物エコシステム）を形成している．これらのエコシステムは不変なものではなく，さまざまな影響を受け変動している．歯面上にも固有のフローラがあり，多種の細菌と細菌の代謝物からなる付着性沈着物を形成する．この沈着物をデンタルプラーク dental plaque とよぶ（以下，プラーク）．プラークは口腔の二大疾患であるう蝕や歯周病の発症に密接に関連しており，口腔疾患のみならず全身疾患の発症にも関連していることが近年報告されている．

1 デンタルプラークの定義

1969 年に H. Löe により「デンタルプラークは十分な清掃のされていない歯面や補綴装置表面に形成される柔らかい非石灰性の細菌性沈着物」と定義されている．歯の表面には細菌が付着しているが，歯磨きを行わないあるいは不十分な状態が続くと，歯面で細菌が増殖し，菌体外マトリックスとよばれる代謝産物を産生し，徐々にその厚みや面積を増していく．このような細菌を主成分とする塊をプラークとよぶ．プラークは歯面に強く付着しており，含嗽などでは除去できない構造物である（図 4-5-1）．

2 デンタルプラークの形成

プラークが形成される過程は大きく分けると，①ペリクルの形成，②初期付着，③初期プラークの形成，④プラークの成熟がある（図 4-5-2）．

1）ペリクルの形成

（1）ペリクルの構造と組成

歯は萌出とともに唾液成分が歯の表面に吸着し，被膜を形成する．この獲得性被膜を獲得ペリクル acquired pellicle とよぶ．ペリクルは無細胞性，無構造であり，厚みは均一で 0.3〜1.0 μm である．ブラッシングなどの口腔清掃ではペリクルは除去できず，歯面から機械的にペリクルを除去しても，すぐに唾液由来の成分が吸着しペリクルが形成される．ペリクルの組成は主にアミノ酸と糖であるが，これらは唾液成分中に存在するタンパク質や糖タンパク質などに由来する．唾液由来のペリクルの成分には，アミノ酸の 1 つであるプロリンを多く含む高プロリンタンパク質 proline-rich protein（PRP）と高プロリン糖タンパク質 proline-rich glycoprotein（PRGP）があり，多くの口腔細菌との結合性を有することでプラークの成長を促進する．その他の唾液由来のペリクル成分としては，アルブミン，リゾチーム，ラクトフェリン，アミラーゼ，スタセリンなどがある．また，成熟したプラークにおけるペリクル中には細菌細胞壁成分などの細菌由来成分も含まれることがある（図 4-5-3）．

（2）ペリクルの役割

プラークの形成においてペリクルは細菌の歯面への付着という点で大きく関与しているが，ペリクルはさまざまな生物学的機能を有していると考えられている．

a）エナメル質表面の修復・防御

ペリクルは歯のエナメル質部分を覆い，酸や熱などの刺激から歯面を守る物理的バリアとして存在する．また，物理的バリアとして機能するだけでなく，ペリクル中の PRGP やスタセリンなどはカルシウムイオンと結合し，エナメル質表層の脱灰部分の再石灰化を促進することで歯の修復を担っている．同様に，知覚過敏症のようにエナメル質が消失している部分にもペリクルが形成されることで，

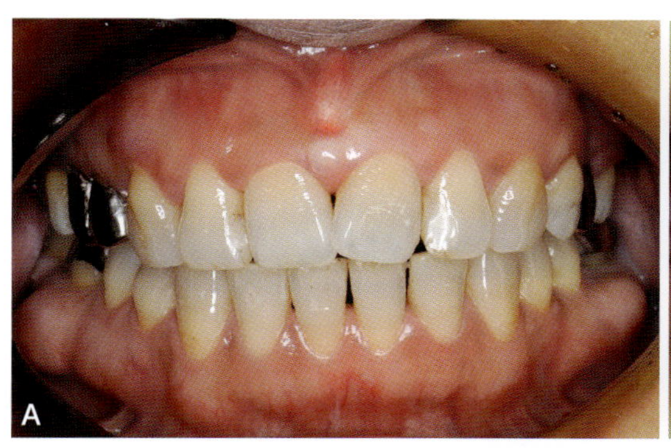

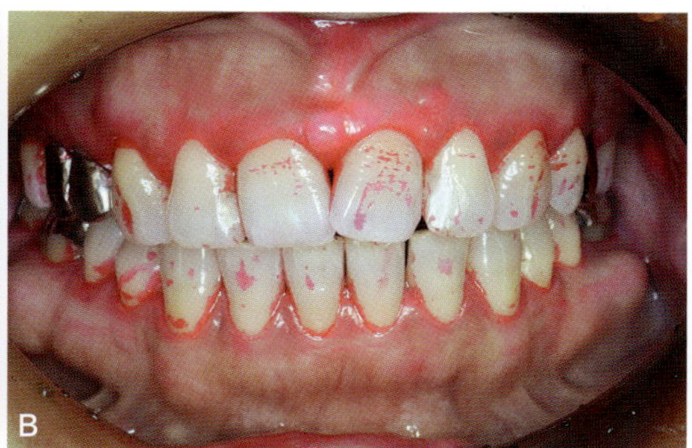

図 4-5-1　歯垢染色液処理前後の口腔内写真
A：口腔所見．B：プラーク染色．（松本歯科大学 吉成伸夫博士）

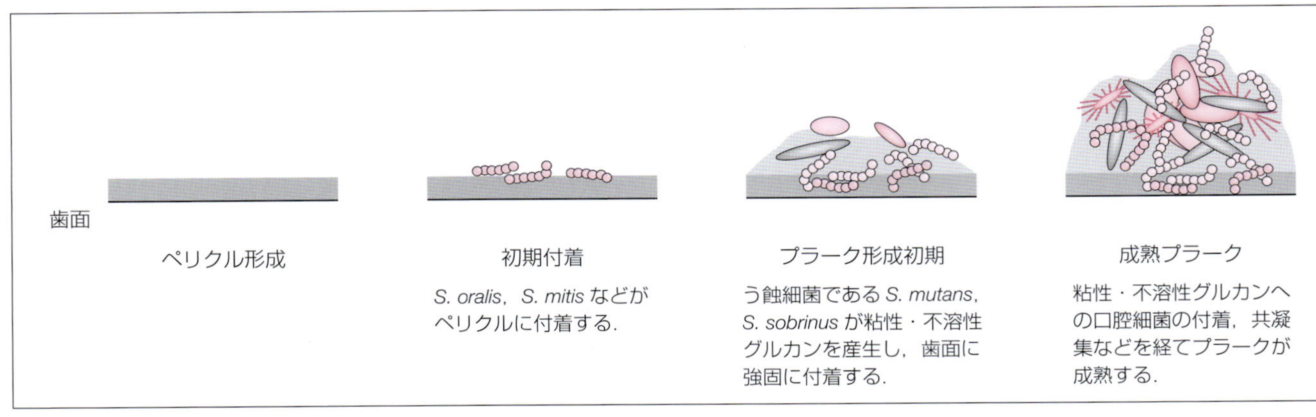

図 4-5-2　プラーク形成過程

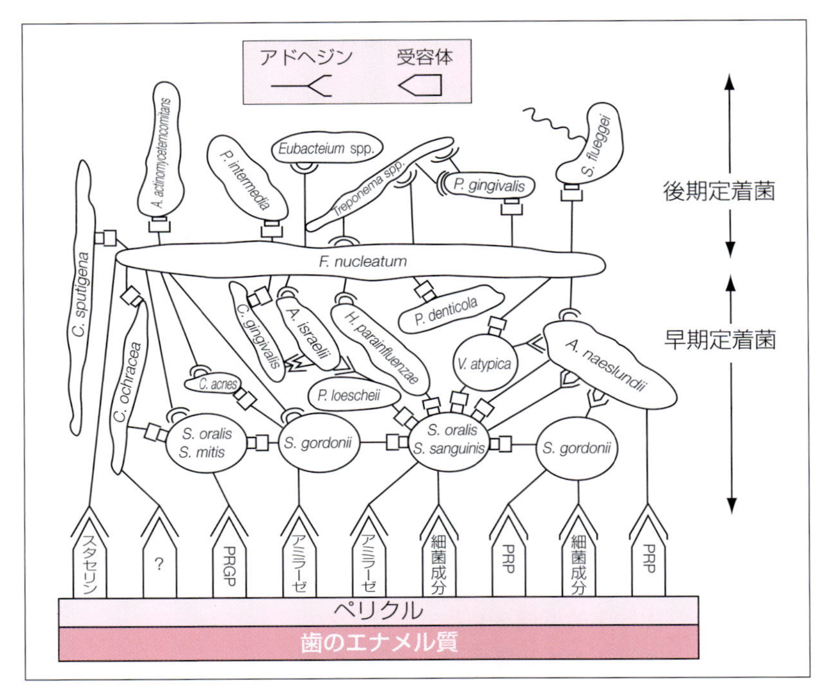

図 4-5-3　プラーク中での共凝集のモデル
エナメル質に付着した早期定着菌との多様な共凝集によってプラークの厚さが増していく．PRP：proline-rich protein，PRGP：proline-rich glycoprotein
（Kolenbrander PE　and London J：Adhere today, here tomorrow：oral bacterial adherence. *J Bacteriol,* **175**（11）：3247～3252, 1993. を改変）

露出象牙細管を塞ぐ．また，唾液中のカルシウムイオンと結合することで，カルシウムイオンが過飽和状態である唾液中でのカルシウム塩の沈殿を防いでいる．

b）エナメル質の酸抵抗性の付与

ペリクルが歯を覆うことにより，酸の歯への浸透性が弱まり，歯の脱灰を抑制する．

c）口腔細菌との結合性

PRP や PRGP などのペリクル構成成分は種々の口腔細菌との特異的結合性を有する．これは，ペリクルに対する受容体を種々の口腔細菌が有するためである．

d）口腔細菌の栄養源

ペリクルの組成はアミノ酸や糖であることから，プラーク中の細菌の栄養源となる．

2）初期プラークの形成

（1）ペリクルへの細菌付着

歯の表面にペリクルが形成されると，種々の口腔細菌が歯面にペリクルを介して付着する．唾液中に存在する細菌はファンデルワールス力により，ペリクルに近づいてくる．その後，種々の付着様式によりペリクルに結合する．その結合には電荷を介した非特異的な比較的弱い結合と細菌表層に存在する付着因子（アドヘジン）による特異的な強い結合がある．多くの細菌は複数の結合様式でペリクルに付着する．

a）静電的結合

細菌の表層やペリクルはマイナスに荷電している．唾液中には豊富に2価イオン，特にカルシウムイオンが存在しており，カルシウムイオンがペリクルと細菌を架橋することで非特異的な静電的作用により，細菌は歯面に付着する．また，この架橋は同種あるいは異種細菌間でも起こる．

b）疎水性成分

ミュータンスレンサ球菌群，*Streptococcus sanguinis*，*Porphyromonas gingivalis* などの細菌の表層の疎水性領域が，ペリクルや異種・同種の細菌の疎水性領域と相互作用し，結合する．

c）粘着性多糖体

主にミュータンスレンサ球菌群が分泌する複数のグルコシルトランスフェラーゼ glucosyltransferase（GTF）はスクロースを基質として粘着性の不溶性グルカンを産生する．この粘着性グルカンを介してペリクルに強固に付着する．また，このグルカンは他菌種との結合にも関与する．

d）レクチン様リガンド

細菌表層に存在するレクチン様リガンド（糖結合性タンパク質）はペリクルに含まれる糖鎖や異種・同種の細菌表層に存在する糖鎖を認識し，結合する．レクチン様リガンドによるペリクルへの結合は *Actinomyces viscosus*, *Actinomyces naeslundii*, *Leptotrichia buccalis*, *Fusobacterium nucleatum* などで報告されている．いくつかの細菌種ではガラクトースやラクトースを添加することで，付着作用が抑制されることから，ペリクルへの付着作用に対して本因子は重要であることを示唆している．

e）線毛

口腔細菌の中には線毛や線毛様構造物を保有しており，この線毛を介してペリクルや細菌に付着している．*Streptococcus mutans* の表層に存在する線毛様因子（antigen I/II，PAc）はペリクル中の唾液タンパク質と特異的に結合する．*P. gingivalis* や *Aggregatibacter actinomycetemcomitans* などの歯周病原細菌の保有する線毛は自己凝集や他種細菌への結合に関与する．

（2）共凝集

共凝集 coaggregation とは2種以上の細菌が結合することである．共凝集することで種々の口腔細菌が凝集し，プラークの形成に重要な役割を果たしている（図 4-5-3）．共凝集に関与する因子を共凝集素（リガンド）とよび，レクチン様リガンド，線毛などが共凝集素として働く．これらの共凝集素の一部はペリクルの付着因子でもある．

3）プラークの成熟

歯面にペリクルを介して付着した細菌はその場で増殖し，また他種細菌と結合しながら大きな細菌凝集塊を形成していく．しかし，すべての口腔細菌がペリクルと強く結合できるわけではない．ペリクルと強い結合能をもつ細菌は早期定着菌 early colonizer とよばれ，初期のプラーク形成に大きく関与する．主な早期定着菌としては *Streptococcus oralis*, *Streptococcus mitis*, *Streptococcus gordonii*, *S. sanguinis*, *A. naeslundii* などが知られている．早期定着菌による初期プラークの形成後，早期定着菌へ共凝集により種々の細菌種がプラークに付着し，さらに共凝集が操り返されることによりプラークは成熟していく（図 4-5-4）．このプラーク成熟過程では，*S. mutans* の産生する粘着性多糖体も歯面や他菌種との付着において重要な役割を果たしている．共凝集によってプラークに付着していく細菌を後期定着菌 late colonizer とよぶ．共凝集は細菌と細菌が特異的に結合することであり，どの細菌でも凝集できるわけではなく，その組み合わせは細菌がもつ共凝集素と受容体に規定されている．共凝集能が強い細菌種として *S. oralis*, *S. gordonii*, *A. naeslundii*, *F. nucleatum* などが知られている．早期定着菌には共凝集能が高いものも多く，これらの細菌は後期定着菌の足場としても働き，プラークの成熟に関与している．*F. nucleatum* は共凝集能が強い細菌の1つであり，歯周病原細菌である *P. gingivalis* を含む非常に多くの細菌種との結合能をもつ．

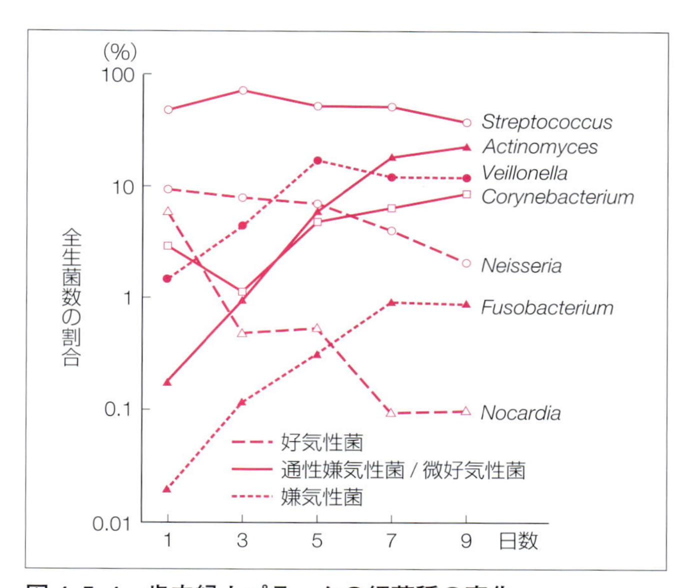

図 4-5-4　歯肉縁上プラークの細菌種の変化
歯面を完全に清掃後，定着する細菌種の数的比率を経日的に観察した．
（Ritz HL：Microbial population shifts in developing human dental plaque. *Arch Oral Biol*, **12**(12)：1561～1568, 1967. を改変）

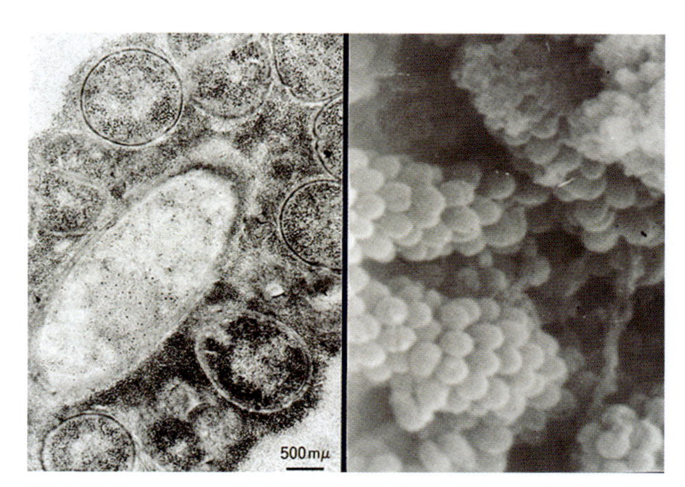

図 4-5-5　corn-cob の電子顕微鏡像（左：透過型，右：走査型）

共凝集により細菌塊は，紡錘菌に球菌や短桿菌が凝集したトウモロコシ状の構造 corn-cob（図 4-5-5），彎曲したグラム陰性桿菌に球菌が凝集したバラの花飾り状構造，大きな糸状菌にグラム陰性桿菌などが凝集したブラシ状構造などの像が観察される．

プラークの成熟過程において，フローラは変化していく．プラークの成熟に伴い，プラーク中の細菌量，細菌種が増えることで，プラーク中の環境も変化していく．すなわち，酸素濃度（嫌気状態），pH環境，栄養状態，細菌の産生する抗菌性因子などの環境変化がプラークの成熟とともに起こり，種々の因子が複雑に関連しながらフローラが変動していく．特に，プラークの成熟に伴い *Fusobacterium* 属，*Corynebacterium* 属，*Veillonella* 属，*Actinomyces* 属などの嫌気性菌が増加する．しかし，通性嫌気性菌である口腔レンサ球菌はプラーク成熟過程においても，常に高い比率を占めている（図4-5-4）．

❸ デンタルプラークの構造と機能

1）プラークの化学的組成

プラークは形成部位や成熟度により，化学的性状も異なる．プラークはおよそ70〜80%は水分であり，残り20〜30%が固形成分である．固形成分のうちタンパク質が最も多く，乾燥重量で40〜50%を占めており，その他には炭水化物（13〜17%），脂質（10〜14%），無機物（10%程度）などが占める．70〜80%の水分のうち，約50%が細菌細胞由来で，残りがグルカンなどのマトリックス由来である．

プラークマトリックス

プラークのマトリックス成分は主にタンパク質と炭水化物である．プラーク中のタンパク質の多くは細菌由来であり，マトリックス由来のタンパク質は全タンパク質の25%程度である．マトリックス由来のタンパク質は主には唾液および歯肉溝滲出液由来で，糖タンパク質，アミラーゼ，リゾチーム，抗体，ラクトフェリン，アルブミンなどである．特に細菌との結合能が高い糖タンパク質や細菌により一部消化された糖タンパク質などが多く沈着している．また，細菌の分泌した酵素や死滅した細菌由来成分なども含まれている．

プラークマトリックスの炭水化物成分は主としてプラーク中の細菌種が合成する菌体外多糖である．特にミュータンスレンサ球菌群は自身の産生するGTFによりスクロースを基質としてグルコースの重合体である粘着性の不溶性グルカンを産生する．この粘着性のグルカンは歯面への固着および細菌同士の凝集に深く関与しており，プラーク形成過程で重要な役割を演じている．また，*S. sanguinis* や乳酸菌などはGTFを産生し，スクロースを基質として可溶性グルカンを産生する．プラーク中のグルカン以外の多糖体としてはフルクトースの重合体であるフルクタンがある．*S. mutans*，*Streptococcus salivarius*，*A. viscosus*，*A. naesulundii* などの細菌はフルクトシルトランスフェラーゼ fructosyltransferase（FTF）を産生し，スクロースよりフルクタンを合成する．フルクタンにはβ-2, 6結合を主体とするレバン型とβ-2, 1結合を主体とするイヌリン型があり，両者とも可溶性である．また，*A. viscosus* は2種類以上の糖からなる粘着性のヘテロ多糖体を合成する．

プラークマトリックスはプラークにさまざまな性状を付与している．マトリックスはプラークに粘着性を付与することで，歯面にプラークを固着させている．マトリックスに細菌塊が覆われることで外界からのバリア機構として働き，種々の宿主由来の抗菌性因子のプラーク内への侵入を防御している．一方，プラーク中で細菌が産生した酸の拡散を防いでおり，プラーク中に高濃度で酸が蓄積される．このことは歯の脱灰作用を引き起こす．さらに，マトリックスを細菌自身が分解することで栄養素として取り込むこともある．

2）プラークの構成細菌

（1）歯肉縁上プラーク

歯肉縁上プラークは文字通り歯肉縁上にプラークが形成されるため，嫌気度は低いので通性嫌気性菌の割合が高い．しかし，プラークの成熟とともにプラークの厚みが増していくことでプラーク中の深部での嫌気度が高くなり，グラム陰性嫌気性桿菌の割合が増加し，糸状菌やらせん菌が多数検出されてくる．歯肉縁上プラークの細菌種の割合としては口腔レンサ球菌が最も多く全体の40%程度を占める．次にグラム陽性菌である *Actinomyces* 属や *Corynebacterium* 属が多く，そして *Veillonella* 属，*Neisseria* 属，*Fusobacterium* 属などが検出される（表4-5-1，図4-5-6，☞ p.220 表4-3-3参照）．

歯肉縁上プラークはう蝕原性を有するとともに，歯肉炎発症の原因となる．歯肉縁上プラークの成熟と歯肉炎発症との関連性が知られている．これは歯肉炎患者の口腔清掃を行うことで，成熟プラークが消失し歯肉炎が軽減することから推測できる．また，歯肉炎の発症はプラーク中の細菌の産生するアンモニア，インドールなどの低分子歯肉炎起炎物質やプロテアーゼ，コラゲナーゼ，ヒアルロニダーゼなどの酵素，抗原刺激による局所免疫応答により起こると考えられる．

（2）歯肉縁下プラーク

歯周病により歯周組織が傷害を受け，歯と歯肉の間に病的な歯周ポケットが形成される．この歯周ポケットに蓄積するプラークを歯肉縁下プラークとよぶ．歯周ポケットが深くなるにつれ，嫌気度が高くなり歯肉縁上プラークとは異なったフローラを形成していく．歯肉縁下プラークは形態学的に，歯根面に付着した付着プラークと付着していない遊離プラークとに分けられる．付着プラークは本来歯周組織が付着していたセメント質部位に形成されており，その構成細菌は成熟した歯肉縁上プラークと類似している．したがって，グラム陽性の球菌や桿菌，グラム陰性の紡錘菌などが多勢を占める．しかし，歯周ポケット深部では嫌気度がさらに高まり，グラム陰性桿菌やスピロヘータなどが増加する．また，歯肉上皮細胞側に付着するプラークは，付着プラークとは異なり，マトリックス成分が相対的に少ないため，粘着性は低い．スピロヘータや運動性桿菌

表 4-5-1　主なプラーク細菌種

G（＋）球菌	G（＋）桿菌・線状菌	G（－）球菌	G（－）桿菌・線状菌
Streptococcus	*Actinomyces*	*Neisseria*	*Porphyromonas*
Peptococcus	*Lactobacillus*	*Moraxella*	*Prevotella*
Peptostreptococcus	*Corynebacterium*	*Veillonella*	*Fusobacterium*
Staphylococcus	*Rothia*		*Aggregatibacter*
	Nocardia		*Campylobacter*
Micrococcus	*Arachnia*		*Leptotrichia*
	Bifidobacterium		*Capnocytophaga*
	Eubacterium		*Selenomonas*
	Cutibacterium		*Spirochaete*

G：グラム染色，＋：陽性，－：陰性

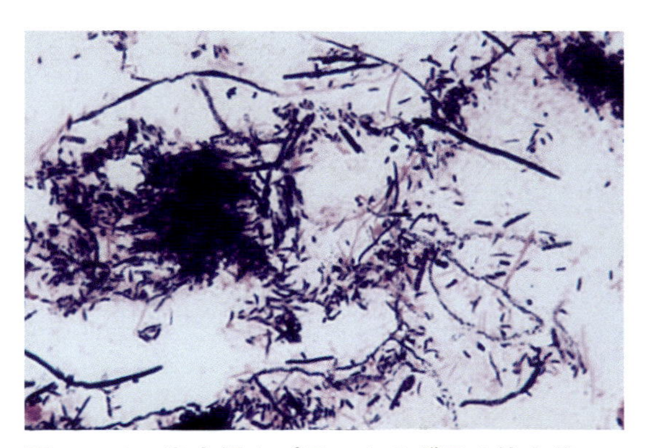

図 4-5-6　歯肉縁上プラークのグラム染色像

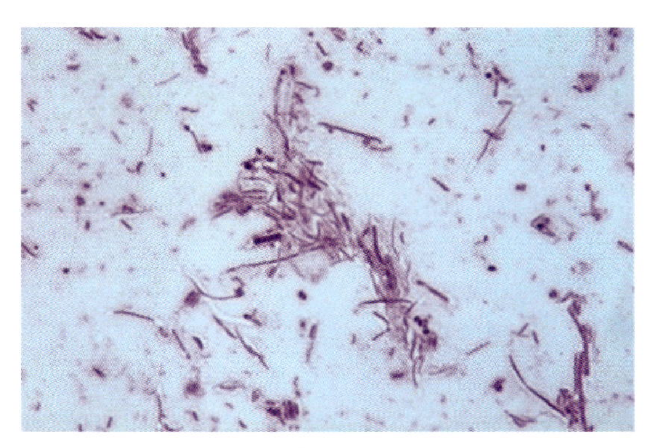

図 4-5-7　歯肉縁下プラークのグラム染色像

が多数存在し，グラム陰性球菌や桿菌が検出される．遊離プラークにおいては付着プラークよりもさらにグラム陰性桿菌，運動性桿菌，スピロヘータの割合が増加している．この遊離プラークは歯周疾患の進行とともに成熟していき，歯周ポケット内全体の細菌の数と種類が増加する原因となる．歯肉縁下プラークは歯周病の進行とともにフローラが変化していく．特に歯肉縁下プラーク中には歯周病原細菌である *P. gingivalis*，*Prevotella intermedia*，*Tannerella forsythia*，*A. actinomycetemcomitans*，*Treponema denticola* などが存在し，歯周病の活動期では著しい増加を示すことがある（**表 4-5-1**，**図 4-5-7**，☞ p.220 **表 4-3-3** 参照）．

歯肉縁下プラークは歯周炎発症の原因となる．歯肉縁下プラークの成熟と歯周病の進行とは相関性があり，これはプラーク中の細菌が産生する物質により歯周組織破壊や，免疫応答が起こることによる．プラーク中の細菌が産生する種々の因子として，内毒素である LPS，細胞傷害に働く毒素，プロテアーゼなどの種々の酵素，細胞毒性のある代謝産物などがある．

3）プラークの機能

（1）プラーク中の pH と酸

プラーク中の細菌の多くは糖を取り込み，代謝することで酸を産生する．プラーク中の酸は主に乳酸であるが，他にギ酸，酢酸，プロピオン酸なども存在する．プラーク中で産生された酸はマトリックス成分などの影響でプラーク中に蓄積し，酸性度が高まっていく．歯のエナメル質は約 pH 5.5 以下から脱灰が始まる．この pH を臨界 pH とよぶ．通常のプラーク中の pH は食後数時間は pH 6～7，空腹時は pH 7～8 であるが，糖分を摂取（食事）することでプラーク中の pH は急激に下降し始め，臨界 pH に達すると歯の脱灰が始まる．

糖分摂取後の pH 変化の観察記録としてステファンカーブ Stephan curve が知られている．グルコース溶液で洗口後のプラーク中の pH を観察したもので，グルコース摂取後の pH は急速に減少し pH 4.3～5 程度にまで下がる．その後，唾液やプラーク自身の緩衝能により pH は上昇するが，元に戻るには 20～60 分程度が必要となる．口腔の清掃状態が悪い（成熟プラークが多い）場合や糖分を過剰に摂取した場合などは pH の戻りが悪く，結果として歯の脱灰が助長される．

（2）プラーク中の酸素

成熟したプラークは厚みを増すことで内部の酸素濃度が減少する．また，プラーク中の好気性菌や通性嫌気性菌により，酸素は代謝される．したがって，プラークの深部の酸素濃度は非常に低くなる．また，プラーク深部は栄養素も制限されているため，細菌の代謝系が減弱し，結果として産生する酸素化合物も減少する．したがって，プラーク中の酸性度が減少することで，偏性嫌気性菌の増殖の場となる．

（3）プラークの緩衝能

唾液には緩衝能があることが知られている．プラーク中には唾液成分が浸透することからプラーク中においてもある程度の緩衝能が存在する．緩衝能を付与する因子として，唾液由来の重炭酸塩，カルシウム，リン酸，フッ素，マグネシウム，ナトリウム，2価金属イオンなどが知られており，プラーク中のpHを調整している．この緩衝能により，強酸下で生育不可能な細菌種を保護している．

（4）外来性細菌の排除

プラークは固有のフローラを形成しているため，外来性に侵入した細菌がプラーク中に定着することは困難である．一般的に知られている常在細菌による外来性微生物の定着阻害の機能をプラークも保有している．

4）プラークの病原性

（1）う蝕

プラーク中の細菌が産生する酸は歯を脱灰し，う蝕が生じる．特に成熟した厚みのあるプラーク中では，細菌の産生した酸が拡散せずプラーク中に蓄積されるため，持続的に歯の脱灰作用が続く．

（2）歯肉炎，歯周炎

プラーク中の細菌が産生する種々の歯周組織破壊因子，抗原性物質などにより，歯周組織に炎症を引き起こす．歯肉炎では歯肉縁上プラークが，歯周炎では歯肉縁下プラークが炎症惹起に大きく関与している．歯周炎では，歯肉縁下プラーク中に存在するグラム陰性桿菌である歯周病原細菌の存在により，歯周炎が発症すると考えられている．

（3）全身疾患との関連

口腔に存在する細菌，特にプラーク中の細菌が種々の全身疾患に関与することが指摘されている．誤嚥性肺炎，心内膜炎，動脈硬化症などの病巣から口腔細菌が分離されている．

④ デンタルプラークの石灰化と歯石形成

プラークが石灰化すると歯石 dental calculus となる．歯石には大きく歯肉縁上歯石と歯肉縁下歯石があり，その性状は大きく異なる（**表4-5-2**）．

1）歯肉縁上歯石と歯肉縁下歯石

歯肉縁上歯石と歯肉縁下歯石の性状を**表4-5-2**に示す．歯肉縁上歯石は唾液由来であり，主としてプラーク中の細菌体やマトリックスが石灰化したものである（**図4-5-8**）．唾液中には過飽和のリン酸とカルシウムが存在しているが，石灰化の過程においては唾液中の飽和状態が崩れる．死滅した細菌などをコアとして，リン酸カルシウムの沈着が起こり歯石は形成される．この原因はプラーク中に存在する唾液成分である．高プロリンタンパク質やスタセリンは本来リン酸カルシウムの析出を防ぐ効果があるが，細菌の産生するタンパク質分解酵素により変性することで阻害作用が維持できなくなる．また，唾液腺の開口部位ではカルシウムの溶解性が低下してリン酸カルシウムが沈着しやすくなる．

歯肉縁下歯石は，歯肉溝あるいは歯周ポケットにおける血清成分なども含まれ，プラーク中の成分が主に石灰化の中心基材となる．炎症局所におけるアルカリホスファターゼ活性の作用によるリン酸濃度の上昇やプラーク中の細菌が産生する代謝産物によるpHの低下が石灰化の原因となる．歯肉縁下歯石は無機質密度が高く，強固にセメント質に結合しているため，除去が困難である．

2）歯石の組成

歯石の組成は，石灰化度や部位の違いにより一定ではない．成熟した歯石では無機石灰化成分が重量で約80%，残りが有機物と水分である．無機成分はリン酸カルシウムが主体であり，ハイドロキシアパタイト，リン酸オクタカルシウム，ウィットロカイト（リン酸三カルシウム），ブルシャイト（リン酸二カルシウム）などが含まれる．無機物の組成ではカルシウムが30〜35%，リン酸が15〜18%である．有機成分はプラーク由来のタンパク質や脂質である．

3）歯石の病原性

歯石の病原性は物理的要因と化学的要因がある．物理的要因としては，歯石の存在により歯肉溝滲出液や唾液の流入が阻害されることで，生体防御機構の低下につながり，局所での細菌の定着や増殖を促進することが考えられる．また，歯石の粗造な表面は，細菌の付着の足場となり，プラーク形成を促進する．化学的要因としては，歯石はプラーク由来であるため，プラーク中に存在するLPSなどの病原因子を含んでおり，歯周組織に刺激を与える．

⑤ バイオフィルムとしてのデンタルプラーク

1）バイオフィルムの特徴

バイオフィルムとは細菌と菌体外多糖などの代謝産物が固体表面に付着し，凝集塊を形成している状態のことである．たとえば，生態系においては河川などの石や岩の表面に形成しているものや，医療系においてはカテーテルやペースメーカーの内壁に付着している菌塊などのことをいう．歯に付着しているデンタルプラークもバイオフィルムの特徴を有している．バイオフィルムを形成している細菌では液体に浮遊している細菌（浮遊細菌）とは病原因子や種々の代謝系に関与する因子の発現性が異なることが知られている．プラーク中の環境状況においてはpH，酸素分圧，栄養状態などの種々の条件が成熟過程で変化していく．こうした条件の中で多種多様な口腔細菌が固有のバイオフィルムを形成している．

表 4-5-2　歯肉縁上歯石と歯肉縁下歯石の比較

	歯肉縁上歯石	歯肉縁下歯石
成分	プラーク由来の細菌とマトリックス成分が石灰化	炎症反応によるアルカリホスファターゼの作用により，歯周ポケット内成分が石灰化
由来	唾液	血清成分（歯肉溝滲出液）
沈着量	多い	少ない
構造	層状	無構造
好沈着部位	大唾液腺開口部（下顎前歯部舌側，上顎臼歯部頬側）	なし（歯周ポケット内の歯根面）
色調	白色または淡黄色	暗褐色または暗緑色
硬度	比較的もろい	硬い
除去	容易	困難

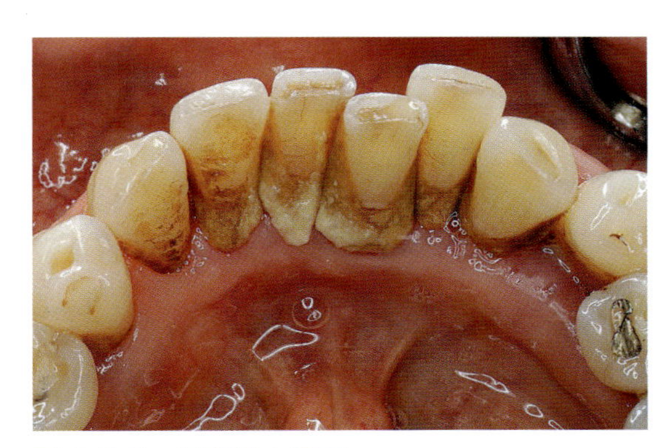

図 4-5-8　歯肉縁上歯石

プラークマトリックス

デンタルプラークのマトリックス成分は主にタンパク質と炭水化物である．タンパク質の多くは細菌由来であるが，唾液や歯肉溝浸出液の成分も含まれる．炭水化物成分は主として細菌が合成する菌体外多糖である．特にミュータンスレンサ球菌群は粘着性の不溶性グルカンを産生する（☞ p.238 参照）．

2）バイオフィルムとしての機能

プラークは細菌とマトリックスの凝集塊であり，外界からの種々の刺激に対して抵抗性を示す（**図 4-5-9**）．抗菌薬や消毒薬は浮遊細菌に対して有効に作用するが，プラーク内部まで浸透しにくいため，十分な効果が発揮できないことがある．また，宿主由来の免疫系細胞や抗菌性因子もプラーク内部には作用できない．さらに，プラークは病原細菌を含む細菌塊であるため，さまざまな細菌のもつ病原因子の集合体でもある．そのため，病気の発症の原因となる．このようにプラークはバイオフィルムとしての特徴を有し，ときとして口腔あるいは全身疾患の発症に関与している．

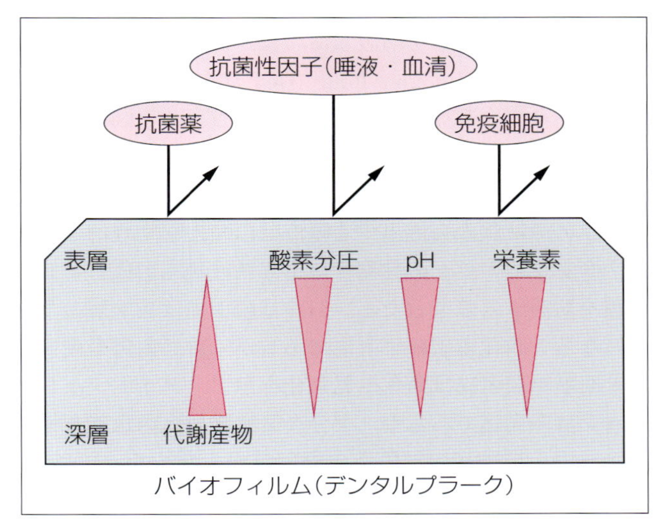

図 4-5-9　バイオフィルムの性状

3）バイオフィルム中の細菌間情報伝達

細菌は自身の菌密度を察知し，さまざまな遺伝子発現を調整することで環境に適応している．この情報伝達システムをクオラムセンシングシステムという（☞ p.17〜18 参照）．細菌は低分子のペプチドなどのオートインデューサー（AI）を産生し，それを自身あるいは同種の菌が感知し，遺伝子発現調節を行う．ときとして細菌の産生するオートインデューサーは同属だけではなく異なる菌種にも情報を伝達することがある．このようなシステムにより，プラーク中の細菌は相互に情報を伝えることで，プラークという多種の細菌からなる集合体を保持している．

（小松澤　均）

口腔免疫学

❶ 口腔の免疫

口腔は消化器と呼吸器という2つの粘膜器官の入口であり，また硬組織である歯が露出する独特の解剖学的特徴をもつ．口腔を防護するのは唾液 saliva の作用を中心とする特有の粘膜免疫系であり，自然免疫と獲得免疫，全身粘膜免疫と局所粘膜免疫の作用が総合的に反映される．また，歯頸部や歯肉溝を防護するのは，血漿由来の歯肉溝滲出液 gingival crevicular fluid（GCF）や遊出する好中球などであり，全身免疫系の作用が反映される（**図 4-6-1**）.

1）障壁（バリア）機能と自然免疫

大小の唾液腺から流出する唾液は口腔内を物理的に洗浄し，含有するムチンの粘稠性により粘液層を形成して口腔粘膜を防護する障壁となる．口腔粘膜上皮は数十層の多層からなる非角化重層扁平上皮であるが，舌，歯肉や硬口蓋など咀嚼粘膜上皮は角化～錯角化を示す．タイトジャンクションは未発達であるが，十分な微生物侵入阻止能を備える．一方，口腔底の粘膜上皮では層が少なくなっており，抗原などの透過性が局所的に高くなっている．口腔粘膜の有棘層には Langerhans 細胞や上皮内 T 細胞が分布し，また下層の固有層には樹状細胞やマクロファージが分布する．一方，形質細胞は極端に少なく，定常状態での抗体産生はほとんどみられない．また口腔粘膜上皮では，固有層から粘膜表層へ IgA を輸送する多量体免疫グロブリン受容体（pIgR）/ 分泌成分（SC）の発現が少なく，分泌型 IgA（sIgA）の分泌能はほとんどもたない．

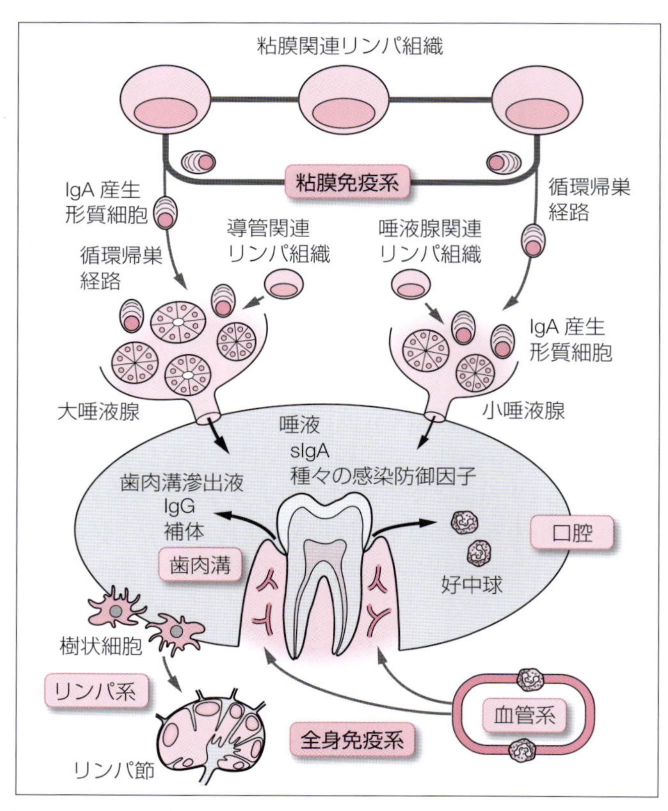

図 4-6-1 口腔の免疫機構
口腔では唾液腺から分泌される唾液の働きを中心とする粘膜免疫系，そして口腔粘膜や歯肉溝においては全身免疫系が作用している．

口腔常在フローラは，恒常的に外来微生物の感染を防ぐ障壁となるだけでなく，自然免疫を活性化する分子パターンや獲得免疫を活性化する抗原の供給源となり，口腔免疫系を刺激する役割も果たしている．

口腔粘膜の局所で微生物の侵入が起こると，自然免疫応答が発動する．上皮細胞は Toll 様受容体などのパターン認識受容体で微生物を感知し，β-ディフェンシンやカルプロテクチン（S100 A8 と S100 A9 の複合体）などの抗菌因子の産生量を増加させ排除を試みる．β-ディフェンシンは微生物の細胞膜を傷害する抗菌ペプチドで，カルプロテクチンはカルシウムや亜鉛をキレートして抗菌作用を示すペプチドである．下層の固有層まで微生物の侵入が進んだ場合には，常在するマクロファージが貪食により排除を行い，パターン認識受容体で感知し，炎症性サイトカインやケモカインの産生により炎症反応を誘発する．血流から好中球などの救援をよび寄せ，また血管透過性の亢進により漏出した血漿中の補体の働きにより微生物を排除する．

2）分泌型 IgA（sIgA）産生と獲得免疫

口腔の粘膜免疫系の主役は唾液腺から産生される分泌型 IgA（sIgA）であり，腸管など他の粘膜組織とは様相が大きく異なる．口腔には粘膜表面の抗原を取り込み特異的 IgA を誘導する粘膜関連リンパ組織（MALT）は明確には存在せず，また上述のように口腔粘膜からは IgA がほとんど分泌されない．一方，唾液腺には IgA 産生形質細胞が多数分布し，IgA 産生の実効組織となっている．唾液腺の形質細胞は全身の MALT に由来するが，一部は口腔局所の粘膜免疫を反映するものも混在すると考えられている．

口腔粘膜局所で微生物の侵入が起こった場合，上述の自然免疫の働きと並行し，Langerhans 細胞や樹状細胞が微生物抗原を捕捉し，最寄のリンパ管からリンパ節に移動して抗原提示を行い，獲得免疫応答を誘導する（**図 4-6-1**）．つまり，口腔の粘膜免疫系は主に障壁としてのみ作用し，口腔粘膜の感染防御には，皮膚などと同様に全身免疫系が作動することになる．

3）歯肉溝の免疫機構

歯頸部には粘膜が付着上皮を介して接し，歯肉溝を形成している．この周囲には解剖学的構造上，デンタルプラーク（以下，プラーク）が形成されやすく，恒常的な感染防護機構を必要とする．歯周組織内部では血漿由来の滲出液が流出して歯肉溝から排出され，さらに血流から好中球を中心とした白血球が遊走し，感染防護にあたっている．一方，歯肉溝に棲みつく歯周病原細菌の一部には，これらの免疫作用を抑制して回避し，プラーク形成を促進し，歯周炎の病態を悪化させるものが存在する（☞ p.266 参照）．

② 口腔関連リンパ系組織

1）口腔粘膜免疫系に関連するリンパ組織

腸管にはMALTとして腸管関連リンパ組織が発達しており，IgA陽性B細胞が多数誘導される．一方，口腔周辺では，扁桃が輪状に分布するWaldeyer咽頭輪がMALT（☞ p.118 参照）の機能を果たしており，鼻咽頭関連リンパ組織とよばれる．ここではIgA陽性B細胞の他，IgG陽性B細胞も優位に誘導される．全身のMALTに由来するIgA陽性B細胞は循環帰巣経路を経て，実効組織として唾液腺の腺房や導管周囲の間質に分布し，IgA産生形質細胞となり，J鎖を発現して二量体型IgAを産生する．したがってこれらは全身のMALTにおける免疫応答を反映してIgAを産生することになる（**図 4-6-1**）．

口腔粘膜には解剖学的に明確なMALTは存在しないが，MALT様の機能を担うと考えられる微小なリンパ球の集簇（しゅうぞく）構造が顎下腺の導管部や口唇腺などの小唾液腺に認められる．これらは導管関連リンパ組織，あるいは唾液腺関連リンパ組織とよばれ，透過性の高い口腔底の粘膜上皮から取り込まれた抗原や小唾液腺の短い導管から逆流した抗原に対して免疫応答が誘導され，IgAの誘導組織として機能すると考えられている．これらは口腔のMALTにおける免疫応答を反映してIgAを産生することになる．

2）全身免疫系に関与する口腔周囲のリンパ組織

口腔領域にはリンパ系として毛細リンパ管が分布しており，集合したリンパ管は各部の所属リンパ節や頸部リンパ節につながる．口腔粘膜上皮に分布する樹状細胞は微生物抗原を捕捉し，最寄のリンパ管からリンパ節に移動して全身免疫系の獲得免疫を誘導する．

③ 唾液による口腔免疫

唾液は一日に1L以上も流出し，咀嚼や嚥下の円滑化，緩衝作用，消化作用など口腔の多彩な機能をサポートする．そして感染防護作用として，物理的洗浄作用とともに，含有するムチンの粘稠性により粘液層を形成し口腔粘膜を恒常的に保護し，また感染防御因子によって生化学的な微生物の付着・増殖抑制作用を発揮する（**図 4-6-1**）．

1）唾液腺と唾液

口腔には大唾液腺である耳下腺，顎下腺，舌下腺が開口し，また粘膜各所に小唾液腺が散在する．耳下腺はムチンの産生が少ない漿液腺で，舌下腺と小唾液腺はムチン産生量が多い粘液腺である．顎下腺は漿液腺と粘液腺の混合腺である．安静時のおよその唾液流量比率は耳下腺40%，顎下腺40%，舌下腺10%，小唾液腺10%である．

2）唾液中の抗体

唾液中に認められる抗体の約95%は唾液腺由来であり，残りは歯肉溝滲出液などに由来する．約90%を二量体のsIgAが占めるが，単量体IgAの他，IgGやIgMも数%程度認める．唾液中のIgA濃度は通常200 μg/mL前後であり，IgGやIgMは数μg/mL程度である．IgAのサブクラスにはIgA1とIgA2があるが，唾液中ではIgA2の比率が4割程度と他の部位と比較して高くなっている．

唾液腺，特に耳下腺，顎下腺や小唾液腺の導管に隣接した腺房付近の間質には，J鎖を発現するIgA産生形質細胞を多数認め，IgA産生の実効組織となっている．またIgM産生細胞やIgG産生細胞，IgD産生細胞も少ないが認める．顎下腺や口唇腺には耳下腺の二倍以上の密度でIgA産生形質細胞が分布するが，これには前述の導管関連リンパ組織や唾液腺関連リンパ組織の働きが影響すると考えられている．腺房細胞や導管上皮にはpIgR/SCが発現しており，産生された二量体IgAを運搬し，SCが結合した状態でsIgAを唾液中へ分泌できる．

唾液におけるsIgAの役割は，微生物の付着・増殖の阻害，微生物の凝集，毒素の中和などである．sIgAはムチンなど唾液中の多くの因子と協働し，感染防御能を増幅している．

唾液腺で少量産生されるIgMにもSCが結合して唾液に分泌され，分泌型IgM（sIgM）とよばれる．sIgAは補体活性化能をもたず微生物の殺傷能力が乏しいため，補体活性化能を有するsIgMがこの作用をサポートすると考えられている．

3）抗体以外の感染防御因子

唾液中には感染防御因子が多数含まれ，母乳や涙液などと類似する．主要に認められるのは以下の因子である．

(1) リゾチーム

A. Flemingにより発見された酵素で，新生児～成人で高レベルで唾液中に認める．主に粘液腺で産生されるが，歯肉溝滲出液や好中球からも供給される．溶菌酵素ともよばれ，細菌のペプチドグリカン構造中の*N*-アセチルムラミン酸と*N*-アセチルグルコサミンの間のβ(1-4)結合を加水分解するムラミダーゼ活性をもつ．グラム陽性菌の細胞壁を崩壊させるが，グラム陰性菌では外膜のLPSが妨害

VI 口腔免疫学

して分解に抵抗する．酵素活性に非依存的な殺菌活性も有しており，口腔レンサ球菌を殺傷する．

(2) ペルオキシダーゼ

漿液腺などから産生される唾液ペルオキシダーゼ，そして好中球など白血球由来のミエロペルオキシダーゼの両者が認められる．前者は新生児でも高レベルで産生される．過酸化水素に作用して酸化反応を行う酵素であり，口腔レンサ球菌などが産生する過酸化水素の毒性を中和して口腔を防護し，また唾液中のロダン（チオシアン酸イオン：SCN^-）を過酸化水素存在下で酸化し，ヒポチオシアン酸イオン（$OSCN^-$）をつくりだす．$OSCN^-$ はSH基の酸化作用により非特異的な殺菌活性を発揮する．

(3) ラクトフェリン

鉄結合性糖タンパク質であり，主に漿液腺から分泌される．歯肉溝滲出液や好中球からも供給される．新生児での産生レベルはきわめて低いが，年齢とともに増加する．細菌は鉄結合性タンパク質により自身の増殖に必須な鉄分子を確保しているが，唾液中のsIgAがこれに結合して作用を妨げ，ラクトフェリンが鉄に結合して奪うため静菌的作用が発揮される．

(4) 唾液アグルチニン（凝集素）

唾液には微生物凝集にかかわる複数の因子が含まれ，唾液アグルチニンとよばれる．ムチン，sIgA，リゾチーム，β2-ミクログロブリン，フィブロネクチンなどが該当する．凝集した微生物は嚥下され，胃酸の働きにより死滅する．

ムチンは無数の糖鎖が結合する高分子量糖タンパク質で，強い粘性と水分の保持能力をもつ．分泌型と膜結合型とがあるが，唾液中に認めるのは分泌型のMUC5Bであり，粘液腺から産生される．粘膜保護作用と凝集作用を有し，*S. mutans* などの微生物の付着能やバイオフィルム形成能を抑制する．sIgAに結合する能力をもつため，粘液層に多数のsIgAをとどめておくことができる．

(5) その他の因子

ヒスタチンは唾液のみに認められるヒスチジンに富むペプチドであり，抗菌活性や抗真菌活性をもつ．シスタチンはシステインプロテアーゼ阻害作用をもつタンパク質で，細菌由来，または宿主由来のシステインプロテアーゼの作用を阻害し，これらの組織破壊作用を抑制する．細菌の増殖抑制作用も有している．

4 歯肉溝の免疫学的特徴

歯頸部や歯周組織は構造的に口腔バイオフィルムであるプラークが蓄積しやすく，恒常的な免疫作用による保護が必要となる．歯肉溝からは，歯肉の毛細血管由来の血漿と周囲の組織液とが混合され歯肉溝滲出液として排出されており，またこれに混じって血管から好中球やリンパ球などの免疫細胞が遊出する．つまり，歯頸部や歯周組織の感染防護には血液由来の全身免疫系が働いている（**図4-6-1**）．歯肉溝の内縁上皮は角化しておらず，デスモゾームが少ないため細胞間は離れやすく，歯肉溝滲出液と免疫細胞の流出をサポートする構造になっている．

1）歯肉溝滲出液

歯肉溝滲出液は炎症症状のない場合，口腔全体で1日あたり1～2 mL程度流出している．歯周組織の炎症性変化に伴い流出量は増加する．歯肉溝滲出液は唾液の作用で受動的に拡散し，500～1,000倍に希釈される．

歯肉溝滲出液の主要な役割は，IgGを主体とする血漿中の抗体と補体成分とを感染防御因子として供給することである．特にIgGは抗原への結合特異性が高く，IgAにはないオプソニン作用や補体活性化能を有し，特定の口腔細菌を特異的に殺傷し，排除するうえで重要である．

2）歯肉溝滲出液中の免疫細胞

歯肉溝滲出液とともに流出する細胞の約95％は好中球であり，貪食能と殺菌能による自然免疫を中心とした感染防御能が発揮される．その他単球やリンパ球が数％存在し，リンパ球はB細胞の比率がT細胞よりも高い．

5 口腔細菌による免疫の抑制

1）歯周病原細菌の免疫抑制作用

歯周病に罹患すると，歯周組織では自然免疫による炎症が起こり，また歯周病原細菌の抗原に対して獲得免疫が発動し，血清中の抗体価が上昇する．したがって，歯肉溝から遊走する好中球や歯肉溝滲出液中のIgGを主体とする特異的抗体の作用により，本来であれば歯周病原細菌は効果的に排除されるはずである．ところが，歯周病原細菌はさまざまな免疫抑制機構により殺菌機構を回避する．

Porphyromonas gingivalis はジンジパインなど複数のプロテアーゼ産生により抗体や補体成分を分解し，オプソニン作用や殺菌機構に強く抵抗する．また，細胞表層のパターン認識受容体を分解し，自然免疫による菌体の認識を起こりにくくする．*Aggregatibacter actinomycetemcomitans* の産生するロイコトキシンは好中球，単球やリンパ球に特異的に作用し，細胞膜に細孔を形成し傷害する．これにより白血球，特に食細胞の殺菌機構から回避する．

2）口腔細菌によるsIgAの分解

ヒトIgAの2つのサブクラスのうち，IgA1は細菌が産生するプロテアーゼで分解され，感染防御能を失いやすい．口腔細菌では *Streptococcus sanguinis* や *P. gingivalis* などがプロテアーゼ産生を介して，IgA1の作用から免れている．一方，IgA2はプロテアーゼが作用するヒンジ部内の特定部位を欠失しているため，分解を受けにくい構造となっている（☞ p.117参照）．

（引頭　毅）

VII う蝕

A う蝕の病像

1 う蝕の臨床像

う蝕は，歯の硬組織が歯面に付着したう蝕原因菌によって破壊される疾患である．人体で最も硬い組織であるエナメル質（モース硬度：6〜7）をも破壊させることは大きな特徴である．

う蝕の原因の1つは後述のとおり口腔細菌であり，歯が口腔に萌出して歯冠部のエナメル質が口腔細菌に接することでう蝕発症のリスクが発生する．さらに，う蝕によりエナメル質が破壊されると，下部の象牙質に細菌が侵入して象牙質も破壊される．また，歯周病が進行すると，本来歯周組織で覆われている歯根面が口腔に露出して，歯根面のセメント質にもう蝕のリスクが生じる．すなわち，歯の硬組織であるエナメル質，象牙質，セメント質が口腔環境に曝されることで，各硬組織に定着した口腔細菌の作用によって，それぞれの組織を破壊するのがう蝕である．

このようにう蝕発症には歯の萌出が絶対条件であり，乳歯が萌出する生後6〜7か月ころからすでにう蝕罹患のリスクが生じる．しかし，この時期に萌出する乳前歯は歯冠形態がほぼ平滑面で構成されているため，この段階でう蝕が発症する場合は，その個人のう蝕活動性あるいはう蝕感受性がきわめて高いと判定される．実際，令和2年度のわが国の1歳6か月児歯科健康診査（1歳6か月では乳前歯のほとんどが生えそろっているが，乳臼歯の多くは生えそろっていない）の結果では，う蝕有病者率は1.12％であり，1人平均のう蝕経験歯数は0.03本となっている．一方，乳歯のすべてが生えそろう3歳児についての同年度の歯科健康診査では，う蝕有病者率が11.81％で1人平均のう蝕経験歯数は0.39本といずれも10倍以上急激に増加している．う蝕は乳臼歯の咬合面の小窩裂溝や隣接面に好発するので，う蝕の急増が乳臼歯の萌出時期に一致することがわかる．乳歯は永久歯と比較して，歯質そのものが薄いうえに，石灰化度が低く，結晶構造も脆弱であることから，乳歯う蝕は永久歯う蝕に比べて，進行が早く，病変が容易に歯髄に及びやすい．

6歳頃になると乳歯の脱落が始まり，第一大臼歯と中切歯が同時期に萌出するが，これまでの歯科疾患実態調査の結果をみると，初期の永久歯う蝕のほとんどは小窩裂溝が複雑な第一大臼歯にみられ，次いで第二大臼歯にう蝕が多発している．DMFT指数〔1人平均DMF歯数：D（decayed）は未治療のう蝕，M（missing）は喪失，F（filled）は治療済みのう蝕，T（teeth）は歯数を示す〕でみると，第二大臼歯が生え揃う14歳から40歳まで着実に増え続ける．40歳まではM歯（喪失歯）はほとんどないため，40歳未満のDMFT指数は永久歯う蝕をそのまま反映する．40歳以降はM歯数の増加には歯周病が影響するため，DMFT指数ではう蝕の変化を把握することは難しい．そこで，DF歯率（現在歯数に対するDF歯数の割合）をみると，いったん50歳代で増加の延びが鈍るが，60〜64歳での55％から80〜84歳では81％と直線的に増加している．歯周病で歯根面が口腔に露出すると歯冠部のエナメル質よりも耐酸性の低い歯根面にう蝕が発症するリスクが増大するため，この年齢のDF歯率の増加の多くが歯根面う蝕である可能性が高い．

2 歯冠部う蝕

歯冠部は一般にエナメル質に覆われており，乳歯，永久歯を問わず歯冠部う蝕の始まりは他の硬組織よりも無機質含有組成が著しく高いエナメル質である．無機質の主成分はカルシウムとリン酸からなるハイドロキシアパタイトであるが，その結晶の大きさは他の硬組織と比較して最も大きい．無機質成分に富むため一見構造が均質にみえるが，組織学的にみると断面が鍵穴型をしたエナメル小柱の単位が束ねられた集合体をなしている．六角柱状のハイドロキシアパタイトの結晶が小柱を満たし，小柱間には有機質に富む約0.1 μmの小柱鞘とよばれる構造が認められる．小柱の大部分は深部から表層に向かって放射状に走行しているが，前歯舌面や臼歯部の小窩裂溝部に限っては表層に向かって収束している．エナメル質う蝕はこの小柱に沿って表層から深部に浸蝕するため，小窩裂溝のう蝕は表層から見た目よりも深部で病巣が広がることが多く，う蝕の治療を行う際にはこの点に注意する必要がある（**図4-7-1**）．

エナメル質う蝕は平滑面う蝕と小窩裂溝う蝕に大別され，平滑面では歯頸部や隣接面，小窩裂溝では深い小窩裂

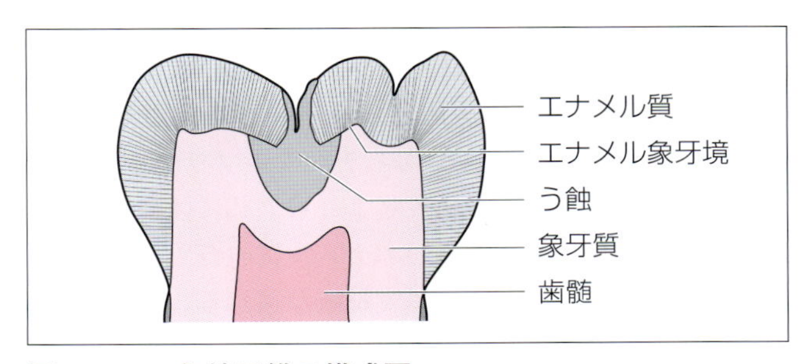

図4-7-1 う蝕円錐の模式図
う蝕が象牙質に達すると，エナメル象牙境に沿って側方に広がり，円錐形の病巣となる．

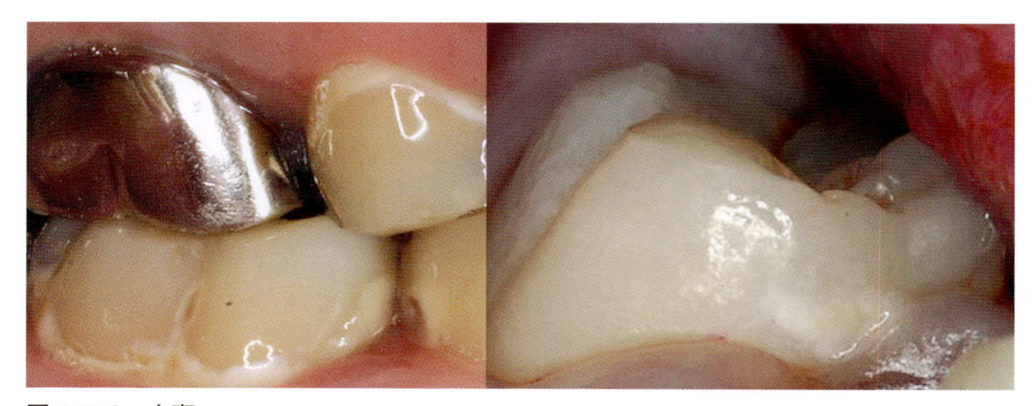

図 4-7-2　白斑
初期の脱灰エナメル質表層は視診で白濁した白斑として観察される．
（山中渉博士）

溝がう蝕の好発部位となる．いずれのう蝕病巣でもミュータンスレンサ球菌群の分離頻度が高いといわれており，特に平滑面う蝕ではミュータンスレンサ球菌群がスクロースから生成する粘着性の不溶性グルカンが重要な役割を演じる．一方，深い小窩裂溝では，グルカンを介した定着能をもたない他の口腔レンサ球菌，*Lactobacillus* 属，*Actinomyces* 属などもエナメル質表層に定着できるが，滑沢なエナメル質平滑面にう蝕細菌が定着するためには粘着性のグルカンが不可欠である．この性質の重要性はスクロースの消費量とう蝕有病率が相関するという疫学研究データからも確認できる．

う蝕細菌が産生した有機酸による歯質の脱灰で，エナメル質う蝕は始まる．本来，唾液中のカルシウムとリン酸のイオン濃度は十分に高く，pH 中性領域ではこれらのイオンは歯質に沈着して石灰化する．萌出直後の歯のエナメル質は脆弱であり，ハイドロキシアパタイトのリン酸が炭酸に置換されているなど不安定な結晶構造をとっているが，唾液中のリン酸イオンによるハイドロキシアパタイト中の炭酸との置換やカルシウムやリン酸の沈着による石灰化度の亢進で，耐酸性の高いエナメル質へと成熟していく．しかし，細菌が産生する有機酸によってエナメル質表層の pH が 5.5 以下に低下すると，ハイドロキシアパタイト中のカルシウムやリン酸はイオン化して歯質から溶出する．脱灰初期では，歯質の実質欠損がない状態でも，エナメル質のミネラル分が溶出して多孔性を呈し，視診では透明感のある健康エナメル質から変化して白濁を帯びた白斑として観察されるようになる（**図 4-7-2**）．このようなエナメル質の脱灰では，最表層よりも深部の歯質のほうがより強く脱灰を受ける表層下脱灰という現象が観察される（**図 4-7-3**）．有機酸の発生源であるデンタルプラーク（以下，プラーク）に直接接した最表層よりも深部に強い脱灰像が観察される現象は，最表層のエナメル質の石灰化度が深層部より高いため深層部に比べて脱灰が遅れることや，唾液中のミネラル分が表層部分に沈着しやすいことがその理由とされている．

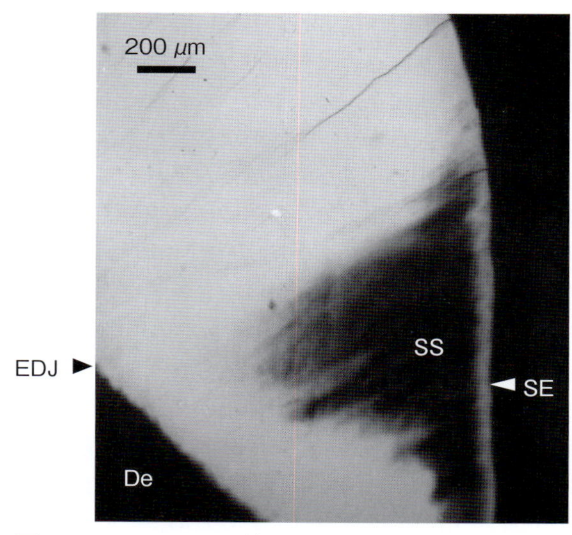

図 4-7-3　エナメル質平滑面う蝕病巣の石灰化像を示すマイクロラジオグラム
SE：表層エナメル質，SS：表層下エナメル質，De：象牙質，EDJ：エナメル象牙境

脱灰状態でも実質欠損がなければ，プラークコントロールによってエナメル表層環境を改善して中性の pH 環境を取り戻すことで，脱灰エナメル質に唾液中の豊富なミネラル分が供給されて，歯質は再石灰化する．一方で，このような環境の改善がなければ，脱灰がさらに進んで実質欠損を生じるが，エナメル質には細胞構造が存在しないため，いったん実質欠損が生じると再生されることはない．エナメル質には神経が走行していないので，病巣がエナメル質にとどまる限り，疼痛などの自覚症状はない．このため，エナメル質う蝕の進行は自覚症状で判断できないが，X 線診断では透過像として観察できるので，病巣の進行度の判断には X 線診断が有効である．

う蝕は象牙質に到達すると，エナメル質と象牙質の境界（エナメル象牙境）（**図 4-7-1，4**）に沿って広がり，広がった境界面から象牙質内へと進行する．象牙質う蝕は，象牙芽細胞の突起である象牙細管に細菌が侵入して進むので，その進行は基本的には象牙細管の走行に沿う．象牙細管に侵入した細菌は歯髄方向に増殖し，脱灰層は細菌の到達部より深部にもみられる．象牙細管に細菌の侵入を受け

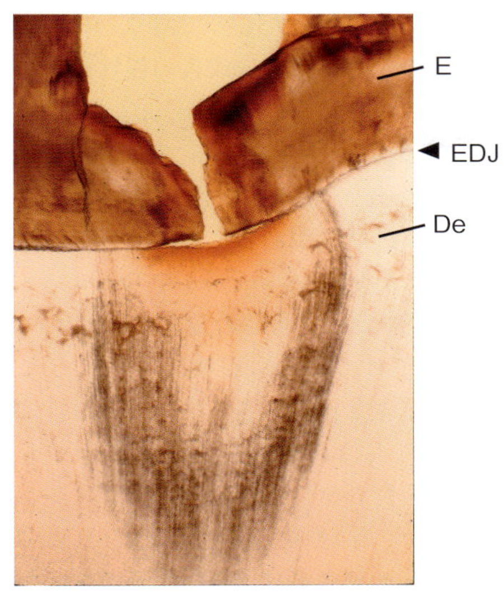

図 4-7-4 う蝕円錐を示す組織像
E：エナメル質，EDJ：エナメル象牙境，
De：象牙質

た象牙芽細胞は細管を通した刺激によって活性化され，生体防御反応として二次象牙質 secondary dentin の形成を始めることがある．象牙質にはエナメル質と比較して有機質が多いため，象牙質う蝕の進行には無機質の脱灰だけでなく，Ⅰ型コラーゲンを主成分とする有機質の分解が必要であり，その進行にはエナメル質う蝕とは異なる細菌種の関与が考えられる．近年，分子遺伝学的手法で象牙質う蝕の進行にどのような細菌が関与しているのかについての検索が進められており，*Lactobacillus* 属をはじめとして *Prevotella* 属，*Atopobium* 属，*Cutibacterium* 属などの細菌が象牙質う蝕の進行にかかわっており，その細菌種構成にもいくつかのパターンがあることが報告されている．象牙質コラーゲンの分解には，細菌が産生するプロテアーゼよりもむしろ宿主が産生するメタロプロテアーゼが主要な働きをするとの報告もあるが，*Prevotella* 属などのう蝕病巣に認められる細菌が産生するプロテアーゼの関与も考えられる．細菌構成パターンによってう蝕病巣の進行性や歯髄に及ぼす影響に違いがある可能性もあり，今後の解明が期待される．

象牙質う蝕では，疼痛を生じることが特徴である．う蝕病巣中の細菌の活動が象牙細管を伝わって象牙芽細胞を刺激して象牙芽細胞層に分布する神経を興奮させ，疼痛が生じる．象牙質う蝕であっても，初期には食物摂取時に一過性の疼痛を覚えるだけで自発痛はなく，適切な処置によって疼痛を消退させ，歯髄を保護できる．しかし，病巣が深く進行して歯髄に不可逆性の炎症が生じると，抜髄・根管充填などの根管処置が必要になる．状況によって抜髄・根管充填がきわめて難しい症例も少なくなく，抜髄・根管充填が必要となる前に適切に象牙質う蝕をコントロールして，抜髄・根管充填による根管処置を避けることは歯の寿命を延ばすために歯科臨床においてきわめて大切である．う蝕病巣が歯髄に近接して，完全に病巣を除去すると露髄の危険がある場合に，う蝕病巣を残したまま抗菌薬をう窩に詰めてしばらく様子をみる療法などが考案されている．前述の象牙質う蝕の細菌種の構成パターンも考慮して，最適な抗菌薬を選ぶことでより効果的な歯髄保存療法が可能となるかもしれない．

③ 歯根面う蝕

健康な歯周組織では，上皮が歯冠部のエナメル質にヘミデスモゾーム結合により上皮性付着を形成し，その下部層では歯肉コラーゲン線維束や歯根膜組織のコラーゲン線維が歯根面を覆うセメント質に入り込んだ結合組織性付着を形成している．しかし，歯肉に炎症が生じると，上皮性付着や結合組織性付着が破壊されることで，本来は歯周組織に覆われている歯根面のセメント質が口腔に露出するために歯根面のう蝕リスクが生じる．近年，若年者のう蝕が急速に減少する反面，高齢者の１人当たりの現在歯数が増加している．わが国では今後団塊の世代が老年人口に加わることで高齢者の実数が増加し，歯周病の歯の実数も増加すると予測されることから，歯根面う蝕への対応がこれからの歯科医療の重要な役割になると考えられる．

セメント質の厚さは 50～150 μm と薄く，いったんセメント質にう蝕を生じるとその下層にある象牙質に急速に進行する．また，歯周病治療のルートプレーニングによりセメント質は容易に除去されて象牙質が露出するので，歯周病の結果発症する歯根面う蝕の実体は，そのほとんどが象牙質う蝕と考えられる．注意すべきは，歯冠部う蝕の進行がエナメル象牙境で方向を変えて境界に沿って広がるように，歯根面う蝕もセメント質と象牙質の境界（セメント象牙境）に沿ってう蝕が広がることである．歯根面う蝕にはミュータンスレンサ球菌群や *Lactobacillus* 属の関与が示唆されているが，従来指摘されていた *Actinomyces* 属の関与は *Actinomyces viscosus* などの例外を除いてそれほど高くないとの報告がある．しかし，歯冠部う蝕に比較して歯根面う蝕の原因菌についての十分な研究が行われていないことから，今後さらなる歯根面う蝕の原因菌究明につながる研究成果が待たれる．また，歯周治療による歯周ポケット内のフローラの変化に伴い，ミュータンスレンサ球菌群などのう蝕細菌が増加することが報告されていることから，歯周病の治療のクリニカルパスとして歯根面う蝕の予防を考慮する必要がある．

B う蝕の細菌学

う蝕の多発とミュータンスレンサ球菌群の存在の強い関係を示す疫学的研究のほとんどは乳幼児を対象としたもので，研究対象者が成人になるとその関連性はそれほど強くない．また，う蝕動物実験では歯が萌出直後の若年動物を

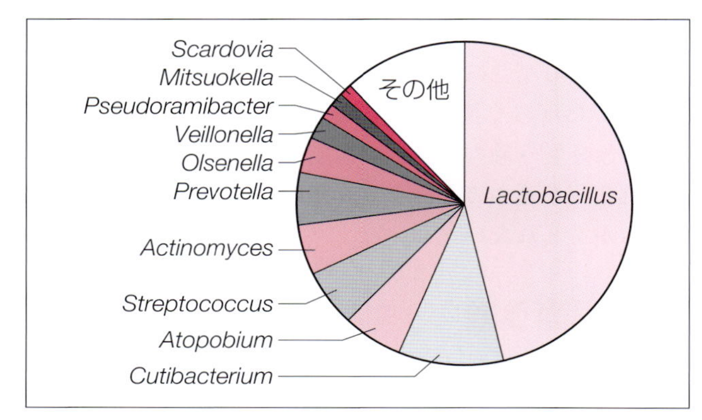

図 4-7-5　う蝕象牙質の細菌種構成
（Obata J et al.：Identification of the microbiota in carious dentin lesions using 16S rRNA gene sequencing. *PLoS One*, **9**(8)：e103712, 2014. を改変）

用いることで効果的なう蝕が再現できるが，加齢に伴い実験動物のう蝕感受性は低下することから，一般に行われているう蝕動物実験がヒトの成人の慢性う蝕を必ずしも再現していないことを考慮する必要がある．

その一方で，近年の分子生物学の技術を用いたう蝕病巣の研究では，象牙質う蝕にミュータンスレンサ球菌群がほとんど検出されないのに対し，*Lactobacillus* 属，*Atopobium* 属，*Cutibacterium* 属，*Prevotella* 属などが優勢であることが報告されている．これらのことから，う蝕が歯髄炎の原因となるまでミュータンスレンサ球菌群が終始重要な働きをしていない可能性が考えられる（**図 4-7-5**）．エナメル質う蝕から象牙質う蝕に移行する過程で病巣に優勢な細菌種がどのように遷移するのかについては十分な研究がなされていない．

このようにヒトのう蝕細菌の全貌についてはいまだ不明な点も多い．しかし，ミュータンスレンサ球菌群がう蝕細菌として最も注目され，多くの研究結果が蓄積されているので，以下に解説する．

❶ ミュータンスレンサ球菌群とう蝕

1）実験う蝕

感染症の病原体の特定には Koch の原則が必須であり，ヒトのう蝕を再現した動物実験系が不可欠となる．多くのう蝕動物実験ではラットあるいはハムスターが用いられているが，う蝕の誘発には，細菌感染だけでは不十分であり，飼料の組成と宿主動物の年齢が重要な因子となる．う蝕の誘発には飼料に多量のスクロースを含有させる必要があり，多くのう蝕誘発飼料は 50％以上のスクロースを含む．ただし，口腔に常在細菌が生息しない無菌動物では数％のスクロース含有飼料でう蝕を誘発できる．年齢では，生後 18 日からさまざまな日齢のラットにう蝕誘発性の飼料を与えると，実験の開始日齢が遅れるほどう蝕の程度が低下する．う蝕動物実験はかなり特殊な条件下で未成熟歯に急性う蝕を発症させたものであり，ヒトの口腔で発症しているう蝕のすべて，特に成人の慢性う蝕を再現していないことを考慮する必要がある．

上記のような動物実験系によって，*Streptococcus ratti* や *Streptococcus criceti* のう蝕原性が証明されたことで口腔レンサ球菌にう蝕原性があることが注目され，さらにヒトの口腔から *Streptococcus mutans* や *Streptococcus sobrinus* のような類似の細菌（当時の論文ではいずれも *S. mutans* として報告されている）が検出され，そのう蝕原性が動物実験でも確認された．さらに，う蝕原性の飼料を与えてもう蝕を発症しないう蝕非感受性のラットやハムスターあるいは無菌飼育ラットにミュータンスレンサ球菌群を接種することでう蝕の発症が認められたことから，ミュータンスレンサ球菌群は Koch の原則を満たすう蝕原因菌としての不動の地位を得ることになった．

一方で，乳酸産生能が高い *Lactobacillus* 属は前述の動物実験系でう蝕を誘発しないことからう蝕原因菌としての要件を満たさないと考えられていた．しかしその後，無菌飼育ラットや唾液腺機能低下ラットを用いた動物実験で，*Lactobacillus* 属にもう蝕原性があることが認められており，宿主の口腔環境によってはミュータンスレンサ球菌群だけでなく，*Lactobacillus* 属もう蝕原因菌として重要な働きをすると考えるほうが妥当である．

2）ヒトにおけるう蝕とミュータンスレンサ球菌群

ミュータンスレンサ球菌群がヒトの口腔内で実際にう蝕発症に関与することは，動物実験だけでなくヒト集団を解析した疫学研究でも明らかにされている．ミュータンスレンサ球菌群の口腔での検出時期とう蝕発症の関係を調べた北欧における 2 年間の縦断研究では，研究開始時期に 2 歳児であった対象者 39 人中，ミュータンスレンサ球菌群がすでに感染していた者（既感染群）が 5 人，2 年間の追跡期間中に感染した者（途中感染群）が 8 人，2 年後の追跡終了時でも未感染の者（未感染群）が 26 人であった．2 年後に追跡を終了した 4 歳児での 1 人当たりのう蝕経験歯面数は，既感染群で 10.6 ± 5.3，途中感染群で 3.4 ± 1.8，未感染群で 0.6 ± 1.1 であったことから，ミュータンスレンサ球菌群の定着が早ければ早いほどう蝕を発症するリスクが高いことが示された（**表 4-7-1**）．また，年齢が高くなりミュータンスレンサ球菌群の感染者が増えた段階については，12 歳児を 3 年間追跡した結果，唾液中のミュータンスレンサ球菌群数が 1 mL 当たり 1.0×10^6 の群では 2.5×10^5 の群より，う蝕の増加が約 3 倍高いことが報告されており，ミュータンスレンサ球菌群の検出の有無だけでなく，その量もう蝕の発症に関与していることが示されている（**図 4-7-6**）．

3）ミュータンスレンサ球菌群の生態

ミュータンスレンサ球菌群のニッチは歯面であり，同細

表 4-7-1　ミュータンスレンサ球菌群の感染期と乳歯う蝕との関係

ミュータンスレンサ球菌群の感染期	4 歳時の dfs
2 歳（5 人）	10.6 ± 5.3
2～4 歳（8 人）	3.4 ± 1.8
未感染（26 人）	0.6 ± 1.1

39 人の 2 歳児を 2 年間追跡した調査結果を示す．
dfs：未処置う蝕 (d) および処置う蝕 (f) の歯面数．
（Alaluusua S and Renkonen OV：*Streptococcus mutans* establishment and dental caries experience in children from 2 to 4 years old. *Scand J Dent Res,* **91**(6)：453～457, 1983. を改変）

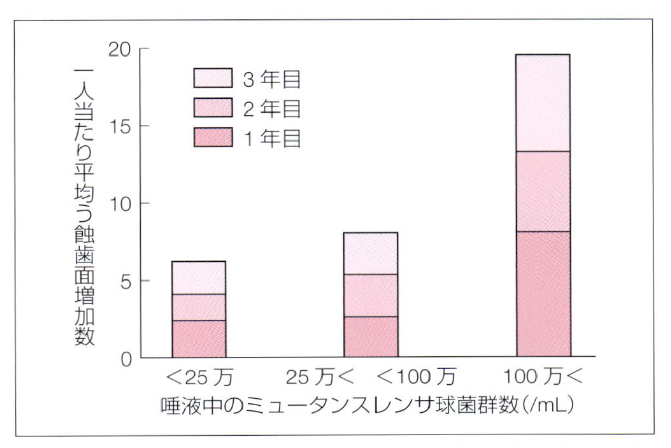

図 4-7-6　唾液中のミュータンスレンサ球菌群数とう蝕増加の関係
（Zickert I et al.：Correlation of level and duration of *Streptococcus mutans* infection with incidence of dental caries. *Infect Immun,* **39** (2)：982～ 985,1983. を改変）

菌の口腔への定着は歯の萌出を必要とする．*Streptococcus mitis* や *Streptococcus sanguinis* のニッチも歯の表面であり，ミュータンスレンサ球菌群はこれらの口腔レンサ球菌と歯面の定着の場を争って奪い合うと考えられる．この拮抗バランスがミュータンスレンサ球菌群の口腔への定着に大きく影響を与えることから，歯の萌出後，ミュータンスレンサ球菌群に先がけて *S. mitis* や *S. sanguinis* をなるべく早期に定着させることがう蝕の予防につながる可能性がある．ミュータンスレンサ球菌群は主に育児担当者から乳幼児に感染し，この時期は「感染の窓」とよばれ，歯の萌出後 1～2 年の間に集中するとの報告がある．したがって，育児担当者の口腔のミュータンスレンサ球菌群量は，成人である自身のう蝕のリスクよりもむしろ育児をされている乳幼児のう蝕のリスクにより大きな影響を及ぼすことに注意を払う必要がある．

また，ミュータンスレンサ球菌群はう蝕以外に心内膜炎や脳出血などの全身疾患にも関与するといわれており，口腔内にミュータンスレンサ球菌群が多く存在するということは，単にう蝕のリスクにとどまらず，抜歯などの観血処置によって血行を通して全身の健康に影響を与えるリスクが高まることを考えなければならない．

② ミュータンスレンサ球菌群の分類と性状

ミュータンスレンサ球菌群は発見当初，*S. mutans* という単一の細菌種として分類されていたが，その後 1988 年までに *S. mutans*, *S. sobrinus*, *S. ratti*, *S. criceti*, *Streptococcus ferus*, *Streptococcus downei*, *Streptococcus macacae* の 7 種に再分類することが提唱された．近年さらに *Streptococcus orisratti*, *Streptococcus devriesei*, *Streptococcus troglodytae* などが新種として提唱されている．しかし，一般にヒト口腔から分離されるのはごく一部の例外を除けば *S. mutans* と *S. sobrinus* であり，歯科臨床の視点から考えた場合，この 2 つの細菌種の性状の差を理解することが大切である．*S. ratti* と *S. criceti* は動物からの分離菌であるが，わずかながらヒトの口腔から分離された報告があり，ミュータンスレンサ球菌群に関するう蝕研究史を語るうえで欠かせない菌である．興味深いことに，*S. ratti* と *S. criceti* はそれぞれ *S. mutans* と *S. sobrinus* にきわめて類似した細菌であり，生物的にはこれらの 4 種の細菌は *S. mutans* タイプと *S. sobrinus* タイプの 2 群に大別して考えることができる．これら 4 種の菌の性状を**表 4-7-2** に示す．他の 6 種の細菌種は程度の差こそあれ，これら 4 つの細菌種の亜種としてとらえることができる．

1）*S. mutans*

本項目では狭義の *S. mutans* について述べる．ヒトから分離される 8～9 割近くが *S. mutans* である．血清型は *c*, *e*, *f* あるいは *k* である．血液寒天培地では γ 溶血（非溶血性）を示し，スクロース含有の MS 寒天培地上でラフ型の集落を形成する（**図 4-7-7A**）．大気下でも生育できるが，二酸化炭素の存在下あるいは嫌気条件下のほうが生育は良好である．多くの糖を基質として乳酸発酵を行い，液体培地の最終 pH は 4.0 程度まで低下する．バシトラシンに耐性を示すことから，後述の MSB 寒天培地を選択培地とすることで口腔からの分離が容易に行える．

S. mutans は 3 種のグルコシルトランスフェラーゼ glucosyltransferase（GTF）を産生するが，可溶性グルカンのみを合成する 1 種の GTF は菌体外に分泌され，不溶性グルカンを合成する 2 種の GTF は主に菌体に付着している．*S. mutans* の GTF は本細菌がエナメル質の平滑面に定着するうえで決定的な役割を果たしており，本細菌の重要なう蝕原性因子の 1 つと考えられている．1%のスクロースを含んだ液体培地で培養すると，*S. mutans* は不溶性グルカンを産生して試験管壁に強固なバイオフィルムを形成する．これは他の非う蝕原性の口腔レンサ球菌と鑑別するのにきわめて簡便で効率のよい手法である．

S. mutans は菌体外に GTF だけでなく，フルクトシルトランスフェラーゼ fructosyltransferase（FTF）を産生し，スクロースからフルクトースのポリマーであるフルク

表 4-7-2 ミュータンスレンサ球菌群の主要な4菌種の性状の比較

性状	*Streptococcus*			
	mutans	*ratti*	*sobrinus*	*criceti*
GC 含量（モル%）	36〜38	41〜43	44〜46	42〜44
血清型	*c/e/f/k*	*b*	*d/g*	*a*
主な感染宿主	ヒト	ラット	ヒト	ハムスター
バシトラシン耐性	+	+	+	−
溶血性	γ	γ	α	α/γ
グルカン凝集能	−	+	+	+
H_2O_2 産生	−	+	+	−
糖発酵能				
マンニトール	+	+	+	+
ソルビトール	+	+	±	+
ラフィノース	+	+	−	+
メリビオース	+	+	−	+
アルギニン分解	−	+	−	−
ペプチドグリカンの架橋ペプチド	Lys-Ala_{2-3}	Lys-Ala_{2-3}	Lys-Thr-Ala	Lys-Thr-Ala
細胞壁構成糖	ラムノース グルコース	ラムノース ガラクトース	グルコース ガラクトース ラムノース	グルコース ガラクトース ラムノース

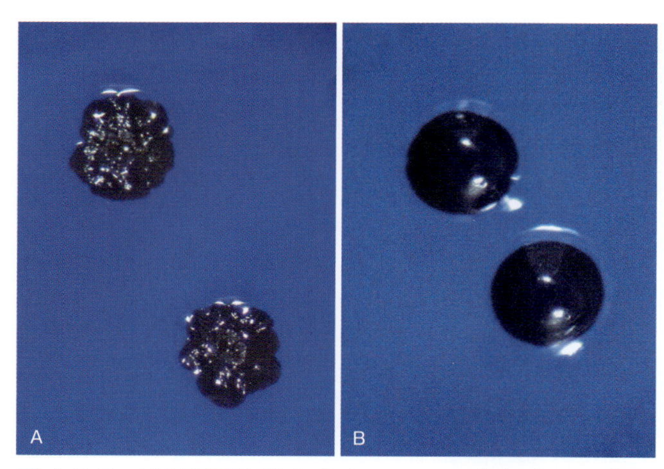

図 4-7-7 MS 寒天培地上の *S. mutans*（A）と MS 寒天培地上の *S. sobrinus*（B）の集落の形態

タンを合成する．合成されるフルクタンは可溶性であり，本細菌のバイオフィルム形成能には関係せず，う蝕原性との直接の関連性は不明である．*S. mutans* は他の口腔レンサ球菌と同様に，菌体内にもグリコーゲン様多糖を合成する．菌体内の多糖体合成にはスクロースを必要とせず，グルコースなどが培地中に過剰に存在することで菌体内の多糖体が合成される．

2）*S. sobrinus*

ヒトから分離されるミュータンスレンサ球菌群の1〜2割を占め，血清型は *d* あるいは *g* を示す．*S. mutans* と同様にマンニトール発酵能があり，スクロースから不溶性グルカンを合成することでガラス管壁などの平滑面に強固なバイオフィルムを形成し，バシトラシン耐性を示す．一方，血液寒天培地ではコロニー周辺に緑色を帯びた環帯を形成する．α溶血はミュータンスレンサ球菌群の中でも *S. sobrinus* の特徴である．MS 寒天培地上ではスムーズ状のコロニーを形成するため，上記の *S. mutans* の集落とは区別できる（**図 4-7-7B**）．また，H_2O_2 を産生し，GC 比が高く（*S. mutans*：36〜38%に対し，*S. sobrinus*：44〜46%），ラフィノースやメリビオース発酵能がないなど *S. mutans* とは異なった性状を示す．

スクロースからの不溶性グルカン合成能を示すことは *S. mutans* と同じであるが，*S. sobrinus* にはグルカン合成酵素である GTF が4種類あり，スクロースを含まない液体培地ではこれらのすべての酵素は菌体に付着せずに菌体外に遊離する．不溶性グルカンを合成するのはその中でも1つの酵素だけである．これらの GTF は数だけでなく，タンパク質の一次構造が *S. mutans* のものとは大きく異なっている点で，*S. sobrinus* と *S. mutans* は個別の細菌種に分類されるのが適切であることを示している．動物実験では *S. sobrinus* は *S. mutans* よりもう蝕原性がやや強く，ヒトでは平滑面う蝕との関連性が強いといわれている．また，細胞内にグリコーゲン様多糖をほとんど合成しない点や菌体外に FTF を産生しないことでも *S. mutans* とは異なっている．

3）*S. criceti*

分類当初は *Streptococcus cricetus* と命名されていたが，ラテン語の文法上の理由で1998年に *S. criceti* と改名された．ハムスターの自然発生う蝕病巣から分離された菌種で血清型は *a* を示す．*S. ratti* とともに初期の動物実験系の確立に使用されていた．多くの性状は *S. sobrinus* に類似しているが，H_2O_2 を産生せず，ラフィノースおよびメリビオース発酵能を有し，バシトラシンに感受性である．ラットやハムスターの口腔から分離されるが，ヒトの口腔からの分離はまれである．血液寒天培地でα溶血を示す菌株もある．

4）*S. ratti*

分類当初は *Streptococcus rattus* と命名されていたが，ラテン語の文法上の理由で 1997 年に *S. ratti* と改名された．ラットの自然発生う蝕病巣から分離されたことが菌種名の由来であり，血清型は *b* を示す．バシトラシン耐性を示し，多くの性状は *S. mutans* に類似しているが，アルギニンを分解してアンモニアを産生する．ヒトの口腔から分離されることはほとんどないが，アフリカでヒトの口腔から高頻度に分離された報告がある．

5）*S. ferus*，*S. macacae*

S. ferus は野生ラット，*S. macacae* はサルから分離され，それぞれ 1983 年および 1984 年に上記のミュータンスレンサ球菌群に新しく分類された．いずれも血清型は *c* であるが，バシトラシン感受性であり，タンパク質の電気泳動パターンや遺伝子の相同性などから *S. mutans* とは異なる菌種として分類されている．また，*S. ferus* はスクロースに依存した歯面への定着能はあるが，酸性環境下での酸産生能が低下することで動物実験でのう蝕原性を喪失しているとの報告がある．

6）*S. downei*

サルの口腔から分離され，*S. sobrinus* と血清学的に交差反応を示し，多くの性状が *S. sobrinus* に類似している．しかし，*S. sobrinus* とは異なる血清型 *h* を示す他，以下の点から 1988 年に *S. downei* として別種の菌に正式に分類された．血液寒天培地ではγ溶血を示し，H_2O_2 は産生せず，メリビオース発酵能があり，バシトラシンには感受性である．ヒトの口腔からの分離は報告されていない．

7）*S. orisratti*，*S. devriesei*，*S. troglodytae*

2000 年以降もラットから *S. orisratti*，ウマから *S. devriesei*，チンパンジーから *S. troglodytae* が分離され，それぞれ 2000，2004，2013 年にミュータンスレンサ球菌群の新菌種として分類された．16S rRNA 遺伝子配列から *S. orisratti* は *S. ratti* と *S. troglodytae* は *S. mutans* と近縁関係にあると想定される．

③ ミュータンスレンサ球菌群の分離と同定

ミュータンスレンサ球菌群の菌種の中でも，ヒトの口腔から分離されるのは *S. mutans* が圧倒的に多く，次いで，*S. sobrinus* が分離され，両者にほぼ限定されている．これらの菌種はバシトラシンに耐性があり，ヒトの口腔からミュータンスレンサ球菌群を分離するには，基礎培地にスクロースとバシトラシンを添加したものが用いられる．最もよく使われる選択培地は Mitis-Salivarius 寒天培地（☞ p.222 表 4-4-2 参照）に，最終濃度でバシトラシン 0.2 単位 /mL，スクロースを 20％の割合になるように添加した MSB 培地である．

スクロース含有寒天培地における *S. mutans* と *S. sobrinus* のコロニーの形態は明らかに異なる．前者の形成するコロニーはスリガラス様光沢で表面が凹凸状に盛り上がり，周囲が波状のものが多い．これに対して，後者は表面がなめらかで辺縁がスムーズなコロニーを形成する．実体顕微鏡を用いて低倍率で観察すれば，分別可能である（図 4-7-7）．

また，*S. mutans* と *S. sobrinus* のそれぞれに特異的に存在する塩基配列からプライマーを設計して PCR 法を行い，増幅断片の有無により両者の同定を行う方法も広く用いられている．

④ ミュータンスレンサ球菌群の抗原性物質

ミュータンスレンサ球菌群は他のレンサ球菌と同様にいくつかの特徴的な抗原性物質を有し，それらの中には菌体外物質として培養上清中に遊離するものも存在する．

1）血清型特異多糖抗原

ミュータンスレンサ球菌群は細胞壁のペプチドグリカンにリン酸を介して結合している多糖抗原によって，9 つの血清型（*a*〜*h* および *k*）に分類される．多糖抗原は，糖の組成とその結合様式により免疫学的特異性を異にしている．*S. mutans* には *c*，*e*，*f*，*k* 型が，*S. sobrinus* には *d*，*g* 型が属する．*S. mutans* の多糖抗原はラムノースポリマー骨格とグルコース側鎖からなる．グルコース側鎖の結合様式の違いにより，*c*/*e*/*f* 型に分類され，*k* 型の多糖抗原はグルコース側鎖を欠いたラムノースポリマー骨格のみで構成されている．*d* 型の多糖抗原はグルコースとガラクトースからなる骨格とガラクトース 2 分子からなる側鎖で構成されている（図 4-7-8）．*g* 型の多糖抗原は *d* 型のそれに近似していることはわかっているが，両者の相違部分は不明である．

2）リポタイコ酸

リポタイコ酸 lipoteichoic acid（LTA）は多くのグラム陽性菌が保有する細胞壁構成成分である．リポタイコ酸の骨格構造はポリグリセロリン酸であり，グリセロールの 2 位の炭素原子に糖類やアラニンなどが結合している．ポリグリセロリン酸の一端はその脂質部分を介して細胞膜に結合し，他端は細胞壁を貫通して菌体表層に達している．ポリグリセロリン酸はリポタイコ酸の共通抗原性を担ってい

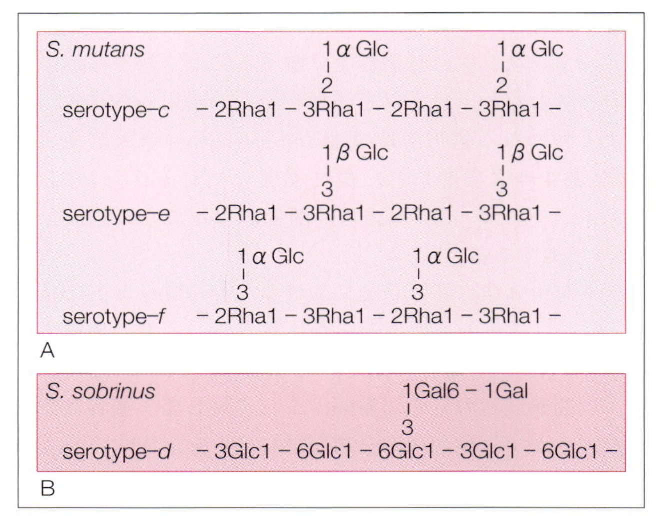

図 4-7-8 血清型特異多糖抗原の構造

る．リポタイコ酸は細胞表層に負電荷を付与し，菌体や宿主細胞ならびに歯面への付着に関与している．

3）タンパク質抗原

ミュータンスレンサ球菌群の最表層には微細な繊維状構造物が電子顕微鏡により認められる．その実体はタンパク質および糖タンパク質の複合体である．*Streptococcus pyogenes* における M タンパクなどと基本構造が類似している．このような表層タンパク質は培養上清中へも遊離される．*S. mutans* や *S. sobrinus* の全菌をウサギに注射して得た抗血清中には，これらのタンパク質抗原と反応するものがある．このような抗体を用いた解析によって，*S. mutans* の培養上清中には分子量 19 万の，また *S. sobrinus* の培養上清中には分子量 21 万のタンパク質抗原の存在が明らかとなった．*c* 型 *S. mutans* のタンパク質抗原は PA*c*（protein antigen serotype *c*），*g* 型 *S. sobrinus* のタンパク質抗原は PA*g* といわれる．両タンパク質抗原の分子量は異なるが，互いに類似した構造が存在し，PA*c* と PA*g* は交差反応を示す．

5 ミュータンスレンサ球菌群のう蝕原性因子（表 4-7-3）

1）菌体表層成分とペリクルの相互作用

ミュータンスレンサ球菌群がう蝕を誘発するためには，本菌群が他の口腔細菌とともに歯の表面に付着集積しなければならない．このプラーク形成初期過程に関与するミュータンスレンサ球菌群の付着因子としては，菌体表層に存在する線毛様タンパク質抗原，レクチン様物質，リポタイコ酸などがあげられる．なかでも，PA*c* や PA*g* などのタンパク質抗原は，菌体に疎水性を付与している主成分であり，ペリクルとの疎水性相互作用を介して，本菌群を歯面に付着集積させる主要な初期付着因子である．

2）グルカンの産生と固着

歯面に弱く付着した初期プラークをスクロースの存在下で歯面に強く固着させ，拡散障壁能の高いう蝕原性プラークに変えていくプラーク形成の後期過程においては，ミュータンスレンサ球菌群に特有の酵素群 GTF が重要な役割を果たす．本酵素群はスクラーゼ活性とグルコース転移活性の両方を有し，まず，スクロースをグルコースとフルクトースに分解する．その反応によって得られたエネルギーを利用してグルコース転移反応を触媒し，α-1,6 グルコシド結合ないしα-1,3 グルコシド結合からなるα-グルカンを合成する．グルカン合成の基質となるのはスクロースのみである．*S. mutans* は 3 種の，*S. sobrinus* は 4 種の GTF を産生し，それらは不溶性グルカンか可溶性グルカン，あるいは両者を合成する（**表 4-7-4**）．

S. mutans の染色体上には *gtfB*，*gtfC*，*gtfD* という 3 種の *gtf* 遺伝子があり，各遺伝子産物はそれぞれ GTF-B，GTF-C，GTF-D とよばれる．GTF-B はスクロースを基質として，α-1,3 結合からなる主鎖にα-1,6 結合で分枝した側鎖をもつ不溶性グルカンを合成する．GTF-C は GTF-B と類似した構造と性状を示し，GTF-B と類似の不溶性グルカンを合成するとともに，低分子量の可溶性グルカンも合成する．GTF-D は主にα-1,6 結合を主鎖とする可溶性グルカンを合成する．これらの GTF はいずれも単独でグルカンを合成することができる．

一方，*S. sobrinus* の染色体上には *gtfI*，*gtfU*，*gtfT*，*gtfS* という 4 種の *gtf* 遺伝子があり，それぞれ GTF-I，GTF-U，GTF-T，GTF-S をコードしている．GTF-I は *S. mutans* の GTF-B と同様に不溶性グルカンを合成するが，側鎖がそれよりも短い．GTF-U，GTF-T，GTF-S はすべて可溶性グルカンを合成するが，それらの構造は大きく異なる．さらに，不溶性グルカンを合成する *S. sobrinus* GTF-I と *S. mutans* GTF-B には大きな違いがある．GTF-B が単独で不溶性グルカンを合成することができるのに対し，GTF-I はα-1,6 グルカン（デキストラン）がプライマーとして存在したときのみ不溶性グルカンを合成することができる．換言すれば，GTF-I の酵素活性は微量のプライマーデキストランの添加により顕著に増強する．本菌の GTF-U，GTF-T，GTF-S の産生する可溶性グルカンはいずれも GTF-I のプライマーとして働く．特に，GTF-I と GTF-T が共同で作用すると，付着力の強い不溶性グルカンが産生される．しかし，3 種の可溶性グルカン合成酵素がどのような機能分担をしているのかは不明である．GTF の機能を遺伝子操作技術を用いて特異的に破壊すると，実験う蝕誘発能を喪失することからも，GTF の病因論的重要性が理解される．

3）酸産生と耐酸性

S. mutans と *S. sobrinus* にはう蝕誘発作用の発現と持続に貢献する数多くの因子が存在する．プラーク中の

表 4-7-3 ミュータンスレンサ球菌群の主なう蝕原性因子

プラークの形成に関与する因子	
初期付着能	菌体表層タンパク質抗原など
固着・集落化能	不溶性グルカン合成酵素
形成されたプラークのう蝕原性を維持する因子	
拡散障壁能（酸蓄積能）	不溶性グルカン合成酵素など
酸性環境下での耐酸性	H^+-ATPase（プロトンポンプ）など
飢餓環境下での酸産生能	菌体内グリコーゲン様多糖の合成・分解系
	菌体外可溶性グルカンの合成・分解系
	菌体外フルクタンの合成・分解系

表 4-7-4 ミュータンスレンサ球菌群が産生する GTF の種類と性状およびそれらをコードする遺伝子

菌種	GTF の種類	プライマー，デキストランの要求性	スクロースから合成される主なグルカン	*gtf* 遺伝子
S. mutans	GTF-B	弱 or 無	不溶性グルカン（α-1,3 結合主体）	*gtfB*
	GTF-C	弱 or 無	不溶性グルカン（α-1,3 結合主体） 可溶性グルカン（α-1,6 結合主体）	*gtfC*
	GTF-D	中	可溶性グルカン（α-1,6 結合主体）	*gtfD*
S. sobrinus	GTF-I	強	不溶性グルカン（α-1,3 結合主体）	*gtfI*
	GTF-U	弱 or 中	高分子可溶性グルカン（α-1,6 結合およびα-1,3,6 結合）	*gtfU*
	GTF-T	無	可溶性グルカン（α-1,6 結合主体）	*gtfT*
	GTF-S	無	低分子可溶性グルカン（α-1,6 結合）	*gtfS*

ミュータンスレンサ球菌群はグルコースやスクロースのような糖の供給を受けるとこれを代謝して急速に乳酸，酢酸，ギ酸などの有機酸を産生し，その結果プラーク局所の pH は著しく低下する．酸産生はミュータンスレンサ球菌群の重要なう蝕原性因子である．しかしながら，唾液の洗浄・緩衝作用によりこのような酸性環境も徐々に中性環境へと回復する．プラーク内の酸性環境を長時間保つこともう蝕誘発のためには必要な条件であり，この役目を担っているのがミュータンスレンサ球菌群によって合成される不溶性グルカンである．不溶性グルカンをマトリックスとするバイオフィルムとしてのプラークは，その中で産生された酸がプラーク外へ拡散したり，それを中和する唾液がプラーク内に浸入するのを妨ぐことができ，酸性環境を長時間保つことを可能にする．したがって，スクロースから不溶性グルカンを合成する GTF 酵素群はプラークの形成過程のみならず，う蝕誘発過程でプラークの拡散障壁能（あるいはプラーク内での酸蓄積能）を担う重要な因子である．

次に，重要なう蝕原性因子として，耐酸性があげられる．ミュータンスレンサ球菌群を含め，プラーク内の細菌によって産生された酸によりプラーク内は pH 5 以下となる．ミュータンスレンサ球菌群はそのような酸性環境の中でも増殖し，酸を産生し続ける能力を有する．この耐酸性は，*Lactobacillus* 属のそれには及ばないものの，プラークを構成する他のレンサ球菌や歯根面う蝕の原因菌としてあげられる *Actinomyces* 属などの中で最も強い．ミュータンスレンサ球菌群の耐酸性を担う主要な因子は，酸性環境下で強力に働くプロトンポンプ，すなわち H^+ を菌体外に排出し菌体内を中性に保つ働きをする細胞膜上の H^+-ATPase である．*S. mutans* の膜 ATPase 活性は *S. sanguinis* のそれより酸性環境下で強く働く（至適 pH はそれぞれ pH 6.0 と pH 7.0）こと，*S. mutans* の膜 ATPase 産生が酸性環境下で強く誘導されることなどが知られている．

S. mutans の耐酸性機構については，H^+-ATPase 以外にも多くの因子，たとえば，DNA およびタンパク質の修復に関与する遺伝子（*uvrA*，*ropA*，*htrA*，*clpP* など），細胞膜の変化に関与する遺伝子（*dgk*，*ffh* など），細胞壁の変化に関与する遺伝子（*dltC* など），アルカリ産生に関与する遺伝子（*aguA* など），二成分制御系遺伝子（*ciaH* など）などの関与が報告されている．

4）貯蔵多糖の合成

酸産生の発酵基質となる糖のプラーク内濃度は食事時に著しく高まるが，食事後急減し，食間には利用できる糖がほとんどない状況を呈する．しかし，ミュータンスレンサ球菌群は，そのような飢餓時においても酸産生（エネルギー生産）を続行できるいくつかの機構をもっている．飢餓環境下での酸産生を可能にする本菌群の因子としては，グリコーゲン様の菌体内多糖を合成して貯蔵し飢餓時に分解利用する能力，エネルギー源となるグルコースを菌体外に可溶性グルカンの形で貯蔵し飢餓時に利用する能力，エネルギー源となるフルクトースを菌体外にフルクタンの形で貯蔵し，飢餓時に利用する能力などがあげられる．なかでも，食事時の過剰な糖を菌体内にグリコーゲン様多糖の形で蓄え，飢餓時にそれをグルコースに分解し利用する能力は特に重要であり，この能力の高い *S. mutans* 変異株は野生株に比べて，ラットに対するう蝕誘発能が高いことが示されている．プラーク内の細菌の中で菌体内多糖合成能が特に高い菌は *S. sanguinis* と *S. mutans* である．ヒトのう蝕と関係の深い *S. mutans* と *S. sobrinus* を比べてみると，*S. mutans* は菌体内グリコーゲン様多糖合成・分解能，菌体外可溶性グルカン合成・分解能，フルクタン合成・分解能のすべてを有しているが，*S. sobrinus* は，菌体外可溶性グルカン合成・分解能をもつが，菌体内グリコーゲン様多糖を合成する能力やフルクタンを合成・分解利用する能力をもっていない．

（山下喜久，柴田幸江）

C う蝕の免疫学

微生物感染後，血清中に原因微生物に対する特異的抗体価が上昇する．これは感染部位で増殖した微生物を排除するための免疫応答であるが，これを利用することで，感染診断や治療に役立てることが可能である．う蝕は歯面にバイオフィルムが形成されることで発症する疾患であり，う蝕原性バイオフィルムは口腔内の細菌の集合体であることから，宿主の免疫応答が働く．

❶ う蝕と抗体

歯面での免疫の主役は唾液 IgA と考えられるが，唾液 IgA がう蝕に防御的に働く点については明確ではない．唾液 IgA 濃度は年齢，唾液量などの因子により影響されること，唾液由来の分泌型 IgA（sIgA）の多くが，鼻咽頭関連リンパ組織（NALT）や腸管関連リンパ組織（GALT）での抗原に対するものであり，口腔細菌抗原に対する IgA 抗体の比率は極端に低いためと考えられる．

❷ う蝕の免疫学的抑制

う蝕の免疫学的な抑制には，*S. mutans* 病原因子である GTF や菌体表層タンパク PA*c* やグルカン結合タンパク B（GbpB）を標的としたう蝕ワクチンの可能性が報告されている．う蝕ワクチンの臨床応用を目指すうえで重要な点は，①抗原部位の選択，②投与方法である．ここではう蝕原性細菌 *S. mutans* を例にとり，う蝕ワクチンについて紹介する．

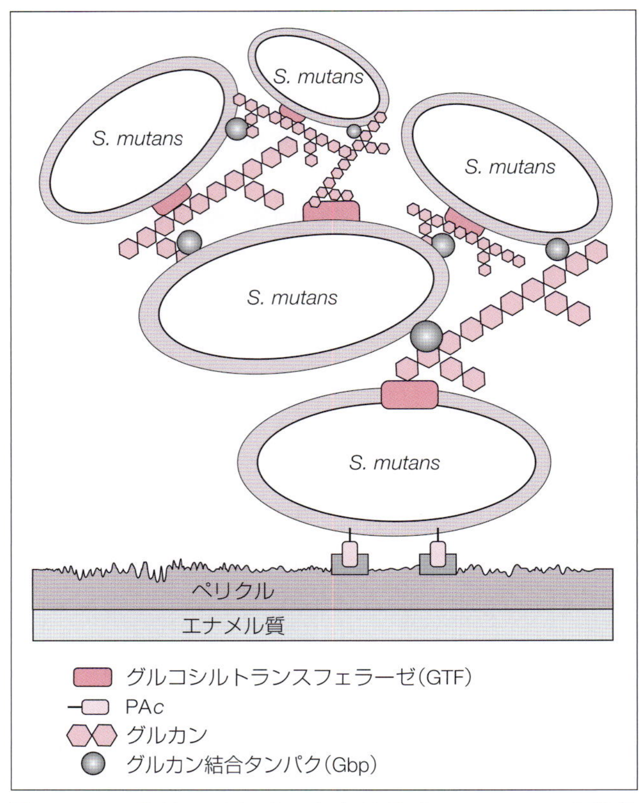

図 4-7-9 う蝕のワクチンとなりうる *S. mutans* の菌体表層タンパク質

これらの抗原は *S. mutans* のバイオフィルム形成，う蝕発生に関連がある．*S. sobrinus* の菌体表層にも同様の抗原が存在する．

1）ワクチン開発の歴史

ワクチン開発初期では *S. mutans* 加熱死菌体や生菌を用いていたが，ヒト心筋と強い交差反応を引き起こす抗体が産生されることが報告され，全菌体を用いたワクチンは事実上不可能になった．さらに，免疫賦活剤であるアジュバントとともに抗原を局所に注射すると，注射した部位に強い炎症反応を引き起こすため応用はできなかった．そこで，*S. mutans* の病原因子を阻害する領域を抗原とした成分ワクチンの研究開発が期待される．

2）抗原

成分ワクチン開発における標的は，う蝕原性因子である①歯面への付着因子，②プラーク形成因子，③酸産生因子，④耐酸性因子があげられる．これらのうち，*S. mutans* を含む多くの口腔レンサ球菌は共通した酸産生因子と耐酸性因子をもつことから，*S. mutans* に特異的でかつ菌体表層にある病原因子として要件を満たすものとして，GTF，PA*c* や GbpB が注目されている（**図 4-7-9**）．

S. mutans 特異的な GTF は，スクロースから菌体外多糖である粘着性非水溶性グルカンを合成する．GTF を抗原としたワクチンは，スクロースからグルカンの合成を抑制することから，*S. mutans* を介した歯面への付着ならびに菌体外多糖の生成を抑制することが期待される．これまでの研究から，抗原タンパク質としてアミノ酸残基数個～

表 4-7-5　う蝕における能動免疫

抗原
・*S. mutans*, *S. sobrinus* 菌体（ホルマリン死菌，加熱死菌，生菌） ・グルコシルトランスフェラーゼ（GTF） ・PAc ・グルカン結合タンパク（Gbp）
ワクチン投与方法
・皮下注射 ・唾液腺近傍への注射 ・経口投与 ・経鼻投与 ・DNA ワクチンの筋肉注射

十数個のペプチドで十分な抗原性をもつことが明らかとなっている．*S. mutans* に最も多い血清型である *c* 型抗原であり，唾液中のペリクルとの結合に重要である菌体表層タンパク PA*c* を標的としたワクチンは歯面への付着を効果的に抑制することが期待される．菌体表層タンパクである GbpB は GTF により産生されたグルカンへの結合能を有しており，この GbpB を標的とした能動免疫も，う蝕に対する防御を誘導することが実験的に示されている．

3）投与方法

感染防御に際して，2 種類の免疫方法がある．能動免疫により宿主にワクチンを抗原として摂取して抗原に対する新たな抗体をつくらせる方法と，受動免疫として標的となる抗原に対する抗体をもたない個体に，別の動物や細胞培養などにより産生させた抗体をヒトに注入してその抗原に対する防御能をもたせる方法である．う蝕ワクチン開発の主流は病原因子を阻害する領域を抗原とした成分ワクチンによる能動免疫である．

S. mutans 予防ワクチンにおける能動免疫では，注射による免疫，飲料水などに混入する経口免疫，経鼻免疫などの方法が用いられてきた（**表 4-7-5**）．口腔における免疫の主体は IgA であることから，能動免疫で最も効果的なう蝕の免疫療法はう蝕原性因子の阻害抗体を sIgA の形で唾液中に多量に分泌させるような投与方法を開発することである．

注射による能動免疫は，1969 年英国の William H. Bowen らがサルの静脈に *S. mutans* の生菌をワクチンとして注射することでう蝕発生の抑制を明らかにした実験から始まった．この方法は後に危険を伴うことが指摘され，その後，病原因子を阻害する領域を抗原とした成分ワクチン開発へと進む．1980 年には英国の Thomas Lehner らが PA*c* をサルの皮下に注射することで対照群と比較して 70％のう蝕抑制を認めたことを報告している．また，1976 年，1978 年に米国の Martin A. Taubman および Daniel J. Smith らは GTF をラットやハムスターなどの齧歯類の耳下腺，顎下腺近傍の皮下に接種することでう蝕抑制や GTF 活性の阻害抗体の誘導を報告している．う蝕ワクチンについては，経口，経鼻投与による粘膜免疫ワクチンが注目されている．経口ワクチンの弱点としては，抗原が分解され効果が失われるため，免疫応答を惹起する作用が弱く可溶性のワクチン抗原ではほとんど免疫反応が起こらないことである．そこで経口免疫で効果的なアジュバントの開発が行われている．経鼻ワクチンについても NALT の刺激により粘膜免疫応答を誘導するものであり，経口免疫に比較し消化管での分解がないという長所がある．これまで，日本，米国のグループが PA*c* を無毒化コレラ毒素アジュバントとともに経鼻免疫したところ，唾液中の IgA 上昇と *S. mutans* 菌数の低下を観察したことを報告している．

S. mutans 予防における受動免疫については，1977 年に Suzanne M. Michalek らが報告した研究で，ラットにワクチンを接種し，乳汁中に *S. mutans* に対する IgA 抗体が誘導され，その乳を飲んで育ったラットのう蝕発生が抑制されたことから研究がさかんになった．その後，これまでのポリクローナル抗体からモノクローナル抗体の技術の確立により，*S. mutans* の各抗原に対するモノクローナル抗体がスクリーニングされ，GTF や Gbp に対する抗体が動物実験においてう蝕抑制効果を認めている．受動免疫の場合，たとえばマウス由来のモノクローナル抗体はヒトにとっては異物と認識され，ヒトにマウス抗体に対する抗体が誘導され，投与したマウス抗う蝕抗体がヒト抗体で中和されう蝕抑制効果が減弱する．そこで，マウスモノクローナル抗体をヒト化抗体に改変する試みがなされている．また，*S. mutans* の病原因子に対する抗体を誘導させた食品についても開発が試みられている．1987 年 Michalek らは乳牛を *S. mutans* で免疫すると牛乳中に抗原に対する IgA が誘導され，その抗体を含む乳清はラットのう蝕を抑制したことを報告している．この他に 1991 年浜田茂幸（1942〜）らにより報告された，雌ニワトリに GTF を経皮免疫し，鶏卵中に集積する卵黄抗体を誘導する方法がある．また，2002 年にスウェーデンの Carina Kruger らによって，*Lactobacillus* 属をう蝕の受動免疫に利用する方法が提案された．すでに安全性が確認されている *Lactobacillus* 属に *S. mutans* の病原因子である PA*c* に対する IgG 抗体を発現させ，*S. mutans* を凝集させることによりう蝕の抑制をはかるものである（**図 4-7-10**）．本研究のように抗体のキャリアとして安全性の高い細菌を使用し，口腔内に定着，増殖させることができれば抗体の持続性が期待できる．

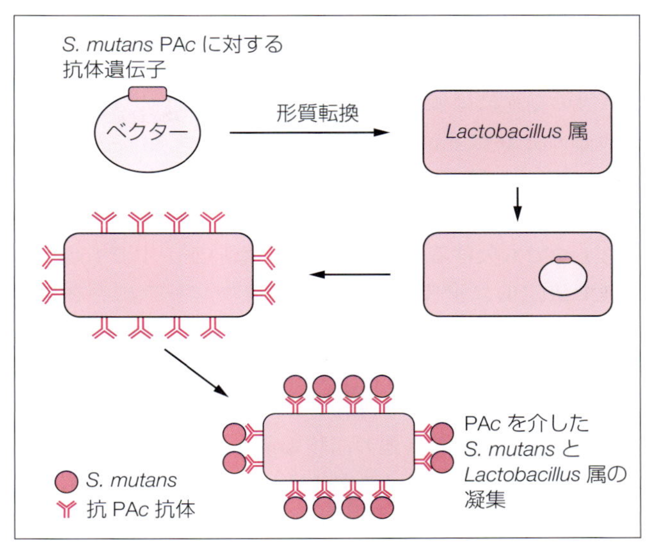

図 4-7-10　組換え *Lactobacillus* 属とミュータンスレンサ球菌群の凝集

S. mutans PA*c* に対する抗体をコードする遺伝子を組み込んだベクターを *Lactobacillus* 属に形質転換して，抗 PA*c* 抗体を発現する *Lactobacillus* 属を作製し，*S. mutans* と凝集させ歯面への付着を抑制する．

D 病因論に基づいたう蝕の予防

う蝕の発症には個体，病原因子，環境因子の3要因がかかわる．それはPaul H. Keyesらによって宿主・歯 host and teeth，口腔微生物 oral microflora，食物 diet が関与する感染症と規定された．この理論では，これらの因子のうち1つでも欠けるとう蝕は発症しないが，中でも現代のう蝕で決定的に重要な因子は，口腔フローラに存在するミュータンスレンサ球菌群である．う蝕は食物中の糖質，特にスクロース接種の影響を強く受けることで特徴づけられ，ミュータンスレンサ球菌群はスクロースを基質として菌体外多糖を産生し，他の口腔細菌を巻き込み歯面にバイオフィルムを形成する．このようにバイオフィルム感染症としてう蝕の病因論は近年明らかになり，これらのう蝕発生に関する病原因子を阻害することでう蝕の予防は可能になる．

う蝕の制御については，宿主・歯を対象にした方法，口腔微生物を対象にした方法，食物を対象とした方法がある．理論上はこれらの因子のいずれかを制御することでう蝕は制圧できる．しかし，実際にこれらの要因の1つを完全に制圧することは難しい．たとえば，口腔内から完全にミュータンスレンサ球菌群を駆逐する，すべての食物をスクロースフリーにするということは，現時点の技術では不可能である．そのため，実際は1つの要因を完全に抑制することではなく，いくつかの要因を組み合わせて，完全ではなくとも制御していくことでう蝕の予防を可能としている．

ここでは主に，細菌学的なう蝕の制御および関連事項について記載する．

❶ プラークコントロール

プラークはミュータンスレンサ球菌群によって歯面に形成され，さらにこのプラークを足場として口腔内の細菌が集積することでプラークは大きくなる．一方，プラーク中では集積した細菌の代謝産物である酸が蓄積し最終的には歯面が脱灰，つまりう蝕が発症する．このことから，プラークを制御することが理論上，う蝕発症を予防する最も重要な因子である．そこで考えられる対策には，①機械的プラークコントロール，②化学的プラークコントロール，③生物学的プラークコントロールがある．

1）機械的プラークコントロール

プラークの量と歯肉炎との間に明確な相関があるのに対し，歯面のプラーク量とう蝕の発生頻度は必ずしも相関しない．このことは，プラークの沈着量は，う蝕原性の程度を必ずしも反映するものではないことを示す．しかし，ブラッシングによるプラークの除去は唾液中のミュータンスレンサ球菌群の数を著しく減少させる．口腔バイオフィルムであるプラークは，歯面に定着した細菌が菌体外多糖を産生し，その細菌自身が産生した多糖に囲まれて歯面などの固相面に強固に付着したものである．プラークの間質である多糖およびプラーク外層の細菌バリアはプラーク内部への抗菌薬，消毒薬の浸透を阻止し，プラーク内部の細菌は抗菌薬や消毒薬が奏功しにくい環境にある．また，菌体外多糖はバリアとなりミュータンスレンサ球菌群などが産生した酸の拡散を防ぎ，酸を歯面の局所に停留させることから歯面の脱灰が生じる．このことから，ブラッシングなどにより機械的にプラークを除去することはバイオフィルム感染症への最も基本的な対策であり，う蝕予防に最も現実的で効果的な方法である．

2）化学的プラークコントロール

抗菌薬や消毒薬を用いると，一時的に口腔内のミュータンスレンサ球菌群数を減らすことができるが，口腔フローラへの影響や全身への影響など問題点も指摘されている．

（1）抗菌薬

ペニシリンをはじめとしたさまざまな抗菌薬がハムスターなど実験動物のう蝕を抑制することが明らかになっている．小児において，抗菌薬の長期・大量の全身投与がう蝕の発生を減少させるという報告がされている．しかし，抗菌薬の長期使用は，副作用，アレルギー，耐性菌の出現，常在フローラの均衡が崩れることによる菌交代症などの問題を伴うため，現実的なう蝕の予防としては使用されていない．

（2）消毒薬

クロルヘキシジン溶液を歯面に塗布すると，唾液中のミュータンスレンサ球菌群が減少し，う蝕予防効果を示す．クロルヘキシジンは強い殺菌作用を示すだけでなく，口腔の表面成分とイオン結合することで，持続的な殺菌効果を発揮する．しかし，クロルヘキシジンは強い苦みがあること，長期使用により歯面や口腔粘膜に着色することがある．ヨード製剤はミュータンスレンサ球菌群に0.1％前後の低濃度で殺菌作用があり，歯面を2％ルゴール液で処理をすることでミュータンスレンサ球菌群の増殖が抑制されることが報告されている．しかし，ヨード製剤は甲状腺機能抑制作用があるため，頻回の使用は禁物であること，歯の充填物に着色することなどの問題がある．

（3）フッ素化合物

フッ素化合物は宿主のエナメル質に取り込まれ，ハイドロキシアパタイトをフルオロアパタイトに変え，耐酸性を獲得する．

フッ素化合物はフッ素イオンとして存在し，菌体内にはフッ化水素の形で取り込まれる．菌体内のフッ化水素はフッ素イオンとなり，解糖系酵素の1つであるエノラーゼ enolase を阻害することで，ミュータンスレンサ球菌群をはじめとした口腔細菌に対しては，糖代謝阻害による酸産生を抑制する．さらに，フッ素化合物は，ミュータンスレンサ球菌群の耐酸性因子の1つであるATPaseを阻害することで，H^+の排出が抑制され，耐酸性が損なわれる．

(4) 代替糖

a）スクロース構造異性体

グルコースとフルクトースが結合するスクロースの構造異性体には，トレハロース（α-1,1結合），ツラノース（α-1,3結合），マルツノース（α-1,4結合），ロイクロース（α-1,5結合），パラチノース（α-1,6結合）が存在する．いずれもスクロースと似た性状をもつが，ミュータンスレンサ球菌群による酸産生の基質を取らないだけではなく，グルカン合成の基質とならない．中でもパラチノースはスクロースを基質としてGTFによりグルカンを合成する際，その反応系において開裂したスクロースのグルカン残基をパラチノース自身のグルコース末端に結合させ，新たな可溶性オリゴ糖を合成する．

b）オリゴ糖

グルコースがα-1,4結合あるいはα-1,6結合する2〜3糖のオリゴ糖は，ミュータンスレンサ球菌群によるスクロースからのグルカン合成を強く抑制する．このようなオリゴ糖にはマルトース，イソマルトースおよびパノースなどが含まれる．特にパノースのグルカン合成抑制作用は強力で，スクロースのグルコース残基をパノースのグルコース末端に結合させ，新たな可溶性オリゴ糖を合成し，GTFの基質であるスクロースを減少させることにより不溶性グルカンの合成を抑制する．パノースのう蝕抑制作用は，ミュータンスレンサ球菌群によって誘発されるラット実験う蝕を有意に抑制することからも裏づけられている．

c）糖アルコール（キシリトール，ソルビトール）

キシリトールは，PEP-PTS phosphoenolpyruvate-dependent phosphotransferase systemシステム（細菌において糖をリン酸化して取り込むシステム）によって菌体内に取り込まれ，キシリトール5リン酸となる．ミュータンスレンサ球菌群はキシリトール5リン酸を代謝する系をもたないため菌体内に蓄積する．蓄積したキシリトール5リン酸は解糖系酵素であるホスホフルクトキナーゼなどを阻害することでグルコースなどの解糖系を阻害する．その結果，増殖に必要なエネルギー産生が阻止され，酸産生も抑制されるためう蝕予防効果を発揮する．

ミュータンスレンサ球菌群がソルビトールをスムーズに代謝するためには，NADHをNAD^+に再酸化するピルビン酸ギ酸リアーゼpyruvate formate-lyase（PFL）の存在が必要である．PFLは酸素によって容易に失活するため，その活性は十分でない場合がある．このようにPFLが十分に働かないと，ソルビトール由来のNADHは菌体内に蓄積し，NAD^+の供給不足から糖代謝全体が滞ってしまう．また，プラークのスクロースからの酸産生はソルビトール存在下で阻害される．

3）生物学的プラークコントロール

ミュータンスレンサ球菌群の産生する不溶性グルカンはプラークの形成，う蝕の発症には重要な因子である．そこで，不溶性グルカンを分解するなどの作用を有する体内に摂取できる毒性のない微生物や植物から抽出した因子を応用することが試みられている．

(1) グルカン分解酵素

a）デキストラナーゼ

ある種の真菌が産生するデキストラナーゼdextranaseはグルカンのα-1,6結合を分解する．ミュータンスレンサ球菌群をデキストラナーゼおよびスクロース含有液体培地で培養すると，デキストラナーゼ非含有培地で培養した際に比較し，バイオフィルム形成能が抑制される．また，ハムスターなどの実験動物を用いたう蝕誘発実験において，ミュータンスレンサ球菌群感染前に飼料や飲料水にデキストラナーゼを添加すると非添加群に比べて，う蝕を抑制する．日本ではデキストラナーゼ配合の歯磨剤が市販されている．

b）ムタナーゼ

α-1,3結合を分解するムタナーゼはデキストラナーゼ同様，バイオフィルム形成抑制作用を認め，実験動物のう蝕誘発実験においても，ムタナーゼによるう蝕抑制効果を認めた．

上述のように実験動物においては，グルカン分解酵素によるう蝕抑制効果が認められるが，ヒト口腔ではその効果は明らかになっていない．これは，酵素が唾液に希釈されることなどが原因であると考えられる．

(2) ポリフェノール

茶はツバキ属の植物の葉からつくられ，その製法の違いにより不発酵茶（緑茶など），半発酵茶（ウーロン茶など），発酵茶（紅茶など）に分けられる．緑茶は発酵過程がないため，単量体ポリフェノールで構成される．一方，ウーロン茶や紅茶は茶葉に含まれるペルオキシダーゼperoxidaseの働きによって発酵過程で単量体ポリフェノールが重合し，多量体ポリフェノールが合成される．この多量体ポリフェノールがミュータンスレンサ球菌群が産生するグルカン合成酵素を強力に阻害する．GTFの酵素活性を50％阻害する濃度は，緑茶ポリフェノールで250 μg/mLであるのに対し，精製ウーロン茶ポリフェノールは2 μg/mLである．このウーロン茶ポリフェノールは飲料水および洗口剤として用いることにより，ラット実験う蝕およびヒトのプラーク沈着を有意に抑制したことが報告されている．

(3) ラクトフェリン

ラクトフェリンlactoferrinは唾液，涙腺，汗，母乳など外分泌液に存在する鉄結合性の糖タンパク質であり，菌から鉄を奪うことにより鉄要求性の細菌に対し抗菌活性を示す．唾液中にも存在し，抗菌効果を発揮するが，それとは別に牛乳中のラクトフェリンが，*S. mutans*のPAcによる唾液凝集素（アグルチニン agglutinin，高分子糖タンパク質と sIgA の複合体）への結合を阻害するという報告がある．この阻害は *S. mutans* 特異的ではない．

❷ フローラの改善

近年，生体に常在するフローラをコントロールすることによる健康維持や促進の試みがなされている．特に腸内フローラに関する研究では多くの報告があり，フローラがヒトの健康に重要な因子であることは明らかである．口腔は腸同様非常に多くの細菌が常在している．そのため，口腔フローラをコントロールすることで口腔や全身の健康を維持するための研究が近年さかんになっている．

乳酸菌など腸内フローラのバランスを改善することにより生体に有益な作用を及ぼす経口摂取可能な生きた微生物添加物をプロバイオティクス probiotics とよぶ．一方，乳酸菌など有用細菌の増殖を助け，あるいは有害細菌の増殖を抑制し，腸内フローラのバランスを改善するオリゴ糖や高分子多糖である食物繊維などをプレバイオティクス prebiotics とよぶ．

口腔領域では，ミュータンスレンサ球菌群の発育を抑制する *Lactobacillus* 属や *Bifidobacterium* 属などがプロバイオティクスへの応用に期待されている．応用法としては，牛乳，チーズ，ヨーグルトの食品あるいは錠剤にこれらの細菌を添加してミュータンスレンサ球菌群を減らすことが可能であると考えられる．

さらに，次世代シーケンサーの発展による口腔フローラの研究がさかんになったことで，口腔にどのような細菌が常在しているかが簡便にわかるようになった．そこで，う蝕が発症しやすい口腔フローラについての研究が行われることで，生活環境や既往歴などとう蝕発症率の関連性を検証することでう蝕の予防が可能になることが期待される．

（小松澤　均，松尾美樹）

VIII 歯周病

A 歯周病の病像

1 歯肉炎から歯周炎へ

歯周病（歯周疾患）periodontal disease とは，歯肉，セメント質，歯根膜および歯槽骨からなる歯周組織に生じる疾患の総称であり，炎症が歯肉に限局した歯肉炎 gingivitis と，セメント質，歯根膜および歯槽骨にまで破壊が進んだ歯周炎 periodontitis とに大別される．これらの疾患は，バイオフィルムであるデンタルプラーク（以下，プラーク）に対する宿主の免疫応答を病態の特徴とする炎症性疾患である．

1）歯周病の分類

正常歯肉から歯肉炎を経て歯周炎が発症・進行する過程は症例ごとに変化に富んでおり，同程度のプラークコントロールレベルであっても患者間での罹患状況や進行度は異なる．さらに，同一口腔内においても罹患部位ごとの症状の程度には違いが認められる．また，歯周病はプラークが主因となる疾患であるが，その発症メカニズムは複雑であり，宿主の免疫応答や個人的な修飾因子などの複数の因子が複雑に絡み合って進行する．このような歯周病の病態および病因の特徴から，疾患の型を体系的に分類するのは容易ではなく，これまでさまざまな歯周病の分類が多くの研究者，学会，国際会議などによって提案されてきた．現在，日本では，1999 年に定められた米国歯周病学会の分類を基準として，その病態および病因によって分類された歯周病分類システムが一般的に用いられている（表 4-8-1）．

2017 年 11 月に開催された the World Workshop on the Classification of Periodontal and Peri-implant Diseases and Condition により歯周病の新しい分類が決定された．その新分類では，慢性歯周炎と侵襲性歯周炎が 1 つの歯周炎としてまとめられ，さらに新しい分類方法であるステージとグレードという腫瘍学の分野で用いられる概念が導入されている．詳細には，歯周炎の重症度および複雑度が 4 つのステージに，歯周炎の進行リスクが 3 つのグレードに分けられ，グレードの決定に関しては喫煙や糖尿病といったリスクファクター（危険因子）が考慮されている．

2）歯周病の発症と進行過程

プラークの付着によって正常歯肉から歯肉炎を経て歯周炎に移行する過程は，主に動物実験から得られた病理組織学的な所見より，①初期病変 initial lesion，②早期病変 early lesion，③確立期病変 established lesion，④進行期病変 advanced lesion の 4 期に分類されている（図 4-8-1）．本分類の①～③は炎症の範囲が歯肉に限局しているため歯肉炎，④は組織破壊が歯根膜および歯槽骨におよぶため歯周炎の範疇に属する．

（1）初期病変

プラークの付着後，2～4 日に認められる病変を初期病変という．臨床的に健康な歯肉であっても，歯肉溝滲出液

表 4-8-1 歯周病分類システム（歯周治療の指針 2015．特定非営利活動法人日本歯周病学会編）

病態による分類	リスクファクター（危険因子）による分類
Ⅰ．歯肉病変*	
1．プラーク性歯肉炎	1）プラーク単独性歯肉炎 2）全身因子関連歯肉炎 3）栄養障害関連歯肉炎
2．非プラーク性歯肉炎	1）プラーク細菌以外の感染による歯肉病変 2）粘膜皮膚病変 3）アレルギー性歯肉病変 4）外傷性歯肉病変
3．歯肉増殖	1）薬物性歯肉増殖症 2）遺伝性歯肉線維腫症
Ⅱ．歯周炎*	
1．慢性歯周炎	1）全身疾患関連歯周炎 2）喫煙関連歯周炎 3）その他のリスクファクターが関連する歯周炎
2．侵襲性歯周炎	
3．遺伝疾患に伴う歯周炎	
Ⅲ．壊死性歯周疾患*	
1．壊死性潰瘍性歯肉炎	
2．壊死性潰瘍性歯周炎	
Ⅳ．歯周組織の膿瘍	
1．歯肉膿瘍	
2．歯周膿瘍	
Ⅴ．歯周－歯内病変	
Ⅵ．歯肉退縮	
Ⅶ．咬合性外傷	
1．一次性咬合性外傷	
2．二次性咬合性外傷	

*は，いずれも限局型，広汎型に分けられる．

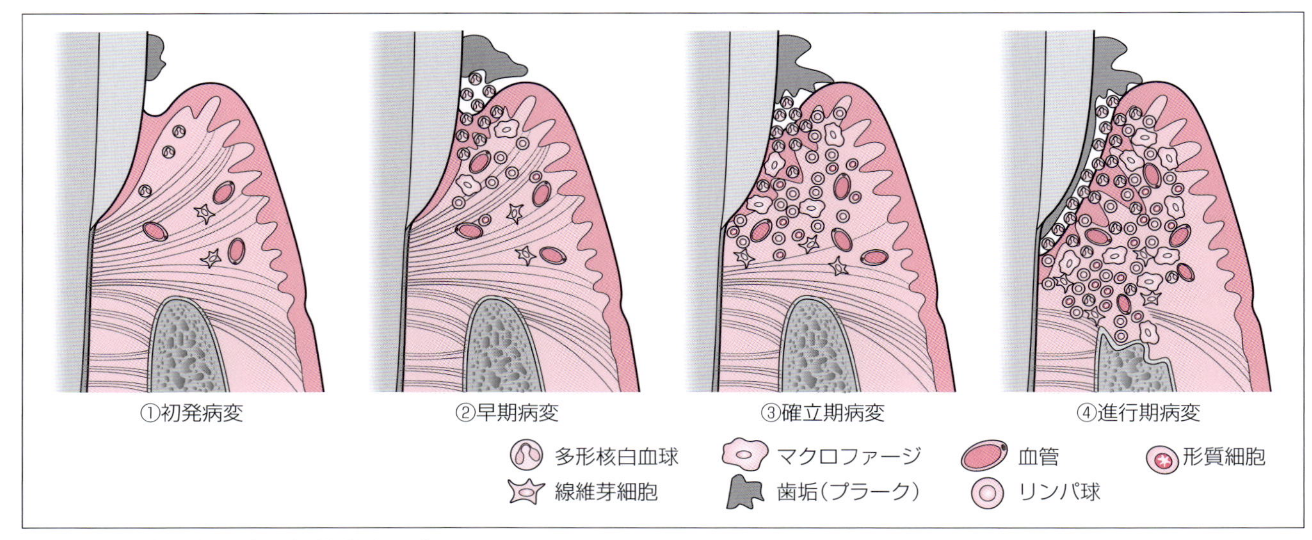

図 4-8-1　歯周病の病理組織学的な変遷
(Page RC and Schroeder HE : Pathogenesis of inflammatory periodontal diseases. A summary of current work. *Lab Invest* : 235～249, 1976. を改変)

の分泌が促され，少数の多形核白血球の遊走が認められる．付着上皮直下の結合組織に好中球の遊走，血管拡張，浮腫などがみられる．

本病期は，分子生物学的および遺伝学的知見からプラークに対する歯周組織の健全な免疫反応と位置づけられる．プラーク中の細菌が産生する病原因子や代謝産物に対して，特に接合上皮の歯肉上皮細胞が反応し，炎症性サイトカインやケミカルメディエーターが産生されることにより局所の免疫反応が誘導される．

(2) 早期病変

プラークの付着後 4～7 日で臨床的に確認できる歯肉炎が惹起される．この病態を早期病変という．病理組織学的には，血管反応（毛細血管の増生と血管拡張）が亢進し，この反応に伴う浮腫がさらに顕著になる．付着上皮内の好中球が増加し，歯肉結合組織中には好中球やマクロファージに加えてリンパ球（T 細胞）が主に浸潤する．結合組織中のコラーゲン線維の喪失が部分的に認められる．

血管反応の亢進の結果，血清タンパク質が結合組織に流出し，局所の炎症反応の活性化が起こる．炎症反応により集積した活性化マクロファージは TNF-α，IL-1，IL-6 などの炎症性サイトカインや IL-8 や MCP-1 などのケモカインを産生し，これらの作用により免疫反応がさらに亢進する．

(3) 確立期病変

プラークの付着量が増加すると（プラーク付着後 3～4 週間），歯肉の炎症は顕著になり，確立期病変に移行する．歯肉結合組織内の炎症性細胞の範囲はさらに拡大し，リンパ球，特に B 細胞や形質細胞の浸潤も多くなる．結合組織中のコラーゲン線維の破壊が進む．

活性化された T 細胞の産生するサイトカインによって免疫反応は亢進し，B 細胞から分化した形質細胞は抗体を産生する．

(4) 進行期病変

確立期病変の炎症が歯肉にとどまらず，深部組織である歯根膜および歯槽骨にまで波及すると歯周炎の状態となる．この時期を進行期病変という．病理組織学的には，歯根膜や歯槽骨が破壊され，付着上皮はセメント-エナメル境を超えて根尖方向へ増殖する．この状態になると歯周ポケット periodontal pocket が形成され，いわゆる，アタッチメントロス attachment loss の状態となる．

B 細胞や形質細胞を主体とした細胞浸潤が根尖方向にさらに波及する．

② 歯周病の疫学

わが国での歯周病に関する疫学調査によると，歯周病の総患者数（継続的な治療を受けていると推察される患者数）は約 400 万人で，毎年増加傾向にある．歯周病（4 mm 以上の歯周ポケットを有する者および対象歯のない者）の有病率については年代別にみると，30～39 歳で約 36％，40～49 歳で約 45％，50～59 歳で 52％，60～69 歳で約 63％となり，30 代から 60 代にかけて高くなる（**図 4-8-2**）．また，歯周病の初期症状のサインである歯肉出血の有無については，全年齢層の約 4 割にも認められる．

日本人の高齢者において，歯を失う最大の原因は歯周病であり，特に，40 歳代以降で増加する．歯周病は，初期の段階では自覚症状に乏しいことから，知らず知らずのうちに歯肉炎から歯周炎に進行する場合が多い．歯周病による歯の喪失を未然に防ぐためには，20～30 歳代といった若年者へのプラークコントロール plaque control の重要性を啓蒙することが大切である．

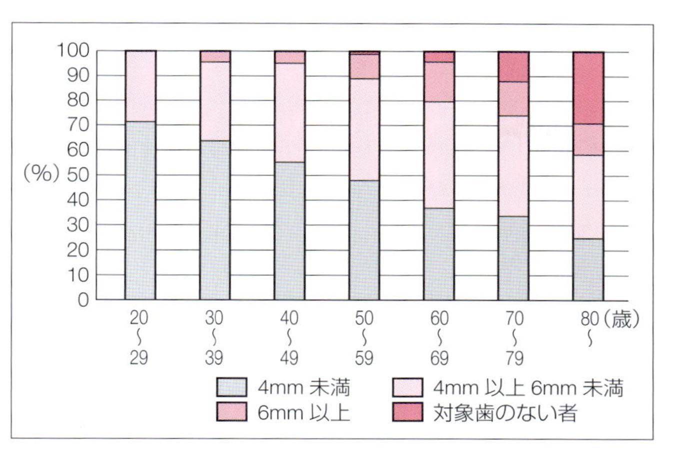

図 4-8-2　日本人の歯周ポケットの保有者の割合，年齢階級別

本検査は $\frac{76\ 1|\ \ 67}{76\ \ |1\ 67}$ の各歯の状況を WHO の CPI（Community Periodontal Index，地域歯周疾患指数）により，WHO プローブを用いて，頬・唇側面（近・遠心）および舌側面（近・遠心）の 4 点について検査している．

（厚生労働省：平成 28 年歯科疾患実態調査より）

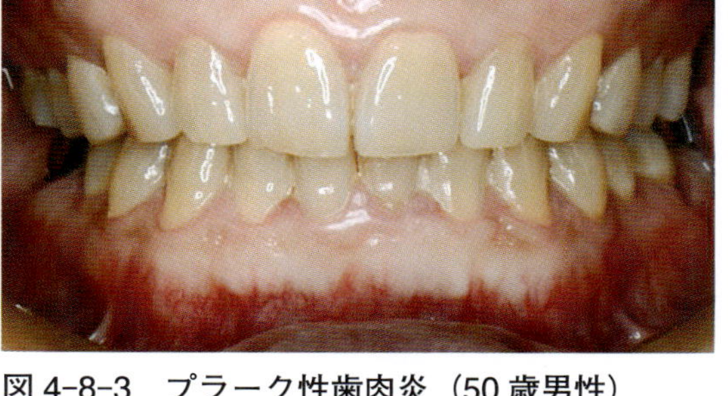

図 4-8-3　プラーク性歯肉炎（50 歳男性）

（愛知学院大学 菊池毅博士）

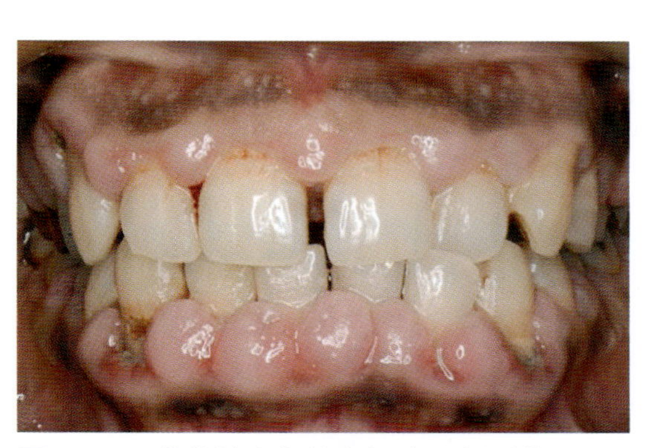

図 4-8-4　薬物性歯肉増殖症（44 歳男性）

（愛知学院大学 菊池毅博士）

③ 歯周病の臨床像

1）歯肉炎

歯周病分類システム（**表 4-8-1**）では，歯肉病変は，症状・病態によりプラーク性歯肉炎，非プラーク性歯肉病変，歯肉増殖に分類されている．

（1）プラーク性歯肉炎

通常の歯肉は薄いピンク色を呈しており，歯間乳頭は引き締まっているが，プラーク性歯肉炎では，歯間乳頭や辺縁歯肉に限局して発赤・腫脹が認められるのが特徴である（**図 4-8-3**）．炎症による歯肉毛細血管拡張と充血により歯肉は発赤し，血管浸透圧亢進による浮腫のため歯肉は腫脹し，仮性ポケットが形成される．同部位は，プロービングやブラッシングなどの機械的刺激により容易に出血する．プラーク性歯肉炎の状態のままで推移することもあるが，その大部分は長期間の経過を経て歯周炎に移行する．

プラーク性歯肉炎はリスクファクター（危険因子）risk factor を考慮してさらに，プラーク単独性歯肉炎，全身因子関連歯肉炎，栄養障害関連歯肉炎に分けられる．

全身因子関連歯肉炎には，妊婦や思春期の女性に認められる歯肉の発赤，腫脹，出血を示す妊娠関連歯肉炎や思春期関連歯肉炎が含まれる．妊娠時に歯肉溝滲出液中の卵巣ホルモン（エストロゲン），黄体ホルモン（プロゲステロン）の濃度が増加することにより，*Prevotella intermedia* や *Prevotella nigrescens* の発育が促進することによって歯肉炎が起きると考えられている．

（2）非プラーク性歯肉病変

プラーク中に常在する細菌以外の特殊な微生物による感染症，たとえば，梅毒，淋病，ヘルペスウイルス感染などによるものや，扁平苔癬などの自己免疫疾患，アレルギー反応および外傷性病変が本疾患に分類される．

（3）歯肉増殖

歯周組織のコラーゲン線維の過剰増生による歯肉肥大であり，抗痙攣薬であるフェニトイン，カルシウム拮抗薬であるニフェジピン，免疫抑制薬であるシクロスポリンなどの服用により生じる薬物性歯肉増殖症，遺伝的要因により突発性に現れる遺伝性歯肉線維腫症に分けられる．薬物性歯肉増殖症では，歯肉は線維状で硬くピンク色あるいは暗赤色を呈するのが特徴である（**図 4-8-4**）．歯肉増殖が進むと歯の埋没や移動なども生じる．プラークコントロールが良好であれば歯肉増殖は抑えられる場合が多い．

2）歯周炎

歯周炎は，上皮付着の破壊により歯根膜や歯槽骨まで炎症が波及し，歯周ポケットの形成，アタッチメントロス，歯槽骨吸収を生じ，やがて歯の喪失を引き起こす疾患である．歯周ポケットでは歯肉縁下プラークが形成され，特にグラム陰性嫌気性菌が増殖し，細菌の病原因子とそれに対する宿主の免疫応答により持続的な炎症反応が起こる．通常，プラーク性歯肉炎が歯周炎に進行するには，主な原因であるプラークの長期間にわたる刺激が必要である．

歯周炎の進行過程は，一定の速度で直線的に歯周組織破壊が生じるのではなく，個々の歯において急激に悪化する活動期と比較的病状が進行しない休止期が間欠的に繰り返されて進行していくランダムバーストモデル random

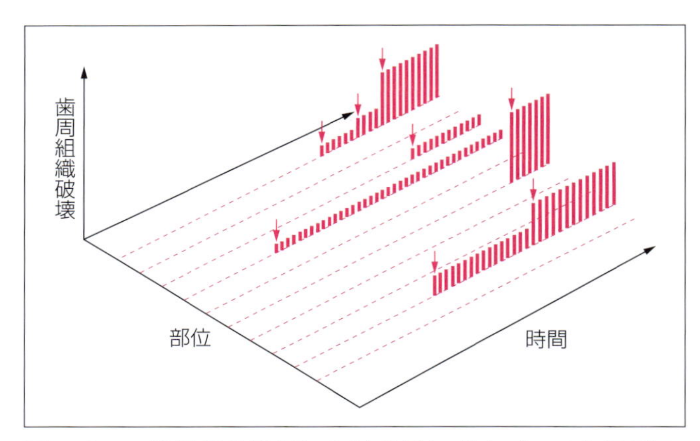

図 4-8-5　歯周炎の進行におけるランダムバーストモデル
急激に破壊が進む活動期（↓）と静止期を間欠的に繰り返し，歯周組織破壊が段階的に進む．進行の過程は部位により異なる．
（Socransky SS et al.：New concepts of destructive periodontal disease. *J Clin Periodontol.* **11**(1)：21〜32, 1984. を改変）

burst theory（**図 4-8-5**）が提唱されている．このような進行の特徴から，歯周炎は，歯周組織の破壊に部位ごとに違いが認められる部位特異的疾患 site-specific disease とみなされている．

歯周病分類システム（**表 4-8-1**）では，歯周炎は，病態による分類では慢性歯周炎 chronic periodontitis，侵襲性歯周炎 aggressive periodontitis および遺伝疾患に伴う歯周炎に分類され，リスクファクターによる分類では全身疾患関連歯周炎，喫煙関連歯周炎およびその他のリスクファクターが関連する歯周炎に分類される．

歯周炎はその進行程度，すなわち組織破壊の程度や歯周ポケットの深さによっても分類されている．進行程度の分類では，歯槽骨吸収あるいはアタッチメントロスが歯根長の 1/3 以下，根分岐部病変がないものを軽度歯周炎，歯槽骨吸収あるいはアタッチメントロスが歯根長の 1/3〜1/2 以下，根分岐部病変があるものを中等度歯周炎，歯槽骨吸収あるいはアタッチメントロスが歯根長の 1/2 以上，根分岐部病変が 2 度以上のものを重度歯周炎としている．また，歯周ポケットの深さによる分類では，ポケット深さが 4 mm 未満のものを軽度歯周炎，ポケット深さが 4〜6 mm 未満のものを中等度歯周炎，ポケット深さが 6 mm 以上のものを重度歯周炎としている．

慢性歯周炎および侵襲性歯周炎は特定の部位に認められる限局型と全顎的な歯槽骨吸収が起こる広汎型の 2 つのタイプに分類される．

(1) 慢性歯周炎

慢性歯周炎は最も一般的な歯周炎であり，歯肉の発赤，腫脹，出血，アタッチメントロスおよび歯槽骨吸収を伴う歯周組織の慢性炎症である（**図 4-8-6**）．通常，35 歳以降の成人において高頻度に発症することから，以前は成人性歯周炎とよばれていた．本疾患における歯周組織の破壊の程度は，局所的な直接的病因，すなわちプラークの蓄積と一致し，多くの場合，プラークを取り除くことで症状は緩解する．

慢性歯周炎は，侵襲性歯周炎と比較するとプラークの沈着量や歯周組織の炎症の程度は強いが，組織破壊，骨吸収の進行速度は比較的遅く，水平性の骨吸収像が観察されるのが一般的な特徴である．

(2) 侵襲性歯周炎

侵襲性歯周炎は，プラークの沈着は比較的少なく，急速なアタッチメントロスおよび歯槽骨吸収を認める（**図 4-8-7**）．本疾患は，10〜30 歳代での発症が多いことから，以前は若年性歯周炎とよばれてきた．家族内集積を認めることも本疾患の特徴の 1 つであり，多形核白血球の機能低下やマクロファージの機能異常などの生体防御機能や免疫応答などの二次的な因子の関与も認められる．

限局型侵襲性歯周炎の臨床像は，中切歯や第一大臼歯に限局して顕著な垂直性骨吸収が認められ，原因菌として *Aggregatibacter actinomycetemcomitans* があげられている．一方，広汎型は全顎的に歯槽骨吸収が認められる疾患であり，*Prevotella* 属や *Porphyromonas* 属などの細菌が関連していると考えられている．

(3) 遺伝疾患に伴う歯周炎

遺伝疾患に伴う歯周炎としては，周期性好中球減少症，Chédiak-Higashi 症候群，白血球接着異常症，Down 症候群，Papillon-Lefevre 症候群などの全身的な異常を伴う遺伝疾患の口腔症状として発現する歯周炎が含まれる．

3) 壊死性歯周疾患

壊死性歯周疾患は，歯肉の壊死と潰瘍形成を特徴とする疾患であり，壊死性潰瘍性歯肉炎および壊死性潰瘍性歯周炎に分類される．

壊死性歯周疾患は歯間乳頭部の潰瘍形成や壊死，歯肉の偽膜形成，出血，疼痛を特徴とする疾患であり，発熱，リンパ節腫脹，悪臭などを伴う場合が多い．*Fusobacterium* 属やスピロヘータ，あるいは *P. intermedia* などとの関連が指摘されている．本疾患の発症には，不良な口腔衛生状態，ストレス，喫煙などが関係すると考えられている．また，AIDS 患者などの免疫不全患者の口腔内所見として現れることもある．

4 歯周病と全身疾患

近年，歯周病と糖尿病，心血管疾患，誤嚥性肺炎，早産・低体重児出生，非アルコール性脂肪性肝炎，関節リウマチ，Alzheimer 型認知症などの全身疾患との関連性を示すエビデンスが蓄積し，ペリオドンタルメディスン periodontal medicine，すなわち歯周病と全身との関連を科学する歯周医学という概念が定着しつつある．

特に糖尿病においては，糖尿病が歯周病を悪化させる一方，歯周病が糖尿病の病態に悪影響を及ぼすことが示されており，糖尿病と歯周病との間には双方向的な関連性が認

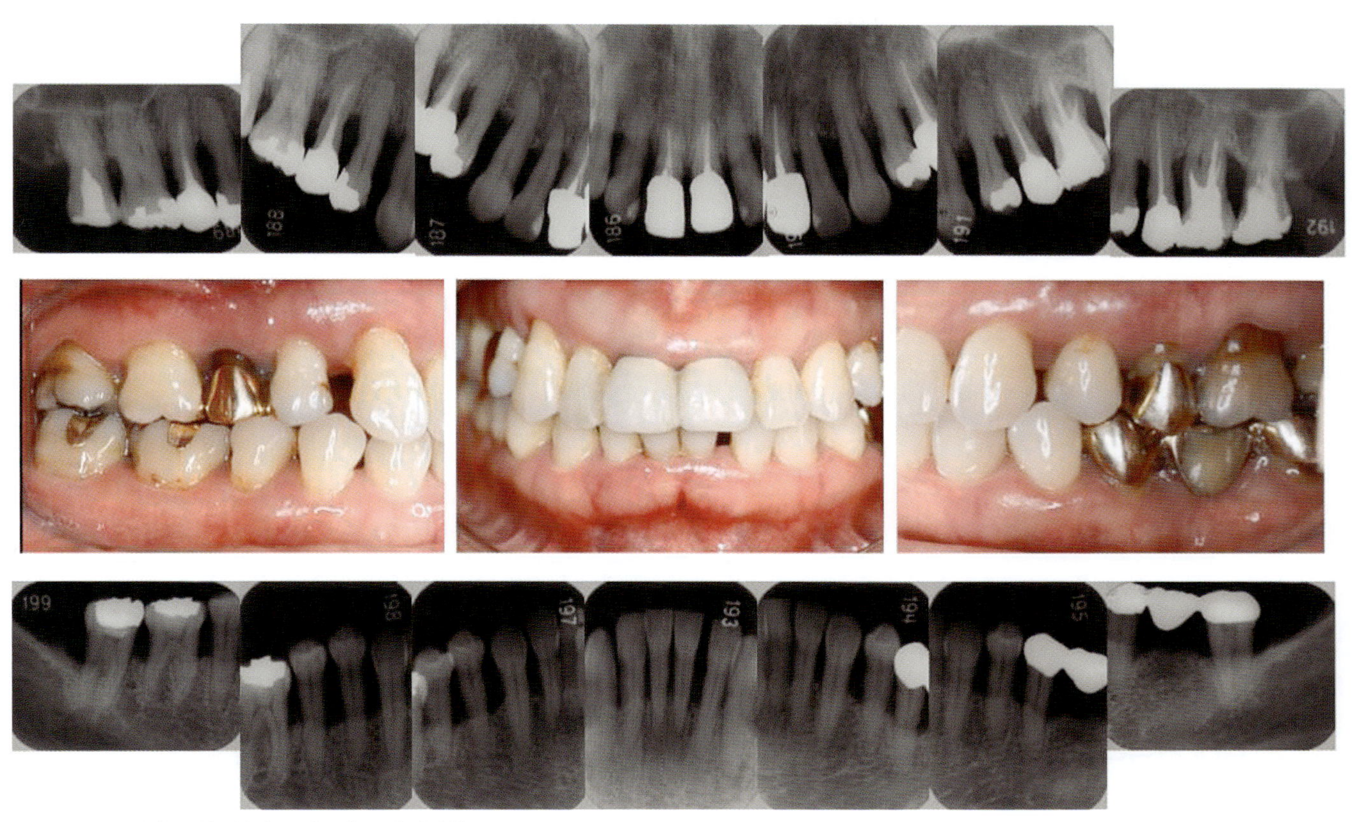

図 4-8-6　広汎型慢性歯周炎（55 歳女性）
（愛知学院大学　菊池毅博士）

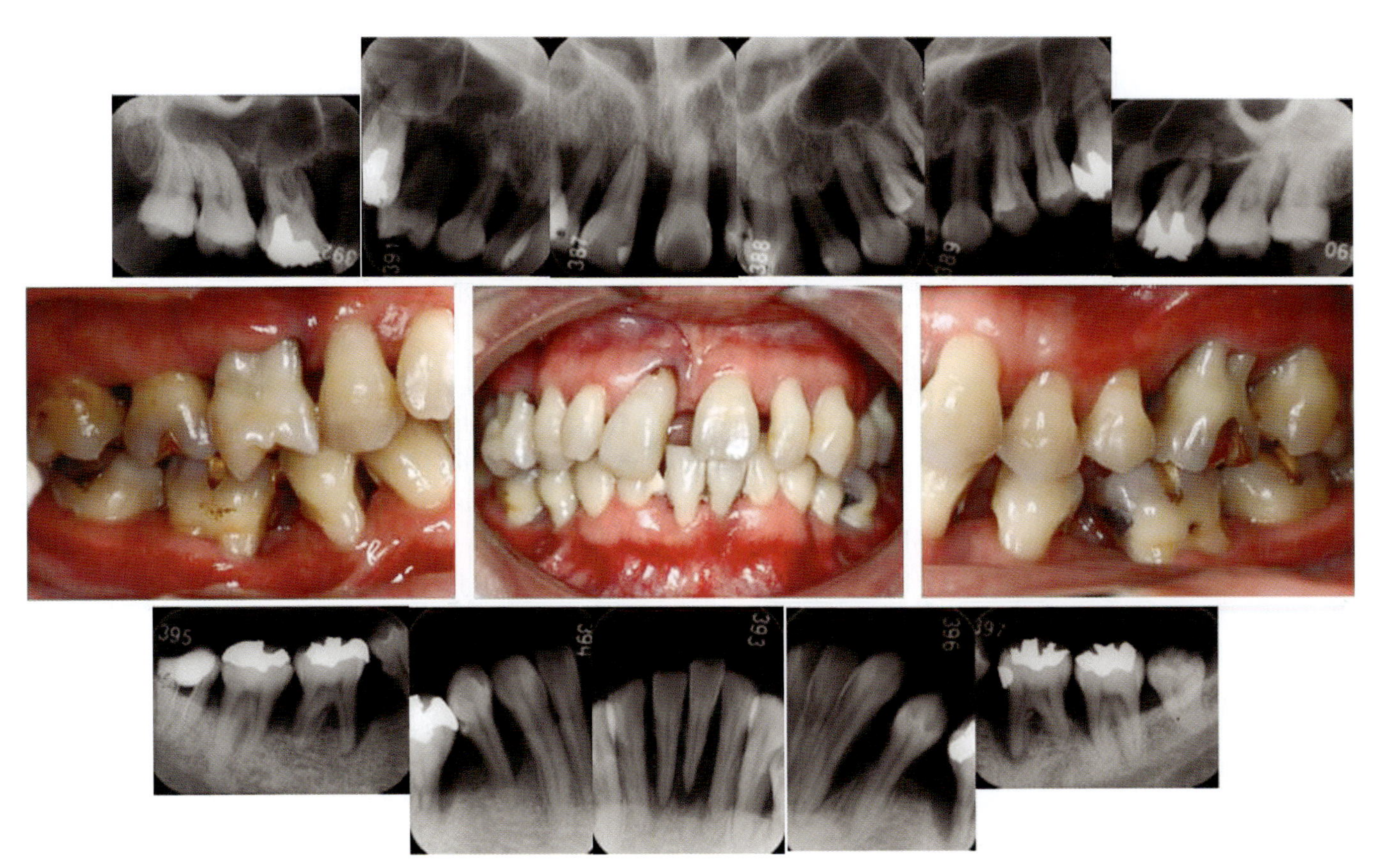

図 4-8-7　広汎型侵襲性歯周炎（34 歳女性）
（愛知学院大学　菊池毅博士）

められる．糖尿病が歯周病の発症・進行に影響を及ぼす機序として，好中球の機能低下，コラーゲンの合成阻害，微小血管障害などがあげられている．また，歯周病が糖尿病に影響を与える機序の1つとしては，慢性炎症により持続的に産生されるTNF-αの作用により，インスリン抵抗性が上昇し，糖尿病の症状に影響すると推察されている．

智歯を除く28本の歯が歯周病に侵され，そのすべての歯において5 mmの歯周ポケットが形成されたと仮定した場合，歯周ポケットに面したポケット上皮の総面積は約72 cm^2 にもなるといわれている．このポケット上皮の潰瘍面に接している歯肉縁下プラーク中の細菌や代謝産物が歯周組織から体内に侵入することが予想され，また，歯周組織局所の炎症によって産生されたサイトカインなどのさまざまな炎症に関連した物質が血流を介して全身に持続的に波及する可能性が考えられる．

B　歯周病の細菌学

❶ デンタルプラークの病因的意義

1）デンタルプラークを構成する細菌

口腔環境において，歯の表面はペリクルによりただちに覆われ，そのペリクルを介してレンサ球菌を主体とした口腔細菌が付着する．さらに，付着した細菌を足場にしてさまざまな細菌種が共凝集し，プラークは成熟へと向かう．この成熟過程において，主に口腔レンサ球菌は粘着性菌体外多糖を産生し，外界からの種々の刺激に対して抵抗性を示す状態，いわゆるバイオフィルムとなる．上皮基部の剝離により絶えず交換している粘膜表面とは対照的に，歯面には安定したバイオフィルムが形成され，もし，このバイオフィルムの機械的除去がなされない場合，細菌の定着・増殖と菌体外多糖の蓄積により，その質量・質的変化がもたらされる．

初期プラークにはレンサ球菌を中心としたグラム陽性菌が優勢に存在する．一方，成熟プラークではグラム陰性嫌気性菌および通性嫌気性菌の割合が増加する．プラークのフローラの構成の違いは，その形成される部位によっても生じ，歯肉縁上プラークではグラム陽性球菌が優勢に存在し，歯肉縁下プラークでは特に偏性嫌気性グラム陰性桿菌である *Porphyromonas gingivalis*，*Tannerella forsythia*，*P. intermedia* および *Fusobacterium nucleatum* やスピロヘータの一種である *Treponema* 属などの運動性菌の割合が増加する．古くからこのような *Treponema* 属と歯周病との関連，すなわち歯周病の原因の解明に向けた研究が進められ，歯肉縁下プラークに生息する歯周病原細菌 periodontal pathogen といわれる細菌群が歯周炎の発症および増悪に関与することは，現在では疑いの余地はない事実となっている．しかしその一方で，このような細菌が歯周病の発症に必ずしも必要ではないこともわかってきており，プラークの病因的意義についてはいまなお不明な点が多い．そのような背景の中，近年の次世代シークエンサーの登場とプラークのフローラの網羅的細菌群集解析手法の進歩により，新しい病因論が提唱され衆目を集めている．

2）歴史的背景

1960年代半ばに行われた古典的な実験で Harald Löe らはボランティアに口腔清掃を中止させることにより実験的歯肉炎を誘導し，口腔清掃状態と歯肉炎の症状との関連性を調査した．その結果，経時的なプラーク蓄積量の増加が，発赤，腫脹および歯肉の出血傾向の増加などの歯肉組織における炎症性変化の発生と並行して生じること，そして，口腔清掃を開始すると歯肉炎は改善し，すみやかに元の健康な状態に戻ることを示した．また，プラーク付着後2〜3日目の歯肉縁上プラークにはグラム陽性球菌やグラム陽性桿菌が検出されるが，その後，時間の経過とともにグラム陰性桿菌や糸状菌が認められるようになり，最終的にはスピロヘータが観察されることも示した．これらの研究により，プラーク性歯肉炎は，プラークの量的・質的変化が発症と治癒に関連していること，さらにプラーク性歯肉炎が可逆的な疾患であることが実証された．

続いて John Lindhe らは，Löe らの観察を拡張し，実験的歯肉炎に加えて歯周炎を人為的に惹起させる実験モデルの研究手法を確立し，さらに，数多くの動物実験とヒトにおける臨床研究から歯周炎がプラーク蓄積によって起こることを証明した．また，歯周炎では不可逆的な歯周組織の破壊を引き起こすことも示した．

上記の2つの画期的な研究により，歯周病の発症における細菌の病因的役割の最初の実験的証拠が示された．

これまでの微生物の検出法は培養法であったが，1970年代になると，Socransky は，プラークの複雑な微生物の生態系を明らかにするために，チェッカーボードDNA-DNAハイブリダイゼーション checkerboard DNA-DNA hybridization 法を開発し，健常者と歯周病患者の歯肉縁下プラーク中に生息する細菌種を解析し，多数の細菌により構成される共生集団 microbial complex を特定した（**図4-8-8**）．すなわち，歯肉縁下プラーク細菌は，深い歯周ポケットの増加と出血などと関連して分離されるレッドコンプレックス red complex（*P. gingivalis*，*T. forsythia* および *Treponema denticola*），比較的深いポケットから分離されるオレンジコンプレックス orange complex（*Prevotella* 属，*Fusobacterium* 属，*Campylobacter* 属などを含む大きなグループ），主に健康な部位から分離される4つのグループ（ブルーコンプレックス blue complex，イエローコンプレックス yellow complex，グリーンコンプレックス green complex およびパープルコンプレックス purple complex）に分類された．

さらに近年では，16S rRNA遺伝子増幅や次世代シークエンサーによる網羅的解析法の出現により，培養に依存することなくプラーク細菌の種類や分布を解析できるように

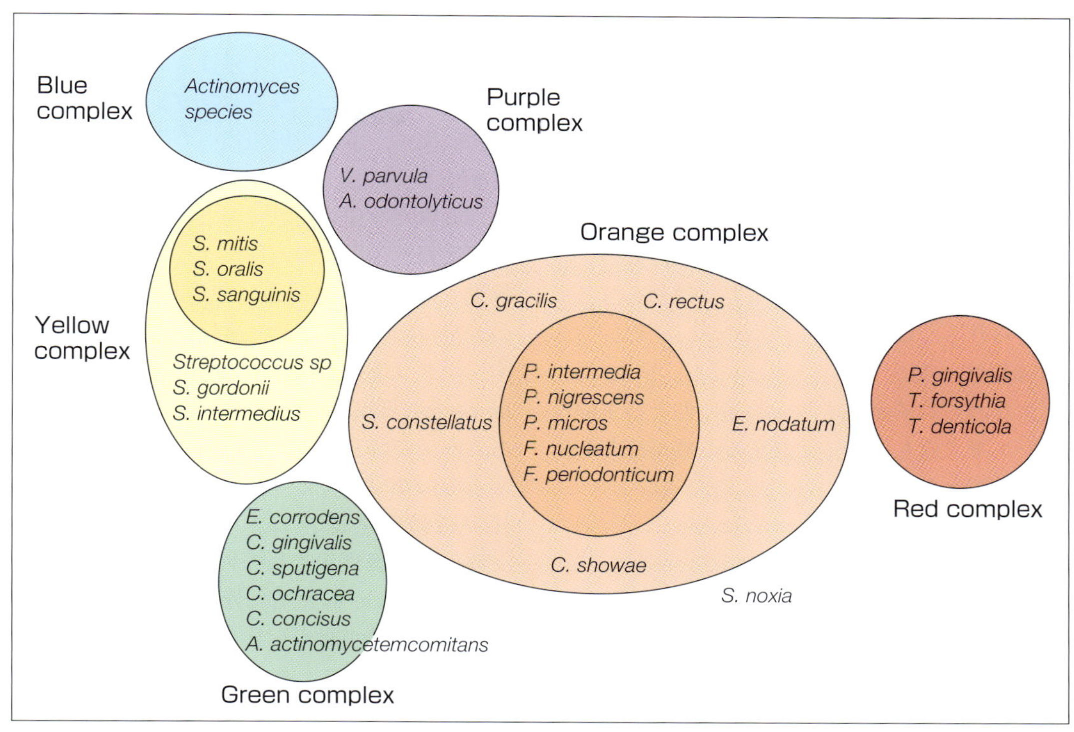

図 4-8-8　歯肉縁下プラークにおける細菌の共生集団

歯周炎の活動度の高い部位から高頻度に分離される *P. gingivalis*, *T. denticola*, および *T. forsythia* により構成されるグループをレッドコンプレックスとよぶ.

(Socransky SS et al.: Microbial complexes in subgingival plaque. *J. Clin Periodontol*, **25**: 134〜144, 1998. を改変)

なった. この手法により, 従来のレッドコンプレックスの3菌種に加え, グラム陽性菌 *Filifactor alocis*, *Peptostreptococcus stomatis*, グラム陰性菌に属する *Dialister* 属, *Megasphaera* 属, *Selenomonas* 属, *Prevotella* 属, *Desulfobulbus* 属, *Synergistes* 属などが歯周炎に関連して増加し, 逆に健常者では, *Rothia* 属や *Actinomyces* 属などが増加する傾向があることがわかった. このようなプラークフローラの全貌を明らかにしようとする最新の研究から, 現時点では, 慢性歯周炎はある特定の歯周病原細菌により起こるのではなく, プラークフローラのバランス失調（ディスバイオーシス dysbiosis）により引き起こされる疾患と考えられている.

代表的な歯周病原細菌として *P. gingivalis* が同定されているが, *P. gingivalis* は単独でマウスに感染させても歯槽骨の吸収を引き起こさないが, マウスの口腔フローラに少量の *P. gingivalis* を感染させると歯槽骨の吸収を惹起し, さらには, 口腔内の総細菌数が増加しプラークフローラの構成のバランス異常を引き起こすことが明らかになった. このように, 細菌量は少ないものの, ディスバイオーシスの原因となりうる細菌をキーストーン病原体 keystone pathogen とよぶ.

3）バイオフィルムの病因的意義

バイオフィルムの内部では多種多様な細菌が高密度で生息し, その環境下において互いに代謝産物やエネルギーの交換を行っている. また, 菌種間での情報交換システムであるクオラムセンシング quorum sensing により, 周囲の細菌の密度を感知し, それに応じた形で増殖にかかわる因子や病原因子の遺伝子発現を巧妙に制御し, バイオフィルムの恒常性を維持している. このような細菌の集合体としての営みにより, 単独の細菌では認められない特殊な性質や機能がバイオフィルムに付与され歯周病原性は高まっていく.

歯面に形成されたバイオフィルムには, 細菌の菌体成分である LPS, ペプチドグリカン, 菌体表層タンパク質, 酵素, あるいは, 酪酸, 硫化水素, アンモニアといった代謝産物が蓄積する. このような細菌由来の種々の物質によって, 宿主の炎症反応や組織破壊が惹起され, 歯周ポケット内縁上皮の細胞にアポトーシスやネクローシス, 細胞間隙の破壊や細胞外マトリックスの破壊が生じる. その結果, 歯周ポケット内上皮に潰瘍が形成され, 歯肉溝滲出液の分泌量の亢進や歯肉出血が生じる. また, 歯周病の進行とともに歯周ポケットが深くなり, 歯周ポケット内の酸素濃度が低下する. このような歯周ポケット内の環境変化により, プラークのフローラの変化（マイクロバイアルシフト microbial shift）が起こり, 歯周病原性を有するバイオフィルムへと変遷する. バイオフィルムは成熟とともに厚みを増し, プラーク内部の細菌には, 免疫担当細胞, 抗体, 抗菌物質などの作用も及ばず炎症が持続する. また, バイオフィルムは, 抗菌薬や消毒薬などにも抵抗性を示すため除去が困難となる.

歴史的背景にて述べたが，歯周病の発症がバイオフィルムであるプラークに起因することは直接的な証拠によって示されている．一方，周期性好中球減少症，Chédiak-Higashi症候群，白血球接着異常症などのように先天的に白血球の機能不全を有する遺伝疾患の患者や免疫不全に陥ったAIDS患者において重篤な歯周炎が発症することから，病的なバイオフィルムの侵襲から歯周組織を守るための生体防御機構もまた歯周病の発症と増悪に重要な役割を演じていることが考えられる．このような観点から，一般的な感染症と同様，歯周病の発症と進行においても，宿主-寄生体相互作用，すなわちバイオフィルムの病原性と宿主の抵抗力とのバランスを考慮したバイオフィルム感染症として理解することが重要となる．

❷ 歯周病原細菌の性状と分類

歯周炎がプラークのディスバイオーシスによって生じる疾患であるという観点から，歯周病原細菌が従来のKochの条件を満たすのは非常に困難である．このような背景から，歯周病原細菌として具備すべき性状は，古典的な感染症の原因菌とは異なり，従来のKochの条件を改変した以下に示す基準を満たす細菌とされている．

① 関連 association：病原体は健康な状態よりも病気の状態でより頻繁に検出される
② 除去 elimination：病原体の排除または減少は歯周組織の改善をもたらす
③ 宿主応答 host response：組織の損傷を引き起こしている病原体に対する獲得免疫応答を認める
④ 病原因子 virulence factor：宿主組織を損傷するような特性を病原体が保有する
⑤ 動物実験 experimental animal model：動物実験によって病原体の病原性を実証できる

1）歯肉炎にかかわる細菌

プラーク性歯肉炎の局所では，プラーク中に*Actinomyces*属やグラム陰性桿菌が多く検出されるが，本疾患の発症には特定の細菌は関与せず，プラークの量的変化により引き起こされると考えられている．

妊娠関連歯肉炎や思春期関連歯肉炎には，女性ホルモンをエネルギー源として利用できる*P. intermedia*や*P. nigrescens*が関連すると考えられている．

2）歯周炎にかかわる細菌

（1）慢性歯周炎

一般的に，慢性歯周炎の原因菌としては，歯肉溝に生息する歯肉縁下プラーク細菌が重要である．特に，歯周炎の活動部位での歯肉縁下プラークのフローラでは，グラム陰性嫌気性桿菌群の割合が高くなる．その中でも，レッドコンプレックスに属する*P. gingivalis*，*T. forsythia*および*T. denticola*やオレンジコンプレックスに属する*P. intermedia*，*F. nucleatum*が慢性歯周炎に関連する細菌と考えられている．特にレッドコンプレックス細菌は，さまざまな病原因子，特に歯周組織への定着に必須な付着因子や歯周組織を破壊するタンパク質分解酵素を産生することから，最重要な歯周病原細菌とみなされている．

重度慢性歯周炎の歯周ポケットから歯肉縁下プラークを採取し，位相差顕微鏡にて観察すると，*Treponema*属や*Campylobacter*属などの運動性菌が多数認められる．深い歯周ポケットからは，*T. denticola*に加えて，*Treponema vincentii*，*Treponema socranskii*などが分離されることがあるが，これらのスピロヘータの病原性についてはよくわかっていない．

（2）侵襲性歯周炎

限局型侵襲性歯周炎の罹患部位からは，*A. actinomycetemcomitans*が高頻度に分離される．また，本菌に対する抗体価の上昇が認められることから，本疾患との関与が強く示唆されている．後述するが，本菌は白血球に対して特異的に作用し傷害を与える外毒素であるロイコトキシンleukotoxinや細胞致死膨化毒素cytolethal distending toxin（CDT）を産生することからも，本疾患に最も関連する細菌と考えられている．*A. actinomycetemcomitans*以外にも，本疾患から*P. intermedia*，*Capnocytophaga sputigena*，*Eikenella corrodens*が分離されている．

❸ 主な歯周病原細菌の病原因子

1）付着因子

付着因子として，*P. gingivalis*および*A. actinomycetemcomitans*は線毛を保有することが知られている（**表4-8-2**）．

*P. gingivalis*は，FimA線毛およびMfa1線毛の2種類の線毛をもつ．FimA線毛は，歯肉上皮細胞への付着や細胞外マトリックスおよび唾液成分への結合に関与する．また，口腔レンサ球菌との共凝集や自己凝集に必要な因子であり，バイオフィルム形成に重要な役割を演じている．本線毛は，*fimA*遺伝子の配列からⅠ，Ib，Ⅱ，Ⅲ，Ⅳ，Ⅴ型の6つの遺伝子型に分類されているが，歯周病患者からはⅡ型のFimA線毛をもつ株が分離されやすいことから，Ⅱ型をもつ*P. gingivalis*株が最も病原性が高いと考えられている．Mfa1線毛の機能については不明な点が多いが，口腔レンサ球菌との共凝集にかかわることが示されている．

侵襲性歯周炎の原因菌である*A. actinomycetemcomitans*はtight-adherence（tad）gene locusとよばれる遺伝子群から発現するタンパク質によって構成されるFlp線毛をもつ．本線毛は，*A. actinomycetemcomitans*の歯肉上皮細胞への付着や自己凝集に関与する．また，臨床分離株の特徴であるラフ型集落の形成にもかかわる．

線毛以外の付着因子として，*P. gingivalis*の赤血球凝集

表 4-8-2　歯周病原細菌の主な付着因子

細菌	付着因子	主な機能
P. gingivalis	FimA 線毛	歯肉上皮細胞への付着 細胞外マトリックスとの結合 唾液タンパク質との結合 共凝集 自己凝集
	Mfa1 線毛	共凝集
	ヘマグルチニン A	赤血球凝集
A. actinomycetemcomitans	Flp 線毛	歯肉上皮細胞への付着 自己凝集
T. denticola	Msp	細胞外マトリックスとの結合
T. forsythia	S-layer	歯肉上皮細胞への付着 赤血球凝集
	BspA	歯肉上皮細胞への付着

に関与する赤血球凝集素（ヘマグルチニン A，hemagglutinin A，HagA），*T. denticola* のフィブロネクチンなどの細胞外マトリックスタンパク質への付着にかかわる major outer sheath protein（Msp），*T. forsythia* の歯肉上皮細胞への付着に関与する bacteroides surface protein A（BspA）や S-layer などが知られている（**表 4-8-2**）．S-layer は，TfsA および TfaB とよばれる高分子タンパク質によって構成される菌体表層の構造であり，炎症性サイトカインの産生を抑制する働きをもつことから，宿主免疫からの回避にも関与していると考えられている．

ヒトマイクロバイオーム解析から，*P. gingivalis* 線毛と類似する線毛は，腸内に生育する *Bacteroides* 属にも広く保存されていることが明らかになり，V 型線毛 type V pilus として総称された．*P. gingivalis* の V 型線毛では，線毛タンパク質である FimA および Mfa1 がリポタンパク質として菌体表面に輸送され，タンパク質分解酵素ジンジパインによって N 末端が切断されることで線毛が形成される．

2）細胞侵入因子

P. gingivalis および *A. actinomycetemcomitans* は，歯肉上皮細胞に侵入することが報告されている．

P. gingivalis は上述の付着因子により歯肉上皮細胞に付着し，さらに細胞内に侵入する．このような性質は，低酸素条件とエネルギーの獲得，生体の免疫機能からの回避，さらに深部組織への感染拡大に役立っていると考えられている．細胞内に侵入した *P. gingivalis* は IL-8 の産生を抑制し，好中球の歯周組織局所への集積を抑制すると考えられている．

3）毒素

（1）外毒素

A. actinomycetemcomitans は，ロイコトキシンや細胞致死膨化毒素とよばれる外毒素を産生する．

a）ロイコトキシン

ロイコトキシンはグラム陰性菌の産生する毒素である RTX（repeat in toxin）ファミリーに属する毒素であり，白血球，特に単球，マクロファージ，好中球に選択的に作用し傷害を与える．本毒素は *ltxC-ltxA-ltxB-ltxD* オペロンから発現する LtxC，LtxA，LtxB，LtxD の 4 つのタンパク質によって構成される．これらのタンパク質の中で，LtxA が毒素としての生理活性を担っている．本毒素作用機序として標的細胞の細胞膜に孔を形成することにより毒性を発揮することが考えられているが，作用の詳細なメカニズムは不明である．

A. actinomycetemcomitans は血清型によって a〜f まで分類されているが，ロイコトキシンの産生量はそのプロモーター活性により菌株に違いが認められる．血清型 b に属する JP2 株はロイコトキシン遺伝子のプロモーター領域に欠失があるため，他の株よりもロイコトキシンを多量に産生する．アフリカ系アメリカ人には侵襲性歯周炎が多いことが報告されているが，JP2 株の保有率が高い．近年，歯周組織が健常な若年者の縦断研究が実施され，JP2 株が検出された被験者では検出されなかった被験者よりも歯周炎を発症するリスクが 10 倍以上高まることが示された．このようなことから，*A. actinomycetemcomitans* の中で，とりわけ JP2 株の病原性が高いことが示唆されている．

b）細胞致死膨化毒素

A. actinomycetemcomitans の産生する細胞致死膨化毒素は宿主細胞の細胞周期を止めることにより細胞の膨化と致死を引き起こす毒素である．本毒素は *cdt* 遺伝子領域から発現する CdtA，CdtB，CdtC の 3 つのタンパク質からなり，CdtB が毒素の生理活性を担っている．

(2) 内毒素

歯周ポケット内で増殖したグラム陰性菌の外膜成分の内毒素（LPS）は免疫担当細胞の表面に発現している TLR4 によって認識され，産生された炎症性サイトカインによりさまざまな炎症反応が惹起される．

P. gingivalis の内毒素は，大腸菌のような他のグラム陰性菌の LPS と比較し毒性や宿主細胞に対する炎症性サイトカイン誘導能が低く，激しい炎症反応を誘導するような活性をもっていない．このような本菌のもつ内毒素の反応性の違いが自然免疫からの回避に役立っていると考えられている．また，本菌の菌体表面には陰イオン性 LPS anionic LPS が存在し，細胞表面に局在するさまざまな病原因子の細胞表面への結合に関与している．

A. actinomycetemcomitans の LPS はサイトカイン産生誘導，マクロファージ活性化，骨吸収作用などのさまざまな生物活性をもつ．その他の歯周病原細菌である *F. nucleatum* や *T. forsythia* の LPS も同じような活性をもつ．

4）タンパク質分解酵素

歯周病原細菌が産生・分泌するタンパク質分解酵素は，自身のエネルギー獲得に必須であるばかりでなく，歯周組織の破壊や免疫機構からの回避に深く関与している．特に，レッドコンプレックスに属する *P. gingivalis*，*T. denticola* および *T. forthysia* は菌種にユニークなプロテアーゼ（タンパク質分解酵素）を産生する（**表 4-8-3**）．

P. gingivalis が産生するプロテアーゼとして最も重要なのがジンジパイン gingipain である．ジンジパインはペプチド切断部位の特性から，アルギニン残基の C 末端側を切断するアルギニン-ジンジパイン Arg-gingipain（Rgp）とリジン残基の C 末端側を切断するリジン-ジンジパイン Lys-gingipain（Kgp）に分類される．これらの酵素は，*rgpA*，*rgpB* および *kgp* の 3 つの遺伝子より発現する（**図 4-8-9**）．*rgpA* はプロテアーゼドメインの他に N 末端側にシグナルペプチド，C 末端側にアドヘジンドメインをコードしている．C 末端のアドヘジンドメインはさらにいくつかのサブドメインから構成されており，ヘマグルチニンドメインやヘモグロビン結合ドメインを含んでいる．*kgp* の基本構造は *rgpA* と類似しており，プロテアーゼドメインの N 末端側にシグナルペプチド，C 末端側にアドヘジンドメインをコードしている．RgpA/B および Kgp は相互に協力しながら宿主タンパク質を分解することにより組織を破壊し，歯周炎に関連する種々の病態を引き起こすと考えられている．ジンジパインの特性として，細胞外基質の分解，免疫機構の攪乱，補体の分解・活性化，血液凝固系の制御因子の活性化などが知られている．

ジンジパイン遺伝子の C 末端には C-terminal domain（CTD）がコードされているが，ヘミン結合タンパク質 HBP35 やペプチジルアルギニンデイミナーゼ peptidyl-arginine deiminase（PAD）などの他の CTD タンパク質とともに，Ⅸ型分泌装置 type Ⅸ secretion system（T9SS）により菌体外に輸送される．さらに本酵素は，FimA およ

表 4-8-3　歯周病原細菌の主なタンパク質分解酵素

細菌	酵素	主な機能
P. gingivalis	ジンジパイン（RgpA，RgpB，Kgp）	細胞外マトリックス分解 サイトカイン分解 免疫グロブリン分解 フィブリノーゲン分解 補体の分解・活性化 細胞表層タンパク質の成熟化
T. denticola	デンティリシン（PrcP）	細胞外マトリックス分解 サイトカイン分解 免疫グロブリン分解 フィブリノーゲン分解 補体の分解・活性化
T. forsythia	プロテアーゼ（PrtH）	溶血

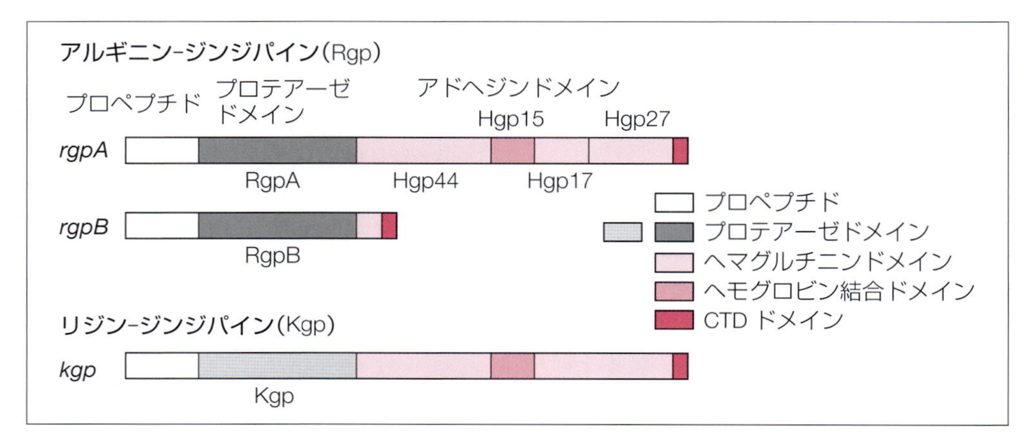

図 4-8-9　*P. gingivalis* のジンジパインをコードする遺伝子の構造
rgpA，*rgpB* および *kgp* の N 末端側にはプロペプチドおよびプロテアーゼドメインが存在する．*rgpA*，*kgp* にはヘマグルチニンドメイン（Hgp44，Hgp17，Hgp27）およびヘモグロビン結合ドメイン（Hgp15）からなるアドヘジンドメインが存在する．最終的には RgpA，RgpB，Kgp が成熟型のジンジパインとして機能する．またヘマグルチニンドメインは赤血球の凝集に，ヘモグロビン結合ドメインは赤血球との結合に関与する．

び Mfa1 線毛を含む種々の細胞表層タンパク質の成熟化にも寄与している．

T. denticola はプロリルフェニルアラニン特異的プロテアーゼであるデンティリシン dentilisin を産生し，フィブロネクチン，フィブリノーゲン，炎症性サイトカイン，補体，免疫グロブリンなどの宿主タンパク質を分解する．デンティリシンは PrcB，PrcA および PrcP の 3 つのタンパク質からなる複合体であるが，PrcP が本酵素の活性を担っている．

T. forsythia は赤血球に対して溶血活性をもつ PrtH とよばれるシステインプロテアーゼを産生する．

また多くの歯周病原細菌は，タンパク質分解酵素，コラゲナーゼ，ケラチナーゼ，ヒアルロニダーゼなどの多様な酵素を産生し，これらが歯周組織の破壊に直接作用していると考えられている．

Ⅸ型分泌装置 type Ⅸ secretion system（T9SS）は，新規に発見された分泌装置の 1 つであり，*Bacteroidetes* 門に含まれる多くの細菌がこの分泌機構をもつことが明らかになっている．本機構で分泌されるタンパク質には C 末端に共通のモチーフである CTD をもち，この構造が細胞外に運ばれるタンパク質の分泌シグナルとなる．

臨床研究により重度歯周病の罹患と認知機能低下が正相関することが報告されている．さらに，Alzheimer 型認知症患者の脳内において脳脊髄液から *P. gingivalis* の DNA が高率で検出されること，ジンジパインが検出されること，さらに，培養細胞を用いた実験結果から，ジンジパインが Alzheimer 型認知症の脳組織で検出される Tau 断片を生じさせることが報告された．これらの知見からジンジパインの働きを阻害するような新しい発想の創薬研究が進んでいる．

関節リウマチの患者の滑膜では PAD によるシトルリン化タンパク質の蓄積が起こるが，この反応に *P. gingivalis* の産生する PAD がかかわることが示されている．

5）莢膜

莢膜は多くの病原細菌において，食細胞からの回避において重要な機能を果たす．菌株によって異なるが，*P. gingivalis* および *A. actinomycetemcomitans* は，莢膜をもつことが知られている．*P. gingivalis* の莢膜は K1〜K6 の 6 つの血清型に分類されている．*A. actinomycetemcomitans* の莢膜は a〜f 型の 6 つの血清型に分けられ，地域によって差があるが，米国では，b 型をもつ株が侵襲性歯周炎患者から分離されやすいことが報告されている．

6）代謝産物

グラム陰性偏性嫌気性桿菌 *P. gingivalis* および *F. nucleatum* はアミノ酸を代謝してエネルギーを産生する．これらの細菌のアミノ酸代謝の最終産物である酪酸 butyric acid は，宿主細胞を傷害すること，リンパ球に作用しサイトカインの産生を抑制すること，アポトーシスを誘導することが明らかになっている．

酪酸は実際の口腔内においても，重度歯周炎患者のプラークでは，中等度歯周炎と比較しておよそ 10 倍高い濃度で存在していることが報告されている．

7）膜小胞

P. gingivalis は膜小胞 membrane vesicle を産生する．膜小胞には，ジンジパイン，LPS，外膜タンパク質などの数多くの病原因子を含む．膜小胞は菌体外に放出された後に周囲の細胞に作用することから，局所の炎症や歯周組織破壊に関与していると考えられている．膜小胞は宿主細胞内に取り込まれ細胞傷害を示すことが報告されている．

8）その他の病原因子

T. denticola は，宿主免疫機構からの回避にかかわると考えられている Spirochete immunoinhibiroty protein（Sip）や Factor H-binding protein B（FhbB）を産生する．重度歯周炎患者では *T. denticola* の検出頻度が高まるが，抗体価の上昇は認められないことが知られている．この現象に Sip や FhbB が関与していると考えられている．

A. actinomycetemcomitans の産生する Fc 結合タンパク質 Fc-binding protein は，抗体の Fc 部分に結合し，抗体のオプソニン作用や補体の活性化を阻害する．

（長谷川義明）

C 歯周病の分子免疫学

口腔粘膜は他の体表面同様さまざまな微生物の生息場所である．口腔粘膜は多層の上皮細胞層からなり非特異的防御機構である物理的バリアとして微生物の侵入を防いでいる．

歯肉上皮は歯頸部を囲む上皮であり，①口腔上皮，②歯肉溝上皮，③付着上皮（接合上皮），に分けられる（**図 4-8-10**）．口腔上皮は歯肉頂から外側に存在し，角化重層扁平上皮からなる．口腔上皮の細胞間は多数のデスモゾームで密に接着し，細胞間マトリックスには membrane

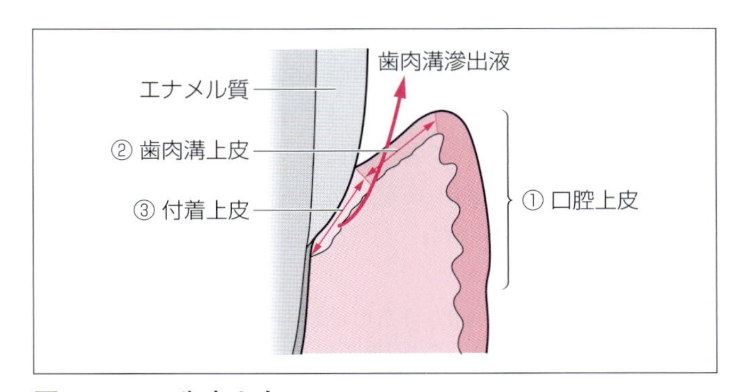

図 4-8-10　歯肉上皮

歯肉上皮は①口腔上皮，②歯肉溝上皮，③付着上皮，に分けられる．歯肉溝滲出液は細胞間隙が広い付着上皮内を通過し歯肉溝に流出する（太矢印）．歯肉溝上皮，口腔上皮からの物質透過は透過性関門により妨げられる．

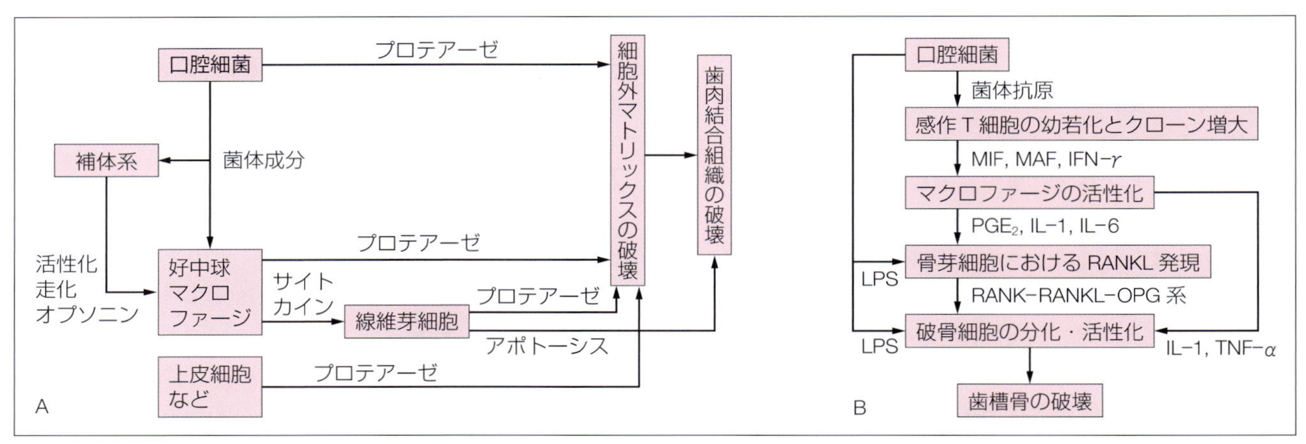

図 4-8-11　歯周組織破壊の概略
A：歯肉結合組織破壊のメカニズム．B：歯槽骨吸収のメカニズム．
歯肉結合組織破壊と歯槽骨吸収は独立して起こるのではなく，並行して起こる．MIF：マクロファージ遊走阻止因子，MAF：マクロファージ活性化因子

coating granule（MCG）という小顆粒が存在し，物理的障壁となっている．歯肉頂から内側に存在する歯肉溝上皮は，口腔上皮と付着上皮の間の歯肉溝側面を形成する非角化性の重層扁平上皮で，細胞間隔も口腔上皮より広い．付着上皮はヘミデスモゾームにより歯と結合している非角化重層扁平上皮であり，緩やかに配列した未分化上皮細胞からなる．付着上皮と歯肉溝上皮の非角化上皮と比較的広い上皮細胞間隙は歯肉溝滲出液の通路となる一方，口腔細菌を通過させ，歯周組織に炎症を起こす．このように，上皮細胞同士がタイトジャンクションにより強固に連結されている皮膚と異なり，歯に面する歯肉内縁上皮は上皮細胞間隔の広い，感染防御的に脆弱なバリア部位である．

歯周病には歯肉炎と歯周炎が含まれる．歯肉炎は歯肉に限局した炎症であり，歯肉縁上プラークのうち，歯肉溝付近の歯面に付着・堆積する辺縁プラークにより惹起される．歯周炎は接合上皮による上皮性の付着の破壊に伴う上皮の深化および細菌の歯周ポケットへの侵入・増殖により惹起される．歯肉溝や歯周ポケットは唾液による口腔の自浄作用を受けにくく，細菌および歯肉縁下プラークが停滞しやすい．歯周ポケット内は嫌気的環境なので，嫌気性菌が定着・増殖して組織為害性の強い酵素を産生する．さらに，細菌に対する免疫応答と炎症反応が亢進し，歯周局所におけるサイトカインや炎症性メディエーターの産生が高まり，歯周組織に対して傷害的に働く．このように歯肉縁下プラークは歯周組織の炎症性破壊を引き起こし，歯周炎を惹起する（**図 4-8-11**）．

MCG は口腔粘膜の角化・非角化上皮の有棘細胞内で形成され，顆粒層上部で細胞間隙に放出されている．MCG が細胞間隙に放出されると，セラミドという脂質となり細胞間隙を埋めるため，物質の細胞間輸送のバリアとして働く．皮膚と同様に口腔粘膜にはこの関門機構が存在するため，細菌や外毒素は生体内に侵入できず，内部の体液も外部に漏出しない．

❶ 歯周組織の生体防御機構

1）歯肉上皮のバリア機構による非特異的防御機構

口腔常在細菌は辺縁プラークとして歯肉縁上の歯面に定着している．生理学的状態における歯周組織では，正常な口腔フローラは歯肉上皮の物理的・化学的バリアを刺激し，口腔上皮のターンオーバーに伴う上皮細胞の落屑による細菌の脱落，上皮細胞由来のβ-ディフェンシン，カテリシジンなどの抗菌ペプチドによる細菌の制御により，正常フローラの定着と正常な歯周組織の均衡がコントロールされている．辺縁プラークに含まれる主な細菌として，*Streptococcus sanguinis*，*Streptococcus oralis*，*Streptococcus mutans* などのグラム陽性球菌，*Actinomyces viscosus*，*Actinomyces naeslundii*，*Actinomyces israeli* などのグラム陽性桿菌が含まれる．

辺縁プラーク細菌と上皮細胞による防御機構の均衡が壊れた場合，歯肉に限局した炎症が惹起される．これを歯肉炎という．歯肉炎では，歯肉辺縁の細菌成分などによる炎症が起こると，付着上皮細胞間の結合（デスモゾーム）が破壊され，上皮細胞間の結合が弛み，歯肉溝滲出液の量が増加する．歯肉腫脹による仮性ポケットの形成も起こる．歯肉溝滲出液の増加による血漿タンパク質，鉄分の増加および仮性ポケットの形成による嫌気的環境は歯肉縁下プラークの主な構成細菌であるグラム陰性嫌気性菌の生育を促進する．また，付着上皮の細胞間結合が破壊された状態では，細胞間隙が広くなり細菌感染に対するバリア機能が脆弱になる．

グラム陰性菌のリポ多糖（LPS）など細菌成分による刺激はさらに炎症を惹起する．デスモゾームの破壊により付着歯肉の上皮細胞の亀裂を生じ，付着歯肉の歯冠側からの剥離が起こる．さらに，付着歯肉の深部増殖（ダウングロース）により，歯周ポケットが形成される．歯周ポケッ

トの深化により形成される嫌気的環境は，グラム陰性嫌気性菌の生育をさらに促進する．

2）歯肉溝滲出液の生体防御機構

歯肉では付着歯肉直下に歯肉血管叢という吻合に富む血管網が形成されている．歯肉血管叢の毛細血管や細静脈から滲出した血液成分のうち，主に血清成分からなるのが歯肉溝滲出液である．付着上皮の細胞間隙の拡大と上皮直下の豊富な歯肉血管叢は，歯肉溝滲出液の産生と歯肉溝への滲出を促進する．歯肉溝滲出液には血清と同量の免疫グロブリンや補体成分などの液性因子や，好中球をはじめとした細胞成分が含まれ，貪食などにより細菌の侵入を阻止する．

3）歯周病原細菌に対する歯肉上皮細胞の反応

歯肉縁上・縁下プラーク細菌による歯肉上皮細胞の刺激により，歯肉上皮細胞は物理的バリアとして作用するだけでなく，サイトカインを産生放出し，白血球を遊走させる．歯肉上皮細胞が産生するサイトカインであるIL-8は毛細血管からの炎症性細胞，特に好中球の血管外への遊走を促進するケモカインとして作用する．歯肉上皮細胞を*P. gingivalis*で刺激するとTLR2を介してIL-8とマクロファージの遊走因子MCP-1を産生する．このようにプラーク細菌による歯肉上皮細胞の刺激は上皮細胞によるサイトカイン，特にケモカインの産生を誘導し，感染局所に好中球やマクロファージを遊走させる．これら食細胞は歯肉溝において貪食・殺菌を行う．前述の細菌と上皮細胞による防御機構の均衡が取れている状態においても，好中球によるプラーク細菌の貪食・殺菌が行われ均衡が維持されている．

4）上皮・結合組織における免疫応答

歯肉溝上皮から侵入した口腔由来の細菌は，鼻咽頭や腸管などの粘膜関連リンパ組織（MALT）を経由しないため，唾液腺から分泌される唾液中の抗体による攻撃を受けない．これら口腔細菌は口腔粘膜上皮に存在する樹状細胞（Langerhans細胞）によって貪食され，所属リンパ節を介した自然免疫および獲得免疫の実行システムを受ける．口腔細菌が侵入すると上皮細胞，Langerhans細胞，結合組織内の粘膜下樹状細胞が細菌の病原体関連分子パターンpathogen-associated molecular pattern（PAMP）を認識し，パターン認識受容体pattern recognition receptor（PRR）からのシグナルによるさまざまなサイトカインの産生により，細菌が侵入した部位に血液由来の炎症細胞が浸潤する．これらの好中球，マクロファージ，NK細胞などにより自然免疫応答が開始され，侵入した口腔細菌は好中球に貪食・排除され，さらにはマクロファージや間質（粘膜下）の樹状細胞による貪食も受ける．間質樹状細胞は粘膜で成熟樹状細胞に分化し，抗原提示細胞として頸部リンパ節などの所属リンパ節に遊走し，T細胞に抗原提示を行う．抗原提示を受けた抗原特異的T細胞やB細胞は局所口腔粘膜に戻り（ホーミング），エフェクター細胞として獲得免疫応答を発揮する．

エフェクター細胞の中でも，ヒト歯周炎組織にはTh17細胞が多く集積することが報告されており，歯周炎の病態におけるTh17細胞の関与が報告されている．これらのTh17細胞は腸管粘膜由来ではなく，口腔細菌により口腔周囲の所属リンパ節で分化・誘導されたエフェクター細胞である．Th17細胞はIL-17を産生し，IL-17は上皮細胞などに作用する．刺激された上皮細胞はCXCL8などのケモカインを産生し，好中球の感染局所への遊走を促進する．さらにIL-17はさまざまな細胞に作用し，IL-1，IL-6，TNF-α，マトリックスメタロプロテアーゼmatrix metalloprotease（MMP）などの産生を促進する．TNF-α，IL-1は破骨細胞に直接作用し分化・活性化に働く．これらのサイトカインは関節リウマチなどさまざまな炎症性疾患および自己免疫疾患の発症に関与するが，歯周炎においてもTh17細胞の集積がみられることはTh17細胞の炎症性骨吸収との関連を示唆するものである．

白血球接着不全症leukocyte adhesion deficiency-I（LAD-I）は*ITGB2*遺伝子の変異によるCD18を含むβ_2インテグリンの欠損症である．白血球の接着分子であるβ_2インテグリンの発現異常のため，血管内皮細胞に白血球が接着できず血管内から血管外への感染部位への白血球浸潤が不能となり，難治性の細菌・真菌感染症を発症する．重篤な歯周炎も合併症となる．好中球の細菌感染巣への浸潤が低下するため，好中球を遊走させるためにIL-23のTh17への刺激によるIL-17の産生が恒常的に起こり，炎症がさらに悪化する．本疾患患者にIL-23/IL-17の中和抗体を投与したところ，歯周炎の進行を抑制したことから，IL-23/IL-17による好中球の感染巣への遊走が本疾患の進行に重要な役割を果たすことが示唆されている．

2 炎症反応における歯周組織破壊

1）歯周炎における細菌感染の特徴

上皮の外側を外界と考えると，歯肉縁上・縁下プラークは歯頸部や歯根面に付着し，外界から歯肉上皮を恒常的に刺激する．プラークの菌体外多糖や歯石は免疫細胞や抗体の侵入を阻害することから，上皮の外側に存在する細菌に対して，歯肉溝滲出液の免疫細胞の作用は限定的である．細菌による歯肉上皮の恒常的な刺激は歯肉炎を惹起し，上皮の間隙を広げ，上皮バリアは弛緩することから細菌の侵入を可能にする．細胞間隙からの細菌の侵入に加え，上皮細胞内に直接侵入する場合もある．歯と歯肉上皮の境界は生体防御機構による細菌の排除が及ばないことから，プラークや歯石は人為的な除去をしない限り，細菌の生体への侵入および炎症反応が恒常的に起こる．

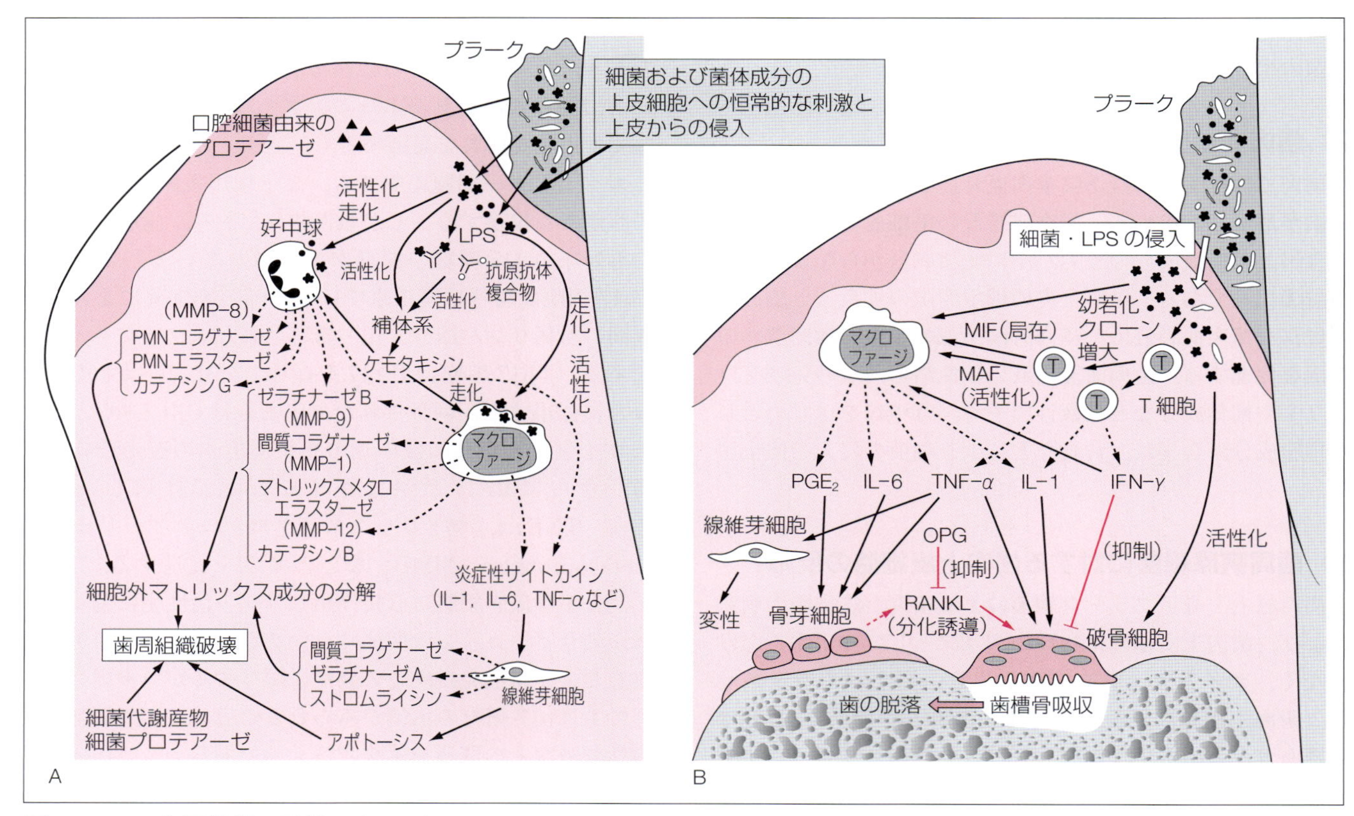

図 4-8-12　歯周組織の破壊メカニズム

A：歯肉結合組織破壊のメカニズム．歯肉炎により細胞間隙が拡大した歯肉溝上皮から侵入した細菌は炎症性細胞や歯肉固有の細胞に作用し，炎症性サイトカインやプロテアーゼなどの酵素の産生を誘導する．また，細菌自身もプロテアーゼを産生する．これらの作用により歯周組織の破壊が引き起こされる．B：歯槽骨吸収のメカニズム．プラーク細菌の侵入に対し，感作 T 細胞はクローン増大により幼若化する．これに伴い産生されるサイトカインがマクロファージを活性化して，サイトカインが産生される．このサイトカインにより，破骨細胞の分化・活性化が促進され，歯槽骨破壊へと進行する．MIF：マクロファージ遊走阻止因子，MAF：マクロファージ活性化因子，MMP：マトリックスメタロプロテアーゼ，OPG：オステオプロテジェリン，PMN：多型核白血球，RANKL：receptor activator of nuclear factor κB ligand（A：須田ほか編：新 骨の科学．医歯薬出版，2007，p. 272．B：早川ほか編：口腔生化学．第5版．医歯薬出版，2015，p. 292）

2）細菌の上皮内侵入と血管からの炎症性細胞浸潤

歯肉縁上・縁下プラークの細菌が上皮バリアを突破し，歯周組織に侵入すると，歯肉粘膜固有層に豊富な歯肉血管叢の毛細血管ループの循環障害および血漿成分の滲出がみられる．炎症が起きると局所に流入する血液量は増加する．さらに，血管内皮細胞の変性やケミカルメディエーターによる血管透過性の亢進により，血漿が血管外に漏出し組織に蓄積されるため，炎症性浮腫が起こる．臨床的には組織の腫脹として現れる．血管透過性が亢進すると液状成分の血管外漏出により血液の粘稠度は増加し，血流が遅くなる．血流が遅くなると，好中球など炎症性細胞は細静脈の血管壁の接着分子に回転しながら接着する．さらに扁平化して偽足を血管外に出しながら血管壁を通過する．好中球は血管内皮細胞のセレクチンにより内皮細胞と弱く接着し，回転しながら血管内を進む．さらに，インテグリンにより血管内皮細胞と強く接着して，内皮細胞間を通過し組織内に移動する．

3）歯周組織の破壊因子

歯周組織，主に軟組織の破壊因子には，①歯周病原細菌由来，②宿主細胞由来，のものがある．歯周病細菌の菌体成分，代謝産物，外毒素は組織を直接破壊する一方，これら細菌由来因子に対する宿主細胞の反応による組織破壊も起こる．宿主細胞が産生するプロテアーゼをはじめとする酵素，サイトカイン，ケミカルメディエーター，活性酸素種 reactive oxygen species（ROS）などが組織破壊に働く．歯周組織の破壊に作用する2つの因子群はそれぞれ独立して歯周組織の傷害に作用するだけでなく，相互作用により歯周組織破壊に作用する（**図 4-8-12**）．

（1）歯肉結合組織の破壊

口腔細菌が産生する酵素は歯周組織を直接破壊する因子となる．特に細菌由来プロテアーゼは歯周組織の破壊に関与する．*P. gingivalis* のジンジパインにより歯周組織が破壊されると，細菌の侵入および炎症が惹起される．その他トリプシン様酵素として，*Treponema denticola* のデンティリジン dentilisin，*Tannerella forsythia* の BspA，PrtH などがある．

菌体成分には，グラム陰性菌外膜に存在する LPS，鞭毛，線毛，ペプチドグリカンなどがある．LPS は歯肉組織内に侵入すると，補体系を活性化し，その結果，細胞融解，好中球遊走，オプソニン作用などを引き起こす．また，活性化された好中球は，コラゲナーゼである MMP-

8，ゼラチナーゼであるMMP-9，好中球エラスターゼ，カテプシンG，リソソームなどを細胞外に放出する．LPSは好中球やマクロファージなどの細胞表面受容体TLR4のリガンドとなり，IL-1，IL-6，TNF-αなどの炎症性サイトカインの産生を誘導する．これらのサイトカインは線維芽細胞を刺激し，間質コラゲナーゼであるMMP-1の産生を促進する．これらの酵素は歯周軟組織の細胞外マトリックス成分であるコラーゲンやプロテオグリカンなどを分解し，歯周組織を破壊する．

鞭毛タンパク質であるフラジェリンもTLR5のリガンドとなり，炎症性サイトカインの産生を促進する．また，細胞質内受容体であるNOD様受容体NLRは細胞内に侵入した細菌のペプチドグリカン構成成分をNOD1/2で，フラジェリンをNAIP5やIPAFで認識し，サイトカイン産生を誘導する．

歯周組織に浸潤する好中球などの多型核白血球，リンパ球，マクロファージなどの炎症性細胞はプロテアーゼを放出する．上皮細胞，線維芽細胞，骨芽細胞，破骨細胞などもプロテアーゼを産生する．歯周組織の細胞が産生するプロテアーゼは，歯周組織を破壊する．これらプロテアーゼに対し，組織中には生体由来のインヒビターinhibitor（阻害分子）が存在する．プロテアーゼとプロテアーゼインヒビターのバランスにより歯周組織は恒常性を保つが，これらが破綻すると歯周組織の破壊が起こる．

線維芽細胞など歯周組織固有の細胞やマクロファージなど炎症性浸潤細胞はアラキドン酸代謝産物であるプロスタグランジンやロイコトリエンなどのケミカルメディエーターを産生する．歯肉組織ではプロスタグランジンE_2（PGE_2）をはじめとしたプロスタグランジン類が高濃度で存在し，特に炎症歯肉の産生能は高い．プロスタグランジン類は血管透過性の亢進および好中球走化性亢進により歯周組織の炎症増悪に働く．また，DNA合成阻害による線維芽細胞の増殖抑制やコラーゲンの合成を抑制し，炎症と併せて歯周組織の破壊に作用する．

(2) 歯槽骨の吸収

細菌抗原に感作したことのあるT細胞は，歯肉内に侵入してきた細菌に対しクローン増大を起こし，DNA合成が盛んになることから幼若化（芽球化）し，分裂，分化する．その際，マクロファージ活性化因子macrophage activating factor（MAF），マクロファージ遊走阻止因子macrophage migration inhibitory factor（MIF），IFN-γ，IL-1β，TNF-αなどのサイトカインが分泌される．MIFにより局在化されたマクロファージは，MAFやIFN-γにより活性化される．活性化されたマクロファージはPGE_2を産生し，血管透過性の亢進，好中球の走化性亢進，破骨細胞の形成，線維芽細胞の変性が起こり，炎症は拡大する．

炎症性サイトカインはRANKL-RANK-OPG系により破骨細胞の分化・活性化を亢進させ，歯槽骨の吸収を引き起こす．細菌のLPSはマクロファージや線維芽細胞が発現するTLR4のリガンドとなり，IL-1，IL-6，TNF-αなどの炎症性サイトカインの産生を誘導する．これらIL-1，IL-6，TNF-αおよびPGE_2が骨芽細胞に作用すると，receptor activator of nuclear factor κB ligand（RANKL）が細胞表面に発現する．さらに，RANKLのおとり受容体として破骨細胞形成阻害に働くオステオプロテジェリンosteoprotegerin（OPG）の発現を低下させ，RANKLは相対的にOPGより多くなり，破骨細胞前駆細胞が発現しているRANKLの受容体（RANK）に結合することで破骨細胞が分化誘導され，骨吸収が活性化される．さらにLPSは直接的に骨芽細胞に働き，RANKLを誘導する．また，TNF-α，IL-1はRANK-RANKL-OPG系を介さず破骨細胞に直接的に作用し，破骨細胞の分化・活性化を促進する．このように活性化された破骨細胞により骨吸収は進行し，骨芽細胞の増殖や分化も抑制され，マトリックス合成も阻害され，歯槽骨吸収が起こる．

4）歯周炎とインフラマソーム

感染症と無菌的組織傷害の発端は異なるが，いずれも組織の炎症を惹起し，組織の細胞や自然免疫細胞を介して炎症性サイトカインが分泌される．このように組織傷害にかかわる分子や感染微生物の分子パターンを細胞内で感知するシステムで，カスパーゼ-1の活性化により，IL-1β，IL-18産生を誘導する細胞質内タンパク質複合体をインフラマソームinflammasomeという（**図4-8-13**）．インフラマソームは感染と組織傷害が混在する過程でみられる，感染・組織傷害などによる細胞と生体の危機を認識する機構である．

インフラマソームはNOD様受容体（NLR）など細胞質内受容体，アダプタータンパク質であるASC，実行分子であるカスパーゼ-1の前駆体からなる．NLRのうち，NLRP3は傷害を受けた細胞から放出されるATPなど危険関連分子damage-associated molecular pattern（DAMP）によって活性化される．歯周炎は細菌や菌体成分の刺激と細菌や侵入による組織破壊を伴う炎症であることから，インフラマソームの関与が報告されている．歯周炎患者の歯周組織におけるNLRP3インフラマソームの発現が健常者と比べ高いことが報告されている．また，*P. gingivalis*，*T. denticola*などがマクロファージ系の細胞を刺激すると，NLRP3インフラマソームが活性化されることが報告されている．

❸ 炎症性骨吸収の分子メカニズム

歯肉縁下プラークの細菌であるグラム陰性菌の菌体外膜成分であるLPSは破骨細胞の分化誘導作用がある．細菌が歯周組織に侵入すると，多数の炎症性細胞が浸潤し，サイトカインやプロスタグランジンが産生される．これらは破骨細胞の分化や活性化を促進する．活性化された破骨細

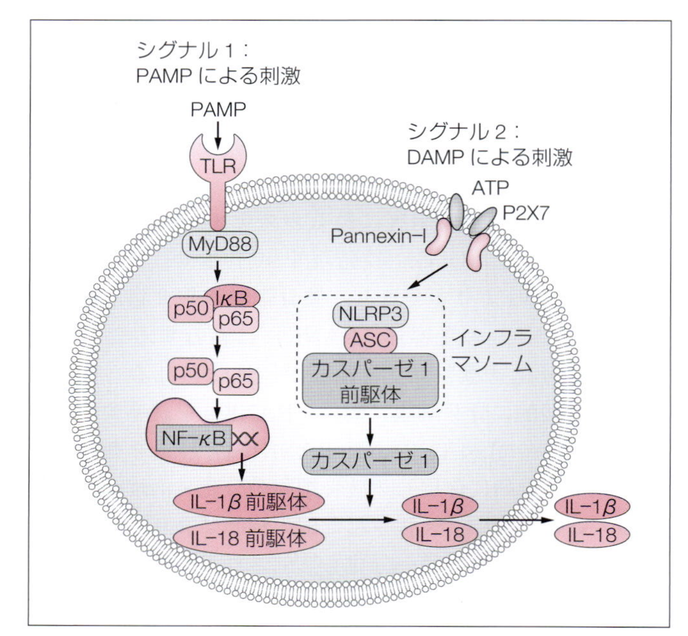

図 4-8-13　インフラマソームによる IL-1β，IL-18 産生
細菌の LPS など PAMP を認識したパターン認識受容体は IL-1β/18 前駆体を産生する．細胞の破壊により産生された ATP などの DAMP はインフラマソームを活性化する．活性化されたインフラマソームはカスパーゼ-1 前駆体を活性型カスパーゼにする．活性型カスパーゼは IL-1β/18 前駆体を IL-1β/18 にして細胞外に産生する．

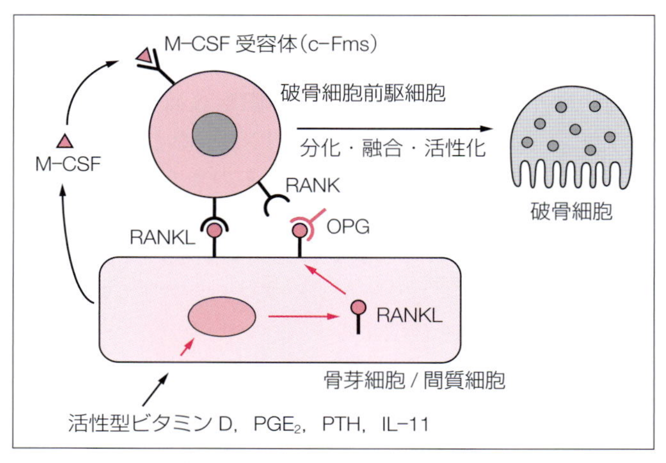

図 4-8-14　破骨細胞形成の分子メカニズム
骨吸収を促進するホルモンやサイトカインは骨芽細胞の細胞膜上に RANKL の発現を誘導する．RANKL は破骨細胞前駆細胞（マクロファージ）に発現される RANK のリガンドである．RANKL を発現する骨芽細胞と RANK を発現する破骨細胞前駆細胞との細胞間接触で破骨細胞に分化する．

胞により歯槽骨吸収が起こり，骨芽細胞によるマトリックスの合成が阻害され，歯周炎で特徴的にみられる歯槽骨吸収が起こる．

1）破骨細胞分化の分子機構

破骨細胞はマクロファージ系の造血幹細胞に由来する破骨細胞前駆細胞が分化した多核巨細胞である．破骨細胞は骨組織にのみ存在し，骨組織を破壊・吸収する．造血幹細胞からの破骨細胞の形成，破骨細胞による骨吸収には骨芽細胞の存在が不可欠である．破骨細胞前駆細胞は，骨芽細胞が産生する macrophage colony-stimulating factor（M-CSF）の刺激により分化と増殖が促進される．骨吸収している破骨細胞には必ず骨芽細胞が接している．骨芽細胞が発現する TNF ファミリーの膜結合性サイトカインである RANKL の破骨細胞前駆細胞上に存在する受容体である RANK との結合が破骨細胞形成および骨吸収に必要なためである．骨芽細胞は RANKL が RANK に結合するのを阻害するおとり受容体サイトカインとして OPG も産生する．骨吸収は RANKL，RANK および OPG の三者のバランスにより維持されている（**図 4-8-14**）．

グラム陰性菌の LPS や炎症性細胞が産生するサイトカインは骨芽細胞に作用し，その刺激を受けた骨芽細胞は RANKL を産生し，RANK を介して破骨細胞形成を促進する RANK-RANKL-OPG 系による破骨細胞の分化，活性化がある．一方，破骨細胞に直接炎症性サイトカインが作用する，RANK-RANKL-OPG 系を介さないものがある．

2）細菌菌体成分による骨吸収

（1）LPS による破骨細胞分化誘導

グラム陰性菌の菌体成分である LPS は TLR4 により認識される．細胞内で TLR の細胞内シグナルを伝達する分子である myeloid differentiation factor 88（MyD88）などのアダプター分子を介して，NF-κB と mitogen-activated protein kinase（MAPK）を活性化する．この MyD88 依存的経路により，IL-1，IL-6，TNF-αといった炎症性サイトカイン産生を誘導する．

骨芽細胞と破骨細胞の共存培養系に LPS を添加すると，骨芽細胞の PGE_2 や活性型ビタミン D[1,α, 25(OH)$_2$D$_3$]の産生および多核破骨細胞を誘導する．この LPS による破骨細胞分化誘導作用は PGE_2 合成依存的である．LPS は骨芽細胞に作用して RANKL の発現を促進し，PGE_2 の産生誘導により OPG の発現を抑制することから，破骨細胞の分化誘導を促進すると考えられている．

（2）ペプチドグリカンによる破骨細胞の分化誘導

細菌ペプチドグリカンの構成成分であるムラミルジペプチド（*N*-アセチルムラミン酸と L-アラニン，D-イソグルタミンが結合したもの：MDP）はマクロファージなどの細胞内にある自然免疫受容体 NLR の 1 つである NOD2 に結合し，NF-κB を活性化させ，炎症性サイトカイン産生を誘導する．誘導されたサイトカインは骨芽細胞に作用し RANKL 発現を上昇させ，局所の破骨細胞の分化，活性化を促進する．一部の細菌成分は細胞内受容体を介して炎症反応を増強する．

3）炎症性サイトカインによる骨吸収

口腔細菌および菌体分子の歯周組織への侵入は菌体成分による炎症と組織破壊を引き起こす．その結果，PAMP および DAMP を認識したマクロファージなど自然免疫系

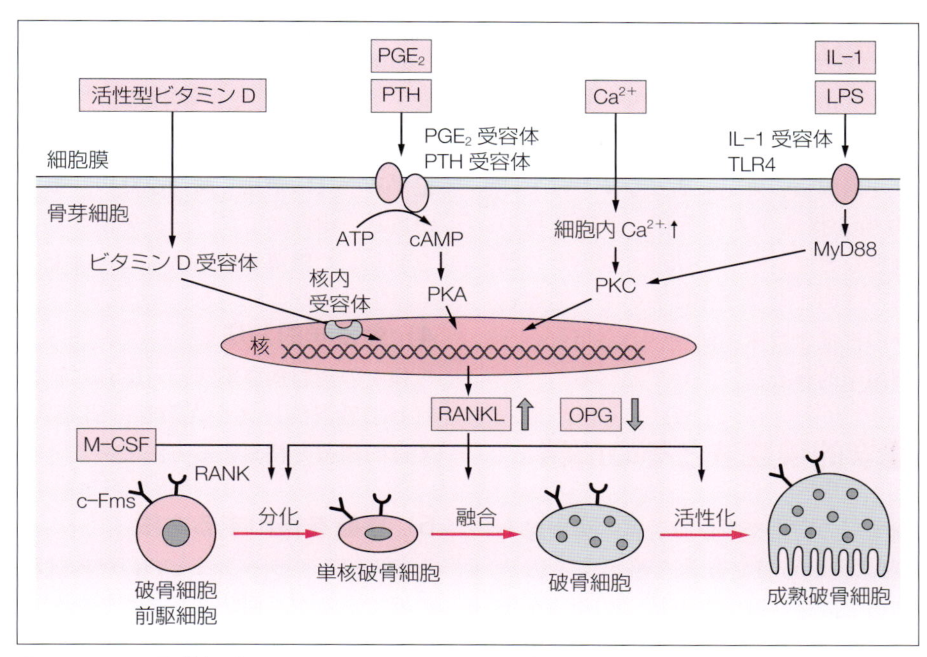

図 4-8-15　骨芽細胞における RANKL の発現誘導と作用

骨芽細胞によって恒常的に合成分泌されている M-CSF が破骨細胞上の受容体に結合する．PGE_2，IL-1 などの刺激を受けた骨芽細胞の細胞膜上に RANKL が発現する．骨芽細胞上の RANKL は破骨細胞前駆細胞の細胞膜上の RANK と結合する．破骨細胞前駆細胞は破骨細胞に分化し，融合，活性化を経て成熟破骨細胞となる．PKA：protein kinase A，PKC：protein kinase C，PTH：副甲状腺ホルモン

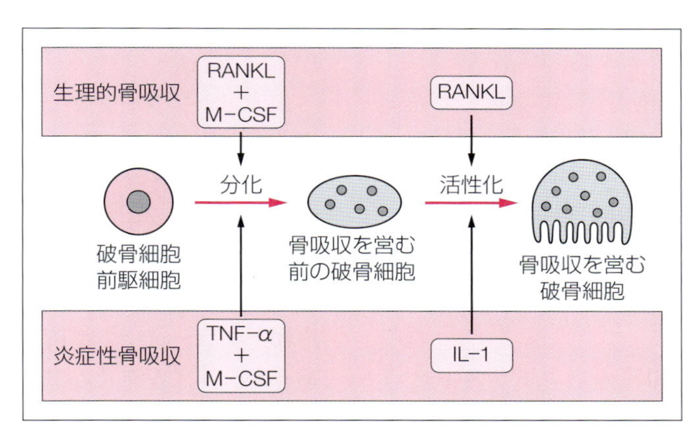

図 4-8-16　RANK-RANKL-OPG 系を介さない破骨細胞の分化と活性化

TNF-αは破骨細胞分化を促進するが骨吸収機能は促進しない．IL-1は骨吸収を促進するが破骨細胞分化は促進しない．RANKL は破骨細胞分化と骨吸収機能をともに促進する．

の細胞や歯肉線維芽細胞による IL-1，IL-6，TNF-αなどの炎症性サイトカインを誘導する．炎症性サイトカインは RANK-RANKL-OPG 系により破骨細胞の分化，活性化を引き起こす．たとえば，*A. actinomycetemcomitans* の LPS はマクロファージや歯肉線維芽細胞などの TLR4 に結合し，上記の炎症性サイトカインを強く誘導する．このような炎症性サイトカインは骨芽細胞上の受容体に結合し，RANKL の発現を上昇させ，RANK-RANKL-OPG 系により破骨細胞の分化・活性化を促進する（**図 4-8-15**）．

一方，炎症性サイトカインである TNF-αと IL-1 は RANK-RANKL-OPG 系を介さない経路でも破骨細胞の分化と機能を調節している．TNF-αは M-CSF の存在下で造血系細胞の TNF 受容体に直接結合することにより破骨細胞への分化を促進する．IL-1 は骨芽細胞に RANKL を誘導し，RANK-RANKL-OPG 系を介して破骨細胞形成を促進するとともに，成熟破骨細胞上の IL-1 受容体に結合し，直接作用して骨吸収を促進させることができる．TNF-αの産生は LPS によって促進されるため，歯周炎などでみられる病的骨吸収において重要な役割を果たすと考えられる（**図 4-8-16**）．

D　病因論に基づいた歯周病の予防と治療

歯周病は口腔細菌による内因性感染症である．外因性感染症と異なり，いわゆる歯周病原細菌が唾液や歯周ポケットから検出されることが歯周病の確定診断となるわけではない．しかし，歯周局所を構成する細菌種，各細菌種の量・総菌数に対する割合などフローラの状態と病態との関連の理解は必要である．このことを念頭において，歯周病における口腔フローラの把握と臨床・研究への応用という観点から歯周局所の細菌学的検査法について述べる．

❶ 歯周病の細菌学的検査法とその解釈

歯周ポケットなど歯周病の病巣や唾液，舌苔，歯肉縁上プラークなどの口腔内試料から特定細菌を検出する方法は，検出原理から①細菌を直接観察する方法，②細菌を培養する方法，③細菌の酵素活性を測定する方法，④特定細菌の抗原を検出する（免疫学的）方法，⑤核酸を検出する方法，に分けられる．いずれも絶対的に正確な方法は存在しないため，それぞれの特徴を理解して，検査目的に応じた方法を選択するべきである．

1）直接観察法

（1）染色による方法

歯周ポケット内の細菌を採取し色素により染色して光学顕微鏡にて観察する方法である．単染色法では細菌の形態（球菌・桿菌など）と配列（レンサ状，ブドウ状など）がわかる．グラム染色法ではこれらに加えグラム陽性・陰性の区別ができる．しかし，菌種の同定はできない．染色することから細菌は死滅するため運動性の観察もできない．

（2）位相差顕微鏡による方法

光の位相差を利用して細菌に明暗のコントラストをつけ，細菌を観察する方法である．本法は染色しないため，細菌が生きたまま観察できる．そのため細菌の運動性を観察できる．グラム陽性・陰性の区別および菌種の同定はできない．簡便な方法であるので臨床現場で患者教育および動機づけの目的で歯周ポケット細菌の観察として使用される．

2）細菌培養法

歯肉縁下プラーク細菌を滅菌ペーパーポイントなどで採取し，生理的食塩水に懸濁した後，寒天培地に塗抹培養する．寒天培地上では細菌が分離培養されるので，それぞれの細菌コロニーについて生化学的性状（糖発酵能など），抗菌薬感受性などを解析するのに用いられる．他の検査法と比較して培養に時間を要する．歯肉縁下プラーク細菌の場合，嫌気培養の設備を要する．増菌するためバイオハザードに注意する必要がある．培養法なので生菌のみを検出する．一般的な培地や培養条件で培養不可能な細菌には使用できない．

3）酵素活性法

歯周ポケット細菌が産生する酵素活性を測定する方法である．*P. gingivalis*，*T. forsythia*，*T. denticola* はトリプシン様酵素を産生するので，その酵素活性を呈色反応で測定する．反応が速く簡便なため，臨床現場で使われることがある．歯肉縁下プラークを検体として用いるため，酵素を産生した細菌を同定することはできない．

4）免疫学的方法

種々の歯周病原細菌それぞれに特異的に発現する抗原に対して特異的抗体を作製し，ELISAや蛍光抗体法を用いて標的細菌を検出する方法である．

5）核酸を検出する方法

歯肉縁下プラークなどの口腔内試料はさまざまな微生物の塊であるが，同時にさまざまなゲノムの塊でもある．歯肉縁下プラークを構成するゲノムDNAから，歯周病原細菌など標的細菌に特異的な遺伝子を検出することで，標的細菌の存在を検出する方法である．生菌・死菌の両方を検出する方法であるため，実際の生菌数より多く見積もる．反応自体は比較的短時間だが，サンプルからゲノムDNAを精製するのに時間を要する．PCR（polymerase chain reaction）法とDNAプローブ法が一般に用いられている．

（1）PCR法

歯肉縁下プラークからゲノムDNAを抽出し，歯周病原細菌など標的細菌が特異的にもつ遺伝子を，その遺伝子に特異的なプライマーを用いて遺伝子増幅する．採取した歯肉縁下プラーク中の標的遺伝子は増幅された後，アガロースゲル電気泳動で可視化され，設計したプライマー間の塩基数に一致したDNAバンドとして確認される．本法は歯肉縁下プラーク中の標的細菌の有無を調べる定性的検査であるが，リアルタイムPCR法による定量PCR法を用いることにより，細菌数を標的遺伝子のコピー数として定量的に検出することができる．サンプル中のコピー数（細菌数）10～100でも増幅可能で，非常に高感度である．

（2）DNAプローブ法

標的細菌に特異的な遺伝子の塩基配列をもつDNA断片を標識し，DNAプローブとする．歯肉縁下プラークから精製したゲノムDNAとDNAプローブをハイブリダイゼーションさせる．標的細菌が歯肉縁下プラーク内に存在したら，ゲノムDNAとDNAプローブはその相補性のため結合する．非結合プローブを洗い流し，残った結合プローブの標識により検査対象とする歯肉縁下プラーク中の標的細菌の存在を確認する定性的検査である．

（3）メタゲノム解析によるフローラ解析

歯肉縁上・縁下プラーク，唾液，舌苔などはさまざまな細菌種が混在した微生物群衆である．微生物群衆全体のゲノムを培養することなく，そのゲノム/DNA情報を網羅的に収集し，塩基配列情報からインフォマティクスinfor-

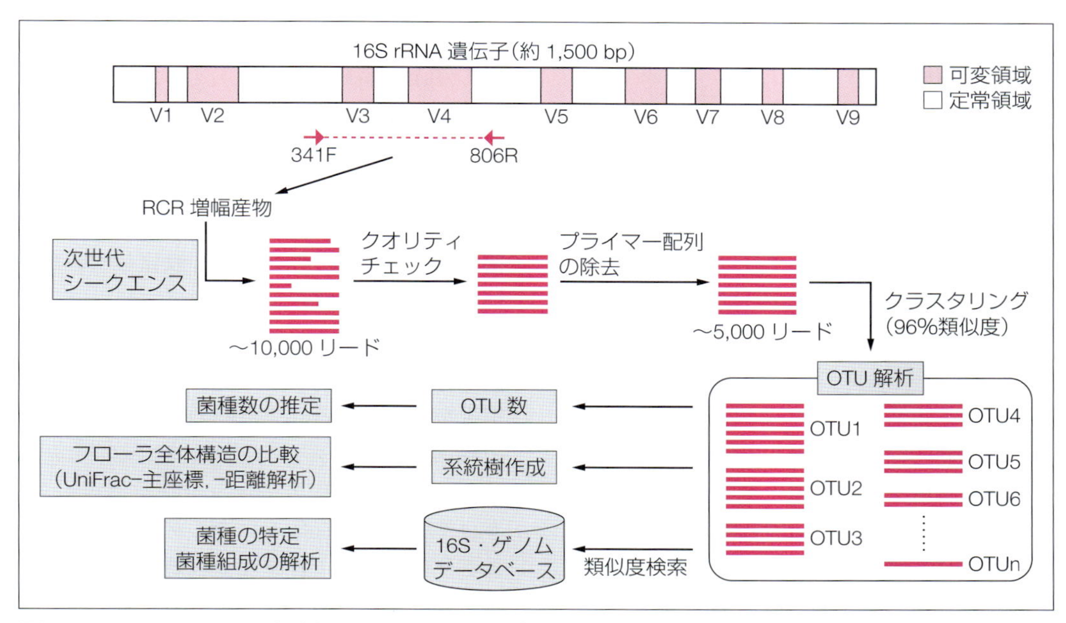

図 4-8-17　16S rRNA 解析によるフローラ解析

16S rRNA 遺伝子の定常領域に設計した共通プライマーを用い，フローラを構成しているすべての細菌の可変領域を増幅する．増幅 DNA の塩基配列を決定することで可変領域の配列多様性をもとにした菌叢解析が可能になる．塩基配列を 96％の配列類似度（閾値）で分類し，閾値以上の配列類似度をもつものを 1 つの OTU（operational taxonomic unit）としてグループ化する．生じた OTU はフローラを構成する菌種数として見積もられる．

（服部正平：ヒト腸内マイクロバイオーム解析のための最新技術．*Jpn. J. Clin. Immunol.* **37**：412～422，2014）

matics（情報科学）により細菌種や遺伝子などの特定を行い，生態・機能の全体を解析することをメタゲノム metagenome 解析という．メタゲノム解析は口腔フローラのみならず腸内フローラなどさまざまな領域で用いられている．

メタゲノム解析によるフローラ解析には大きく分けて，16S rRNA 解析（メタ16S 解析）とフルメタゲノム whole metagenome 解析（ショットガンシーケンス）の 2 つの異なる手法がある．

a）16S rRNA 解析

プラークサンプルなどから抽出された DNA から，すべての細菌が保有する 16S rRNA 遺伝子の塩基配列を決定し，得られた塩基配列情報を既存のデータベース照会による菌種帰属を行うことでフローラを解析する（**図 4-8-17**）．

b）フルメタゲノム解析

16S rRNA 解析では少ないデータ数で比較的簡便に菌種組成を解析できるが，直接的に細菌の機能に結びつく知見を得るのは困難である．16S rRNA 解析とは異なり，フルメタゲノム解析では遺伝子の塩基配列をすべて読むため，フローラの菌種組成のみならず遺伝子組成を得ることができる．フローラのもつ機能（遺伝子）の種類と量を明らかにできる．

メタゲノムとは超越を意味するメタ meta と生物の遺伝子全体を意味するゲノム genome を合わせた造語である．1998 年土壌フローラの論文に初めて使用された．

16S rRNA 遺伝子の塩基配列は菌種間で高度に配列が保存されている定常領域と，菌種ごとに配列の特異性が高い可変領域 variable region が交互に並んでいる構造をもつ．このため，定常領域に設計した共通プライマー（ユニバーサルプライマー）を用いることで，理論的にはフローラを構成しているすべての細菌の variable region を増幅し，その増幅 DNA の塩基配列を決定することで可変領域の配列多様性をもとにした菌叢解析が可能になる．

❷ 病因論に基づいた歯周病治療

歯周病は上皮からみて外界である歯面から歯肉上皮を経由して細菌感染が起こり発症する感染症である．常在細菌のみが存在する specific-pathogen free（SPF）マウスでは無菌 germ-free（GF）マウスと比較して歯槽骨の吸収が高度にみられることからも，口腔常在細菌の内因性感染は歯周炎発症の原因となる．口腔常在細菌により形成された辺縁プラークは歯面から持続的に細菌の菌体成分や代謝産物により刺激を与え続け，歯肉炎を惹起する．歯肉炎は歯肉上皮バリアの脆弱化をもたらし，歯肉腫脹による仮性ポケットの形成は嫌気性菌に適した酸素濃度の少ない環境を提供する．よって，歯周病の治療の最も基本はプラークコントロールによるプラークの機械的除去である．辺縁プラークなど歯肉縁上プラークが歯面に残存すると歯肉縁上歯石となる．歯石は表面が粗造であるため口腔細菌が付着・増殖してさらなるプラーク付着の足場となる．よってスケーラーという器具を用いて，歯石，プラーク，その他歯面の沈着物を機械的に除去する．これをスケーリングという．スケーリングにより，歯肉の炎症が軽減すると，歯肉腫脹が消退するので歯周ポケットも浅くなる．浅くなったポケットでは深部までスケーラーが到達しやすくなる．この段階でスケーラーを用いて，歯周ポケット内の歯根面のセメント質に付着した歯肉縁下プラークや歯肉縁下歯石，細菌の代謝産物が入り込んだ感染セメント質を除去する．さらに，滑沢な歯根面をつくり，プラークが再度付着しにくい環境をつくり，歯肉と歯根面の付着を促進させ，歯周ポケットをさらに浅くする．この処置をルートプレーニングという．プラークコントロール，スケーリング，ルートプレーニングによる治療を歯周基本治療といい，終了後に治療効果の再評価を行う．歯周基本治療で治癒しない場合は，プラークや感染歯質が歯周ポケット深部に残存している可能性がある．そのため，歯周基本治療を再度行うか，歯周外科治療を行う．歯周外科治療のうち，フラップ手術（歯肉剝離掻把術）は局所麻酔下で歯肉を剝離し，歯根面を露出させ，患部を明示してスケーリング・ルートプレーニングを行い，歯肉縁下歯石や感染セメント質を確実に取り除く．感染により吸収された歯槽骨など歯周組織は歯周再生療法で組織再生を行う．歯周病は治療終了後も定期的なメインテナンスを行い，再発を防ぐ．ここでもプラークコントロールを基本としたスケーリング・ルートプレーニングを行い，口腔細菌による感染源の除去を行う．

③ 抗菌薬による歯周病治療

一連の歯周病治療を行い，治療効果が得られない場合がある．このような場合に，細菌検査および薬剤感受性検査を行い，適切な抗菌薬の投与が選択されうる．しかし，細菌検査や薬剤感受性試験が一般化していない歯科医療において，理想的な抗菌薬投与は環境的に限られている．抗菌薬の選択において，薬剤感受性試験で感受性のある抗菌薬に加え，細菌の細胞・組織内移行などを考慮した抗菌薬の選択が必要である．免疫能の低下など患者のもつ基礎疾患の探索も重要である．欧米ではスケーリング・ループトレーニング直後にアモキシシリン（ペニシリン系薬），メトロニダゾール（ニトロイミダゾール系薬）の併用療法がよく使用されて，良好な治療効果を得ているが，そのエビデンスは不明である．抗菌薬の局所・全身投与は抗菌薬のプラーク内部への移行性が悪いこともあり，現時点では前述の原因除去療法を基本とし，その補助療法としてとらえるべきであろう．

（吉田明弘）

IX その他の口腔関連微生物感染症

1 歯内疾患の細菌学

1）歯髄炎と根尖性歯周炎

歯のエナメル質や象牙質などの硬組織の内部を歯内とよぶ．歯内には，血管や神経，および象牙芽細胞や間質線維芽細胞などからなる歯髄組織が存在する．また，好中球に加え，樹状細胞やマクロファージなどの免疫担当細胞が検出される．歯髄は健常状態では無菌だが，う蝕が進行しエナメル質および象牙質が崩壊すると，口腔由来の微生物が歯髄に侵入し，歯髄感染が発生する（**図 4-9-1**）．その他，歯周ポケットの形成により露出した副根管（根管側枝）を介したり，破折で生じた亀裂を介したりして，微生物が歯髄に侵入し感染が生じることがある．歯髄に侵入した微生物により炎症が惹起され，歯髄炎 dental pulpitis が発症する．初期の歯髄炎は，可逆性で修復可能であるが，感染した微生物が増殖および拡散すると回復の望めない不可逆性歯髄炎となり，歯髄壊死に至る．歯髄感染が歯の先端付近（根管 root canal）まで進行した状態を根管感染という．さらに，根尖孔を通じて感染および炎症が根尖部歯周組織にまで波及すると根尖性歯周炎 apical periodontitis となる．なお，健常状態では，歯髄と同様に，根尖部歯周組織においても，微生物は検出されない．根尖性歯周炎では，免疫担当細胞が根管内部にまで浸潤し，激しい炎症反応が惹起される（**図 4-9-2**）．進行すると，膿瘍形成や歯槽骨の吸収が起こり，X 線透過像が認められるようになる（**図 4-9-3**）．

不可逆性歯髄炎および根尖性歯周炎の治療では，歯内の壊死歯髄および感染微生物の機械的除去および化学的消毒が行われる．すなわち，歯科用ファイルなどを用いて，根管内の感染微生物を含む壊死歯髄を可及的に排出し，次いで，次亜塩素酸ナトリウムのような強力な消毒薬で消毒する．さらに，水酸化カルシウムなどの消毒薬を貼薬し無菌化をはかる．しかし，根管内の構造は複雑で，1 μm 径程度の象牙細管への薬剤の浸透は難しい．根管治療の 20～30％は再発するといわれているが，その理由の 1 つとして根管内の清掃不良があげられる．

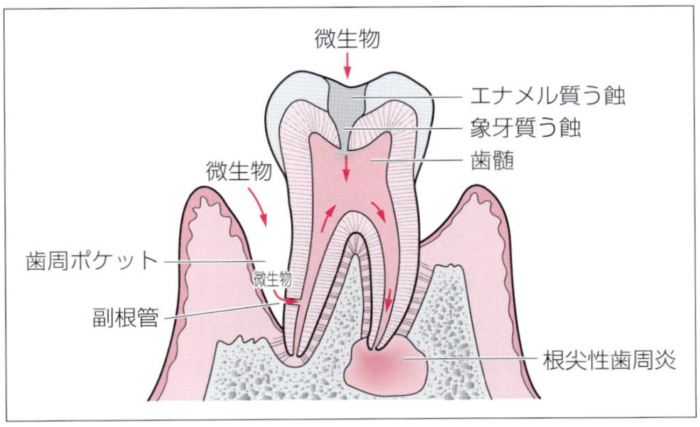

微生物
エナメル質う蝕
象牙質う蝕
歯髄
微生物
歯周ポケット
微生物
副根管
根尖性歯周炎

図 4-9-1　微生物の歯内への感染経路

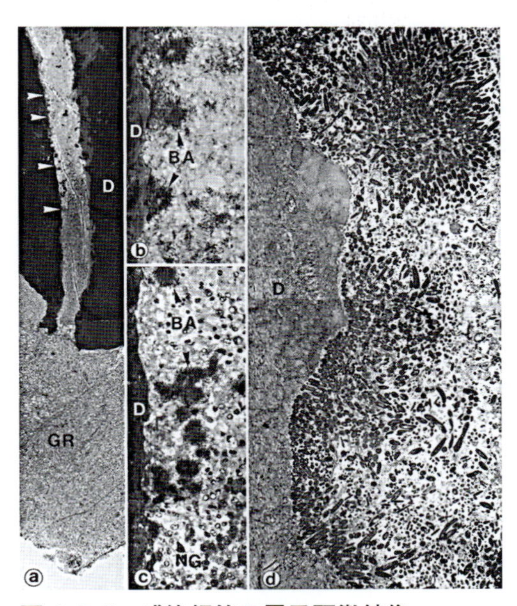

図 4-9-2　感染根管の電子顕微鏡像
ⓐの上 2 つおよび下 2 つの矢頭の間の領域を拡大したのが，それぞれ，ⓑとⓒである．細菌塊が象牙質壁（ⓑ）や，好中球の集団の中（ⓒ）に観察される．多様な形態の細菌が高密度に集合している（ⓓ）．
D：象牙質，GR：肉芽腫，BA：バイオフィルム，NG：好中球
（Nair PNR: Apical periodontitis: a dynamic encounter between root canal infection and host response. *Periodontology 2000*, **13**：121～148, 1997）

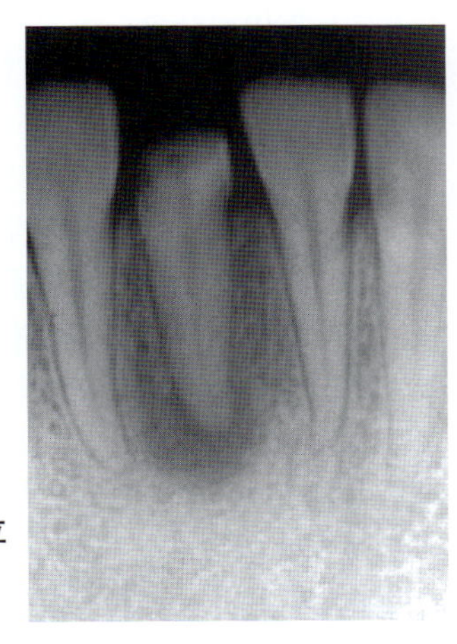

図 4-9-3　根尖性歯周炎部位の X 線透過像
（佐藤義廣先生）

2）歯内感染フローラの解析

Miller は，1890 年にすでに，歯髄炎病巣に複数種の細菌の感染が認められることを報告している．また，1965 年にラットを用いた研究で，臼歯を切削して露髄した場合，通常飼育のラットは短期間で歯髄炎および歯周炎を起こしたのに対し，無菌ラットではまったく発症しないことが報告された．これにより，歯内疾患は微生物，特に細菌感染によることが示された．また，感染根管の顕微鏡観察により，多種類の細菌がバイオフィルムを形成して根管内象牙質の表面壁に付着していることが示された（**図 4-9-2**）．また，多様な細菌が高密度に存在していることも明らかとなった．

微生物学的手法により，歯髄炎や根尖性歯周炎の発症に関連する細菌種を同定する試みが熱心に行われてきた．古くは，嫌気培養技術が不十分なために，好気性および通性嫌気性菌を主たる原因とする報告が多くを占めた．しかし，嫌気培養技術の発達に伴い，嫌気性菌が主たる原因であるとする研究が多数報告されるようになった．また，PCR 法や DNA ハイブリダイゼーションのような，培養を伴わない検出法が開発され，それまで培養困難なために検出されなかった微生物が報告されるようになった．しかし，これらの解析手法は，標的とした微生物しか検出できず，フローラの網羅的な解析は難しかった．近年，次世代シーケンサーによるメタゲノム解析により，網羅解析が可能になった．

（1）メタゲノム解析

16S rRNA 解析によるメタゲノム解析では，多くの報告で，*Bacteroidetes* 門，*Firmicutes* 門，*Proteobacteria* 門，*Fusobacteria* 門および *Actinobacteria* 門の 5 つの門の細菌が検出されている（**表 4-9-1**）．また，属に関しては，報告による相違が大きいが，*Prevotella* 属，*Porphyromonas* 属，*Neisseria* 属，*Fusobacterium* 属，*Parvimonas* 属，*Lactobacillus* 属および *Streptococcus* 属が高頻度に検出されている．一方，口腔内で最優勢に存在する *Streptococcus* 属は，歯内感染病巣では最優勢とは限らない．これは，歯内感染のフローラは口腔内とは異なることを示す．一方，う蝕病巣で優勢な *Lactobacillus* 属が，歯内感染でも高頻度に検出されるとする報告がある．また，メタゲノム解析により，これまでの培養法などでは検出されていなかった *Synergistetes* 門（*Pyramidobacter* 属や *Fretibacterium* 属が含まれる）が検出されている．また，*Candida* 属のような真菌の検出も報告されている．

しかし，検出される細菌種が報告により異なり，歯内感染に特徴的なフローラを明確にできていない．これは，病状の進行状態や検体採取の方法が異なることが大きな要因と考えられる．検体採取には，主に，抜去歯の歯表面を清掃後，歯全体を破砕してメタゲノム解析を行う場合と，感染歯内の壊死歯髄の一部を採取して解析する場合とがある．なお，**表 4-9-1** は抜去歯を破砕して解析した結果である．歯内感染症のフローラの解明には，メタゲノム解析をはじめとしたさらなるデータの蓄積が必要である．

（2）培養法とメタゲノム法の比較

一方，以前からの培養法による根管感染の解析で，*Porphyromonas endodontalis* が特徴的に検出されることが知られていた．特に，重度の歯内感染症で高頻度に検出されることが指摘されている．メタゲノム解析でも，本菌は *P. gingivalis* と同程度の頻度で検出されており，今後も歯内感染における本菌の役割について注視する必要がある．

Filifactor 属は，優勢には存在しないが，根尖性歯周炎の増悪に関連するとの報告がある．その根拠は明確ではないが，少数しか存在しない細菌がキーストーン種として機能し，感染病巣全体のフローラを悪性化 dysbiosis に誘導することがあり（☞ p.265 参照），細菌量の多寡だけでは，疾患の発症や進行への関与を判断できない．メタゲノム解析により，これまで，検出できなかった微生物の存在が明らかになり，フローラ解析がさらに複雑になってきている．

根尖性歯周炎の初感染と二次および持続感染とで菌相が異なるとの報告がある．しかし，繰り返しになるが，病状や検体採取法の違いなどによる要因が大きく，フローラの特徴を見出すことは難しい．**表 4-9-1** に示した報告では，初感染に対し，二次・持続感染で *Prevotella* 属が減少し，一方，*Lactobacillus* 属，*Streptococcus* 属および *Fusobacterium* 属の増加が認められる．*Fusobacterium* 属は，他の報告でも，二次・持続感染に強くかかわっていることが指摘されている．

また，*Enterococcus* 属が根尖性歯周炎の二次・持続感染の病巣から優勢に検出されることがあり，根尖性歯周炎の難治化に関連するといわれてきた．*Enterococcus* 属は抗菌薬や消毒薬に抵抗性を獲得しやすく，院内感染で問題となっている．そこで，根尖性歯周炎の治療で行う消毒薬や抗菌薬に抵抗して生残した *Enterococcus* 属が，根尖部で炎症を誘導すると考えられてきた．しかし，根尖性歯周炎の二次・持続感染の病巣から *Enterococcus* 属は検出されないとする報告もあり，議論されている．従来の培養法では，*Enterococcus* 属を含むグラム陽性菌を選択的に検出するために，ナリジクス酸などの抗菌薬を含む培地を使用している例が多い．添加される抗菌薬は，グラム陽性菌への感受性は低いが十分には検討されておらず，このような抗菌薬に高い抵抗性を有する *Enterococcus* 属が，培養過程で選択的に残存し，検出されたことが指摘されている．メタゲノム解析では，このような人為的な影響は起こらないため，信頼性の高い結果が得られると考えられる．**表 4-9-1** に示した報告では，*Enterococcus* 属が初感染に比べて二次・持続感染で増加しており，また，実質的な量で検出されている．本菌の歯内感染への関連性については，さらなる解析が必要であると考えられる．*Actinomyces* 属が根尖性歯周炎に関与することが知られているが，後述する顎顔面領域の放線菌症で述べる．

表 4-9-1　メタゲノム解析による感染根管内のフローラ解析

門	属	初感染	二次・持続感染
Bacteroidetes		41.0	32.8
	Prevotella	23.5	15.7
	Porphyromonas	16.8	16.4
	Capnocytophaga	0.4	0.4
	Tannerella	0.2	0.2
	Bergeyella	0.1	0.1
Firmicutes		36.8	45.5
	Parvimonas	12.1	10.2
	Lactobacillus	9.6	13.8
	Streptococcus	9.4	12.0
	Enterococcus	2.0	5.1
	Granulicatella	0.9	1.1
	Selenomonas	0.1	0.8
	Eubacterium	0.7	0.7
	Megasphaera	0.7	0.6
	Gemella	0.5	0.5
	Oribacterium	0.2	0.2
	Filifactor	0.1	0.1
	Dialister	0.2	0.1
	Vagococcus	0.1	0.1
	Moryella	0.1	0
	Abiotrophia	0	0.1
	Solobacterium	0.1	<0.0005
	Peptostreptococcus	0.1	<0.0005
Proteobacteria		18.1	14.3
	Neisseria	14.0	12.4
	Campylobacter	2.1	0.1
	Aggregatibacter	0.9	0.8
	Haemophilus	0.8	0.7
	Actinobacillus	0.2	0.2
	Kingella	0.1	0.1
Fusobacteria		13.1	18.9
	Fusobacterium	12.6	18.4
	Leptotrichia	0.5	0.5
Actinobacteria		3.6	3.5
	Actinomyces	1.1	0.7
	Rothia	0.5	1.2
	Actinobaculum	0.9	0.4
	Propionibacterium	0.5	0.5
	Atopobium	0.5	0.6
	Corynebacterium	0.1	0.1
Synergistetes		1.1	0.8
Spirochaetes	*Treponema*	0.3	0.2

数値は菌数の比率（%）．0.1% 以上で検出された細菌だけを示した．
（Keskin C et al.: Pyrosequencing analysis of cryogenically ground samples from primary and secondary/persistent endodontic infections. *J Endod*, **43**（8）：1309～1316, 2017．を元に作成）

3）根管内および根尖部歯周組織での免疫応答

根尖性歯周炎は，感染細菌の毒素などによる直接的な組織破壊よりも，感染細菌によって惹起される免疫応答が，自己組織を傷害することで進行すると考えられている．感染初期には，感染根管および根尖部歯周組織に，好中球の遊走および集積が認められる（**図 4-9-2，4**）．根管内には高密度のバイオフィルム形成が観察されるが，一方，根管外の歯周組織には，わずかな量の細菌しか観察されない．このことから，好中球を中心とした免疫機構が感染細菌の根管外への拡散を抑制している可能性が指摘されている．

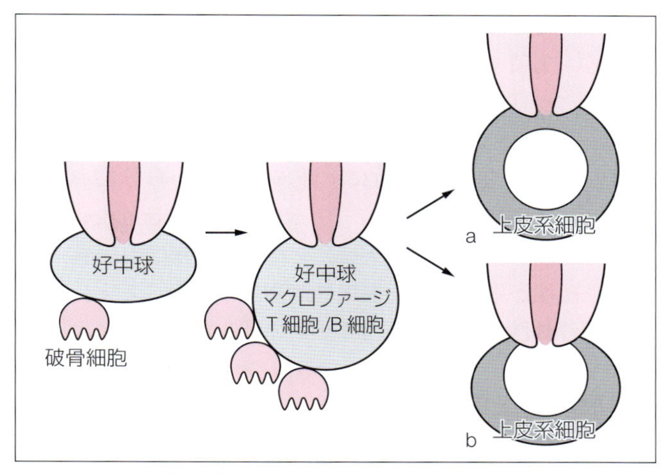

図 4-9-4　根尖性歯周炎の進行
根尖部歯周組織に，好中球の集積が起こる．次いでマクロファージが活性化し肉芽腫や膿瘍が形成される．さらに T 細胞および形質細胞（B 細胞）の遊走が起こる．肉芽腫や膿瘍を上皮系細胞が覆い，嚢胞が形成される．完全な嚢胞（a）と根尖部に開口した嚢胞（b）がある．これらの病変の進行に伴い，破骨細胞が活性化し，根尖部歯周組織の骨破壊が進む．

感染部位に遊走した好中球は細菌を貪食し，ミエロペルオキシダーゼやディフェンシンなどの抗菌物質を産生し，細菌の駆除に働く．また，アラキドン酸カスケードを活性化し，プロスタグランジン（PGE_2 など）やロイコトリエン（LTB_4 など）を産生して，さらなる好中球の遊走および集積を促進する（**図 4-9-4**）．また，マクロファージなどの TLR 陽性細胞および補体分子（C3a や C5a）の集積も起こり，自然免疫応答が活性化する．さらに，マクロファージが炎症性サイトカイン（IL-1，IL-6 および TNF-α）およびケモカイン（IL-8）を産生することで，炎症誘導が増強される．続いて，T 細胞や B 細胞（形質細胞）の遊走が起こり，獲得免疫応答が形成される．歯周炎部位では，B 細胞よりも T 細胞のほうが多く，また，CD4（ヘルパー）T 細胞が CD8（細胞傷害性）T 細胞より多く検出される．また，IgG 抗体が高濃度に検出され，さらに，分泌型 IgA 抗体も検出される．このように，根尖部歯周組織では，自然免疫および獲得免疫応答の両者が誘導される．

免疫担当細胞の集積により，根尖部歯周組織に肉芽腫や膿瘍が形成される．また，マクロファージや T 細胞が産生する細胞増殖因子（TGF-β や CSF）により，上皮系細胞の増殖および過形成が起こり，肉芽腫や膿瘍を閉じ込めるように嚢胞が形成される．嚢胞には完全な嚢胞が形成される場合と，根尖部に開口した嚢胞が形成される場合がある．これにより，炎症の拡散は抑制されるが，炎症および感染は持続し慢性化すると考えられる．

一方，集積する免疫担当細胞から分泌されるプロスタグランジン（PGE_2など）やサイトカイン（IL-1，IL-2，IL-6，TNF-αなど）を介して，破骨細胞の活性化が誘導される（**図4-9-4**）．さらに，種々の細胞から分泌されるマトリックスメタロプロテアーゼ matrix metalloproteinase により骨を支えるコラーゲンなどが分解され，歯周組織の骨破壊が進行する．根尖性歯周炎が進行すると，後述する顎骨骨髄炎に進行したり，歯の消失に至ったりする．

2 唾液腺の感染症

唾液腺（耳下腺，顎下腺，舌下腺など）は，健常状態では無菌であるが，唾液腺に侵入および定着したウイルス，細菌，真菌および原虫によって引き起こされる感染症が知られている．

1）ウイルス性唾液腺感染症

（1）流行性耳下腺炎

流行性耳下腺炎 mumps（おたふくかぜ）は，パラミクソウイルス科のムンプスウイルスの感染により引き起こされる．飛沫および接触感染により伝播し，上気道粘膜から体内に侵入し，上気道粘膜およびその所属リンパ節で増殖する．その後，唾液腺（主に耳下腺）をはじめ，全身の臓器に広がる．2週間程度の潜伏期間の後，発熱と，片側または両側の唾液腺の腫脹を特徴とする圧痛や嚥下痛がみられる．30％程度に不顕性感染もみられる．唾液腺腫脹の数日前から高濃度のムンプスウイルスが唾液中に排泄され，感染を拡げる危険性が高くなる．発症年齢のピークは3～7歳である．思春期以降の男性が感染すると精巣炎を併発し，まれに不妊症になる．その他，卵巣炎や髄膜炎などがみられることもある．診断は，抗体検査および RT-PCR 法が普及している．弱毒生ワクチンが開発され，1989年から MMR 混合ワクチンとして定期接種が導入されていた．しかし，髄膜炎の副反応が報告され，現在は任意接種となっており，接種率は低い．ウイルス学的特徴については，第3章Ⅸのムンプスウイルスの項（☞ p.193）を参照されたい．

（2）巨細胞性封入体症

巨細胞性封入体症 cytomegalic inclusion disease は，ヘルペスウイルス科のヒトサイトメガロウイルスにより引き起こされる感染症で，感染組織に核内封入体を有する巨大な細胞が観察されることが特徴である．本ウイルスは，主として唾液腺の上皮細胞に感染し潜伏するが，血液細胞などにも感染する．通常，幼児期に母乳を介する垂直感染，あるいは尿や唾液による水平感染により感染する．また，産道感染，輸血による感染，性感染も認められている．多くは終生不顕性に終わるが，臓器移植患者や AIDS 患者で，本ウイルス感染に起因する肝炎や網膜症，伝染性単核症を発症することがある．治療には，高力価γグロブリン製剤，ガンシクロビルやホスカルネットが用いられる．また，本ウイルスに免疫をもたない未感染女性が妊娠中に感染（初感染）すると，胎盤を介して胎児に感染し，先天性サイトメガロウイルス感染症を起こすことがあり，低体重，黄疸，肝脾腫，出血斑，小頭症，難聴，網膜炎，知的障害など多様かつ重篤な症状がみられる．ウイルス学的特徴については，第3章Ⅸのヒトサイトメガロウイルスの項（☞ p.187）を参照されたい．

（3）唾液腺から分離されるウイルス

唾液腺への感染は明確ではないが，唾液腺から検出されるウイルスが知られている．麻疹ウイルス，コクサッキーウイルス，インフルエンザウイルス，パラインフルエンザウイルスおよび EB ウイルスは，唾液腺炎病巣から分離されることがある．しかし，これらのウイルスは他の原因によって惹起され，唾液腺に混入したものと考えられている．また，ライノウイルス，風疹ウイルス，ポリオウイルス，狂犬病ウイルスおよび HIV が唾液腺から排出されることがある．しかし，この場合，唾液腺炎はみられないことから，これらのウイルスは，唾液腺に定着しているわけではないと考えられる．また，SARS-CoV-2 の受容体（アンジオテンシン変換酵素2受容体：ACE2）が唾液腺に高発現していることから，SARS-CoV-2 の唾液腺への感染が示唆される．

2）細菌性，真菌性および原虫性唾液腺感染症

口腔乾燥症や Sjögren 症候群患者などで唾液分泌量が減少すると，口腔内の細菌が唾液腺の排泄管から上行性に侵入し，化膿性唾液腺炎を引き起こすことがある．主として耳下腺に起こり，まれに顎下腺に感染することもある．最も多い起因菌は，黄色ブドウ球菌であるが，A群レンサ球菌，口腔レンサ球菌，インフルエンザ菌，大腸菌および口腔由来の嫌気性菌などが原因になることもある．また，まれに，結核菌，梅毒トレポネーマおよび放線菌の感染もみられる．ネコひっかき病の原因菌である *Bartonella henselae* は，主としてリンパ節に感染するが，耳下腺から分離されることもある．また，*Candida* 属などの真菌による唾液腺炎やトキソプラズマ原虫感染で唾液腺腫脹がみられることがある．

3 顎骨骨髄炎の細菌学

顎骨の骨髄炎 osteomyelitis は，主として，う蝕や根尖性歯周炎，または歯周病が進行し，それらの疾患に関連する細菌が，顎骨の骨髄に感染することにより引き起こされる．上顎および下顎のいずれにも発症するが，下顎骨，特に臼歯部に好発する．感染が顎骨から周囲の口底や顎下部，頸部へと波及し，蜂窩織炎を引き起こすことがある（**図4-9-5A**，頸部蜂窩織炎）．また，顎下部が突出するほ

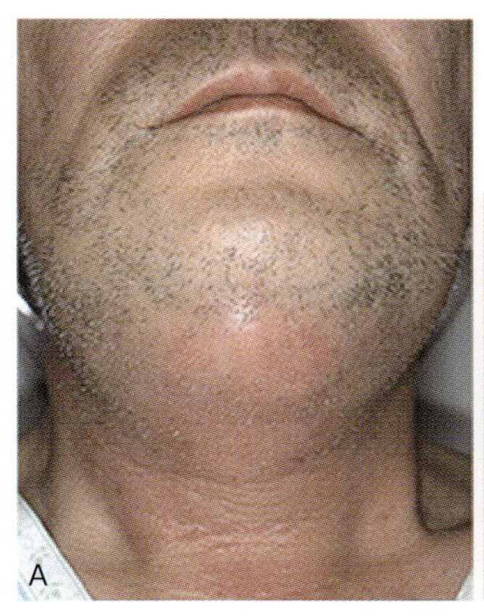
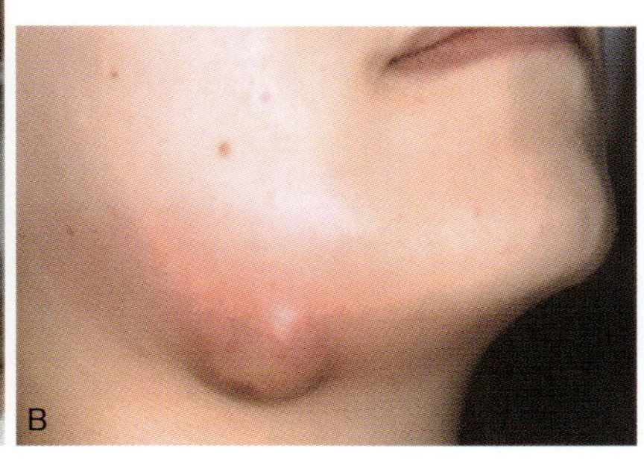

図 4-9-5　顎骨炎の顔貌写真
A：頸部蜂窩織炎．B：顎下膿瘍．
（出典：（公社）日本口腔科学会ホームページ「口腔外科相談室」）

どの膿瘍形成がみられることがある（**図 4-9-5B**，顎下膿瘍）．感染の広がりに伴い症状も顕著となり，発赤や腫脹，疼痛に加えて，発熱などの全身症状がみられるようになる．さらに上顎では眼窩や脳に波及したり，下顎では頸部を経て縦隔炎を起こしたりすることがある．また，まれに敗血症を起こし，死に至ることがある．しかし，顎骨骨髄炎は，う蝕や歯周病の治療法の発達と有効な抗菌薬の開発により，まれな疾患となってきている．

一方，近年，インプラント周囲炎（後述）から感染が顎骨に波及し顎骨骨髄炎に至る例が増えている．また，悪性腫瘍の治療のために，大量の放射線照射を受けると顎骨骨髄炎を生じることがある．また，ビスフォスフォネート系薬やデノスマブのような骨吸収抑制剤の投与により，顎骨骨髄炎が惹起されることがある．さらに，ステロイドの長期投与や糖尿病により免疫機能が低下すると顎骨骨髄炎の発症頻度が高くなるとされる．これらの医療行為や免疫不全に起因する顎骨骨髄炎においても，口腔衛生の不良が増悪因子とされており，細菌感染による影響が指摘される．

感染が関連する顎骨骨髄炎は，う蝕や歯周病に派生して発症することから，複数種の細菌による混合感染であり，病巣からはさまざまな微生物が検出される．以前の培養法による検出では，口腔レンサ球菌，特に，アンギノーサス菌群が多く分離されるとする報告が多数みられた．しかし，メタゲノム解析では，*Fusobacterium* 属，*Porphyromonas* 属，*Prevotella* 属，*Tannerella* 属，*Treponema* 属および *Parvimonas micra* などの嫌気性菌が優勢であることが示されている．一方，黄色ブドウ球菌や腸内細菌目細菌（大腸菌，*Klebsiella* 属，*Proteus* 属，および *Serratia marcescens*），および *Haemophilus* 属が検出されることがある．また，AIDS などの免疫不全者において，結核菌や *Aspergillus* 属の顎骨骨髄への感染がみられることがある．さらに，*Actinomyces* 属も，顎骨骨髄炎における病原体として知られているが，これに関しては，後述する顎顔面領域の放線菌症で述べる．

4 インプラントに付随する感染

歯科におけるインプラント治療は，欠失した歯に対し，生体適合性を有するインプラント体を用いて，歯の機能および審美性を回復することを目的に行われる．インプラント体を支持する機構により，骨内インプラント，骨膜下インプラント，歯内骨内インプラントおよび粘膜内インプラントに分けられる．現在，ほとんどのインプラント治療は，骨内インプラントである．インプラント用の材料としては純チタン，チタン合金，ハイドロキシアパタイトおよびジルコニアなどが開発されている．チタンを主体としたインプラント体は，骨組織との結合性（オッセオインテグレーション osseointegration）が優れており，骨内インプラントとして最も多く利用されている．

インプラント治療後，インプラントと歯槽骨とのオッセオインテグレーションの不良により，口腔細菌が侵入し炎症が起こることがある．したがって，インプラント治療において，すみやかなオッセオインテグレーションに加え，口腔衛生の管理はきわめて重要である．一方，インプラントが適切に装着されたにもかかわらず，インプラント治療を受けた人の 1/3，また，インプラントの 1/5 に，インプラント周囲組織の炎症性疾患であるインプラント周囲炎が発生する．インプラント周囲炎は，天然歯の歯周病と同様に，インプラント周囲の軟組織（歯肉）に限局し，可逆性のインプラント周囲粘膜炎と，炎症がインプラント下の歯槽骨に波及し，歯槽骨の吸収に至る不可逆性のインプラント周囲炎（**図 4-9-6**）に分類される．インプラント周囲炎は，歯周病と同様に，インプラント周囲に定着する細菌によって惹起される．以前の培養法では，歯周病とは異なり，黄色ブドウ球菌が主要な病原細菌であるとする報告がみられた．しかし，近年のメタゲノム解析では，歯周病に関連する細菌と同種のものが検出されたとする報告が多くみられる．インプラント周囲炎と天然歯の歯周炎とを同時に罹患する患者の，それぞれの病巣のフローラをメタゲノ

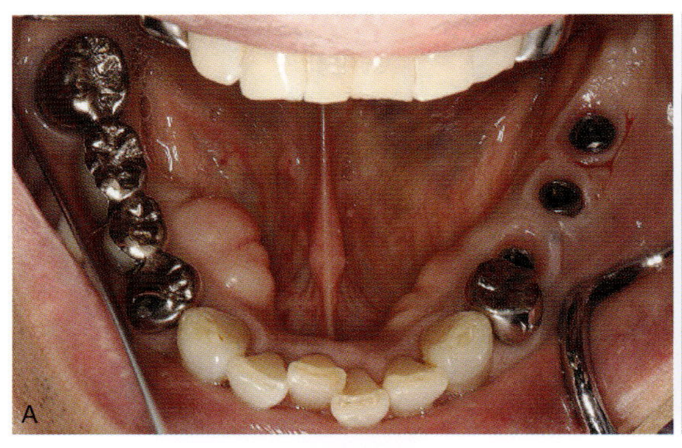

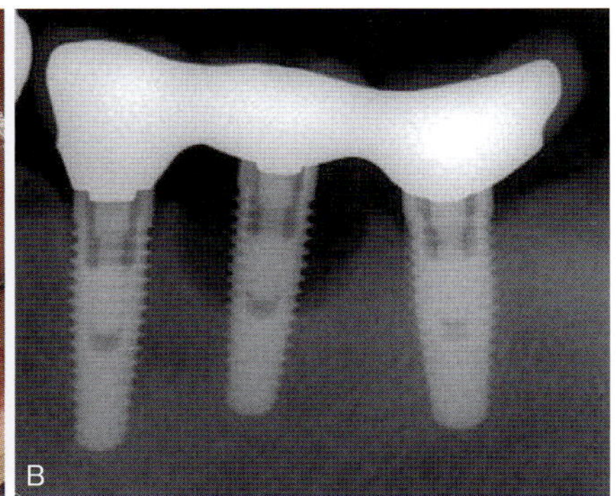

図 4-9-6　インプラント周囲炎
インプラント周囲炎の口腔写真（A）とX線写真（B）．下顎左側第一大臼歯部のインプラントに歯槽骨の吸収を伴うインプラント周囲炎が認められる．
（愛知学院大学 加藤大輔博士）

インプラント周囲炎

Porphyromonas sp.
Prevotella nigrescens
Prevotella oris

共通

Achromobacter xylosoxidans
Actinomyces massiliensis
Actinomyces johnsonii
Filifactor alocis
Fusobacterium nucleatum
Neisseria subflava
Parvimonas micra
Porphyromonas gingivalis
Pseudoramibacter alactolyticus
Streptococcus oralis
Tannerella forsythia
Treponema denticola
Treponema socranskii
Synergistetes sp.

歯周炎

Desulfomicrobium orale
Eubacterium nodatum
Eubacterium saphenum
Peptostreptococcaseae sp.
Streptococcus salivarius

図 4-9-7　インプラント周囲炎と歯周炎のフローラ
インプラント周囲炎と歯周炎を同時に罹患する患者の各病巣のフローラの比較解析．各病巣に特徴的に検出される細菌および共通に検出される主要な細菌を示す．
（Maruyama N et al.: Intraindividual variation in core microbiota in peri-implantitis and periodontitis. *Sci Rep*, 4: 6602, 2014 を改変）．

ム解析した報告では，歯周病の Red Complex として知られる *P. gingivalis*，*T. forsythia* および *T. denticola* が両病巣から検出されている（**図 4-9-7**）．一方，インプラント周囲炎で *Prevotella nigrescens* が特徴的に検出されたと報告されている．また，歯周病に特徴的に検出される細菌種もあり，このような比較解析から，インプラント周囲炎および天然歯の歯周病に関連するフローラや発症機序の相違についての解明が進むことが期待される．

インプラント周囲炎の免疫応答は，天然歯の歯周病と同様であると考えられているが，包括的な研究は少ない．インプラント周囲炎病巣の解析で，炎症誘導シグナルである熱ショックタンパク質，炎症性サイトカインの転写誘導にかかわる NF-κB の活性化，および TLR と同様に，微生物の認識に機能する NOD 様受容体の活性化がみられたことが報告されている．

⑤ 口腔カンジダ症

カンジダ症 candidiasis（または candidosis）については，第1章の病原真菌と感染症（☞ p.32 参照）で詳述されている．ここでは，表在性真菌症である口腔カンジダ症について追記する．*Candida* 属はヒト口腔内に常在し，およそ 60％のヒトから検出される．しかし，免疫力の低下（糖尿病や AIDS などの免疫不全を伴う疾患，ステロイド，免疫抑制薬および抗がん剤の投与あるいは放射線照射），唾液分泌量の減少，長期間にわたる抗菌薬の投与による常在細菌の減少（菌交代症）などにより，口腔内で *Candida* 属が異常に増殖すると，病原性が顕在化する．AIDS 発症者の 90％に口腔カンジダ症がみられるといわれる．また，衰弱の進んだ高齢者や末期がん患者にも好発し，さらに，乳幼児や妊婦にもみられることがある．

*Candida*属には300種以上の菌種が含まれるが，口腔カンジダ症の80%以上は *C. albicans* によるものである．その他，*C. glabrata* や *C. krusei*，*C. tropicalis* が検出され，まれに，*C. guilliermondii*，*C. lusitaniae*，*C. parapsilosis*，*C. pseudotropicalis*，*C. stellatoidea* の検出が報告されている．末期がん患者などで，*C. albicans* と *C. glabrata* の重複感染がみられることもある．

簡易および迅速な診断として，粘膜病巣のスワブ検体のグラム染色検査がある．また，真菌の検出に優れたPAS染色やGrocott染色が行われることもある．CHROMagar社が開発したクロモアガーカンジダは，選択性および鑑別性に優れており，広く利用されている（☞ p.31 **図1-3-23** 参照）．しかし，口腔粘膜のスワブでは*Candida*属の検出が難しいことがあり，抗真菌薬の投与で寛解するか否かで，カンジダ症を診断することがある．治療には，アゾール系（イトラコナゾールやフルコナゾール）およびポリエン系（ナイスタチンやアムホテリシンB）の抗真菌薬が使用される．また，ポビドンヨードによる頻回含嗽も有効である．

口腔カンジダ症には複数の病態があり，いくつかの分類法が提唱されている．ここでは，主な病態である偽膜性，紅斑性および肥厚性カンジダ症と，さらに特徴的な病型を有する口腔カンジダ症について概説する．

1）偽膜性カンジダ症

偽膜性カンジダ症 pseudomembranous candidiasis は，頬，口蓋および舌背粘膜に，白い苔状の*Candida*属のバイオフィルムが，散在性あるいは広範囲に形成される疾患である．偽膜を構成する*Candida*属は，菌糸状の形態を示し，また，偽膜には壊死した上皮細胞も混在する．口腔カンジダ症の30%程度が本症を発症し，新生児，AIDSや悪性腫瘍などの疾患で免疫機能の低下した者，あるいは口腔乾燥症を有する者に好発する（**図4-9-8**）．本疾患の白色偽膜は容易に剝離し（易剝離性），診断の指標となる．

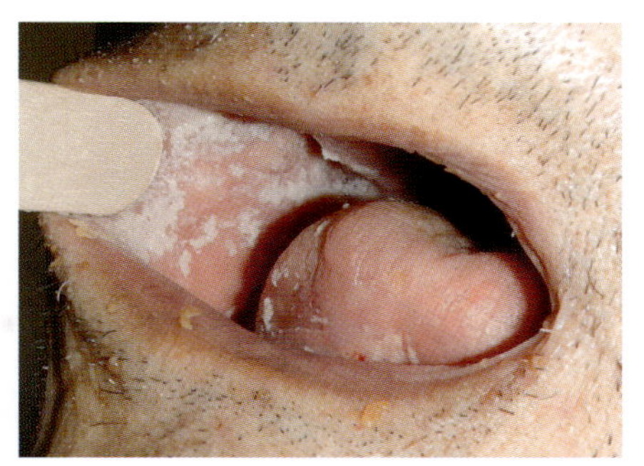

図4-9-8　偽膜性口腔カンジダ症
口腔乾燥のみられる患者の頬粘膜に白色偽膜が認められる．
（国立病院機構京都医療センター　下郷麻衣子先生）

2）紅斑性カンジダ症

紅斑性カンジダ症 erythematous candidiasis（萎縮性カンジダ症 atrophic candidiasis ともいわれる）は，主として舌粘膜のびらんや発赤，あるいは出血を主症状とする疾患で，急性および慢性症状を示す．舌乳頭が喪失し，強い自発痛を呈する．口腔カンジダ症の60%程度が本症を発症するといわれ，特に，抗菌薬の長期服用者にみられる．また，偽膜性カンジダ症の偽膜が剝離して本症に移行することがある．*Candida*属の仮性菌糸が粘膜上皮や角質に侵入し，組織傷害を起こすことにより発症する．

3）肥厚性カンジダ症

肥厚性カンジダ症 hyperplastic candidiasis は，粘膜上皮組織に固着した難剝離性の白色偽膜の形成を特徴とし，偽膜のみられない部分には，びらんや発赤がみられる．*Candida*属の仮性菌糸が粘膜上皮へ侵入することによって過形成が起こり，角質層が過角化あるいは錯角化を呈するために固く肥厚した上皮を形成すると考えられている．頬粘膜に好発し，舌背にみられることもある．本症は，口腔カンジダ症の5%程度にみられる．

4）義歯性カンジダ症

全部床義歯を装着している者の義歯下の粘膜面にみられる炎症性疾患で，紅斑性カンジダ症に分類される．義歯と口腔粘膜の間では唾液の流動性が著しく低く，*Candida*属が洗浄除去されずに増殖すると考えられている．発症者は，24時間義歯を装着したまま生活していることが多いとの報告がある．また，義歯に付着した*Candida*属がリザーバーとなり，カンジダ症を惹起している可能性も指摘されている．

5）舌炎

正中菱形舌炎 median rhomboid glossitis は，紅斑性カンジダ症の一病態と考えられている．舌背面の後部（付け根）付近から中央に左右対称の楕円あるいは菱形の紅斑を特徴とする．

6）口角炎および口囲皮膚炎

口角炎 angular cheilitis および口囲皮膚炎 circumoral/perioral dermatitis は，口角，および口唇やその周囲の炎症を主とする疾患である．口囲皮膚炎では，皮膚の落屑もみられる．口腔カンジダ症の20%程度にみられるが，*Candida*属単独ではなく，黄色ブドウ球菌などの細菌との混合感染である場合が多い．

7）潰瘍性カンジダ症

舌側面などにみられる潰瘍で，ステロイド治療で改善しない場合，本症が疑われる．患部からの*Candida*属の検出および抗真菌薬の投与による潰瘍の消失により診断される．

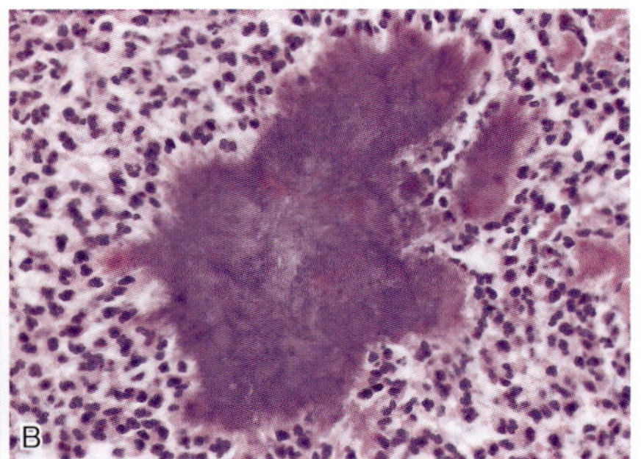

図 4-9-9　顎放線菌症
A：左側頸部に生じた放線菌症．顔面偏側の下顎部に顕著な腫脹と瘻孔形成および硫黄顆粒の分泌が認められる．
B：瘻孔分泌物の HE 染色像．好中球に覆われた *Actinomyces* 属のドルーゼ（菌塊）がみられる．
（岩手医科大学 杉山芳樹博士）

⑥ 顎顔面領域の放線菌症

放線菌症 actinomycosis は，放線菌（*Actinomyces* 属）の生体組織への浸潤により惹起される炎症性疾患である．放線菌症は，顎顔面領域（頭頸部），胸部，腹部，皮膚，筋骨格，心臓および中枢神経組織でみられるが，顎顔面領域での発症が最も多く，全放線菌症の半数以上を占める．抗菌薬の普及により，きわめてまれな疾患となっているが，本疾患に関する調査報告は少なく，正確な発症率はわかっていない．本疾患は，全世代で報告されているが，高齢者に多く，また男性に多いことが指摘されている．また，正常な免疫機能を有する者でも発症するが，糖尿病や免疫不全はリスク因子と考えられている．また，ビスフォスフォネート系薬に起因する顎骨骨髄炎で，*Actinomyces* 属が分離されることが報告されており，本菌が増悪因子である可能性が指摘されている．

顎顔面領域の放線菌症は，口腔に常在する *Actinomyces* 属が，歯周病や根尖性歯周炎の進行，あるいは抜歯や外傷を誘因として骨内に侵入して発症すると考えられている．下顎大臼歯部が好発部位で，顎骨内に生じたものを顎放線菌症とよぶ．初期症状として開口障害がみられることがある．進行は遅いが，治療せずに放置すると，肉芽組織の増生および線維化により硬結（板状硬結）が形成され，さらに進行すると，主として頸部の皮膚につながる瘻孔が形成される．瘻孔から漏出する膿汁中に，硫黄顆粒 sulfur granule とよばれる直径数ミリメートルの黄白色の分泌物がみられる（**図 4-9-9A**）．この分泌物には，好中球に覆われた *Actinomyces* 属のドルーゼ（菌塊）が認められる（**図 4-9-9B**）．

口腔には多種類の *Actinomyces* 属が常在する．*A. oris* が最も高頻度に検出され，その他，*A. georgiae*，*A. gerencseriae*，*A. graevenitzii*，*A. israelii*，*A. meyeri*，*A. naeslundii*，*A. odontolyticus* が分離される．*Actinomyces* 属の多くは，通性嫌気性とされるが，ほとんどが嫌気条件でないと増殖しない．顎顔面領域の放線菌症で検出される半数以上が *A. israelii* であり，次いで，*A. gerencseriae* が検出される．しかしながら，感染例の多くが複数菌による重複感染で，口腔に常在する嫌気性菌をはじめ，*Staphylococcus* 属，*Streptococcus* 属，*Aggregatibacter* 属，腸内細菌目なども検出されることがある．

Actinomyces 属は，β-ラクタム系薬に感受性で，ペニシリン G やアモキシリンが処方される．マクロライド系薬も有効であるが，アミノグリコシド系薬，ニューキノロン系薬およびメトロニダゾールは効果が確認されていない．

（永野恵司）

口腔微生物と全身疾患

近年，口腔細菌と全身疾患との関連性が提唱されている（図 4-10-1）．特に，口腔細菌が起炎菌である誤嚥性肺炎 aspiration pneumonia や歯周病と糖尿病，リウマチ，虚血性心疾患などとの関連性が報告されており，口腔内微生物と全身疾患の関連性が解明されてきている．

❶ 口腔細菌に起因する全身疾患

1）誤嚥性肺炎

誤嚥性肺炎とは，誤嚥により口腔細菌をはじめとする異物が誤って気管に入って生じる細菌性肺炎である．摂食中における口腔内容物の誤嚥，唾液の気管内流入による不顕性誤嚥，就寝中における胃食道逆流現象による胃逆流物の誤嚥によるものがある．

2023 年の人口動態統計によると，日本人の死因の第 1 位はがんなどの悪性新生物であるが，誤嚥性肺炎は全体の約 3.8％を占めている（図 4-10-2）．図 4-10-3 から，高齢になると悪性新生物による死亡は減少し，肺炎による死亡率が高くなることがわかる．この傾向は男女間で大きな差は認めない．さらに，図 4-10-4 から，年齢が高くなるほど誤嚥性肺炎の占める割合が高くなっていることがわかる．このことから，高齢者における誤嚥性肺炎を予防することが重要である．誤嚥性肺炎の予防には，歯科医師を中心とした口腔ケアが必須であり，近年は訪問医療や入院患者への術前ケアなど歯科医師の果たす役割が重要になっている．

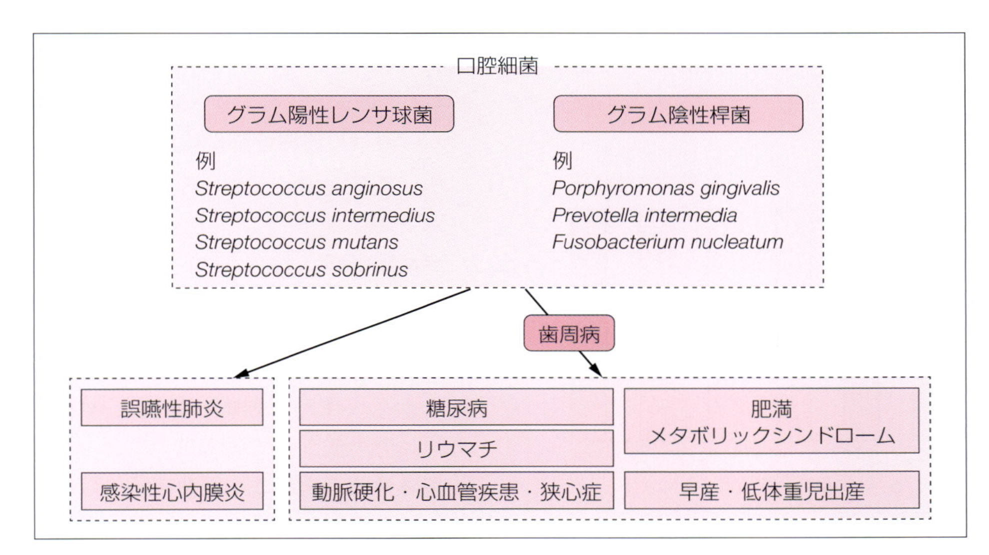

図 4-10-1　口腔微生物と全身疾患

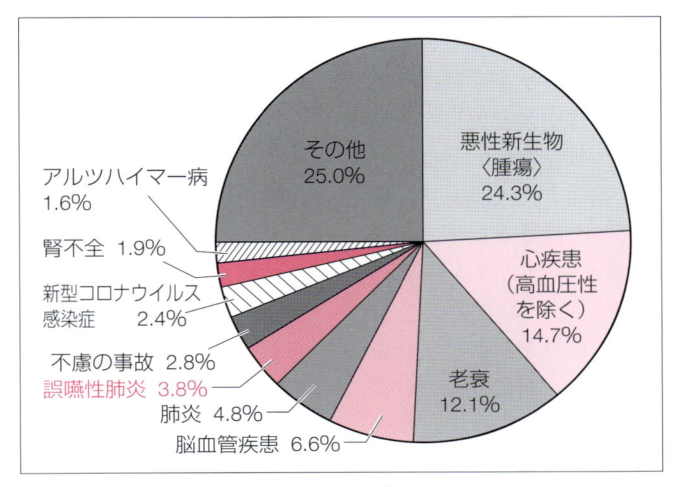

図 4-10-2　日本人の死因（厚生労働省，令和 5 年人口動態統計）

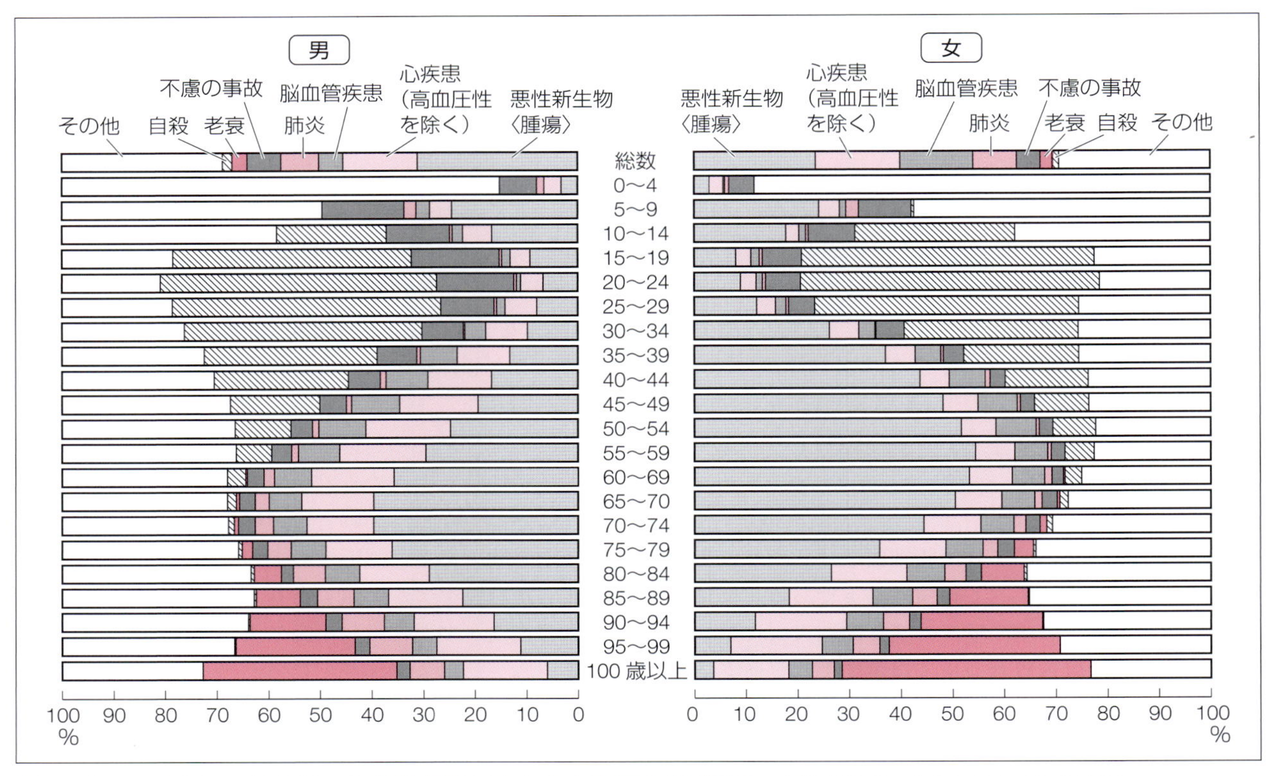

図 4-10-3 日本における性・年齢階級別にみた主な死因の構成割合（厚生労働省，令和5年人口動態統計）

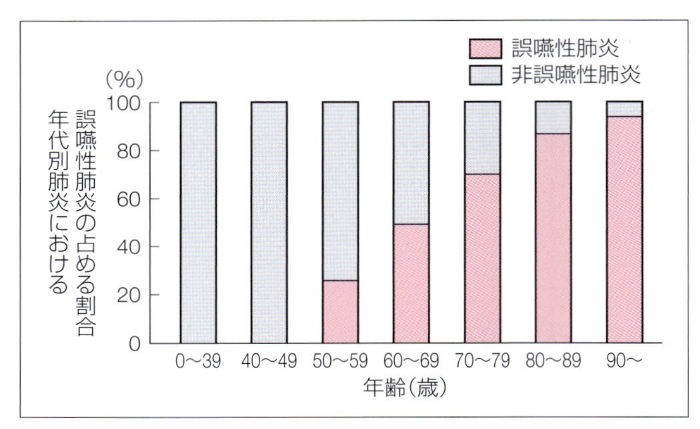

図 4-10-4 日本における年代別肺炎における誤嚥性肺炎の占める割合（Teramoto et al.：J Am Geriatr Soc, 56：577～579, 2008. を改変）

誤嚥性肺炎にかかわる要因としては，加齢や脳疾患などの基礎疾患による嚥下反射や咳反射の低下が主な原因である．その他の原因としては口腔内の清掃不良や免疫力の低下があげられる（**表 4-10-1**）．嚥下・咳反射の低下は，老化や脳血管障害の後遺症などにより起こり，大脳基質核の脳血管障害が存在すると，ドーパミン合成能が低下し，嚥下・咳反射の伝達物質として働く脳内サブスタンスPの合成が低下するために起こる．

誤嚥性肺炎の症状は，発熱，咳，喀痰など通常の症状を訴えないことが多く，食事中のむせこみ，常に喉がゴロゴロ鳴っている，唾液が飲み込めない，食事に時間がかかる，喀痰の変色，などが疑わしい所見となる．また，治療が遅れると，酸素低下をきたし，重症の呼吸不全になることもある．また，誤嚥性肺炎は再発を繰り返す特徴があり，体力の低下している患者にとっては命にかかわる．

表 4-10-1 誤嚥性肺炎に関わる症状とその原因

症状	原因
嚥下機能の低下	老化や脳血管障害の後遺症など
咳反射の低下	
口腔細菌の増加	口腔清掃不良，免疫力の低下
低栄養などによる免疫低下	加齢，基礎疾患

誤嚥性肺炎を起こす細菌の多くは口腔内に常在する通性嫌気性菌や嫌気性菌である．**表 4-10-2** に誤嚥性肺炎の原因菌と特徴を示す．主な原因菌としては，通性嫌気性菌のグラム陽性菌である *S. anginosus* や *S. intermedius* をはじめとする *Streptococcus* 属，偏性嫌気性菌のグラム陰性菌である *Prevotella* 属や *Fusobacterium* 属，*Bacteroides* 属，*Peptostreptococcus* 属があげられる．また，鼻腔や口腔内に常在化している黄色ブドウ球菌 *Staphylococcus aureus* や化膿レンサ球菌，肺炎球菌，インフルエンザ菌も誤嚥性肺炎への関与が報告されている．

治療法としては，肺炎の原因となる細菌に有効な抗菌薬で治療を行うが，近年，誤嚥性肺炎の起炎菌の抗菌薬に対する耐性化が深刻な問題となっている．そのため，日頃から誤嚥性肺炎の予防が重要である．誤嚥性肺炎の起炎菌は口腔細菌のみではないが，口腔ケアは予防法としては重要な役割を果たす．ブラッシング指導やプラーク・歯石除去によるプラークコントロールが，また，義歯表面のプラーク除去や清掃指導も重要である．

表 4-10-2　誤嚥性肺炎の原因菌と特徴

細菌	特徴
口腔レンサ球菌 (Oral Streptococci)	通性嫌気性グラム陽性菌 口腔常在細菌で最も多い 誤嚥性肺炎関連菌としては *S. anginosus* や *S. intermedius* など
Prevotella 属	偏性嫌気性グラム陰性菌 妊娠性歯肉炎に関与
Fusobacterium 属	偏性嫌気性グラム陰性菌 口腔細菌（*Streptococcus* 属）との共凝集能
Bacteroides 属	偏性嫌気性グラム陰性菌 腸内細菌，口腔にも常在
Peptostreptococcus 属	偏性嫌気性グラム陽性菌 口腔内常在細菌（プラーク，舌背，歯肉溝） 口腔以外にも上気道，腸管などに常在する 感染根管，膿瘍から分離（単独で分離されることはない）
放線菌 *Actinomyces* 属	通性嫌気性グラム陽性菌 プラーク中に存在
黄色ブドウ球菌 *Staphylococcus aureus*	通性嫌気性グラム陽性菌 皮膚，鼻腔，腸管，口腔に常在 病原細菌，院内感染，菌交代症，日和見感染 義歯表面からの分離
Streptococcus 属	通性嫌気性グラム陽性菌 皮膚，咽頭に常在 誤嚥性肺炎関連菌としては化膿レンサ球菌や肺炎球菌など
インフルエンザ菌	通性嫌気性グラム陰性菌 上気道に常在

2）菌血症

菌血症 bacteremia は，なんらかの理由で微生物が血流に侵入し，循環している状態のことである．敗血症 sepsis と混合しがちであるが，菌血症は微生物が血液中に存在している状態であり，敗血症は血液中の微生物による感染が原因で全身性に炎症が生じている状態をいう．通常は，血液中の顆粒球，リンパ球あるいは液性成分などにより侵入した微生物はすみやかに排除されるため，菌血症の多くは一過性である．しかし，糖尿病，白血病，悪性腫瘍などの全身性疾患のある場合や，重症の外傷，熱傷，あるいは免疫能の低下した状態のような基礎疾患がある場合には，血液中から細菌が排除されず，細菌が増殖している状態に移行することがある．この状態を敗血症とよぶ．

口腔領域では，抜歯や歯周外科処置後あるいはスケーリング処置後に，菌血症が起こりやすい．口腔領域が起因となる菌血症の分離菌の多くは *Streptococcus* 属の細菌で，その他にも *Staphylococcus* 属，*Prevotella* 属，*Porphyromonas* 属などの報告がある．感染性心内膜炎の起炎菌の多くが口腔レンサ球菌であるため，口腔領域からの菌血症との関連が重視されている．

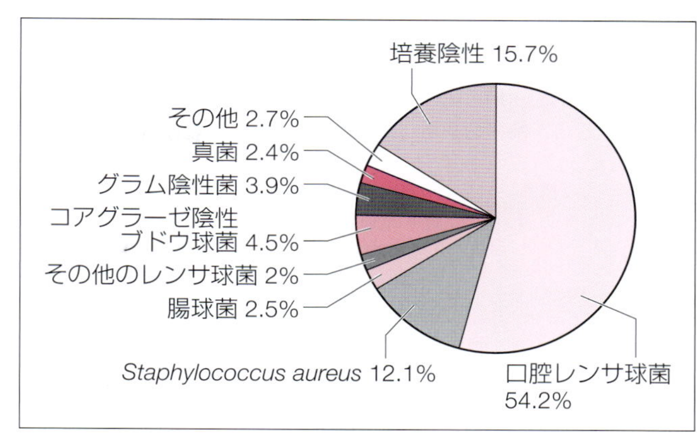

図 4-10-5　感染性心内膜炎の起因菌（清水と菊地，1994 を改変）

3）感染性心内膜炎

心内膜炎 endocarditis は弁膜や心内膜などが発症部位となり，機能不全を起こす炎症性疾患である．本疾患は，原因が細菌である場合と非細菌性の場合（リウマチ性など）に大別される．感染性心内膜炎 infective endocarditis（IE）は，弁膜や心内膜に細菌が感染することで疣贅 vegetation（心臓組織の凝血塊）を形成し，菌血症，血管塞栓，心障害などを呈する全身性敗血症性疾患である．細菌以外（真菌などの微生物）も原因となるので，感染性心内膜炎の臨床症状は，急性あるいは亜急性の経過をとる．亜急性感染性心内膜炎は，*S. sanguinis* が属するミティス菌群や，ミュータンス菌群をはじめとした口腔レンサ球菌の分離頻度が最も高く起炎菌になることが報告されている（**図 4-10-5**）．これらの細菌群は，抜歯などの歯科治療時の観血的処置により循環血流中に細菌が侵入し（菌血症），その後人工弁や傷のある心臓弁膜などに定着・増殖し，バイオフィルムを形成する．これらの細菌群の毒性は低いために感染は数週間から数か月にわたり持続的に経過することから，早期発見が難しい．診断法としては，1994 年に米国 Duke 大学のグループが提唱した Duke 診断基準に従うことが多い（**表 4-10-3**）．Duke 診断基準では血液培養陽性が大基準に含まれており，その対象としては，上記口腔レンサ球菌群に加え，黄色ブドウ球菌 *S. aureus*，*Enterococcus* 属および HACEK 群とよばれる一連のグラム陰性菌属群（*Haemophilus* 属，*Aggregatibacter actinomycetemcomitans*，*Cardiobacterium hominis*，*Eikenella corrodens*，*Kingella* 属）があげられる．また，近年，真菌による感染性心内膜炎の例があり，注意が必要である．治療法としては，抗菌薬の長期投与や弁疣贅が大きい場合は手術で切除することもある．

表 4-10-3 感染性心内膜炎（IE）の修正 Duke 臨床的診断基準

【IE 確診例】
Ⅰ．臨床的基準
大基準２つ，または大基準１つと小基準３つ，または小基準５つ
（大基準）
1．IE に対する血液培養陽性
A．２回の血液培養で以下のいずれかが認められた場合
（ⅰ）Streptococcus viridans*，*Streptococcus bovis*，HACEK 群
（ⅱ）*Staphylococcus aureus* か *Enterococcus* が検出され（市中感染），他に感染巣がない場合
B．次のように定義される持続性の IE に合致する血液培養陽性
（ⅰ）12 時間以上間隔をあけて採取した血液検体の培養が２回以上陽性
（ⅱ）３回の血液培養すべてあるいは４回以上の血液培養の大半が陽性（最初と最後の採血間隔が１時間以上）
2．心内膜が侵されている所見で A または B の場合
A．IE の心エコー図所見で以下のいずれかの場合
（ⅰ）弁あるいはその支持組織の上，または逆流ジェット通路，
または人工物の上にみられる解剖学的に説明のできない振動性の心臓内腫瘤
（ⅱ）膿瘍
（ⅲ）人工弁の新たな部分的裂開
B．新規の弁閉鎖不全（既存の雑音の悪化または変化のみでは十分でない）
（小基準）
1．素因：僧帽弁逸脱，大動脈２尖弁，リウマチ性あるいは先天性心疾患，静注薬物常用
2．発熱：38.0℃以上
3．血管現象：主要血管塞栓，敗血症性梗塞，感染性動脈瘤，頭蓋内出血，眼球結膜出血，Janeway 発疹
4．免疫学的現象：糸球体腎炎，Osler 結節，Roth 斑，リウマチ因子
5．微生物学的所見：血液培養陽性であるが上記の大基準を満たさない場合
6．心エコー図所見：陽性であるが大基準を満たさない場合

*α溶血（☞ p.140 参照）性であるため，コロニー周囲の溶血環が緑色（viridans：ラテン語で緑の意）を呈する口腔レンサ球菌（☞ p.221 表 4-4-1 参照）
（感染性心内膜炎の予防と治療に関するガイドライン（2020 年改訂版）より）

② 歯周疾患と全身疾患のかかわり合い

1）糖尿病

令和元年の国民健康・栄養調査より，「糖尿病が強く疑われる人」約 1,000 万人，「糖尿病の可能性を否定できない人」は約 1,000 万人であり，合わせて約 2,000 万人が糖尿病であると推測される．日本人に最も多いのは生活習慣と密接に関与する２型糖尿病であり，平成 29 年の人口動態統計より，２型糖尿病含む糖尿病により死亡する人は年間 13,969 人にのぼる．糖尿病には，糖尿病性網膜症，糖尿病性腎症，糖尿病性神経障害の３大合併症がある．これらの疾患は糖尿病に特有の合併症であり．血糖コントロールをしないと発症後 10〜15 年でこれらの合併症が出て，最悪の場合死に至る．三大合併症に加え，糖尿病は複数の合併症をもち，その中で歯周病は第６の合併症と位置づけされるようになっている．このことからも，糖尿病と歯周病は密接にかかわっているといえる．また，歯周病が糖尿病に与える影響にも近年報告されており，歯周病と糖尿病は互いの疾患に影響を与え合う，双方向性の関係がある．

(1) 糖尿病合併症としての歯周病

糖尿病患者では歯周炎の有病率が高いことが報告されている．慢性的な高血糖による歯周炎増悪のメカニズムの詳細は明らかにはなっていないが，糖尿病で認められるマクロファージの機能低下・結合組織コラーゲン代謝異常・血管壁の変化や脆弱化（細小血管障害）・創傷治癒の遅延などが，歯周病の発症・進行に影響を与えるのではないかと考えられる．

(2) 歯周病が及ぼす糖尿病への影響

糖尿病の診断は，慢性高血糖を確認し，さらに症状，臨床所見，家族歴，体重歴などを参考として総合的に判断する．糖尿病における血糖値は，インスリンの機能に大きく左右される．インスリンは肝臓や筋肉をはじめとするさまざまな細胞に糖を取り込ませる酵素である．このような機能をもつ酵素は体内には他になく，このインスリンの機能が阻害される，もしくは減弱すると血糖値は上昇し，糖尿病になる．糖尿病には，１型糖尿病と２型糖尿病があり，１型糖尿病はインスリンをつくる膵臓のβ細胞が破壊され，体の中のインスリン量が不足することで起こる．２型糖尿病は，わが国の糖尿病の 95％以上がこのタイプであり，インスリン産生量の低下や，インスリンの効果減弱により，糖がうまく取り入れられなくなって血糖値が上がるために起こる．遺伝的に糖尿病になりやすい人が，肥満・運動不足・ストレスなどをきっかけに発病することが多く，近年食生活が欧米化したことも理由の１つにあげられる．

歯周病が及ぼす糖尿病への影響として，進行した歯周炎は糖尿病患者のインスリン抵抗性に影響を与え，血糖コントロールが困難になることが報告されている．

歯周病関連細菌の内毒素（LPS）が血管内に入り込み，マクロファージからの炎症性サイトカインである TNF-α

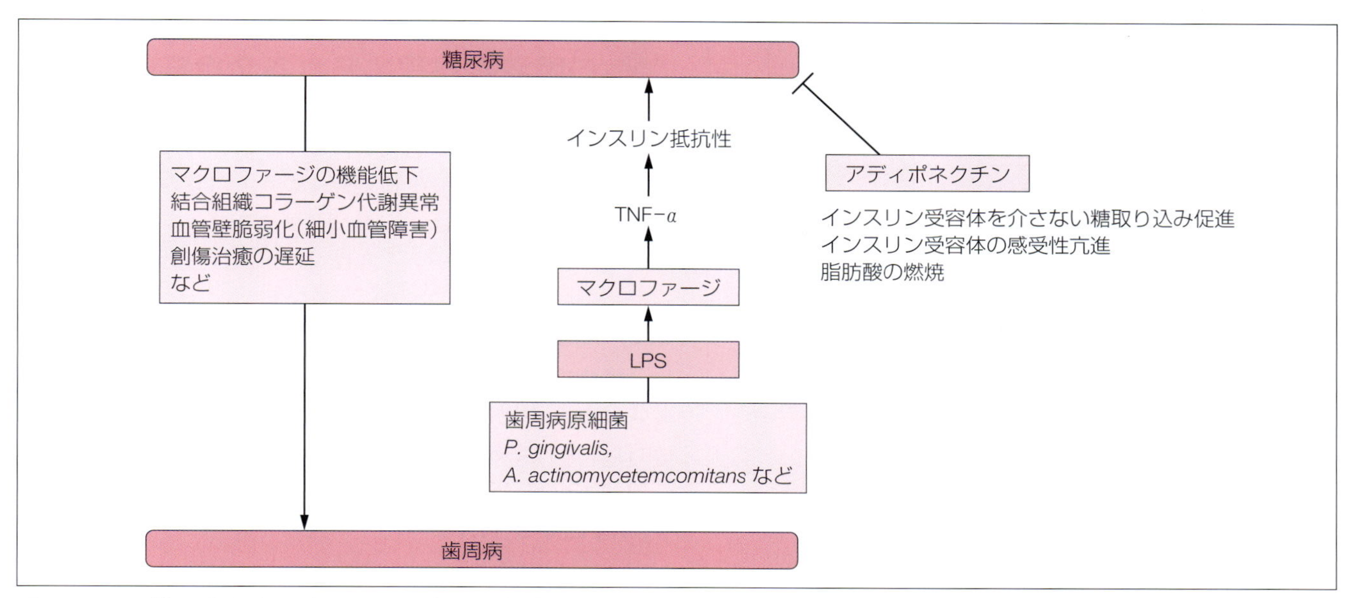

図 4-10-6 糖尿病と歯周病の双方向性の関係の模式図（仮説）

の産生が促進される．2 型糖尿病では，TNF-αがグルコーストランスポーター（GULT4）の生合成をオフにすることにより，インスリン抵抗性が誘導され，インスリンがあっても利用できない状態となる．血糖値を下げる働きをもつホルモンであるインスリンが利用できない状況になると，糖を細胞へと取り込むことができなくなり，結果的に血糖値が上がる．つまり，細菌感染症である歯周炎の存在により血糖値は上昇し，糖尿病における血糖コントロールは困難になる．また，同時に上述のように糖尿病は歯周炎の増悪も起こすことが報告されていることから，歯周炎も進行していくという悪循環に陥る（**図 4-10-6**）．近年，脂肪細胞が分泌するアディポネクチンというホルモンが血糖を減らすことが明らかになっていることから，糖尿病の治療薬としても注目されている．

2）循環器疾患

虚血性心疾患 ischemic heart disease（ICD）は，冠動脈の閉塞や狭窄などにより心筋への血流が阻害され，心臓に障害が起こる疾患の総称であり，狭心症や心筋梗塞がこれに含まれる．1950 年代に冠動脈に動脈硬化症が起こっていることが発見され，その後の研究で心臓の栄養血管である冠動脈に生じたアテローム性動脈硬化症 atherosclerosis によって生じた血栓が飛散し血流が遮断されることで心筋梗塞などの虚血性疾患が起こる．

歯周病との関連性としては，歯周病が冠動脈に存在する動脈硬化を増悪させることで，虚血性疾患が起こることが考えられる．メカニズムの詳細は明らかになっていないが，歯周病原細菌の内毒素（LPS）が血管内に入り込み，血流を介して動脈硬化が起こっている部位に達し，マクロファージからサイトカインが産生される．このうち，PGE_2，IL-1，TNF-αなどが血管の内皮細胞や平滑筋に作用し，血管壁平滑筋の増殖，血管の脂肪変性，血管内での血液凝固（血栓）を起こすことが推測される．

3）リウマチ

リウマチは自己免疫疾患の 1 つである．一般にリウマチとは関節リウマチ rheumatoid arthritis（RA）のことを指す．自己の免疫が手足の関節を侵し，関節痛や関節変形が生じる膠原病の 1 つで，炎症性自己免疫疾患である．リウマチでは，シトルリン化酵素である peptidyl arginine deiminases（PAD）が滑膜炎症部位で高発現することで，抗シトルリン化タンパク質抗体 anti-citrullinated protein（ACP）が産生される．関節リウマチ患者の 80%はシトルリンを含むタンパク質に免疫反応を示すので診断に使われる．

歯周病とリウマチとの関連性については，近年，リウマチ患者では，歯周病の頻度が高く，治療によりリウマチが改善すること，歯周病原細菌である *Porphyromonas gingivalis* がもつ PAD（PPAD）が特異的に滑膜のシトルリン化を起こすこと，歯周病患者の歯周組織には PAD やシトルリン化タンパク質が発現していることなど，歯周病とリウマチとの間に因果関係を示唆する報告がされている（**図 4-10-7**）．PPAD 以外にも歯周病関連菌の LPS 依存性サイトカインがリウマチの発症や関節炎の増悪に関与していることが予想される．

4）その他

糖尿病や循環器疾患以外に，歯周病は，肥満やメタボリックシンドローム，早産・低体重児出産，Alzheimer 病，大腸がんなどへの関与が報告されている．

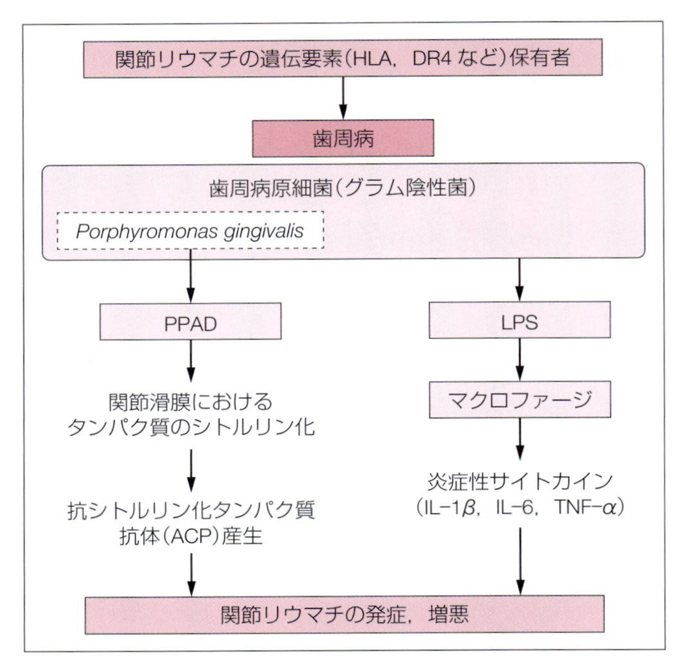

図 4-10-7 関節リウマチと歯周病との関係の模式図（仮説）

肥満と歯周病については，機構は明らかになっていないが，肥満は上述の糖尿病の原因の1つであるため，糖尿病前段階の肥満が歯周病を悪化させている可能性がある．また，リスクファクターとして歯周病が肥満に与える影響として，歯周病患者の血液検査の結果は脂肪肝を示唆させる検査結果と非常に強く関連していることが報告されている．

歯周病と早産・低体重児出産の関連性については，切迫早産（妊娠37週未満に，分娩時に起こる子宮収縮や頸管熟化などの分娩徴候がみられる状態）の妊婦は通常出産妊婦と比較し，歯周病の重症度が高いことが報告されている．歯周病の病巣局所で産生されるプロスタグランジン，IL-1β，IL-8などの炎症性物質が，血流により胎盤や子宮に到達し，子宮収縮や頸管熟化を引き起こすと考えられる．

Alzheimer病は脳内に「アミロイドβ」とよばれるタンパク質が蓄積することで，脳の働きの低下や萎縮を引き起こす疾患である．歯周病原細菌である① *P. gingivalis* が脳内に検出されたこと，②マウスに *P. gingivalis* を感染させることで脳内に *P. gingivalis* が検出され，アミロイドβも増加することなどが報告されている．また，大腸がん患者の患部組織から口腔由来の *Fusobacterium nucleatum* が検出されたとの報告もあり，今後さらに歯周病とAlzheimer病，大腸がんとの関連性が明らかになることが期待される．

③ 口腔所見が認められる全身疾患

全身性のウイルス感染症により，口腔内に所見が認められることがある．微生物感染により，口腔内に所見が認められる全身疾患には，梅毒，ジフテリア，手足口病，ヘルペス，ヘルパンギーナ，麻疹などがあげられる．

1）麻疹ウイルス

麻疹ウイルスによる感染症は，麻疹もしくははしかともよばれ，小児期に感染し，発熱性発疹を主徴とする疾患（はしか）である．口腔内では下顎臼歯部付近の両側頬粘膜にKoplik斑とよばれる小さい白斑が認められる（☞p.194 図3-9-11A参照）．

2）コクサッキーウイルス

コクサッキーウイルス感染症により口腔内に所見が認められる疾患はヘルパンギーナと手足口病がある．ヘルパンギーナは乳幼児に多くみられ，全身的には高熱を伴う疾患である．口腔所見としては，軟口蓋付近を中心として口峡部に発赤および多数の小水泡形成が特徴である．手足口病はコクサッキーウイルスA16が主な原因で発症するウイルス感染症で，後発年齢は4歳以下である．発熱を伴い，手と足と口腔粘膜に小さな発疹と小水疱が認められる．口腔内では特に頬粘膜，舌，軟口蓋，歯肉などに小水疱を形成し，その後有痛性のアフタ様病変となる．異なる株に関しては再発する．

3）水痘・帯状疱疹ウイルス

水痘は小児期にみられ，発熱と全身性の発疹を主徴とする．口腔内にも発疹は認められ，小紅丘疹の後小水疱を形成する．帯状疱疹は水痘に罹患後，神経節に潜伏感染していた水痘・帯状疱疹ウイルスが細胞性免疫能の低下により再活性化され，片側性の神経支配領域の皮膚に水疱性病変を形成する．口腔内の水疱はすぐに破れ，びらんとして認められ，易出血性である．

4）単純ヘルペスウイルス

単純ヘルペスウイルス感染症の多くは不顕性感染であるが，ときとして再発性に発症することがある．ヘルペス性歯肉口内炎や口唇ヘルペスを起こす．歯肉口内炎は，発熱後，歯肉，口唇粘膜，舌，口蓋粘膜などに小潰瘍を形成し，接触痛，刺激痛がある．口唇ヘルペスは，単純ヘルペスウイルスの再発によって，口唇およびその周囲皮膚に小水疱を集簇性に形成する．

（小松澤　均，松尾美樹）

XI 歯科診療における感染防止

❶ 標準予防策：スタンダードプリコーション

医療施設ではすべての患者や医療従事者自身への医療関連感染を防止するための対策を講じねばならない．感染症の成立には，①原因微生物（感染源）の存在，②感受性をもつ宿主の存在，③感染経路の３要因が必要であり，感染症の制御には，これらの要因の１つ以上をブロックする必要がある．しかしながら，実際の医療現場では，来院者が感染症に罹患しているかどうか，また感染症であってもその原因微生物を短時間で同定することは困難な場合が多い．

そこで感染症の有無にかかわらず，血液・体液（汗は除く）・粘膜・傷のある皮膚などの湿性物質は感染性を有する可能性があるものとして取り扱う考え方が，標準予防策 standard precautions としてすべての患者と医療従事者へ適用される．すなわち，これらの湿性物質との接触が予想される場合は防水性の手袋を着用し，飛散する可能性がある場合は，さらにプラスチックエプロン，マスク，ゴーグル，フェイスシールドなどを着用する．血液・体液などで汚染されたガーゼ，リネン，紙類なども標準予防策の対象となる．感染性廃棄物を取り扱う場合はバイオハザードマーク（**図 4-11-1**）を使用し，分別・運搬・保管・処理を確実に行う．針を使用した場合はリキャップせず，専用容器に直接廃棄する．

特に歯科に関しては，2003 年に米国疾病予防管理センター（CDC）により Guidelines for Infection Control in Dental Health-Care Settings 2003 が報告された．その中で歯科医療における感染防御のガイドラインが提示され，

① 歯科医療従事者への教育と防御
② 血液媒介病原体の伝播の予防
③ 手指衛生
④ 身体防御用具
⑤ 接触皮膚炎とラテックス過敏症
⑥ 治療器具の滅菌と消毒
⑦ 環境の感染制御
⑧ 歯科用ユニットの給水系，バイオフィルムおよび水質
⑨ 特別に配慮すべき事項（歯科用ハンドピース，X 線撮影，非経口投薬，口腔外科処置，歯科技工など）

の９つの事項に対して勧告が出されている．

図 4-11-1　バイオハザードマーク

歯科診療施設では，院内感染の危険性が高く，さまざまな感染から患者や医療従事者を守るために，確実な感染予防対策が求められる．いずれにしても院内感染を防止するうえで，歯科医療器具の滅菌と消毒，医療従事者への予防接種，歯科治療時の感染源の曝露防止，手洗いが基本となる．

❷ 歯科診療における感染経路

一般的な歯科診療では歯石除去，根管治療，歯冠形成，抜歯などの外科的処置で患者の唾液，血液および粘膜に接触する機会が多い．また，さまざまな歯科用機材や器具が用いられ，歯科用エアタービンによる歯の切削，超音波スケーラーによる歯石除去の際，唾液や血液が診療室に飛散しやすく，飛沫感染や飛沫核感染の原因となりうる．特に，当該歯科疾患以外の感染症が疑われる患者に対して，歯科治療を行う場合には，院内感染防止対策に関する十分な配慮が必要である．

微生物は手指を介して伝播することが多く，歯科医療従事者の感染対策として，手指消毒の励行は基本となる．また感染防止のため，マスク，歯科用ゴーグル，ゴム手袋の着用やエプロン，ガウンといった個人用防護具 personal protective equipment（PPE）の使用が推奨される．また，治療後の歯科用ミラーやピンセットなどの機材や器具は一括管理し，洗浄，消毒，滅菌する．さらに，治療に伴う医療廃棄物であるディスポーザブル製品，メス替刃や注射針，血液の付着したガーゼや綿花などは適切な廃棄物処理を行う．

常に微生物の侵入にさらされる歯科診療の現場では，患者や医療従事者を病原性微生物から守るためにそれぞれの診療室環境に応じた有効な感染防止対策を講じることが求められる．そのためにまず病原微生物の感染源や感染経路について知る必要がある．歯科医療施設で病原微生物がヒトからヒトへ伝播する感染経路は，いくつかの場合が考えられる．

1）直接伝播による感染

歯科治療中の微小な傷口からも，病原微生物は医療従事

表 4-11-1　歯科用医療器具の感染リスクと対策（Spauldingの分類）

組織	対象	歯科用医療器具	対策
クリティカル	皮膚，粘膜や骨を貫通して無菌の組織や血管などに接触する物	外科用器具，ハンドピース，スケーラー，ファイル，バーなど	滅菌
セミクリティカル	損傷のない粘膜に接する物	口腔内ミラー，印象用トレー，バキュームチップ，スリーウェイシリンジなど	中～高水準消毒
ノンクリティカル	健常な皮膚に接する物	フェイスボウ，歯科用X線装置，パルスオキシメーター，血圧計カフなど	低水準消毒もしくは洗浄

表 4-11-2　手洗いの方法

方法	目的	方法
日常的手洗い	汚れや有機物および通過性微生物の除去	普通石鹸と流水
衛生的手洗い	通過性微生物の除去または殺滅，および常在微生物の低減	消毒薬（グルコン酸クロルヘキシジン，ポビドンヨードなど）と流水 あるいは，速乾性擦式手指消毒薬
手術時手洗い	通過性微生物の除去または殺滅，および常在微生物の著しい低減	消毒薬（グルコン酸クロルヘキシジン，ポビドンヨードなど）と流水 その後，持続活性のある速乾性擦式手指消毒薬

者の血液や組織に侵入する．患者から病原微生物が体内に侵入する直接接触感染による伝播を考えると歯科診療時のゴム手袋の着用は必須である．

2）間接伝播による感染

歯科治療の特殊性を考えると，血液や唾液などの体液で汚染された医療従事者の手指，医療器具，環境表面などを介して病原微生物が別の人に伝播する間接接触感染には，特に注意が必要である．たとえば，注射針による刺傷により，針に付着している血液や唾液中の病原微生物が体内に入ると医療従事者に感染する．

また歯科診療でエアタービンを用いて歯を切削する場合には，唾液や血液中の病原微生物が水滴中に混入し，エアロゾル aerosol 化される．エアロゾルは空中に長く浮遊し，呼吸とともに吸入される場合がある．

その他にも滅菌や消毒の不十分な機材や器具の使用により，患者間や医療従事者への感染リスクが高くなる．印象採得した作業物などが病原微生物に汚染されていると，直接に患者と接触していない場合でも，歯科技工士などに感染する機会をつくることになるので注意を要する．特にアルジネート印象材はゴム系印象材よりも微生物が付着しやすく，印象材から石膏模型に容易に伝播するので，石膏注入前に消毒することが推奨されている（☞ p.77 参照）．

③ 医療器具の滅菌・消毒

歯科用医療器具の処理方法は，使用用途や使用部位に対する感染リスクに応じて，クリティカル，セミクリティカル，ノンクリティカルに分類される（**表 4-11-1**）．観血的処置に用いられ，皮膚，粘膜や骨を貫通して無菌の組織や血管などに接触する物は病原微生物を伝播するリスクが最も高く，滅菌すべきである．損傷のない粘膜に接する物は伝播のリスクは低くなる．歯科で使用されるセミクリティカルの器具には耐熱性がある物が多く，それらは滅菌を行う．加熱に耐えられない物は適切な消毒を行う．ノンクリティカルの器具は健常な皮膚に接する物で，高度な汚染を受けない限り，通常の洗浄のみで十分である．

④ 医療従事者の予防接種

一般に医療従事者はB型肝炎，インフルエンザ，麻疹，流行性耳下腺炎，風疹，水痘，結核などの原因となる感染性微生物に曝露するリスクが高いと考えられる．医療従事者はこれらのリスクを認識して，自身の感染や周囲のスタッフおよび患者への伝播防止のため，抗体検査を行い，病原体に曝露する前にワクチンを予防接種することが望まれる．

⑤ 手指衛生

医療従事者や患者の不十分な手指衛生は，院内感染発生の原因となる．医療従事者は，手指衛生によって病原体から身を守るとともに，交差感染を予防する必要がある．WHOは，手指衛生のタイミングとして，①患者に触れる前，②清潔/無菌操作の前，③血液，体液，排泄物などに曝露された可能性のある場合，④患者に触れた後，⑤患者周辺の環境や物品に触れた後を推奨している．またゴム手袋の装着前後も手指衛生は必要である．

手指衛生の方法には，流水と石鹸による手洗いと速乾性擦式手指消毒薬による手指消毒がある．目に見える汚染がない場合は，処置前後は後者が推奨されている．手洗いの方法は目的により異なる（**表 4-11-2**）．日常的手洗いでは普通石鹸と流水を用いて汚れや通過微生物の除去，常在微生物の低減を行う．日常的歯科診療や非外科的処置の場合は，日常的な手洗いか衛生的手洗いで十分である．手術時手洗いは，消毒薬配合スクラブ製剤と毛先の軟らかいブラシを用いた手洗いや，ブラシを使用せず，スクラブ製剤で揉み手洗い後，速乾性擦式手指消毒薬を用いる方法がある．速乾性擦式手指消毒薬には，持続的な殺菌効果を期待してグルコン酸クロルヘキシジンなどを含有したアルコール製剤を用いる．

❻ 医療従事者の曝露防止

肝炎ウイルスやヒト免疫不全ウイルスの伝播は多くの場合，血液を介して起こる．歯科医療従事者は患者の血液や血液の混入した唾液に接する機会が多いため，患者から歯科医療従事者への伝播が起こりやすい．

また，歯科診療の特殊性を考えると，飛沫感染（インフルエンザウイルスや風疹ウイルスなど）や飛沫核感染（結核菌や麻疹ウイルスなど）に対する十分な配慮も必要である．歯科治療ではハンドピースや超音波スケーラーなど水，唾液，血液を巻き込んだエアロゾルを発生させる機器が多く使用される．エアロゾルの飛散を最小限に抑えるために歯科用ラバーダム防湿を行い，歯の切削時に歯科用バキュームを使用する．また，口腔外バキュームの活用も推奨される．さらに標準予防策として手袋，マスク，防御用のゴーグルあるいはフェイスシールド，ガウンの着用が求められる．また，飛沫核感染に対する予防策が必要な疾患を有する患者の治療の場合はN95マスクを着用する．手袋などの個人防護具を外す際には，それらにより環境を汚染しないよう留意しながら外し，所定の場所に廃棄する．

歯科医療従事者の経皮的損傷による血液や体液の曝露で多いのは針刺し事故である．針刺し事故予防のため，麻酔などの注射後にリキャップをせずにそのまま専用容器の中に廃棄することが求められる．また，針刺しや切創が起きた場合は，ただちに受傷部位を流水と石鹸で洗浄し，曝露リスクを評価する．

（有吉　渉）

略語一覧

略語	正式名称	日本語正式名称
AAC	aminoglycoside acetyltransferase	アセチル化酵素（アセチル転移酵素）
ABPA	allergic bronchopulmonary aspergillosis	アレルギー性気管支肺アスペルギルス症
ADCC	antibody dependent cell-mediated cytotoxicity	抗体依存性細胞傷害
ADEM	acute disseminated encephalomyelitis	急性散在性脳脊髄炎
AIDS	acquired immunodeficiency syndrome	後天性免疫不全症候群
APC	antigen presenting cell	抗原提示細胞
APH	aminoglycoside phosphotransferase	リン酸化酵素（リン酸基転移酵素）
ATL	adult T cell leukemia	成人 T 細胞白血病
BCR	B cell receptor	B 細胞受容体
BSE	bovine spongiform encephalopathy	ウシ海綿状脳症
cAMP	cyclic AMP	サイクリック AMP
CAP	catabolite activator protein	カタボライトアクチベータータンパク質
CAT	chloramphenicol acetyltransferase	クロラムフェニコールアセチルトランスフェラーゼ
CD	cluster of differentiation	分化抗原群
CDC	Centers for Disease Control and Prevention	（米国）疾病管理予防センター
cDNA	complementary DNA	相補鎖 DNA
CDR3	complementarity-determining region 3	相補性決定領域 3
CDT	cytolethal distending toxin	細胞致死膨化毒素
CEA	carcino-embryonic antigen	がん胎児性抗原
CF	complement fixation	補体結合
CLIP	class II-associated Ii chain peptide	クラス II 分子関連インバリアント鎖ペプチド
CLR	C-type lectin-like receptor	C 型レクチン様受容体
CMIS	common mucosal immune system	粘膜免疫循環帰巣経路
COPD	chronic obstructive pulmonary disease	慢性閉塞性肺疾患
COVID-19	coronavirus disease 2019	新型コロナウイルス感染症
CPE	cytopathic effect	細胞変性効果
CRP	C-reactive protein	C- 反応性タンパク質
CRS	congenital rubella syndrome	先天性風疹症候群
CSF	colony stimulating factor	コロニー刺激因子
CT	cholera toxin	コレラ毒素
CTL	cytotoxic T lymphocyte	細胞傷害性 T 細胞
CTLA-4	cytotoxic T lymphocyte antigen	4T 細胞抑制性補助刺激受容体
DAMP	damage-associated molecular pattern	ダメージ関連分子パターン
DHP	dehydropeptidase	デヒドロペプチダーゼ
DIC	disseminated intravascular coagulation	播種性血管内凝固症候群
DnaB	DnaB helicase	DnaB ヘリカーゼ
DPT-IPV-Hib	diphtheria and tetanus toxoids and acellular pertussis adsorbed and inactivated poliovirus and *Haemophilus influenzae* type b vaccine	ジフテリア・百日咳・破傷風混合ワクチン＋不活化ポリオワクチン＋ヒブワクチン
DTH	delayed-type hypersensitivity	遅延型過敏症反応
ELISA	enzyme-linked immunosorbent assay	酵素結合抗体免疫吸着法
ESBL	extended spectrum β-lactamase	基質拡張型β-ラクタマーゼ
FAE	follicle-associated epithelium	濾胞被膜上皮
FasL	Fas ligand	Fas リガンド
FGF	fibroblast growth factor	線維芽細胞増殖因子
GALT	gut-associated lymphoid tissue	腸管関連リンパ組織
Gbp	glucan-binding protein	グルカン結合タンパク質
G-CSF	granulocyte-colony-stimulating factor	顆粒球コロニー刺激因子
GM-CSF	granulocyte macrophage colony-stimulating factor	顆粒球 / マクロファージコロニー刺激因子
GPI	glycosylated phosphatidylinositol	グリコシルホスファチジルイノシトール
GTF	glucosyltransferase	グルコシルトランスフェラーゼ
GVHD	graft-versus-host disease	移植片対宿主病
HA	hemagglutinin	赤血球凝集素
HAV	hepatitis A virus	A 型肝炎ウイルス
HBV	hepatitis B virus	B 型肝炎ウイルス

略語	正式名称	日本語正式名称
HCMV	human cytomegalovirus	ヒトサイトメガロウイルス
HCV	hepatitis C virus	C 型肝炎ウイルス
HDV	hepatitis D virus	D 型肝炎ウイルス
HEPA フィルター	high efficiency particulate air filter	高性能粒子吸着フィルター
HEV	hepatitis E virus	E 型肝炎ウイルス
HHV	human herpesvirus	ヒトヘルペスウイルス
HIV	human immunodeficiency virus	ヒト免疫不全ウイルス
HLA	human leukocyte antigen	ヒトリンパ球抗原
HPV	human papillomavirus	ヒトパピローマウイルス
HSV	herpes simplex virus	単純ヘルペスウイルス
HTLV	human T cell leukemia virus type	ヒト T 細胞白血病ウイルス
iBALT	inducible bronchus-associated lymphoid tissue	誘導性気管支関連リンパ組織
IE	infective endocarditis	感染性心内膜炎
IEL	intraepithelial lymphocyte	上皮細胞間リンパ球
IFN	interferon	インターフェロン
Ig	immunoglobulin	免疫グロブリン
IGRA	interferon gamma release assays	インターフェロン-γ遊離試験
IL	interleukin	インターロイキン
ILC	innate lymphoid cell	自然リンパ球
IR	inverted repeat	逆繰り返し配列
IS	insertion sequence	挿入配列
ITAM	immunoreceptor tyrosine-based activation motif	免疫受容体チロシン活性化モチーフ
ITIM	immunoreceptor tyrosine-based inhibitory motif	免疫受容体チロシン抑制性モチーフ
LAMP 法	loop mediated isothermal amplification	ループ介在等温増幅法
LPS	lipopolysaccharide	リポ多糖
LT	heat labile toxin	易熱性毒素
MAC	membrane attack complex	膜侵襲複合体
MALT	mucosa-associated lymphoid tissue	粘膜関連リンパ組織
MBC	minimum bactericidal concentration	最小殺菌濃度
MCS	multiple cloning site	マルチクローニング部位
M-CSF	macrophage-colony stimulating factor	マクロファージコロニー刺激因子
MHC	major histocompatibility complex	主要組織適合遺伝子複合体
MIC	minimum inhibitory concentration	最小発育阻止濃度
mRNA	messenger RNA	メッセンジャー RNA
NA	neuraminidase	ノイラミニダーゼ
NAD	nicotinamide adenine dinucleotide	ニコチンアミドアデニンジヌクレオチド
NADPH	nicotinamide adenine dinucleotide phosphate hydroxide	ニコチンアミドアデニンジヌクレオチドリン酸
NALT	nasal-associated lymphoid tissue	鼻咽頭関連リンパ組織
NETs	neutrophil extracellular traps	好中球細胞外トラップ
NGU	non-gonococcal urethritis	非淋菌性尿道炎
NK 細胞	natural killer cell	ナチュラルキラー細胞
NLR	Nucleotide binding oligomerization domain (NOD) -like receptor	NOD 様受容体
NO	nitric oxide	一酸化窒素
NTM	non-tuberculous mycobacteria	非結核性抗酸菌
NVS	nutritionally variant streptococci	栄養要求性レンサ球菌
OPG	osteoprotegerin	オステオプロテジェリン
PAMP	pathogen-associated molecular pattern	病原体関連分子パターン
PBP	penicillin-binding protein	ペニシリン結合タンパク質
PCR	polymerase chain reaction	ポリメラーゼ連鎖反応
pIgR	polymeric immunoglobulin receptor	多量体免疫グロブリン受容体
PRR	pattern recognition receptor	パターン認識受容体
QRDR	quinolones resistance determining region	キノロン耐性決定領域
RLR	RIG-1-like receptor	RIG-1 様受容体
RNP	ribonucleoprotein	リボヌクレオプロテイン
RT	reverse transcriptase	逆転写酵素
SARS	severe acute respiratory syndrome	重症急性呼吸器不全症候群
SCF	stem cell factor	幹細胞因子

略語	正式名称	日本語正式名称
SCID	severe combined immunodeficiency	重症複合型免疫不全症
SLE	systemic lupus erythematosus	全身性エリテマトーデス
SPE	streptococcal pyrogenic exotoxin	発熱毒素
SPI	*Salmonella* pathogenicity island	サルモネラ病原遺伝子島
ST	heat stable toxin	耐熱性毒素
STI	sexually transmitted infection	性感染症
STS	serologic tests for syphilis	梅毒血清学的検査法
TALT	tear duct-associated lymphoid tissue	涙道関連リンパ組織
TAP	transporter associated with antigen processing	抗原処理関連トランスポーター
TCA	tricarboxylic acid	クエン酸回路
TCR	T cell receptor	T 細胞受容体
TEN	toxic epidermal necrolysis	中毒性表皮壊死症候群
Tfh	follicular helper T（cell）	濾胞性 T（細胞）
TGF	transforming growth factor	トランスフォーミング増殖因子
Th 細胞	helper T cell	ヘルパー T 細胞
TLR	Toll-like receptor	Toll 様受容体
TNF	tumor necrosis factor	腫瘍壊死因子
Treg	regulatory T（cell）	制御性 T（細胞）
VEGF	vascular endothelial growth factor	血管内皮増殖因子
VZV	varicella-zoster virus	水痘・帯状疱疹ウイルス

用語集

章	語句	説明
1章	暗黒期	ウイルスが宿主細胞内に侵入し，新しいウイルス粒子が出現するまでの期間をいう．感染細胞内に大量のウイルスタンパク質やゲノムは存在するものの，ウイルス粒子は存在しない．分裂増殖を行わないウイルスに特有の現象である．
	芽胞	*Bacillus* 属や *Clostridium* 属が菌体内に形成する耐久性の高い構造体である．熱，乾燥，物理化学的処理に対する抵抗性が非常に高い．外界の条件が細菌の生存にとって悪化すると形成される．水分含量はきわめて低く，代謝活性も認められず，分裂・増殖することもない．
	カンジダ	ヒトの皮膚や口腔内に生息する常在真菌である．抗がん剤などの投与により感染抵抗力が低下すると，日和見感染症としてカンジダ症を発症させる．広域抗菌薬の使用などにより細菌フローラ（⇨「フローラ」も参照）のバランスが崩れる菌交代現象の原因微生物でもある．
	莢膜	細胞壁を包む疎な網状構造体である．菌体が分泌する多糖体やポリペプチドから構成される．細胞壁の抗原性が莢膜に覆われることにより，菌体は食細胞による貪食や抗体・補体による攻撃から逃れることができる．
	組換え	相同性のあるDNAの間で部分交換が起こり，新たなDNA構造ができる過程である．組換えにより遺伝子の新しい構造ができる場合がある．染色体の修復や安定性，代謝，遺伝子発現などの生物学的に重要な現象に直接関係する．
	形質転換	生細胞から遊離したDNAを他細胞が取り込み，染色体と組換えが起こる現象をいう．肺炎球菌で初めて発見され，DNAが遺伝物質であるという証明に用いられた．外来のDNAを細胞が取り込みうる受容能をコンピテンスという．
	形質導入	細菌遺伝子がバクテリオファージにより1つの菌体（供与菌）から他の菌体（受容菌）に移行した後，菌体内での組換え反応により受容菌が組換え体となる現象である．普遍形質導入と特殊形質導入に大別される．
	抗菌スペクトル	抗菌薬がどのような種類の微生物にどれくらい有効かを示す範囲である．広範囲の微生物に効果を発揮するものを広域抗菌スペクトル，限られた範囲の微生物に有効なものを狭域抗菌スペクトルという．広域な薬剤が強い薬剤というわけではない．
	殺菌作用	抗菌薬が微生物を死滅させる働きをさす．そのような薬剤は殺菌作用をもつ，または殺菌的に働くという．β-ラクタム系薬やアミノグリコシド系薬がこの作用を示す．同じ薬剤でも，低濃度では静菌的に働き，高濃度では殺菌的に働く場合もある．
	静菌作用	抗菌薬が微生物の増殖を抑制するが，死滅はさせない働きをさす．そのような薬剤は静菌作用をもつ，または静菌的に働くという．テトラサイクリン系薬やマクロライド系薬がこの作用をもつ．
	接合	2種の細菌が接し，片方の細菌（供与菌）がもつ伝達性プラスミドや染色体が他方の細菌（受容菌）へ移行されることをいう．伝達性プラスミド上に性線毛の遺伝子がコードされるため，供与菌は性線毛を産生し，受容菌を認識する．
	選択毒性	特定の生物にのみ致命的な毒性を発揮する性質をいう．抗菌薬は宿主細胞に有害な効果を与えず，微生物にのみ毒性を示すのが望ましい．微生物に選択的に毒性を発揮する場合，選択毒性が高いという．宿主や微生物ともに毒性を発揮する場合は選択毒性が低いという．
	突然変異	組換えによらない遺伝物質の構造変化の総称である．DNA複製の誤りが原因で自然に起こる自然突然変異と，変異原が原因で起こる誘発突然変異がある．トランスポゾンやウイルスゲノムが染色体に組み込まれることも突然変異の頻度を高める一因である．
	トランスポゾン	DNAのある部位から他の部位に転位するDNA単位である．両末端には逆方向反復配列（IR）が認められ，内部にはトランスポゼース遺伝子や薬剤耐性遺伝子などが存在する．IRの部位でトランスポゼースが媒介する組換えが起こる．
	バクテリオファージ	細菌を宿主とするウイルスである．増殖様式の違いによりビルレントファージとテンペレートファージに分類される．遺伝物質としてDNA，あるいはRNAをもつ．正二十面体の頭部と種々の形態の尾部からなるもののほか，線維状などの形態をもつものがある．
	プラスミド	細菌の染色体とは別に独立して自立増殖する遺伝因子である．薬剤耐性因子，抗菌因子，性線毛などの遺伝子を含むものがある．複製起点や薬剤耐性遺伝子などを使用して人工的につくられたプラスミドは遺伝子操作にベクターとして汎用されている．
	変異原	生物に起こる自然突然変異よりも高頻度に突然変異を起こす物質や電磁波である．アルキル化剤などの化学的変異原や紫外線，X線，γ線などのDNA損傷を起こす電磁波などがある．発がん物質の多くは変異原である．
	薬剤耐性	病原微生物に奏効する抗菌薬がその微生物の増殖を抑制できないことをいう．増殖が阻止される場合は感受性であるという．近年，複数の薬剤に耐性である多剤耐性菌（⇨「MDRP」「MRSA」「VRSA」も参照）の蔓延が問題となっている．また，抗がん剤などの分野でも「薬剤耐性」が用いられる．
	リポタイコ酸	タイコ酸はグラム陽性菌に特徴的な細胞壁成分である．グリセロールまたはリビトールがリン酸エステルで結合し，鎖状構造を形成する．これらが膜脂質と結合したものをリポタイコ酸という．リポタイコ酸は細胞壁と細胞膜を架橋し，細胞壁を補強している．

章	語句	説明
1章	リポ多糖	グラム陰性菌の外膜構成成分である．リピドAとよばれる高分子脂質とこれに共有結合する多糖からなる．リピドAは内毒素としての活性中心であり，発熱，血管拡張作用や血液凝固作用だけでなく，免疫賦活作用や抗腫瘍作用を示す．
2章	アイソタイプ	免疫グロブリン鎖の定常領域の種類によって決定される型をいう．軽鎖はκとλ，重鎖はμ，δ，γ，α，εのアイソタイプがある．
	アジュバント	抗原とともに体内に投与することにより抗原に対する免疫応答を増強させる物質のことをいう．
	アナジー	抗原刺激に対する不応答状態をいう．
	アレルギー反応	過敏症の項を参照
	アロタイプ	抗体分子における対立遺伝子の多型．抗体分子の個体間の違いを生じる．
	移植片対宿主病	遺伝的に同一でない個体間での骨髄移植の際に，移植片に含まれているT細胞がレシピエントの組織を攻撃することによる病態をいう．
	イディオタイプ	抗体が抗原に結合する，他の抗体と共通しない固有の抗原性ないし抗原決定基群．T細胞受容体に対して使われることもある．
	遺伝子再構成	T細胞受容体および免疫グロブリンの機能的な可変領域を形成するために染色体上で起こる遺伝子断片の組換えをいう．
	エフェクター細胞	免疫応答時に機能的役割を果たす細胞のこと．サイトカインを産生しているヘルパーT細胞，微生物感染細胞を殺傷する細胞傷害性T細胞，抗体を産生するB細胞（形質細胞）が相当する．
	オプソニン	opsonin．微生物や他の粒子の表面に付着し，そして好中球やマクロファージ表面の受容体により認識されることにより貪食されやすくする高分子物質をいう．IgG抗体や補体成分があり，これらの分子が結合することにより貪食されやすくなることをオプソニン化という．
	獲得免疫	抗原特異的な免疫応答で，それぞれの抗原に特異的に結合するB細胞とT細胞が主体となって起こる．多様性と免疫記憶に特徴づけられる．適応免疫ともいう．
	過敏症	過剰に免疫応答が生じ，生体側に組織傷害を生じる場合をいう．
	クロスプレゼンテーション	樹状細胞によって取り込まれた細胞外タンパク質からMHCクラスⅠ分子に提示されるペプチドが生成される過程をいう．細胞内抗原をMHCクラスⅡ分子に提示する場合もある．
	抗体	免疫グロブリン．血清中に存在し，対応する抗原と特異的に結合するタンパク質．抗原を免疫処理する際に反応して形質細胞から産生される．食細胞による取り込みや，毒素やウイルスの細胞への結合を阻害することに働く．
	抗体依存性細胞傷害（ADCC）	抗体に覆われた細胞が，結合抗体のFcに対するFc受容体をもつ細胞によって傷害される作用．Ⅱ型過敏症反応の1つである．
	好中球細胞外トラップ	好中球が細胞外に放出した核成分により形成された線維状のマトリックスで，微生物を捕捉する能力をもつ．
	後天性免疫不全症候群（AIDS）	遺伝的要因ではなく，ヒト免疫不全ウイルス（HIV-1）の感染により起こる免疫系の不全．感染によってCD4 T細胞が減少し，日和見感染を起こす．
	細胞傷害顆粒	細胞傷害性T細胞やNK細胞の細胞質に蓄えられている顆粒で，細胞傷害性タンパク質であるパーフォリンやグランザイムなどが含まれており，標的細胞にアポトーシスを誘導する．
	細胞性免疫	抗原特異的なT細胞性免疫応答．細胞内寄生性細菌あるいはウイルスの処理に働く獲得免疫
	サブセット	リンパ球には多くの亜種（サブグループ）が存在し，分化段階や機能により分類される．これをサブセットという．
	CD抗原	細胞表面に存在し，白血球やその他の細胞の機能の指標として用いられる．現在，370種以上が知られており，それぞれの分子に対するモノクローナル抗体によって分類される．
	自己免疫疾患	自己寛容が破綻し，自己抗原に対して免疫応答が生じることにより引き起こされる疾患．器官特異的なものと全身性のものがある．
	自然免疫	先天的に存在し，病原体の侵入に対して早期の応答を担う免疫．微生物に共通に保存された構成成分を認識することによっても起動する．同じ病原体が複数回侵入しても基本的に同じ応答を示し，免疫記憶がない．
	自然リンパ球	自然免疫で働くリンパ球様細胞群．機能はヘルパーT細胞に類似するが，抗原認識を必要とせず，他の細胞が産生するサイトカインで活性化される．
	受動免疫	他の個体がもつ抗体やリンパ球の移入によって別の個体に確立される免疫をいう．
	主要組織適合遺伝子複合体	ヒトでは第6番染色体上，マウスでは第17番染色体上に位置し，抗原由来ペプチドを細胞表面で提示するタンパク質をコードする遺伝子群．細胞質内のペプチドをCD8 T細胞に提示するMHCクラスⅠ分子と，細胞外に由来するペプチドをCD4 T細胞に提示するMHCクラスⅡ分子がある．
	ステロイド	副腎皮質ホルモンの中でグルココルチコイドを示す．抗炎症作用と免疫抑制作用があり，免疫療法に用いられる．
	正の選択	胸腺皮質上皮細胞によって自分のMHCによって提示された抗原ペプチドを認識できるT細胞だけが選ばれて生き残ることをいう．
	ダメージ関連分子パターン	傷害を受けた細胞や死細胞から産生される内因性分子で，パターン認識受容体によって認識される．
	遅延型過敏症反応	Ⅳ型過敏症反応．活性化マクロファージとT細胞が主体となって組織の傷害が引き起こされる細胞性免疫反応．抗原投与後数時間から数日後に生じるため，遅延型とよばれる．

章	語句	説明
2章	ナイーブ細胞	抗原の遭遇による活性化を受けていない，成熟したT細胞やB細胞をいう．
	能動免疫	抗原を直接認識することによって誘導されてできる免疫をいう．
	パイエル板	腸管関連リンパ組織の1つで，空腸と回腸の被膜直下に多数存在する．上皮，ドーム，濾胞，濾胞間領域に分けられる．
	パターン認識受容体	自然免疫系の受容体で病原体関連分子パターンやダメージ関連分子パターンを認識する．
	ハプテン	抗体とは結合するが，それ自身では獲得免疫応答を誘導できない分子をいう．
	病原体関連分子パターン	微生物に共通に存在するが，宿主細胞には存在しない分子構造で，パターン認識受容体によって認識される．
	負の選択	皮質髄質境界領域で自己MHCと自己ペプチドの複合体に非常に強く結合するT細胞受容体をもつT細胞は除去されて死滅すること
	補助（副）刺激分子	T細胞が主要組織適合遺伝子複合体上の抗原と結合した際に，活性化するために必要な第二のシグナル（補助刺激）を担う分子．CD28とCD80/CD86の組み合わせなどが知られている．補助刺激がないとアナジーとなる．
	補体	細胞外の微生物に対して傷害作用を及ぼす血清中に存在する一連のタンパク質で，抗原抗体複合物，微生物成分を契機に活性化される．食作用による取り込み，白血球の走化性，微生物に対する直接的傷害を引き起こす．
	M細胞	腸管上皮に存在し，消化管を通して侵入した抗原や病原体を取り込みパイエル坂に届ける細胞．腸管関連リンパ組織GALTに存在する．
	記憶（メモリー）細胞	抗原刺激を受けたナイーブB細胞やT細胞の一部が，長期にわたり機能的な休止状態となって生存する．2度目あるいは引き続き起こる同一の抗原の曝露に迅速かつ強く応答する．
	免疫寛容	トレランス．特定の抗原に対して獲得免疫系が反応しない状態．自己の抗原に対する寛容は免疫系の基本的特徴である．
	免疫記憶	同じ抗原に2回目以降に曝露した際に，初回曝露に対する免疫応答に比較して，より迅速にかつより効果的に応答することを示す．特定の抗原に対して特異的に長期的に持続する．獲得免疫の特徴である．
	免疫シナプス	T細胞が抗原提示細胞や標的細胞と結合する時に形成される接着面．超分子接着複合体ともいう．
	免疫不全	宿主の防御機構が欠落している，または機能不全となった状態．先天性と後天性がある．（⇨「後天性（二次性）免疫不全症候群」を参照）
	免疫抑制	基礎疾患，移植片拒絶や自己免疫疾患の予防や治療の目的で，薬物によって誘導された免疫系の抑制状態．使用される薬物を免疫抑制薬という．多くの免疫抑制薬はリンパ球に作用してその増殖や活性化を阻害することで免疫機能を抑制する．
	免疫療法	免疫応答を促進する，あるいは抑制する目的で行われる治療薬を用いた治療法をいう．
3章	HPVワクチン	Human papilloma virusに対する子宮頸がん予防ワクチン．2013年4月から予防接種法に基づく定期接種となるものの，重篤例を含めた副反応が多く報告され，一時は積極推奨が中止された（2022年4月から再開）．
	HUS	溶血性尿毒症症候群．腸管出血性大腸菌感染時の典型徴候の1つであり，同菌の産生する志賀毒素が毛細血管内皮細胞と赤血球を破壊することで，急性腎不全・尿毒症を引き起こす．
	ASO	*S. pyogenes*の溶血毒素ストレプトリジンOに対する抗体価を調べ，同菌感染の有無を判別する血清学的検査．ASOは感染後数週間でピークとなり，続発症の糸球体腎炎やリウマチ熱の診断にも寄与する．ALSOともいう．
	SSSS	ブドウ球菌性熱傷様皮膚症候群．*S. aureus*の菌体外毒素の1つである表皮剝脱性毒素が関与すると考えられている．わが国でも頻回に新生児へのSSSS院内感染が生じており，Ritter病と称されている．
	STSS	レンサ球菌性毒素性ショック様症候群．1980年代半ば以降に，世界各地で散発する重症*S. pyogenes*感染症であり，致死率は30%以上と報告されている．わが国でも年々増加している．
	MRSA	メチシリン耐性黄色ブドウ球菌．薬剤耐性菌による院内感染報告数の多くを占めている．バンコマイシン，テイコプラニン，およびリネゾリドが用いられる．
	MSSA	メチシリン感受性黄色ブドウ球菌．オキサシリンMIC価が4 μg/mL以下の*S. aureus*の総称．病原性はMRSAと変わらないため，院内感染などに対する注意を要する．
	M血清型	*S. pyogenes*の主たる分類型別．菌体表層Mタンパクの多様性を型別に利用している．現在は，簡便・迅速・低コストで可能なコード遺伝子（*emm*）型別が多く用いられるようになっている．
	MDRP	多剤耐性緑膿菌．主に，病院内の水廻り設備を介して易感染性宿主に院内感染を引き起こす．抗菌スペクトル上は，*P. aeruginosa*をカバーするフルオロキノロン系薬，カルバペネム系薬，アミノグリコシド系薬の三系統すべてに耐性を獲得した株を指すことが一般的である．
	O157:H7	*E. coli*菌体表層にはO抗原とH抗原（鞭毛）が局在し，高い抗原性から血清型分類に使用されている．このうち，O157抗原とH7鞭毛抗原を有する腸管出血性大腸菌は，感染力と病原性が強いため少数の細菌を食しても重篤な食中毒を引き起こす．わが国では，1996年の大規模感染発生以降も継続的に重篤な感染事例が報告されている．
	回帰発症	ヘルペスウイルスでは，初感染の後，ウイルスが宿主より完全に排除されず，生体内に残存し症状が顕在化しない状態（潜伏）となる．その後，宿主に疾病やストレスが生じると，潜伏していたウイルスが再活性化され，症状の再顕在化，すなわち回帰発症（再発）を起こす．

章	語句	説明
3章	Kaposi 肉腫	HIV 感染症関連腫瘍の 1 つ．HHV-8 が Kaposi 肉腫患者から必ず分離されることから，HHV-8 の関連が強く示唆されている．初期症状として，口腔内に暗褐色の斑状病変を呈する．
	コアグラーゼ	*S. aureus* の菌体外毒素の 1 つであり，フィブリノーゲンをフィブリンに変化させ血漿凝固作用を示す．同活性の有無で他の *Staphylococcus* 属との鑑別に使用される．
	COVID-19	SARS コロナウイルス 2（SARS-CoV-2：新型コロナウイルス）の感染で生じる重症急性呼吸器症候群．2019 年末からパンデミックを引き起こした．感染症法において，新型インフルエンザ等感染症（☞ p.79 参照）に定められた．
	Koplik 斑	measles virus（麻疹ウイルス）感染症において，口腔頬粘膜に生じる針頭大のアフタ性白斑
	CRS	先天性風疹症候群．妊娠初期に初感染すると約半数が発症すると報告されている．主要 3 徴候は，白内障，難聴，先天性心疾患である．厚生労働省主幹でワクチン接種による感染予防が進められている．
	志賀毒素	赤痢菌 *S. dysenteriae* が産生する外毒素で，HUS を誘発させる．コード遺伝子 *stx* からなる 1 A5 B 型毒素で，ファージ性に *E. coli* へ伝達したものが腸管出血性大腸菌 O157 と考えられている．実験用ベロ細胞に毒性を示すことから，ベロ毒素とも称される．
	TSS	（黄色ブドウ球菌）毒素性ショック症候群．TSST-1 やエンテロトキシンがスーパー抗原として作動し，宿主の免疫系を非特異的に過剰活性化して発症すると考えられている．多臓器不全やショック症状を呈する．
	TSST-1	毒素性ショック症候群毒素-1．*S. aureus* の菌体外毒素の 1 つであり，代表的なスーパー抗原である．
	トキソイド	ジフテリア毒素や破傷風毒素などは各々細菌の構成分子の中で唯一抗原性が高く，ワクチン抗原に適しているものの，病原性も高いという欠点がある．そこで，これら毒素をホルマリン処理し，抗原性を保持しながら毒性を失活させたものをトキソイドとよびワクチンに利用している．
	Hutchinson の 3 徴候	先天性梅毒症患児に認められる主要な症状である．実質性角膜炎，内耳性難聴，Hutchinson 歯の 3 徴候が，晩期先天性梅毒症の学童で顕著となる．特に，Hutchinson 歯は，上顎切歯に半月状切痕歯の切痕を呈することから歯科上も重要である．
	飛沫核感染	結核菌，麻疹ウイルスや水痘・帯状疱疹ウイルスは，患者飛沫に直接曝露しなくても感染することがある．これら病原体は，環境中・乾燥条件下でも長時間生存し，空気中の微粒子と結合することで広範囲な感染力を得ることができる．狭義の空気感染をいう．
	VRE	バンコマイシン耐性腸球菌．易感染性宿主に腹膜炎，敗血症，感染性心内膜炎を引き起こすことから，院内感染の起因菌となる．テイコプラニンやリネゾリドが用いられる．
	VRSA	バンコマイシン耐性黄色ブドウ球菌．2002 年に，米国ミシガン州内の病院で分離された．MRSA が VRE から耐性遺伝子を獲得したと考えられている．スルファメトキサゾールとトリメトプリムで治癒し，2021 年現在，その他の報告例はない．
	Ramsay Hunt 症候群	水痘・帯状疱疹ウイルス varicella-zoster virus（VZV）の感染を一因とする．顔面神経麻痺を主徴とし，耳痛，難聴，めまいなどを合併する．
4章	アドヘジン	細菌表層に存在する生体などに対する付着因子のことであり，線毛，表層タンパク質などがある．
	オステオプロテジェリン（OPG）	骨芽細胞や線維芽細胞が産生する破骨細胞分化抑制因子であり，RANKL が RANK に結合することを阻害するおとり受容体をいう．
	感染性心内膜炎（IE）	口腔レンサ球菌などが抜歯などの観血的処置の際に血管内に侵入した後，心内膜や弁膜に感染する炎症性疾患であり，心臓に機能不全を引き起こす．
	共凝集	2 種以上の細菌が相互に結合することであり，デンタルプラークの形成に関与する．代表的な共凝集像に *F. nucleatum* などの紡錘菌とレンサ球菌などの球菌が結合し形成するとうもろこし状（corn-cob）形態がある．
	偽膜性カンジダ症	カンジダ菌が口腔粘膜に散在性あるいは広範に白い苔状のバイオフィルムを形成する疾患である．
	菌体内多糖	グルコースなどの糖が環境中に十分ある場合，その糖を取り込み細菌体内に蓄える多糖体のこと．*S. mutans* は菌体内多糖としてグリコーゲン様多糖体を合成し，糖源の飢餓状態の際には菌体内多糖を分解・代謝し，酸を産生する．
	グルコシルトランスフェラーゼ	スクロースを基質とし，グルコースの重合体であるグルカンを合成する酵素．デンタルプラークの形成に重要な因子となる．
	誤嚥性肺炎	誤嚥により，唾液中に存在する口腔細菌をはじめとする異物が誤って気管に入ることで引き起こされる肺炎のことである．嚥下反射や咳反射能の低下が原因となる．
	細胞致死膨化毒素（CDT）	*A. actinomycetemcomitans* が産生する毒素であり，宿主細胞の細胞周期を止めることで，細胞の膨化と致死を引き起こす．
	歯肉縁下プラーク	歯肉縁より下に形成されるデンタルプラークのこと．嫌気度が高いため，偏性嫌気性菌の割合が高い．桿菌などのグラム陰性菌が優位である．歯周病発症の原因となる．
	歯肉縁上プラーク	歯肉縁より上に形成されるデンタルプラークのこと．嫌気度が低いため，通性嫌気性菌の割合が高い．レンサ球菌や放線菌などのグラム陽性菌が優位である．う蝕や歯肉炎発症の原因となる．
	ジンジパイン	*P. gingivalis* の産生する主要なタンパク分解酵素であり，さまざまな宿主タンパク質を分解する．アルギニン-ジンジパイン（Rgp）およびリジン-ジンジパイン（Kgp）がある．

章	語句	説明
4章	通性嫌気性菌	酸素存在下，非存在下ともに増殖できる細菌をいう．
	ディフェンシン	宿主が産生する抗菌性ペプチドの1つで，先天性免疫機構の1つとして知られている．主として好中球が産生するα-ディフェンシンと上皮細胞が産生するβ-ディフェンシンがある．
	デキストラン	グルコースの重合体であり，可溶性のグルカンのことである．*S. mutans* などの細菌が産生するグルコシルトランスフェラーゼによりスクロースを基質として合成される．
	デンティリシン	*T. denticola* が産生するタンパク質分解酵素であり，さまざまな宿主タンパク質を分解する．本菌のもつ主要な病原因子である．
	バイオフィルム	細菌体と細菌が産生する菌体外多糖で形成される菌の層状あるいは凝集塊状の構造物である．バイオフィルム内部の菌は抗菌薬や免疫性因子などの因子から物理的に回避している．
	バシトラシン	抗菌薬の1つで，細胞壁合成を阻害する．う蝕原因菌であるミュータンスレンサ球菌はバシトラシン耐性を示すため，本菌の選択培地としてバシトラシン含有培地を用いる．
	標準予防策（スタンダードプリコーション）	感染症の有無にかかわらず，血液・体液などの湿性の物質は感染性を有する可能性があるものとして取り扱う考え方をいう．
	フルクトシルトランスフェラーゼ	スクロースを基質とし，フルクトースの重合体であるフルクタンを合成する酵素をいう．
	プレバイオティクス	乳酸菌などの有用細菌の増殖を促進し，有害な細菌の増殖を阻害するためにオリゴ糖や食物繊維などを摂取することで，細菌叢のバランスを改善することをいう．
	フローラ	ある領域において，多種類の微生物で形成されている複合体のこと．微生物叢，細菌叢ともいう．
	プロバイオティクス	乳酸菌などの生体に有益な作用を及ぼす微生物を摂取し，細菌叢のバランスを改善することをいう．
	ペリクル	歯の表面に形成される唾液由来の獲得性被膜のことで，歯の萌出時に速やかに形成される．エナメル質の修復や防御に働く半面，口腔細菌の歯表面への付着の足掛かりとなる．
	ペルオキシダーゼ	口腔レンサ球菌などが産生する過酸化水素を分解し，宿主細胞に対する毒性を抑制する．唾液中のロダンは本酵素により，過酸化水素存在下で酸化されることで殺菌性因子となる．
	偏性嫌気性菌	酸素存在下では菌の増殖が阻害される，あるいは死滅する細菌をいう．
	ムチン	唾液中に含まれる高分子の糖タンパク質であり，粘膜表面の滑沢さの付与，細菌との結合能を有する．細菌の凝集塊を形成するため，唾液を嚥下することによる細菌数の調整作用（自浄作用）に関与する．一方，デンタルプラークの形成にも関与している．
	メタゲノム解析	あるサンプル中に存在する微生物群衆全体のゲノム（DNA）情報を収集し，細菌種や遺伝子を網羅的に解析することをいう．
	ラクトフェリン	唾液中の成分の1つである糖タンパク質．鉄イオン結合能を有することから，鉄要求性である細菌の増殖を抑制する．
	RANKL	膜結合型サイトカインであり，骨芽細胞や線維芽細胞などの間葉系細胞が主として細胞膜上に発現している．破骨細胞前駆細胞の細胞膜上の受容体であるRANKに結合することで，前駆細胞は破骨細胞に分化・成熟する．
	リゾチーム	唾液中に存在する細菌の細胞壁ペプチドグリカン分解酵素であり，ペプチドグリカン構造の*N*-アセチルムラミン酸と*N*-アセチルグルコサミンの間の結合を加水分解する．
	レクチン	糖鎖を特異的に認識し結合する性質をもつタンパク質の総称である．一部の細菌では表層にレクチン様因子を発現し，種々の細菌や細胞に対する結合能を有する．
	Red complex	歯周病患者の歯周ポケットから高頻度で分離される *P. gingivalis*，*T. forsythia*，*T. denticola* のことをさす．
	ロイコトキシン	*A. actinomycetemcomitans* が産生する白血球殺滅毒素であり，ヒトの単球，マクロファージ，多形核白血球に毒性を発揮する．

参考図書

第 1 章

1）吉田眞一ほか編：戸田新細菌学．改訂 34 版．南山堂，東京，2013.
2）神谷　茂監修：標準微生物学．第 14 版．医学書院，東京，2022.
3）高田兼蔵編：医科ウイルス学．改訂第 3 版．南江堂，東京，2009.
4）上村　清ほか：寄生虫学テキスト．第 4 版．文光堂，東京，2019.
5）吉田幸雄ほか編：医動物学．改訂 8 版．南山堂，東京，2023.
6）Tina MH et al.：Snyder and Champness Molecular Genetics of Bacteria. 5th Edition. ASM press, Washington, D.C., 2020.
7）ジェームス・D・ワトソンほか．中村桂子監訳：ワトソン遺伝子の分子生物学．第 7 版．東京電機大学出版局，東京，2017.

第 2 章

1）宮坂昌之ほか編：標準免疫学．第 4 版．南山堂，東京，2021.
2）熊ノ郷淳ほか編：免疫学コア講義．改訂 4 版．南山堂，東京，2017.
3）中尾篤人監訳：アバス－リックマン－ピレ分子細胞免疫学．原著第 10 版．エルゼビア，東京，2023.
4）中尾篤人監訳：アバス－リックマン－ピレ基礎免疫学．原著第 6 版．エルゼビア，東京，2020.
5）笹月健彦，吉開泰信監訳：JANEWAY'S 免疫生物学．原著第 9 版．南江堂，東京，2019.
6）矢田純一：医系免疫学．改訂 16 版．中外医学社，東京，2021.
7）清野　宏編：臨床粘膜免疫学．シナジー，東京，2011.
8）服部正平監修：ヒトマイクロバイオーム Vol.2．エヌ・ティー・エス，東京，2020.
9）福田真嗣編：もっとよくわかる！腸内細菌叢 健康と疾患を司る“もう 1 つの臓器”．羊土社，東京，2019.

第 3 章

1）Whiley RA et al.：Streptococcus. Bergey's Manual of Systematics of Archaea and Bacteria. John Wiley & Sons, Inc., Hoboken, New Jersey, 2015, 1～86.
2）Schleifer KH and Bell JA：*Staphylococcus*. Bergey's Manual of Systematics of Archaea and Bacteria（Trujillo ME et al.）. Springer, New York, 2015, 1～43.
3）Carapetis JR et al.：Acute rheumatic fever and rheumatic heart disease. *Nat Rev Dis Primers*，**2**：15084，2016.
4）日本呼吸器学会成人肺炎診療ガイドライン 2017 作成委員会編：成人肺炎診療ガイドライン 2017．日本呼吸器学会，東京，2017.
5）MRSA 感染症の治療ガイドライン作成委員会：MRSA 感染症の治療ガイドライン．改訂版 2019．日本化学療法学会，日本感染症学会，東京，2019.
6）Croxen MA et al.：Recent advances in understanding enteric pathogenic *Escherichia coli*. *Clin Microbiol Rev*，**26**：822～880，2013.
7）Suzuki T et al.：High vaccine efficacy against shigellosis of recombinant non-invasive *Shigella* mutant that expresses *Yersinia* invasin. *J Immunol*，**177**：4709～4717，2006.
8）上村直実：ヘリコバクター・ピロリ除菌の保険適用による胃がん減少効果の検証．2017 年厚生労働科学研究費補助金報告書.
9）吉田眞一ほか編：戸田新細菌学．改訂第 34 版．南山堂，東京，2013.
10）笹川千尋，林哲也編：医科細菌学．改訂第 4 版．南江堂，東京，2008.
11）加藤　熈編：歯科衛生士のための最新歯周病学．医歯薬出版，東京，2018.
12）Garrett A et al.：A Search for the Bacterial Mucopeptide Component, Muramic Acid, in *Chlamydia*. *J Gen Microbiol*, **80**：315，1974.
13）Liechti GW et al.：A new metabolic cell-wall labelling method reveals peptidoglycan in *Chlamydia trachomatis*. *Nature*, **506**：507～510, 2014.
14）神谷　茂監修：標準微生物学．第 14 版．医学書院，東京，2022.
15）藤本秀士編：わかる，身につく，病原体・感染・免疫．第 3 版．南山堂，東京，2017.
16）吉田眞一ほか：系統看護学講座　微生物学．医学書院，東京，2023.
17）土肥義胤ほか編：スタンダード微生物学．第 2 版．文光堂，東京，2008.
18）高田賢藏編：医科ウイルス学．改訂第 3 版．南江堂，東京，2012.
19）吉田眞一ほか：疾病のなりたちと回復の促進［4］微生物学．第 14 版．医学書院，東京，2022.
20）神谷　茂ほか監訳：ブラック微生物学．第 3 版（原書 8 版）．丸善，東京，2014.
21）Leung NHL et al.：*Nat Med*. DOI:10.1038/s41591-020-0843-2, UK, 2020
22）N van Doremalen et al.：*N Engl J Med*. DOI:10.1056/NEJMc2004973, UK, 2020

第 4 章

1）天野敦雄ほか：ビジュアル歯周病を科学する．クインテッセンス出版，東京，2012.
2）日本歯周病学会編：歯周治療の指針．医歯薬出版，東京，2015.
3）日本歯周病学会編：歯周病と全身の健康．医歯薬出版，東京，2015.
4）野口俊英ほか：慢性疾患としての歯周病へのアプローチ 患者さんの生涯にわたる QOL に貢献するために．医歯薬出版，東京，2014.
5）早川太郎ほか監修：口腔生化学．第 5 版．医歯薬出版，東京，2015.
6）須田立雄ほか編著：新骨の科学．医歯薬出版，東京，2007.
7）池尾　隆ほか編：スタンダード生化学・口腔生化学．第 3 版．学建書院，東京，2016.

8) 下野正基：新編　治癒の病理．医歯薬出版，東京，2011.
9) Dutzan N et al.：On-going Mechanical Damage from Mastication Drives Homeostatic Th17 Cell Responses at the Oral Barrier. *Immunity*, **46**：133〜147, 2017.
10) Moutsopoulos NM et al.：Defective neutrophil recruitment in leukocyte adhesion deficiency type I disease causes local IL-17-driven inflammatory bone loss. *Sci Transl Med*, **6**：229ra40, 2014.
11) Moutsopoulos NM et al.：Interleukin-12 and Interleukin-23 Blockade in Leukocyte Adhesion Deficiency Type 1. *N Engl J Med*, **376**：1141〜1146, 2017.
12) Rovin S et al.：The influence of bacteria and irritation in the initiation of periodontal disease in germfree and conventional rats. *J Periodontal. Res*, **1**：193〜204, 1966.
13) Xiao E et al.：Diabetes Enhances IL-17 Expression and Alters the Oral Microbiome to Increase Its Pathogenicity. *Cell Host Microbe*, **22**：120〜128.e4, 2017.
14) 日本歯周病学会編：歯周病患者における抗菌薬適正使用のガイドライン．医歯薬出版，東京，2020.
15) 石原和幸，阿部　修：歯内療法を微生物学から再考する．歯界展望，135：642〜660，904〜911，1160〜1169，136：86〜95，318〜326，514〜528，2020.
16) 日本口腔インプラント学会編：口腔インプラント治療指針2020　検査法・診断からリスクマネジメントまで．医歯薬出版，東京，2020.

和文索引

く

け

こ

さ

し

す

せ

そ

た

ち

つ

て

欧文索引

【編者略歴】

川端重忠

1993年 大阪大学大学院歯学研究科修了
2006年 大阪大学大学院歯学研究科教授

小松澤均

1992年 広島大学大学院歯学研究科修了
2008年 鹿児島大学大学院医歯学総合研究科教授
2019年 広島大学大学院医系科学研究科教授

大原直也

1990年 長崎大学歯学部歯学科卒業
2007年 国立感染症研究所免疫部第四室長
2009年 岡山大学大学院医歯薬学総合研究科（現 岡山大学学術研究院医歯薬学域）教授

寺尾豊

1999年 大阪大学大学院歯学研究科修了
2012年 新潟大学大学院医歯学総合研究科教授

MDP

本書の内容に訂正等があった場合には，弊社ホームページに掲載いたします．下記URL，またはQRコードをご利用ください．

https://www.ishiyaku.co.jp/corrigenda/details.aspx?bookcode=458660

口腔微生物学・免疫学 第5版 ISBN978-4-263-45866-2

2000年4月1日 第1版第1刷発行
2005年8月10日 第2版第1刷発行
2010年3月10日 第3版第1刷発行
2016年1月10日 第4版第1刷発行
2021年12月10日 第5版第1刷発行
2025年2月20日 第5版第4刷発行

編者 川端重忠
小松澤均
大原直也
寺尾豊
発行者 白石泰夫

発行所 医歯薬出版株式会社

〒113-8612 東京都文京区本駒込1-7-10
TEL. (03) 5395-7638(編集)・7630(販売)
FAX. (03) 5395-7639(編集)・7633(販売)
https://www.ishiyaku.co.jp/
郵便振替番号 00190-5-13816

乱丁，落丁の際はお取り替えいたします 印刷・あづま堂印刷／製本・皆川製本所

表Ⅵ　血液感染性ウイルス一覧

ウイルス名	関連する疾患名
B 型肝炎ウイルス	肝炎，肝がん
C 型肝炎ウイルス	肝炎，肝がん
D 型肝炎ウイルス	肝炎
エボラウイルス	エボラ出血熱
ヒトＴ細胞白血病ウイルス	成人Ｔ細胞白血病
ヒト免疫不全ウイルス	AIDS
マールブルグウイルス	マールブルグ熱

表Ⅶ　食中毒を発症するウイルス一覧

ウイルス名	関連する主な食品など
A 型肝炎ウイルス	貝類
E 型肝炎ウイルス	生肉
ノロウイルス	二枚貝
ロタウイルス	ヒト-ヒト間の糞口感染

表Ⅷ　予防接種対象の主なウイルス一覧

ウイルス名	ワクチンの種類	対象者
ヒトパピローマウイルス	不活化ワクチン	予防接種法に基づく定期接種
ポリオウイルス	不活化ワクチン	予防接種法に基づく定期接種
日本脳炎ウイルス	不活化ワクチン	予防接種法に基づく定期接種
風疹ウイルス	生ワクチン	予防接種法に基づく定期接種
麻疹ウイルス	生ワクチン	予防接種法に基づく定期接種
SARS コロナウイルス 2	mRNA ワクチンなど	予防接種法に基づく定期接種
A 型肝炎ウイルス	不活化ワクチン	任意：海外渡航者
B 型肝炎ウイルス	不活化ワクチン	予防接種法に基づく定期接種
インフルエンザウイルス	不活化ワクチン	任意：高齢者以外は任意
ロタウイルス	生ワクチン	予防接種法に基づく定期接種
ムンプスウイルス	生ワクチン	任意：乳幼児
水痘ウイルス	生ワクチン	予防接種法に基づく定期接種

表Ⅸ　主な院内感染・日和見感染原因菌の一覧

細菌名	備考
カルバペネム耐性菌	カルバペネマーゼ産生のグラム陰性菌
バンコマイシン耐性腸球菌	VRE
ペニシリン耐性肺炎球菌	PRSP
メチシリン耐性黄色ブドウ球菌	MRSA．わが国の院内感染の多くを占める
結核菌	多剤耐性菌の増加が問題となっている
緑膿菌	抗菌薬に対する耐性度が高い

表Ⅹ　食中毒原因菌の一覧

細菌名	関連する主な食品など	食中毒の形態
Campylobacter 属	生の鶏肉など	感染型
Salmonella 属	鶏卵	感染型
ボツリヌス菌	はちみつ，加工食品など	毒素型
Listeria 属	乳製品	感染型
黄色ブドウ球菌	調理食品などエンテロトキシンを含む食品	毒素型
下痢性大腸菌	生の牛肉など	感染型
赤痢菌	ヒト-ヒト間の糞口感染	感染型
腸炎ビブリオ	生の魚介類	感染型

表Ⅺ　性感染症原因微生物の一覧

微生物名
梅毒トレポネーマ
淋菌
クラミジア
ヒトＴ細胞白血病ウイルス
ヒトパピローマウイルス
ヒトヘルペスウイルス 1（単純ヘルペスウイルス 1 型）
ヒトヘルペスウイルス 2（単純ヘルペスウイルス 2 型）
ヒトヘルペスウイルス 4（EB ウイルス）
ヒトヘルペスウイルス 5（サイトメガロウイルス）
ヒトヘルペスウイルス 8
ヒト免疫不全ウイルス